Los porteros del futbol mexicano

67 años de historia de la Primera División

1943-2010

Los porteros del futbol mexicano

67 años de historia de la Primera División

1943-2010

Isaac Wolfson

wolfson82@yahoo.com

Diseño de portada: Yara Almoina

Primera edición: 2010
ISBN: 978-607-00-3253-0

Impreso y hecho en México
Printed and made in Mexico

A Kiyo
mi primera nieta, cerca de cumplir su primer año de edad.

A Ricardo Salazar
No lo conozco. Nunca he hablado con él, pero eso no obsta para expresar mi respeto y admiración por el más conspicuo estadístico del futbol mexicano.

A todos los que alegremente se "fusilarán" este libro en sus notas y comentarios de prensa, radio, televisión e internet.

Yo canto a los pies que fatigados de trabajar las sierras
llegaron
al llano e inventaron el futbol

Antonio Deltoro

El portero camina de un lado a otro,
como centinela. El peligro
aún se encuentra lejos.
Si un nubarrón se acerca, entonces
la joven fiera se agazapa
y alerta espía.

Umberto Saba

Nota bene

Mi agradecimiento al C.P. Serafín Salazar, director del periódico *El Sol de Puebla*, quien con presteza y amabilidad me proporcionó algunas de las fotografías que ilustran este libro.

Otras pertenecen a un álbum que comencé a formar hace poco más de medio siglo con gráficas captadas en el legendario Parque El Mirador por don Luis Castro, a la sazón corresponsal en Puebla del diario *Esto*.

También agradezco la colaboración del gobierno del estado de Puebla, qué pagó el ochenta por ciento del costo del diseño de esta obra.

Índice

1902-1943

Acaso con "irresponsabilidad profesional extraordinaria" (como nos califican a quienes dividimos la historia del futbol mexicano en dos épocas: amateur y profesional) he elaborado esta breve historia de la Primera División del balompié profesional mexicano, con un enfoque especial en los más de quinientos porteros, mexicanos y extranjeros, que han jugado en la Liga y/o en la Copa desde el campeonato 43-44.

Es cierto que no fue éste el primer campeonato que se jugó en México (como tampoco el de 1922-23, a partir del cual una televisora contó y celebró 60 mil goles, aunque se le frustró el show porque no le tocó transmitir el partido en el que se registró el "histórico" gol), pero sí fue el primero efectuado desde que el balompié mexicano se declaró, se reconoció, oficialmente como profesional.

Bien sabido es que fue al empezar el siglo xx cuando técnicos mineros y textileros británicos que laboraban en Pachuca y Orizaba introdujeron el futbol en México. Así, entre 1900 y 1902 se fundaron los primeros equipos (Pachuca Athletic Club, Orizaba A.C., Reforma A.C., British Club y México Cricket Club), todos formados por jugadores ingleses y escoceses; se constituyó la Liga Amateur de Foot-Ball Asociación el 19 de julio de 1902 y se organizó el primer campeonato, cuya fecha de inicio fue el 19 de octubre. El torneo constó solamente de una vuelta y fue ganado por el equipo de Orizaba.

En el lapso de 1903 a 1912 desaparecieron algunos equipos (Orizaba, México Cricket), surgieron —y también desaparecieron— otros (Puebla A.C., San Pedro Golf Club, México Country Club y Popo Parking Company) y aparecieron en 1908 los primeros jugadores mexicanos: David Islas y Jorge Gómez de Parada, el primero con el Pachuca y el segundo con el Reforma. Estos dos equipos y el British Club fueron los únicos que participaron en los campeonatos de 1910-11 y 1911-12.

La historia ha conservado, entre otros, el nombre del portero del Pachuca, Charles Quickmire, un pastor protestante que acostumbraba pronunciar un sermón al final de los partidos.

A partir de 1907 se jugó también un pequeño torneo llamado Copa Tower en honor del embajador de Gran Bretaña, quien donó el trofeo en disputa. Esta copa, cuyo primer campeón fue el Pachuca, cambió de nombre varios años después y desapareció en 1926.

A partir de 1912 los españoles residentes en México sustituyeron a los ingleses en la or-

ganización e impulso del futbol. Surgieron nuevos equipos. Desde luego el España, que en el decenio 1912-1922 ganó seis campeonatos, también el México, y con éste los primeros porteros mexicanos: Cirilo Roa, Sabino Morales y Bartolomé Vargas Lugo; el Germania con su uniforme totalmente negro, el Amistad Francesa, el Centro Deportivo Español (producto de una escisión en el España), el América, el Junior (sustituido luego por el Tigres), el Asturias y el España de Veracruz.

De Cirilo Roa, quien trabajaba como albañil, se cuenta que solía colocar un jarrito de pulque tras uno de los postes de su portería para darse sus tragos durante los juegos.

Vargas Lugo fue campeón con el México en 12-13 y ligó dos títulos más con el Pachuca en 17-18 y 19-20. Varios años más tarde llegó a ser gobernador de Hidalgo.

Otro portero destacado de esta época fue el catalán Enrique Gavaldá, quien ganó cuatro campeonatos con el España. Lo apodaban "el portero caballero". En 1925 fundó y fue el primer presidente del Colegio Nacional de Árbitros.

Durante el campeonato 19-20, el España se retiró y formó otra Liga, la "Nacional", a la que paulatinamente se afiliaron el Reforma, Amistad Francesa, América y los nuevos clubes Aurrerá y Luz y Fuerza.

Como parte de los festejos por el centenario de la consumación de la Independencia Nacional se organizó en 1921 el primer campeonato de carácter nacional ya que participaron, además de los equipos de la capital del país, los principales de la provincia como los tapatíos Atlas y Guadalajara, el orizabeño ADO, el Sporting de Veracruz, el Pachuca, el Deportivo Morelos y el Iberia de Córdoba. Se coronó el España.

La reconciliación de las dos Ligas ocurrió en 1922 y de su unión surgió la Federación Mexicana de Foot-Ball Asociación, que organizó el campeonato 22-23, ganado por el Asturias. Sin embargo, esta Federación se desintegró en 1923 para dar paso a la "Federación Central de Futbol", que a fin de año integró con jugadores del América la primera Selección Nacional para jugar tres partidos en Guatemala.

Al título ganado por el España en 23-24 siguieron cuatro campeonatos seguidos del América, cuyo portero Nacho de la Garza había inaugurado la lista de guardametas de la Selección en las confrontaciones con Guatemala.

En 1927 se tuvo la primera visita de un equipo extranjero, el Colo Colo de Chile, y también en este año se fundó la Federación Mexicana de Futbol Asociación, constituida por siete equipos (México, Real Club España, América, Asturias, Germania, Aurrerá y Necaxa) y otros once (entre estos el Atlante y el Atlas) que competían en fuerzas inferiores. En muy poco tiempo el Atlante fue admitido en la primera fuerza y jugó el campeonato 27-28. Al año siguiente ingresó el Marte, uno de cuyos fundadores fue el portero Óscar Bonfiglio, a quien le tocó defender el marco mexicano en los primeros partidos oficiales de la Selección: en la Olimpiada de Ámsterdam-28 y en el Mundial de Uruguay-30.

En 1929 la Federación se afilió a la FIFA pero a fines del año siguiente se produjo un nuevo cisma en el balompié mexicano. El España, el América y el Necaxa se separaron de la Federación al enterarse de que los otros clubes (México, Germania, Asturias, Atlante y Marte) planeaban construir un gran parque donde se jugarían los torneos, lo que dejaría al España y Necaxa sin los ingresos que percibían por la renta de sus parques.

Los disidentes formaron la Federación Central, admitieron en ella al Deportivo Toluca y solicitaron, sin éxito, su afiliación a la FIFA. Mientras tanto, a la otra federación ingresaron el Sporting de Veracruz y el Leones, de México, y se jugaron dos campeonatos, pero el de la Federación Mexicana no se terminó, así que oficialmente no hubo campeonato 30-31.

La división no duró mucho. Los dos bandos se reconciliaron y al fusionarse a mediados de 1931 dieron origen a la Federación Mexicana del Centro de Futbol Asociación, dentro de la cual quedó la Liga Mayor, que controlaba a los equipos de la capital.

El España no participó en el campeonato 31-32, ganado por el Atlante, pero regresó al año siguiente cuando el torneo se efectuó con sólo cinco equipos (Necaxa, Atlante, América, Asturias y España) ya que el Marte, Germania, Sporting, Leones y México fueron ubicados en un grupo "B" de categoría inferior. Años después el México desapareció y el Marte retornó al grupo "A".

Durante la década de los 30 los equipos se volvieron semiprofesionales o subprofesionales y la Liga Mayor cobró tal auge que relegó a un segundo término a la Federación y acabó por separarse de ella.

A partir de 1933 se revivió el torneo copero, ahora con

el nombre de Copa México. En 1937 llegó a México la Selección Vasca, huyendo de la Guerra Civil de España, y solicitó su ingreso a la Liga Mayor. Con el nombre de Euzkadi participó en el campeonato 38-39, quedando en segundo lugar, pero se desintegró en 1939.

A partir del torneo 40-41 comenzó la participación de equipos de provincia, siendo los primeros el Moctezuma de Orizaba y la Selección Jalisco. Y en 1942, a raíz de la donación de un trofeo por la Presidencia de la República, empezó a disputarse la Copa "Campeón de Campeones" en un partido entre los monarcas de la Liga y la Copa México.

Surgieron en los años 30 varios destacados guardametas como Raúl Álvarez, Raúl Estrada, Isidoro Sota, Rafael Navarro, Alfonso Riestra, Rafael Mollinedo y Paco Peláez.

Álvarez, apodado el *Jorobado*, se inició en el Germania, ganó los campeonatos 33-34 y 35-36 con el España y fue considerado el mejor arquero mexicano de la época.

El *Pipiolo* Estrada, siempre con vestimenta blanca, jugó con el Necaxa desde 1931 hasta 1940, año en el que pasó al Atlante. Seleccionado nacional en los años 35 a 38, ganó cuatro campeonatos con el equipo rojiblanco, el de los "Once Hermanos", y también se coronó con el Atlante en 40-41.

El *Yoyo* Sota heredó de Nacho de la Garza la portería del América. En la primera Copa del Mundo jugó el segundo partido de México (contra Chile) y posteriormente alineó con el Asturias.

Navarro, llamado el *portero de goma*, se formó en el Atlas y llegó al América en 1929. Posteriormente militó en el España y en el Necaxa y fue el arquero nacional en el partido contra Estados Unidos por el pase al Mundial de Roma-34.

Riestra sustituyó a Sota en el marco asturiano y fue seleccionado nacional a mediados de la década de los 30; sin embargo, su carrera fue corta.

Mollinedo debutó con el América en 1932. Toda su carrera la hizo con este equipo.

El caso de Paco Peláez es singular. Portero del Asturias después de Riestra, lucía una larga melena rojiza, pero al retirarse del futbol se rapó la cabeza y se convirtió en un magnífico escritor de literatura fantástica con el seudónimo de "Francisco Tario".

La nómina de guardametas se enriqueció con los porteros españoles Gregorio Blasco, José Iborra, Joaquín Urquiaga y José Sanjenís que, expulsados de su patria por la Guerra Civil, llegaron a México y aquí se quedaron para siempre.

En 1943, a propuesta del presidente del América, César Martino, la Liga Mayor se manifestó por profesionalizar el futbol. La decisión se tomó por mayoría de votos el 7 de abril. La aceptación plena del profesionalismo ocasionó la desintegración de la Selección Jalisco para dar paso al ingreso a la Liga del Atlas y el Guadalajara; el Necaxa se retiró y fueron admitidos el Veracruz y el ADO (Asociación Deportiva Orizabeña). Con estos clubes, además del América, Asturias, Atlante, España, Marte y Moctezuma se efectuó a partir del 17 de octubre el primer campeonato profesional.

A fines de 1948 se produjo la unión de los dirigentes de la Liga Mayor, que organizaba los campeonatos, y los de la Federación, que tenían el reconocimiento de la FIFA y manejaban el futbol amateur. Así, desde el 13 de diciembre de dicho año todo el balompié mexicano es controlado por la Federación Mexicana de Futbol Asociación.

43-44
Una historia comienza

El primer campeonato profesional se decidió en un juego extra entre el Asturias y el España. Un delantero argentino marcó el primer gol y un portero español lo recibió. Los guardametas tuvieron altos promedios de goleo. El España ganó la Copa México y el juego de campeones. Dos porteros jugaron la temporada completa. El vasco Isidro Lángara fue el goleador mayor.

La primera jornada

Al mediodía del domingo 17 de octubre de 1943 comenzó el campeonato inaugural del futbol profesional de México. En la capital de la República el Moctezuma de Orizaba venció al España por 3-2; en Guadalajara el Atlas perdió 2-4 con el Asturias; en Orizaba el América goleó 6-1 al ADO (Asociación Deportiva Orizabeña); y en Veracruz se registró un empate a tres goles entre el Veracruz y el Marte. La primera jornada se cerró el jueves 21 por la noche en el parque Asturias donde el Atlante cayó por 1-4 frente al Guadalajara.

Los porteros de los diez equipos en estos partidos iniciales fueron: Guillermo Contreras (ADO), Salvador Mota (América), Ángel León (Asturias), Raymundo Palomino (Atlante), Ángel Torres (Atlas), Gregorio Blasco (España), Esteban Pérez (Guadalajara), Felipe Castañeda (Marte), Evaristo Murillo (Moctezuma) y Juan Gratacós (Veracruz). Ocho mexicanos y dos extranjeros: Blasco, español, y Murillo, costarricense.

Blasco, quien en España había sido tricampeón de Liga y tetracampeón de Copa con el Athletic de Bilbao, recibió en el cuarto minuto de juego el gol número uno de la época profesional, anotado por el delantero argentino del Moctezuma, Ernesto *Chueco* Candia.

Otros 448 goles se anotaron en este primer campeonato, de modo que el promedio de goles por juego se elevó a 4.98, récord inalcanzado hasta ahora. Además de la abundancia de goles, caracterizó a este campeonato la escasez de empates. Sólo el 14.3 % de los juegos no tuvieron vencedor y vencido. Ningún empate registró el Guadalajara, mientras que el Atlante y el Marte protagonizaron el único juego con marcador de 0-0.

Los "primeros"

Además del hispano Blasco, primer portero al que le metieron un gol, hubo otros "primeros" en la historia del *fut* profesional que comenzó con este campeonato: Ángel Torres, del Atlas, fue el primer portero que recibió un gol de penalti. Se lo anotó Ismael Zabaleta, delantero uruguayo del Asturias. A su vez, Joaquín Urquiaga, del Veracruz, fue el primer arquero que detuvo un tiro de castigo. Se lo atajó al argentino Juan Rodríguez, del Asturias, en el puerto jarocho el 20 de febrero del 44. Urquiaga, oriundo de España donde fue campeón con el Betis en 1935 siendo el mejor guardameta del campeonato español, pasó luego al Barcelona, con el que llegó a México en 1937 y aquí se quedó. Antes de custodiar la portería jarocha defendió la del Asturias.

Otro guardameta hispano que también arribó a México huyendo de la Guerra Civil, José Sanjenís, del España, fue el primero que salió de un partido por lesión. Le ocurrió el 12 de marzo en Veracruz. Había permitido un gol. Después, los *Tiburones Rojos* aprovecharon que los defensas José Antonio Rodríguez, primero, y Gallardo, después, se improvisaron como porteros para fabricar una goleada de 7-2.

El primer autogol de un portero lo cometió José Moncebáez el 2 de abril, un día negro para el arquero del América ya que recibió en total siete goles del Asturias. Y Ángel León y Evaristo Murillo fueron los primeros que jugaron la temporada completa, en la que en total participaron 19 guardametas.

España, Asturias y Lángara

El España y el Asturias, en cuyas alineaciones abundaban los jugadores extranjeros (españoles en el primero y argentinos en el segundo), impusieron su hegemonía en el campeonato y finalizaron empatados en primer lugar con 27 puntos, mientras que el Marte, último campeón de la época amateur en 42-43, se derrumbó hasta el último sitio con apenas una docena de puntos, empatado con el ADO.

El España fue líder de goleo con 70 (anotó en todos sus juegos) y el América el más goleado con 58, en tanto que el Atlante fue a la vez el que anotó menos (28) y el que recibió menos (31).

El 23 de enero del 44 al vencer como visitante al Guadalajara por 5-1, el Asturias comenzó una racha de juegos seguidos anotando que abarcaría toda la temporada siguiente y diez fechas del campeonato 45-46 hasta llegar a 44 partidos e imponer un récord vigente hasta hoy.

El temible centro delantero vasco del España, Isidro Lángara, fue el máximo anotador con 27 goles, ninguno de penalti. Superó por siete al *Chino* Agustín Medina, del Atlas, y por diez a Pablo *Pablotas* González, del Guadalajara. El 19 de diciembre del 43 Lángara se convirtió en el primer jugador que logró anotar cuatro goles en un partido. Se los metió a Gustavo Fricke, arquero nativo de Veracruz, en el parque Asturias. El España ganó 9-3 y esta es la mayor goleada que ha recibido el Veracruz en toda su historia. En los cuatro años anteriores Lángara había sacudido 110 veces las redes de Argentina jugando con el San Lorenzo de Almagro.

Explosión de goles

Otros jugadores que también marcaron cuatro tantos en un partido fueron Honorio Arteaga, del Moctezuma, el *Pablotas* González, Leopoldo Proal, del América, y el argentino Roberto Aballay, del Asturias. Arteaga se los clavó al *Ranchero* Torres en Orizaba; González se los metió a Urquiaga en Guadalajara; Esteban *Poeta* Pérez, del Guadalajara, recibió los de Proal en México; y los cuatro de Aballay los encajó José Moncebáez precisamente en el partido del autogol del arquero del América.

Y el centro delantero del Marte, Alberto *Caballo* Mendoza, si bien no anotó cuatro veces en un juego, consiguió clavarle tres goles en tan sólo cuatro minutos al *Burro* Palomino, arquero azulgrana, en una de las escasas victorias del equipo *marciano*.

Los guardametas del Atlas y el Guadalajara se llevaron las mayores golizas de su carrera. El 7 de noviembre el ADO le metió nueve al *Ranchero* Torres en Orizaba y el 2 de marzo el España le anotó ocho al *Poeta* Pérez en México. Por cierto, nunca volvió a recibir ocho tantos en un juego el Guadalajara.

Con promedio de goles por juego de 1.64, José Sanjenís resultó el portero más efectivo del campeonato, se-

guido por Ángel León con 1.78 y Raymundo Palomino con 1.83, en tanto que Esteban Pérez con 45 y Felipe Castañeda con 44 fueron los más goleados.

Sólo el portero del campeón era mexicano

Para deshacer el empate y decidir el campeonato, el España y el Asturias jugaron un partido extra el domingo 16 de abril del 44. Lo ganó el Asturias por 4 a 1 y se proclamó primer campeón del balompié profesional de México. Este equipo estaba integrado primordialmente por 7 argentinos, 3 españoles y un uruguayo, pero el portero, Ángel León, era mexicano y lo apodaban el *Pulques*. Entrenaba al cuadro astur Ernesto Pauler, un legendario ex portero austriaco conocido como *El Botero del Volga* que brilló con el Necaxa en los treintas.

El España ganó la Copa y el Campeón de Campeones

Del 7 de mayo al 16 de julio se jugó la Copa México, pero con doce equipos al ingresar a la Liga Mayor el León y el Puebla. Elpidio Sánchez y el hispano José Iborra fueron respectivamente los primeros guardametas de los nuevos equipos, que en su debut recibieron sendas goleadas de 5-1. Al León lo "bautizó" el Atlas y al Puebla el Veracruz.

Se formaron tres grupos, uno con cinco equipos, otro con cuatro y el tercero con tres. Pasaron a semifinales (que se jugaron en México) los líderes de cada grupo y el segundo lugar del grupo de cinco.

El arquero leonés Elpidio Sánchez permitió en un juego 8 goles del Guadalajara. El marcador fue 8-2 y el *Pablotas* González se apuntó 5, convirtiéndose en el primer jugador con una quinteta de goles anotados en un juego. Las ocho anotaciones encajadas por Elpidio son récord para un portero en la historia de la Copa México. José Calvillo, guardameta del ADO, fue el primero en detener un penalti. Se lo paró a Lupe Velázquez, del Puebla, el 14 de mayo en Orizaba.

La Copa la ganó el España tras apabullar 6-2 al Atlante en la final. Los porteros en este juego fueron Sanjenís y Palomino, y el liderato de goleo individual fue compartido por cuatro mexicanos (Octavio Vial, del América; Diego Martínez, del Guadalajara; Enrique Pradere, del ADO; Pablo González, del Guadalajara) y el hispano José Miguel Díez, del Veracruz, con 5 anotaciones cada uno.

En el partido entre los monarcas de Liga y de Copa el España tomó revancha del Asturias al vencerlo por 2-0 en tiempos extra luego de un empate 3-3 y se alzó con el pomposo título de "Campeón de Campeones".

Nómina de porteros

ADO	Guillermo Contreras y José Calvillo
América	Salvador Mota y José Moncebáez
Asturias	Ángel León
Atlante	Raymundo Palomino y Rafael Navarro
Atlas	Ángel Torres y Federico Villavicencio
España	José Sanjenís y Gregorio Blasco
Guadalajara	Esteban Pérez y (?)* Alcalá
Marte	Felipe Castañeda y (?) Rodríguez
Moctezuma	Evaristo Murillo
Veracruz	Joaquín Urquiaga, Gustavo Fricke y Juan Gratacós

* Ofrezco al lector una disculpa por la omisión de los apelativos de un pequeño número de porteros que tuvieron esporádicas actuaciones en los años cuarenta y cincuenta.

Más juegos (J)	
Ángel León (Asturias)	18
Evaristo Murillo (Moctezuma)	18
Felipe Castañeda (Marte)	17
Ángel Torres (Atlas)	16
Esteban Pérez (Guadalajara)	16

Más juegos completos	
Ángel León (Asturias)	18
Evaristo Murillo (Moctezuma)	18
Felipe Castañeda (Marte)	17
Ángel Torres (Atlas)	16
Esteban Pérez (Guadalajara)	16

Más goles (G)	
Esteban Pérez (Guadalajara)	45
Felipe Castañeda (Marte)	44
Ángel Torres (Atlas)	41
Guillermo Contreras (ADO)	37

Más bajo G/J (mínimo 10 juegos)	
José Sanjenís (España)	1.64
Ángel León (Asturias)	1.78
Raymundo Palomino (Atlante)	1.83
Evaristo Murillo (Moctezuma)	1.89

Más goles en un juego	
Ángel Torres (Atlas)	9
Gustavo Fricke (Veracruz)	9
José Calvillo (ADO)	8
Esteban Pérez (Guadalajara)	8

Penaltis detenidos	
Ángel León (Asturias)	1
Gregorio Blasco (España)	1
Joaquín Urquiaga (Veracruz)	1

Expulsados
Ninguno

44-45
Un gol de portería a portería

Con una nómina en la que figuraban nueve españoles, cuatro cubanos, un argentino, un costarricense y también algunos mexicanos, el España dominó este campeonato, cuyo número de equipos aumentó a trece con la admisión del León, el Puebla y el Oro. Dos muy buenos porteros argentinos se incorporaron al futbol mexicano y uno de ellos anotó el primer gol de meta a meta. En una final de diez anotaciones, el Puebla ganó la Copa México. El argentino Roberto Aballay impuso récord de goleo. Los arqueros más eficaces fueron los españoles.

Los nuevos porteros

El debut de los equipos leonés y poblano había ocurrido en la Copa México 43-44, en tanto que la presentación del Oro (de Guadalajara), en la Liga resultó desastrosa, ya que perdió sus primeros siete juegos, en los que recibió 32 goles. Al final del torneo, el cuadro *áureo* quedó en último lugar con apenas una docena de puntos. Fue el más goleado (71) y el que menos anotó (38).

Veintiséis porteros participaron en este campeonato y se repartieron 713 goles. De la lista de diez debutantes hay que destacar a Manuel Camacho y Raúl Landeros, así como a los argentinos Miguel Rugilo y Luis Heredia. El jalisciense Camacho, con apenas 15 años de edad, hizo su presentación el 2 de noviembre del 44 cubriendo la portería del América frente al Marte. El argentino Ignacio Díaz, jugador y entrenador a la vez del América, decidió el debut de Camacho. Los *Cremas* ganaron 4-1 y fue el temible centro delantero del Marte, Alberto *Caballo* Mendoza, quien "estrenó" al muy joven arquero americanista.

El debut de Raúl Landeros, oriundo de Veracruz y apodado *Tarzán*, ocurrió en la primera fecha del torneo, el 20 de agosto, en Orizaba, donde su equipo, el Asturias, sucumbió por 2-3 ante el Moctezuma. De Alfonso Arnáiz recibió Landeros su primer gol.

Ese mismo día, sólo que en León, los *Panzas Verdes* con Miguel Rugilo en la portería vencieron al Atlante por 5 a 3 y obtuvieron su victoria número uno en Primera División. Un penalti que tiró Horacio Casarín fue la primera anotación que recibió en México el gran guardameta argentino, que llevaba varios años jugando con el Vélez Sarsfield. Con el León,

Rugilo no sólo actuó como portero sino que también dirigió al equipo. Cumplió muy bien ambas tareas: fue el cuarto mejor arquero y el cuadro leonés ocupó también el cuarto lugar.

El gol histórico

A Luis Heredia, que había venido a México en 1942 con el San Lorenzo de Almagro, lo contrató el Oro en la parte final del campeonato. En su presentación, el 18 de febrero del 45, el Oro cayó 2-3 con el Puebla en Guadalajara, siendo Lupe Velázquez quien le hizo el primer gol. Cuatro meses después, el 13 de junio en el parque Oblatos de Guadalajara, Heredia entró a la historia al marcar un gol de portería a portería. Fue un partido nocturno de desempate en la fase de semifinales de la Copa México entre el Oro y el Asturias. El triunfo fue para el equipo tapatío por 5-3 y el tanto del arquero argentino fue el cuarto de los áureos mediante un largo despeje, la pelota dio un bote alto en el área del Asturias y pasó por encima de la cabeza del portero Landeros.

Iborra, expulsado, pero el mejor

En este campeonato Federico *Potrillo* Villavicencio se hizo cargo de la portería del Atlante y Salvador Mota pasó del América al Guadalajara.

El 3 de diciembre del 44 en el parque El Mirador, de Puebla, el veterano portero catalán del equipo camotero, José Iborra, se convirtió en el primer guardameta expulsado en el balompié profesional de México. El árbitro que mandó a las regaderas a Iborra fue Horacio Salceda, y como no se permitían los cambios tuvo que ponerse el suéter del arquero el medio volante Filiberto *Chivo* Guerrero. Este juego lo perdió el Puebla 0-2 con el Moctezuma . Cuando se produjo la expulsión, Iborra ya había recibido los dos tantos.

Sin embargo, el portero del Puebla, con 1.32 goles por juego, fue el mejor guardameta del torneo. Abajo de Iborra quedaron otros dos arqueros hispanos: Sanjenís, del España, con 1.50 y Urquiaga, del Veracruz, con 1.87. Precisamente el Puebla fue el equipo menos goleado (30) y consiguió en su primera temporada el subcampeonato, mientras el formidable España se alzó con el título, fue el que más anotó (79) y tuvo una impresionante racha de ocho victorias consecutivas en las que marcó 35 goles. Se coronó el 15 de marzo del 45 cuando faltaban cuatro jornadas para terminar el torneo.

Otra racha del España, la de partidos seguidos anotando, que traía desde la primera fecha del campeonato 43-44, terminó el 25 de marzo del 45 en Orizaba cuando el portero Guillermo Contreras bajó la cortina en el triunfo por 2-0 del ADO sobre el ya campeón España. Fueron 39 partidos con gol de la aplanadora hispana.

40 de Aballay y 38 de Lángara

Isidro Lángara, líder goleador un año antes con 27 tantos, marcó ahora 38 pero fueron insuficientes para volver a encabezar a los romperredes porque el argentino Roberto Aballay, del Asturias, anotó ¡cuarenta! Aballay le anotó 5 goles en un juego al *Ranchero* Torres, del Atlas, y 4 al *Chavo* Urquiaga, del Veracruz, mientras que Lángara tuvo un par de partidos de 4 goles contra el Marte (Felipe Castañeda) y el Moctezuma (Evaristo Murillo).

Curioso. El mismo día (3 de septiembre del 44) de los cinco goles de Aballay al Atlas, el tapatío Max Prieto, del Guadalajara, le metió cinco al Atlante (Villavicencio).

Después de Aballay y Lángara, se ubicó en el tercer lugar de goleadores (y primero entre los mexicanos) Horacio Casarín con 29. Él anotó en cada uno de los primeros ocho juegos del Atlante, y como había marcado en el último partido del campeonato anterior, su racha goleadora fue de nueve juegos, durante la cual logró 15 anotaciones. Una racha similar, pero conseguida en su totalidad en este torneo, fue la de Lángara con una producción de 17 goles. Durante ella el España ganó 8 veces y empató una.

Por su parte, Aballay logró anotar en ocho partidos consecutivos, con una producción también de 17 goles.

Joaquín Urquiaga, Ángel Torres y Gregorio Blasco fueron los mejores "clientes" del cañonero argentino en el campeonato. A los porteros del Veracruz y del Atlas les marcó seis tantos a cada uno, y al del España cinco. Cabe destacar que el promedio de 1.67 goles por juego de Aballay es el más alto de la historia. Veintiuna de sus cuarenta anotaciones las consiguió en cancha ajena.

El portero del Marte estableció un récord curioso. Entre el campeonato 43-44 y éste, Felipe Castañeda jugó 22 partidos consecutivos en los que siempre hubo un ganador, es decir, sin empates.

Por cierto, la *Marrana* Castañeda junto con Rugilo y el *Ranchero* Torres fueron los únicos porteros que jugaron todos los minutos del campeonato. Y Guillermo Sánchez, novel portero del Moctezuma, le atajó un penalti al Atlas en su debut.

Una final de diez goles

El 22 de abril del 45 finalizó el campeonato y cuatro días después comenzó la Copa México con los trece equipos distribuidos en un grupo de cinco y dos de cuatro. El primero y el segundo lugares de cada grupo pasaron a semifinales, fase en la que se produjo el gol de portería a portería de Heredia y un partido de 4 goles de Arturo Chávez, delantero del Puebla, contra el Atlas y Ángel Torres en Oblatos en un vibrante 4-4. Anteriormente, en la primera fase del torneo, el mismo Chávez le había anotado 5 goles al ADO (José Calvillo) en Puebla. Totalizó 15 anotaciones para proclamarse monarca goleador de la Copa.

En este torneo se despidió Rafael Navarro, uno de los grandes porteros de la época amateur del futbol mexicano. Su destacada trayectoria de poco más de veinte años comenzó en 1923 con el Atlas y alcanzó su mejor momento con el América y el España en los años 30. En 1934 fue el arquero de la Selección Mexicana que perdió en Roma ante Estados Unidos el boleto para la segunda Copa del Mundo, convirtiéndose en el único portero de la Selección en toda la historia que ha recibido en un juego cuatro goles de un mismo jugador. Aldo Donelli, un inmigrante italiano, fue aquella vez el gran verdugo de México. Navarro también jugó con el Necaxa y, ya en la época profesional, con el Atlante y el Marte. Fue llamado el *portero de goma*.

El domingo 24 de junio se jugó la final en el parque Asturias. El América y el Puebla protagonizaron un partido de diez goles. Ganó el equipo de la franja por 6 a 4. De este marcador se infiere lo poco que lucieron los porteros Moncebáez e Iborra.

Una semana después el España superó fácilmente al Puebla por 3-0 y se adjudicó el pomposo título de Campeón de Campeones. La portería del conjunto hispano fue cubierta por el cubano Juan Ayra, que solamente había jugado 3 partidos en la Liga.

Nómina de porteros

ADO	Guillermo Contreras y José Calvillo
América	Manuel Camacho, José Moncebáez y Rafael Mollinedo
Asturias	Ángel León y Raúl Landeros
Atlante	Federico Villavicencio y Raymundo Palomino
Atlas	Ángel Torres
España	José Sanjenís, Gregorio Blasco y Juan Ayra
Guadalajara	Salvador Mota y Esteban Pérez
León	Miguel Rugilo
Marte	Felipe Castañeda
Moctezuma	Evaristo Murillo y Guillermo Sánchez
Oro	Blas Aldana, Luis Heredia y (?) Rocha
Puebla	José Iborra y Ernesto Díaz Carrillo
Veracruz	Joaquín Urquiaga y Juan Gratacós

Más juegos (j)	
Ángel Torres (Atlas)	24
Miguel Rugilo (León)	24
Felipe Castañeda (Marte)	24
Federico Villavicencio (Atlante)	23
Evaristo Murillo (Moctezuma)	23
Joaquín Urquiaga (Veracruz)	23

Más juegos completos	
Ángel Torres (Atlas)	24
Miguel Rugilo (León)	24
Felipe Castañeda (Marte)	24

Más goles (g)	
Felipe Castañeda (Marte)	67
Blas Aldana (Oro)	58
Federico Villavicencio (Atlante)	57
Ángel Torres (Atlas)	54
Miguel Rugilo (León)	47

Más bajo g/j (mínimo 13 juegos)	
José Iborra (Puebla)	1.32
José Sanjenís (España)	1.50
Joaquín Urquiaga (Veracruz)	1.87
Evaristo Murillo (Moctezuma)	1.96

Más goles en un juego	
Federico Villavicencio (Atlante)	8
Blas Aldana (Oro)	8
Manuel Camacho (América)	7 (2 veces)
Raúl Landeros (Asturias)	7
Ángel León (Asturias)	7

Penaltis detenidos	
Guillermo Sánchez (Moctezuma)	1

Expulsados
José Iborra (Puebla)

45-46
Goles, goles y más goles

Un campeonato atípico. Las goleadas ocurrieron con frecuencia inusitada mientras los empates escasearon. De éstos hubo solamente 33 en 240 juegos, apenas 13.7%, el porcentaje más bajo de la historia. El bombardeo sobre los porteros fue inmisericorde, los goles cayeron por racimos. El Atlante anotó 121 y el Monterrey recibió 133. El guardameta mejor librado fue el che Rugilo. Se coronó el Veracruz e impuso récord de invencibilidad, pero el Atlas ganó la Copa y el Campeón de Campeones. Lángara emuló a Aballay con cuarenta anotaciones.

Comienza el campeonato más explosivo de la historia

Elocuente tarjeta de presentación del torneo fueron los cincuenta goles marcados en los ocho juegos de la primera jornada (en promedio, 6.25 goles por partido), el domingo 19 de agosto de 1945, no obstante que tres equipos se fueron en blanco, uno de ellos el San Sebastián de León, que junto con el Tampico y el Monterrey ingresaron a la Liga en este año para aumentar a 16 el número de equipos.

La bienvenida al Tampico fue verdaderamente cruel. Recibió diez goles del Atlante en el puerto *jaibo*, la mitad anotados por Horacio Casarín. El portero acribillado fue Raúl Landeros, quien al final del campeonato resultó ser el arquero más goleado: ¡94 anotaciones en 28 partidos!

Además de éste hubo otros 18 juegos en los que un futbolista marcó cuatro o más goles. La cuota de Casarín fue igualada por el orizabeño Martín Cuburu, del Moctezuma, contra Cristóbal Jaime Juárez, guardameta del San Sebastián; Isidro Lángara, del España, contra el novel portero del Monterrey Victoriano de la Mora; y el paraguayo Atilio Mellone, del Oro, quien también le metió cinco goles a Cristóbal Jaime Juárez. Sin embargo, Cuburu y Lángara superaron esa cifra con 6 y 7 tantos, respectivamente. El 24 de agosto del 45 en Orizaba, Martín le anotó seis veces a Raymundo Palomino (Monterrey) y el 19 de mayo del 46 en México, Isidro le clavó siete a Juan Alberto Muñoz, arquero del Marte.

14 goles en un juego y 121 en una temporada

Pero la mayor goleada del campeonato y de todos los tiempos fue el 14-0 del Veracruz sobre el Monterrey en el puerto jarocho el domingo 26 de mayo, con el detalle de un penalti fallado por el equipo regiomontano. De la Mora se tragó los catorce pepinos, y al final del torneo el Monterrey estableció la marca de 133 goles recibidos, es decir, 4.43 por juego. Cifras espeluznantes, como los 121 goles anotados por el Atlante (4.03 por partido) que, sin embargo, no bastaron para que ganara el campeonato, o los 101 recibidos por el América, y desde luego el gran total de 1,182 anotaciones en el torneo, lo que implica que en promedio hubo casi cinco goles en cada juego. Y conste que nueve porteros impidieron otros tantos goles atajando cada uno un penalti.

Rugilo, el mejor

Cuarenta y tres porteros sufrieron este bombardeo. Por primera vez ninguno jugó todos los partidos. El que salió mejor librado fue Miguel Rugilo con 33 goles en 28 juegos. Precisamente el León fue el equipo menos goleado (40).

Por cierto que Rugilo, tras cumplir su segunda temporada en México, retornó a Argentina para enrolarse nuevamente con el Vélez Sarsfield. En dos años con el León admitió 80 goles en 52 juegos (promedio de 1.54). Su despedida, el 23 de junio de 1946, fue amarga porque en la cancha de El Mirador, de Puebla, los *camoteros* golearon 5-0 al León y lo eliminaron en la Copa México.

Años más tarde, Rugilo llegó a la Selección de Argentina y en un partido de ésta contra Inglaterra en Londres tuvo una actuación tan sobresaliente que lo convirtió en figura legendaria del balompié argentino con el mote de *León de Wembley*.

En este campeonato debutaron 16 porteros, entre ellos Eduardo *Guayo* Gutiérrez con el América, Juan Alberto Muñoz con el Marte, Melesio Osnaya con el Asturias y el peruano Eugenio Arenaza, apodado el *Mono*, con el ADO. Curiosamente, Arenaza, quien venía del Alianza de Lima, recibió su primer gol en México de otro peruano y además compañero, el recio defensa Agapito Perales que marcó un autogol con el que el ADO perdió 0-1 con el León. Al finalizar el campeonato, el espectacular *Mono* Arenaza con promedio de 1.70 fue el cuarto mejor portero, sólo abajo de Rugilo, Guillermo Contreras (que pasó del ADO al Puebla) y Joaquín Urquiaga, del Veracruz. Contreras fue el único guardameta al que el súper goleador Atlante no le pudo anotar en un partido.

Silenio Coello, el portero argentino que había debutado con el América en la Copa 44-45, recibió 17 goles en sólo 4 juegos y se ganó su pasaje de regreso a Buenos Aires. Además de Coello y del *Guayo* Gutiérrez, el cuadro *Crema* utilizó como porteros a Manuel Camacho y al veterano Rafael Mollinedo. Entre todos acumularon una centena de goles.

El debut más desafortunado lo tuvo Antonio Zavala. En la primera fecha el Marte visitó al Puebla y se llevó una paliza de 8 a 0, la mayor goleada del Puebla en toda su historia. Tras admitir los ocho tantos, Zavala no volvió a jugar en Primera División.

Además de Landeros, que pasó del Asturias al Tampico, otros porteros cambiaron de camiseta: José Moncebáez, del América al Marte; el veterano Gregorio Blasco, del España al Atlante; a su vez, el España traspasó al cubano Ayra al Asturias; y Felipe Castañeda, proveniente del Marte, se alternó con José Sanjenís en la portería del España. Dato curioso: el mismo día, 24 de febrero del 46, Blasco y Castañeda atajaron sendos penaltis.

El arquero azulgrana Raymundo Palomino formó parte del grupo de jugadores que los demás equipos le prestaron al Monterrey tras la desgracia sufrida por el conjunto regiomontano la noche del 15 de septiembre cuando el autobús en el que viajaba hacia Guadalajara se incendió. Dos futbolistas fallecieron por las graves quemaduras y otros más quedaron imposibilitados para jugar en mucho tiempo.

Asturias y Lángara, amigos del gol

El 9 de diciembre del 45 terminó la racha goleadora del Asturias. El récord quedó en 44 partidos consecutivos de Liga con por lo menos un gol anotado en cada juego. La artillería asturiana fue silenciada por el *Tarzán* Landeros en Tampico. Los *Jaibos* se impusieron 2-0. Después de este partido el Asturias ligó otra racha de 27 juegos con gol, que se prolongó al campeonato 46-47. Así pues,

entre el 23 de enero del 44 y el 10 de noviembre del 46 el Asturias ¡anotó en 71 de 72 juegos!

Con 40 anotaciones Isidro Lángara ganó su segundo título de goleo y empató el récord impuesto por Roberto Aballay en el torneo anterior. Los mejores "clientes" del vasco fueron Juan Alberto Muñoz, portero del Marte, con 9 goles, y Victoriano de la Mora (Monterrey) y Melesio Osnaya (Asturias) con 5 cada uno. Además de Lángara, otros tres extranjeros (el *tico* Rafael Meza, del Atlante; el paraguayo Atilio Mellone, del Oro; y el argentino Felipe Altube, del Tampico) ocuparon los primeros puestos en la lista de los mejores goleadores, en tanto que el mejor mexicano fue Casarín con 14 tantos menos que Lángara.

Luis Heredia fue simultáneamente portero y entrenador del Oro. Como arquero se llevó 57 goles en 27 juegos, incluyendo una paliza de 7-0 ante el Moctezuma, y como entrenador colocó al equipo *áureo* en el quinto lugar de la tabla aunque empatado en puntos (38) con el León y el Puebla, que quedaron en cuarto y tercero, respectivamente.

No tuvo números tan buenos Rafael Navarro como entrenador del Marte. El ex portero recientemente retirado dirigió todo el campeonato al equipo de uniforme blanco quedando en duodécimo lugar con sólo 25 puntos.

Veracruz y Atlas, los campeones

El campeón fue el Veracruz con 45 puntos, tres más que el Atlante. Al no perder ninguno de sus últimos 18 juegos, los *Tiburones Rojos* impusieron récord de imbatibilidad. De esos 18 ganaron 14, ocho en forma consecutiva. En toda la racha la portería jarocha estuvo resguardada por Joaquín Urquiaga. La coronación aconteció el 2 de junio, una semana antes de que concluyera el campeonato, al vencer al España por 3-2 en el parque Asturias.

Ningún portero fue expulsado en este campeonato.

En las tres semanas siguientes a la conclusión del torneo se jugó la Copa México con el sistema de nocaut directo. A la final llegaron el Atlante y el Atlas, ambos invictos. Tras un empate a 3 goles, los rojinegros se impusieron en tiempos extra por 2-1. Gregorio Blasco (Atlante) y Ángel Torres (Atlas) fueron los porteros en este juego, en tanto que el argentino Norberto Pairoux, del Atlas, fue el rey goleador de la Copa con nueve tantos.

El Atlas también obtuvo el título de Campeón de Campeones al vencer 3-2 al Veracruz en el último partido de la temporada, el domingo 21 de julio de 1946.

Y en España, José Luis Borbolla se convirtió en el primer mexicano que jugó con el Real Madrid.

Nómina de porteros

ADO	Eugenio Arenaza, Eleazar Hernández y José Calvillo
América	Manuel Camacho, Rafael Mollinedo, Eduardo Gutiérrez y Silenio Coello
Asturias	Melesio Osnaya, Ángel León y Juan Ayra
Atlante	Federico Villavicencio, Gregorio Blasco, (?) Andonegui y (?) Aguiñaga
Atlas	Ángel Torres y Salvador Meléndez
España	Felipe Castañeda, José Sanjenís y José Castillo
Guadalajara	Salvador Mota y Esteban Pérez
León	Miguel Rugilo y (?) Palafox
Marte	Juan Alberto Muñoz, José Moncebáez y Antonio Zavala
Moctezuma	Evaristo Murillo, Guillermo Sánchez y (?) Córdova
Monterrey	Raymundo Palomino, Victoriano de la Mora y Octavio Rivera
Oro	Luis Heredia y Blas Aldana
Puebla	Guillermo Contreras y Ernesto Díaz Carrillo
San Sebastián	Cristóbal Jaime Juárez y (?) Jiménez
Tampico	Raúl Landeros, Alfonso Delgado y (?) Balderas
Veracruz	Joaquín Urquiaga y Juan Gratacós

Más juegos (j)	
Miguel Rugilo (León)	28
Raúl Landeros (Tampico)	28
Eugenio Arenaza (ADO)	27
Luis Heredia (Oro)	27
Joaquín Urquiaga (Veracruz)	26

Más juegos completos	
Miguel Rugilo (León)	28
Raúl Landeros (Tampico)	28
Eugenio Arenaza (ADO)	27
Luis Heredia (Oro)	27

Más goles (g)	
Raúl Landeros (Tampico)	94
Cristóbal Jaime Juárez (San Sebastián)	68
Raymundo Palomino (Monterrey)	63
Victoriano de la Mora (Monterrey)	63
Luis Heredia (Oro)	57

Más bajo g/j (mínimo 16 juegos)	
Miguel Rugilo (León)	1.18
Guillermo Contreras (Puebla)	1.48
Joaquín Urquiaga (Veracruz)	1.50
Eugenio Arenaza (ADO)	1.70

Más goles en un juego	
Victoriano de la Mora (Monterrey)	14
Raymundo Palomino (Monterrey)	10
Raúl Landeros (Tampico)	10
Victoriano de la Mora (Monterrey)	10

Penaltis detenidos	
Manuel Camacho (América)	1
Melesio Osnaya (Asturias)	1
Gregorio Blasco (Atlante)	1
Felipe Castañeda (España)	1
Salvador Mota (Guadalajara)	1
José Moncebáez (Marte)	1
Juan Alberto Muñoz (Marte)	1
Córdova (Moctezuma)	1
Cristóbal Jaime Juárez (San Sebastián)	1

Expulsados

Ninguno

46-47
Un nuevo estadio

La construcción e inauguración del primer estadio de cemento en la ciudad de México con cupo para 50 mil espectadores; la lista de goleadores encabezada por tres delanteros mexicanos; y el campeonato ganado por el Atlante luego de trasladar al Distrito Federal el partido decisivo contra el León con el pretexto de una epidemia de fiebre aftosa, fueron los hechos más sobresalientes de esta temporada, además de la reanudación de las series internacionales con la visita del Racing de Argentina, que protagonizó con el Veracruz el primer partido de futbol soccer en el nuevo estadio de Insurgentes (llamado así por la gente por ubicarse sobre dicha avenida), y con el Guadalajara el primer juego internacional y también primer partido nocturno en la capital de Jalisco. El Moctezuma ganó la Copa y el Campeón de Campeones.

Landeros y Villavicencio, los mejores porteros

Desaparecido el Monterrey, la nómina de equipos se redujo a quince. El torneo comenzó el 18 de agosto de 1946 y ese día en Puebla Horacio Casarín le anotó tres goles en ocho minutos a Guillermo Contreras y condujo al Atlante a un resonante triunfo de 5-3. Los azulgranas, que habían cerrado el campeonato anterior con tres victorias, prolongaron la racha ganadora hasta la quinta fecha para totalizar ocho triunfos consecutivos. Federico *Potrillo* Villavicencio cubrió el marco atlantista en esta serie de éxitos. Villavicencio fue el segundo mejor portero de este campeonato con 1.52 goles por juego, sólo abajo del *Tarzán* Raúl Landeros, del Tampico, que tuvo 1.50. Precisamente el Tampico y el León fueron los equipos menos goleados (42), en tanto que al Marte sólo le faltó un gol para alcanzar una centena de anotaciones recibidas. Cuatro porteros (Moncebáez, Muñoz, Castañeda y Sierra) se repartieron los 99 goles con los que el Marte se ubicó en el sótano, empatado con el América. En la cuenta se incluyen dos autogoles en un mismo partido. Le tocaron a Juan Alberto Muñoz en una derrota por 2-6 frente al Atlante.

Las golizas

Para suplir al *che* Rugilo, el León contrató al *Mono* Arenaza, del ADO. Otros porteros que cambiaron de equipo fueron Raymundo Palomino (del Monterrey al Asturias), Felipe Castañeda (del España al Marte) y Manuel Camacho (del América al Veracruz). En total 34 arqueros participaron en este campeonato, de los cuales 6 lo hicieron por primera vez. De éstos, los más destacados fueron Raúl Córdoba, elegante portero tapatío que debutó con el ADO en la primera jornada en un juego contra el San Sebastián en León (3-3) e Isidro Gil, que se presentó con el América durante la segunda vuelta del torneo, el 30 de marzo del 47, perdiendo ante el Moctezuma en México por 1-2.

El temible romperredes peruano Julio Ayllón *Aparicio* bautizó a Gil anotándole el primer gol, mientras que Jesús Solórzano fue el primero que batió a Córdoba.

Las mayores goleadas fueron para Eduardo Gutiérrez, del América, que recibió nueve goles del Atlas en Guadalajara, Juan Alberto Muñoz, del Marte, a quien en León los *Panzas Verdes* también le clavaron nueve tantos, y Cristóbal Jaime Juárez, del San Sebastián, que encajó ocho pepinos del Guadalajara en Oblatos. Por cierto, con esa paliza por 2-9 ante los rojinegros, el América inició una pesadilla de 15 juegos seguidos sin ganar (3 empates y 12 fracasos), la más larga de su historia. En este juego el *tico* Rodrigo Solano anotó 4 goles. Igual cuota logró Luis Reyes en la goleada de 8-1 del Guadalajara al San Sebastián, mientras que en la tunda por 9-1 del León al Marte el *Dumbo* López se apuntó cinco anotaciones.

El *Dumbo* y Raymundo González, del Veracruz, fueron los únicos artilleros con quinteta de goles en un partido. El *Pelón* González se los anotó a Blas Aldana, del Oro, en el puerto jarocho con los *Tiburones Rojos* ganando 7-2.

Adiós a cinco porteros

El 7 de noviembre del 46 el Marte y el Oro empataron 5-5 en el parque Asturias. Martín Cuburu anotó cuatro de los cinco goles del Marte y, a su vez, Atilio Mellone hizo cuatro de los cinco del Oro. Pepe Moncebáez y Luis Heredia fueron los porteros. Meses después, Moncebáez cerró su corta carrera como portero de Primera División, iniciada en 1942 con el América, en un empate 2-2 del Marte en Tampico.

También se retiraron en este año Rafael Mollinedo, Raymundo Palomino, Esteban Pérez y Joaquín Urquiaga. Tras 14 años en la brega, pues había debutado con el América en 1932, Mollinedo jugó el 14 de noviembre del 46 su último partido que fue una derrota del América por 3-4 frente al Atlante. Portero de un sólo equipo, Mollinedo permaneció tres lustros con el América. De la misma forma, perdiendo, jugaron por última vez el *Burro* Palomino (Asturias 0 Atlante 3), el *Poeta* Pérez (Guadalajara 1 Moctezuma 4) y el *Chavo* Urquiaga (Veracruz 0 Moctezuma 2; este juego fue semifinal de la Copa México y se jugó en el D.F.). En la Liga, Urquiaga atajó sendos penaltis al Asturias y al Guadalajara para convertirse en el primer portero con más de un tiro de castigo detenido en un campeonato.

Esta fue también la última temporada de José Luis Borbolla en España: 11 juegos y 3 goles con el Celta.

Las rachas

Los guardametas del Atlas y el Tampico, Ángel Torres y Raúl Landeros, fueron los únicos que jugaron los 28 partidos del calendario y Melesio Osnaya, del Asturias, el único que salió de la cancha por expulsión.

A pesar de ser el más goleado con 85 tantos recibidos, el arquero del San Sebastián, Cristóbal Jaime Juárez, fue sin embargo quien le bajó la cortina a la poderosa delantera del Atlante en la decimocuarta jornada, poniendo fin a la cadena, iniciada en el torneo anterior, de 37 juegos seguidos anotando que tenían los azulgranas.

Y de rachas hablando, la del Veracruz, que no perdió ninguno de sus últimos 18 juegos en 45-46 cuando fue campeón, terminó en la segunda fecha al caer ante el León por 1-3. Urquiaga fue el portero del Veracruz en la racha invicta de 19 partidos que quedó como récord.

El San Sebastián, por su parte, ligó 35 juegos consecutivos con gol entre 45-46 y 46-47. La racha finalizó en México donde el América, con Isidro Gil de portero, venció 3-0 a los Santos.

A media temporada el Tampico ganó seis partidos al hilo en los que sólo admitió un gol en total. Durante esta

racha el *Tarzán* Landeros acumuló cuatro juegos seguidos con meta invicta.

En la jornada 24 el Guadalajara y el Oro empataron a cero. Fue la única vez que el Guadalajara se fue en blanco. En la portería del Oro estuvo Luis Heredia, quien para entonces ya había dejado de ser entrenador del equipo *áureo* luego de sufrir tres reveses seguidos al principio de la segunda vuelta. El argentino dirigió al Oro en 49 juegos, de los cuales ganó 23, empató 8 y perdió 18.

Se imponen los goleadores mexicanos

El Atlante, el León y el Veracruz ocuparon los primeros tres lugares de la tabla con 42, 41 y 38 puntos, respectivamente, y cada uno anotó más de 80 goles. Precisamente, delanteros de estos equipos figuraron a la cabeza de los máximos anotadores. Adalberto *Dumbo* López, del León, anotó 33, ninguno de penalti, y solamente 14 en casa. Raimundo *Pelón* González, del Veracruz logró 27 y el atlantista Horacio Casarín hizo 19. Los tres, mexicanos. Aunque Casarín compartió el tercer lugar con su compañero Rafael Meza, costarricense.

Cristóbal Jaime Juárez (San Sebastián), Juan Alberto Muñoz (Marte) y Guillermo Sánchez (Moctezuma) fueron los porteros que permitieron más goles del *Dumbo* López con 5, 5 y 4, respectivamente.

Arrasa el Racing

Con la visita del Racing al comenzar 1947 se reanudaron las series internacionales, suspendidas desde 1942. El equipo argentino se presentó en México el domingo 5 de enero enfrentándose al Veracruz en el estadio "olímpico de la ciudad de los deportes", que se había inaugurado tres meses antes con un juego de futbol americano. Veracruz ganó 2-1 pero ésta fue la única derrota del Racing ya que después obtuvo seis triunfos y un empate con el Puebla.

La copa, para el Moctezuma

El 8 de junio concluyó la Liga, siete días antes el Atlante se había proclamado campeón tras el empate a cero con el León ante cerca de 50 mil aficionados que llenaron el nuevo estadio. En las tres semanas siguientes los equipos despacharon la Copa con el sistema de nocaut directo. El Moctezuma y el Oro, dos provincianos, jugaron la final en México el 3 de julio. Se impuso el cuadro orizabeño por 4 a 3. El Moctezuma no perdió ningún juego y su centro delantero, Julio Ayllón *Aparicio* quedó como líder de goleo con cinco tantos, dos de ellos en la final. Evaristo Murillo y Luis Heredia fueron los porteros en el partido decisivo.

Tres días después el enrachado Moctezuma con goles peruanos (uno de *Aparicio* y dos de Guillermo del Valle) venció 3-0 al Atlante y se proclamó "campeón de campeones".

Nómina de porteros

ADO	Raúl Córdoba y Ángel León
América	Eduardo Gutiérrez, Isidro Gil, Rafael Mollinedo y (?) García Orozco
Asturias	Melesio Osnaya y Raymundo Palomino
Atlante	Federico Villavicencio, Gregorio Blasco y (?) Andonegui
Atlas	Ángel Torres
España	José Sanjenís y José Castillo
Guadalajara	Salvador Mota, Antonio Aguilera y Esteban Pérez
León	Eugenio Arenaza y (?) Palafox
Marte	José Moncebáez, Juan Alberto Muñoz, Felipe Castañeda y (?) Sierra
Moctezuma	Evaristo Murillo y Guillermo Sánchez
Oro	Luis Heredia y Blas Aldana
Puebla	Guillermo Contreras y Ernesto Díaz Carrillo
San Sebastián	Cristóbal Jaime Juárez y (?) Alcalá
Tampico	Raúl Landeros
Veracruz	Joaquín Urquiaga y Manuel Camacho

Más juegos (j)

Ángel Torres (Atlas)	28
Raúl Landeros (Tampico)	28
Eugenio Arenaza (León)	27
Cristóbal Jaime Juárez (San Sebastián)	27

Más goles en un juego

Eduardo Gutiérrez (América)	9
Juan Alberto Muñoz (Marte)	9
Cristóbal Jaime Juárez (San Sebastián)	8

Más juegos completos

Ángel Torres (Atlas)	28
Raúl Landeros (Tampico)	28
Eugenio Arenaza (León)	27
Cristóbal Jaime Juárez (San Sebastián)	27

Penaltis detenidos

Joaquín Urquiaga (Veracruz)	2
Isidro Gil (América)	1
Federico Villavicencio (Atlante)	1
José Sanjenís (España)	1
Guillermo Contreras (Puebla)	1

Más goles (g)

Cristóbal Jaime Juárez (San Sebastián)	85
Evaristo Murillo (Moctezuma)	58
José Moncebáez (Marte)	54
Raúl Córdoba (ADO)	53

Expulsados

Melesio Osnaya (Asturias)

Más bajo g/j (mínimo 15 juegos)

Raúl Landeros (Tampico)	1.50
Federico Villavicencio (Atlante)	1.52
Joaquín Urquiaga (Veracruz)	1.54
Eugenio Arenaza (León)	1.55

47-48
Un campeonato muy reñido

Tan peleado fue este campeonato que entre el primero y cuarto lugares sólo hubo un punto de diferencia. El León y el Oro tuvieron que jugar dos partidos extra para decidir el torneo. Se coronó el León y su gran goleador, el Dumbo *López, ligó su segundo título de máximo artillero. El Atlante recibió la mayor goliza de su historia. En forma invicta el Veracruz ganó la Copa. El portero más efectivo fue el del Puebla. Reapareció la Selección Nacional y se coronó campeona de Norteamérica. En la olimpiada de Londres un equipo amateur mexicano fue goleado por Corea.*

Triunfal reaparición de la Selección

Por la II Guerra Mundial se habían suspendido las competencias internacionales de futbol. La Selección Nacional había estado en receso nueve años hasta que en julio de 1947 viajó a La Habana a participar en el primer Campeonato Norteamericano, organizado por Cuba.

El entrenador de la escuadra mexicana, el húngaro Jorge Orth, a la sazón entrenador del Guadalajara, no dudó en seleccionar a Raúl Landeros pues el arquero del Tampico había sido el portero más destacado del campeonato 46-47. México ganó el torneo tras vencer 5-0 a Estados Unidos y 3-1 a Cuba. Cuatro de los ocho goles mexicanos corrieron a cargo del *Dumbo* López, pero para Landeros fueron sus únicas apariciones con la Selección. El arquero de la selección cubana fue Juan Ayra, el mismo que en años anteriores había jugado unos cuantos partidos con el España y con el Asturias.

León y Oro en la cima

El equipo húngaro Ferencvarosi vino a México en el verano de 1947 a jugar ocho partidos contra equipos mexicanos. La serie quedó empatada (tres triunfos de los húngaros, tres de los nacionales y dos empates) y sirvió como aperitivo del campeonato de Liga que arrancó el 31 de agosto, nuevamente con quince equipos.

Un torneo muy reñido que necesitó de dos juegos extra entre el León y el Oro para determinar al campeón. Estos equipos terminaron empatados en primer lugar con 36 puntos cada uno, pero inmediatamente abajo de ellos quedaron el Atlas y el Puebla con apenas un punto menos. León fue el más goleador (87) y Puebla el menos goleado (34), aunque curiosamente el cuadro de la franja fue también el que menos anotó (40).

Campeón en 46-47, el Atlante se desplomó hasta el penúltimo lugar mientras que el Marte fue por segundo año consecutivo el club más goleado, aunque ahora recibió 21 tantos menos.

Debuts y despedidas

Treinta y dos porteros tuvieron acción. Ninguno fue expulsado. Varios cambiaron de equipo: Juan Alberto Muñoz y Felipe Castañeda emigraron del Marte al ADO; Salvador Mota pasó del Guadalajara al Atlante; Raúl Córdoba dejó al ADO para custodiar la portería del San Sebastián y Ángel León llegó al Marte procedente del ADO.

Además, ocho guardametas debutaron, entre ellos el tapatío Vicente González, el tamaulipeco Héctor *Orejón* López, el leonés José *Potrillo* Martínez y los costarricenses Carlos Alvarado y Carlos Jiménez.

González debutó con el Guadalajara el 5 de octubre y Héctor Ortiz, del Marte, le anotó su primer gol. Al *Orejón* López lo estrenó Mario Sánchez, del América, en una goleada de los *Cremas* al Tampico por 4-0 en el puerto *Jaibo* el 28 de marzo del 48. El 31 de agosto el León recibió al ADO y como su portero Arenaza estaba lesionado, tuvo oportunidad de debutar el *Potrillo* Martínez. El *tico* Walter Meneses, de penalti, le anotó por primera vez pero el León ganó fácil 6-2. A los *ticos* Alvarado y Jiménez los contrataron el América y el Veracruz. El primero debutó el 7 de septiembre y el segundo el 12 de octubre. Ambos con derrotas: el América cayó con el Oro 0-1 y el Veracruz con el León 0-5. Los primeros goles que recibieron los arqueros costarricenses fueron de Carlos Cirico y Alfredo Costa, argentinos ambos.

Por otra parte, dos veteranos porteros españoles que llegaron a México en los años 30 jugaron por última vez. El 22 y el 30 de noviembre del 47 se despidieron Gregorio Blasco y José Iborra. Blasco con el Atlante, que empató a 3 con el Tampico en México, mientras que Iborra, con el Puebla, tras recibir par de goles del Oro en Guadalajara se lastimó, salió del partido y no volvió a jugar. En el profesionalismo Blasco ganó campeonatos de Liga con el España y con el Atlante, y de Copa con el España; Iborra se coronó en la Copa con el Puebla. Además, ambos fueron subcampeones de Liga y en la época amateur Blasco fue campeón con el España en 39-40 y 41-42 e Iborra con el Atlante en 40-41. Al alinear por última vez, Blasco tenía 38 años de edad e Iborra 39.

Destacan Contreras y Arenaza

El *Ranchero* Torres (Atlas), por segundo año seguido, y el *tico* Murillo (Moctezuma) fueron los porteros de hierro, los que jugaron todos los partidos, pero el mejor guardameta, con un magnífico promedio de 1.08 goles por juego, fue Guillermo Contreras, del Puebla. Le siguió Arenaza con 1.37 y el hispano Sanjenís con 1.71. El peruano Arenaza mantuvo imbatido su marco durante cuatro juegos consecutivos, y el 12 de octubre les cerró la portería a los *Tiburones Rojos* que habían acumulado 41 partidos seguidos anotando, racha que comenzó en la parte final de la temporada 45-46.

El *Mono* Arenaza fue también el único portero al que no le pudo anotar el poderoso equipo argentino Independiente que jugó diez partidos en canchas mexicanas en enero del 48. Los rojos de Avellaneda solamente perdieron dos juegos, uno frente al combinado España-Asturias por 2-3 y el otro ante el León, una memorable goleada por 4-0.

El 8 de noviembre Raúl Córdoba recibió la mayor goliza de su carrera cuando el Oro vapuleó 8-0 al San Sebastián en la Perla Tapatía con Delfino Vázquez marcando la mitad de los tantos áureos. Este Vázquez, en otra goleada del Oro, 7 a 1 al Moctezuma, le clavó cinco goles a Evaristo Murillo. Solamente el peruano *Aparicio* (Moctezuma) y el argentino Felipe Altube (Tampico) tuvieron también juegos de cuatro goles. El primero se los metió a Sanjenís en Orizaba y el segundo a Murillo en Tampico.

El ex portero del Veracruz Joaquín *Chavo* Urquiaga empezó su carrera como entrenador en la quinta fecha del campeonato. El cuadro jarocho llevaba dos derrotas seguidas y con Urquiaga al mando perdió otros cuatro

hasta que el 16 de noviembre venció 2-1 al España con par de goles del *Pirata* Fuente. Diez triunfos, tres empates y once reveses tuvo el Veracruz con su nuevo timonel, además de ganar invicto la Copa México.

León y *Dumbo*, campeones

El 21 de septiembre del 47 en el estadio de Insurgentes el Atlante sufrió la mayor goliza de su historia. El *Potrillo* Villavicencio, arquero azulgrana, encajó diez goles del poderoso León. 10-1 fue el marcador.

Como el León y el Oro finalizaron el torneo empatados en la cima de la clasificación, disputaron un partido extra por el título el domingo 27 de junio de 1948 en México. Los argentinos Marcos Aurelio y Alfredo Costa, del León, fallaron sendos penaltis, uno de ellos atajado por Luis Heredia, y el juego, con tiempos extra, quedó 0-0. Dos días después se volvieron a enfrentar y el equipo leonés venció 2-0 y se coronó. Su goleador el *Dumbo* López conquistó su segundo campeonato de goleo consecutivo con 36 tantos (cero penaltis), superando por seis a Felipe Altube, del Tampico. Luego, aunque muy lejos del *Dumbo*, quedaron tres mexicanos: Pablo González, del Oro, con 25, Raimundo González, del Veracruz, con 21 y Octavio Vial, del América, con 20. Casi la mitad de sus anotaciones las consiguió el *Dumbo* contra porteros del América (Carlos Alvarado), San Sebastián (Raúl Córdoba) y Guadalajara (Antonio Aguilera) a quienes les marcó cinco a cada uno.

La copa se fue al puerto

En el mes de julio y nuevamente con el sistema de nocaut directo se jugó la Copa México. La ganó el Veracruz sin perder ningún partido. En la final, el 25 de julio en México, venció por 3 a 1 al Guadalajara. Carlos Jiménez por los jarochos y Vicente González fueron los guardametas en este partido. El líder de goleo de la Copa fue el tapatío Max Prieto con 5. Un dato curioso de este torneo: el mismo día (4 de julio) los porteros del Guadalajara (González), Marte (Andonegui) y Puebla (Contreras) atajaron sendos penaltis.

El 5 de septiembre del 48 se enfrentaron en el estadio de Insurgentes los monarcas de Liga y Copa. Tras un empate sin goles, se impuso el León al Veracruz en el tiempo extra con anotación del *Dumbo* y obtuvo el trofeo de Campeón de Campeones.

Unas semanas antes en Londres se habían reanudado las olimpiadas, cerrando el paréntesis abierto desde 1940. México mandó un equipo amateur de futbol, cuyo portero era José Luis Quintero. Sólo jugó un partido, ante Corea, lo perdió por 3-5 y quedó eliminado.

Nómina de porteros

ADO	Juan Alberto Muñoz y Felipe Castañeda
América	Carlos Alvarado, Isidro Gil, Eduardo Gutiérrez y (?) Quintana
Asturias	Melesio Osnaya y (?) Rocha
Atlante	Federico Villavicencio, Salvador Mota y Gregorio Blasco
Atlas	Ángel Torres
España	José Sanjenís y José Castillo
Guadalajara	Antonio Aguilera y Vicente González
León	Eugenio Arenaza y José Martínez
Marte	Ángel León, (?) Andonegui y (?) Sánchez
Moctezuma	Evaristo Murillo
Oro	Luis Heredia y Blas Aldana
Puebla	Guillermo Contreras y José Iborra
San Sebastián	Raúl Córdoba y Cristóbal Jaime Juárez
Tampico	Raúl Landeros y Héctor López
Veracruz	Carlos Jiménez y Manuel Camacho

Más juegos (j)

Ángel Torres (Atlas)	28
Evaristo Murillo (Moctezuma)	28
Eugenio Arenaza (León)	27
Raúl Landeros (Tampico)	27
Melesio Osnaya (Asturias)	27

Más juegos completos

Ángel Torres (Atlas)	28
Evaristo Murillo (Moctezuma)	28
Melesio Osnaya (Asturias)	27
Eugenio Arenaza (León)	27
Raúl Landeros (Tampico)	27

Más goles (g)

Evaristo Murillo (Moctezuma)	77
Raúl Córdoba (San Sebastián)	72
Raúl Landeros (Tampico)	60

Más bajo g/j (mínimo 15 juegos)

Guillermo Contreras (Puebla)	1.08
Eugenio Arenaza (León)	1.37
José Sanjenís (España)	1.71

Más goles en un juego

Federico Villavicencio (Atlante)	10
(?) López Andonegui (Marte)	9
Raúl Córdoba (San Sebastián)	8

Penaltis detenidos

Melesio Osnaya (Asturias)	1
Eugenio Arenaza (León)	1
(?) López Andonegui (Marte)	1
Luis Heredia (Oro)	1
Raúl Landeros (Tampico)	1

Expulsados

Ninguno

48-49
El León gana todo

El título de Campeonísimo que logró el León al ganar la Liga y la Copa, el tercer campeonato consecutivo de goleo de Adalberto Dumbo *López, el debut de Antonio Carbajal, uno de los mejores porteros mexicanos de todos los tiempos, y un gol fantasma de Evaristo Murillo hacen memorable a esta temporada. Los porteros del Guadalajara y del Atlas fueron los más efectivos. Solamente seis años duró la vida del* ADO.

Ocho goles a Gil y Arenaza y nueve a Osnaya

Una serie de ocho partidos contra el equipo checoeslovaco Bratislava durante el mes de agosto sirvió de aperitivo al campeonato, que comenzó el 19 de septiembre de 1948. Solamente el Atlas pudo batir a los checos.

De los 31 porteros que actuaron en el campeonato sólo el del León, el peruano Arenaza, jugó todos los minutos de todos los partidos, mientras que el del Guadalajara, Vicente González, logró el promedio más bajo de goles por juego con 1.30. Muy cerca quedó otro tapatío, el *Ranchero* Torres, del Atlas, con 1.32. Con 1.50 el *Mono* Arenaza fue el tercer mejor arquero, aunque en este torneo recibió la mayor goleada de su carrera cuando el 26 de septiembre en el parque Oblatos el Atlas vapuleó al León por 8 a 2. Esta goliza, que también es la más grande sufrida por el equipo leonés en toda su historia, se forjó con anotaciones de jugadores costarricenses (Rodrigo Solano 3 y Edwin Cubero 1) y argentinos (Juan José Novo 3 y Eduardo Valdatti 1).

También Isidro Gil y Melesio Osnaya tuvieron su partido para olvidar. Gil recibió la mayor goleada de su carrera ante el Asturias que el 26 de junio del 49 barrió al América por 8-2, y a Osnaya, del Asturias, el Marte le metió 9 el 24 de febrero. Pero, por otra parte, Osnaya fue el único arquero que detuvo dos penaltis: uno al Atlas y otro al San Sebastián.

Sin embargo, los porteros más batidos del torneo fueron el *tico* Murillo, del Moctezuma, y la *Marrana* Castañeda, del Veracruz, con 61 y 53 goles, respectivamente. Para este campeonato, Castañeda pasó del ADO a los *Tiburones Rojos*, mientras que Manuel Camacho llegó al Asturias y el *Cantinflas* Aguilera al Oro, aunque estos dos casi no jugaron.

El debut de Carbajal

El domingo 2 de diciembre del 48 ocurrió el debut de Antonio Carbajal en el partido entre el España y el Marte. A los 19 años de edad el joven portero, nacido en el Distrito Federal, resguardó el marco del conjunto hispano. El juego, que terminó empatado a dos goles, marcó prácticamente el relevo generacional en la portería del España. Carbajal se adueñó del puesto luego de que Sanjenís sufriera una fractura de clavícula en un partido contra el Atlas. El veterano guardameta hispano ya sólo tendría esporádicas apariciones. Pepe Sanjenís viviría 40 años más para atestiguar las glorias de su discípulo. En esta su primera temporada, Carbajal jugó 16 partidos y aceptó 35 goles.

Gol de portero

El gol "fantasma" (calificado así por un diario capitalino) del *tico* Murillo se registró en Veracruz el domingo 3 de abril del 49. Murillo, arquero del Moctezuma, hizo un largo despeje, buscaron el balón el *Negro* León, defensa del Veracruz, y Rafael Meza, atacante del Moctezuma, pero el portero de los jarochos, Felipe Castañeda, chocó con su defensa mientras la pelota entraba en su cabaña "escoltada por Meza". Fue el primer gol del cuadro orizabeño, que terminó ganando 2-1.

Por cierto, Murillo fue el portero al que más goles anotó el *Dumbo* López, rey de los romperredes, pues de sus 28 pepinos, encajó cinco el guardameta del Moctezuma. Y Contreras (Puebla), Muñoz (ADO) y Torres (Atlas) recibieron cada uno tres "no me olvides" del poderoso artillero leonés.

Como subcampeón de goleo figuró otro delantero mexicano, Mario *Flaco* Pérez, del Marte, con 21 tantos. Después, cinco extranjeros encabezados por el peruano Tulio Quiñones, del ADO, con 17 goles.

Arrasa el Vasco y se corona el León

La serie internacional de media temporada, en enero-febrero de 1949, fue protagonizada por el Vasco da Gama, un poderoso equipo de Río de Janeiro cuya alineación era prácticamente la de la Selección de Brasil. El Vasco arrolló a los equipos mexicanos: de diez juegos ganó ocho y empató dos, marcó 35 goles y sólo recibió 12. Repartió goleadas y la más alta la sufrió el Atlante por 8-0 (Mota recibió 5 y Villavicencio 3).

Unas semanas después, el 17 de marzo, el *Potrillo* Villavicencio tuvo su última actuación al empatar el Atlante con el Marte a tres tantos. En un torneo con el Atlas y cinco con el cuadro azulgrana acumuló 89 partidos y 215 goles para un altísimo promedio de 2.42. Tuvo cuatro juegos con seis o más goles recibidos.

La recta final del campeonato, caracterizada por la cerrada batalla entre los tapatíos Atlas y Guadalajara con el León, culminó con la coronación del equipo guanajuatense que con apenas un punto de ventaja (39 por 38) sobre rojinegros y rojiblancos conquistó por segundo año seguido la Liga, mientras en el fondo de la tabla quedaron el Tampico y los capitalinos Atlante y América, todos con 22 puntos. El Atlas anotó más (68), el Tampico menos (34), el Guadalajara recibió menos (37) y por tercer año consecutivo el Marte fue el más goleado (73). En el tema de los goles resalta el hecho de que en este torneo disminuyó notablemente la capacidad ofensiva de los equipos ya que se registraron 111 anotaciones menos que en el campeonato anterior: de 920, el total de goles bajó a 809.

El subcampeón Atlas estableció su racha triunfadora más prolongada ya que a las 3 victorias en sus últimos 3 juegos del campeonato 47-48 agregó 5 triunfos en las primeras 5 fechas de este torneo. El portero rojinegro en esta sucesión de éxitos fue siempre el *Ranchero* Torres.

Como dato anecdótico, fue en esta temporada cuando surgió, en un periódico tapatío, el apodo de *Chivas* para el Guadalajara.

Surge un campeonísimo

El domingo 17 de julio terminó el campeonato y fue cuando se coronó el León al vencer en su parque *La Martinica* al Asturias por 2-0, combinándose este resultado con la derrota de 1-3 del Atlas ante el Guadalajara el jueves anterior. Cuatro días después de que terminó la Liga, comenzó la Copa México, nuevamente a nocaut directo. Con dos goles del *Dumbo* el León batió 3-0 al Atlante

en la final en México el 14 de agosto. Eugenio Arenaza y Salvador Mota fueron los porteros en este juego. Los *Panzas Verdes* conquistaron invictos la Copa y Salvador *Chale* Rivera, del Oro, fue líder goleador con 4 tantos. Así, al ganar la Liga y la Copa en el mismo año, el León, otra vez bajo la dirección del argentino José María Casullo, se proclamó primer Campeonísimo del balompié mexicano.

Desaparece el ADO

En la Copa jugó por última vez el ADO ya que tres semanas después, el 6 de septiembre, el equipo orizabeño anunció su retiro de la Primera División por problemas económicos. Seis años duró la historia de este conjunto. Tuvo ocho porteros, Guillermo Contreras fue el primero y Juan Alberto Muñoz el último. Llama la atención que en esta su última temporada, el equipo de la Asociación Deportiva Orizabeña anotó al menos un gol en todos sus 28 juegos.

Nómina de porteros

ADO	Juan Alberto Muñoz y Eleazar Hernández
América	Isidro Gil y Eduardo Gutiérrez
Asturias	Melesio Osnaya y Manuel Camacho
Atlante	Salvador Mota y Federico Villavicencio
Atlas	Ángel Torres y Salvador Menéndez
España	Antonio Carbajal y José Sanjenís
Guadalajara	Vicente González y Francisco Quintero
León	Eugenio Arenaza
Marte	Ángel León, (?) Andonegui y (?) Sánchez
Moctezuma	Evaristo Murillo y (?) Gastéllum
Oro	Blas Aldana, Luis Heredia y Antonio Aguilera
Puebla	Guillermo Contreras y Federico Torres Ruiz
San Sebastián	Raúl Córdoba y Cristóbal Jaime Juárez
Tampico	Raúl Landeros y Héctor López
Veracruz	Felipe Castañeda y Carlos Jiménez

Más juegos (j)	
Eugenio Arenaza (León)	28
Vicente González (Guadalajara)	27
Evaristo Murillo (Moctezuma)	27
Guillermo Contreras (Puebla)	27
Raúl Landeros (Tampico)	27

Más juegos completos	
Eugenio Arenaza (León)	28
Vicente González (Guadalajara)	27
Evaristo Murillo (Moctezuma)	27
Guillermo Contreras (Puebla)	27
Raúl Landeros (Tampico)	27

Más goles (g)	
Evaristo Murillo (Moctezuma)	61
Felipe Castañeda (Veracruz)	53
Ángel León (Marte)	51
Juan Alberto Muñoz (ADO)	49
Guillermo Contreras (Puebla)	49
Raúl Córdoba (San Sebastián)	49

Más bajo g/j (mínimo 15 juegos)	
Vicente González (Guadalajara)	1.30
Ángel Torres (Atlas)	1.32
Eugenio Arenaza (León)	1.50
Melesio Osnaya (Asturias)	1.58

Más goles en un juego	
Melesio Osnaya (Asturias)	9
Isidro Gil (América)	8
Eugenio Arenaza (León)	8
Guillermo Contreras (Puebla)	7

Penaltis detenidos	
Melesio Osnaya (Asturias)	2
Vicente González (Guadalajara)	1
Ángel León (Marte)	1

Expulsados
Ninguno

49-50
Primer Mundial de Carbajal y debut del *Tubo* Gómez

El Veracruz ganó su segundo campeonato en cinco años y solamente perdió tres juegos de 26, mientras que al Dumbo *López le faltó únicamente un gol para ligar cuatro coronas de goleo consecutivas. Los peruanos Arenaza y* Aparicio *fueron el portero y el artillero más destacados. Antonio Carbajal jugó su primer Mundial y se produjo el debut de Jaime* Tubo *Gómez, portero de leyenda. El Atlas dobló al Veracruz tanto en la final de Copa como en el partido de campeones. Para tres equipos este campeonato fue el último de su historia.*

Debutan Quevedo y el *Tubo*

Los 30 porteros que tuvieron acción en este torneo de 14 equipos (por la desaparición del ADO) recibieron 734 goles. El campeón Veracruz anotó más (78), el Oro fue el más goleado (72), el sotanero San Sebastián marcó menos (41) y el León tuvo la portería menos vulnerada (35).

Juan Alberto Muñoz, ex portero del ADO, fue contratado por el Oro para suplir a Luis Heredia que emigró al Atlas, cuyo arquero, el *Ranchero* Torres, se fue al Veracruz donde jugó su última temporada y salió campeón. Otros cambios fueron los de Manuel Camacho, del Asturias al Marte, y Cristóbal Jaime Juárez, del San Sebastián al Guadalajara. El América trajo a Janos Czintalán, un portero húngaro que solamente jugó dos partidos.

Debutaron además otros seis arqueros, entre ellos Raúl Quevedo con el Atlante y el *Tubo* Gómez con el Guadalajara. El primero lo hizo el 20 de noviembre del 49 en Veracruz donde el cuadro azulgrana cayó 0-4 ante los *Tiburones* y Quevedo recibió su primer gol de Lupe Velázquez. El debut del *Tubo* ocurrió el 6 de mayo de 1950 en el parque Oblatos durante un empate 2-2 entre las *Chivas* y el San Sebastián. Fue el único partido que jugó en esta temporada y el primer gol se lo anotó el *tico* Francisco Rivas. Fausto Prieto era el entrenador del equipo tapatío. Tanto Quevedo, nativo de Guadalajara, como Gómez, oriundo de Manzanillo, Colima, tenían 20 años de edad. El *Tubo* había sido un destacado jugador de voleibol y alguna vez un periodista tapatío comentó que le pegaba a la pelota "con tubo", de ahí el apodo.

La actividad internacional

El 9 de octubre del 49 empezó el campeonato, pero antes, en septiembre, se jugó en México el II Torneo Norteamericano. La Selección Nacional logró 4 cómodos triunfos: 6-0 a Estados Unidos, 2-0 a Cuba, 6-2 a Estados Unidos y 3-0 a Cuba y obtuvo el pase a la Copa del Mundo. Raúl Córdoba y Melesio Osnaya se alternaron en la portería mexicana, dos juegos cada uno. Osnaya recibió las únicas dos anotaciones que aceptó Mexico en el torneo. En cambio, Córdoba fue inmisericordemente bombardeado con siete goles del Real Madrid y seis del Athlétic de Bilbao cuando la Selección visitó a estos equipos españoles a fines de noviembre.

Para la serie internacional de invierno se contrató al River Plate de Argentina. El equipo de la franja roja, que traía como estrella mayor al gran goleador Ángel Labruna, jugó diez partidos en México, de los que sólo perdió dos: ante el Atlas y con la Selección Nacional.

Treinta goles de *Aparicio*

La goleada del campeonato se la llevó el *Pulques* León el 30 de octubre en Veracruz cuando los *Tiburones Rojos* devoraron al Marte por 8-1 anotando cuatro goles el *Pirata* Fuente. También Rafael Navarro, del Atlante, y Adalberto *Dumbo* López, del León, marcaron cuatro tantos en un juego. El atlantista se los clavó a Federico Torres Ruiz, nuevo portero del Puebla, y el leonés al guardameta del San Sebastián, Raúl Córdoba.

Veintinueve goles anotó el *Dumbo*, uno más que en el campeonato anterior, pero no pudo conquistar la cuarta corona de goleo consecutiva porque el peruano Julio Ayllón *Aparicio*, centro delantero del Veracruz, marcó 30 (ninguno de penalti). Carbajal y Torres Ruiz con cinco y cuatro, respectivamente, fueron los porteros a los que más goles hizo *Aparicio*. El peruano tuvo una racha de ocho juegos seguidos anotando, durante la cual sumó 13 goles y el Veracruz se mantuvo invicto con 6 victorias y par de empates.

Otras rachas goleadoras, iniciadas desde el campeonato 48-49, llegaron a su fin. El 23 de noviembre del 49 concluyó la de 28 partidos seguidos del Puebla y el 29 de marzo del 50 terminó la del Oro de 24 juegos. Al equipo camotero lo frenaron el España y Antonio Carbajal, mientras que ante el Asturias y Melesio Osnaya se fue en blanco el cuadro *áureo*.

Adiós a tres porteros

Tres porteros jugaron por última vez. El 15 de enero del 50 lo hizo Ángel Torres, el 5 de marzo José Sanjenís y el 28 de mayo Juan Alberto Muñoz. El *Ranchero* custodió la cabaña jarocha en el triunfo por 5-3 del Veracruz en Puebla, mientras que el veterano arquero español recibió los 4 goles con los que el Asturias derrotó 4-0 al España, y Muñoz participó en el empate 2-2 del Oro en Veracruz.

En seis temporadas con el Atlas y una con el Veracruz, el *Ranchero* ganó una Copa, una Liga y un Campeón de Campeones, jugó 150 partidos, permitió 287 goles y su promedio de goles por juego fue 1.91. Antes, en la época amateur, jugó cinco años con el Guadalajara y tres con la Selección Jalisco.

Sanjenís llegó al España en 1941 procedente del Atlante y fue campeón en 41-42. Con el España en la época profesional jugó en siete temporadas 102 partidos, recibió 182 goles (promedio: 1.78) y logró un título de Liga, uno de Copa y dos de Campeón de Campeones. En la corta historia del España en el fut profesional, el catalán Sanjenís es el portero con más juegos, más juegos completos y más goles.

Antes de jugar este torneo con el Oro, Juan Alberto Muñoz había militado dos años con el Marte y dos con el ADO. Portero multigoleado ya que en 90 partidos encajó 234 goles para un altísimo 2.60. Líder en el ADO en juegos, juegos completos y goles recibidos.

Ninguno de los tres sufrió nunca una expulsión.

Arenaza, el mejor

Faltaba casi un mes para que terminara el campeonato cuando el Veracruz aseguró el primer lugar. Los *Tiburones* fueron invencibles en el puerto jarocho ya que sus únicas tres derrotas las sufrieron en cancha ajena. La custodia de su portería se la repartieron a partes iguales Castañeda y Torres: 13 partidos la *Marrana* y 13 el *Ranchero*. El Veracruz totalizó 39 puntos, seis más que el Atlante y

nueve más que el León, campeón de las dos temporadas anteriores.

El mejor portero del campeonato fue Arenaza con promedio de 1.19 goles por juego, seguido por Mota (1.52) y Carbajal (1.76). Con 63 y 58, respectivamente, los porteros del Oro y el Moctezuma, Muñoz y Murillo, fueron los más goleados, mientras que Osnaya, Heredia y Landeros fueron los únicos que jugaron la temporada completa. Y Carbajal y el *tico* Murillo atajaron dos penaltis cada uno.

El 4 de junio, seis días después de que terminó el campeonato, el Atlas enfrentó al Manchester United en Hollywood. Épica batalla y un marcador inusitado: 6-6. Cubero les metió cuatro goles a los ingleses.

El primer mundial de Carbajal

Brasil fue la sede en junio del 50 de la cuarta Copa del Mundo. La Selección Mexicana, al mando de Octavio Vial, inauguró con el anfitrión el certamen y el mítico estadio de Maracaná, el más grande del orbe. Tras ser humillado por Brasil por 0-4, México recibió otra goleada ante Yugoslavia (1-4) y finalizó su participación con un revés por 1-2 frente a Suiza. Portero en los tres juegos (mientras Raúl Córdoba permanecía en la banca), Antonio Carbajal, de sólo 21 años de edad, comenzó a forjar el famoso récord de participación en cinco Mundiales (que estableció 16 años después, en Londres en 1966) que ningún futbolista en el mundo pudo alcanzar hasta 1998.

Carbajal recibió su primer gol "mundialista" de Ademir Marques, a la postre campeón de goleo con nueve tantos.

Portero del Atlas expulsado en la final de Copa

Nuevamente con el sistema de "nocaut directo" se disputó la Copa México, entre el 9 de julio y el 6 de agosto, que fue ganada por el Atlas en forma invicta. En la final, en México, los rojinegros superaron por 3 a 1 al Veracruz y le impidieron repetir la hazaña del León de ganar la Liga y la Copa en el mismo año. En este juego fue expulsado en los últimos minutos el portero del Atlas, por lo que Edwin Cubero, extremo izquierdo, se puso el suéter para sustituir a Luis Heredia. José Mercado anotó dos de los tres goles del Atlas con los que llegó a cinco y obtuvo el liderato de goleo.

Una semana después se volvieron a enfrentar rojinegros y jarochos, ahora por el título de Campeón de Campeones. El empate a un gol obligó a jugar los tiempos extra, en los que dos tantos de Cubero le dieron el triunfo al Atlas por 2-0. Los porteros en este partido fueron nuevamente Heredia y Castañeda.

Tres equipos desaparecen

Durante el desarrollo de la Copa México se produjo la noticia de la desaparición del España. En una asamblea extraordinaria del Club el 19 de julio se acordó retirar al equipo de futbol de las competencias que organiza la Federación Mexicana de este deporte. Se dijo que el equipo tenía pérdidas anuales por más de cien mil pesos.

Cuatro días después, en Guadalajara, el España jugó su último partido. Lo eliminó de la Copa y lo despidió de la historia el Atlas, ganándole por 4-3. Considerando la época amateur, el España acumuló trece coronas de Liga, cinco de Copa y dos títulos de Campeón de Campeones. Antonio Carbajal fue su último portero y Raúl Cárdenas su último anotador.

A fines de agosto otros dos equipos, el Moctezuma y el Asturias, también fueron dados de baja. Por la misma razón que el España —mala situación económica— las directivas de estos clubes anunciaron su desaparición. El cuadro orizabeño había jugado por última vez al ser eliminado de la Copa por el Puebla que lo venció 4-1 el 9 de julio, mientras que al asturiano lo había despedido el Atlante el 23 de julio derrotándolo por 4-2. Evaristo Murillo y Melesio Osnaya fueron los últimos porteros de estos equipos.

Nómina de porteros

América	Isidro Gil, Eduardo Gutiérrez y Janos Czintalán
Asturias	Melesio Osnaya
Atlante	Salvador Mota y Raúl Quevedo
Atlas	Luis Heredia
España	Antonio Carbajal y José Sanjenís
Guadalajara	Vicente González, Cristóbal Jaime Juárez y Jaime Gómez
León	Eugenio Arenaza y José Martínez
Marte	Ángel León y Manuel Camacho
Moctezuma	Evaristo Murillo, (?) Gastéllum y (?) Sánchez
Oro	Juan Alberto Muñoz, Blas Aldana y (?) Barbosa
Puebla	Federico Torres Ruiz y Guillermo Contreras
San Sebastián	Raúl Córdoba, Ignacio Álvarez y Antonio Ortiz
Tampico	Raúl Landeros
Veracruz	Felipe Castañeda y Ángel Torres

Más juegos (j)

Melesio Osnaya (Asturias)	26
Luis Heredia (Atlas)	26
Raúl Landeros (Tampico)	26
Antonio Carbajal (España)	25

Más juegos completos

Melesio Osnaya (Asturias)	26
Luis Heredia (Atlas)	26
Raúl Landeros (Tampico)	26
Antonio Carbajal (España)	25
Juan Alberto Muñoz (Oro)	24

Más goles (g)

Juan Alberto Muñoz (Oro)	63
Evaristo Murillo (Moctezuma)	58
Melesio Osnaya (Asturias)	49
Federico Torres Ruiz (Puebla)	47
Raúl Landeros (Tampico)	47

Más bajo g/j (mínimo 14 juegos)

Eugenio Arenaza (León)	1.19
Salvador Mota (Atlante)	1.52
Antonio Carbajal (España)	1.76
Luis Heredia (Atlas)	1.77
Melesio Osnaya (Asturias)	1.88

Más goles en un juego

Ángel León (Marte)	8
Luis Heredia (Atlas)	6
Vicente González (Guadalajara)	6
Ángel León (Marte)	6
Evaristo Murillo (Moctezuma)	6
Federico Torres Ruiz (Puebla)	6
Ángel Torres (Veracruz)	6

Penaltis detenidos

Antonio Carbajal (España)	2
Evaristo Murillo (Moctezuma)	2
Cristóbal Jaime Juárez (Guadalajara)	1

Expulsados

Ninguno

50-51
El año del Atlas

A la mitad del siglo xx reapareció el Necaxa, el Atlas conquistó su primer y único campeonato, nació la Segunda División con siete equipos y comenzó el ascenso y descenso de los clubes entre una y otra divisiones. El primero que baja es el San Sebastián y el primero que sube el Zacatepec. El Atlante ganó la Copa México. Casarín fue el máximo goleador y Mota el mejor portero. Murió Luis Heredia, el arquero del gol de portería a portería.

Reaparición del Necaxa

Luego de la desaparición del España, el Moctezuma y el Asturias, llegó la noticia del regreso del Necaxa, ese gran equipo tetracampeón en la década de los treintas, que se había retirado en 1943, poco antes del inicio del primer campeonato profesional. La reaparición del Necaxa tuvo lugar en Guadalajara en la primera fecha del campeonato, el 24 de septiembre del 50, enfrentando a las *Chivas*, otro equipo con uniforme rojiblanco. Un partido sin goles en el que el ex portero del Asturias, Melesio Osnaya, se convirtió en el primer guardameta del Necaxa en la era profesional.

Veinticuatro porteros tuvieron acción en este torneo de solamente doce equipos, y por segundo año consecutivo Osnaya y el *Tarzán* Landeros lograron temporada completa al jugar los 22 partidos.

No sólo Osnaya cambió de equipo. El *Mono* Arenaza pasó del León al América, un traspaso que le costó 38 mil pesos al equipo azulcrema; Raúl Córdoba algo presintió porque dejó al San Sebastián, que quedaría en último lugar, y se fue al Atlas, que sería el campeón; Antonio Carbajal y Evaristo Murillo, arqueros de los desaparecidos España y Moctezuma, fueron contratados por el León y el Veracruz, respectivamente; Luis Heredia regresó al Oro y Cristóbal Jaime Juárez al San Sebastián, mientras que el *Potrillo* José Martínez fue traspasado del León al otro equipo de esa ciudad.

Muere Heredia y se van El *Pulques* y La *Marrana*

Solamente tres porteros debutaron, el más sobresaliente fue Francisco Martínez, *Paquín*, quien se presentó con el Oro en Oblatos enfrentándose al Veracruz el 8 de febrero del 51, juego ganado por el equipo *áureo* 4-1. Por otra parte, el 3 de diciembre del 50 jugó su último partido Ángel León. El *Pulques* llevaba 15 años en la brega desde su debut con el España en 1936. Entre 1939 y 1943 jugó con el Necaxa y el Atlante, y luego, en la época profesional, militó 3 torneos con el Asturias, 1 con el ADO y 4 con el Marte. Sus números en estos 8 campeonatos son: 103 juegos, 256 goles, 2.49 goles por juego y cero expulsiones.

El Marte cayó ante el Puebla por 1-4 en el partido final de Ángel León, cuyo apodo se lo debía al hecho de que su familia se dedicaba a la compra y venta de pulque. En la corta historia del Marte en el balompié profesional, el *Pulques* fue el portero que jugó más partidos y recibió más goles.

Catorce días después, el 17 de diciembre, el destino quiso que Luis Heredia jugara por última vez. El gran portero argentino, autor del primer gol de un guardameta en la historia del fut profesional mexicano, se encontraba entrenando en Guadalajara cuando sufrió un síncope cardiaco que le produjo la muerte el 30 de enero del 51. En seis años con el Oro y uno con el Atlas acumuló 125 juegos, 233 goles y 1.86 de promedio. El último partido de Heredia tuvo lugar en la ciudad de México con el Oro derrotando 1-0 al Atlante.

También Felipe Castañeda culminó su carrera. El popular *Marrana*, campeón con el Marte en el último torneo de la época amateur (42-43), se puso el suéter de portero por última vez el 26 de abril, durante la última jornada del campeonato, al visitar el Veracruz al América, juego que registró un empate a dos goles. En tres años con el Marte, uno con el España, uno con el ADO y tres con el Veracruz, Castañeda jugó 112 partidos, admitió 260 anotaciones y su promedio fue de 2.32. El origen de su apodo era su costumbre de escupir el balón cada vez que le llegaba a las manos.

León y Castañeda lograron sendos títulos de Liga con el ADO y el Veracruz, respectivamente, y Heredia con el Atlas fue monarca de Copa y Campeón de Campeones. Al igual que Ángel León, tanto Heredia como Castañeda nunca fueron expulsados.

Sube el Zacatepec y baja el San Sebastián

Aunque desde 1947 los presidentes de los equipos habían aprobado la creación de la Segunda División, el llamado "circuito de ascenso" no nació hasta el 18 de febrero del 51. Los equipos fundadores fueron: Zacatepec, Zamora, Pachuca, Irapuato, Morelia, Toluca y Querétaro. Todos ellos llegarían, tarde o temprano, a la Primera División. Venciendo al Toluca 2-0 el 7 de mayo se coronó el Zacatepec y obtuvo el ascenso al máximo circuito para la temporada 51-52. El veterano José Moncebáez fue el portero del primer campeón de Segunda, que en la próxima temporada sustituirá al San Sebastián, equipo que tras una desastrosa campaña se alojó en el sótano y se convirtió en el primer club que descendió a Segunda División. Antes de irse dejó un par de récords negativos: menor número de victorias (2) y menor número de puntos (11), además de ligar 15 juegos consecutivos sin ganar.

Casarín, líder de goleo

El *Dumbo* López, ahora con el Atlas, Jesús *Chuco* Ponce, de las *Chivas*, y el *Chueco* Candia, del Tampico, lograron juegos de 4 goles cada uno. *Dumbo* se los anotó a Landeros en Oblatos; los de Ponce los recibió Felipe Castañeda también en Guadalajara; y Blas Aldana, del Oro, encajó los goles de Candia. La mayor goleada del campeonato la sufrió Castañeda precisamente en ese partido entre el Veracruz y las *Chivas*, que ganó el equipo tapatío por 7-3.

Con sólo 17 anotaciones, once de ellas como visitante, Horacio Casarín, el refuerzo más destacado del nuevo Necaxa, se coronó campeón de goleo. Los porteros del Puebla y del América, Torres Ruiz y Arenaza, fueron los más castigados por Casarín con tres tantos cada uno. *Dumbo* López repitió como sublíder de goleo con 14 pepinos, seguido por Ricardo Escandón, del Atlante, con 13, y el extranjero que anotó más fue el *tico* Walter Meneses, del Puebla, con una docena.

La única expulsión de Carbajal

Sólo una expulsión de portero se registró en el torneo y le tocó a Carbajal el 12 de noviembre del 50 en Puebla. El árbitro Rafael Valenzuela lo mandó a las regaderas, pero el partido lo ganó el León por 3-1. Esta fue la única expulsión que tuvo la *Tota* en toda su carrera.

El *Tubo* Gómez se adueñó de la titularidad en la portería del Guadalajara y el 8 de febrero de 1951 comenzó una racha de 123 partidos completos consecutivos que se prolongaría hasta el campeonato 55-56.

Con un magnífico 1.05 goles por juego, Salvador Mota resultó el guardameta más efectivo. Superó por sólo cuatro centésimas a Raúl Córdoba, mientras que el *Tarzán* Landeros fue el más goleado con 38.

En la parte final del campeonato y luego de perder seis partidos en forma consecutiva, el húngaro Jorge Orth deja la dirección técnica del Tampico, sustituyéndole el *Chavo* Urquiaga, ex portero y ex entrenador del Veracruz. Urquiaga permanecería seis años al frente de los *Jaibos* y los haría campeones en 52-53.

La liga para el Atlas y la copa para el Atlante

En la penúltima jornada el Atlas le ganó el clásico tapatío al Guadalajara por 1-0 con gol de penalti de Edwin Cubero y se coronó campeón. La ventaja de los rojinegros sobre el segundo lugar, Atlante, y sobre el tercero, Necaxa, fue solamente de uno y dos puntos, respectivamente. El Atlante fue campeón de goleo con 48 tantos, el América anotó menos (26), la mejor defensa la tuvo el Atlas que sólo admitió 23 y la peor, con 53, fue la del Oro. Por cierto, este equipo *áureo* protagonizó un récord indudablemente curioso: no tuvo ningún empate en el campeonato, pero en su último juego del torneo 49-50 y en su primero de 51-52 no hubo ganador ni perdedor.

En el inicio de 1951 el Boca Juniors y el San Lorenzo de Almagro jugaron 13 partidos en canchas mexicanas, de los cuales ganaron 9 y sólo perdieron 1 cada uno. El San Lorenzo traía a Mierko Blazina, un portero italiano que años más tarde volvería a México para custodiar la portería del Oro.

Del 6 al 27 de mayo del 51 se disputó la Copa México. En la primera fecha Felipe Altube, del Tampico, le anotó 5 goles, 3 de ellos en tiempos extra, al San Sebastián y lo despidió de la Primera División. Le tocó la goleada al *Potrillo* Martínez, último portero de los Santos. Le bastaron esas 5 anotaciones a Altube para obtener el liderato de goleo.

El Atlante ganó el torneo en forma invicta. En la final superó por 1-0 a las *Chivas* con gol de Luis Fernández. Mota y el *Tubo* Gómez fueron los arqueros de este juego y Octavio Vial, entrenador del Atlante se convirtió en el primer director técnico mexicano campeón de Copa. Pero siete días después los azulgranas perdieron, también por 0-1, el partido de campeones con el Atlas.

Nómina de porteros

América	Eugenio Arenaza y Eduardo Gutiérrez
Atlante	Salvador Mota y Raúl Quevedo
Atlas	Raúl Córdoba y (?) Espinosa
Guadalajara	Vicente González y Jaime Gómez
León	Antonio Carbajal y Carlos Plata
Marte	Manuel Camacho y Ángel León
Necaxa	Melesio Osnaya
Oro	Luis Heredia, Blas Aldana, Francisco Martínez y José Guadalupe Álvarez
Puebla	Federico Torres Ruiz y Guillermo Contreras
San Sebastián	José Martínez y Cristóbal Jaime Juárez
Tampico	Raúl Landeros
Veracruz	Evaristo Murillo y Felipe Castañeda

Más juegos (j)

Melesio Osnaya (Necaxa)	22
Raúl Landeros (Tampico)	22
Eugenio Arenaza (América)	21
Raúl Córdoba (Atlas)	21
Salvador Mota (Atlante)	20

Más juegos completos

Melesio Osnaya (Necaxa)	22
Raúl Landeros (Tampico)	22
Eugenio Arenaza (América)	21
Raúl Córdoba (Atlas)	21
Salvador Mota (Atlante)	20

Más goles (g)

Raúl Landeros (Tampico)	38
Federico Torres Ruiz (Puebla)	34
Eugenio Arenaza (América)	33
Evaristo Murillo (Veracruz)	32

Más bajo g/j (mínimo 12 juegos)

Salvador Mota (Atlante)	1.05
Raúl Córdoba (Atlas)	1.09
Antonio Carbajal (León)	1.26
Melesio Osnaya (Necaxa)	1.27

Más goles en un juego

Felipe Castañeda (Veracruz)	7
Manuel Camacho (Marte)	6
Blas Aldana (Oro)	6
José Guadalupe Álvarez (Oro)	6

Penaltis detenidos

Ninguno

Expulsados

Antonio Carbajal (León)

51-52
Vuelve a rugir el León

El Guadalajara se encaminaba a ganar su primer campeonato pero en las últimas jornadas sufrió dolorosos tropiezos mientras el León se le acercaba hasta darle alcance. Y en la última fecha los Panzas verdes *conquistaron su tercer título de Liga al sumar 31 puntos por 30 de las* Chivas. *Por cuarta vez Adalberto López encabezó a los romperredes, sólo que este año el* Dumbo *vistió la camiseta del Oro. Antonio Carbajal y Jaime Gómez se consolidaron como los mejores porteros de México, Ignacio Trelles comenzó su larga y brillante carrera de entrenador de Primera División. Atlante ganó la Copa y el Campeón de Campeones. El Veracruz sufrió un espectacular desplome que lo llevó a descender a Segunda. México solamente pudo vencer a Panamá en el Torneo Panamericano de Chile.*

Cinco porteros con nuevo equipo

Se efectuó el campeonato en el segundo semestre de 1951, del 22 de julio al 30 de diciembre, pero antes, en junio, vino a México el Stuttgart, primer equipo alemán que jugó en canchas mexicanas. En esta serie predominaron los marcadores abultados, pues los teutones lo mismo golearon al Atlas y al Oro que fueron goleados por el Atlante y el Necaxa.

El cómico Mario Moreno *Cantinflas*, a la sazón presidente honorario del América, dio la patada inicial del campeonato el 22 de julio antes del partido entre los *Cremas* y el Oro, en el cual hizo su debut Eduardo Palmer, quien se convertiría siete años después en el primer campeón goleador del América.

Veintitrés porteros participaron en la Liga y se repartieron 450 goles, mismo número de anotaciones que se registró en el torneo de 50-51. Los arqueros que cambiaron de equipo fueron Eugenio Arenaza (del América al Oro), Federico Torres Ruiz (del Puebla al Marte), Vicente González (del Guadalajara al Puebla) y los porteros del descendido San Sebastián, Cristóbal Jaime Juárez y José Martínez, emigraron al Veracruz y al América, respectivamente.

El nuevo equipo, el Zacatepec, dirigido por Nacho Trelles que lo había hecho primer campeón de Segunda División, presentó en la portería a Isidro Gil, ex arquero del América. Gil resultó el portero más goleado con 41 anotaciones pero fue uno de los únicos cuatro que

jugaron todos los partidos, junto con Carbajal, Mota y el *Tubo* Gómez.

De los 5 guardametas que debutaron, el más destacado fue Jorge Morelos, del Necaxa. Se presentó el 11 de agosto en Tampico, donde el Necaxa sucumbió por 0-3. Además, en la Copa México debutaron Humberto Gama con el América y José Sierra con el Atlante. A este último, al lesionarse Mota, le tocó jugar la final en la que se coronó el cuadro azulgrana.

El 29 de julio y el 3 de octubre jugaron por última vez Eduardo Gutiérrez y Guillermo Contreras. Casi siempre segundo portero del América, el *Guayo* sólo jugó 39 partidos en 7 años, recibió 105 goles, por lo que su promedio fue de 2.69.

Una grave lesión que sufrió durante un juego en Tampico en el que los *Jaibos* vencieron al Puebla por 3-0, obligó a Contreras a concluir su carrera. El último gol se lo anotó Ernesto Candia. En 2 años con el ADO y 7 con el Puebla, Contreras acumuló 148 partidos (cero expulsiones) y 254 tantos, con promedio de 1.72

Ocho goles a Murillo en el debut del Zacatepec

Ocho goles le metió el Zacatepec al Veracruz en su debut en Primera División. Fue la mayor goleada del campeonato, y para Evaristo Murillo, arquero del equipo jarocho, fue también la cuota más alta de goles recibidos en su carrera. Este partido fue el primero de los 1,082 juegos de Liga que dirigió Ignacio Trelles a lo largo y ancho de cuatro décadas.

Por su parte, Cristóbal Jaime Juárez, el otro portero del Veracruz, y José Luis Durán, arquero novato del Puebla, sufrieron la humillación de recibir 4 goles de un mismo jugador en un partido. Al primero se los anotó Javier de la Torre, del Guadalajara, en Oblatos el 15 de septiembre (*Chivas* ganó 5-0), y al segundo el *Dumbo* López en Puebla el 23 del mismo mes, con el Oro ganando 6-2.

Carbajal y *Dumbo* hacen historia

Antonio Carbajal tuvo un formidable desempeño, fue campeón por primera vez, y se convirtió en el primer guardameta en lograr un promedio de goles por juego inferior a 1. En 22 cotejos sólo permitió 20 anotaciones, y entre el 28 de octubre y el 15 de noviembre mantuvo inviolada su portería durante 4 partidos seguidos, frente al Oro, Atlas, América y Marte.

A Carbajal lo siguieron el *Tubo* Gómez, el *Tarzán* Landeros y Raúl Córdoba en la lista de honor de los mejores porteros del campeonato.

Con 16 tantos Adalberto López obtuvo su cuarto título de goleo, y al igual que en los anteriores, ninguna de sus anotaciones fue de penalti. Superó por 3 goles al *Flaco* Mario Pérez, del Marte, y por 5 a los argentinos Ernesto Candia y Marcos Aurelio, del Tampico y León, respectivamente. Casi la mitad de los goles del *Dumbo* los recibieron los noveles Durán (4) y Morelos (3).

El campeón León impuso el récord de menos derrotas en un campeonato al perder solamente un par de juegos. Fue además el equipo menos goleado (20), mientras que el colero Veracruz vio perforada su cabaña en 54 ocasiones. El equipo del *Dumbo*, el Oro, fue campeón de goleo con 50, y también los *Tiburones* tuvieron la peor ofensiva al anotar sólo 22 tantos.

Para el anecdotario quedó el gol que Rodolfo Torres Ruiz, del Puebla, le metió a su hermano Federico, portero del Marte.

En enero del 52 regresó a México el Independiente. En esta segunda visita el cuadro rojo de Avellaneda se desquitó de aquella memorable goleada por 4-0 que le propinó el León en 1948, al derrotar a los *Panzas Verdes* por 4-1. Luego, en mayo, vino el Palmeiras, cuya gran figura era Jair. Los brasileños ganaron seis de los nueve partidos que disputaron en nuestro país.

Dos años después de aquel épico empate a seis goles, el Atlas y el Manchester United volvieron a enfrentarse en un par de juegos en Los Ángeles. El poderoso equipo inglés se impuso en ambos: 2-0 y 4-3.

La Copa México sin el León

En la Copa México, disputada del 17 de febrero al 6 de abril, no participó el León porque este equipo, reforzado, viajó a Chile representando al futbol mexicano en el primer Torneo Panamericano, efectuado en ese país. Su lugar lo ocupó el conjunto de La Piedad, flamante

campeón de la Segunda División. Se formaron 3 grupos de 4 equipos cada uno y los 3 líderes se enfrentaron en la fase final. Primero el Atlante venció 3-0 al Guadalajara, luego las *Chivas* le ganaron 3-0 al Puebla y por último el Atlante superó 2-0 al equipo de la franja y se coronó. Los 3 partidos se efectuaron en el estadio de Insurgentes. El ex portero hispano Gregorio Blasco dirigió al Atlante en este torneo, en el que Jesús *Chuco* Ponce, de las *Chivas*, consiguió el liderato de goleo con 6 tantos. Durante esta Copa se despidieron de la Primera División tanto el Veracruz como su segundo arquero, Cristóbal Jaime Juárez. Éste, tras jugar cinco años con el San Sebastián, uno con el Guadalajara y uno con los *Tiburones*, acumuló 81 partidos y muchísimos goles, 224, aunque ninguna expulsión. Dos descensos y el muy alto promedio de 2.77 tantos por juego ensombrecen su currículum.

Un triunfo y cuatro derrotas en el Panamericano

Mientras tanto en Santiago de Chile la escuadra mexicana sólo pudo ganarle a Panamá (4-2 con 3 goles de Carlos Septién) y cayó ante Uruguay (1-3), Chile (0-4), Brasil (0-2) y Perú (0-3). Antonio Carbajal fue el portero en todos los partidos exceptuando el de Panamá, en el que actuó Raúl Córdoba. El torneo lo ganó Brasil y México quedó en penúltimo lugar, sólo arriba de Panamá. El guardameta ante el que se estrellaron los delanteros mexicanos en el último juego, contra Perú, fue Walter Ormeño, quien años más tarde se incorporaría al balompié de México donde tendría una larga y destacada trayectoria como jugador y como entrenador.

Finalizó la temporada el 13 de julio del 52 con el juego del Campeón de Campeones. El Atlante, monarca de Copa, venció al León, campeón de Liga, por 1 a 0. Carbajal y Mota custodiaron las respectivas porterías.

Nómina de porteros

América	José Martínez y Eduardo Gutiérrez
Atlante	Salvador Mota
Atlas	Raúl Córdoba y (?) García
Guadalajara	Jaime Gómez
León	Antonio Carbajal
Marte	Manuel Camacho y Federico Torres Ruiz
Necaxa	Jorge Morelos y Melesio Osnaya
Oro	Eugenio Arenaza y Francisco Martínez
Puebla	Guillermo Contreras, Vicente González, José Luis Durán y (?) Becerra
Tampico	Raúl Landeros, Héctor López y (?) Thompson
Veracruz	Evaristo Murillo y Cristóbal Jaime Juárez
Zacatepec	Isidro Gil

Más juegos (j)	
Salvador Mota (Atlante)	22
Jaime Gómez (Guadalajara)	22
Antonio Carbajal (León)	22
Isidro Gil (Zacatepec)	22
José Martínez (América)	20

Más juegos completos	
Salvador Mota (Atlante)	22
Jaime Gómez (Guadalajara)	22
Antonio Carbajal (León)	22
Isidro Gil (Zacatepec)	22
José Martínez (América)	20

Más goles (g)	
Isidro Gil (Zacatepec)	41
José Martínez (América)	39
Evaristo Murillo (Veracruz)	34
Salvador Mota (Atlante)	30

Más bajo g/j (mínimo 12 juegos)	
Antonio Carbajal (León)	0.91
Jaime Gómez (Guadalajara)	1.09
Raúl Landeros (Tampico)	1.25
Raúl Córdoba (Atlas)	1.26

Más goles en un juego	
Evaristo Murillo (Veracruz)	8
José Luis Durán (Puebla)	6

Penaltis detenidos	
Manuel Camacho (Marte)	1
Isidro Gil (Zacatepec)	1

Expulsados
Ninguno

52-53
Hola y adiós a La Piedad

Temporada de ensueño para el Tampico y de debut y despedida para el equipo de La Piedad. Los Jaibos ganaron la Liga y el Campeón de Campeones e igualaron el récord del León al perder sólo un par de juegos, ninguno en casa, mientras que el equipo michoacano se posesionó del sótano y retornó a Segunda División. Ascendió el Toluca. El Puebla ganó la Copa, que esta vez fue un torneo casi tan largo como la Liga. En la ciudad de México se inauguró el estadio de la UNAM, *y Evaristo Murillo, portero del Zacatepec, encabezó la lista de los mejores guardametas.*

Murillo, el mejor portero

Una notable disminución en el número de goles se registró en este campeonato, pues de los 450 que se anotaron tanto en 50-51 como en 51-52 se pasó a sólo 397 en 52-53. El peruano Tulio Quiñones fue líder de goleo con apenas 14 tantos.

De los 23 porteros que tuvieron acción, solamente el *Tubo* Gómez y Vicente González jugaron los 22 partidos del calendario. También fueron quienes más goles recibieron con 32 y 28, respectivamente. Desde luego, las cifras más bajas en los diez años que cumplía el balompié profesional mexicano.

Al descender el Veracruz a la Segunda División, su portero Murillo se contrató con el Zacatepec. El arquero costarricense tuvo una formidable campaña con el equipo *cañero*, como lo indica su promedio de un gol por juego, el más pequeño del torneo y el segundo más bajo de la década mencionada. También Raúl Quevedo cambió de equipo. Dejó al Atlante, donde había sido suplente de Mota, para compartir con Manuel Camacho la portería del Marte.

Prácticamente la única cara nueva en el elenco de porteros fue Enrique Aguilar, quien ascendió (y descendió) con La Piedad. Su suplente, Barbosa, recibió la goleada del campeonato el 14 de septiembre en Guadalajara: las *Chivas* bombardearon a los *Piadosos* por 7-0. También en el parque de Oblatos se registró el único juego de 4 goles por un mismo jugador. El 13 de noviembre Armando Maciel, del Atlas, logró el cuarteto de anotaciones contra el portero necaxista Jorge Morelos.

Vicente González corta la racha goleadora del Tampico

Cuatro días antes, en una de las dos únicas derrotas que sufrió el Tampico en el campeonato, terminó la racha de 33 juegos consecutivos anotando que llevaba el equipo *jaibo* desde la sexta fecha del torneo anterior. El Tampico se estrelló ante el Puebla y Vicente González en la Angelópolis, pero seis meses después saborearía la venganza en el partido de Campeón de Campeones devolviéndole al cuadro de la franja el marcador de 3-0.

El 13 de septiembre por la noche jugaban en el puerto *jaibo* el Tampico y el Atlas cuando sorpresivamente un aficionado ebrio saltó al campo y le arrebató el balón al arquero rojinegro Raúl Córdoba cuando éste iba a realizar un despeje, luego lo insultó, y como el portero respondió tirándole un golpe, de la tribuna llovieron proyectiles y alguno hirió en la cara a Córdoba, que sin embargo continuó en el partido y admitió un gol de Carlos Septién con el que el Tampico obtuvo el triunfo por 2 a 1.

El 2 de agosto el Monterrey y el Veracruz, ambos en Segunda División, protagonizaron el primer juego de futbol en el estadio del Tecnológico de Monterrey, que se había inaugurado en 1950, y el 20 de noviembre el presidente Miguel Alemán inauguró el majestuoso estadio de la Ciudad Universitaria, con capacidad para más de 70 mil espectadores, aunque no fue sino hasta la temporada 55-56 cuando pisó su cancha el futbol de Primera División.

Con 34 puntos y 45 goles el Tampico conquistó el campeonato y el liderato de goleo. En segundo lugar, con 28 puntos, quedó el Zacatepec, que fue el equipo menos goleado (26), mientras que el colero La Piedad anotó menos (18) y recibió más (42). El 6 de diciembre, penúltima jornada, el Tampico aseguró el título derrotando en casa al América por 1-0 con anotación de Grimaldo González.

El *Chavo* Urquiaga, campeón como jugador y entrenador

Joaquín Urquiaga se convirtió en el primero en el fut profesional en ganar campeonatos de Liga como jugador y como entrenador. En 45-46 como portero del Veracruz y en 52-53 como técnico del Tampico.

Otro ex portero, José Moncebáez, bajo cuya dirección el equipo de La Piedad había ganado el campeonato de Segunda División, sólo permaneció hasta la fecha 4 del torneo. Fue cesado tras un triunfo y tres fracasos.

El liderato de goleo estuvo muy peleado. Tulio Quiñones (Necaxa), Horacio Casarín (Zacatepec), el hispano Mariano Uceda (Puebla), Tomás Balcázar (Guadalajara) y Adalberto *Dumbo* López (Oro) hicieron la "escalerita" con 14, 13, 12, 11 y 11 goles, respectivamente. Quiñones no le pudo anotar más de dos goles a ningún portero.

Una copa muy larga

Tras la visita del F. K. Austria en enero del 53, comenzó la disputa por la Copa México. Se formaron dos grupos de seis equipos cada uno y jugaron a dos vueltas, clasificando a semifinales el primero y segundo lugares de cada grupo. Con este formato, la duración del torneo fue de tres meses y medio (del 15 de febrero al 31 de mayo), casi tan largo como la Liga, que abarcó cinco meses (del 20 de julio al 21 de diciembre del 52).

En la Copa hizo su debut el portero Enrique López Huerta custodiando la meta del América en un partido en Zacatepec que el equipo *crema* perdió 3-4. Agustín *Coruco* Díaz "estrenó" a López Huerta, quien tardaría más de dos años para jugar en la Liga.

El Puebla ganó su segunda Copa México goleando 4-1 al León en el estadio de Insurgentes. Mientras el cuadro de la franja le hacía cuatro agujeros a la cabaña de Carbajal, Vicente González le atajaba un penalti al *tico* Leonel Bozza. Con éste, el corpulento arquero del Puebla acumuló 3 penaltis detenidos en Copas México (uno en la Copa 47-48 y dos en 52-53) estableciendo una marca vigente hasta hoy.

El campeón de goleo de la Copa fue el cañonero *tico* del Puebla Edwin Cubero con 10 anotaciones.

Raúl Landeros y Vicente González defendieron las porterías del Tampico y el Puebla en el partido por el título de Campeón de Campeones, que se jugó el 7 de junio y que ganó el conjunto *jaibo* por 3 a 0.

Nómina de porteros

América	Humberto Gama y José Martínez
Atlante	Salvador Mota y José Sierra
Atlas	Raúl Córdoba, Isidro Aguirre y (?) García
Guadalajara	Jaime Gómez
La Piedad	Enrique Aguilar y (?) Barbosa
León	Antonio Carbajal y Carlos Plata
Marte	Manuel Camacho y Raúl Quevedo
Necaxa	Jorge Morelos y Melesio Osnaya
Oro	Eugenio Arenaza y Francisco Martínez
Puebla	Vicente González
Tampico	Raúl Landeros y (?) Thompson
Zacatepec	Evaristo Murillo e Isidro Gil

Más juegos (J)

Jaime Gómez (Guadalajara)	22
Vicente González (Puebla)	22
Raúl Córdoba (Atlas)	19
Raúl Landeros (Tampico)	19

Más juegos completos

Jaime Gómez (Guadalajara)	22
Vicente González (Puebla)	22
Raúl Landeros (Tampico)	19
Raúl Córdoba (Atlas)	18
Antonio Carbajal (León)	18
Evaristo Murillo (Zacatepec)	18

Más goles (G)

Jaime Gómez (Guadalajara)	32
Vicente González (Puebla)	28
Salvador Mota (Atlante)	26
Raúl Córdoba (Atlas)	24
(?) Barbosa (La Piedad)	24

Más bajo G/J (mínimo 12 juegos)

Evaristo Murillo (Zacatepec)	1.00
Enrique Aguilar (La Piedad)	1.14
Raúl Landeros (Tampico)	1.21
Raúl Córdoba (Atlas)	1.26
Vicente González (Puebla)	1.27
Antonio Carbajal (León)	1.28

Más goles en un juego

(?) Barbosa (La Piedad)	7
Humberto Gama (América)	6
Salvador Mota (Atlante)	5
Jorge Morelos (Necaxa)	5
Vicente González (Puebla)	5

Penaltis detenidos

José Martínez (América)	1
Evaristo Murillo (Zacatepec)	1
Isidro Gil (Zacatepec)	1

Expulsados

Ninguno

53-54
Dramáticas finales en la Liga y en la Copa

En uno de los campeonatos más reñidos de la historia se coronó el Marte en la última fecha, en la que también se decidió el descenso del Atlas. Entre el campeón y el último lugar sólo hubo ocho puntos de diferencia. La corona de goleo individual fue compartida por tres jugadores, uno de ellos el Dumbo *López, quien así sumó su quinto título. Irapuato ganó el ascenso a Primera División y en la Copa el América y el Guadalajara protagonizaron una final de 140 minutos que se definió en penaltis.*

El mejor arquero, Vicente González

El torneo comenzó el 8 de agosto de 1953 y un día después ocurrió el debut del Toluca.. El equipo rojo presentó como portero a Juan José Tello, oriundo de Guadalajara y con el que se había coronado en Segunda División, y derrotó en casa al Atlante por 2-1. Un autogol de Antonio Mendoza fue la primera anotación que recibió el arquero debutante del Toluca.

Tres cambios importantes se registraron en el gremio de los porteros: Manuel Camacho pasó del Marte al América, Eugenio Arenaza dejó al Oro para enrolarse con el Marte y Melesio Osnaya, del Necaxa, fue contratado por el Tampico. Dos meses después de iniciado el campeonato el Oro importó de Perú a Clemente Velásquez, arquero del Sport Boys, quien en su presentación recibió 2 goles del Necaxa en el estadio de Insurgentes, aunque el Oro ganó 3-2. Sin embargo, el arquero inca solamente permaneció un par de meses en México, jugó 10 partidos y admitió 18 anotaciones.

En total, 22 porteros tuvieron acción en el campeonato y admitieron 461 goles, una cifra notablemente superior a la del torneo anterior. Jaime Gómez, Jorge Morelos y Vicente González lograron temporada completa. El arquero del Necaxa fue el más goleado (43); en cambio, el del Puebla tuvo el promedio más bajo de goles por juego (1.32), superando por 9 centésimas a Antonio Carbajal, del León. Cabe recordar que en la temporada 48-49 Vicente González también fue el portero más eficiente, aunque entonces custodiando la cabaña del Guadalajara.

El Marte se fue a Cuernavaca y se coronó

La capital de la República se quedó con tres equipos porque el Marte emigró a Cuernavaca, adquirido por el presidente municipal de la primaveral ciudad. El equipo fue adecuadamente reforzado y en la última jornada, el 7 de febrero, le sacó prácticamente de la bolsa el título al Oro venciéndolo por 2-0 en Guadalajara. Los áureos llevaban seis triunfos seguidos, habían anotado dos o más goles en cada uno de sus últimos diez juegos y solamente necesitaban un empate para coronarse. Este marcador se combinó con el 1-1 entre el Puebla y el Atlante en El Mirador que dejó al equipo de la franja con 25 puntos, igual que el Oro, mientras el Marte llegaba a 26. La igualada entre camoteros y azulgranas salvó al Atlante del descenso al sumar 19 puntos, uno más que los que logró el Atlas.

El Oro fue líder de goleo con 57 tantos, el Marte tuvo la defensa menos vulnerada con 27, el Atlante anotó menos (29) y el Atlas recibió más (47). Y Nacho Trelles, timonel del Marte, ganó su primer título y se convirtió en el primer entrenador mexicano campeón de Liga en el balompié profesional, cortando la racha de dirigentes extranjeros iniciada por el austriaco Pauler en 43-44 con el Asturias y continuada por el costarricense Rodolfo Muñoz (España), el argentino Enrique Palomini (Veracruz), el húngaro Luis Grocz (Atlante), el argentino José María Casullo (León), el español Juan Luqué de Serrallonga (Veracruz), el argentino Eduardo Valdatti (Atlas) y los hispanos Antonio López Herranz (León) y Joaquín Urquiaga (Tampico).

Tres campeones de goleo

El argentino Juan Carlos Carrera (Oro) y el uruguayo Julio Palleiro (Necaxa) compartieron con Adalberto López el liderato de goleo con 21 tantos cada uno, sólo que el argentino promedió 1.23 goles por partido mientras que López y Palleiro quedaron en 0.95. Este año el *Dumbo* vistió la camiseta del Guadalajara y se consolidó como el máximo goleador mexicano de la época. Como siempre, ninguna de sus anotaciones fue mediante la ejecución de penaltis. El *Loco* Carrera tuvo un juego de 4 goles y se los marcó nada menos que a Toño Carbajal en Guadalajara el 6 de diciembre. Otros delanteros que anotaron 4 veces en un partido fueron el argentino Juan José Olivero (León), Mario Pérez (Marte) y Arnulfo Cortés (Oro). El portero del América, Manuel Camacho, recibió los de Olivero (que cayeron en un lapso de 32 minutos) y los de Cortés, y el atlista Raúl Córdoba los del *Flaco* Pérez. Pero la goleada del campeonato fue la que las *Chivas* le propinaron al Tampico el 20 de septiembre por 7 a 1 y le tocó a Osnaya.

Dos semanas antes, el 6 de septiembre, se produjo el debut de Héctor Hernández, uno de los mejores futbolistas mexicanos de todos los tiempos. En su primer juego, con el Oro, le clavó un gol a Ovidio Arnauda, arquero suplente del Toluca.

Destacaron en el campeonato las rachas goleadoras que tuvieron Alfredo *Pistache* Torres (Atlas) y Agustín *Peterete* Santillán (León) de 7 y 9 juegos, respectivamente. Sin embargo, durante la racha del *Pistache* el Atlas no ganó ningún partido. Lo de Santillán también fue curioso: anotó en cada uno de los primeros nueve juegos del torneo en los que acumuló diez goles, y en el resto del campeonato sólo marcó un tanto.

Castigo a Moncebáez por intento de soborno

Con el Zacatepec tuvo el ex portero Pepe Moncebáez su segunda oportunidad como entrenador. Sustituyó a Horacio Casarín y dirigió a los *cañeros* en las últimas nueve fechas con saldo de cuatro victorias, dos empates y tres reveses. Casarín se fue al Atlante y salvó a los azulgranas del descenso. Lo mismo hizo Moncebáez con los *cañeros*, que se salvaron al vencer al Guadalajara en la última jornada. Sin embargo, el entrenador del Zacatepec fue acusado por los jugadores de las *Chivas* de haberles ofrecido dinero para que se dejaran ganar. Arrepentido, Moncebáez reconoció su error y fue suspendido un año.

No se había registrado ninguna expulsión de porteros desde la de Carbajal en la temporada 50-51 hasta que el 11 de octubre en Zacatepec el árbitro Ricardo Barba Tamayo mandó a las regaderas a Evaristo Murillo cuando el Marte ya vencía a los *cañeros* por 1-0. El marcador final fue 2-0.

Actividad internacional

Con cómodas victorias sobre Haití (8-0 y 4-0) y Estados Unidos (4-0 y 3-1) la Selección Nacional ganó el boleto para la Copa del Mundo de 1954 en Suiza. En los cuatro juegos la portería mexicana fue custodiada por Carbajal.

En el lapso entre la Liga y la Copa los equipos mexicanos volvieron a medirse con el poderoso Vasco da Gama. Cinco años atrás el equipo carioca se había ido invicto en 10 juegos, ahora sólo perdió uno de nueve. El único que venció a los brasileños fue el Toluca por 3-1.

América, campeón de Copa

Del 20 de marzo al 12 de mayo se jugó la Copa México. Ahora los 12 equipos se dividieron en tres grupos de cuatro y jugaron a dos vueltas calificando únicamente el primer lugar de cada grupo.

El 22 de abril el Necaxa recibió y goleó al Guadalajara 6-1. Las *Chivas* presentaron a Fernando Barrón, un novel portero duranguense que posteriormente con el Atlas y otros equipos llegaría a ser uno de los mejores arqueros de la década. Este fue el único juego de Barrón con el Guadalajara. El primer gol se lo anotó José Luis Lamadrid. Con su ausencia en este partido, el *Tubo* Gómez puso fin a una racha de 33 juegos consecutivos de Copa.

Federico Villavicencio, un portero que estaba prácticamente retirado jugó un par de encuentros con el Oro para marcar su despedida definitiva del futbol. En el último juego del *Potrillo*, el 25 de abril, el Oro fue goleado en Puebla 1-4. Los números de Villavicencio (un torneo con el Atlas y cinco con el Atlante) no fueron buenos pues en 89 partidos recibió 215 goles para un promedio de 2.42. Con los azulgranas fue campeón y subcampeón de Liga y subcampeón de Copa. Nunca fue expulsado.

A la fase final de la Copa llegaron el América, el Guadalajara y el Atlante. Tanto los *Cremas* como las *Chivas* vencieron a los azulgranas (2-0 y 3-1) y los eliminaron. Tras empatar a un gol, América y Guadalajara disputaron un nuevo partido cuyo desarrollo y desenlace resultaron dramáticos. El empate 0-0 obligó a que se jugaran dos tiempos extra de 15 minutos cada uno, durante los cuales fue expulsado Manuel Camacho, por lo que el delantero Eduardo Palmer se puso el suéter de portero. Las *Chivas* le anotaron un gol a Palmer pero el América también perforó una vez la cabaña del *Tubo* Gómez. El empate persistió en dos tiempos extra adicionales de 10 minutos cada uno. Entonces se recurrió a los penaltis. El argentino Emilio Fizel acertó los tres por el América pero Palmer le atajó a Juan Jasso uno de sus tres disparos. Así el América conquistó su primer título en la era profesional.

La expulsión de Camacho fue la segunda de un portero en una final copera. Luis Heredia había inaugurado esta extraña estadística en 1950.

El leonés Juan José Olivero quedó como líder de goleo de la Copa con siete tantos.

El 16 de mayo el Marte derrotó por 1-0 al América y se coronó Campeón de Campeones. Eugenio Arenaza y Humberto Gama fueron los porteros. Nueve días después el equipo *crema* inició una larga gira de casi dos meses por Sudamérica, que abarcó siete partidos en Argentina, dos en Paraguay, dos en Ecuador, tres en Colombia y, ya de regreso, uno en Panamá. Ganó siete, empató uno y perdió siete.

Nómina de porteros

América	Manuel Camacho y Humberto Gama
Atlante	Salvador Mota y José Sierra
Atlas	Raúl Córdoba e Isidro Aguirre
Guadalajara	Jaime Gómez
León	Antonio Carbajal
Marte	Eugenio Arenaza y Raúl Quevedo
Necaxa	Jorge Morelos
Oro	Clemente Velásquez, Francisco Martínez, Francisco Quintero y (?) Rivera
Puebla	Vicente González
Tampico	Raúl Landeros y Melesio Osnaya
Toluca	Juan José Tello y Ovidio Arnauda
Zacatepec	Evaristo Murillo e Isidro Gil

Más juegos (j)

Jaime Gómez (Guadalajara)	22
Antonio Carbajal (León)	22
Jorge Morelos (Necaxa)	22
Vicente González (Puebla)	22
Raúl Córdoba (Atlas)	18

Más juegos completos

Jaime Gómez (Guadalajara)	22
Jorge Morelos (Necaxa)	22
Vicente González (Puebla)	22
Antonio Carbajal (León)	21
Manuel Camacho (América)	17
Salvador Mota (Atlante)	17

Más goles (g)

Jorge Morelos (Necaxa)	43
Raúl Córdoba (Atlas)	36
Manuel Camacho (América)	35
Jaime Gómez (Guadalajara)	34
Antonio Carbajal (León)	31

Más bajo g/j (mínimo 12 juegos)

Vicente González (Puebla)	1.32
Antonio Carbajal (León)	1.41
Juan José Tello (Toluca)	1.47
Jaime Gómez (Guadalajara)	1.54

Más goles en un juego

Melesio Osnaya (Tampico)	7
Manuel Camacho (América)	6
Raúl Córdoba (Atlas)	6

Penaltis detenidos

Antonio Carbajal (León)	1
Vicente González (Puebla)	1
Ovidio Arnauda (Toluca)	1

Expulsados

Evaristo Murillo (Zacatepec)

54-55
Gran año de Camacho y Murillo

De la cima a la sima. En un año el Marte pasó del primer lugar al último. En cambio, Ignacio Trelles repitió como campeón dirigiendo al Zacatepec cuyo portero, Evaristo Murillo, se mantuvo imbatido durante seis partidos consecutivos. El América volvió a ganar la Copa y el Atlas logró el boleto de regreso a Primera División. El portero más destacado fue Manuel Camacho. Para aumentar a 14 el número de equipos, los dos últimos de Primera y tres cuadros de Segunda disputaron la primera liguilla de la historia. En la Copa hubo un juego de 140 minutos y 16 penaltis. México sumó dos derrotas más en la Copa del Mundo.

Otra goleada ante Brasil

La Selección Nacional, dirigida por Antonio López Herranz, fue rápidamente eliminada en el Mundial de Suiza-54. El 16 de junio fue goleada por Brasil y tres días después sucumbió ante Francia por un dudoso penalti de última hora. Por una lesión en la mano derecha, Antonio Carbajal no pudo jugar el primer partido, lo suplió Salvador Mota a quien los brasileños bombardearon alegremente hasta establecer el marcador de 5-0. Contra Francia sí actuó Carbajal. Recibió 3 goles, el segundo fue un autogol de Raúl Cárdenas y el tercero el discutido penalti al minuto 87 cuando el marcador estaba empatado a dos.

El récord de Evaristo Murillo

Dos semanas antes de que comenzara el campeonato de Liga tuvo lugar la inauguración oficial del estadio de Toluca con el partido entre el local y el Dínamo de Yugoslavia que por esos días disputaba una serie de partidos contra equipos mexicanos. Ganó el Dínamo por 4 a 1.

Del 21 de agosto al 23 de enero se jugó el torneo, que esta vez registró una notable disminución en la producción goleadora: solamente 382 anotaciones. Por primera vez el promedio de goles por juego (2.89) fue inferior a tres.

De los 19 porteros que jugaron, cinco lo hicieron en todos los minutos de todos los

partidos. Por cuarto año seguido el *Tubo* Gómez y por segundo año Jorge Morelos lograron temporada completa. Y aunque el arquero del Guadalajara tuvo promedio de goles por juego muy bajo (1.00), fue superado por Manuel Camacho y Evaristo Murillo con extraordinarios 0.73 y 0.95, respectivamente.

En la recta final del campeonato el *tico* Murillo estableció un gran récord que duró más de 30 años, al bajar la cortina de su portería durante seis juegos consecutivos. Entre las fechas 16 y 21 no recibió ningún gol del América, Puebla, León, Tampico, Oro y Marte. En esta racha el Zacatepec consiguió 5 victorias, y con la última, ante el Marte, conquistó el título. La imbatibilidad de Murillo terminó en el último partido del campeonato cuando el Zacatepec empató 1-1 con el Necaxa. El tanto necaxista fue del centro delantero argentino Norberto Rozas.

Debuts y cambios de porteros

Solamente hubo dos debuts de porteros, ambos del Irapuato, el nuevo equipo en Primera División. En su primer partido el Irapuato anotó cuatro goles pero recibió cinco del Zacatepec. Su arquero fue el joven hispano Florentino López. Un penalti ejecutado por Samuel *Chapela* Cuburu fue el primer gol que encajó Florentino, quien había nacido en España pero desde muy niño había vivido y se había hecho portero en México. Tras jugar esta temporada con el Irapuato, Florentino emigró a su patria donde jugó dos temporadas con el Valencia y otras más con equipos de Segunda División, antes de volver a México en 1960 contratado por el Toluca. El otro guardameta que debutó con el equipo *fresero* fue Archibaldo Gallardo, el 19 de septiembre contra el Oro en Guadalajara, partido que ganó el Irapuato 3-2. El primer tanto que admitió Gallardo se lo marcó Arnulfo Cortés.

Y también fueron pocos los porteros que cambiaron de equipo. Al descender el Atlas, su arquero Raúl Córdoba se contrató con el Oro, y al ser desmantelado el Marte por problemas económicos, su portero Arenaza emigró al Toluca. El veterano Melesio Osnaya pasó del Tampico al Irapuato para jugar sus últimos partidos y retirarse, y el *Potrillo* Martínez llegó al Puebla para ser suplente de Vicente González.

Otra corona para Palleiro

Las goleadas del campeonato les tocaron a los "raúles", Quevedo y Landeros. El primero recibió 6 goles del Necaxa en el estadio de Insurgentes y el segundo también 6 del Zacatepec en la "selva *cañera*". En la goliza del Necaxa al Marte, Norberto Rozas marcó cuatro goles. El único otro jugador que anotó cuatro en un partido fue el joven delantero del Guadalajara, Salvador Reyes. En la primera fecha del campeonato, *Chava* logró la cuarteta de anotaciones contra el portero suplente del Atlante, José Sierra, en el parque Oblatos.

Por segundo año seguido, pero ahora en solitario, quedó campeón de goleo el cañonero uruguayo del Necaxa, Julio Palleiro, con 19 tantos, 10 de ellos en cancha ajena. Superó por tres al *Flaco* Mario Pérez (Zacatepec) y por cinco a Héctor Hernández (Oro). Trece de los diecinueve goles de Palleiro fueron para Córdoba (4), el *Tubo* Gómez (3), Arenaza (3) y el novel Gallardo (3).

Dos de los tres goles con los que el Oro venció 3-0 al Atlante el 12 de diciembre del 54 fueron anotaciones en su propia portería del defensa atlantista Ramón *Fresero* Martínez ante la sorpresa del portero Mota.

Ni con una liguilla se salvó el Marte

En su cuarto año en Primera División el Zacatepec se proclamó campeón con 32 puntos tras una cerrada lucha con el Guadalajara que sumó 30 y nuevamente se quedó a un paso del título, ganándose a pulso el mote del "ya merito". Con 42 anotaciones cada uno el Necaxa y el Oro compartieron el liderato de goleo, mientras que el América con los escasos 17 goles que recibió impuso una marca que sigue vigente.

El colero Marte también estableció el récord de menos anotaciones (17) e igualó los del San Sebastián en 50-51 de menos victorias (2) y menos puntos (11). El equipo de Cuernavaca tardó 16 semanas para obtener su primer triunfo. También el Marte fue el más goleado con 52, todos a la cuenta de Raúl Quevedo.

Con el propósito de incrementar a 14 el número de equipos para el siguiente torneo, se organizó una "liguilla de ascenso" en la que el Marte y el Atlante, que quedó penúltimo, se midieron con el Cuautla, el Querétaro y el

Zamora, que terminaron detrás del Atlas en el campeonato de la Segunda División. El vencedor de la liguilla (se realizó en el D.F. después de la Copa México) fue el Atlante y con ello aseguró su permanencia en la máxima división, mientras que el Zamora y el Cuautla, empatados en segundo lugar, consiguieron el ascenso. El Marte desaprovechó esta segunda oportunidad de salvarse y cayó a Segunda, donde sólo jugó un año y desapareció.

Últimos goles del *Dumbo* López

Esta fue la última temporada de Adalberto López. El 17 de octubre del 54 en Cuernavaca contribuyó con un par de anotaciones a la goleada por 4-0 que el Guadalajara le propinó al Marte. Fueron los últimos goles del *Dumbo* (así apodado por el tamaño de sus orejas) en el futbol mexicano antes de emigrar a Los Ángeles, California donde jugó cinco años más. Goleador de leyenda, pentacampeón de goleo y dos veces sublíder anotador, sumó 197 goles en 10 torneos (sin liguillas). En su época nadie logró tantas anotaciones ni tantos títulos. Raúl Quevedo fue el último portero vencido por los disparos del *Dumbo*. ¡Ah, y ninguno de sus casi 200 goles fue de penalti!...

Epopeya en Toluca

En solamente un mes, del 5 de febrero al 6 de marzo del 55, los equipos despacharon la Copa México porque se volvió a utilizar el método de nocaut a visita recíproca. Durante el torneo se registró un autogol del portero del Marte, la despedida de Melesio Osnaya, quien en su último juego atajó un penalti, y una emocionante y dramática eliminatoria protagonizada por el Necaxa y el Toluca.

El 6 de febrero el Guadalajara recibió al Marte y lo goleó 4-0, una de las anotaciones fue el autogol de Quevedo. Un día antes tuvo lugar en Tampico el último partido de Osnaya. Se retiró con una derrota (0-2) aunque detuvo un tiro de castigo. Luego de jugar cinco años con el Asturias, tres con el Necaxa, uno con el Tampico y uno con el Irapuato, acumuló 343 goles en 182 juegos y promedió 1.88. Nunca ganó un título pero quedó en la historia del Asturias como el portero líder en juegos, juegos completos y goles.

La eliminatoria entre necaxistas y toluqueños estaba igualada porque el Toluca le había ganado al Necaxa en México por 3-0 y el Necaxa le había devuelto el marcador al pagar la visita. Así que dos días después se jugó en Toluca un partido de desempate que resultó tan memorable como la final del año pasado entre el América y las *Chivas*. Los *Choriceros* y los *Electricistas* fueron incapaces de marcar un gol en 140 minutos (hubo dos tiempos extra de 15 minutos cada uno y dos más de 10 minutos cada uno), por lo que recurrieron al lanzamiento de penaltis. Los tiradores fueron Palleiro, por el Necaxa, y el *Chino* Láscarez. De nueve disparos, Palleiro falló tres, uno de éstos atajado por Arenaza, mientras que Láscarez sólo acertó tres de siete. De los cuatro que falló, uno fue detenido por Morelos. Así, el Necaxa emergió vencedor por 6-3 en penaltis.

Dos copas para el América

Por segundo año consecutivo el América se tituló campeón de Copa, y lo hizo sin perder ningún partido. Nuevamente se impuso al Guadalajara en la final, un duelo que se definió por el solitario gol de Manuel Cañibe. A las *Chivas* les quedó el consuelo de tener en Salvador Reyes al monarca de goleo con 5 tantos.

Cuatro días después los *Cremas* derrotaron 3-2 al Zacatepec en el partido de Campeón de Campeones y nuevamente Cañibe se vistió de héroe al marcarle dos goles a Murillo. Con el par de títulos el portero del América, Manuel Camacho, cerró con broche áureo su gran temporada.

Nómina de porteros

América	Manuel Camacho y Humberto Gama
Atlante	Salvador Mota y José Sierra
Guadalajara	Jaime Gómez
Irapuato	Archibaldo Gallardo, Melesio Osnaya y Florentino López
León	Antonio Carbajal
Marte	Raúl Quevedo
Necaxa	Jorge Morelos
Oro	Raúl Córdoba
Puebla	Vicente González y José Martínez
Tampico	Raúl Landeros y Héctor López
Toluca	Eugenio Arenaza y Juan José Tello
Zacatepec	Evaristo Murillo

Más juegos (j)

Jaime Gómez (Guadalajara)	22
Antonio Carbajal (León)	22
Raúl Quevedo (Marte)	22
Jorge Morelos (Necaxa)	22
Raúl Córdoba (Oro)	22
Evaristo Murillo (Zacatepec)	22

Más juegos completos

Jaime Gómez (Guadalajara)	22
Antonio Carbajal (León)	22
Raúl Quevedo (Marte)	22
Jorge Morelos (Necaxa)	22
Evaristo Murillo (Zacatepec)	22
Raúl Córdoba (Oro)	21

Más goles (g)

Raúl Quevedo (Marte)	52
Raúl Córdoba (Oro)	40
Raúl Landeros (Tampico)	35
Jorge Morelos (Necaxa)	30

Más bajo g/j (mínimo 12 juegos)

Manuel Camacho (América)	0.73
Evaristo Murillo (Zacatepec)	0.95
Jaime Gómez (Guadalajara)	1.00
Antonio Carbajal (León)	1.09

Más goles en un juego

Raúl Quevedo (Marte)	6
Raúl Landeros (Tampico)	6

Penaltis detenidos

Jaime Gómez (Guadalajara)	2
Archibaldo Gallardo (Irapuato)	1
Jorge Morelos (Necaxa)	1
Raúl Córdoba (Oro)	1
Eugenio Arenaza (Toluca)	1

Expulsados

Ninguno

55-56
La gran racha del *Tubo* Gómez

Por segunda vez en ocho años el León y el Oro disputaron un juego de desempate para determinar al campeón y los Panzas Verdes *se apuntaron su cuarta corona en ese lapso. Se cortó la racha de juegos consecutivos del* Tubo *Gómez que abarcó casi cinco años, pero el arquero tapatío custodió la portería mexicana en el II Panamericano, que tuvo como sede el majestuoso estadio de Ciudad Universitaria. Héctor Hernández anotó la mitad de los goles de su equipo e impuso su hegemonía entre los romperredes, mientras que la* Tota *Carbajal volvió a encabezar a los guardametas. Los* Panzas Verdes *se mantuvieron invictos en 19 partidos consecutivos. Descendió el Zamora y el Monterrey ganó el boleto de regreso a Primera División. El Toluca, ganando la Copa, conquistó su primer trofeo. Con el incendio de su Parque y la desaparición de su equipo, terminó la primera época de futbol profesional en Puebla.*

Héctor López, portero de "hierro"

El 9 de julio de 1955 comenzó el campeonato y un día después el América, con Humberto Gama como portero, y el Oro, con Raúl Córdoba, protagonizaron el primer juego de Primera División en la historia del estadio de Ciudad Universitaria. Ganó el Oro 2-1. Al igual que el América, el Necaxa también se cambió de estadio mientras que el Atlante continuó realizando sus partidos de local en el estadio de Insurgentes. Antes, en junio, habían jugado en México el São Paulo y el Sochaux. A los brasileños solamente el Toluca los pudo vencer; los galos, primer equipo francés que vino a nuestro país, sufrieron 2 reveses, ante el Atlante y el mismo Toluca. El portero del Sochaux era Remetter, guardameta de la Selección de Francia.

Los 14 equipos utilizaron a 29 porteros, de los cuales sólo uno, Héctor López, del Tampico, jugó todos los minutos de los 26 partidos. El *Orejón* aprovechó la oportunidad que le llegó al lesionarse el titular Landeros y se ubicó en el tercer sitio en la lista de los mejores porteros, con promedio de 1.23, abajo de Toño Carbajal (0.87) y Raúl Córdoba (1.19). Por cierto, una expulsión le impidió a Córdoba jugar la temporada completa. (Por primera vez se registraron 2 expulsiones de porteros en un campeonato; el otro fue Juan José Tello, del Toluca).

65 mil pesos por Camacho

Hubo once debuts de porteros. Los más destacados: Elías Vázquez con el Zamora, Darío Ortiz con el Cuautla, José Luis Ledesma con el Necaxa, Conrado Pulido con el Guadalajara, Luis Septién con el Puebla y Jesús González con el Irapuato. Los que tuvieron más actividad fueron Vázquez y González con 16 y 13 juegos, respectivamente.

El peruano Arenaza jugó ahora con el Cuautla, su séptimo equipo en once años. Lo sustituyó en el Toluca Manuel Camacho, al tiempo que en el América le daban a Gama la oportunidad de ser titular. La transferencia de Camacho marcó un récord para transacciones en el futbol mexicano ya que el Toluca pagó 65 mil pesos por su ficha.

123 juegos seguidos del *Tubo*

El 18 de diciembre del 55 en el partido Guadalajara 1 Atlante 2 terminó la racha de Jaime Gómez. Había empezado a principios de 1951. El *Tubo* jugó 123 partidos completos seguidos. Solamente faltaban dos jornadas para concluir el campeonato, las cuales se programaron para la segunda quincena de enero. Para entonces el *Tubo* se había integrado a la Selección, que se preparaba para el Panamericano, y no pudo terminar el campeonato con las *Chivas*. En esta racha, la tercera más larga de la historia para un portero, el *Tubo* recibió 157 anotaciones (1.28 goles por juego). Por cierto que durante este torneo le tocó vivir la racha negativa más grande en la historia de las *Chivas*: 13 juegos consecutivos sin victoria (ocho empates y cinco derrotas).

Los nuevos equipos, Cuautla y Zamora, debutaron con derrotas. El primero cayó 0-5 en Tampico y el segundo 1-4 en Guadalajara ante las *Chivas*. Darío Ortiz y Ovidio Arnauda fueron los primeros porteros de estos conjuntos, cuya estancia en la Primera División sería muy corta: cuatro temporadas los morelenses y también cuatro, pero no consecutivas, los michoacanos.

Los goleados y los goleadores

Se registraron en el torneo 568 goles, casi 50 % más que en 54-55. Desde luego hubo 50 juegos más. Los arqueros del Atlas, América y Atlante fueron los más goleados. Fernando Barrón admitió 44, Gama 37 y Mota 35. Aunque a los noveles Jacobo Ruiz y Elías Vázquez, del Cuautla y el Zamora, les tocaron las mayores golizas. El primero al caer en León por 0-7 y el segundo al sucumbir 1-7 ante el Atlante en México.

El 14 de agosto el Puebla visitó al Atlante. Alineó como portero el novato Septién, pero éste se lastimó y tuvo que salir del juego. Otro novato, Ignacio Zárate, mediocampista, se colocó en el marco y fue inmisericordemente acribillado con 5 goles por los azulgranas, cifra que constituye un récord para jugadores de campo improvisados de porteros.

Los argentinos Osvaldo Martinolli y Norberto Rozas lograron sendos partidos de 4 goles. El primero se los anotó a Enrique López Huerta en el 5-1 del León al América el 11 de diciembre, y el segundo se los marcó al *Mono* Arenaza en el 5-2 del Necaxa al Cuautla el 21 de agosto.

El líder de goleo fue Héctor Hernández. Anotó 25 de los 49 goles que totalizó el Oro. Los porteros más castigados por Héctor fueron Murillo, Barrón y Vicente González con 4, 3 y 3 tantos, respectivamente. Otros dos mexicanos, Ligorio López, del Atlante y Lupe Díaz, del Tampico escoltaron al cañonero del Oro con 19 anotaciones el primero y 18 el segundo, mientras que el mejor romperredes extranjero (Martinolli) quedó a diez goles de Héctor.

Diecinueve sin perder del León

En este campeonato el León igualó la marca de invencibilidad del Veracruz al ligar 19 partidos consecutivos sin derrota entre el 24 de julio y el 27 de noviembre. En ese lapso los *Panzas Verdes* ganaron 12 juegos (7 en forma consecutiva) y empataron 7. La racha terminó en Tampico con un descalabro por 0-1. En todos los partidos la cabaña leonesa fue custodiada por la *Tota* Carbajal.

El León resultó el equipo menos goleado (24), el Atlante el más anotador (53), el Puebla recibió más (64) y el Zamora tuvo la ofensiva más pobre (23). Este equipo michoacano empató el récord de menos victorias en un campeonato (2), y con sólo 14 puntos, dos menos que el Puebla, se adueñó del sótano y del boleto de regreso a Segunda División.

Cuarto lugar en el Panamericano

El León y el Oro terminaron el torneo el 22 de enero del 56 empatados en primer lugar con 37 puntos pero no jugaron el partido de desempate hasta dos meses después, porque durante ese lapso se realizó en México el II Torneo Panamericano.

La Selección Mexicana tuvo una discreta actuación: empató a uno con Costa Rica, sucumbió 0-2 con Perú y 1-2 con Brasil, igualó sin goles con Argentina y obtuvo su único éxito al doblar a Chile por 2-1. En todos los juegos el portero de México fue el *Tubo* Gómez, aunque en el último, contra Chile, también jugó un rato Manuel Camacho. Los brasileños repitieron como monarcas y México, al ocupar el cuarto lugar, mejoró su actuación de cuatro años atrás en Santiago donde fue quinto.

Vuelve a rugir el León

El juego por el título entre el León y el Oro se efectuó en la ciudad de México el 25 de marzo. Con una destacada actuación de Mateo de la Tijera que marcó tres goles, el León venció 4-2 a los *Áureos* y conquistó su cuarta corona de Liga y la segunda bajo el mando de Antonio López Herranz. Los arqueros en esta final fueron Carbajal y Córdoba.

Murillo, Vicente y el Puebla dicen adiós

Nuevamente con el sistema de nocaut a visita recíproca se jugó la Copa México entre el 7 de abril y el 27 de mayo. Durante el torneo se registraron los últimos partidos de dos destacados guardametas. El *tico* Evaristo Murillo jugó por última vez el 29 de abril. Se despidió con una derrota al perder el Zacatepec con el Puebla por 0-1 en la selva *cañera*. Vicente González le puso el punto final a su carrera el 20 de mayo cuando el Puebla fue eliminado por el Toluca en semifinales tras perder por 0-3 en la *Bombonera*.

En la época profesional Murillo militó 7 años con el Moctezuma, 2 con el Veracruz y 4 con el Zacatepec. Su promedio de goles por juego fue alto: 2.01, ya que admitió 544 anotaciones en 270 juegos. Veinte veces recibió cinco o más goles. Ganó una Liga, una Copa y un Campeón de Campeones. Desde luego en la historia del Moctezuma es el portero líder en juegos, partidos completos y goles.

Vicente jugó 4 torneos con el Guadalajara y 5 con el Puebla. En 143 partidos, sin jamás haber sido expulsado, recibió 232 goles para un promedio de 1.62. Una Copa con el Puebla fue su único título.

Unos días después de su eliminación, la directiva del Puebla, agobiada por problemas económicos, solicitó un permiso por un año para ausentarse de la competencia. Meses más tarde un "misterioso" incendio destruyó el parque El Mirador. La ciudad de Puebla no volvería a tener futbol sino hasta ocho años después, en 1964, en Segunda División.

El Toluca ganó la Copa México. Se impuso en la final al Irapuato por 2 a 1. Los porteros de este juego, efectuado en la ciudad de México, fueron Manuel Camacho y Raúl Quevedo. Este último se incorporó al conjunto *fresero* en la Copa. Tres semanas antes, Camacho se había convertido en el primer portero con 2 expulsiones en la historia de la Copa.

El líder goleador fue Juan Carlos Carrera. El *Loco* marcó 7 goles con el Atlas, cinco de ellos en un sólo juego. El 12 de abril el equipo rojinegro arrolló al Zamora por 6-2 y Elías Vázquez se tragó los 5 pepinos del artillero argentino.

Héctor Dadderio, también atlista y paisano de Carrera, le anotó 4 goles en un juego a José Luis Sánchez, suplente de Carbajal, en una victoria del Atlas sobre el León por 5-3.

La temporada finalizó el 3 de junio con el juego de Campeón de Campeones. Los monarcas de Liga y de Copa empataron 1-1 y en tiempos extra un solitario gol de Martinolli le dio el título al León.

NÓMINA DE PORTEROS

América	Humberto Gama y Enrique López Huerta
Atlante	Salvador Mota y José Cerón
Atlas	Fernando Barrón y (?) González
Cuautla	Eugenio Arenaza, Darío Ortiz, Jacobo Ruiz, Enrique Ramos y (?) Sánchez
Guadalajara	Jaime Gómez y Conrado Pulido
Irapuato	Archibaldo Gallardo y Jesús González
León	Antonio Carbajal y José Luis Sánchez
Necaxa	Jorge Morelos y José Luis Ledesma
Oro	Raúl Córdoba
Puebla	Vicente González y Luis Septién
Tampico	Héctor López
Toluca	Manuel Camacho y Juan José Tello
Zacatepec	Evaristo Murillo e Isidro Gil
Zamora	Elías Vázquez y Ovidio Arnauda

MÁS JUEGOS (J)

Héctor López (Tampico)	26
Raúl Córdoba (Oro)	26
Salvador Mota (Atlante)	25
Jaime Gómez (Guadalajara)	24
Antonio Carbajal (León)	24

MÁS JUEGOS COMPLETOS

Héctor López (Tampico)	26
Salvador Mota (Atlante)	25
Raúl Córdoba (Oro)	25
Jaime Gómez (Guadalajara)	24
Antonio Carbajal (León)	24

MÁS GOLES (G)

Fernando Barrón (Atlas)	44
Humberto Gama (América)	37
Salvador Mota (Atlante)	35
Vicente González (Puebla)	34

MÁS BAJO G/J (MÍNIMO 14 JUEGOS)

Antonio Carbajal (León)	0.87
Raúl Córdoba (Oro)	1.19
Héctor López (Tampico)	1.23
Manuel Camacho (Toluca)	1.24

MÁS GOLES EN UN JUEGO

Elías Vázquez (Zamora)	7
(?) Ruiz (Cuautla)	7
Vicente González (Puebla)	6
Luis Septién (Puebla)	6

PENALTIS DETENIDOS

Humberto Gama (América)	1
Salvador Mota (Atlante)	1
Héctor López (Tampico)	1

EXPULSADOS

Raúl Córdoba (Oro)
Juan José Tello (Toluca)

56-57
Por fin, Guadalajara es Campeón

El Guadalajara dejó de ser el "ya merito" al conquistar sus primeros títulos, la Liga y el Campeón de Campeones, además del liderato de goleo individual con el Mellone *Gutiérrez. El Monterrey reapareció en Primera División pero quedó en último lugar y retornó a Segunda. Ascendió el Zamora. También lo hizo el subcampeón Morelia para ocupar el lugar del desaparecido Puebla. Cuatro porteros lograron excelentes promedios de goles por juego, todos inferiores a la unidad, y el* Tubo *Gómez inició otra racha larga de juegos consecutivos. Horacio Casarín anotó su último gol. Comenzó la época de los torneos cuadrangulares, pentagonales y hexagonales con equipos extranjeros.*

Gran temporada de José Sierra

Reducido a 13 el número de equipos por la ausencia del Puebla, arrancó el campeonato el 7 de julio de 1956. Al día siguiente Jaime Gómez comenzó su segunda gran racha de más de 100 partidos seguidos, que terminaría a fines de 1960. El portero del Guadalajara y los del Atlante (José Sierra), Toluca (Manuel Camacho) y León (Antonio Carbajal) tuvieron sobresalientes actuaciones, reflejadas en los bajísimos promedios de goleo. El mejor fue el de Sierra, 0.80, luego Camacho con 0.83, Carbajal 0.87, y el *Tubo* con 0.92. Además, el azulgrana atajó dos penaltis e hilvanó una cadena de cinco juegos consecutivos sin recibir gol.

Sierra mantuvo imbatida su portería ante el América, Toluca, Tampico, Irapuato y Cuautla. El Atlante ganó esos cinco partidos, uno de ellos (al Tampico) por 8-0, la goleada del campeonato, que se cargó en la cuenta de Héctor López. Nunca más en su carrera permitió tantos goles en un juego el *Orejón*.

La otra goliza del torneo se la llevó el arquero del América, Enrique López Huerta, el 22 de agosto en Guadalajara al aplastar las *Chivas* a los *Cremas* por 7-0.

Cambios y debuts

Cuatro de los 23 porteros (solamente un extranjero: Arenaza) que actuaron en este campeonato jugaron completos los 24 partidos: el *Tubo*, Carbajal, Morelos y Camacho. El necaxista fue el que más goles recibió con 34, seguido por Humberto Gama, del Monterrey, con 33.

Además del cambio de Gama del América al Monterrey, se registraron otros movimientos. Isidro Gil pasó del Zacatepec al América, Darío Ortiz emigró del Cuautla al Atlas, y José Luis Ledesma dejó al Necaxa para jugar con el Zacatepec, equipo que también contrató a Luis Septién, quien había debutado con el Puebla la temporada anterior. Además, reaparecieron Landeros con el Tampico, el *Potrillo* Martínez con el Monterrey y Quevedo con el Irapuato. Por cierto, el equipo *fresero* empezó el campeonato ligando seis victorias seguidas, durante las cuales Quevedo sólo permitió tres anotaciones. Después, decayó notablemente y terminó el certamen con ocho derrotas consecutivas. Por lo que respecta al *Potrillo*, sólo jugó 5 partidos y el quinto fue su último en Primera División, el 2 de septiembre del 56, empate 1-1 del Monterrey en México ante el Necaxa. En siete años jugó con cinco equipos, dos de los cuales descendieron a Segunda División, aunque como portero suplente le tocó ser campeón de Liga y de Copa con el León. Actuó en total en 64 juegos, admitió 124 goles. Su promedio se elevó a 1.94 anotaciones por partido.

En cuanto a debuts de guardametas hubo seis este año, la mitad en la Copa, de los cuales son de destacarse los de Jorge Iniestra y el argentino Nelson Festa. Nada agradable el del primero y muy exitoso el del segundo, porque aquél en su primer juego, con el Cuautla (8 de julio, primera jornada), recibió 6 goles del Toluca en la *Bombonera*, en tanto que Festa debutó con el Zacatepec ni más ni menos que en la final de la Copa México el 28 de abril del 57, ganada por el equipo *cañero* 1-0 al León.

Antes de venir a México, el arquero argentino había jugado en su patria con el San Lorenzo y el Estudiantes de La Plata, y después en Perú había defendido el marco del Centro Iqueño y del Universitario.

El *Mellone* superó a Martinolli y a Palleiro

Dos cañoneros extranjeros, Martinolli y Palleiro, lograron sendos juegos de cuatro goles. El argentino se los anotó a José Luis Ledesma el 29 de julio en el 4-0 del León al Zacatepec, en tanto que los del uruguayo los recibió Raúl Córdoba el 5 de agosto en la goleada del Toluca al Oro por 5 a 1. Por cierto que un mes después Córdoba sufrió la segunda expulsión de su carrera. Otro portero que también fue expulsado en este campeonato fue Humberto Gama.

Los mencionados Martinolli y Palleiro con 17 y 14 goles, respectivamente, y Héctor Hernández, que también anotó 14, escoltaron al centro delantero de las *Chivas*, Crescencio *Mellone* Gutiérrez, quien se proclamó rey de los romperredes con 19 tantos, ninguno de los cuales fue de penalti. Los porteros del América y Monterrey, López Huerta y Gama, fueron los que más goles recibieron del *Mellone*: tres cada uno.

Se coronan las *Chivas*

El Guadalajara rompió el maleficio de no ganar títulos el 3 de enero del 57 (antepenúltima jornada) derrotando 1-0 al Irapuato (gol de *Chava* Reyes) para conquistar su primer campeonato. Terminó con 36 puntos, seis más que el Toluca, León (por segundo año seguido se mantuvo invicto como local) y Atlante, mientras que el Zacatepec y el Monterrey ocuparon los últimos lugares, separados por apenas un punto. Los *cañeros* sumaron 16 y los *regios* 15, luego de que en la última jornada se salvó el Zacatepec al vencer al Necaxa mientras el Monterrey caía en León. Las *Chivas*, con la dirección del uruguayo Donald Ross, fueron el equipo más goleador con 47 tantos y el Toluca tuvo la defensa más sólida con sólo 20 recibidos. El Monterrey anotó menos (23) y, junto con el Tampico, recibió más (46).

El ex portero Joaquín Urquiaga cerró su ciclo como entrenador del Tampico el 12 de enero en el empate 0-0 de los *Jaibos* en Toluca. En 6 años dirigió al equipo tamaulipeco en 144 juegos, de los cuales ganó 62, empató 37 y perdió 45. Fue campeón en 52-53.

Otro ex arquero que también fungió como entrenador en este torneo fue Felipe Castañeda. La *Marrana* dirigió

al América en los últimos tres partidos del campeonato con saldo de un triunfo, un empate y un revés. Los tres puntos salvaron al equipo del descenso.

Como dato curioso del campeonato quedan dos autogoles de porteros, uno de Héctor López en México durante el juego Necaxa 2 Tampico 2 el 29 de julio y uno del *Tubo* Gómez el 30 de septiembre en Guadalajara en el triunfo de las *Chivas* 3-1 sobre el Cuautla.

El último gol de Casarín

El 18 de noviembre del 56 en Irapuato el arquero *fresero* Jesús González recibió el último gol de Horacio Casarín, uno de los mejores futbolistas mexicanos de todos los tiempos y quizá el mayor ídolo de nuestro balompié. Enfundado en la camiseta rayada del Monterrey, Horacio cerró su brillantísima carrera de poco más de veinte años, iniciada en 1936 -a la edad de 16 años- con el Necaxa de "Los once hermanos", durante la cual acumuló 239 goles: 66 en la época amateur con el Necaxa y el Atlante y 173 en el periodo profesional con el Atlante, España, Necaxa, Zacatepec, América y Monterrey.

Primer torneo cuadrangular

El 20 de enero del 57 finalizó el campeonato. Una semana después comenzó la tradicional actividad internacional de invierno, pero esta vez se cambió el formato. En lugar de una larga serie de partidos contra un equipo extranjero, se programó un torneo cuadrangular con dos cuadros foráneos y dos nacionales. Participaron el Peñarol de Uruguay, el Racing de Argentina, el Guadalajara y el Atlante. Sin perder ningún juego se coronó el equipo uruguayo, mientras que las *Chivas* y el Racing compartieron el segundo lugar. Sin embargo el Peñarol no se fue invicto de México porque después del torneo sucumbió ante el Necaxa y frente a un combinado Atlas-Oro. Cabe señalar que el Racing traía al portero Ataúlfo Sánchez, quien años después actuó en México con el América y el Necaxa.

Novedades en la Copa

Del 3 de marzo al 28 de abril se desarrolló el torneo por la Copa México con 16 equipos, pues participaron el campeón y subcampeón de Segunda División, Zamora y Morelia, que jugarán en Primera la próxima temporada, y el Nacional, un equipo tapatío de la división de ascenso que fue invitado. Actuaron como porteros de los nuevos equipos Javier Montes (Morelia), Elías Vázquez (Nacional) y Marcelino Gómez (Zamora).

Nuevamente se empleó el sistema de nocaut a visita recíproca y, como ya se dijo, quedó campeón el Zacatepec, que en la final presentó al guardameta argentino Festa y venció al León por 1-0. En este torneo la portería del León fue custodiada por Archibaldo Gallardo, a quien los *Panzas Verdes* adquirieron del Irapuato, porque Carbajal fue convocado a la Selección Nacional para disputar los primeros juegos de la eliminatoria para el Mundial de 1958. El líder de goleo de la Copa fue Juan Fuentes, del León, con cinco tantos.

El cerrojazo a la temporada se dio el 5 de mayo cuando el Guadalajara derrotó 2-1 al Zacatepec y se convirtió en Campeón de Campeones.

En abril el seleccionado mexicano le propinó un par de goleadas a Estados Unidos por 6-0 y 7-2 y a medio año eliminó a Canadá 3-0 y 2-0, quedando a un paso de conseguir el boleto para Suecia-58.

Nómina de porteros

América	Enrique López Huerta, Roberto Ayala e Isidro Gil
Atlante	José Sierra y Salvador Mota
Atlas	Darío Ortiz y Fernando Barrón
Cuautla	Eugenio Arenaza y Jorge Iniestra
Guadalajara	Jaime Gómez
Irapuato	Raúl Quevedo y Jesús González
León	Antonio Carbajal
Monterrey	Humberto Gama y José Martínez
Necaxa	Jorge Morelos
Oro	Raúl Córdoba y Miguel Aguirre
Tampico	Raúl Landeros y Héctor López
Toluca	Manuel Camacho
Zacatepec	José Luis Ledesma y Luis Septién

Más juegos (j)

Jaime Gómez (Guadalajara)	24
Antonio Carbajal (León)	24
Jorge Morelos (Necaxa)	24
Manuel Camacho (Toluca)	24
Raúl Quevedo (Irapuato)	22

Más juegos completos

Jaime Gómez (Guadalajara)	24
Antonio Carbajal (León)	24
Jorge Morelos (Necaxa)	24
Manuel Camacho (Toluca)	24
Raúl Quevedo (Irapuato)	22

Más goles (g)

Jorge Morelos (Necaxa)	34
Humberto Gama (Monterrey)	33
Enrique López Huerta (América)	29
Héctor López (Tampico)	29
Raúl Quevedo (Irapuato)	28

Más bajo g/j (mínimo 13 juegos)

José Sierra (Atlante)	0.80
Manuel Camacho (Toluca)	0.83
Antonio Carbajal (León)	0.87
Jaime Gómez (Guadalajara)	0.92
Raúl Quevedo (Irapuato)	1.27

Más goles en un juego

Héctor López (Tampico)	8
Enrique López Huerta (América)	7
Jorge Iniestra (Cuautla)	6
Jesús González (Irapuato)	6
Raúl Landeros (Tampico)	6
Héctor López (Tampico)	6

Penaltis detenidos

José Sierra (Atlante)	2
Jorge Morelos (Necaxa)	1
José Luis Ledesma (Zacatepec)	1

Expulsados

Humberto Gama (Monterrey)
Raúl Córdoba (Oro)

57-58
El Zacatepec, impresionante

Del penúltimo lugar en 56-57 a campeón un año después, pasando por dos finales de Copa (una ganada), fue el camino transitado por el Zacatepec, que vivió así la mejor época de su historia. Tuvo en sus filas al líder de goleo y al mejor portero, y el título de Campeón de Campeones fue la cereza en el pastel cañero. El León se llevó la Copa México en una final que duró dos partidos con tiempos extra en el segundo de ellos. El Tampico cayó a Segunda División y ascendió el Celaya. Las Chivas *vencieron al Botafogo de Garrincha y Didí, México calificó al Mundial de Suecia, y dos destacados porteros, Arenaza y Landeros, pusieron fin a sus carreras.*

Muchos cambios y debuts

El campeonato, nuevamente con 14 equipos por el ascenso de los michoacanos Morelia y Zamora, se jugó del 13 de julio del 57 al 2 de febrero del año siguiente. De los 33 porteros que participaron solamente uno, el *Tubo* Gómez, jugó todos los minutos de todos los partidos. El arquero de las *Chivas* logró un magnífico promedio de 1.04 goles recibidos por juego, superado sólo por el extraordinario 0.77 que alcanzó en su primera temporada en México el argentino Nelson Festa.

Varios guardametas cambiaron de equipo: José Luis Ledesma (del Zacatepec al América), Marcelino Gómez (del Zamora al Atlas), Isidro Gil (del América al Cuautla), Darío Ortiz (del Atlas al Necaxa), Raúl Córdoba (del Oro al Toluca), Fernando Barrón (del Atlas al Zamora), Miguel Aguirre (del Oro al Zamora) y Conrado Pulido (del Guadalajara al Tampico). Además, Juan José Tello reapareció en Primera División custodiando la portería del Morelia, y debutaron 7 porteros, entre ellos Antonio *Piolín* Mota, (hermano menor de Salvador), Javier Quirarte, el tapatío Miguel López, apodado *Chilaquil*, y el italiano-argentino Mierko Blazina, legendario arquero del San Lorenzo de Almagro.

Los debuts de Mota (Oro) y Quirarte (Atlas) se produjeron en la primera jornada en León y Toluca, respectivamente. Los *Panzas Verdes* golearon al Oro 4-1 y el *Piolín* recibió su primer gol del argentino José Santiago, mientras que a Quirarte se lo anotó Carlos Blanco en el 2-2

entre los rojinegros y los *Choriceros*. Blazina se presentó con el Oro el 4 de agosto en Guadalajara, pero los *Áureos* sucumbieron 2-3 con el Zamora, y el debut del *Chilaquil*, con las *Chivas*, ocurrió en la Copa en un empate 0-0 entre el Guadalajara y el Irapuato el 2 de marzo del 58.

Adiós a dos grandes de la portería

Dos espectaculares porteros, Eugenio *Mono* Arenaza y Raúl *Tarzán* Landeros, cerraron sus destacadas trayectorias en Primera División en los últimos días de 1957. El 21 de diciembre en Tampico lo hizo Landeros y ocho días después en Toluca jugó por última vez el peruano Arenaza. Por coincidencia, sus respectivos equipos —Tampico y Cuautla— fueron derrotados por el cuadro mexiquense. Tanto Arenaza como Landeros jugaron trece temporadas, pero mientras el primero actuó con siete equipos, el segundo sólo militó en dos. Ninguno salió nunca de la cancha por expulsión.

Tras jugar un año con el ADO, cuatro con el León, uno con el América, dos con el Oro, uno con el Marte, uno con el Toluca y tres con el Cuautla, Arenaza acumuló 353 goles en 241 partidos (promedio: 1.46). Conquistó dos campeonatos con el León y uno con el Marte, además de una Copa (León) y dos títulos de Campeón de Campeones (León y Marte). En el Cuautla es el portero líder en juegos, empatado con Jorge Iniestra.

La carrera de Landeros abarcó una temporada con el Asturias y doce con el Tampico. En 247 juegos recibió 471 anotaciones, por lo que su promedio fue de 1.91. Solamente consiguió un título de Liga y un Campeón de Campeones, ambos con el equipo *jaibo*, en cuyo historial figura como el portero líder en juegos, partidos completos y goles admitidos.

Lara, campeón de goleo

Dos artilleros argentinos, Carlos Lara, del Zacatepec, y Rubí Cerione, del Atlas, lograron la hazaña de anotar cuatro goles en un partido. El *Piolín* Mota recibió los de Lara en la derrota del Oro en Zacatepec por 2-4 el 28 de julio y a Jorge Morelos le tocaron los de Cerione el 1 de septiembre en Guadalajara al golear el Atlas al Necaxa 5-3. Pero la goliza del campeonato fue la que las *Chivas* le propinaron al Morelia el 15 de septiembre en Oblatos por 7-0. Nunca en los nueve años que duró su carrera recibió Juan José Tello tantos goles en un juego.

Sin embargo, Tello pudo presumir de ser el único portero que le cerró la puerta en un partido al Toluca, su ex equipo, ya que el conjunto mexiquense anotó en todos sus juegos menos cuando visitó al Morelia en la penúltima fecha empatando a cero.

Carlos Lara, apodado posteriormente el *Charro* a partir de su nacionalización como mexicano, se consagró campeón de goleo con 19 tantos (ninguno de penalti). Muy cerca en la lista de romperredes quedó Carlos Blanco, del Toluca, con 17, y luego Lalo Palmer, del América, que anotó 16 y el rojinegro Carlos González con 15.

Dos expulsiones del mejor portero

Lara marcando goles y Festa evitándolos fueron piezas clave en la gran campaña del Zacatepec, que comenzó con triunfos en los primeros 6 juegos y llegó hasta la fecha 17 sin sufrir ningún revés. Como el equipo *cañero* había ganado su último partido del torneo anterior, sus rachas fueron de 7 victorias consecutivas y 18 juegos sin perder. La invencibilidad del Zacatepec terminó cuando el Atlas lo derrotó por 3 a 2 en Guadalajara en la decimoctava jornada, pero seis semanas después el equipo morelense con su triunfo de 3-1 sobre las *Chivas* aseguró el primer lugar, su segundo título en 4 años y el tercero de Nacho Trelles como entrenador. En este juego Nelson Festa fue expulsado y se convirtió en el primer portero que acumula dos expulsiones en una temporada ya que a principios del campeonato, en un partido contra el Morelia, también se había ido a las regaderas antes de tiempo. Felipe Buergo y Rafael Valenzuela fueron los árbitros que echaron al argentino.

39 puntos sumó el Zacatepec, cinco más que el Toluca y seis más que el Guadalajara. Los toluqueños fueron líderes de goleo con 60 tantos y los *cañeros* tuvieron la mejor defensa con sólo 24 recibidos. Las seis decenas de goles del Toluca eran el número más alto de anotaciones desde la temporada 49-50 cuando el Veracruz hizo 78. De hecho, durante toda la década de los cincuenta el Toluca fue el único equipo que sumó 60 goles en un

año. El Morelia fue el más goleado (54) y el Tampico padeció la peor ofensiva (22). Este equipo *Jaibo* fue dirigido hasta la fecha 18 por el ex portero José Moncebáez y luego por el peruano Grimaldo González que no pudo evitar el descenso a Segunda División. Los números de Moncebáez fueron desastrosos: de 18 juegos perdió 10 y solamente ganó 2. Además, tuvo una racha de 13 seguidos sin triunfo.

Otro ex arquero que dirigió en esta temporada fue Felipe Castañeda, quien a partir de la fecha 18 tomó las riendas del Necaxa en sustitución de Andrés Ambriz.

Actividad internacional

En la segunda quincena de octubre las selecciones de México y Costa Rica disputaron en 2 juegos el pase al Mundial de Suecia. Con Carbajal en la portería, la escuadra mexicana venció a los *ticos* en el estadio de cu merced a un par de goles anotados en los últimos 15 minutos, y luego en San José sacó un empate 1-1 y consiguió la calificación.

El Zacatepec, el Toluca y el Guadalajara, campeón, subcampeón y tercer lugar, respectivamente, se midieron con el River Plate de Argentina y el Botafogo de Brasil en el primer Torneo Pentagonal, que se jugó en México del 6 al 23 de febrero del 58. El poderoso equipo de Río de Janeiro con súper estrellas como Didí y Garrincha tuvo que conformarse con el segundo lugar pues fue vencido por las *Chivas*. El Guadalajara también derrotó al River y se coronó campeón. Después de mantener imbatida su portería ante el Botafogo, el *Tubo* Gómez reforzó al Atlas en un juego contra el Independiente y retornó a *Chivas* para medirse con el River Plate. Así, en una semana disputó 3 juegos internacionales ante rivales de gran talla y solamente permitió un gol (del Independiente).

Y en mayo, después de la Copa México, se registró otra visita del Vasco da Gama. El equipo carioca se desquitó de la única derrota que había sufrido en México cuatro años atrás ante el Toluca, al vencer a los Diablos Rojos por 4-3, pero en el último juego de la gira volvió a sucumbir frente al cuadro mexiquense por 3-5.

Tres duelos entre León y Zacatepec

Por cuarto año consecutivo se utilizó el método de nocaut a visita recíproca para jugar el torneo de Copa. Se efectuó del 2 de marzo al 15 de abril. Y por segundo año seguido llegaron a la final el León y el Zacatepec. Como empataron a un gol, tuvieron que jugar un segundo partido 48 horas después, que también terminó sin vencedor ni vencido aunque ahora el empate fue a dos tantos. Pero en tiempos extra Luis Luna, Leonel Bozza y Mateo de la Tijera hicieron tres agujeros en la cabaña de Festa y el León se alzó con la Copa. Los *Panzas Verdes* ganaron este trofeo en forma invicta y su delantero argentino Alberto Etcheverry fue líder de goleo con 7 tantos. Cabe señalar que para jugar este torneo el Atlante se mudó al estadio de Ciudad Universitaria dejando el de Insurgentes que había sido su casa desde 1947.

Cinco días después, otro juego entre *Cañeros* y *Esmeraldas*, el tercero en una semana, por el título de Campeón de Campeones. Triunfó el Zacatepec con solitario gol de Carlos Lara. En la portería leonesa estuvo Archibaldo Gallardo, el suplente de Carbajal.

Nómina de porteros

América	Enrique López Huerta y José Luis Ledesma
Atlante	Salvador Mota, José Sierra y José Cerón
Atlas	Marcelino Gómez y Javier Quirarte
Cuautla	Jorge Iniestra, Eugenio Arenaza e Isidro Gil
Guadalajara	Jaime Gómez
Irapuato	Raúl Quevedo y Jesús González
León	Antonio Carbajal y Archibaldo Gallardo
Morelia	Juan José Tello y Javier Montes
Necaxa	Jorge Morelos, Darío Ortiz, Homero Villar y (?) Arellano
Oro	Mierko Blazina, Antonio Mota y (?) Mata
Tampico	Héctor López, Raúl Landeros y Conrado Pulido
Toluca	Manuel Camacho y Raúl Córdoba
Zacatepec	Nelson Festa y Luis Septién
Zamora	Fernando Barrón y Miguel Aguirre

Más juegos (j)

Jaime Gómez (Guadalajara)	26
Juan José Tello (Morelia)	24
Salvador Mota (Atlante)	23
Antonio Carbajal (León)	23

Más juegos completos

Jaime Gómez (Guadalajara)	26
Juan José Tello (Morelia)	24
Salvador Mota (Atlante)	23
Antonio Carbajal (León)	22

Más goles (g)

Juan José Tello (Morelia)	49
Raúl Quevedo (Irapuato)	39
Mierko Blazina (Oro)	39
Fernando Barrón (Zamora)	36

Más bajo g/j (mínimo 14 juegos)

Nelson Festa (Zacatepec)	0.77
Jaime Gómez (Guadalajara)	1.04
Manuel Camacho (Toluca)	1.17
Antonio Carbajal (León)	1.22

Más goles en un juego

Juan José Tello (Morelia)	7
Fernando Barrón (Zamora)	6
(?) Mata (Oro)	6

Penaltis detenidos

Eugenio Arenaza (Cuautla)	1
Jaime Gómez (Guadalajara)	1
Juan José Tello (Morelia)	1
Héctor López (Tampico)	1

Expulsados

Nelson Festa (Zacatepec) (2 veces)

58-59
Segundo campeonato de las *Chivas*

Tras una cerrada batalla con el León, el Guadalajara se coronó en la última fecha y dio inicio a la "era del campeonísimo". Cuatro porteros extranjeros se incorporaron al futbol mexicano y dos históricos de la portería, como Raúl Córdoba y Salvador Mota, dijeron adiós. Dos equipos regresaron: el Cuautla a Segunda División y el Tampico a Primera. Por tercer año seguido el Zacatepec y el León jugaron la final de la Copa, y por primera vez en la historia del fut profesional un jugador del América fue campeón de goleo. En la Copa del Mundo México cortó una racha de nueve derrotas consecutivas y logró su primer punto. A nivel mundial comenzó el reinado de Pelé, quien con su equipo Santos ganó en México el II Pentagonal.

El primer punto

Durante la primera quincena de junio del 58 ocurrió la participación mexicana en el Mundial de Suecia. Entre las dos derrotas, no por esperadas menos dolorosas, por 0-3 y 0-4 ante el país anfitrión y Hungría, respectivamente, se intercaló el empate 1-1 con País de Gales gracias al histórico y agónico gol de Jaime Belmonte. Muy destacada fue la actuación de Antonio Carbajal, quien con sus lances evitó que las goleadas frente a los suecos y húngaros fuesen mayores. Nuevamente López Herranz fue el entrenador de la Selección, auxiliado por Nacho Trelles. Como porteros suplentes llevaron a Manuel Camacho y a Jaime Gómez.

Ya en 1959, México venció dos veces a Costa Rica en juegos amistosos y el 24 de mayo se apuntó un sonado triunfo por 2-1 sobre Inglaterra en el estadio de CU. Carbajal llegó con este partido a doce consecutivos con la Selección.

Fallida importación de porteros

De 571 en el campeonato anterior, la producción de goles aumentó a 584 en el torneo que comenzó el 13 de julio del 58 y concluyó el 11 de enero del año siguiente, en el que partici-

paron 24 porteros, la cuarta parte debutantes. El América, el Oro, el Atlas y el ascendido Celaya importaron arqueros de Argentina, Colombia y Hungría, sin embargo, su estancia en México fue muy corta con excepción del colombiano Efraín *Caimán* Sánchez que jugó un par de temporadas con el Atlas. El América y el Celaya trajeron a los argentinos Américo Francisco Nazer y Carlos Capasso, y el Oro al húngaro Steve Fecske que jugaba en Canadá. Entre los tres sumaron apenas 18 partidos de Liga y 3 de Copa. Los otros guardametas que se estrenaron en Primera División fueron Pablo Guerrero y Víctor Pérez, el primero con el Oro y el segundo con el Necaxa. Los delanteros del Irapuato y del Zamora, Ligorio López y Sigifredo Mercado, les anotaron sus primeros goles.

Por otra parte, Isidro Gil fue transferido del Cuautla al Zacatepec, José Luis Sánchez pasó del León donde era suplente al Celaya con el que jugó veinte partidos, y Luis Septién salió del Zacatepec para terminar su carrera con el Morelia.

JAIME GÓMEZ, EL MEJOR ARQUERO

Cuatro arqueros —Iniestra, el *Tubo*, Quevedo y Barrón— jugaron completos los 26 partidos. Al comenzar el torneo Raúl Quevedo ligó cuatro juegos seguidos sin gol en contra mientras el Irapuato eslabonaba una cadena de cinco victorias consecutivas. Como habían ganado sus últimos dos juegos del campeonato anterior, la racha victoriosa de los *freseros* fue de siete y finalizó el 17 de agosto al empatar a un gol con el Necaxa. Por cierto que exactamente dos meses después, el 17 de octubre, Quevedo cometió un autogol ante el Oro en Guadalajara. Y curioso, dos días después la *Tota* Carbajal sufrió por única ocasión en su carrera la vergüenza del autogol, siendo el Cuautla el equipo beneficiado.

El *Tubo* Gómez, con promedio de un gol por juego, fue el mejor portero. Le siguieron Manuel Camacho con 1.14, Toño Carbajal con 1.16 y Quevedo con 1.23, mientras que Fernando Barrón con 53 y Jorge Iniestra y Pablo Guerrero con 45 cada uno fueron los más goleados. El *Tubo* redondeó su gran actuación deteniendo sendos penaltis contra el Cuautla y el Toluca y coronándose por segunda vez con las *Chivas*.

LOS RETIROS DE SALVADOR MOTA Y RAÚL CÓRDOBA

El 16 de octubre del 58 el Atlante goleó 5-2 al Toluca en el estadio de CU. En este partido el portero del Toluca, Manuel Camacho, sufrió la única expulsión de su carrera y el del Atlante, Salvador Mota, jugó por última vez. La destacada trayectoria de Mota en el balompié profesional abarcó un año con el América, tres con el Guadalajara y doce con el Atlante; en 283 juegos (sin expulsiones) admitió 474 goles, de modo que su promedio fue 1.67. Ganó dos Copas México, un título de Campeón de Campeones y fue un par de veces subcampeón de Liga, todo con el Atlante, además de jugar un Mundial. En el equipo azulgrana fue durante muchos años el portero con más partidos, más partidos completos y más goles recibidos. Al retirarse contaba con 36 años de edad. Mota debutó en la Copa México de 42-43 con el Necaxa, y al desaparecer este equipo pocos meses después, pasó al América.

Metido el equipo azulgrana en una mala racha y amenazado por el descenso, Mota fue nombrado entrenador del Atlante para los últimos siete juegos del campeonato. El equipo llevaba 5 fechas sin ganar y con Mota la racha se alargó a 12 ya que sólo consiguió cuatro empates, pero con éstos el cuadro azulgrana eludió el último lugar al sumar un punto más que el Cuautla.

El otro ex portero que fungió como entrenador en este torneo, Felipe Castañeda, dejó la dirección del Necaxa al no poder ganar ninguno de los primeros seis juegos del campeonato. Los números de la *Marrana* con el equipo rojiblanco fueron 4-4-7 en triunfos, empates y reveses.

La carrera de otro destacado guardameta mexicano llegó a su fin el 11 de enero del 59, en la última jornada. Raúl Córdoba se despidió en el juego Irapuato (2)-Toluca (2) efectuado en Irapuato. Portero del Atlas en el único campeonato ganado por los rojinegros, también fue subcampeón con el Oro y el Toluca. Su palmarés de 13 temporadas (una con el ADO, tres con el San Sebastián, cuatro con el Atlas, tres con el Oro y dos con el Toluca) se resume en 252 juegos, 441 goles y 1.75 goles por juego. Fue el portero que alineó más veces con el San Sebastián y el segundo con más goles recibidos.

Lalo Palmer, líder goleador

Marcando la mitad de los goles del América, Eduardo Palmer se coronó campeón de goleo. El *Güero* logró 25 anotaciones (ninguna de penalti) y superó a cuatro cañoneros argentinos, Martinolli (León), Lara (Zacatepec), Novello (Zamora) y Chavaño (Atlas) que anotaron 21, 19, 15 y 15, respectivamente. Los porteros más castigados por Palmer fueron el del Cuautla, Jorge Iniestra, que recibió cuatro tantos, y los del Morelia y el Oro, Juan José Tello y Pablo Guerrero, con tres cada uno. Al novel Guerrero le tocó por cierto la mayor goleada del campeonato: el 9 de noviembre el Oro fue vapuleado en León por 6 a 1.

Precisamente el equipo *áureo* fue el que acumuló más goles en su portería con 57, mientras que el Guadalajara apenas recibió 26. El León fue el mayor anotador con 56 y el colero Cuautla tuvo la peor ofensiva con 23. Este equipo llegó a la última fecha con ventaja de un punto sobre el Celaya, pero al combinarse su derrota ante el Morelia con el triunfo del Celaya sobre el Oro, el cuadro morelense se fue al descenso. Y las *Chivas* lograron su segundo título de Liga nuevamente con un entrenador extranjero, el húngaro Arpad Fekete. Se coronaron tras golear 4-0 al Atlante en la noche del 8 de enero del 59 en Oblatos.

Deslumbra el Santos de Pelé

Dos semanas después de que terminó la Liga comenzó el II Pentagonal. Participaron el Guadalajara, el León, el América y dos grandes equipos extranjeros, el brasileño Santos y el checo Uda Duckla con sus estrellas *Pelé* y Masopoust, respectivamente. Se coronó el cuadro paulista tras arrasar con los tres clubes mexicanos y marcar en total 14 goles, en tanto que las *Chivas* compartieron el segundo lugar con el Duckla, único equipo que pudo vencer al Santos en memorable partido.

Además del Pentagonal, el Santos sostuvo un partido contra el Atlas al que goleó por 4-1, de modo que los brasileños sumaron 18 tantos, de los que seis fueron anotados por *Pelé*, la mitad de ellos a las *Chivas* en la presentación del poderoso equipo paulista. La hegemonía del futbol brasileño fue ratificada por el Palmeiras que, mientras se disputaba el Pentagonal, jugó seis partidos en México, de los cuales ganó cinco y empató uno.

Zacatepec, Guadalajara y la muerte de Pauler

El 15 de marzo arrancó la Copa México. Por quinto año consecutivo con el formato de nocaut a visita recíproca. Y por tercer año seguido los finalistas fueron el Zacatepec y el León. Ahora les tocó ganar a los *cañeros* que con solitario gol de Raúl Cárdenas obtuvieron su segunda Copa el 26 de abril. El consuelo para los leoneses fue que su artillero Alberto Etcheverry se llevó la corona de goleo con 11 anotaciones. Un hecho inusitado se registró en este torneo: en un juego contra el Celaya, al que venció 3-2 en la *Bombonera*, el Toluca utilizó como portero al delantero Gustavo Cabañas.

Igual que en 56-57 el Guadalajara dobló 2-1 al Zacatepec en el partido por el título de Campeón de Campeones, en el que otra vez Jaime Gómez y Nelson Festa actuaron como porteros.

El 3 de febrero, mientras se jugaba el Pentagonal, llegó la noticia de la muerte de Ernesto Pauler, el legendario portero austriaco del Necaxa de los años treinta, campeón en 32-33 y luego entrenador del primer monarca de la época profesional, el Asturias de 43-44.

Nómina de porteros

América	Enrique López Huerta y Américo Francisco Nazer
Atlante	Salvador Mota y José Sierra
Atlas	Efraín Sánchez y Marcelino Gómez
Celaya	José Luis Sánchez y Carlos Capasso
Cuautla	Jorge Iniestra
Guadalajara	Jaime Gómez
Irapuato	Raúl Quevedo
León	Antonio Carbajal y Archibaldo Gallardo
Morelia	Juan José Tello y Luis Septién
Necaxa	Jorge Morelos y Víctor Pérez
Oro	Pablo Guerrero y Steve Fecske
Toluca	Manuel Camacho y Raúl Córdoba
Zacatepec	Nelson Festa e Isidro Gil
Zamora	Fernando Barrón

Más juegos (j)

Jorge Iniestra (Cuautla)	26
Jaime Gómez (Guadalajara)	26
Raúl Quevedo (Irapuato)	26
Fernando Barrón (Zamora)	26
Antonio Carbajal (León)	25

Más juegos completos

Jorge Iniestra (Cuautla)	26
Jaime Gómez (Guadalajara)	26
Raúl Quevedo (Irapuato)	26
Fernando Barrón (Zamora)	26

Más goles (g)

Fernando Barrón (Zamora)	53
Jorge Iniestra (Cuautla)	45
Pablo Guerrero (Oro)	45
Jorge Morelos (Necaxa)	41

Más bajo g/j (mínimo 14 juegos)

Jaime Gómez (Guadalajara)	1.00
Manuel Camacho (Toluca)	1.14
Antonio Carbajal (León)	1.16
Raúl Quevedo (Irapuato)	1.23

Más goles en un juego

Pablo Guerrero (Oro)	6
Jorge Iniestra (Cuautla)	5 (dos veces)
Efraín Sánchez (Atlas)	5
Carlos Capasso (Celaya)	5
Juan José Tello (Morelia)	5
Pablo Guerrero (Oro)	5 (dos veces)
Manuel Camacho (Toluca)	5
Fernando Barrón (Zamora)	5

Penaltis detenidos

Jaime Gómez (Guadalajara)	2
Salvador Mota (Atlante)	1
Juan José Tello (Morelia)	1
Pablo Guerrero (Oro)	1
Manuel Camacho (Toluca)	1
Nelson Festa (Zacatepec)	1

Expulsados

Manuel Camacho (Toluca)

59-60
El futbol tapatío estrena estadio

Al igual que en 58-59, las Chivas *anotaron 52 goles, sumaron 38 puntos y se coronaron en la última jornada. Un mes después de que el Guadalajara consiguió su tercer título de Liga, segundo consecutivo, se inauguró el estadio Jalisco. El colero Zamora, derrotado en 18 de sus 26 partidos, se despidió de la Primera División implantando una marca de pesadilla: nueve descalabros seguidos. Otra vez como monarca de la división de ascenso subió el Monterrey, y ahora sí acertó el América en la importación de porteros: trajo al veterano arquero peruano Walter Ormeño, quien se constituyó en el mejor guardameta del campeonato. México ocupó el tercer lugar en el III Torneo Panamericano que se efectuó en Costa Rica. El Necaxa ganó en forma invicta la Copa México. En el juego de Campeón de Campeones se necesitaron 24 penaltis para decidirlo. Y el Irapuato se aventuró durante un mes por países de Asia y África donde solamente sufrió una derrota en once juegos.*

Racha goleadora de Rolando

Comenzó el torneo el 28 de junio del 59 y Roberto Rolando, centro delantero argentino del Tampico, no dejó de anotar en ninguno de los primeros nueve juegos del equipo *Jaibo*, aunque éste sólo consiguió la victoria en 3 de esos partidos. Sucesivamente Rolando les hizo goles al *Tubo* Gómez, Toño Carbajal, Víctor Pérez, Fernando Barrón (2), Pablo Guerrero (2), José Sierra, el *Caimán* Sánchez, Raúl Quevedo y Tito Álvarez Vega. En total, once anotaciones. En el resto del campeonato el cañonero argentino marcó otros 11 y conquistó el liderato de goleo con una ventaja de seis tantos sobre su más cercano perseguidor y paisano, Alberto Etcheverry, del León. En tercer lugar y como mejor goleador mexicano quedó Teodoro Castañón, del Toluca, con 14 pepinos, empatado con Genaro Tedesco, también argentino, del Irapuato.

Con Ormeño, el América es subcampeón

Veinticinco porteros tuvieron acción en el campeonato, cuatro de ellos extranjeros: el colombiano Efraín *Caimán* Sánchez, que jugó su segunda y última temporada en México con el Atlas, dejando números de 31 partidos, 43 anotaciones y promedio de 1.39; el argentino Nelson Festa que pasó del Zacatepec al Toluca; el *che* Tito Álvarez Vega que había venido a nuestro país con el Lanús en 1956 y fue contratado por el Zamora; y el gigante peruano Walter Ormeño en cuyo currículum figuraban los clubes argentinos Boca Juniors y Rosario Central, los peruanos Universitario, Mariscal Sucre y Alianza Lima así como la propia selección inca. Su debut con el América se produjo el 15 de julio en el estadio de cu contra el Toluca, partido que ganaron los Diablos Rojos por 1-0 con gol de Alfredo del Águila. Por cierto que tres días antes el mismo Del Águila le había anotado su primer gol en México a Álvarez Vega.

En mucho gracias a Ormeño el América fue el equipo menos goleado (29) y tuvo su mejor temporada en 17 años del balompié profesional al quedar en segundo lugar, cuatro puntos abajo del Guadalajara. El arquero peruano, cuyos 192 centímetros de estatura lo convirtieron en el portero más alto de México, logró una racha de cuatro juegos seguidos sin recibir gol y encabezó a los guardametas con un promedio de 1.04 goles por juego. Le siguieron Festa con 1.32, Barrón (que este año jugó con el Irapuato) con 1.35 y Carbajal con 1.38. Los dos últimos y el *Tubo* Gómez fueron los únicos que jugaron todos los minutos de todos los partidos.

Cambios y goleadas

Además de Nelson Festa y Fernando Barrón, también Raúl Quevedo cambió de equipo al pasar del Irapuato al Celaya, así como Jorge Iniestra quien emigró del Cuautla al Zacatepec, y reaparecieron en Primera División Conrado Pulido, Darío Ortiz y Javier Quirarte con el Tampico, Zacatepec y Zamora, respectivamente.

Los arqueros del Atlante, Necaxa y Oro, José Sierra, Jorge Morelos y Pablo Guerrero recibieron 38 goles cada uno y compartieron el poco honroso liderato de más anotaciones admitidas, pero la goleada del campeonato fue para Gilberto Zamora, novel portero del Zamora (sí, el apellido del jugador era igual al nombre del equipo) a quien el Zacatepec le metió 8 goles el 25 de octubre, de los cuales la mitad corrieron a cargo de Carlos Lara. Los *cañeros* ganaron 8 a 2 y fue desde luego la mayor goliza sufrida por el Zamora en su historia. Por su parte, Sierra fue el único portero que en un juego dejó a su equipo con 10 hombres por expulsión.

18 sin ganar del Necaxa

El Necaxa había terminado el campeonato 58-59 sin poder ganar ninguno de sus últimos 13 juegos. La racha se prolongó durante las primeras 5 fechas hasta que el 9 de agosto los rojiblancos doblaron 1-0 al Celaya y concluyeron la pesadilla. Curiosamente, aunque el Necaxa anotó por lo menos un gol en 15 de esos 18 partidos no ganó ninguno.

Luego de jugar ocho campeonatos con el Tampico, aunque solamente 80 partidos, Héctor López cerró su carrera el 29 de octubre con una derrota ante el Oro por 1-3. El *Orejón* admitió 149 goles, por lo que promedió 1.86 tantos por juego.

El 20 de diciembre se registró un autogol del segundo portero del Morelia, Javier Montes. El equipo beneficiado fue el Necaxa. Y una semana después terminó el torneo. Las *Chivas* consiguieron su segundo título consecutivo, ambos con la dirección de Arpad Fekete, tras derrotar 3-2 al Necaxa. También lograron el campeonato de goleo, aunque compartido con el Tampico, con 52 anotaciones. El Celaya fue el que anotó menos (31) y el desastroso Zamora el que recibió más (63).

Pentagonales en México y en Guadalajara

En enero de 1960 se realizó el III Pentagonal con el Guadalajara, el América, el Toluca y los sudamericanos San Lorenzo y Fluminense. El equipo argentino venció a los tres mexicanos pero cayó ante el brasileño y tuvo que compartir el liderato con el Toluca. El 31 de enero, mientras en México terminaba el Pentagonal, en Guadalajara se inauguraba el monumental estadio Jalisco con otro torneo internacional con cinco equipos, los tres tapatíos,

el São Paulo y el San Lorenzo. Éste y el Atlas protagonizaron el primer partido y Norberto Boggio marcó el primer gol, tocándole a Marcelino Gómez ser el primer portero batido en el nuevo estadio. Los dos cuadros extranjeros arrollaron a los mexicanos y ganaron invictos este primer Pentagonal Tapatío.

Tres porteros mexicanos en el Panamericano

Costa Rica fue sede del III Torneo Panamericano en marzo. Como sólo participaron cuatro países se jugó a dos vueltas. Ignacio Trelles, entrenador de la Selección Mexicana, alternó en la portería al *Tubo* Gómez, Antonio Carbajal y Fernando Barrón. El primero jugó los dos partidos contra Brasil (2-2 y 1-2) y el primero contra Argentina (2-3); Carbajal solamente uno contra Costa Rica (1-1); y Barrón el segundo ante Argentina (0-2) y el último contra los *ticos* (3-0). Argentina salió campeón y México quedó tercero.

Maratón de penaltis

Con el sistema acostumbrado de nocaut a visita recíproca los 14 equipos se disputaron la Copa México entre el 6 de marzo y el 17 de abril. En un partido de semifinal efectuado en Toluca entre los *Diablos* y el Necaxa hubo dos autogoles, uno por bando, el del Toluca lo cometió su portero Festa.

Sin perder ningún juego el Necaxa llegó a la final para enfrentar al Tampico, equipo que en este torneo debutó al portero Fernando Terrazas. El conjunto *electricista* superó con facilidad por 4 a 1 a los *Jaibos* y logró su primer título en el balompié profesional. El argentino Ricardo Bonelli, del Tampico, quedó líder de goleo con ocho tantos.

El 24 de abril en el estadio de CU el Necaxa y el Guadalajara protagonizaron un memorable juego de Campeón de Campeones con tiempos extra y un maratónico duelo de penaltis entre Héctor Hernández y el argentino Alberto Evaristo. El partido quedó 1-1 y en el tiempo extra volvieron a empatar a uno. Héctor marcó los dos tantos de las *Chivas* y el *Chato* Ortiz y Benjamín Fal los del Necaxa. Entonces Héctor y Evaristo se pusieron a bombardear con penaltis a los porteros Jorge Morelos y el *Tubo* Gómez. De los doce que tiró el goleador de las *Chivas*, Morelos logró detener dos. El *Tubo*, por su parte, también le atajó un par a Evaristo, pero éste falló otro disparo al estrellar el balón en el travesaño, de modo que el Guadalajara triunfó por 10-9 en penaltis y 12-11 global.

Por cierto que pocos días antes de que comenzara la temporada 60-61 Morelos jugó por única vez con la Selección Nacional. Fue un partido amistoso en CU en el que México se impuso 3-1 a la Selección de Holanda.

Nómina de porteros

América	Walter Ormeño y Enrique López Huerta
Atlante	José Sierra y José Cerón
Atlas	Efraín Sánchez y Marcelino Gómez
Celaya	Raúl Quevedo y José Luis Sánchez
Guadalajara	Jaime Gómez
Irapuato	Fernando Barrón
León	Antonio Carbajal
Morelia	Juan José Tello y Javier Montés
Necaxa	Jorge Morelos y Víctor Pérez
Oro	Pablo Guerrero y Antonio Mota
Tampico	Conrado Pulido y Héctor López
Toluca	Nelson Festa
Zacatepec	Jorge Iniestra y Darío Ortiz
Zamora	Tito Álvarez Vega, Gilberto Zamora y Javier Quirarte

Más juegos (j)

Jaime Gómez (Guadalajara)	26
Fernando Barrón (Irapuato)	26
Antonio Carbajal (León)	26
Nelson Festa (Toluca)	25

Más juegos completos

Jaime Gómez (Guadalajara)	26
Fernando Barrón (Irapuato)	26
Antonio Carbajal (León)	26
Nelson Festa (Toluca)	25

Más goles (g)

José Sierra (Atlante)	38
Jorge Morelos (Necaxa)	38
Pablo Guerrero (Oro)	38
Jaime Gómez (Guadalajara)	37
Antonio Carbajal (León)	36

Más bajo g/j (mínimo 14 juegos)

Walter Ormeño (América)	1.04
Nelson Festa (Toluca)	1.32
Fernando Barrón (Irapuato)	1.35
Antonio Carbajal (León)	1.38
Efraín Sánchez (Atlas)	1.39

Más goles en un juego

Gilberto Zamora (Zamora)	8
Raúl Quevedo (Celaya)	6
Pablo Guerrero (Oro)	6
Héctor López (Tampico)	6

Penaltis detenidos

Walter Ormeño (América)	1
Fernando Barrón (Irapuato)	1
Antonio Carbajal (León)	1
Javier Montes (Morelia)	1
Pablo Guerrero (Oro)	1
Héctor López (Tampico)	1

Expulsados

José Sierra (Atlante)

60-61
Chivas, Oro y Atlas hacen el 1-2-3

En su tercer campeonato consecutivo el Guadalajara fue escoltado por los otros equipos tapatíos, el Oro y el Atlas, que quedaron en segundo y tercer lugares, respectivamente. Javier de la Torre, un ex delantero chiva, se convirtió en apenas el segundo entrenador mexicano que ganó un torneo de Liga. Y para redondear el año tapatío, otro equipo de Guadalajara, el Nacional, fue campeón de Segunda División. Por segundo año seguido el peruano Walter Ormeño fue el mejor portero y una suspensión obligó al Tubo *Gómez a cortar su segunda gran racha centenaria de partidos consecutivos. Descendió el Celaya, el Tampico ganó la Copa México y la Selección Nacional sufrió una horrorosa goliza de 0-8 en Inglaterra.*

TERMINA LA RACHA DEL *TUBO*

En la primera jornada del campeonato, el 3 de julio, el portero del Tampico, Conrado Pulido, le regaló al América una anotación con un autogol en el estadio de CU. El equipo *Crema* se impuso por 4 tantos a 1. Fueron los primeros de los 511 goles anotados en el torneo, una cifra sensiblemente inferior a los 586 registrados en la temporada anterior.

Entre los 28 porteros que tuvieron acción se contó el debut de Jesús García, apodado el *Charro*, con el Celaya, la reaparición de Florentino López, quien después de jugar varios años en España retornó a México contratado por el Toluca, y una breve actuación del peruano Carlos Novella con el Irapuato. Este arquero inca solamente jugó seis partidos, pidió permiso para viajar a su patria por un asunto familiar y no regresó.

El *Charro* García debutó el 21 de agosto en un partido entre el Celaya y el Atlante que terminó 0-0. Su meta fue batida por primera vez por Gil Ruvalcaba, del Oro, dos semanas después.

Tras jugar un año con el Toluca, el argentino Nelson Festa regresó al Zacatepec, en tanto que Jorge Iniestra pasó del equipo *cañero* al Atlante, Javier Quirarte retornó al Atlas, Víctor Pérez fue transferido del Necaxa al Irapuato, Pablo Guerrero pasó del Oro al Monterrey y Fernando Barrón, del Irapuato al Toluca. Además de la reaparición de Humberto Gama tras

ganar con el equipo regiomontano el ascenso a Primera. Solamente los arqueros del Necaxa y el Oro, Morelos y el *Piolín* Mota, jugaron todos los minutos de todos los partidos.

El *Tubo* Gómez llevaba cuatro años seguidos haciendo lo mismo pero su gran racha de 115 juegos consecutivos (todos completos) terminó el 2 de octubre con una derrota ante el Atlas por 0-2, porque después de este partido fue sancionado con una suspensión por conducta incorrecta. En esos 115 partidos recibió 122 goles, de modo que su promedio fue un magnífico 1.06. Un mes antes el gran portero del Guadalajara había ligado cuatro juegos consecutivos sin goles ante el Celaya, América, Morelia y Zacatepec. La ausencia del arquero tapatío en 3 juegos permitió la actuación de Miguel *Chilaquil* López quien llevaba 3 años en la banca de las *Chivas*.

Ormeño, el mejor portero, fue suspendido un año

Los guardametas más destacados del campeonato fueron Walter Ormeño y Antonio Mota con promedios de 0.76 y 0.92 goles por juego, respectivamente. Sin embargo, el 27 de noviembre, cuando estaba por finalizar el partido entre el América y el Toluca en la cancha de la *Bombonera* fue expulsado el portero americanista, tras lo cual insultó y golpeó en el estómago al árbitro David Ledesma. Eso le costó a Ormeño una suspensión por un año más cuatro juegos. Enrique López Huerta se hizo cargo de la portería del América en los últimos siete partidos del campeonato, de los cuales, por cierto, el equipo *crema* no ganó ninguno. Un mes después de la expulsión de Ormeño, el guardameta del Monterrey, Pablo Guerrero, también fue mandado a las regaderas.

Darío Ortiz y Humberto Gama, que jugaron su última temporada, fueron los más goleados con 35 tantos cada uno. En la Copa México se registraron las últimas actuaciones de estos dos porteros, por cierto, ambos se despidieron con derrotas. Darío sumó 55 partidos y 82 goles tras militar un año con el Cuautla, uno con el Atlas, uno con el Necaxa y dos con el Zacatepec. Por su parte, Gama sólo jugó con dos equipos: América (cuatro campeonatos) y Monterrey (dos), en los que acumuló 85 juegos y 144 anotaciones. Con el equipo *crema* fue una vez monarca de Copa. Los promedios de goles por juego de Ortiz y Gama fueron 1.49 y 1.69, respectivamente.

Lara, el mayor romperredes

En la segunda y tercera fechas del torneo el Zacatepec fue protagonista de dos goleadas. Primero sucumbió 1-6 ante el Atlas en Guadalajara, siendo ésta la mayor cantidad de goles en un juego que recibió el argentino Nelson Festa en los 5 años que jugó en nuestro país. Después, al doblar 5-1 al Tampico, el cañonero argentino de los *cañeros*, Carlos Lara, a la postre campeón de goleo, marcó cuatro tantos. El arquero *jaibo* fue Conrado Pulido.

Lara, al lograr su segundo liderato anotador, sumó 22 goles y sus porteros "clientes" fueron, además de Pulido, Víctor Pérez, del Irapuato y Juan José Tello, del Morelia, a los que les clavó 3 tantos a cada uno. Lejos de Lara quedó en segundo lugar Salvador Reyes, de las *Chivas*, con 15 anotaciones y luego un trío de sudamericanos: el argentino Roberto Rolando (Tampico), el colombiano Delio Gamboa (Oro) y el brasileño Luis Juracy (Oro) con 13 cada uno. Por quinto año consecutivo el campeón de goleo no marcó ninguno de sus goles de penalti.

Las *Chivas* ganan la Liga y el Pentagonal

En noviembre comenzó la fase eliminatoria de la Copa del Mundo Chile-62. Tras empatar a tres goles con Estados Unidos en Los Ángeles, México dobló al equipo *gringo* 3-0 al pagar éste la visita. Partidos en los que la *Tota* Carbajal recuperó la titularidad de la portería.

El 22 de diciembre, en la jornada 23, las *Chivas* vencieron 3-2 al Toluca en el Jalisco y conquistaron su cuarto título de Liga y tercero consecutivo. Luego terminaron el campeonato con siete puntos de ventaja sobre el subcampeón Oro y repitieron como líderes de goleo (53). El equipo *áureo*, por su parte, pudo presumir de tener la defensa más sólida al recibir sólo 24 goles. El brasileño Paulo Martorano, que llegó al Oro como portero y nunca jugó como tal en la Liga, tuvo en cambio un sobresaliente desempeño como director técnico. Se hizo cargo del equipo en la séptima fecha y lo llevó al subcampeonato.

En la Copa México se volvió a poner el suéter de arquero en un partido contra el Celaya y recibió tres goles.

En la Liga el Celaya terminó en último lugar y fue, junto con el Morelia, el que anotó menos (25), mientras que con 51 anotaciones el Zacatepec fue el más goleado.

La Liga terminó el 15 de enero del 61 y dos semanas después comenzó el IV Pentagonal en el que se produjo una histórica victoria del Necaxa sobre el Santos del gran *Pelé* por 4 a 3. El Guadalajara ganó el torneo con 5 puntos, por 4 del Santos, el Oro y el Necaxa, y quedó en último lugar el Independiente de Argentina con 3. Pero en el II Pentagonal Tapatío nadie paró al Santos que se coronó invicto tras propinar sendas goleadas de 6-2 a las *Chivas* y al América. También participaron en este torneo el Atlas y el América de Río de Janeiro.

10 de mayo en Wembley

Y en marzo y abril, mientras en México se efectuaba el torneo copero, la Selección continuó la disputa por el boleto para el Mundial y además realizó una gira por Europa. Siempre con Carbajal en la puerta, México perdió por primera vez en la historia con Costa Rica (0-1 en San José), vapuleó 7-0 a Curazao y se desquitó y eliminó a los *ticos* con un contundente 4-1 en el estadio de CU. En el periplo europeo, de apenas cuatro partidos en casi un mes, se le ganó a Holanda por 2-1, partido en el que debutó como seleccionado el joven arquero Toño Mota, y que representó la primera victoria de una selección mexicana en Europa. Luego vino una derrota por 1-2 ante Checoslovaquia y el 10 de mayo México recibió en Londres la mayor goleada de su historia. Aparentemente por una lesión, Carbajal, que sí había jugado contra los checos, no apareció en la alineación frente a Inglaterra sino un nervioso Mota al que los ingleses acribillaron hasta sumar ocho goles. En el último juego de la gira retornó Carbajal y se consiguió un empate 1-1 ante Noruega.

La copa, para el Tampico

En la Copa México, para tener en actividad a los equipos que iban siendo eliminados se inventó una "ronda de consolación" para perdedores. Sin sufrir ningún revés en el camino el Tampico llegó por segundo año seguido a la final y ahora sí la ganó. El 30 de abril, como siempre en la capital de la República, los *jaibos* vencieron 1 a 0 al Toluca. Los porteros que actuaron en esta final fueron Conrado Pulido y Florentino López y el líder goleador del torneo fue el toluqueño Carlos Carús con siete tantos.

Siete días después y con idéntico marcador de 1-0 las *Chivas* doblegaron a los *jaibos* y obtuvieron su cuarto título de Campeón de Campeones.

Nómina de porteros

América	Walter Ormeño y Enrique López Huerta
Atlante	Jorge Iniestra, José Sierra y José Cerón
Atlas	Marcelino Gómez y Javier Quirarte
Celaya	Raúl Quevedo y Jesús García
Guadalajara	Jaime Gómez y Miguel López
Irapuato	Víctor Pérez, Carlos Novella y Jesús González
León	Antonio Carbajal, Gilberto Zamora y Federico Falcón
Monterrey	Humberto Gama y Pablo Guerrero
Morelia	Juan José Tello
Necaxa	Jorge Morelos
Oro	Antonio Mota
Tampico	Fernando Terrazas y Conrado Pulido
Toluca	Fernando Barrón y Florentino López
Zacatepec	Darío Ortiz y Nelson Festa

Más juegos (J)	
Juan José Tello (Morelia)	26
Jorge Morelos (Necaxa)	26
Antonio Mota (Oro)	26
Antonio Carbajal (León)	24

Más juegos completos	
Jorge Morelos (Necaxa)	26
Antonio Mota (Oro)	26
Juan José Tello (Morelia)	25
Antonio Carbajal (León)	24

Más goles (G)	
Humberto Gama (Monterrey)	35
Darío Ortiz (Zacatepec)	35
Víctor Pérez (Irapuato)	34
Jorge Morelos (Necaxa)	34
Raúl Quevedo (Celaya)	32

Más bajo G/J (mínimo 14 juegos)	
Walter Ormeño (América)	0.76
Antonio Mota (Oro)	0.92
Jaime Gómez (Guadalajara)	1.00
Jorge Iniestra (Atlante)	1.12
Marcelino Gómez (Atlas)	1.14

Más goles en un juego	
Nelson Festa (Zacatepec)	6
Darío Ortiz (Zacatepec)	6

Penaltis detenidos	
José Cerón (Atlante)	1
Jorge Iniestra (Atlante)	1
Javier Quirarte (Atlas)	1
Jaime Gómez (Guadalajara)	1
Víctor Pérez (Irapuato)	1

Expulsados
Walter Ormeño (América)
Pablo Guerrero (Monterrey)

61-62
Primer triunfo mexicano en una Copa del Mundo

México le ganó a Paraguay el boleto para la Copa del Mundo y en ella conquistó su primera victoria. El Guadalajara ligó su cuarta corona consecutiva, empató el récord de menos goles recibidos y el Tubo *Gómez tuvo el año más brillante de su carrera. Además, al acumular 41 puntos, las* Chivas *establecieron la marca para torneos con 14 equipos. Un delantero del campeón compartió con un delantero del colero el liderato de goleo. Dos porteros brasileños y un uruguayo se incorporaron al futbol mexicano. El Zacatepec regresó a la Segunda División y ascendió el equipo de la* UNAM. *El Atlas, antepenúltimo en la Liga, ganó la Copa y el Campeón de Campeones. Nació la Concacaf al unirse las confederaciones norteamericana, centroamericana y caribeña.*

Muchos debuts de porteros

Del 14 de junio del 61 al 7 de enero del 62 se disputó el campeonato de Liga en el que participaron 31 porteros, la quinta parte extranjeros. Los nuevos importados fueron los brasileños Carlos Pierín *Lalá*, contratado por el Atlas, y Gilberto Trinidade *Albertinho*, que custodió la meta del Nacional, el nuevo equipo en la Primera División, y el uruguayo Leonel Conde, firmado por el Morelia. *Albertinho* y *Lalá* ya habían jugado en México: el primero vino con el São Paulo en 1960 y el segundo era el portero suplente del Santos cuando el equipo de *Pelé* nos visitó a principios de 1961.

Albertinho debutó el 30 de julio contra el Atlante y *Lalá* una semana después frente al Necaxa. Ambos partidos se jugaron en la ciudad de México y quedaron empatados (1-1 y 3-3), tocándole a Ramón Arámbula y al *Chatito* Guillermo Ortiz marcarles los primeros goles a los brasileños. El 26 de agosto *Albertinho* se convirtió en el único portero expulsado de este torneo. Por su parte, el *charrúa* Conde se presentó con el Morelia el 8 de octubre ante el América en la capital michoacana y recibió de Antonio Jasso su primera anotación, pero el Morelia ganó 2-1.

Durante la temporada (Liga y Copa) debutaron nueve porteros más, entre ellos Roberto *Cacho* Alatorre (Nacional), Pedro Elizondo (Toluca), Jesús Mendoza (Oro), Hugo Pineda (Tampico), Blas Sánchez (Irapuato) y el que sería el sucesor del *Tubo* en el Guadalajara y de

Carbajal en la Selección: Ignacio Calderón, cuyo debut ocurrió el 4 de abril del 62 en un partido de Copa entre las *Chivas* y el Tampico en el estadio Jalisco. El marcador fue 2-2 y curiosamente la primera anotación que recibió Calderón fue un autogol del *Bigotón* Juan Jasso.

Exitosa reaparición de Manuel Camacho

Ausentes por dos años, reaparecieron Manuel Camacho en la portería del América e Isidro Gil en la del Zacatepec. Una grave lesión mantuvo a Camacho alejado de las canchas, pero gracias a una delicada operación de la columna vertebral fue que pudo volver a jugar, y lo hizo en plan grande. Su magnífico promedio de un gol por juego solamente fue superado por el 0.65 del *Tubo* Gómez.

Con el Zacatepec también reapareció Walter Ormeño tras cumplir su suspensión de doce meses. Jugó los últimos seis partidos del torneo, lapso durante el cual el equipo *cañero* quedó sentenciado a retornar a Segunda División. Además de Gil y Ormeño, en la portería del Zacatepec también estuvo Raúl Quevedo, quien el año anterior actuó con el Celaya. Y los Fernandos, Barrón y Terrazas, pasaron del Toluca al Necaxa el primero, y del Tampico al Atlas el segundo. Para Isidro Gil fue su última temporada. Tras jugar cinco torneos con el América, seis con el Zacatepec y uno con el Cuautla en los que sumó 109 partidos y 223 goles (promedio: 2.05) se despidió el 23 de diciembre con una derrota del Zacatepec ante el América por 1-3. Con el equipo *cañero* fue subcampeón de Liga en 52-53. Nunca fue expulsado.

También Enrique López Huerta puso el punto final a su carrera. Portero de un solo equipo, en siete años con el América sumó 73 juegos, en ninguno de los cuales fue expulsado, admitió 121 anotaciones, promedió 1.66 y logró dos subcampeonatos de Liga.

El *Tubo* Gómez, formidable

Jaime Gómez jugó por novena vez todos los minutos de todos los partidos del campeonato e igualó con el Guadalajara la marca del América en 54-55 de sólo 17 goles permitidos, equivalente al microscópico promedio de 0.65 goles por juego. En la segunda vuelta del torneo el *Tubo* consiguió dos rachas de imbatibilidad de cuatro y cinco partidos. En la primera no recibió gol del Monterrey, Irapuato, Necaxa y Tampico, y en la segunda dejó en cero al América, Morelia, León, Toluca (en este juego, ganado por 1-0, logró el Guadalajara su quinta corona en seis años y la cuarta en forma consecutiva, hazañas que nadie más ha conseguido en el balompié mexicano) y Zacatepec. Entre una y otra rachas recibió un gol del Nacional y uno del Oro, es decir, ¡apenas dos anotaciones en once partidos! Otro dato impresionante: la cabaña del *Tubo* no fue vencida en 17 de los 26 juegos del campeonato.

Los arqueros del Atlante y del Toluca, Jorge Iniestra y Florentino López, también jugaron el torneo completo pero figuraron en la lista de los más goleados. Iniestra la encabezó con 45 tantos y Florentino quedó en cuarto lugar con 37.

La goliza del campeonato se produjo en Monterrey el 19 de noviembre y la sufrió Jorge Morelos, arquero del Necaxa, partido que el cuadro regiomontano ganó por 8-3. Por esos ocho goles, Morelos casi alcanza a Iniestra en el liderato menos codiciado por los guardametas: el de más goles recibidos.

También Ormeño sufrió su mayor goleada en México. Se la propinó el Toluca el 17 de diciembre en Zacatepec por 6 a 1.

Terminan dos rachas de las *Chivas*

Los mejores porteros, después del *Tubo*, fueron Camacho y Carbajal con 1.00 y 1.08 goles por juego, respectivamente. En cuarto lugar figuró otro mexicano, Antonio Mota, con 1.24. Por cierto que ante el *Piolín* terminó una racha goleadora del Guadalajara. El 22 de noviembre el Oro, con Mota en la puerta, venció 1-0 a las *Chivas* que llevaban 32 partidos consecutivos anotando.

Otra racha del Guadalajara llegó a su fin el 17 de diciembre (jornada 23) al empatar a cero con el León en el estadio Jalisco. Fue el único empate del campeón en el torneo y como sus últimos cuatro juegos del campeonato anterior tampoco tuvieron vencedor, las *Chivas* ligaron 26 partidos sin empatar y el *Tubo* igualó el récord de Felipe Castañeda impuesto en 44-45.

Carbajal juega y dirige

Al irse Nacho Trelles a dirigir al América, con el que logró el subcampeonato, el ex portero José Moncebáez se hizo cargo del Zacatepec, sin embargo fue cesado en la fecha 17 luego de diez derrotas (siete consecutivas) y solamente tres victorias. Su sustituto, Donato Alonso, no pudo impedir el descenso a Segunda del cuadro *cañero*.

Entre las jornadas 11 y 18 la *Tota* Carbajal tuvo su debut como entrenador. En ese lapso y sin dejar de custodiar la portería dirigió al León. Fueron ocho partidos, de los que ganó tres y empató cinco.

Hubo otro caso de un director técnico que en algunos partidos también se desempeñó como guardameta: Paulo Martorano, el veterano portero brasileño que la temporada pasada dirigió al Oro y este año fue contratado por el Necaxa. Martorano tuvo que cubrir el arco en cinco juegos, supliendo a Morelos, quien se fracturó la nariz en un partido contra el América el 3 de septiembre.

El *Charro* y *Chava*, los goleadores

El argentino naturalizado mexicano Carlos Lara logró su tercer título de goleo pero lo tuvo que compartir con Salvador Reyes. Ambos anotaron 21 veces y los dos promediaron 0.84 tantos por juego. En tercer lugar quedó el *Monito* Carús, del Toluca, con 19 pepinos. De sus 21 goles, *Chava* Reyes le clavó cinco a Víctor Pérez, arquero del Irapuato, y tres a Gil, del Zacatepec, mientras que los porteros más castigados por el *Charro* Lara fueron el atlantista Jorge Iniestra y el *Jaibo* Conrado Pulido con cuatro tantos cada uno.

El liderato de goleo por equipos también fue compartido ya que las *Chivas* y el Toluca sumaron 58 anotaciones cada uno, en tanto que el colero Zacatepec fue el más goleado con 57 y el menos ofensivo resultó el León que sólo anotó 24.

La calificación al Mundial y los Pentagonales

El 29 de octubre y el 5 de noviembre se efectuaron en México y Asunción los juegos decisivos por el boleto para el Mundial entre las selecciones mexicana y paraguaya. Con solitario gol de *Chava* Reyes se fabricó la victoria mexicana en el primer partido y una semana después mediante un sufrido empate sin anotaciones se consiguió el pase a Chile-62.

Posteriormente, en abril y mayo, la Selección jugó varios partidos de preparación para la Copa del Mundo. En Buenos Aires sucumbió 0-1 con Argentina; en Bogotá y en Cali venció 1-0 y empató a 2 con Colombia; en México le repitió el 1-0 a Colombia y derrotó 2-1 a País de Gales. Salvo en este último juego en el que el portero de México fue el *Tubo* Gómez, en los demás actuó Carbajal. Por cierto que el arquero de Colombia en los 3 juegos fue el *Caimán* Sánchez, ex guardameta del Atlas, y la del *Tubo* fue su última actuación con la Selección.

Una semana después de que concluyó el campeonato de Liga se disputaron simultáneamente en México y Guadalajara los respectivos Pentagonales. El estadio de CU se engalanó con la visita del Botafogo con sus grandes astros *Garrincha* y *Didí*. El equipo *carioca* ganó el torneo tras vencer al América, al Toluca y al Ujpest de Hungría pero no se fue invicto ya que perdió 0-2 con el Atlante.

El pentagonal tapatío lo ganó el Guadalajara con dos triunfos y dos empates. Flamengo, Universidad de Chile, Atlas y Oro fueron los otros participantes.

En abril comenzó el primer torneo de campeones organizado por la Concacaf, que se había constituido en septiembre de 1961 y cuyo primer vicepresidente era el directivo mexicano Joaquín Soria Terrazas. El Guadalajara, como campeón de México, se enfrentó al monarca de Costa Rica, el Herediano, al que eliminó sin mayor problema por 2-0 y 3-0 para avanzar a la final.

Dos títulos para el Atlas

Una vez más se cambió el formato de la Copa México, disputada entre el 4 de marzo y el 1 de mayo del 62. Los 14 equipos fueron divididos en dos grupos de cuatro y dos de tres, jugándose a dos vueltas, con los cuatro líderes calificando a semifinales. Como siempre, la final se jugó en México. El domingo 29 de abril el Atlas y el Tampico empataron a tres, por lo que dos días después volvieron a jugar. *Lalá*, el portero del Atlas, mantuvo ce-

rrada su cabaña pero al arquero *jaibo* Hugo Pineda lo venció una vez Pablo Flores y con esta solitaria anotación el conjunto rojinegro ganó por tercera vez la Copa. Como líder goleador quedó Jesús Marrón, del Tampico, con seis tantos.

Cinco días después, el 6 de mayo, las *Chivas* vieron cortada su racha de tres años consecutivos ganando el juego de Campeón de Campeones al sucumbir por 0-2 ante el Atlas, su acérrimo rival coterráneo.

Primer triunfo mexicano en mundiales

Tras 65 minutos sin anotaciones, la genialidad de *Pelé* propició el par de goles con los que Brasil derrotó a México el 30 de mayo en la Copa del Mundo de Chile-62. Por cierto que fue el único juego completo de Pelé en este Mundial, ya que en el segundo partido de los brasileños se lesionó y quedó fuera del certamen. En su siguiente juego la escuadra mexicana empataba a cero con España y en el último minuto tuvo un saque de esquina a favor, pero los hispanos recuperaron la pelota, Gento escapó por la banda derecha sin que nadie pudiera detenerlo. Su centro fue cabeceado por Jaúregui pero la pelota llegó a los pies de Peiró, quien no tuvo problemas para batir a Carbajal y cristalizar la dolorosa derrota mexicana.

Ya eliminado, México disputó su último partido el 7 de junio contra Checoslovaquia, a la postre subcampeón mundial. No se cumplía el primer minuto de juego cuando los checos se pusieron adelante en el marcador, sin embargo el equipo mexicano no se amilanó y con goles de Isidoro Díaz y Alfredo del Águila más un penalti de Héctor Hernández cinceló la primera victoria en copas del mundo, justo en el día del cumpleaños de Antonio Carbajal, cuya brillante actuación en los tres juegos le mereció la distinción de ser considerado uno de los dos mejores porteros del campeonato.

Por segundo Mundial consecutivo el *Tubo* Gómez "calentó" la banca, acompañado esta vez por Antonio Mota. La dirección técnica de la Selección estuvo a cargo de Alejandro Scopelli e Ignacio Trelles.

Nómina De Porteros

América	Manuel Camacho Y Enrique López Huerta
Atlante	Jorge Iniestra
Atlas	Carlos Pierín, Marcelino Gómez, Javier Quirarte y Fernando Terrazas
Guadalajara	Jaime Gómez
Irapuato	Blas Sánchez y Víctor Pérez
León	Antonio Carbajal y (?) Trujillo
Monterrey	Pablo Guerrero y Alfonso Mancilla
Morelia	Leonel Conde, Javier Montes y Juan José Tello
Nacional	Gilberto Trinidade, Roberto Alatorre y Elías Vázquez
Necaxa	Jorge Morelos, Paulo Martorano y Fernando Barrón
Oro	Antonio Mota y Rubén Villalpando
Tampico	Conrado Pulido y Hugo Pineda
Toluca	Florentino López
Zacatepec	Isidro Gil, Raúl Quevedo y Walter Ormeño

Más juegos (j)	
Jorge Iniestra (Atlante)	26
Jaime Gómez (Guadalajara)	26
Florentino López (Toluca)	26
Antonio Mota (Oro)	25

Más Juegos Completos	
Jorge Iniestra (Atlante)	26
Jaime Gómez (Guadalajara)	26
Florentino López (Toluca)	26
Antonio Mota (Oro)	25

Más goles (g)	
Jorge Iniestra (Atlante)	45
Jorge Morelos (Necaxa)	42
Pablo Guerrero (Monterrey)	41
Florentino López (Toluca)	37

Más bajo g/j (mínimo 14 juegos)	
Jaime Gómez (Guadalajara)	0.65
Manuel Camacho (América)	1.00
Antonio Carbajal (León)	1.08
Antonio Mota (Oro)	1.24

Más goles en un juego	
Jorge Morelos (Necaxa)	8
Gilberto Trinidade (Nacional)	6
Walter Ormeño (Zacatepec)	6

Penaltis detenidos	
Antonio Carbajal (León)	1
Pablo Guerrero (Monterrey)	1
Alfonso Mancilla (Monterrey)	1
Isidro Gil (Zacatepec)	1

Expulsados
Gilberto Trinidade (Nacional)

62-63
Fin a la racha campeonil de las *Chivas*

El pentacampeonato se le escapó al Guadalajara en el último partido pero las Chivas *ganaron la Copa México y el primer torneo de la Concacaf. El Oro conquistó el único título de su historia, el Tampico descendió por segunda vez y el Zacatepec consiguió un rápido retorno a Primera. Al igual que en 61-62, Manuel Camacho y Jaime Gómez fueron los mejores porteros mientras que Antonio Carbajal fue esta vez el más goleado. Por primera ocasión el monarca de goleo fue un brasileño. México mandó una Selección B a San Salvador y fue eliminado a las primeras de cambio en el primer Torneo de Naciones de Concacaf.*

Seis porteros debutan y dos se van

De 568 en el campeonato anterior, la producción de goles descendió a 533 al cumplir veinte años el balompié profesional mexicano. Anotaciones que se repartieron veintiún porteros mexicanos y ocho extranjeros. Los nuevos importados fueron el argentino Ataúlfo Sánchez (América), proveniente del Racing y el brasileño Amaury Fonseca (Monterrey), que jugaba en el Botafogo. El primero se presentó el 1 de julio del 62, precisamente en el juego de debut de los *Pumas* de la UNAM en Primera División, partido que ganó el América 2-0; el segundo lo hizo el 29 de julio al visitar el Monterrey al América y se llevó cuatro goles de los *Cremas*. Desde la temporada 47-48 la nómina de los porteros no había registrado tantos extranjeros como en este campeonato.

También durante el torneo, jugado desde el 28 de junio hasta el 23 de diciembre del 62, hicieron su debut cuatro arqueros mexicanos: Ignacio Martínez con los *Pumas*, Juan Antonio Muñoz con el León, y en la última fecha del campeonato, Javier Vargas con el Atlas y Alejandro Mollinedo con los *Pumas*. Como este último era hijo de Rafael Mollinedo, destacado portero de los años 30 y principios de los 40, se dio por primera vez en el futbol mexicano el caso de una pareja de porteros padre-hijo. Con el equipo universitario tuvo la oportunidad de volver a jugar en Primera División (aunque muy poco, apenas tres partidos) Homero Villar, que cinco años antes había participado en dos juegos con el Necaxa.

Walter Ormeño se hizo cargo de la portería del Atlante, con el que registró una racha de cuatro partidos seguidos sin gol; el *charrúa* Leonel Conde pasó del Morelia al Necaxa; el *Chilaquil* López, de *Chivas* al Morelia; y Nelson Festa, ahora con el equipo michoacano, jugó su última temporada en México. Tras militar tres años en el Zacatepec, uno en el Toluca y éste con el Morelia, el arquero argentino sumó 94 partidos y 125 goles (promedio: 1.33). Su gol de despedida se lo marcó su paisano Alberto Etcheverry, del Irapuato, el 18 de noviembre del 62.

También el otro arquero moreliano, Juan José Tello, puso fin a su carrera. Lo hizo en la última jornada del campeonato con un revés ante el Nacional por 1-2. Tello jugó tres años con el Toluca y seis con el Morelia. Le metieron 206 goles en 135 juegos para promedio de 1.53. Con el equipo choricero fue campeón de Copa.

Camacho superó al *Tubo* y a Florentino

Por segundo año consecutivo Jaime Gómez y Florentino López fueron los porteros de "hierro" al jugar completos los 26 partidos del campeonato; además, los guardametas de *Chivas* y Toluca solamente fueron superados en eficiencia por Manuel Camacho cuyo promedio de goles admitidos por juego fue 0.92 mientras que el del *Tubo* quedó en 0.96 y el de Florentino en 1.19. El arquero español se lució deteniéndoles sendos penaltis al Guadalajara y al Tampico.

Mal año, en cambio, para la *Tota* Carbajal. Con 38 pepinos fue el portero más goleado y su equipo no pudo ganar ninguno de sus primeros 11 juegos, que se sumaron a los últimos seis del torneo anterior para dejar en 17 el récord de pesadilla del León. Cabe señalar, sin embargo, que Carbajal fue recibido por el presidente de México, Adolfo López Mateos, quien lo felicitó por su buena actuación en la Copa del Mundo.

Por primera vez en la historia del fut profesional ningún portero recibió más de cinco goles en un juego, y por primera vez en siete años ningún guardameta fue expulsado.

No le meten gol al *Tubo* en la Concacaf

Vapuleando 5-0 al Comunicaciones el Guadalajara conquistó el 21 de agosto en el Jalisco el primer torneo de campeones de la Concacaf. Antes le había ganado 1-0 en tierras guatemaltecas. En este torneo el *Tubo* Gómez se mantuvo imbatido en los cuatro juegos que disputaron las *Chivas*, y alargó su racha en el segundo torneo concacafiano en mayo y junio de 1963 al empatar 0-0 y vencer 2-0 el Guadalajara al Hungarian, equipo estadounidense que previamente había eliminado al Oro.

Hegemonía de los goleadores extranjeros

Tres delanteros brasileños hicieron el 1-2-3 en la lista de los mayores romperredes. Quedó campeón Amaury Epaminondas, del Oro, con 19 goles (ninguno de penalti) y lo escoltaron José Alves *Zague*, del América, y Manoel Tabares *Necco*, también del Oro, con 14 cada uno. Amaury repartió muy bien sus anotaciones, de modo que a ningún portero le metió más de dos, con excepción de Nacho Martínez, de los *Pumas*, al que le anotó tres.

La hegemonía de los goleadores extranjeros se redondeó con los argentinos Alberto Etcheverry (Irapuato) y Roberto Rolando (Tampico), quienes con una docena de pepinos cada uno ocuparon los lugares cuarto y quinto. Por fin, en sexto sitio, aparecieron dos mexicanos: Gustavo Cuenca, del Monterrey, y el *Chatito* Ortiz, del Necaxa, con 11.

Amaury igualó el récord de Casarín, Lángara, Santillán y Rolando de nueve juegos seguidos anotando. Comenzó su racha con dos goles a Marcelino Gómez y luego fusiló una vez a Florentino, Conde, Festa, Carbajal, Camacho, *Albertinho*, Pineda y Nacho Martínez.

El Oro destronó al Guadalajara

El Guadalajara llegó a su último partido del campeonato, en la noche del 20 de diciembre del 62, con una racha de 15 juegos consecutivos sin perder y con ventaja de un punto sobre el Oro, su rival en ese juego. Le bastaba el empate para coronarse por quinto año seguido, pero el equipo *áureo*, dirigido por Arpad Fekete, el ex entrenador

de las *Chivas*, se puso adelante con un gol de *Necco* y en los últimos minutos del emocionante partido los porteros de ambos clubes protagonizaron una jugada que se quedó en la memoria de cuantos la vieron. El *Tubo* se sumó al ataque de las *Chivas* en un tiro libre y remató con la cabeza. Se cantaba el gol, pero Toño Mota brincó y con las uñas mandó el balón por encima del travesaño. De esta manera terminó el reinado del Guadalajara. El Oro, con 36 puntos, consiguió el único título de su historia.

El equipo *áureo* también fue campeón de goleo con 55 anotaciones, en tanto que la portería del Necaxa fue la más perforada (51) y la del América la menos (24). El Morelia, que terminó en penúltimo lugar apenas con un punto más que el colero Tampico, tuvo el ataque más pobre al anotar sólo 29 veces.

Fracaso mexicano en Concacaf

Tanto el VI Pentagonal de la ciudad de México como el IV Pentagonal tapatío (que ahora también tuvo como sede Monterrey), jugados en enero del 63, fueron ganados por equipos brasileños. En México el Vasco da Gama con dos victorias y dos empates quedó en primer lugar, arriba del Uda Duckla, el América, las *Chivas* y el Oro. El otro Pentagonal lo ganó el Palmeiras, también en forma invicta (tres triunfos y un empate), superando al Vasas de Hungría, Atlas, Monterrey y Nacional.

Posteriormente, en la última semana de marzo y primera de abril, se jugó en San Salvador el primer torneo de Concacaf de países. México mandó una Selección B al mando de Arpad Fekete y Pepe Moncebáez como auxiliar, que debutó perdiendo 1-2 con Curazao, después goleo 8-0 a Jamaica pero quedó eliminada tras empatar a cero con Costa Rica. El portero mexicano en los tres partidos fue Toño Mota.

Supremacía del Oro

El 20 de abril comenzó la Copa México, nuevamente con el formato de nocaut a visita recíproca. Salvador Reyes anotó en todos los juegos del Guadalajara menos en la final que, sin embargo, ganaron las *Chivas*. Con cinco tantos logró Reyes el liderato goleador y el Guadalajara conquistó el torneo derrotando en la final, el 2 de junio, al Atlante por 2-1. El marcador no fue mayor porque Ormeño le atajó un penalti a Héctor Hernández.

El título copero le dio al Guadalajara la oportunidad de la revancha con el Oro en el juego de Campeón de Campeones, sin embargo los *Áureos* se volvieron a imponer. El partido tuvo lugar en el estadio de cu el 16 de junio y lo ganó el Oro por 3-1.

Nómina de porteros	
América	Manuel Camacho y Ataúlfo Sánchez
Atlante	Walter Ormeño y José Cerón
Atlas	Carlos Pierín, Marcelino Gómez y Javier Vargas
Guadalajara	Jaime Gómez
Irapuato	Víctor Pérez y Blas Sánchez
León	Antonio Carbajal y Juan Antonio Muñoz
Monterrey	Pablo Guerrero y Amaury Fonseca
Morelia	Nelson Festa, Juan José Tello y Miguel López
Nacional	Gilberto Trinidade y Elías Vázquez
Necaxa	Jorge Morelos y Leonel Conde
Oro	Antonio Mota y Jesús Mendoza
Tampico	Hugo Pineda y Conrado Pulido
Toluca	Florentino López
UNAM	Ignacio Martínez, Homero Villar y Alejandro Mollinedo

Más juegos (j)

Jaime Gómez (Guadalajara)	26
Florentino López (Toluca)	26
Manuel Camacho (América)	24
Antonio Carbajal (León)	24
Gilberto Trinidade (Nacional)	24
Antonio Mota (Oro)	24

Más juegos completos

Jaime Gómez (Guadalajara)	26
Florentino López (Toluca)	26
Manuel Camacho (América)	24
Antonio Carbajal (León)	24
Gilberto Trinidade (Nacional)	24
Antonio Mota (Oro)	24

Más goles (g)

Antonio Carbajal (León)	38
Víctor Pérez (Irapuato)	37
Ignacio Martínez (UNAM)	35
Pablo Guerrero (Monterrey)	32

Más bajo g/j (mínimo 14 juegos)

Manuel Camacho (América)	0.92
Jaime Gómez (Guadalajara)	0.96
Florentino López (Toluca)	1.19
Gilberto Trinidade (Nacional)	1.25
Carlos Pierín (Atlas)	1.25

Más goles en un juego

Víctor Pérez (Irapuato)	5
Pablo Guerrero (Monterrey)	5
Miguel López (Morelia)	5
Hugo Pineda (Tampico)	5
Florentino López (Toluca)	5

Penaltis detenidos

Florentino López (Toluca)	2
Jaime Gómez (Guadalajara)	1
Hugo Pineda (Tampico)	1

Expulsados

Ninguno

63-64
Con nuevo portero el Guadalajara recupera la corona

El Guadalajara reanudó su marcha triunfal y se tituló campeón por quinta vez en seis años. Ignacio Calderón mandó a la banca al Tubo *Gómez y se consagró como el mejor portero del campeonato. Se retiraron Walter Ormeño y Raúl Quevedo. Los romperredes extranjeros volvieron a hacer el 1-2-3 en la competencia de goleo. El América ganó la Copa México, en la que participaron todos los equipos de la Segunda División. Como campeón de ésta ascendió el Cruz Azul y mediante una "liguilla de promoción" para aumentar a 16 el número de equipos se salvó del descenso el Nacional y regresó el Veracruz. Las* Chivas *le ganaron al América el Campeón de Campeones y volaron a Europa para jugar diez partidos.*

Nacho Calderón hace historia

En la apertura del campeonato el 27 de junio del 63 el Oro estrenó su corona con una goliza de 4-0 al Guadalajara, con Amaury Epaminondas, rey goleador del torneo anterior, desempeñando el papel de verdugo del *Tubo* Gómez al fusilarlo en tres ocasiones en un lapso de diez minutos. En el siguiente juego de las *Chivas* hizo su debut en la Liga el joven portero tapatío Ignacio Calderón y el *Tubo* perdió la titularidad que había mantenido durante doce años. Gómez no volvió a jugar con el Guadalajara y un año después se contrató con el Monterrey. Por su parte, Calderón tuvo una actuación muy destacada, en 25 juegos sólo admitió 21 goles y su promedio fue 0.84, el más bajo de todos. Ningún portero mexicano había hecho esto en su primera temporada. Además, mantuvo la racha de meta invicta del Guadalajara en los torneos de la Concacaf, que el *Tubo* Gómez había dejado en 6 y con Calderón llegó a 8 partidos consecutivos sin gol en contra cuando las *Chivas* vencieron 1-0 y 2-0 al Saprissa y pasaron a la final contra un equipo haitiano llamado Racing. Por cierto, al no presentarse a jugar el Racing, el Guadalajara se proclamó campeón, sin embargo tras muchas discusiones y alegatos la Concacaf despojó a las *Chivas* de su título y se lo dio a los haitianos.

Cambios y debuts

Igual que en 62-63, fueron 29 los guardametas que actuaron en el torneo pero solamente dos jugaron todos los partidos: Javier Vargas, del Atlas, y el brasileño Gilberto Trinidade *Albertinho*, quien ahora actuó con el Zacatepec, que reapareció en Primera División. Ambos fueron también los más goleados: Vargas recibió 42 y *Albertinho* 35.

Además del traspaso de Trinidade del Nacional al Zacatepec, se registraron los cambios de Carlos Pierín *Lalá*, del Atlas al Atlante; Ataúlfo Sánchez, del América al Necaxa; Walter Ormeño, del Atlante al Morelia; y el veterano Raúl Quevedo, quien pasó del Zacatepec al Nacional, su sexto equipo, con el que cerró su carrera.

En cuanto a debuts, además del de Marcos Gallardo (hermano de Archibaldo, ex arquero del Irapuato y del León) quien se presentó con los *Panzas Verdes* en la última fecha del campeonato, hay que mencionar a Vicente Alvirde (con Pachuca), Raúl Navarro (con el Ciudad Victoria), Rubén Vázquez (con el Oro) y Julián Ventura (con el Ciudad Madero) que debutaron en Primera División en el torneo de Copa.

Rachas y despedidas

Nuevamente con Manuel Camacho en la portería el América volvió a figurar como el equipo menos goleado, y al igual que en 62-63 sólo recibió 24 anotaciones. El promedio del veterano Camacho fue 0.92. Sólo Nacho Calderón y el argentino Ataúlfo Sánchez, éste con 0.89, lo superaron. El arquero del América logró mantener inviolada su meta durante cinco partidos consecutivos ante el León, Morelia, Guadalajara, Atlas y UNAM. También Walter Ormeño y el joven portero de los *Pumas*, Alejandro Mollinedo, lograron rachas de imbatibilidad, que en ambos casos fueron de cuatro juegos.

Antes de cerrar su larga y brillante carrera el gigante peruano bajó la cortina contra el Zacatepec, Irapuato, Monterrey y Atlante, mientras que Mollinedo lo hizo ante Monterrey, Atlante, Nacional y Oro.

El primer día de diciembre del 63 el Morelia cayó en casa frente al León por 0-1, siendo éste el último partido que jugó Ormeño, quien siete meses después comenzaría otra larga carrera como director técnico. Su trayectoria abarcó 18 años y cuatro países. En México participó dos temporadas con el América, una con el Zacatepec, una con el Atlante y una con el Morelia, en la que por cierto sufrió su segunda expulsión en México. Sus números son magníficos: 84 goles recibidos en 77 juegos, promedio de 1.09, muy bajo. Con el equipo *crema* fue subcampeón de Liga y con el azulgrana subcampeón de Copa. La expulsión del peruano se produjo en León en la primera vuelta. Los *Panzas Verdes* aprovecharon que José Luis Sánchez Torres se improvisó como portero y lo fusilaron cuatro veces para doblar al Morelia por 5 a 1.

El 2 de enero del 64, en la última jornada del campeonato, prácticamente se despidió Raúl Quevedo, porque aunque todavía formó parte del Guadalajara un corto tiempo en el siguiente campeonato, no jugó un minuto más en Primera División. En 12 años militó en seis equipos: Atlante, Marte, Irapuato, Celaya, Zacatepec y Nacional; acumuló 182 partidos y 296 goles (promedio: 1.63), ganó un título con el Marte y dos subcampeonatos con el Atlante. Vivió los descensos del Marte, Celaya, Zacatepec y Nacional (salvado en el torneo de promoción). Jamás fue expulsado.

Goleadas y goleadores

Los arqueros Roberto Alatorre, del Nacional, y Jesús Mendoza, del Oro, soportaron las mayores golizas del torneo. Al primero los *Pumas* le anotaron siete veces el 11 de agosto en el estadio de CU, y el segundo recibió la misma cantidad en Irapuato el 15 de diciembre. Este 7-3 es el marcador más alto del Irapuato en toda su historia. Tres goles fueron de Jaime Belmonte, a la postre el máximo goleador mexicano de este campeonato con 15 anotaciones, con las cuales se ubicó en el cuarto lugar de la lista de romperredes. El argentino Alberto Etcheverry (UNAM) y los brasileños Moacyr Santos (América) y Olinto Rubini (Oro) hicieron el 1-2-3 con 20, 17 y 17, respectivamente. El *Piolín* Mota fue el portero más goleado por Etcheverry al recibir la quinta parte de las anotaciones del rey del gol. Once de los veinte tantos del argentino se registraron en campo ajeno.

El desenlace del torneo y la liguilla promocional

A tambor batiente cerró el campeonato el Guadalajara. Ganó sus últimos seis juegos y se coronó en la penúltima jornada, el 29 de diciembre del 63, venciendo 2-0 al Nacional. Sumó 37 puntos, cuatro más que el América. En tercer lugar quedó el Monterrey con 32. Durante el torneo el equipo regiomontano logró una impresionante racha de ocho victorias consecutivas. Aunque ocupó el octavo sitio de la tabla, el Oro fue el campeón de goleo con 53 anotaciones, prácticamente el 10 % de los 528 goles registrados en el torneo.

Con 18 derrotas en 26 partidos el Nacional fue sotanero indiscutible pues quedó a ocho puntos del penúltimo lugar, que fue el Atlante. El Nacional tuvo la ofensiva más pobre, sólo 26 goles anotados, y la defensiva más vulnerable, 71 tantos recibidos, sin embargo, aprovechó la "liguilla de promoción" para mantenerse en Primera División. Este torneíto lo jugaron en la ciudad de México el Nacional y los tres equipos de Segunda mejor colocados después del campeón Cruz Azul: Veracruz, Ciudad Madero y Poza Rica. El cuadro tapatío quedó en primer lugar y el Veracruz y el Ciudad Madero, empatados en segundo, tuvieron que disputar un juego extra por el segundo boleto para el ascenso. Tras igualar a cero, el Veracruz se impuso en la serie de penaltis 5-4. Así el futbol de Primera División retornó a Veracruz tras una docena de años de ausencia.

Actividad internacional

La Liga terminó el 7 de enero del 64. Se había interrumpido unos días en agosto y septiembre por las visitas del Valencia y el Barcelona. A ambos equipos españoles los venció el Oro, pero el Barcelona apabulló 6-1 a los *Pumas* y el Valencia le metió un 8-3 al Veracruz.

El formato del acostumbrado torneo internacional de invierno se cambió de pentagonal a hexagonal en la ciudad de México, en tanto que en Guadalajara ya no se efectuó el pentagonal tapatío. Participaron en el I Hexagonal, del 16 de enero al 13 de febrero, el Partizán de Yugoslavia, la Selección de Moscú, el São Paulo, las *Chivas*, el América y el Necaxa. De manera invicta (cuatro triunfos y un empate) el equipo moscovita ganó el certamen y todavía jugó dos partidos más (ante Necaxa y Guadalajara) en los que conservó su invencibilidad.

En la tercera semana de marzo se jugó en México el torneo eliminatorio para la Olimpiada de Tokio-64. La Selección Mexicana "amateur", cuyo portero fue Jesús Mendoza, goleó a Panamá y Surinam, venció apretadamente a Estados Unidos y calificó.

El clásico América-*Chivas* en el "Campeón de Campeones"

La Copa México se efectuó del 22 de febrero al 21 de abril. Esta vez los 14 clubes de Primera invitaron a los 14 equipos de Segunda y el torneo se disputó con el método de nocaut a visita recíproca.

En la primera fecha se produjo una goleada 7-1 del Irapuato a La Piedad en la que Jaime Belmonte marcó cinco goles. Juan Serrato era el nombre del portero acribillado. Otro sucedido para la estadística se presentó el 1 de marzo cuando el arquero del Nacional, Enrique Torres, se convirtió en el primer portero expulsado en la historia de la Copa México. En este torneo se produjo el debut de Enrique Borja, gran goleador y uno de los mayores ídolos del futbol mexicano.

El América y el Monterrey protagonizaron una larga final que abarcó dos juegos, tiempos extra en el segundo y tanda de penaltis. En el primer cotejo empataron a cero, en el segundo quedaron 1-1, marcador que se mantuvo en el tiempo extra, finalmente en los tiros de castigo se impuso el América por 5 a 4. El tirador por los *Cremas*, Alfonso Portugal, anotó cinco de seis, mientras que Raúl Chávez, por los regios, falló dos de seis. Los guardametas fueron Jorge Iniestra, por el América, quien le detuvo un penalti a Chávez, y Pablo Guerrero.

El *Flaco* Belmonte compartió el liderato de goleo con Toño Munguía, del Necaxa, y el brasileño Javán Marinho, del Monterrey. Cada uno con siete tantos.

Cinco días después de su coronación, el América enfrentó a su acérrimo rival, el Guadalajara, en el partido de campeones. Con anotaciones de Javier Barba y *Chava* Reyes las *Chivas* ganaron 2-0 y conquistaron por quinta vez (y primera sin el *Tubo* Gómez) el título de Campeón de Campeones.

La cereza en el pastel del campeonísimo Guadalajara fue la gira por cinco países europeos durante el mes de mayo. Las *Chivas* llevaron cinco refuerzos y jugaron en total 10 partidos en España, Francia, Bélgica, Alemania y Checoslovaquia. El balance arrojó dos victorias, cuatro empates y cuatro reveses (todos por sólo un gol de diferencia, igual que los triunfos). Salvador Reyes marcó ocho de los 12 goles de los tapatíos y Nacho Calderón tuvo destacadas actuaciones jugando toda la gira, admitió par de goles del Barcelona, uno del Gijón, tres del Sevilla, dos del Werder Bremen, uno del Slovan Bratislava, dos del Angers, uno del Rouen y dos del Mestalla. El Lille y el Standard de Lieja no le pudieron anotar.

Nómina de porteros

América	Manuel Camacho y Jorge Iniestra
Atlante	Carlos Pierín y José Sierra
Atlas	Javier Vargas
Guadalajara	Ignacio Calderón y Jaime Gómez
Irapuato	Víctor Pérez y Blas Sánchez
León	Antonio Carbajal y Marcos Gallardo
Monterrey	Pablo Guerrero y Amaury Fonseca
Morelia	Walter Ormeño, Miguel López y Gabriel Valencia
Nacional	Roberto Alatorre, Raúl Quevedo y Enrique Torres
Necaxa	Ataúlfo Sánchez, Leonel Conde y Jorge Morelos
Oro	Antonio Mota y Jesús Mendoza
Toluca	Florentino López y Pedro Elizondo
UNAM	Alejandro Mollinedo e Ignacio Martínez
Zacatepec	Gilberto Trinidade

Más juegos (j)

Javier Vargas (Atlas)	26
Gilberto Trinidade (Zacatepec)	26
Manuel Camacho (América)	25
Ignacio Calderón (Guadalajara)	25
Antonio Carbajal (León)	25
Alejandro Mollinedo (UNAM)	25

Más juegos completos

Javier Vargas (Atlas)	26
Gilberto Trinidade (Zacatepec)	26
Manuel Camacho (América)	25
Ignacio Calderón (Guadalajara)	25
Antonio Carbajal (León)	25
Alejandro Mollinedo (UNAM)	25

Más goles (g)

Javier Vargas (Atlas)	42
Gilberto Trinidade (Zacatepec)	35
Roberto Alatorre (Nacional)	34
Antonio Mota (Oro)	34
Florentino López (Toluca)	33

Más bajo g/j (mínimo 14 juegos)

Ignacio Calderón (Guadalajara)	0.84
Ataúlfo Sánchez (Necaxa)	0.89
Manuel Camacho (América)	0.92
Pablo Guerrero (Monterrey)	1.00
Alejandro Mollinedo (UNAM)	1.24

Más goles en un juego

Roberto Alatorre (Nacional)	7
Jesús Mendoza (Oro)	7
Javier Vargas (Atlas)	6
Enrique Torres (Nacional)	6

Penaltis detenidos

Ignacio Calderón (Guadalajara)	1
Blas Sánchez (Irapuato)	1
Ataúlfo Sánchez (Necaxa)	1
Alejandro Mollinedo (UNAM)	1

Expulsados

Walter Ormeño (Morelia)

64-65
Se gana la sede del Mundial de 1970

Con el surgimiento de otro buen portero, Gilberto Rodríguez, el Coco, *el Guadalajara obtuvo su séptima Liga y segunda consecutiva y nuevamente le ganó al América el título de Campeón de Campeones. Pero la noticia del año fue que la FIFA le otorgó a México la sede de la Copa del Mundo de 1970. Luego la Selección Nacional se coronó en el torneo de la Concacaf y conquistó el boleto para el Mundial de Inglaterra-66. Ataúlfo Sánchez, Manuel Camacho y Jaime Gómez, tres arqueros que cambiaron de equipo, fueron los mejores del campeonato. El Nacional repitió como colero y no hubo liguilla que lo salvara del descenso a Segunda División, de la que ascendió el Ciudad Madero tras una extraordinaria temporada en la que se mantuvo invicto. Y por segunda vez Amaury Epaminondas fue monarca de goleo.*

52 GOLES AL *CHILAQUIL* LÓPEZ

Los 31 porteros que actuaron en este campeonato (efectuado del 4 de junio al 27 de diciembre del 64) fueron bombardeados con 611 goles, la cifra más alta en 15 años, siendo Miguel *Chilaquil* López, del Morelia, el más castigado con 52 anotaciones, seguido por el atlista Javier Vargas (único expulsado en esta Liga) con 42, misma cantidad que recibió el *Charro* García al reaparecer en Primera División. Él había jugado tres partidos con el Celaya en 60-61 y ahora se convirtió en el primer portero que tuvo el Cruz Azul.

Sin embargo, hay que destacar que dos arqueros veteranos, Manuel Camacho y Antonio Carbajal, y un novato, el *Coco* Rodríguez, lograron sendas rachas de cuatro partidos seguidos sin recibir gol, hazaña que también realizó Nacho Calderón, al mantenerse imbatido en los últimos tres juegos del torneo anterior y en el primero de éste.

EL *COCO* DESPLAZA AL *CUATE*

Cuando Calderón fue llamado a la Selección Olímpica, el entrenador de las *Chivas*, Javier de

la Torre, debutó al juvenil Gilberto Rodríguez, quien aunque en su primer juego (13 de agosto) recibió tres goles del Toluca en el estadio Jalisco, tuvo después actuaciones tan destacadas como para mandar a Calderón a la banca cuando éste regresó de Tokio, donde jugó los tres partidos de México en el torneo olímpico: 1-3 con Rumania, empate a uno con Irán (primer punto en olimpiadas) y 0-2 ante la República Democrática Alemana.

En sus siguientes 18 juegos el *Coco* solamente permitió 15 goles. Su promedio de 0.95 anotaciones por partido sólo fue superado por el 0.77 del argentino Ataúlfo Sánchez (que regresó al América), el 0.83 de Manuel Camacho (que pasó del América al Atlante) y el 0.90 del *Tubo* Gómez (que para no variar jugó la temporada completa ahora con el Monterrey).

Además de Rodríguez, hicieron su debut seis porteros, incluyendo al argentino Manuel Ovejero (muchos años suplente de Amadeo Carrizo en River Plate), contratado por el Necaxa en la parte final del campeonato. Algunos —los más destacados— se presentaron en el torneo de Copa, como Francisco Castrejón y Amado *Tarzán* Palacios. El primero, jalisciense de sólo 18 años de edad, jugó por primera vez el 17 de enero del 65 con los *Pumas* y recibió su primer gol del toluqueño Vicente Pereda, y el segundo, oriundo del D.F., apareció con el Cruz Azul un mes después, el 14 de febrero, ante el Veracruz y fue "bautizado" por Jesús Hernández. A Castrejón lo debutó Renato Cesarini y a Palacios el húngaro Jorge Marik, quien inauguró la lista de directores técnicos del Cruz Azul.

En la Liga debutó con el Irapuato Juan Martínez, portero nacido en esa ciudad. Se presentó el 19 de julio del 64 en un empate sin goles entre los *freseros* y los *tiburones* rojos del Veracruz.

Cambios y más cambios

Inusitado fue el alto número de guardametas que cambiaron de equipo. Además de los casos de Ataúlfo, el *Tubo* y Camacho, ya citados, Toño Mota pasó del Oro al Necaxa, equipo al que también llegaron Nacho Martínez y Conrado Pulido, procedentes de los *Pumas* y del Tampico, respectivamente; Marcelino Gómez, ex atlista, reapareció en Primera División con el Nacional; Víctor Pérez dejó al Irapuato para irse a los *Pumas* donde mandó a la banca a Mollinedo; Carlos Pierín *Lalá* fue transferido del Atlante al Zacatepec para formar con *Albertinho* una mancuerna de arqueros brasileños; Gabriel Valencia pasó del Morelia al Nacional; y la cabaña del Veracruz, en su reaparición en la máxima división, estuvo custodiada por Elías Vázquez y Amaury Fonseca. El primero había actuado dos años antes con el Nacional y el segundo salió del Monterrey ante la llegada del *Tubo* Gómez. Además, el uruguayo Leonel Conde regresó al Morelia pero solamente jugó el torneo de Copa.

Adiós a tres arqueros

En este campeonato de 30 partidos por equipo (como en el lejano 45-46) hubo cinco porteros de "hierro". Manuel Camacho, el *Charro* García, el *Tubo* Gómez, el *Chilaquil* López y el hispano Florentino López jugaron todos los minutos de todos los partidos. Para tres —Conrado Pulido, José Sierra y Marcelino Gómez— ésta fue su última temporada. Pulido jugó un año con las *Chivas*, cinco con el Tampico (con el que sufrió dos descensos) y éste con el Necaxa. En 64 partidos recibió 103 goles, así que su promedio fue 1.61. Su última actuación tuvo lugar en Zacatepec el 28 de junio donde el Necaxa perdió por 0-2.

El adiós para Sierra, siempre atlantista, llegó el 10 de enero del 65 en un partido de Copa en Veracruz donde el Atlante y los *Tiburones* igualaron 1-1. En nueve torneos jugó 78 partidos y admitió 125 anotaciones (promedio: 1.60), fue campeón de Copa en 51-52.

También en la Copa, el 7 de febrero, jugó por última vez Marcelino Gómez en una derrota del Nacional en Morelia por 1-3. Tras militar seis campeonatos con el Atlas y uno con el Nacional, Marcelino sumó 95 juegos en los que recibió 125 goles y promedió 1.32 tantos por partido. Nunca salió de la cancha por expulsión.

Y se despidió de México el brasileño Carlos Pierín tras jugar dos temporadas con el Atlas, una con el Atlante y ésta con Zacatepec, tiempo en el que acumuló 58 partidos y 83 goles (promedio: 1.43).

Apenas habían pasado seis meses de su retiro cuando el ex portero peruano Walter Ormeño comenzó el 7 de junio su larga carrera como entrenador en México, dirigiendo al Atlante. En su estreno sucumbió 0-3 frente al Guadalajara.

Rachas varias

A las seis victorias conseguidas en los últimos seis juegos del torneo anterior, el Guadalajara agregó dos más en el inicio de este campeonato. La racha ganadora (en todos los juegos el portero de las *Chivas* fue Nacho Calderón) se cortó el 18 de junio en el estadio Jalisco: Guadalajara 0 América 0.

Mientras tanto el Nacional comenzó el camino que lo llevaría de regreso a la Segunda División con siete derrotas consecutivas y apenas dos goles anotados. En uno de esos descalabros, por 1-6 ante el Oro, el novel arquero Martín Navarro cargó con la mayor goleada del campeonato.

En su primera temporada el Cruz Azul tuvo una actuación discreta, se ubicó a media tabla, pero se distinguió por anotar al menos un gol en los 15 partidos de la primera vuelta. El primer portero que no permitió anotaciones del equipo *cementero* fue el *Tubo* Gómez, y lo hizo en Jasso, Hidalgo, casa del Cruz Azul.

Hegemonía brasileña

Los cañoneros brasileños Amaury Epaminondas (Oro) y Olinto Rubini (Monterrey) hicieron el 1-2 de los goleadores con apenas un tanto de diferencia entre ellos. Con 21 goles Amaury se coronó por segunda vez en tres años y nuevamente sin anotar ninguno de penalti. Rubini sumó 20. Lejos quedaron los mexicanos Salvador Reyes (*Chivas*), José Luis Aussín (Veracruz) y Jesús Delgado (Atlas) con 13, 13 y 12, respectivamente. Amaury y el *Loquito* Aussín protagonizaron sendos juegos de cuatro goles. El brasileño se los anotó a Elías Vázquez, portero del Veracruz, el 8 de octubre en Guadalajara; Aussín se los marcó a *Albertinho*, del Zacatepec, el 26 de julio en el puerto jarocho. Sin embargo, no fue Vázquez el arquero más vulnerado por Amaury, sino el *Chilaquil* López, a quien el monarca de goleo le anotó cinco en los dos partidos entre el Oro y el Morelia.

Cabe señalar que Epaminondas aportó la tercera parte de los 60 goles que logró el Oro, con los cuales el equipo *áureo* conquistó el subcampeonato con 38 puntos, dos menos que el monarca Guadalajara. Desde que el Toluca lo hizo en 57-58, ningún equipo había anotado tantos goles en una temporada. Fue el tercer liderato de goleo consecutivo del Oro; por su parte, el América logró también por tercer año seguido ser el menos goleado (23). El Atlante anotó menos (28) y el Morelia recibió más (52). Como dato curioso queda el autogol del portero novato Rubén Vázquez, el 28 de noviembre en Monterrey, contribuyendo al revés del Oro por 0-3 ante los *Rayados*.

Chivas y América

Un empate 1-1 con el Nacional el 20 de diciembre en la penúltima jornada le aseguró al Guadalajara su séptimo título de Liga y el cuarto con Javier de la Torre como director técnico. Con ese punto el Nacional llegó a 22, uno más que el Irapuato, pero en la última fecha los *freseros* derrotaron al Toluca en tanto que el Nacional perdió con el Atlante y cayó al sótano.

Mientras tanto, de la Segunda División emergió como campeón invicto el Ciudad Madero. Dirigido por el ex goleador argentino Ernesto Candia, el equipo tamaulipeco obtuvo 23 triunfos y siete empates.

El 7 de enero del 65 arrancó la Copa México. Mientras ésta se desarrollaba, dos equipos extranjeros, el San Lorenzo de Almagro y el Botafogo, jugaron varios partidos en canchas mexicanas. Cabe señalar que durante la Liga, en la primera semana de agosto, el Barcelona había realizado otra visita a México. Sostuvo 3 juegos pletóricos de goles: 2-2 con el Atlante, 3-2 al Guadalajara y 4-4 ante el Monterrey.

Con uno de los juegos del Botafogo, el que le ganó al Morelia el 21 de febrero, se inauguró en la capital de Michoacán el estadio Venustiano Carranza. El equipo *carioca* se mantuvo imbatido en sus seis actuaciones en nuestro país.

El formato de la Copa fue de cuatro grupos de cuatro equipos cada uno, jugando a visita recíproca y clasificando a semifinales los cuatro líderes. El América repitió como campeón de Copa al imponerse fácilmente al Morelia en la final el 7 de marzo en el estadio de CU. Sendos pares de goles de Javier Fragoso y del bicampeón mundial *Vavá*, recibidos por el arquero *charrúa* Leonel Conde, fabricaron el marcador de 4-0.

El también uruguayo Carlos Miloc, del Morelia, quedó líder goleador con seis tantos. El dato curioso de este tor-

neo fueron los dos autogoles que encajó el arquero *puma* Alejandro Mollinedo de sus defensas Miguel Mejía Barón y Carlos Gutiérrez en un juego contra el Zacatepec, que sin embargo ganó el cuadro universitario por 3 a 2.

En el partido de "Campeón de Campeones", el 14 de marzo, se repitió la historia del año anterior, las *Chivas* volvieron a imponerse al América, ahora por 2 goles a 1. En este juego Nacho Calderón resguardó la portería del Guadalajara y Ataúlfo Sánchez la de los *Cremas*.

El pase al Mundial y la sede del siguiente

El 8 de octubre de 1964 la FIFA proclamó a México como país sede de la Copa del Mundo de 1970. El anuncio, que llenó de júbilo a la afición mexicana, se hizo en Tokio durante la celebración de la Olimpiada.

El 28 de febrero del 65, tras casi dos años sin jugar, la Selección Nacional inició la eliminatoria para el Mundial de Inglaterra-66 con una apretada victoria de 1-0 sobre Honduras en San Pedro Sula, a la que siguieron un triunfo de 3-0 sobre los hondureños en México, un empate a dos con Estados Unidos en Los Ángeles y un 2-0 a los *gringos* en la capital mexicana. En todos los juegos el portero de México fue Antonio Carbajal.

Posteriormente la Selección acudió a Guatemala al II Torneo Concacaf de países, mismo que conquistó con 4 triunfos y un empate. Nacho Calderón jugó todos los partidos y sólo recibió dos goles, uno de Costa Rica y uno de Guatemala. Después México concluyó y ganó la eliminatoria mundialista así: 0-0 con Costa Rica, 3-2 y 8-0 a Jamaica, y 1-0 a los *ticos*. Calderón se confirmó como portero titular del seleccionado nacional, aunque dos errores suyos propiciaron el par de goles jamaicanos. Poco tiempo después el arquero de Costa Rica, Emilio Sagot, se incorporó al futbol mexicano al ser contratado por el Zacatepec.

Nómina de porteros

América	Ataúlfo Sánchez y Jorge Iniestra
Atlante	Manuel Camacho
Atlas	Javier Vargas y Javier Quirarte
Cruz Azul	Jesús García
Guadalajara	Gilberto Rodríguez e Ignacio Calderón
Irapuato	Juan Martínez y Blas Sánchez
León	Antonio Carbajal y Juan Antonio Muñoz
Monterrey	Jaime Gómez
Morelia	Miguel López
Nacional	Marcelino Gómez, Gabriel Valencia y Martín Navarro
Necaxa	Antonio Mota, Ignacio Martínez, Conrado Pulido y Manuel Ovejero
Oro	Jesús Mendoza y Rubén Vázquez
Toluca	Florentino López
UNAM	Víctor Pérez y Alejandro Mollinedo
Veracruz	Amaury Fonseca y Elías Vázquez
Zacatepec	Gilberto Trinidade, Carlos Pierín y Andrés Aranda

Más juegos (j)

Manuel Camacho (Atlante)	30
Jesús García (Cruz Azul)	30
Jaime Gómez (Monterrey)	30
Miguel López (Morelia)	30
Florentino López (Toluca)	30

Más juegos completos

Manuel Camacho (Atlante)	30
Jesús García (Cruz Azul)	30
Jaime Gómez (Monterrey)	30
Miguel López (Morelia)	30
Florentino López (Toluca)	30

Más goles (g)

Miguel López (Morelia)	52
Javier Vargas (Atlas)	42
Jesús García (Cruz Azul)	42
Víctor Pérez (UNAM)	36
Jesús Mendoza (Oro)	34
Florentino López (Toluca)	34

Más bajo g/j (mínimo 16 juegos)

Ataúlfo Sánchez (América)	0.77
Manuel Camacho (Atlante)	0.83
Jaime Gómez (Monterrey)	0.90
Gilberto Rodríguez (Guadalajara)	0.95
Antonio Carbajal (León)	1.00
Florentino López (Toluca)	1.13

Más goles en un juego

Martín Navarro (Nacional)	6
Javier Vargas (Atlas)	5
Juan Martínez (Irapuato)	5 (2 veces)
Martín Navarro (Nacional)	5
Antonio Mota (Necaxa)	5
Víctor Pérez (UNAM)	5
Gilberto Trinidade (Zacatepec)	5

Penaltis detenidos

Manuel Camacho (Atlante)	1
Jesús García (Cruz Azul)	1
Gilberto Rodríguez (Guadalajara)	1
Miguel López (Morelia)	1
Marcelino Gómez (Nacional)	1
Martín Navarro (Nacional)	1
Jesús Mendoza (Oro)	1
Florentino López (Toluca)	1
Carlos Pierín (Zacatepec)	1

Expulsados

Javier Vargas (Atlas)

65-66
Se inaugura el Azteca, se corona el América y se retira Carbajal

La inauguración del monumental estadio Azteca, la despedida de Antonio Carbajal tras jugar su quinta Copa del Mundo y el primer título de Liga del América en la época profesional fueron los puntos estelares de una temporada memorable. El Necaxa ganó la Copa y el Campeón de Campeones, en tanto que el Zacatepec sufrió su segundo descenso. Por cuarto año seguido el monarca de goleo fue un extranjero. Los arqueros del Guadalajara y del América fueron los mejores, con el Coco *Rodríguez superando a Ataúlfo Sánchez por apenas dos centésimas en el promedio de goles por juego. También se inauguró el estadio Tamaulipas y ascendió a Primera División un segundo equipo de Monterrey, el Nuevo León. Manuel Camacho, otro histórico de la portería, culminó su destacada carrera de veinte años.*

Una docena de goles del Atlas al Morelia

El campeonato, pletórico de goles pues se registraron 681, setenta más que en 64-65, se jugó del 27 de mayo al 19 de diciembre de 1965. Participaron 34 guardametas pero sólo el *Tubo* Gómez (Monterrey) y Julián Ventura (Ciudad Madero) jugaron todos los partidos. Este último fue el más goleado con 48 pepinos, seguido muy de cerca por Rubén Vázquez, del Oro, con 45.

Únicamente dos nombres nuevos figuraron en la nómina de guardametas, aunque luego en la Copa hubo tres debuts más. A medio campeonato y precisamente el mismo día —5 de septiembre— se presentaron Cirilo Saucedo y el *tico* Emilio Sagot, el primero con el Morelia y el segundo con el Zacatepec. Una semana después, Cirilo le regaló al Atlante una anotación con un autogol (no obstante, ganó el Morelia 4 a 2) y curiosamente a fines del mes, Sagot fue víctima de un par de autogoles de sus defensas Carlos Zavala y Raúl Nava con los que el Monterrey se impuso 2-1 al Zacatepec.

No fue el *tico* el único portero que cargó con dos autogoles en un juego: a Blas Sánchez, del Irapuato, se los anotaron sus compañeros Juan Barrio y Luciano Martínez en un partido contra los *Pumas*.

Posteriormente, en diciembre, y en domingos consecutivos, el Atlas y el Irapuato le anotaron seis goles cada uno a Saucedo. El equipo rojinegro repitió la cuota ya que en la primera vuelta también le había metido seis al Morelia, cuya portería estuvo entonces a cargo del veterano Fernando Barrón, quien tuvo así una triste despedida de la Primera División.

Fue el 22 de agosto la fecha del último partido de Barrón. En el estadio Jalisco el Atlas vapuleó 6-2 al Morelia. Jesús Delgado marcó tres y luego Ignacio Buenrostro repitió la dosis. El palmarés del portero oriundo de El Salto, Durango registra nueve torneos (dos con el Atlas, dos con el Zamora y uno con Irapuato, Toluca, Necaxa y Morelia, además de una participación con el Guadalajara en una Copa México), 125 juegos, 216 goles y promedio de 1.73, además de cero expulsiones. De los pocos porteros que tuvo el Zamora, Fernando Barrón fue el que jugó más partidos y recibió más anotaciones.

Y siete del Cruz Azul a las *Chivas*

Las dos goleadas del Atlas al Morelia y la del Irapuato a los michoacanos no fueron las mayores del campeonato porque el 24 de junio el Cruz Azul aplastó al Guadalajara por 7-1 en la Perla Tapatía, partido en el que José Luis *Gorras* Guerrero se convirtió en el único jugador en esta temporada con cuatro goles en un juego. En esta goliza, la mayor de las *Chivas* como locales en toda su historia, Nacho Calderón, tras recibir cinco tantos (récord para el arquero tapatío), entre ellos tres de los cuatro del *Gorras*, salió lesionado y el delantero Javier Valdivia se puso el suéter para recibir las últimas dos anotaciones *cementeras*.

De los pocos guardametas que cambiaron de equipo esta temporada hay que mencionar a Pablo Guerrero, ex del Monterrey que jugó cinco partidos con el Toluca; Pedro Elizondo que de suplente de Florentino López en el Toluca pasó a titular con el Veracruz; Nacho Martínez regresó a los *Pumas* y el portero de la mala suerte, víctima de frecuentes lesiones, Jorge Morelos, dejó al Necaxa para ser suplente de Manuel Camacho en el Atlante.

Por tercer año consecutivo el argentino Ataúlfo Sánchez figuró entre los dos mejores porteros del campeonato. Esta vez su promedio de 0.90 goles por juego sólo fue superado por el 0.88 del *Coco* Rodríguez. En tercer lugar quedó el *Gato* Vargas con 1.03 y luego con 1.13 Juan Antonio Muñoz, el hombre que heredó de Carbajal la portería leonesa.

Adiós a un portero emblemático

Precisamente esta fue la última temporada del que después del Mundial de 1966 sería conocido como el *Cinco Copas*. El último partido de Antonio Carbajal en la Liga mexicana tuvo lugar en León el 5 de diciembre del 65. Ese día los *Pumas* derrotaron a los *Panzas Verdes* 3-2 con goles de Enrique Borja, Mario Velarde y Rubén Muñoz. Fue el juego número 395 del gran arquero mexicano, que actuó dos años con el España y 16 con el León. Le anotaron 498 goles, nunca más de cinco en un partido; de hecho, solamente tres veces en su larga carrera permitió esta cifra: ante el Oro en 54-55, frente al Toluca en 60-61 y contra el Atlas en 63-64. Su promedio quedó en 1.26. Dos veces fue campeón de Liga y una de Copa, además obtuvo un subcampeonato de Liga y dos de Copa, todo con el León. Ocupa el tercer lugar en la lista de los porteros con más partidos de Copa México, con 51. En la historia del León es, por supuesto, el portero líder en juegos, juegos completos y goles recibidos.

Con la Selección Nacional jugó 38 partidos oficiales (11 de Copa del Mundo), cifra sólo superada varias décadas después por Jorge Campos y Oswaldo Sánchez. Su despedida definitiva tuvo lugar en el mítico estadio de Wembley el 19 de julio de 1966, a la edad de 37 años, en el tercero y último juego de México en el Mundial de Inglaterra, que fue un empate sin goles con la Selección de Uruguay. Anteriormente la escuadra mexicana, al mando de Nacho Trelles, había empatado a uno con Francia y sucumbido 0-2 con los ingleses. En ambos cotejos Nacho Calderón custodió la cabaña (el otro portero que llevó México a esta Copa del Mundo fue Javier Vargas), pero en el último encuentro actuó Carbajal para establecer la famosa marca de las cinco copas jugadas y convertirse en leyenda viviente del balompié mexicano.

Dos nuevos estadios

Como preparación para el Mundial, la Selección había ganado en forma invicta y sin recibir gol un torneo cuadrangular en el que participaron el Necaxa, el Mónaco y la Selección Chilena, competencia en la que el *Gato* Vargas hizo su debut como seleccionado nacional. Además goleó 7-0 a Paraguay, repitió el triunfo de 1-0 sobre Chile en Santiago y efectuó una gira por Europa, donde tras empatar a uno con Suiza sufrió goleadas ante Irlanda por 1-4 y frente a Italia al son de 0-5. En todos estos juegos el arquero fue Nacho Calderón.

En esos meses de mayo y junio previos a la Copa del Mundo jugaron en México, además del Mónaco con el que se inauguró el estadio Tamaulipas, varios clubes extranjeros como el Cerro de Uruguay, los ingleses Sheffield United y Tottenham, los hispanos Sevilla y Valencia y el Torino de Italia, que protagonizó con el América el partido inaugural del estadio Azteca el 29 de mayo ante más de 100 mil espectadores que a los 10 minutos atestiguaron la anotación de Arlindo, el famoso primer gol en la historia del majestuoso estadio. Dos días después el Valencia y el Atlante jugaron el primer partido nocturno en el "coloso de Santa Úrsula".

La mayor goleada del *Tubo*

Además de Barrón y Carbajal, también para Elías Vázquez la de 65-66 fue su última temporada. El arquero, oriundo de Guadalajara, jugó su último partido el 30 de octubre del 65 en Monterrey donde su equipo, el Veracruz, sucumbió 1-2 ante los *Rayados*. Vázquez jugó poco en Primera División: un torneo con el Zamora, dos con el Nacional y dos con el Veracruz. En 37 partidos recibió 59 goles (promedio: 1.59) y su día negro fue el 4 de septiembre de 1955, al ser ametrallado por el Atlante con siete tantos.

Un grande entre los grandes porteros mexicanos de todos los tiempos, el *Tubo* Gómez, tuvo en este campeonato su día para olvidar. El 21 de agosto del 65 el América goleó 5-1 al Monterrey a domicilio. Nunca antes ni nunca después recibió Gómez tantos goles en un partido de Liga. Su tocayo de apellido, Jorge *Coco* Gómez, le anotó tres y completaron la cuenta con uno por cabeza los brasileños Arlindo y *Zague*.

El América y *Zague*, campeones

La dupla de José Alves *Zague* y Arlindo dos Santos anotó 38 de los 56 goles del América e hizo el 1-2 en la lista de los mayores anotadores del campeonato. *Zague* con 20 tantos, ninguno de penalti y quince de visitante, quedó como líder de los romperredes, en tanto que Arlindo marcó 18. Luego dos mexicanos con 14 goles cada uno: Vicente Pereda, del Toluca, y el cruzazulino José Luis Guerrero. *Zague* repartió bien sus goles pues a ningún portero le anotó más de dos.

Por otra parte, el *Gato* Vargas, Rubén Vázquez y el *Coco* Rodríguez fueron protagonistas de las rachas más largas de juegos seguidos sin recibir gol. El guardameta del Atlas se mantuvo imbatido cinco partidos consecutivos mientras que el del Oro y el del Guadalajara lo hicieron en cuatro. Y de rachas hablando, el 11 de julio del 65 comenzó la de 121 partidos seguidos de Florentino López, la cuarta más grande de la historia para un portero.

El América y el Atlas llegaron a la última jornada empatados en primer lugar con 40 puntos. A media semana los rojinegros perdieron 2-3 con el Atlante en el estadio de cu y tres días después, en la misma cancha, el América dobló 2-0 al Veracruz y se coronó por primera vez en la época profesional. Las *Chivas*, que habían ganado dos campeonatos seguidos y seis en los últimos siet años, alcanzaron al Atlas en 40 puntos pero por diferencia de goles quedaron en tercer lugar. Por cuarto año seguido el América fue el equipo menos goleado (28) y por primera vez el más goleador (56), mientras que el colero Zacatepec padeció la ofensiva más pobre (29) y el Morelia la defensa más endeble (61).

En las primeras 22 fechas del torneo el ex portero José Moncebáez fungió como entrenador interino del América. Luego tomó el mando el uruguayo Roberto Scarone a quien le tocó la obtención del título tras ganar cinco de los ocho juegos que dirigió. Los números de Moncebáez fueron muy buenos: 13 victorias, cinco empates y sólo cuatro derrotas. Cabe destacar que con este técnico el América ganó sus primeros seis juegos del campeonato y Arlindo anotó al menos una vez en todos ellos.

Walter Ormeño continuó dirigiendo al Atlante, aunque los últimos doce partidos lo hizo en mancuerna con Octavio Vial, por cierto en forma muy exitosa ya que el cuadro azulgrana ganó ocho y sólo perdió uno.

Los porteros del León, Veracruz y Zacatepec, Juan Antonio Muñoz, Pedro Elizondo y *Albertinho*, respectivamente, sufrieron una expulsión en este campeonato. Nunca en 22 años habían sido expulsados tantos guardametas en un torneo. Por esto o por lesiones de los arqueros, seis jugadores de campo —cifra récord— tuvieron que ponerse el suéter de portero.

Más actividad internacional

El América, el Atlas y el Guadalajara, los tres mejores equipos de la temporada, fueron la representación mexicana en el II Torneo Hexagonal que se jugó en enero del 66 en el estadio de Ciudad Universitaria. Se enfrentaron al Sparta de Checoslovaquia, a la Selección de Alemania Oriental y al Vasco da Gama, un viejo conocido.

Atlas y Sparta compartieron el primer lugar con tres triunfos y dos empates, cada uno, en tanto que el flamante campeón de México tuvo un pobre desempeño (dos empates y tres derrotas) y ocupó el último lugar junto con el equipo *carioca*.

Cabe consignar que en junio del 65 hizo una rápida visita a México el Milán. En feria de goles venció 5 a 4 al Guadalajara, y por contraste empató 0-0 con el Necaxa. También derrotó al América (4-2) en Los Ángeles.

Copa y Campeón de Campeones para el Necaxa

Para la Copa México se formaron cuatro grupos de cuatro equipos cada uno y se jugó a dos vueltas, clasificando a la fase final solamente el líder de cada grupo. El torneo se efectuó del 10 de febrero al 12 de abril del 66 y llegaron a la final el Necaxa, invicto, y el León. Un empate a tres goles el domingo 10 de abril hizo necesario un juego de desempate dos días después, en el cual se impuso el equipo rojiblanco con solitario gol de Agustín Peniche. Los porteros de esta final fueron los Antonios, Mota del Necaxa y Muñoz del León, y quedó de líder de goleo con nueve tantos el argentino Dante Juárez, también del Necaxa.

El domingo siguiente el enrachado Necaxa con par de goles de Dante se despachó al América y conquistó el título de Campeón de Campeones por primera vez en su historia. Nuevamente el *Piolín* Mota resguardó la portería necaxista y enfrente estuvo Jorge Iniestra.

El adiós de Manuel Camacho

Fue en un partido de Copa, el 6 de marzo, cuando el incombustible Manuel Camacho jugó por última vez. Participó en 20 campeonatos, que pudieron haber sido 22 de no ser por la grave lesión que lo alejó de las canchas entre 1959 y 1961. En total jugó siete años con el América, dos con el Veracruz, uno con el Asturias, cuatro con el Marte, cuatro con el Toluca y dos con su último equipo, el Atlante. En 332 juegos recibió 470 goles, su promedio quedó en 1.42. Nunca fue campeón de Liga (tres subcampeonatos con América y uno con Toluca) pero sí ganó cuatro veces la Copa México, tres con el América y una con el Toluca, además de un título de Campeón de Campeones con el América. Ningún portero ha conquistado tantas veces la Copa México como Camacho, quien en cinco torneos de Liga recibió menos de un gol por juego en promedio, lo que constituyó un récord vigente hasta 1991. Es el segundo portero con más juegos de Copa (64), sólo abajo del *Tubo* Gómez. El marcador de su último partido, derrota del Atlante en León por 0-4, es, desde luego, para olvidarlo.

Nómina de porteros

América	Ataúlfo Sánchez y Jorge Iniestra
Atlante	Manuel Camacho y Jorge Morelos
Atlas	Javier Vargas y Javier Quirarte
Ciudad Madero	Julián Ventura
Cruz Azul	Jesús García y Amado Palacios
Guadalajara	Gilberto Rodríguez e Ignacio Calderón
Irapuato	Blas Sánchez y Juan Martínez
León	Juan Antonio Muñoz y Antonio Carbajal
Monterrey	Jaime Gómez
Morelia	Cirilo Saucedo, Fernando Barrón, Miguel López, Jesús Rodríguez y Leonel Conde
Necaxa	Manuel Ovejero y Antonio Mota
Oro	Rubén Vázquez y Jesús Mendoza
Toluca	Florentino López y Pablo Guerrero
UNAM	Víctor Pérez e Ignacio Martínez
Veracruz	Pedro Elizondo y Elías Vázquez
Zacatepec	Emilio Sagot, Gilberto Trinidade y Andrés Aranda

Más juegos (J)

Julián Ventura (Ciudad Madero)	30
Jaime Gómez (Monterrey)	30
Javier Vargas (Atlas)	29
Blas Sánchez (Irapuato)	29
Rubén Vázquez (Oro)	27
Pedro Elizondo (Veracruz)	27
Víctor Pérez (UNAM)	26

Más juegos completos

Julián Ventura (Ciudad Madero)	30
Jaime Gómez (Monterrey)	30
Javier Vargas (Atlas)	29
Blas Sánchez (Irapuato)	29
Rubén Vázquez (Oro)	27
Pedro Elizondo (Veracruz)	26
Víctor Pérez (UNAM)	26

Más goles (G)

Julián Ventura (Ciudad Madero)	48
Rubén Vázquez (Oro)	45
Víctor Pérez (UNAM)	41
Jaime Gómez (Monterrey)	37
Blas Sánchez (Irapuato)	36
Pedro Elizondo (Veracruz)	36

Más bajo G/J (mínimo 16 juegos)

Gilberto Rodríguez (Guadalajara)	0.88
Ataúlfo Sánchez (América)	0.90
Javier Vargas (Atlas)	1.03
Juan Antonio Muñoz (León)	1.13
Jaime Gómez (Monterrey)	1.23
Blas Sánchez (Irapuato)	1.24

Más goles en un juego

Fernando Barrón (Morelia)	6
Cirilo Saucedo (Morelia)	6 (2 veces)

Penaltis detenidos

Manuel Camacho (Atlante)	1
Jorge Morelos (Atlante)	1
Julián Ventura (Ciudad Madero)	1
Antonio Carbajal (León)	1
Víctor Pérez (UNAM)	1
Pedro Elizondo (Veracruz)	1

Expulsados

Juan Antonio Muñoz (León)
Pedro Elizondo (Veracruz)
Gilberto Trinidade (Zacatepec)

66-67
Después de trece años el Toluca es campeón

Primer campeonato en el que a los equipos se les permitió realizar hasta dos cambios de jugadores en un partido. El Toluca superó al América y al Guadalajara, campeones de los dos años anteriores, y conquistó su primer título de Liga, al tiempo que su entrenador, Ignacio Trelles, lograba su cuarta corona. Después de imponer el récord de 22 juegos consecutivos sin ganar, el Ciudad Madero regresó a la Segunda División, de la que ascendió el Pachuca. En final de fotografía Amaury Epaminondas alcanzó su tercer campeonato de goleo. El León inauguró su nuevo estadio, ganó la Copa, pero perdió el juego de campeones. El América vio cortada su racha de cuatro años consecutivos siendo el equipo menos goleado pero su portero, Jorge Iniestra, logró el promedio más bajo de goles por juego. En el III torneo de Concacaf de países México quedó subcampeón.

La copa precede a la liga

Por primera vez se jugó la Copa México antes que la Liga. Utilizando el formato tradicional de nocaut a visita recíproca, los 16 equipos disputaron el torneo copero en mes y medio, del 2 de junio al 17 de julio de 1966. Hubo dos juegos en los que un jugador marcó cuatro goles: el 9 de junio en Guadalajara, Salvador Ruiz, del Irapuato, hizo cuatro agujeros en la portería atlista de Javier Quirarte y tres días después, en México, el toluqueño Vicente Pereda igualó la hazaña ante el América y Jorge Iniestra, si bien dos de sus anotaciones cayeron en tiempos extra. Con esa cuarteta de goles y uno más, Pereda consiguió el liderato de goleo de la Copa. En este torneo debutaron dos porteros: Óscar Ávila, con el Cruz Azul, y Raúl Orvañanos, con el Atlante. El primero el 7 de junio contra el Necaxa y el segundo una semana después contra el Veracruz. Por cierto, el primer gol que encajó Orvañanos fue un penalti ejecutado por el brasileño Francisco Gomes Batata, uno de los goleadores históricos de los *Tiburones Rojos*.

En la final, jugada como siempre en la ciudad de México, el León superó por 2 a 1 al Guadalajara. Marcos Gallardo y el *Coco* Rodríguez fueron los porteros en este partido.

El adiós de Jorge Morelos

Cuatro días después comenzó la Liga. Un campeonato en el que la producción de goles bajó de 681 a 633 y en el que participaron 34 porteros de los cuales solamente cuatro eran extranjeros. Reaparecieron en Primera División Hugo Pineda como suplente del *Tubo* Gómez en el Monterrey y Roberto Alatorre como titular en el otro y nuevo equipo regiomontano, el Nuevo León, aunque en el debut de los *Jabatos* en la Liga cubrió el marco Enrique Lozano, quien antes de dedicarse al futbol había sido destacado ciclista. Los debutantes en la Copa, Orvañanos y Ávila, se establecieron como arqueros titulares del Atlante y el Cruz Azul aprovechando el retiro de Manuel Camacho y el traspaso del *Charro* García al Veracruz. En el León, Marcos Gallardo y Juan Antonio Muñoz compartieron la responsabilidad de cubrir la ausencia del gran Carbajal, mientras que Gilberto Trinidade *Albertinho* jugó su sexta y última temporada en México alternándose en la porteria del Morelia con Cirilo Saucedo. Víctor Pérez, que durante 2 años había sido el titular en la portería de los *Pumas*, le dejó su puesto al joven Paco Castrejón. Por cierto, en uno de los pocos partidos que jugó Pérez tuvo la desgracia de recibir dos autogoles de Héctor Sanabria, uno de sus defensas, que le costaron al equipo universitario una derrota por 1-3 ante el Oro.

La carrera de Jorge Morelos, el espectacular guardameta de la mala suerte, llegó a su fin tras jugar seis partidos con los *Pumas*. El último tuvo lugar en Morelia el 2 de octubre del 66. Morelos jugó 13 temporadas (4 completas) con el Necaxa, una con el Atlante y ésta con UNAM. En su palmarés sólo un título de Copa, desde luego con el cuadro necaxista. En total, 244 juegos —sin ninguna expulsión— y 405 goles, promedio 1.66. Durante varios años se mantuvo como el portero líder en juegos, juegos completos y goles en el Necaxa hasta ser superado en los años 90 por Nicolás Navarro. Su racha de 26 partidos de Copa consecutivos entre los años 52 y 58 es la tercera más larga de porteros.

También en Morelia, el 6 de noviembre, se efectuó el último partido que jugó en México el brasileño *Albertinho*. Lo despidió el Guadalajara con una goleada de 5-1. En dos torneos con el Nacional, tres con el Zacatepec y uno con el Morelia acumuló 118 juegos y 173 anotaciones para un promedio de 1.47. El par de años que militó en el Nacional le bastó para quedar como el portero que más partidos jugó y más goles recibió en dicho equipo.

Otra vez Amaury, campeón de goleo

El 4 de septiembre el América y el Veracruz protagonizaron en el Azteca un juego de 10 goles en el que Javier Fragoso se convirtió en el segundo jugador en la historia del América con 4 anotaciones en un partido. El arquero del Veracruz, Pedro Elizondo, recibió en total seis goles en este juego. También Enrique Borja (UNAM) y Amaury Epaminondas (Toluca) lograron partidos de cuatro tantos, sólo que el brasileño los anotó en el corto lapso de 21 minutos. Óscar Ávila recibió los cuatro pepinos de Borja el 13 de octubre en el estadio de CU y Jesús *Charro* García los de Amaury el 11 de diciembre en Toluca.

Con 21 anotaciones conquistó Amaury su tercer título de goleo. Superó apenas por un gol a su paisano Mariano Ubiracy, del Veracruz, y a Manuel Lapuente, del Necaxa. Abajo de ellos quedó Borja con 17, y con 14 otro brasileño, José de Oliveira *Berico*, del Oro. Los porteros más batidos por los disparos de Amaury fueron el *Charro* (4) y el *Tubo* (3).

Iniestra, Florentino y el *Coco*

Cuatro porteros jugaron los 30 partidos pero sólo Florentino López los jugó completos. Ligó cuatro partidos seguidos sin recibir gol y fue desde luego pieza clave para que el Toluca se ostentara como el equipo menos goleado del campeonato con 24 anotaciones. El promedio de goles admitidos por partido de Florentino fue 0.80, sólo 2 centésimas arriba del 0.78 que logró Jorge Iniestra, del América. Otro portero con promedio inferior a uno fue el *Coco* Rodríguez, quien lo consiguió por tercer año consecutivo.

Rubén Vázquez, Orvañanos y Blas Sánchez figuraron entre los más goleados con 42, 36 y 34, respectivamente, mientras que Raúl Díaz, Jesús Tapia y Julián Ventura se repartieron los 61 goles que recibió el Ciudad Madero, colero indiscutible y protagonista de una larguísima racha de partidos sin ganar, que se mantuvo como récord del balompié mexicano durante más de cuarenta años. Entre

el 14 de octubre de 1965 y el 8 de octubre de 1966 los maderenses ligaron 22 juegos consecutivos de Liga sin triunfos. Perdieron 13 y empataron 9. La pesadilla terminó el 16 de octubre cuando se impusieron al Atlante 3-2. Ventura y Tapia se desempeñaron como arqueros durante los 22 partidos. Por cierto, esta derrota del Atlante fue una de las siete que en forma consecutiva sufrió el cuadro azulgrana a la mitad del campeonato.

El único portero que sufrió una expulsión fue el cruzazulino Amado Palacios, y fue el Oro el primer equipo que en un juego realizó el cambio de portero. Esto ocurrió en la segunda jornada de la Liga, el 31 de julio del 66, al visitar los áureos al Necaxa. En el segundo tiempo, ya ganando el Necaxa 2-0, el arquero Rubén Vázquez le dejó su puesto a Ramiro Briseño, a quien los rojiblancos le metieron dos goles más para terminar ganando 4 a 0. Fue por cierto el debut y despedida de Briseño en Primera División.

Moncebáez y Ormeño dirigen a dos equipos cada uno

El Toluca cerró el torneo con 10 victorias y dos empates, racha que le permitió superar por dos puntos al América y destronarlo. En la última jornada, el 19 de febrero del 67, los *Diablos Rojos* conquistaron el título venciendo 2-0 al Necaxa en la *Bombonera*. Por segundo año seguido las *Chivas* quedaron en tercer lugar. Al Toluca, que también fue campeón de goleo con 48 tantos (compartido con el Necaxa) y quedó invicto como local, lo dirigió hasta la fecha 10 Pepe Moncebáez. Llevaba cuatro ganados, tres empatados y tres perdidos cuando fue sustituido por Ignacio Trelles. Poco tiempo después, Moncebáez se hizo cargo del Veracruz, equipo con el que no consiguió ganar ninguno de los primeros siete juegos que dirigió, pero luego ligó cuatro victorias en fila.

Otro ex portero, Walter Ormeño, dirigió en las primeras tres fechas al Cruz Azul (un empate y dos reveses) y luego lo hizo al alimón con Raúl Cárdenas en los siguientes 10 juegos (tres triunfos, tres empates y cuatro derrotas). En la jornada 14 el *Güero* Cárdenas se quedó como único timonel *cementero* y Ormeño se fue a dirigir a los *Pumas*, con los que debutó con un fracaso ante las *Chivas* en Guadalajara por 1-3.

Nuevos estadios y mucha actividad internacional

Durante el campeonato, en la última semana de agosto, dos grandes del balompié mundial vinieron a México: el Benfica de Eusebio, que con dos tantos del flamante campeón goleador de la Copa del Mundo derrotó 3-0 al América, y el Santos de Pelé, que obtuvo sendos empates con el Toluca y el Atlante. El equipo paulista regresó el 1 de febrero para inaugurar con el River Plate el nuevo estadio de León, el Nou Camp. Los brasileños se impusieron a los argentinos por dos a uno y al día siguiente volvió a jugar el River y nuevamente perdió, ahora ante el León por 2-3. La inauguración del Nou Camp se engalanó con la actuación de dos históricos de la portería como Gilmar dos Santos y Amadeo Carrizo.

Luego el León, como monarca de Copa, disputó el juego de Campeón de Campeones con el Toluca. El partido se jugó en México el 26 de febrero y los enrachados *Diablos* se impusieron 1-0. Florentino bajó la cortina ante el ataque leonés, en tanto que Marcos Gallardo recibió de Manuel Cerda Canela la solitaria anotación del encuentro.

En marzo la Selección Mexicana viajó a Honduras para jugar el III torneo Concacaf de países, que sorpresivamente ganó Guatemala. México goleó 4-0 a Nicaragua y a Trinidad y Tobago y dobló 1-0 a Haití y a Honduras pero cayó ante los guatemaltecos por 0-1. La portería mexicana fue cubierta por Javier Vargas en todos los juegos menos el de Trinidad y Tobago en el que hizo su debut como arquero nacional el *Coco* Rodríguez.

En la primera semana del año la Selección había dividido triunfos con el representativo de Suiza. En el Azteca ganó México 3-0 con Nacho Calderón en la puerta, y en el estadio Jalisco, con el *Gato* Vargas, cayó 0-2. Luego, en mayo, le propinó una estrepitosa goleada de 4-0 al Benfica, partido en el que Calderón le atajó un penalti a Eusebio, y posteriormente se presentó en Leningrado para medirse con la Unión Soviética. Enfrente de Calderón, en la portería de la URSS, estaba uno de los grandes porteros de todos los tiempos, el legendario Lev Yashin. El triunfo fue para los soviéticos por 2-0, posteriormente la escuadra mexicana obtuvo victorias sobre selecciones regionales en Volgogrado y Minsk.

Mientras tanto en la Sultana del Norte la Universidad de Nuevo León inauguró su estadio el 30 de mayo con

un juego entre el Atlético de Madrid y el Monterrey que finalizó empatado a un gol, y los *Panzas Verdes* del León volaron a Montreal a participar en el torneo Expo-67 en el que se enfrentaron nada menos que a la selección campeona del mundo. Ganó Inglaterra 3-0.

La actividad internacional de los equipos mexicanos culminó con el III Hexagonal, que se efectuó en junio en el estadio Azteca, con el Sheffield Wednesday, el Bolonia, el Espanyol, el Toluca, el América y la Selección, torneo que con facilidad ganó la Selección al sumar cuatro triunfos sin recibir gol. Sólo el cuadro italiano pudo ganarle y anotarle (2-1).

Nómina de porteros

América	Jorge Iniestra y Ataúlfo Sánchez
Atlante	Raúl Orvañanos y Alejandro Mollinedo
Atlas	Javier Vargas e Ignacio Berumen
Ciudad Madero	Raúl Díaz, Jesús Tapia y Julián Ventura
Cruz Azul	Óscar Ávila, Amado Palacios y Vicente Alvirde
Guadalajara	Gilberto Rodríguez e Ignacio Calderón
Irapuato	Blas Sánchez y Juan Martínez
León	Marcos Gallardo y Juan Antonio Muñoz
Monterrey	Jaime Gómez y Hugo Pineda
Morelia	Gilberto Trinidade y Cirilo Saucedo
Necaxa	Antonio Mota y Manuel Ovejero
Nuevo León	Roberto Alatorre y Enrique Lozano
Oro	Rubén Vázquez y Ramiro Briseño
Toluca	Florentino López
UNAM	Francisco Castrejón, Víctor Pérez y Jorge Morelos
Veracruz	Jesús García y Pedro Elizondo

Más juegos (j)

Raúl Orvañanos (Atlante)	30
Blas Sánchez (Irapuato)	30
Rubén Vázquez (Oro)	30
Florentino López (Toluca)	30

Más juegos completos

Florentino López (Toluca)	30
Raúl Orvañanos (Atlante)	29
Rubén Vázquez (Oro)	29

Más goles (g)

Rubén Vázquez (Oro)	42
Raúl Orvañanos (Atlante)	36
Blas Sánchez (Irapuato)	34
Gilberto Trinidade (Morelia)	32
Javier Vargas (Atlas)	31
Antonio Mota (Necaxa)	30

Más bajo G/J (mínimo 16 juegos)

Jorge Iniestra (América)	0.78
Florentino López (Toluca)	0.80
Gilberto Rodríguez (Guadalajara)	0.90
Roberto Alatorre (Nuevo León)	1.00
Marcos Gallardo (León)	1.10
Javier Vargas (Atlas)	1.11

Más goles en un juego

Pedro Elizondo (Veracruz)	6
Raúl Orvañanos (Atlante)	5
Raúl Díaz (Ciudad Madero)	5
Óscar Ávila (Cruz Azul)	5
Blas Sánchez (Irapuato)	5
Gilberto Trinidade (Morelia)	5
Rubén Vázquez (Oro)	5
Víctor Pérez (UNAM)	5
Pedro Elizondo (Veracruz)	5

Penaltis detenidos

Jorge Iniestra (América)	1
Antonio Mota (Necaxa)	1
Francisco Castrejón (UNAM)	1
Jesús García (Veracruz)	1

Expulsados

Amado Palacios (Cruz Azul)

67-68
Repiten los *Diablos*

*El Toluca llegó a 20 juegos seguidos invicto y conquistó su segunda Liga consecutiva además del título de Campeón de Campeones. En segundo y tercer lugares quedaron dos equipos dirigidos por los ex porteros Ormeño (*Pumas*) y Moncebáez (Veracruz). El Atlas se llevó la Copa y las* Chivas *anotaron 10 goles en un partido. Después de seis años el campeón goleador fue un mexicano. Cuatro porteros lograron promedios de goles por juego inferiores a la unidad. Descendió el Morelia, ascendió el Laguna y se creó la Tercera División. México ganó el torneo de futbol de los Juegos Panamericanos.*

El Atlas, equipo copero

Nuevamente el torneo de Copa se efectuó antes que la Liga. En un par de meses, del 19 de marzo al 18 de mayo de 1967, los 16 equipos, repartidos en cuatro grupos, disputaron el certamen jugando a dos vueltas. Clasificaron a semifinales los cuatro líderes y jugaron la final el Atlas y el Veracruz, imponiéndose los rojinegros por 2-1. Javier Vargas y Pedro Elizondo fueron los porteros en este juego que significó el cuarto título copero del Atlas. Con siete anotaciones Francisco Linares, del Toluca, quedó líder de goleo.

Los porteros de "hierro" y los nuevos

El campeonato de Liga comenzó el 6 de julio y se prolongó hasta el 28 de enero. El inicio del torneo coincidió con la creación de la Tercera División, un circuito no profesional para jugadores de edad no mayor de 23 años.

El campeón Toluca prosiguió su marcha invicta del cierre del campeonato anterior hasta el 3 de septiembre en que sorpresivamente cayó en casa ante el Cruz Azul por 1-3. Fueron 20 partidos consecutivos sin derrota, de los cuales ganó 16, y Florentino López custodió la cabaña toluqueña en toda la racha.

Después, el equipo rojo sólo sufrió tres reveses más, mientras se encaminaba a su segunda

corona consecutiva de la mano de Trelles, quien se convirtió en el primer entrenador pentacampeón.

Florentino, el leonés Marcos Gallardo y el necaxista Antonio Mota fueron los únicos porteros que jugaron los 30 partidos del calendario, aunque el *Piolín* no completó todos ya que en uno fue sustituido por el novel Fernando Moranchel.

En total 37 guardametas tuvieron acción, siete de los cuales hicieron su debut, entre ellos: José Ledesma, oriundo de Torreón, quien se presentó con el Nuevo León el 10 de septiembre, un juego que el equipo regiomontano perdió 0-2 en Veracruz y el primer gol se lo hizo Mariano Ubiracy; Artemio Martínez apareció en la portería del Pachuca, el nuevo equipo en Primera División, el 12 de noviembre contra el otro cuadro hidalguense, el Cruz Azul, que se impuso por 1-0 con gol de Roberto Escalante; el tapatío Javier Quintero, segundo eslabón de una singular dinastía de porteros ya que era hijo de Francisco Quintero, quien jugó esporádicamente con el Guadalajara y el Oro en los años 40, debutó con el Atlas el último día del año 67 supliendo al *Gato* Vargas que salió expulsado en el juego contra el Pachuca que los rojinegros ganaron como visitantes por 2-0; Ismael García, apodado el *Torombolo*, se presentó con el Morelia el 7 de enero del 68 enfrentándose al Necaxa y la primera anotación que recibió fue un autogol de Mario Barrera, con el cual el Necaxa ganó 1-0; y Enrique Meza, el *Ojitos*, capitalino de 19 años de edad que recibió la oportunidad de debutar con el Cruz Azul en la última fecha del campeonato, el 28 de enero, cuando los *Cementeros* recibieron y derrotaron 2-0 al colero Morelia.

Cambios y despedidas

Varios arqueros cambiaron de camiseta, como Roberto Alatorre que pasó del Nuevo León al Cruz Azul; Vicente Alvirde, del Cruz Azul al Irapuato; Cirilo Saucedo, del Morelia al Monterrey, donde compartió el puesto con Hugo Pineda dejando inactivo al *Tubo* Gómez; Pablo Guerrero dejó de ser suplente de Florentino en el Toluca para encargarse de la portería del Pachuca; y Julián Ventura, quien tras el descenso del Ciudad Madero se contrató con los *Pumas*, de los cuales emigró Víctor Pérez al Morelia.

Y algunos jugaron su último partido en Primera División como Miguel López y Juan Martínez. El 6 de agosto el *Chilaquil* sustituyó a Blas Sánchez durante el encuentro entre el Irapuato y el Oro en Guadalajara (1-1), y en otro empate de los *freseros* (1-1 con Veracruz el 1 de octubre) jugó por última vez Martínez. Carreras cortas las de ambos. Miguel: un torneo con las *Chivas*, cuatro con el Morelia y uno con Irapuato, 50 juegos, 102 goles y promedio de 2.04. Juan: cuatro torneos con Irapuato, 22 partidos, 35 anotaciones y 1.59.

Dos guardametas extranjeros se despidieron de México. Primero el *tico* Emilio Sagot que sólo tuvo acción en 15 juegos con el Zacatepec y tres con el Pachuca en los que recibió 25 goles para promedio de 1.39, y después el *che* Ataúlfo Sánchez que jugó cinco temporadas con el América y una con el Necaxa, en total 73 partidos, 68 goles y un magnífico 0.93. Fue campeón y subcampeón de Liga y monarca de Copa con los *Cremas* y nunca lo expulsaron.

La goliza de las *Chivas* y el año negro de Víctor Pérez

Se registró un mínimo aumento en la producción de goles: de 633 en el campeonato 66-67 a 635 en 67-68. Doce anotaciones hubo en un solo partido el 14 de enero del 68 cuando en el estadio Jalisco las *Chivas* lograron una goleada insólita, la mayor de su larga historia, de 10 a 2 sobre el Nuevo León. Inmisericordemente fue bombardeado el portero novato neoleonés Pepe Ledesma. Destacó en el ataque tapatío el *Cabo* Javier Valdivia con cuatro tantos. Esta decena de goles contribuyó decisivamente para que el Nuevo León fuese el equipo más goleado del campeonato con 61, pero fue Víctor Pérez, del Morelia, el portero que recibió más tantos con 46, tres más que el *áureo* Rubén Vázquez.

Para Pérez este fue un campeonato para olvidar: el 5 de agosto sufrió la mayor goleada de su carrera al recibir 6 goles del Nuevo León; el 5 de noviembre cometió un autogol ante el Oro; alineó en seis de las siete derrotas consecutivas que acumuló el Morelia, racha durante la cual el equipo michoacano apenas anotó un par de goles, para enfilarse al último lugar y al descenso.

El *Charro* García fue el mejor portero

Las gratas sorpresas del torneo las dieron los dos equipos dirigidos por ex porteros. Los *Pumas* con Walter Ormeño avanzaron del lugar 13 en 66-67 al subcampeonato, mientras que los *Tiburones* con Pepe Moncebáez ocuparon el tercer puesto luego de haber sido decimocuartos un año antes. También sorprendió el *Charro* García, portero del Veracruz, quien tuvo la mejor temporada de su vida al permitir solamente 12 goles en 19 juegos. Su promedio de 0.63 fue el más bajo, además ligó una racha de cuatro juegos seguidos sin recibir anotación, hazaña que también consiguió Florentino López.

Otros tres arqueros lograron promedio menor a uno: Iniestra, del América, por segundo año consecutivo; Mota, del Necaxa y, también por segundo campeonato seguido, Florentino, del Toluca.

Cabe apuntar que luego de su magnífico trabajo con *Pumas* y Veracruz, tanto Ormeño como Moncebáez cambiaron de equipo en la siguiente temporada. El peruano se fue al América y *Monche* al Necaxa, de modo que los números totales de Ormeño como entrenador *puma* en dos campeonatos fueron: 19 victorias, 14 empates y 11 derrotas, y los de Moncebáez también en dos Ligas con el Veracruz, 19 triunfos, 12 empates y 12 descalabros.

Un campeón de goleo mexicano

La hegemonía que durante seis años habían ejercido los romperredes extranjeros terminó al coronarse campeón de goleo el atlantista Bernardo *Manolete* Hernández con 19 tantos. Amaury Epaminondas, líder del año pasado, quedó en segundo lugar con 17 empatado con Mariano Ubiracy, y muy cerca, con 16, otro importado, el brasileño Javán Marinho, del Necaxa. Fue Nacho Calderón, con tres, el portero al que le anotó más veces el *Manolete*. Por cierto que el guardameta de las *Chivas* fue víctima en un partido contra el Oro de sendos autogoles de sus defensas Ramón Fletes e Ignacio Sevilla, sin embargo el Guadalajara ganó 3-2.

El Atlante y el Toluca, los equipos del *Manolete* y de Amaury, resultaron campeones de goleo con 56 tantos cada uno, la ofensiva más pobre la tuvo el colero Morelia con 23 y el América volvió a figurar como el menos goleado con 25. La coronación del Toluca ocurrió el 7 de enero del 68, cuando aún faltaban tres fechas para concluir el certamen. Los *Diablos* recibieron y vencieron 3-0 al cuadro de la UNAM. Mientras tanto el América, con 17 empates, se desplomó al noveno lugar, y el Guadalajara finalizó en sexto, su posición más baja en doce años.

Toluca, campeón de Campeones

Ya campeón, el Toluca jugó con el Atlas el "Campeón de Campeones". Por primera vez este título se disputó en 2 partidos a visita recíproca. El 28 de enero en Toluca el monarca de Liga se impuso 3-1 con par de goles de Amaury, pero el 1 de febrero en Guadalajara ganó el Atlas 1-0 con anotación de Magdaleno Mercado. De modo que hubo tiempos extra, en los que nadie anotó. Finalmente, en la serie de penaltis el toluqueño Albino Morales le metió tres al *Gato* Vargas, en tanto que Florentino atajó uno de los tres que disparó Mercado. Así el Toluca alzó por segundo año seguido el trofeo de Campeón de Campeones.

Actividad internacional

Para el torneo de futbol de los Juegos Panamericanos que se efectuaron en Winnipeg, Canadá, México mandó un equipo profesional en el que el portero fue Javier *Gato* Vargas. Del 24 de julio al 3 de agosto del 67 esta Selección empató 2-2 con Argentina, goleó 4-0 a Colombia, empató 1-1 con Trinidad y Tobago, venció 2-1 a Canadá y se coronó venciendo 4-0 en tiempos extra a Bermudas.

También en agosto se efectuó en el estadio Azteca un juego amistoso entre las selecciones de México y Argentina. En la portería mexicana estuvo Nacho Calderón; enfrente un guardameta llamado Miguel Marín, el mismo que cuatro años más tarde vendría a jugar con el Cruz Azul y se convertiría en una de las máximas figuras extranjeras de la historia de nuestro balompié.

Dos anotaciones de Javier Fragoso le permitieron a México vencer por primera vez a Argentina. El marcador fue 2-1. Igualmente en agosto jugaron en canchas mexicanas dos equipos de gran prosapia como el Boca Juniors y el Inter de Milán. El primero derrotó 2-0 al América

y también 2-0 al León, mientras que el cuadro italiano dobló 2-1 al Toluca e igualó sin goles con el Necaxa.

El *Cuate* Calderón siguió defendiendo la meta mexicana en dos partidos contra Hungría en diciembre, uno en el Azteca, ganado por México por 2-1, y el otro en el Jalisco donde se desquitaron los húngaros 2-0. Luego, en la primera semana de marzo del 68 la escuadra nacional sostuvo tres partidos con su similar de la Unión Soviética, dos en México y uno en León, en los cuales actuaron los dos arqueros del Guadalajara. Calderón jugó el primero y el tercero, y el *Coco* Rodríguez el segundo. Lo curioso fue que los tres cotejos quedaron empatados: 0-0, 1-1 y 0-0.

El Estrella Roja de Yugoslavia, el Botafogo de Brasil, el Ferencvaros de Hungría, el campeón Toluca y dos selecciones formadas, una, por jugadores de los equipos tapatíos, y la otra, por futbolistas de los clubes capitalinos, disputaron en febrero el IV Torneo Hexagonal, que ganó en forma invicta el Botafogo, mientras el Toluca hacía el ridículo al perder sus cinco juegos en los que recibió 17 goles.

NÓMINA DE PORTEROS

América	Jorge Iniestra y Ataúlfo Sánchez
Atlante	Alejandro Mollinedo y Raúl Orvañanos
Atlas	Javier Vargas, Ignacio Berumen y Javier Quintero
Cruz Azul	Roberto Alatorre, Amado Palacios y Enrique Meza
Guadalajara	Ignacio Calderón y Gilberto Rodríguez
Irapuato	Blas Sánchez, Vicente Alvirde, Juan Martínez y Miguel López
León	Marcos Gallardo
Monterrey	Cirilo Saucedo y Hugo Pineda
Morelia	Víctor Pérez, Ignacio Martínez e Ismael García
Necaxa	Antonio Mota y Fernando Moranchel
Nuevo León	José Ledesma, Guadalupe Álvarez de la Torre y Enrique Lozano
Oro	Rubén Vázquez y Jesús Mendoza
Pachuca	Pablo Guerrero, Artemio Martínez y Emilio Sagot
Toluca	Florentino López
UNAM	Francisco Castrejón y Julián Ventura
Veracruz	Jesús García y Pedro Elizondo

MÁS JUEGOS (J)

Marcos Gallardo (León)	30
Antonio Mota (Necaxa)	30
Florentino López (Toluca)	30
Jorge Iniestra (América)	28
Roberto Alatorre (Cruz Azul)	28

MÁS GOLES (G)

Víctor Pérez (Morelia)	46
Rubén Vázquez (Oro)	43
Pablo Guerrero (Pachuca)	39
José Ledesma (Nuevo León)	38
Marcos Gallardo (León)	35

MÁS JUEGOS COMPLETOS

Marcos Gallardo (León)	30
Florentino López (Toluca)	30
Antonio Mota (Necaxa)	29
Roberto Alatorre (Cruz Azul)	28
Jorge Iniestra (América)	27

MÁS BAJO G/J (MÍNIMO 16 JUEGOS)

Jesús García (Veracruz)	0.63
Jorge Iniestra (América)	0.75
Antonio Mota (Necaxa)	0.90
Florentino López (Toluca)	0.93
Francisco Castrejón (UNAM)	1.00
Roberto Alatorre (Cruz Azul)	1.03

Más goles en un juego

José Ledesma (Nuevo León)	10
Víctor Pérez (Morelia)	6
Guadalupe Álvarez de la Torre (Nuevo León)	6
Rubén Vázquez (Oro)	6
Raúl Orvañanos (Atlante)	5
Víctor Pérez (Morelia)	5
Jesús Mendoza (Oro)	5
Emilio Sagot (Pachuca)	5

Penaltis detenidos

Ignacio Calderón (Guadalajara)	2
Jorge Iniestra (América)	1
Raúl Orvañanos (Atlante)	1
Blas Sánchez (Irapuato)	1
José Ledesma (Nuevo León)	1
Pablo Guerrero (Pachuca)	1
Florentino López (Toluca)	1
Pedro Elizondo (Veracruz)	1

Expulsados

Javier Vargas (Atlas)

68-69
Cruz Azul, campeonísimo

Veinte años después de la hazaña del León en 48-49 surgió otro campeonísimo, al ganar el Cruz Azul la Liga y la Copa. El Toluca se coronó en el torneo de la Concacaf pero perdió la Copa Interamericana. El Nuevo León regresó a la Segunda División tras perder un largo desempate con el Oro que constó de tres juegos, con tiempos extra en dos de ellos. Ascendió el Torreón y otra vez un mexicano ganó el título de goleo. Entre los porteros que hicieron su debut figuraron Rafael Puente y Miguel Miranda. Fueron inaugurados los estadios de Veracruz, Puebla e Irapuato. México fracasó en el futbol olímpico pero la Selección mayor realizó una exitosa gira por Sudamérica durante la que venció a Brasil en Maracaná.

Corta pero excelente actuación de Calderón

Con motivo de los Juegos Olímpicos de México-68 el campeonato de Liga comenzó muy temprano, el 14 de marzo; se le intercaló a partir del 4 de abril el torneo de Copa y se suspendieron ambos certámenes durante mes y medio en septiembre-octubre; de modo que la Copa finalizó el 2 de marzo de 1969 y la Liga el día 13 cuando el Oro y el Nuevo León terminaron de dirimir el descenso.

De los 33 porteros que participaron en la Liga, cinco alinearon en los 30 partidos aunque sólo tres (Alvirde, del Irapuato; Mota, del Necaxa; y Castrejón de los *Pumas*) los jugaron completos. Quien tuvo el mejor desempeño fue el arquero del Cruz Azul, Roberto Alatorre, con 0.92 goles por juego. Superó por poco al *Charro* García (Veracruz), Florentino López (Toluca) y el *Piolín* Mota (Necaxa), cuyos promedios fueron 1.00, 1.00 y 1.03, respectivamente. Cabe señalar que Nacho Calderón logró un extraordinario 0.67 pero sólo jugó 12 partidos. En su corta participación, el *Cuate* ligó cinco juegos consecutivos manteniendo imbatida su portería ante el Atlante, América, Veracruz, Monterrey y León. Este partido contra el equipo leonés fue suspendido a los 75 minutos porque tras la expulsión de cinco jugadores sólo quedaban seis *Panzas Verdes* en la cancha.

Un número inusitado de once arqueros, la tercera parte de los que tuvieron acción, logró

atajar un penalti, y al igual que en la Liga 56-57 solamente jugó un extranjero, el español Florentino López.

Cambios, debuts y reaparición del *Tubo*

No fueron muchos los guardametas que cambiaron de equipo. Óscar Ávila pasó del Cruz Azul al América donde alternó con el veterano Iniestra, quien al final de la temporada concluyó su carrera; Blas Sánchez salió del Irapuato para hacerse cargo de la portería del Laguna, el nuevo equipo en Primera División, con el cual Pablo Guerrero, ex del Pachuca, también finalizó su carrera; Jesús Mendoza pasó del Oro al Nuevo León donde le tocaría enfrentar a su ex equipo en la dramática serie de tres partidos por el no descenso; y Juan Antonio Muñoz que de suplente en el León jugó de titular en el Pachuca. Además de la reaparición del *Tubo* Gómez, firmado por el Oro a la mitad de la primera vuelta, cuando al portero *áureo*, Rubén Vázquez, le habían hecho 30 goles en una decena de juegos. El veterano *Tubo* recibió 24 en el doble de partidos.

De la lista de ocho porteros debutantes (cinco en la Liga y tres en la Copa) sobresalen: Miguel Miranda (más conocido como Darío por ser sobrino del Cardenal Darío Miranda) con el León, Rafael Puente con el Atlante, Ramón Rodríguez con el Oro y Roberto Silva con el Toluca. Miranda se presentó el 12 de mayo del 68 en el partido León 2 Atlante 0 y cuatro días después recibió su primer gol, siendo éste una auto anotación de Gil Loza con la que el América dobló 1-0 a los *Panzas Verdes* en el Azteca. El *Wama* Puente, de 18 años de edad, debutó el 19 de enero del 69 con el Atlante visitando al Atlas, partido que ganaron los azulgranas por 2 a 1, siendo el joven José Antonio Pérez el autor del primer tanto que encajó Puente. Técnicos sudamericanos, Luis Grill y Dagoberto Moll, fueron los que debutaron a Miranda y Puente, respectivamente.

Pocos días después, el 2 de febrero, debutó Roberto Silva sustituyendo a Florentino durante el juego que el Toluca le ganó al Veracruz por 2-0. Y el 11 de agosto del 68 en un partido de Copa entre el Oro y el Pachuca en el que no hubo goles apareció en la cabaña de los *Áureos* Ramón Rodríguez.

Tres autogoles en un partido

La producción de goles llegó a 655, veinte más que en el campeonato anterior, siendo el León el que anotó más con 54 y el Veracruz quien marcó menos con 29. Vicente Alvirde fue el portero más goleado al recibir 52 tantos, le siguieron Paco Castrejón con 42, el *Tongolele* Muñoz con 41 y Jesús Mendoza con 40. Este último tuvo el infortunio de recibir en un juego tres autogoles de sus compañeros José Luis Quintero, Javier García Lomelí y Carlos Rodríguez, regalito que aprovechó el Monterrey para aplastar 5-1 al Nuevo León.

A partir del 4 de abril la Liga se jugó a la par con el torneo de Copa. En éste los 16 equipos se ubicaron en cuatro grupos y jugaron a dos vueltas. Los primeros 2 de cada grupo calificaron a cuartos de final. En esta competencia, el leonés Sergio Anaya, quien dos años después sería campeón de goleo, falló dos penaltis en un partido, y jugando en casa. Uno lo tiró afuera y el otro lo estrelló en el larguero de la portería del *Coco* Rodríguez. Las *Chivas* ganaron 2-0.

Un campeonísimo sin extranjeros

El Cruz Azul, dirigido por Raúl Cárdenas e integrado únicamente por futbolistas mexicanos, tuvo una temporada de ensueño. Igualó los números del Toluca del campeonato anterior: 18 victorias, ocho empates y sólo cuatro derrotas. Fue el equipo menos goleado (26), no perdió nunca en casa, se coronó en la antepenúltima jornada, el 2 de febrero de 1969, venciendo al León a domicilio por 3-2 y su ventaja sobre el segundo lugar (Guadalajara) fue de 6 puntos. Por si fuera poco, un mes después de ganar la Liga conquistó la Copa al derrotar en la final al Monterrey en el estadio Azteca. El *Cacho* Alatorre y Cirilo Saucedo fueron los porteros en este juego que, empatado a cero, requirió de tiempos extra en los cuales los *cementeros* se impusieron 2-1 para erigirse como el segundo campeonísimo en la historia del balompié mexicano. Curiosamente el mismo día surgió otro campeonísimo ya que en la Segunda División el Torreón, que había ganado la Liga, también logró la Copa.

El Nuevo León y el Oro concluyeron la Liga empatados en último lugar con 21 puntos, por lo que el 6 de marzo

en cancha neutral (el Azteca) se disputaron la permanencia en Primera División. El marcador tras 90 minutos y 30 extra señaló empate a uno; tres días después volvieron a jugar y volvieron a empatar, esta vez a dos goles también en 120 minutos; finalmente el 13 de marzo con gol de Bernardino Brambila el Oro mandó al Nuevo León de regreso a Segunda División. La meta del equipo *áureo* en los tres juegos fue custodiada por el *Tubo* Gómez y la de los regiomontanos por Jesús Mendoza (durante el segundo juego fue cambiado por Pepe Ledesma quien recibió el segundo gol del Oro).

Con cuatro goles en el último juego se corona Luis Estrada

El goleador de los *Pumas*, Enrique Borja, llegó a la última fecha del campeonato encabezando a los romperredes con 21 anotaciones, una más que el leonés Luis Estrada, pero éste en el Nou Camp marcó cuatro de los cinco goles que el León le metió al Necaxa y se quedó con el título. Hacía veinte años, desde los tiempos del *Dumbo* López, que el León no tenía un campeón goleador. Así, el último día del torneo Borja perdió el liderato de anotadores y Toño Mota, arquero del Necaxa, el de los porteros.

En tercero y cuarto lugares de la lista de artilleros pero muy lejos de Estrada y de Borja quedaron el brasileño José Alves *Zague*, del América, y Vicente Pereda, del Toluca, con 13 y 12, respectivamente. En la Copa hubo tres líderes de goleo: Carlos Calderón y Javier Valdivia, ambos de las *Chivas*, y el brasileño Javán Marinho, del Necaxa, con 5 cada uno.

Las mayores goleadas de la Liga fueron para Rubén Vázquez y Jesús García. Cada uno encajó seis pepinos. El portero del Oro los recibió del Necaxa en México (1-6) y al del Veracruz se los metió el Pachuca en la capital hidalguense (2-6).

El adiós de cinco porteros

Los ex guardametas Ormeño y Moncebáez prosiguieron su carrera de entrenadores dirigiendo al América y al Necaxa. Con el peruano los *Cremas* lograron el quinto lugar aunque empatados en puntos con el destronado Toluca, que fue tercero, y con los *Pumas*, mientras que con *Monche* el cuadro rojiblanco ocupó la novena posición.

Para cinco porteros éste fue su último campeonato. El 9 de junio del 68 tuvo su última actuación Pablo Guerrero al sustituir a Blas Sánchez en el partido que el Laguna le ganó al Veracruz por 1-0. Nueve temporadas jugó Guerrero: dos con el Oro, cuatro con el Monterrey (con el que fue subcampeón de Copa), una con el Toluca, una con el Pachuca y una con el Laguna. En 143 juegos recibió 234 goles (promedio: 1.64).

El 11 de agosto en un partido de Copa en Irapuato entre los *Freseros* y el Veracruz jugó por última vez Víctor Pérez. El oriundo de Atoyac, Jalisco, se retiró a los 34 años de edad tras haber jugado dos torneos con el Necaxa, cuatro con el Irapuato, tres con UNAM y uno con el Morelia en los que sumó 157 juegos (cero expulsiones) y 268 goles para promedio de 1.71.

En un juego de Copa en Guadalajara entre el Oro (2) y el Atlante (0) el 31 de agosto se registró la última alineación de Alejandro Mollinedo en cuyo corto historial figuran tres años con los *Pumas* y tres con los azulgranas. En 55 juegos recibió 67 goles y su promedio fue 1.22.

La despedida de Jorge Iniestra tuvo lugar en el Azteca el 20 de febrero del 69: triunfo del América sobre el Laguna por 2-1. Larga y destacada carrera la de este arquero, quien por tercer año consecutivo recibió menos de un gol por partido en promedio. Jugó tres temporadas con el Cuautla (un descenso), una con el Zacatepec, dos con el Atlante y seis con el América. Nunca fue expulsado. Con el equipo *crema* ganó una Liga y dos Copas amén de dos subcampeonatos. En 189 partidos recibió 243 goles, de modo que su promedio fue 1.29. Con el Cuautla ningún portero jugó más partidos completos ni recibió más goles que Iniestra.

Y el 20 de abril de 1969 al enfrentarse los *Pumas* al Monterrey en el torneo de Copa tuvo su postrera actuación Julián Ventura, arquero tamaulipeco que sólo jugó un par de campeonatos con el Ciudad Madero y uno con los *Pumas* (48 juegos, 74 goles, 1.54), pues murió dos años después, flagelado por la terrible leucemia. Extraña coincidencia, su fallecimiento se produjo en la misma fecha de su último partido: 20 de abril, pero de 1971. En la corta historia del Ciudad Madero, Ventura es el arquero líder en juegos, juegos completos y goles.

Tres nuevos estadios

En las ciudades de Veracruz, Puebla e Irapuato se construyeron nuevos estadios. El "Veracruzano", más tarde llamado "Luis *Pirata* Fuente", se inauguró el 14 de julio del 68 con el juego de Liga entre *Tiburones Rojos* y Toluca en el que no hubo goles; el "Cuauhtémoc" el 6 de octubre con un choque amistoso entre las Selecciones Mexicana y Checoeslovaca que también terminó empatado, pero a un tanto. Toño Mota fue el portero de México en este partido e Isidoro Díaz marcó el primer gol en el nuevo estadio poblano. Y la inauguración del "Irapuato" ocurrió el 23 de marzo del 69 con un amistoso entre el equipo local y la Selección Nacional. Con tres goles de Borja triunfó la Selección por 4 a 1.

Épicas batallas entre Toluca y Estudiantes

Con dos triunfos por 4-1 y 3-2 sobre el equipo estadounidense Greek American y la descalificación del Transvaal de Surinam, el Toluca se coronó en el IV torneo de la Concacaf y obtuvo el derecho de disputar la Copa Interamericana contra el Estudiantes de La Plata, monarca de Sudamérica. El 13 de febrero de 1969 en el estadio Azteca ganó el equipo argentino por 2-1 pero una semana después en La Plata el Toluca le devolvió el marcador, haciéndose necesario un tercer juego el 21 de febrero en Montevideo, donde Estudiantes se impuso con claridad 3-0. Por supuesto el guardameta del Toluca en todos estos juegos fue Florentino López.

México dobla a Brasil en Maracaná

Al igual que en los Panamericanos de Winnipeg, México compitió con un equipo profesional de "nuevos valores", dirigido por Nacho Trelles, en el torneo de futbol de la Olimpiada celebrada en nuestro país en octubre del 68. Se calificó con apuros a cuartos de final (1-0 a Colombia —primer triunfo en olimpiadas—, 1-4 con Francia y 4-0 a Guinea) donde se derrotó a España 2-0, pero en semifinal se perdió 2-3 con Bulgaria y se redondeó el fracaso al sucumbir 0-2 ante el modesto Japón por la medalla de bronce. Al frente del marco mexicano en todos los juegos se desempeñó el *Gato* Vargas.

Mientras tanto, la Selección mayor comandada por Raúl Cárdenas realizó un periplo por tierras sudamericanas. En Bogotá venció 1-0 a Colombia, en Lima empató a tres con Perú y en Santiago cayó ante Chile por 1-3. En los tres juegos el portero fue Nacho Calderón. La gira prosiguió en Montevideo donde la escuadra mexicana logro un meritorio triunfo sobre Uruguay por 2-0 (durante el juego se lesionó Calderón; fue suplido por Mota), llegó a su clímax en Río de Janeiro con una resonante victoria de 2-1 sobre Brasil en Maracaná y culminó en Belo Horizonte donde los brasileños tomaron revancha 2-1. Mota alineó en el primer juego y Calderón reapareció en el segundo.

Cabe consignar que a mediados del año 68 la Selección había recibido en el Azteca por partida doble tanto a Uruguay como a Brasil. Con los *charrúas* tuvo dos empates (3-3 y 2-2) actuando de portero el *Coco* Rodríguez, y con Brasil dividió triunfos (0-2 y 2-1) alineando Jesús Mendoza en el primero y el *Piolín* Mota.

México cerró el año empatando a cero con Alemania Occidental en el Azteca (con Mota en la portería) e inició el siguiente con derrota 2-3 frente a Italia (Calderón), empate 1-1 con este mismo equipo (Mota) y triunfo de 3-0 sobre Dinamarca (Mota). Luego en abril viajó a Europa donde sólo pudo ganar uno de siete partidos: 0-0 con Portugal, 1-2 ante Luxemburgo, 0-2 frente a Bélgica, empate sin goles con España, 0-1 contra Suecia, 1-3 ante Dinamarca y, ¡por fin!, victoria 2-0 sobre Noruega. Como consecuencia del rosario de malos resultados fue cesado Nacho Trelles y Raúl Cárdenas tomó el mando de la Selección. En toda la gira el *Cuate* Calderón custodió la cabaña mexicana, mientras que Paco Castrejón lo hizo en dos juegos contra Perú el 20 y el 22 de mayo en la capital mexicana (0-1) y en León (3-0).

Nómina de porteros

América	Óscar Ávila y Jorge Iniestra
Atlante	Raúl Orvañanos, Alejandro Mollinedo y Rafael Puente
Atlas	Javier Vargas, Aurelio Sánchez y Javier Quintero
Cruz Azul	Roberto Alatorre y Amado Palacios
Guadalajara	Gilberto Rodríguez e Ignacio Calderón
Irapuato	Vicente Alvirde
Laguna	Blas Sánchez, Rubén Villalpando, Pablo Guerrero y Jesús Ramírez
León	Marcos Gallardo y Miguel Miranda
Monterrey	Hugo Pineda y Cirilo Saucedo
Necaxa	Antonio Mota
Nuevo León	Jesús Mendoza y José Ledesma
Oro	Jaime Gómez y Rubén Vázquez
Pachuca	Juan Antonio Muñoz y Artemio Martínez
Toluca	Florentino López y Roberto Silva
UNAM	Francisco Castrejón
Veracruz	Jesús García y Pedro Elizondo

Más juegos (j)

Vicente Alvirde (Irapuato)	30
Antonio Mota (Necaxa)	30
Jesús Mendoza (Nuevo León)	30
Florentino López (Toluca)	30
Francisco Castrejón (UNAM)	30

Más bajo g/j (mínimo 16 juegos)

Roberto Alatorre (Cruz Azul)	0.92
Jesús García (Veracruz)	1.00
Florentino López (Toluca)	1.00
Antonio Mota (Necaxa)	1.03
Javier Vargas (Atlas)	1.15

Más juegos completos

Vicente Alvirde (Irapuato)	30
Antonio Mota (Necaxa)	30
Francisco Castrejón (UNAM)	30
Florentino López (Toluca)	29
Jesús Mendoza (Nuevo León)	28

Más goles (g)

Vicente Alvirde (Irapuato)	52
Francisco Castrejón (UNAM)	42
Juan Antonio Muñoz (Pachuca)	41
Jesús Mendoza (Nuevo León)	40

Más goles en un juego

Rubén Vázquez (Oro)	6
Jesús García (Veracruz)	6
Rafael Puente (Atlante)	5
Javier Vargas (Atlas)	5
Vicente Alvirde (Irapuato)	5
Miguel Miranda (León)	5
Antonio Mota (Necaxa)	5
Jesús Mendoza (Nuevo León)	5
Rubén Vázquez (Oro)	5
Artemio Martínez (Pachuca)	5

Penaltis detenidos	
Alejandro Mollinedo (Atlante)	1
Javier Vargas (Atlas)	1
Roberto Alatorre (Cruz Azul)	1
Marcos Gallardo (León)	1
Antonio Mota (Necaxa)	1
Jesús Mendoza (Nuevo León)	1
Jaime Gómez (Oro)	1
Rubén Vázquez (Oro)	1
Juan Antonio Muñoz (Pachuca)	1
Francisco Castrejón (UNAM)	1
Jesús García (Veracruz)	1

Expulsados
Ninguno

69-70
También las *Chivas* ganan la Liga y la Copa

El Guadalajara se convirtió en el tercer campeonísimo del futbol mexicano y su entrenador, Javier de la Torre, alcanzó a Nacho Trelles con cinco títulos de Liga. Las Chivas *impusieron el récord de 14 juegos seguidos de visitante sin perder y ganaron la Copa México en forma invicta. Por segundo año consecutivo Roberto Alatorre fue el portero más efectivo, además de ser el único que jugó la temporada completa. Cruz Azul obtuvo su primer título internacional al ganar el torneo de la Concacaf. Otra vez el líder de goleo fue un mexicano. El Laguna quedó en último lugar pero no descendió por la expansión a 18 equipos que tendría la Liga a partir del torneo 70-71. Ascendió, por tercera vez, el Zacatepec.*

Dos porteros debutan en la Copa

Nuevamente se jugó la Copa antes que la Liga y se volvió a utilizar el sistema de nocaut a visita recíproca. Se efectuó el torneo del 9 de abril al 31 de mayo de 1969, mientras en Europa la Selección acumulaba derrotas y decepciones. Hizo su presentación en Primera División el ascendido equipo de Torreón y con él el portero Salvador Kuri que debutó el 13 de abril en el "clásico" torreonense contra el Laguna. El juego quedó empatado 1-1 y fue un histórico de nuestro futbol, Salvador Reyes, quien le anotó por primera vez a Kuri. Antes de llegar al Torreón, este arquero se había forjado en las reservas del León.

Sorpresivamente el Torreón llegó a la final contra las *Chivas*. El primer partido, en Torreón, lo ganó el Guadalajara 2-1. El segundo también fue para el equipo tapatío por 3 a 2. En ambos juegos el guardameta de *Chivas* fue Gilberto *Coco* Rodríguez mientras que el cuadro coahuilense alineó en el primero a Raúl Navarro, portero surgido de la Segunda División, y debutó en el segundo a René Vizcaíno, otro arquero forjado en la división de ascenso. El "bautizo" de Vizcaíno corrió a cargo de Carlos Calderón al anotar éste el primer gol del Guadalajara. Por cierto que el tercer tanto, el del triunfo de las *Chivas*, fue un gol olímpico de Alberto Onofre.

Seis jugadores, todos mexicanos, compartieron con 4 goles el liderato de goleo de la Copa. Tres del Guadalajara: Javier Valdivia, Alberto Onofre y Raúl *Willy* Gómez; Elías *Chuleta* Agui-

lar, del Torreón; Luis Estrada, del León y Jesús Romero Reyes, del Toluca.

Fue la segunda Copa México para las *Chivas* y para el ingeniero De la Torre, pero también la última. En la irregular historia de este torneo no volvió a aparecer el nombre del Guadalajara en la lista de campeones.

Y cinco en la Liga

En la semana previa al inicio de la Liga la Selección Nacional enfrentó dos veces a Inglaterra. Con Paco Castrejón en la puerta, México consiguió un empate a cero en el Azteca, pero 48 horas después, con muchos cambios en su alineación, fue goleado por la escuadra campeona del mundo por 0-4 en el Jalisco. Aquí Javier Vargas tuvo su última actuación con la Selección.

El 5 de junio arrancó el campeonato y durante la primera fecha, el día 8, Vicente Pereda marcó cuatro de los cinco goles que el Toluca le metió al Oro en la *Bombonera*. Al final de la temporada Pereda se alzaría con el título de goleo y el portero *áureo*, Rubén Vázquez, figuraría como el más goleado.

En la nómina de 33 porteros que tuvieron acción apareció un nuevo extranjero, el argentino Eloy Martín, traído por el América para cubrir la ausencia de Iniestra. Sin embargo, Martín, de 25 años de edad, solamente participó en ocho partidos (13 goles recibidos) y se fue a jugar a Perú. También con el equipo *crema* debutó un prometedor arquero de largo nombre, de 19 años de edad y oriundo de Guadalajara, Carlos Enrique Vázquez del Mercado. Sustituyó a Óscar Ávila en un clásico contra las *Chivas* en el Azteca el 23 de octubre, que ganó el equipo tapatío por 4 a 1; a él le tocaron dos goles.

Otros cuatro porteros debutaron en esta Liga, entre ellos Sergio Díaz y Héctor Brambila con *Pumas* y Atlas, respectivamente. El 3 de agosto Díaz ingresó por Castrejón durante un empate a dos con el Veracruz. No recibió anotación sino hasta una semana después en Monterrey por parte del brasileño Nelson Fialho. Por su parte, Brambila se presentó el 24 de agosto en Toluca (perdió el Atlas 1-2) y quien lo batió por primera vez fue Vicente Pereda.

Jaime *Tubo* Gómez salió del Oro y fue contratado por el Laguna. Por segundo año consecutivo el veterano arquero colimense jugó con el equipo colero pero no cayó a Segunda División. Se había salvado con el Oro al ganar el desempate con el Nuevo León, y ahora con el Laguna por el acuerdo de suprimir el descenso en esta temporada para incrementar en dos el número de equipos en la siguiente Liga. Por cierto, en la última jornada, el 28 de diciembre, el *Tubo* encajó un par de autogoles de su compañero Francisco Ramírez con los cuales el Laguna perdió 1-2 con el campeón Guadalajara, el equipo de los amores de Gómez.

Reapareció en Primera División Ignacio Martínez compartiendo con Alvirde la portería del Irapuato y Javier Quintero jugó sus primeros partidos en el torneo de Liga. Por segundo año consecutivo ningún portero fue expulsado.

La gran racha de Florentino

El único portero que alineó en los 30 juegos, y además los jugó completos, fue Roberto Alatorre. El *Cacho* mejoró su notable actuación del campeonato anterior, ya que bajó su promedio de 0.92 a 0.63, y el Cruz Azul volvió a ser el equipo menos goleado, esta vez permitiendo sólo 19 tantos. Después de Alatorre figuraron el *Piolín* Mota con 0.82, el novato Roberto Silva con 0.94 y el *Coco* Rodríguez con 1.00.

La oportunidad de jugar con el Toluca le llegó a Silva porque Florentino López tuvo que viajar a España para ver a su padre enfermo. El 20 de julio terminó la racha de juegos seguidos del gran portero hispano. Fueron 121 partidos consecutivos (120 completos), la cuarta racha más larga de la historia. Durante ella Florentino admitió justamente 121 goles.

Otra racha, pero de imbatibilidad, fue la de Nacho Calderón quien por segundo año seguido logró ligar cinco juegos sin recibir gol. Ello durante una cadena de 17 sin derrota del Guadalajara, precisamente los últimos 17 partidos del torneo. Al igual que en 68-69, Calderón sólo alineó 12 veces pero ahora permitió únicamente cuatro anotaciones, es decir, un gol cada tres juegos. Además el *Cuate* mantuvo inviolada la portería de la Selección en los triunfos sobre Bélgica (1-0) y Noruega (4-0) en noviembre del 69 en el Azteca. Y nuevamente, al igual que en el campeonato anterior, a Calderón y las *Chivas* les tocó un juego de menos de 90 minutos porque el adver-

sario quedó con menos de siete jugadores en la cancha. Fue contra el Monterrey y duró 71 minutos.

Más récords del Guadalajara

Tras perder sus primeros dos partidos del campeonato, las *Chivas* sólo sufrieron una derrota en los 28 juegos siguientes, logrando mantener la invencibilidad en 14 consecutivos en cancha ajena, todo un récord que sigue vigente. Al frente del arco tapatío en esta formidable racha estuvieron Calderón en siete juegos, Rodríguez en seis y el novato Antonio Valdivia en uno.

La octava coronación del Guadalajara ocurrió el 17 de diciembre, penúltima jornada, en el estadio Jalisco al vencer al Atlante con solitario gol de Onofre. Como ya había ganado la Copa, automáticamente se proclamó Campeonísimo, el tercero de la historia y el segundo sin jugadores extranjeros. Dos históricos de las *Chivas*, José *Jamaicón* Villegas y Sabás Ponce, impusieron la marca de ocho títulos de Liga. Son los máximos multicampeones de la historia.

El Guadalajara sumó 45 puntos, cantidad que sólo el Veracruz en 45-46 había conseguido. Fue el equipo más goleador (54, de los cuales siete fueron autogoles de sus rivales) en tanto que el Torreón fue el que menos anotó (24) y el Oro el que más recibió (58). Cruz Azul y Veracruz, con 39 puntos cada uno, escoltaron al campeón y por primera y única vez en la historia se realizó un juego extra de desempate por el 2.° lugar. Así, el 4 de enero del 70 en la cancha neutral del Azteca los *cementeros* y los *tiburones* empataron a tres, luego jugaron tiempos extra y finalmente en penaltis el Cruz Azul logró el título de subcampeón. Pedro Elizondo, portero jarocho, no pudo detener ninguno de los tres disparos que hizo Gustavo Peña, en tanto que el *Cacho* Alatorre sí logró atajar uno de los tres tiros de Chucho Hernández.

De los 58 goles que recibió el Oro, 50 fueron a la cuenta de Rubén Vázquez, y después de éste los porteros más goleados resultaron el del Atlante, Rafael Puente, con 40, y el del Pachuca, Artemio Martínez, con 38.

Por segundo año seguido dos artilleros mexicanos hicieron el 1-2 en la lista de los mayores romperredes. Con veinte goles, ninguno de penalti, se coronó el toluqueño Vicente Pereda. Horacio López Salgado, del América, fue segundo con 19 y el brasileño Ubiracy, del Veracruz, quedó tercero con 16. De la veintena de tantos de Pereda, Rubén Vázquez encajó cinco y el *Wama* Puente tres.

Último dato: este torneo registró 632 goles más los seis del juego extra por el subcampeonato.

Los ex porteros entrenadores

Pepe Moncebáez dirigió toda la temporada al Necaxa y lo ubicó en el quinto lugar, aunque en cotejos internacionales no le fue nada bien al conjunto rojiblanco ya que en Los Ángeles fue goleado 1-5 por el Estudiantes de La Plata y en un Pentagonal en Mar del Plata quedó en el último puesto tras perder con Boca Juniors, Independiente y Racing, además de empatar con Vélez Sarsfield.

Antonio Carbajal asumió la dirección del León en la jornada 19 de la Liga. Se estrenó con un triunfo de 1-0 sobre el Atlante. Dos semanas después, el América cesó a Walter Ormeño, quien terminó el campeonato dirigiendo al Laguna. Los números totales del peruano con el América fueron 22 ganados, 11 empatados y 18 perdidos y con el equipo lagunero 2-2-5, respectivamente.

Cruz Azul, campeón de Concacaf

El Cruz Azul se convirtió en el tercer equipo mexicano en ganar un torneo Concacaf. Con Alatorre en el arco en todos los juegos, eliminó al Saprissa (2-2 y 2-1) y se coronó superando al Comunicaciones (0-0 en Guatemala y 1-0 en el Distrito Federal).

También el América tuvo actividad internacional pues en enero-febrero del 70 participó en un torneo hexagonal en Santiago, donde si bien empató con los tres clubes chilenos Colo Colo, Universidad de Chile y Universidad Católica, perdió con el Dynamo de Zagreb y recibió una paliza de 0-7 ante el Santos, partido en el que el rey *Pelé* marcó tres goles.

Y en México al comenzar 1970 se efectuó la séptima edición de los torneos pentagonales con la participación de tres equipos extranjeros, Botafogo, Spartak y Partizán, el campeón Guadalajara y la Selección Nacional. Quedó campeón el Partizán con seis puntos y en segundo la Selección con cinco.

Nómina de porteros

América	Óscar Ávila, Carlos Enrique Vázquez del Mercado y Eloy Martín
Atlante	Rafael Puente y Raúl Orvañanos
Atlas	Javier Vargas y Héctor Brambila
Cruz Azul	Roberto Alatorre
Guadalajara	Gilberto Rodríguez, Ignacio Calderón y Antonio Valdivia
Irapuato	Vicente Alvirde e Ignacio Martínez
Laguna	Blas Sánchez y Jaime Gómez
León	Miguel Miranda y Marcos Gallardo
Monterrey	Hugo Pineda y Javier Quintero
Necaxa	Antonio Mota y Fernando Moranchel
Oro	Rubén Vázquez y Ramón Rodríguez
Pachuca	Artemio Martínez y Juan Antonio Muñoz
Toluca	Roberto Silva y Florentino López
Torreón	Salvador Kuri y René Vizcaíno
UNAM	Francisco Castrejón y Sergio Díaz
Veracruz	Pedro Elizondo y Jesús García

Más juegos (j)

Roberto Alatorre (Cruz Azul)	30
Antonio Mota (Necaxa)	28
Francisco Castrejón (UNAM)	28
Rubén Vázquez (Oro)	26

Más juegos completos

Roberto Alatorre (Cruz Azul)	30
Antonio Mota (Necaxa)	28
Francisco Castrejón (UNAM)	26
Rubén Vázquez (Oro)	25

Más goles (g)

Rubén Vázquez (Oro)	50
Rafael Puente (Atlante)	40
Artemio Martínez (Pachuca)	38
Francisco Castrejón (UNAM)	37

Más bajo g/j (mínimo 16 juegos)

Roberto Alatorre (Cruz Azul)	0.63
Antonio Mota (Necaxa)	0.82
Roberto Silva (Toluca)	0.94
Gilberto Rodríguez (Guadalajara)	1.00

Más goles en un juego

Rubén Vázquez (Oro)	6
Rafael Puente (Atlante)	5
Héctor Brambila (Atlas)	5
Blas Sánchez (Laguna)	5
Rubén Vázquez (Oro)	5
Francisco Castrejón (UNAM)	5
Jesús García (Veracruz)	5

Penaltis detenidos

Rafael Puente (Atlante)	1
Ignacio Martínez (Irapuato)	1
Ramón Rodríguez (Oro)	1
Artemio Martínez (Pachuca)	1
Francisco Castrejón (UNAM)	1
Pedro Elizondo (Veracruz)	1
Roberto Alatorre (Cruz Azul) (en el juego extra por el 2.° lugar)	1

Expulsados

Ninguno

México-70
El año del Mundial fue el último del *Tubo* Gómez

El Cruz Azul salió campeón de un raro torneo que se efectuó a lo largo de casi todo el año en el que México vivió por primera vez la gran fiesta de un Mundial de futbol. Jaime Tubo *Gómez, uno de los mejores porteros mexicanos de todos los tiempos, jugó su vigésima primera y última temporada. También se despidió Florentino López, uno de los más destacados arqueros extranjeros que aquí han jugado. Se suprimió la Copa México. Por tercer año seguido Roberto Alatorre tuvo el menor promedio de goles por juego y tres delanteros mexicanos hicieron el 1-2-3 entre los romperredes. Poniendo fin a una ausencia de 14 años el Puebla regresa a la Primera División tras ganar un torneo de promoción.*

Segundo título del Cruz Azul

El torneo "México-70" constó de dos etapas. La primera se efectuó durante los meses de febrero a mayo y la segunda a partir de julio y hasta octubre. Los 16 equipos se repartieron en dos grupos de ocho. En cada uno jugaron todos contra todos a visita recíproca. Los primeros cuatro lugares de cada uno formaron un nuevo grupo para la segunda etapa, y los ocho equipos restantes integraron a su vez otro. Nuevamente se empleó el sistema de *round robin* a dos vueltas. Para la clasificación final se sumaron los puntos obtenidos en cada etapa. Así, cada equipo jugó 28 partidos entre el 7 de febrero y el 11 de octubre.

Naturalmente al haber menos juegos en este campeonato disminuyó la producción de goles. Se registraron 550, figurando el Guadalajara como el más anotador con 48, al tiempo que el Torreón fue el más goleado con 47, el Necaxa careció de *punch* al marcar sólo 23 y el Toluca presumió de la mejor defensiva al recibir solamente 27. Pero el equipo que sumó más puntos y por ello quedó campeón fue el Cruz Azul. Con 37 puntos superó al Toluca y a las *Chivas* que lograron 34 cada uno y al León que ocupó la cuarta posición con 33. Último fue el Necaxa con 19 y apenas cuatro victorias en 28 juegos. La coronación del cuadro *cementero* se produjo en la última jornada tras vencer en casa al Pachuca por 2-0.

Primera expulsión del *Tubo* en 20 años y su adiós

Un número inusitadamente alto de porteros participó en este extraño torneo: 40, cantidad no registrada desde la temporada 45-46, y es que cada equipo, con excepción del Laguna, alineó a dos o tres. El *Tubo* Gómez jugó con el cuadro lagunero todos los partidos, pero una expulsión el 12 de abril en un juego contra el Atlante en México le impidió lograr la temporada completa. Se repitió, pues, la estadística precisamente de 45-46 cuando no hubo un guardameta que jugara todos los minutos del torneo.

Esa expulsión del *Tubo*, ordenada por el árbitro Marco Antonio Dorantes, fue la única que sufrió el extraordinario portero en 20 años y 443 juegos de Liga. Colgó los botines en la última jornada, el 11 de octubre del 70, por cierto en otro juego contra el Atlante en México que el Laguna perdió por 2-3. Tenía 40 años de edad. Jugó 15 temporadas con el Guadalajara, tres con el Monterrey, una con el Oro y dos con el Laguna. Seis veces fue campeón de Liga, una de Copa, cuatro títulos de Campeón de Campeones y uno de Concacaf. Recibió 503 goles, de modo que su promedio fue un magnífico 1.14. Entre los años 51-55 jugó 123 partidos consecutivos, la tercera racha más larga de la historia. Tiene los récords para porteros de más títulos de Liga, más temporadas completas (12), más juegos de Copa (85) y más goles en Copa (110). A lo largo de su carrera detuvo ocho penaltis, siete con *Chivas* y uno con el Oro. De sus 443 juegos, solamente en uno le anotaron cinco goles y no más. Fue a los Mundiales de 1958 y 1962, pero Carbajal no lo dejó jugar.

Se va otro grande

También llegaron al final de su carrera Florentino López y Marcos Gallardo. El arquero español defendió por última vez el marco del Toluca el 6 de septiembre en el pequeño estadio de la Ciudad Cooperativa Cruz Azul, partido que ganó el equipo *cementero* 1-0. Tras jugar un año con el Irapuato y once con el Toluca, Florentino acumuló 256 partidos, 300 goles y un muy buen promedio de 1.17. En su palmarés destacan dos campeonatos de Liga, un subcampeonato de Copa, dos títulos de Campeón de Campeones y uno de Concacaf. Solamente en dos ocasiones recibió cinco goles en un juego; atajó cuatro penaltis; en cinco torneos jugó todos los minutos y su racha de 121 partidos consecutivos entre los años 65 y 69 es la cuarta más larga de la historia. Durante ese lapso, Florentino cubrió el marco toluqueño en 36 juegos seguidos de Copa para romper el récord de 33 del *Tubo* Gómez. Además, nunca en su carrera fue expulsado.

Gallardo sólo jugó con el León. Seis torneos, 84 partidos, 106 anotaciones y promedio de 1.26. Fue campeón y subcampeón de Copa. También se despidió con una derrota. Fue ante el Oro por 0-1 en Guadalajara el 23 de abril.

Cambios y debuts

En el México-70 hicieron su debut seis porteros, entre ellos Armando Franco, Carlos Novoa y Jorge Romero. El 3 de septiembre el Atlante estaba perdiendo 0-2 con los *Pumas* en el estadio de CU cuando su arquero Rafael Puente fue expulsado, lo que posibilitó el ingreso de Franco, quien no permitió más anotaciones de los universitarios. Fue en el siguiente juego del Atlante, el 10 de septiembre contra el Veracruz, cuando Franco fue batido por primera vez. El gol fue de Mariano Ubiracy.

Novoa también debutó en un cambio de arqueros. Lo hizo con el Atlas el 7 de octubre en Toluca. Suplió a Héctor Brambila cuando los rojinegros perdían 0-1 y permitió el segundo tanto toluqueño, obra del argentino Hugo Zarich. A Jorge Romero lo debutó el Monterrey el 11 de septiembre y el hispano Benito Pardo, del Pachuca, lo fusiló por primera vez.

La nómina de porteros, comparada con la del campeonato anterior, sólo registró dos cambios: el de Amado Palacios que salió del Cruz Azul después de que éste lo prestara al Poza Rica de Segunda División para firmar con el América, y el de Jesús Mendoza que regresó al Oro.

A las expulsiones ya consignadas de Puente y del *Tubo* hay que agregar una del arquero del Torreón, Salvador Kuri, con lo que se igualó la marca del campeonato 65-66 de tres porteros expulsados.

Otra vez Alatorre fue el mejor

Al igual que en los dos campeonatos anteriores, el portero del Cruz Azul fue el más eficiente. Además, por tercer año consecutivo el *Cacho* Alatorre recibió menos de un gol por juego en promedio. En este torneo solamente él con 0.75 y Roberto Silva, del Toluca, con 0.91 alcanzaron promedio inferior a la unidad.

En la lista de los arqueros más goleados, Pedro Elizondo, Nacho Martínez, Miguel Miranda y el *Tubo* hicieron la escalerita con 34, 33, 32 y 31, respectivamente, mientras que René Vizcaíno, Javier Quintero y el suplente de Mota en el Necaxa, Fernando Moranchel, fueron los protagonistas de las mayores golizas del torneo. El León le anotó seis a Quintero (6-0) y el Veracruz igual cantidad a Moranchel (6-0); Vizcaíno encajó seis del Cruz Azul (6-1) en la cancha de la antigua Jasso el 27 de septiembre con Octavio Muciño anotando cuatro.

Récords de *Chivas* y América

La racha invicta del Guadalajara (no perdió ninguno de sus últimos 17 juegos de 69-70) acabó en la segunda fecha al caer en Monterrey por 0-1. Los 18 seguidos sin derrota constituyen un récord vigente de las *Chivas*. Así como los cinco partidos consecutivos sin anotar que el América acumuló entre el 27 de agosto y el 27 de septiembre. En esta racha de impotencia americanista Toño Mota (Necaxa), Nacho Martínez (Irapuato), Jaime Gómez (Laguna), Armando Franco (Atlante) y Sergio Díaz (*Pumas*) mantuvieron imbatidas sus vallas ante los delanteros *cremas*.

Las *Chivas* y el Torreón jugaron un amistoso el 2 de julio con el cual fue inaugurado el estadio de Torreón. Este inmueble ha tenido dos nombres, ligados ambos a marcas cerveceras. Por cierto que en este año el equipo coahuilense ligó once partidos sin perder (siete empates y cuatro victorias), la mayor racha positiva de su historia, aunque inmediatamente después sufrió ocho derrotas en sus siguientes nueve juegos desplomándose al antepenúltimo lugar apenas tres puntos arriba del sotanero Necaxa.

Bien Carbajal, mal Moncebáez

Dos atacantes del León y uno del Cruz Azul, todos mexicanos, encabezaron a los romperredes. Con 16 pepinos se coronó Sergio Anaya, siguiéndole el *Centavo* Muciño con 14 y Luis Estrada con 13. En cuarto lugar y como máximo goleador extranjero por segundo año seguido quedó Mariano Ubiracy con once, cantidad que también logró Jesús Zárate, del Pachuca. Javier Quintero y Sergio Díaz fueron los porteros que admitieron más goles de Anaya, tres cada uno.

De los ex porteros entrenadores, la *Tota* Carbajal hizo un buen papel con el León al que dirigió todo el torneo alcanzando el cuarto puesto además de tener al líder goleador; en cambio, Moncebáez salió rápido del Necaxa luego de comenzar el torneo con cuatro reveses y par de empates. Los números totales de *Monche* con los rojiblancos fueron 21 ganados, 21 empatados y 22 perdidos.

Y un arquero de leyenda del América de los treintas, Rafael Mollinedo, falleció el 16 de febrero.

Sube el Puebla

Para la expansión de la Liga a 18 equipos a partir de la temporada 70-71, habida cuenta de que en los torneos 69-70 y México-70 se canceló el descenso y que subió el campeón de la Segunda, que fue el Zacatepec, se invitó a cuatro equipos de esa división para disputar un rápido torneo a una vuelta en cancha neutral. Así, el Puebla, el Curtidores, el Nacional y el Naucalpan se enfrentaron en México en el estadio de cu durante la segunda semana de noviembre. El Puebla quedó en primer lugar con cinco puntos y de esta manera se convirtió en el equipo número 18 del máximo circuito.

Cruz Azul, campeón zonal

Con Roberto Alatorre en la puerta el Cruz Azul venció 1-0 y 5-0 al equipo *gringo* Greek Americans y quedó "campeón de zona" de la Concacaf.

Otros clubes mexicanos también tuvieron actividad internacional aprovechando que varias selecciones (Brasil, urss, Perú, Rumania, Bulgaria, Italia, Bélgica y Suecia)

vinieron a México antes del Mundial para sostener partidos amistosos.

Por su parte, la Selección Mexicana se preparó con una serie de once juegos contra Bulgaria (1-1 y 2-0), Suecia (0-0 y 0-1), Unión Soviética (0-0), Perú (1-1, 0-1, 3-1 y 3-3) y Rumania-B (1-1 y 3-2), en los cuales Paco Castrejón alineó en nueve, Nacho Calderón en uno y Hugo Pineda debutó con la Selección en la derrota ante los peruanos en Lima.

El Mundial

El Distrito Federal, Guadalajara, León, Toluca y Puebla albergaron la novena edición de la Copa del Mundo. México y la URSS jugaron el partido inaugural el 31 de mayo ante más de 100 mil personas en el estadio Azteca, mismo escenario donde Brasil e Italia disputaron la final el 21 de junio.

Raúl Cárdenas, director técnico de la Selección Nacional, escogió a tres porteros: Ignacio Calderón, Antonio Mota y Francisco Castrejón, pero sólo utilizó al primero de ellos.

En la primera ronda Calderón no recibió ningún gol y México calificó a cuartos de final por primera vez en su historia tras empatar a cero con la Unión Soviética y derrotar 4-0 a El Salvador y 1-0 a Bélgica. Sin embargo, en Toluca la escuadra italiana puso fin al sueño mexicano con una goleada de 4-1 sobre un errático Calderón.

Tiempo después, el 30 de septiembre México jugó un amistoso en el estadio de Maracaná con Brasil, el flamante campeón mundial. Se impusieron los brasileños por 2-1. El *Piolín* encajó los dos tantos del poderoso *scratch du ouro* antes de lesionarse y ser sustituido por Castrejón. Fue el último partido de Mota con la Selección.

Nómina de porteros

América	Carlos Enrique Vázquez del Mercado, Amado Palacios y Óscar Ávila
Atlante	Rafael Puente y Armando Franco
Atlas	Javier Vargas, Héctor Brambila y Carlos Novoa
Cruz Azul	Roberto Alatorre y Enrique Meza
Guadalajara	Ignacio Calderón, Gilberto Rodríguez y Antonio Valdivia
Irapuato	Ignacio Martínez y Vicente Alvirde
Laguna	Jaime Gómez
León	Miguel Miranda y Marcos Gallardo
Monterrey	Javier Quintero, Hugo Pineda y Jorge Romero
Necaxa	Antonio Mota, Héctor Molina, Fernando Moranchel y Salvador Alvarado
Oro	Jesús Mendoza, Rubén Vázquez y Ramón Rodríguez
Pachuca	Juan Antonio Muñoz y Artemio Martínez
Toluca	Roberto Silva y Florentino López
Torreón	Salvador Kuri, René Vizcaíno y Raúl Navarro
UNAM	Sergio Díaz y Francisco Castrejón
Veracruz	Pedro Elizondo, Jesús García y Vicente Cruz

Más juegos (j)

Jaime Gómez (Laguna)	28
Ignacio Martínez (Irapuato)	27
Miguel Miranda (León)	27
Pedro Elizondo (Veracruz)	27
Juan Antonio Muñoz (Pachuca)	24

Más juegos completos

Ignacio Martínez (Irapuato)	27
Jaime Gómez (Laguna)	27
Miguel Miranda (León)	26
Pedro Elizondo (Veracruz)	26
Juan Antonio Muñoz (Pachuca)	23

Más goles (g)

Pedro Elizondo (Veracruz)	34
Ignacio Martínez (Irapuato)	33
Miguel Miranda (León)	32
Jaime Gómez (Laguna)	31

Más bajo g/j (mínimo 15 juegos)

Roberto Alatorre (Cruz Azul)	0.75
Roberto Silva (Toluca)	0.91
Javier Quintero (Monterrey)	1.00
Carlos E. Vázquez del Mercado (América)	1.04
Juan Antonio Muñoz (Pachuca)	1.08

Más goles en un juego

Javier Quintero (Monterrey)	6
Fernando Moranchel (Necaxa)	6
René Vizcaíno (Torreón)	6
Antonio Valdivia (Guadalajara)	5

Penaltis detenidos

Enrique Meza (Cruz Azul)	1
Ignacio Calderón (Guadalajara)	1
Ignacio Martínez (Irapuato)	1
Hugo Pineda (Monterrey)	1
Jesús Mendoza (Oro)	1

Expulsados

Rafael Puente (Atlante)
Jaime Gómez (Laguna)
Salvador Kuri (Torreón)

70-71
El América triunfa en la primera liguilla

Un nuevo capítulo en la historia del futbol mexicano comienza a escribirse. Por razones puramente comerciales los directivos cambian el sistema de competencia e inventan las "liguillas". A partir de este año el mejor equipo de un campeonato, el que gana más puntos, no necesariamente será el campeón. Igualmente, el que ocupe el último lugar no siempre será el que descienda. En un torneo en el que se impusieron varios récords, el América ganó su segundo título en la época profesional convirtiéndose en el primer equipo que se corona en el estadio Azteca. Por falta de tiempo no se jugó la Copa México. Continuó la hegemonía de los goleadores mexicanos sobre los extranjeros. Ascendió el San Luis Potosí y el Atlas se fue al "purgatorio" por segunda vez en su historia. Seis porteros recibieron menos de un gol por partido en promedio. Al Oro le cambiaron el nombre por el de "Jalisco".

Ningún portero extranjero

Los 18 equipos fueron repartidos en dos grupos de nueve cada uno, pero siguieron jugando todos contra todos a dos vueltas y los líderes disputaron la final en dos partidos. Igual procedimiento para el descenso: lo jugaron los equipos que terminaron en último lugar en cada grupo.

El 25 de noviembre de 1970 comenzó la Liga y cuatro días después se produjo la reaparición del Puebla en Primera División y el debut de los *Gallos* de Jalisco, es decir, el Oro rebautizado.

Ninguno de los 39 porteros que participaron en este campeonato era extranjero, lo que nunca había ocurrido en el balompié profesional mexicano, como tampoco que seis arqueros terminaran el torneo con promedio de anotaciones por juego inferior a uno. Roberto Alatorre lo consiguió por cuarto año consecutivo y Roberto Silva lo logró por segunda vez al hilo, sólo que ahora el arquero del Toluca fue el líder con 0.62 mientras que el del Cruz Azul, con 0.92, quedó en sexto lugar, atrás de Rafael Puente (0.77), Paco Castrejón (0.82), Raúl Navarro (0.84) y Javier Quintero (0.84).

Por otra parte, Silva y Castrejón fueron los porteros de "hierro", los únicos que jugaron todos los minutos de los 34 partidos. El toluqueño actuó además en los dos juegos de la liguilla.

Los nuevos

Debutaron seis guardametas, entre ellos y por orden de aparición: Ignacio Sánchez Carbajal, oriundo de Toluca, quien el 29 de noviembre se convirtió en el primer portero del Puebla en su segunda época en Primera División. Ese día el equipo de la franja cayó en el estadio Azteca ante el América por 0-2 y el chileno Carlos Reinoso venció por primera vez la meta de Sánchez Carbajal; Prudencio Cortés, tapatío de sólo 19 años de edad y apodado *Pajarito*, se presentó con el América el 6 de diciembre en Pachuca, juego que ganaron los *Tuzos* 2-1, tocándole a Jorge Rodríguez anotarle el primer tanto al *Pajarito*; Moisés Camacho, nativo de Iguala, Guerrero, debutó con el Zacatepec en un empate sin goles entre *Cañeros* y *Freseros* en Irapuato el 28 de febrero del 71 y dos meses después, el 2 de mayo, empezó una racha de juegos consecutivos que se prolongó hasta sumar 99 en el año 73; Mateo Bravo, otro portero muy joven, hizo su debut el 13 de junio resguardando la meta del Pachuca en la capital hidalguense frente al Necaxa, que se llevó el triunfo por 3-0 siendo Salvador Frías quien "bautizó" al novel arquero *tuzo*; y Jorge Jaramillo, portero leonés que se presentó el 18 de julio en la última jornada del campeonato, precisamente en su ciudad natal, enfrentando al Zacatepec, al cual venció el León por 2 a 1. Paco Mancilla fue el autor del primer tanto a Jaramillo.

Cabe señalar que tanto Prudencio Cortés como Moi Camacho tuvieron excelente desempeño en ésta, su primera temporada. El promedio de goles por juego del primero fue 0.77 y del segundo 0.80, pero no cumplieron la cuota mínima de partidos para figurar en la lista de los arqueros más eficientes. Al *Pajarito* lo debutó el *che* Luis Grill, mientras que un paisano de éste, Ernesto Candia, determinó la presentación de Camacho.

Después de jugar un año con el Toluca y siete con el Veracruz, en los que totalizó 121 partidos, 170 goles y 1.40 de promedio, el portero Pedro Elizondo tuvo su última actuación el 25 de julio en el puerto jarocho con los *Tiburones* derrotando 3-2 al Jalisco. En 67-68 fue subcampeón de Copa con la escuadra veracruzana.

Rachas y récords

Reaparecieron en Primera División Raúl Orvañanos, Cirilo Saucedo e Ismael *Torombolo* García, el primero con el Zacatepec, el segundo con el Irapuato y el último con el León. Además, Salvador Kuri pasó del Torreón al Laguna y el portero del nombre kilométrico, Carlos Enrique Vázquez del Mercado, salió del América y firmó con el Guadalajara.

Naturalmente al haber más equipos y por lo tanto mayor número de juegos, se incrementó la producción de goles a 707 (más otros 10 que se registraron en las dos liguillas, la del título y la del no descenso), sin embargo el promedio de apenas 2.31 anotaciones por partido es el más bajo de la historia. También es récord vigente el diminuto 0.62 que logró el Toluca en goles recibidos por juego. Solamente 21 tantos en 34 partidos permitió su arquero Silva, quien protagonizó la mayor racha de imbatibilidad al ligar cinco juegos consecutivos sin anotaciones. Por su parte, Nacho Martínez (Irapuato), Jesús Mendoza (Jalisco) y Rafael Puente (Atlante) lograron sendas rachas de cuatro sin gol.

Varios equipos también se vieron envueltos en rachas diversas, por ejemplo, el Atlante que no perdió ninguno de sus primeros 15 partidos del campeonato pero después no pudo ganar ninguno de los 14 siguientes, y en total sumó 16 al hilo sin victoria. Cabe apuntar que el cuadro azulgrana había cerrado el torneo México-70 con cinco seguidos sin perder, de modo que fueron 20 los juegos oficiales consecutivos sin derrota.

En su camino al título el América no sufrió derrota en sus últimos 15 juegos, incluyendo los dos de la liguilla, mientras el Atlas en su despeñadero a la Segunda División fue incapaz de ganar en sus últimos 17 encuentros, también incluyendo los tres del no descenso que disputó con el Pachuca. Esta racha negativa del equipo rojinegro es la mayor de su historia.

Fracaso de Ormeño y éxito de Carbajal

El Pachuca comenzó el torneo con cuatro triunfos a la fila y tras la jornada 9 ostentaba siete victorias, pero a continuación perdió seis de los siguientes siete juegos, lo que provocó el cambio de entrenador. En la fecha 19 tomó el mando Walter Ormeño pero su paso por el equipo *tuzo* fue efímero ya que de once juegos sólo ganó dos, empató dos y perdió siete. Tras el cese del peruano un trío de jugadores formado por Moacyr Santos, Jesús Zárate y Eduardo Corona dirigió al equipo en las últimas jornadas y lo salvó del descenso en la liguilla contra el Atlas.

En la fecha 9 José Moncebáez fue nombrado director técnico del Torreón, equipo que al momento llevaba dos victorias y seis derrotas. *Monche* lo estaba haciendo bien pero al final del torneo se metió en una racha de cinco juegos sin ganar y fue despedido tras la jornada 32. De los 24 partidos que dirigió ganó ocho, empató nueve y perdió siete.

La mejor actuación de un ex portero como entrenador la tuvo Antonio Carbajal, quien dirigió todo el campeonato al León. Ocupo el tercer lugar en su grupo y el cuarto en la clasificación general.

Doce penaltis detenidos

Tantas expulsiones de porteros (5) y tantos penaltis detenidos (12) como los que se registraron en este campeonato no habían ocurrido en los casi 30 años que tenía el balompié profesional mexicano. Los dos arqueros del Guadalajara, Calderón y el *Coco*, el del Laguna, Kuri, y el azulgrana *Wama* Puente, éste en dos ocasiones, fueron los porteros que recibieron la tarjeta roja. Por cierto a Calderón lo echó Robert Wurtz, un árbitro francés que trabajó poco tiempo en nuestro futbol, y una de las expulsiones de Puente se dio en un partido entre el América y el Atlante que el árbitro peruano-japonés Arturo Yamasaki suspendió en el minuto 69 cuando el América ganaba 2-0, al quedar el Atlante con sólo seis jugadores tras la expulsión de la mitad del equipo.

En cuanto a los penaltis atajados destacaron Blas Sánchez, del Laguna, y Nacho Sánchez Carbajal, del Puebla, con dos cada uno. De no haber detenido esos dos tiros de castigo, el novel arquero del equipo de la franja habría ocupado el primer lugar en la lista de los porteros más goleados del torneo, lugar en el que se ubicó otro Nacho, Martínez, del Irapuato, con 46, en tanto que Sánchez Carbajal recibió 45. Muy lejos, con 32 y 30 quedaron Héctor Brambila y Salvador Kuri, respectivamente.

Ignacio Martínez cargó con la mayor goliza del campeonato. El 18 de julio del 71, última jornada, el Necaxa vapuleó al Irapuato por 7-0 imponiendo récord de goles para el equipo rojiblanco, por cierto en su último partido de Liga ya que para el torneo siguiente cambiaría de nombre transformándose en el Atlético Español. Las siete anotaciones recibidas por el Irapuato también son récord para el cuadro *fresero*.

El América y Borja, los líderes

El América y el Toluca fueron líderes de sus respectivos grupos con 44 y 43 puntos y obtuvieron el derecho de jugar la final por el título. Al América lo siguieron el Monterrey con 40 y el León con 38, mientras que en el otro grupo escoltaron al Toluca el Jalisco y el Zacatepec con 38 cada uno. En el fondo de las tablas figuraron el Pachuca con 29 y el Atlas con sólo 22 puntos. En la última fecha las *Chivas* se salvaron de jugar la liguilla del no descenso al vencer al Monterrey y llegar a 30 puntos mientras el Pachuca caía en Toluca y se quedaba en 29.

Además de encabezar la clasificación general, el América fue campeón goleador con 56 tantos y tuvo en sus filas al líder de goleo individual. El equipo que anotó menos fue el Torreón (27); el más goleado, el Irapuato (53) y, como ya se dijo, el Toluca fue el que recibió menos anotaciones (21).

Enrique Borja lideró a los artilleros con 20 tantos, seguido muy de cerca por Octavio Muciño, del Cruz Azul, con 19, Alfredo Jiménez, del Monterrey, con 18, al igual que Luis Montoya, del Necaxa. Y en quinto lugar, otro mexicano, Mario Velarde (UNAM) con 14, así que los extranjeros más goleadores: Ubirajara Chagas, brasileño del Monterrey, Benito Pardo, español del Puebla y Juan José Valiente, argentino del León, fueron relegados a la sexta posición.

Orvañanos fue el portero que recibió más goles de Borja, con tres. Luego, con dos cada uno, Juan Antonio

Muñoz, Blas Sánchez, Kuri, el *Charro* García y Vizcaíno.

Se corona el América y se va el Atlas

En el primer partido de la final, el 25 de julio en la cancha de la *Bombonera* el Toluca y el América igualaron a cero, pero una semana después, el 1 de agosto, con goles del chileno Reinoso y de López Salgado y dirigido por José Antonio Roca, el América se impuso 2-0 y se proclamó campeón. En ambos juegos los porteros fueron Prudencio Cortés y Roberto Silva.

Por su parte, el Pachuca y el Atlas alargaron la batalla por la permanencia a tres juegos ya que tanto en la capital hidalguense como en la de Jalisco empataron 2-2 y 1-1, respectivamente. El tercer partido se jugó en cancha neutral (León) el 3 de agosto. Ganó Pachuca 2-0 y mandó al Atlas a Segunda División. En los tres cotejos Mateo Bravo y Héctor Brambila custodiaron las porterías.

México y la URSS siguen empatando

Con Paco Castrejón en el arco, con Ignacio Jáuregui como director técnico interino y con un fácil triunfo de 3-0 sobre Australia reapareció la Selección Nacional en el Azteca el 1 de diciembre de 1970. En febrero del año siguiente, ya con Javier de la Torre como timonel, se enfrentó a la Unión Soviética en Guadalajara y México, partidos en los que no hubo goles y en los que Rafael Puente custodió la meta mexicana. Nuestra Selección y la de la URSS llegaron así a siete empates consecutivos, de los cuales solamente en uno hubo anotaciones. Y a mitad del año en otro juego amistoso México igualó a un gol con Grecia en el Azteca. Volvió a alinear Puente pero se lesionó y fue cambiado por Roberto Silva, quien recibió el tanto de los griegos.

Durante el primer semestre del 71 jugaron en México equipos de la talla del Hamburgo, Sporting de Lisboa, Bayern Munich, Botafogo, Universidad de Chile, Central, Hannover, Santos e Independiente. Estadísticamente sobresale el empate 5-5 entre el Independiente y el Laguna que disfrutaron los aficionados de Torreón.

Fecha histórica la del 27 de mayo de 1971. Lev Yashin, el mítico arquero soviético, se retiró y fue homenajeado durante el juego en Moscú entre la URSS y una Selección "Resto del Mundo", de la que formó parte el *Halcón* Gustavo Peña.

Nómina de porteros

América	Amado Palacios y Prudencio Cortés
Atlante	Rafael Puente y Armando Franco
Atlas	Héctor Brambila y Javier Vargas
Cruz Azul	Roberto Alatorre y Enrique Meza
Guadalajara	Ignacio Calderón, Gilberto Rodríguez y Carlos Enrique Vázquez del Mercado
Irapuato	Ignacio Martínez y Cirilo Saucedo
Jalisco	Jesús Mendoza, Rubén Vázquez y Ramón Rodríguez
Laguna	Salvador Kuri y Blas Sánchez
León	Miguel Miranda, Ismael García y Jorge Jaramillo
Monterrey	Javier Quintero, Jorge Romero y Hugo Pineda
Necaxa	Antonio Mota y Héctor Molina
Pachuca	Juan Antonio Muñoz, Artemio Martínez y Mateo Bravo
Puebla	Ignacio Sánchez Carbajal y Jorge Valencia
Toluca	Roberto Silva
Torreón	Raúl Navarro y René Vizcaíno
UNAM	Francisco Castrejón
Veracruz	Jesús García y Pedro Elizondo
Zacatepec	Raúl Orvañanos y Moisés Camacho

Más juegos (j)

Roberto Silva (Toluca)	34
Francisco Castrejón (UNAM)	34
Ignacio Sánchez Carbajal (Puebla)	33
Raúl Navarro (Torreón)	32
Rafael Puente (Atlante)	31
Javier Quintero (Monterrey)	31

Más bajo g/j (mínimo 18 juegos)

Roberto Silva (Toluca)	0.62
Rafael Puente (Atlante)	0.77
Francisco Castrejón (UNAM)	0.82
Raúl Navarro (Torreón)	0.84
Javier Quintero (Monterrey)	0.84
Roberto Alatorre (Cruz Azul)	0.92

Más juegos completos

Roberto Silva (Toluca)	34
Francisco Castrejón (UNAM)	34
Ignacio Sánchez Carbajal (Puebla)	33
Raúl Navarro (Torreón)	31
Rafael Puente (Atlante)	29
Javier Quintero (Monterrey)	28

Más goles en un juego

Ignacio Martínez (Irapuato)	7
Salvador Kuri (Laguna)	5
Artemio Martínez (Pachuca)	5
René Vizcaíno (Torreón)	5

Más goles (g)

Ignacio Martínez (Irapuato)	46
Ignacio Sánchez Carbajal (Puebla)	45
Héctor Brambila (Atlas)	32
Salvador Kuri (Laguna)	30
Francisco Castrejón (UNAM)	28

Penaltis detenidos

Blas Sánchez (Laguna)	2
Ignacio Sánchez Carbajal (Puebla)	2
Roberto Alatorre (Cruz Azul)	1
Enrique Meza (Cruz Azul)	1
Ignacio Calderón (Guadalajara)	1
Javier Quintero (Monterrey)	1
Héctor Molina (Necaxa)	1
Jorge Valencia (Puebla)	1
Roberto Silva (Toluca)	1
Raúl Navarro (Torreón)	1

Expulsados

Rafael Puente (Atlante) (2 veces)
Ignacio Calderón (Guadalajara)
Gilberto Rodríguez (Guadalajara)
Salvador Kuri (Laguna)

LIGUILLAS

Más juegos	Héctor Brambila (Atlas) y Mateo Bravo (Pachuca)	3
Más juegos completos	Héctor Brambila (Atlas) y Mateo Bravo (Pachuca)	3
Más goles	Héctor Brambila (Atlas)	5
Más bajo G/J	Prudencio Cortés (América)	0.00
Más goles en un juego	Héctor Brambila (Atlas), Mateo Bravo (Pachuca) y Roberto Silva (Toluca)	2
Penaltis detenidos	Ninguno	
Expulsados	Ninguno	

71-72
Cruz Azul, campeón en un año de récords

Comenzaron a crecer las liguillas, tanto la que produce al campeón como la que determina al equipo que desciende, al participar cuatro equipos en cada una. El Cruz Azul cambió su sede, dejó su cancha de la antigua Jasso y emigró al Distrito Federal para jugar en el estadio Azteca, donde obtuvo su tercer título de la mano de Raúl Cárdenas. El Irapuato cayó a Segunda División, no sin antes imponer ambos, cementeros *y* freseros, *un par de súper récords: 10 triunfos consecutivos del Cruz Azul y 20 juegos seguidos sin ganar del Irapuato. Se volvió a jugar la Copa México y el León y el Zacatepec protagonizaron una final en la que se tiraron 40 penaltis. Cruz Azul también se coronó en el torneo de la Concacaf. Enrique Borja repitió como líder goleador y el Atlas consiguió el regreso a Primera División. Al Necaxa le cambiaron nombre, apodo y colores, surgiendo los* Toros *del Atlético Español, con vestimenta albinegra. Catorce goles en un partido entre el León y el Torreón. Se incorporó al futbol mexicano Miguel Marín, un portero que haría época, y murió una figura legendaria de nuestro balompié, el célebre Luis* Pirata *Fuente.*

Maratón de penaltis

Mientras la Selección Nacional realizaba una gira por Europa y África, en México se volvió a jugar el torneo de Copa como aperitivo del campeonato de Liga. Del 8 de septiembre al 10 de octubre del 71 y con el sistema de nocaut a visita recíproca, los 18 equipos (incluido el Atlas) disputaron el certamen, a cuya final en el Azteca llegaron invictos el Zacatepec y el León. Empatados a cero tras 90 minutos más 30 extras, recurrieron a los penaltis. La incertidumbre sobre el ganador se prolongó casi una hora más mientras *Cañeros* y *Panzas Verdes* acertaban y fallaban en igual medida. De 20 penaltis el León erró la mitad mientras que el Zacatepec falló once, es decir, de 40 disparos sólo entraron 19. Hubo cinco jugadores que fallaron dos tiros cada uno y hasta los porteros, Ismael García, del León, y Moi Camacho, del Zacatepec, participaron. El *Torombolo* tiró uno y falló; Camacho lanzó dos, metió uno. Total, el León ganó 10-9 y se alzó con su cuarta Copa. Además, tuvo en sus filas al líder de goleo, el

argentino Juan José Valiente con cuatro tantos, y la *Tota* Carbajal se convirtió en el tercer ex portero que ganó la Copa México como director técnico.

Retiran al portero sindicalista

En este torneo se registraron las últimas actuaciones de dos porteros. Juan Antonio Muñoz se despidió el 3 de octubre en un empate 1-1 con tiempos extra entre Pachuca y Zacatepec. Tras jugar cuatro temporadas con el León y cuatro con el Pachuca, el *Tongolele* sumó 119 partidos, 156 goles y promedio de 1.31. Fue subcampeón copero con el equipo *esmeralda* en 65-66.

Antonio Mota, de larga y brillante carrera, alineó por última vez el 19 de septiembre al recibir el Necaxa al Cruz Azul. El *Piolín* presidía la Asociación Sindical de Futbolistas Profesionales que emplazó a una huelga para el 12 de octubre, situación intolerable para los directivos. Las presiones y amenazas de éstos hicieron que la Asociación se desistiera mientras la mayoría de los jugadores se desafiliaba. Los nombres de los principales sindicalistas como Mota y su compañero en el Necaxa, Carlos Albert, quedaron en la "lista negra" y el futbol activo terminó para ellos.

Toño Mota jugó seis años con el Oro y ocho con el Necaxa. Con el primero fue monarca de Liga y Campeón de Campeones; con el segundo ganó una Copa y también un título de campeones. Tuvo rachas de 52 juegos seguidos con el Oro y de 99 con el Necaxa. En total jugó 275 partidos, nunca fue expulsado, admitió 314 anotaciones para un muy buen promedio de 1.14 goles por juego.

León, campeón de campeones

El 24 de octubre, cuatro días antes de que comenzara la Liga, el León se coronó Campeón de Campeones al vencer por 1-0 al América, monarca del torneo 70-71. El portero García volvió a mantener intacto su arco mientras que el *Pajarito* Cortés fue batido por un disparo de Luis Estrada para el único gol del encuentro en el estadio Azteca.

Los nuevos equipos, el San Luis, campeón de la Segunda División, y el Atlético Español, antes Necaxa, debutaron el 31 de octubre con sendas derrotas ante el América y el Toluca, respectivamente. Con el equipo potosino alineó de portero David Hernández y con los *Toros* Héctor Molina, que había sido el suplente de Mota en el Necaxa. A David el América le metió seis goles y no volvió a jugar en el campeonato porque el San Luis trajo de Argentina al arquero Ciro Barbosa, mientras que en el Atlético Español, que firmó a Raúl Orvañanos, Molina continuó como segundo portero.

Por cierto, esta fue la última temporada de Orvañanos y la peor de su corta carrera ya que terminó como el guardameta más goleado del torneo con 51 goles. Actuó por última vez el 18 de junio del 72 cuando el Atlético Español sacó un empate 2-2 de San Luis Potosí. Tras jugar cuatro años con el Atlante, uno con el Zacatepec y éste con los *Toros* acumuló 114 partidos en los que recibió 173 goles (promedio: 1.52).

También se despidió Jesús García. El *Charro* militó un campeonato con el Celaya, dos con el Cruz Azul (fue su primer portero) y siete con el Veracruz. Encajó 207 goles en 161 juegos para promedio de 1.29 y en su último partido recibió los dos goles con los que el Torreón venció en casa al Veracruz el 26 de marzo del 72. Ni Orvañanos ni García salieron nunca de la cancha por expulsión.

Debuta Marín y Cruz Azul gana 10 seguidos

Entre los diez porteros que debutaron en esta temporada, tres de los cuales lo hicieron en la Copa, destaca el nombre de Miguel Marín, extraordinario arquero argentino de 26 años de edad, que llegó al Cruz Azul procedente del Vélez Sarsfield con el que salió campeón en 1968. El debut del *Gato* Marín se produjo el día de Navidad de 1971 en el estadio Jalisco. El Cruz Azul batió 2-0 al Guadalajara y una semana después, el primer día del año 72, fue la presentación de Marín en el Azteca. Allí recibió su primer gol en México, un penalti de Carlos Reinoso, pero el Cruz Azul se impuso al América por 2 a 1. Y el equipo *cementero* siguió ganando. Venció a continuación al Torreón, Puebla, Atlético Español, San Luis, Toluca, León y Atlante para totalizar 10 triunfos consecutivos ya que también había vencido a los *Pumas* en el partido anterior al del debut de Marín. En esta formidable racha, la más larga en la historia del futbol mexicano, el Cruz Azul

marcó 21 goles y sólo recibió cuatro. En la primera victoria cubrió el arco Enrique Meza; en las nueve siguientes el *Gato* Marín. La racha terminó el 26 de febrero al empatar los *cementeros* con el Jalisco. Por cierto que este equipo tapatío también tuvo una buena serie de seis victorias al hilo dentro de una larga racha de 17 partidos seguidos sin perder.

El otro guardameta argentino, Ciro Barbosa, proveniente del club Los Andes, debutó con el San Luis el 14 de noviembre, un juego que el cuadro potosino perdió en León por 1-3. Jorge Davino, paisano de Barbosa, le anotó el primer gol.

De los nuevos porteros mexicanos, el más destacado fue Rogelio Ruiz Vaquera, quien tras jugar los 6 partidos de la eliminatoria para la Olimpiada de Munich-72, debutó en Primera División a la edad de 21 años con el Laguna el 21 de noviembre en un triunfo de 2-0 sobre el Torreón.

Goleada histórica del León

Los 42 porteros que participaron en el campeonato recibieron 797 goles, noventa más que en el año anterior. Luego, en los once partidos de las dos liguillas cayeron 28 tantos más. Con 76 goles, la cifra más alta en 22 años, el León fue el campeón goleador. Los *Panzas Verdes* fueron protagonistas de un juego de 14 goles y de otro de 10. El 9 de abril del 72 el Jalisco le metió siete al *Torombolo* García en León (7-3) y el 18 de junio el equipo *esmeralda* recibió y vapuleó 11-3 al Torreón, marcador récord en la historia de ambos equipos. Raúl Navarro encajó la oncena de pepinos, seis de los cuales fueron marcados por el artillero argentino Roberto Salomone.

Anteriormente, el 7 de noviembre del 71, el también argentino del León, Rafael Albrecht, le había anotado cuatro goles (tres de penalti) a Orvañanos en el Azteca en una paliza de 5-0 de los guanajuatenses al Atlético Español.

Salomone y Albrecht con 17 y 16 goles, respectivamente, escoltaron a Enrique Borja quien por segundo año consecutivo se coronó rey del gol con 26 tantos, seis más que en 70-71. Dos extranjeros más, el brasileño *Batata*, del Veracruz, y el *che* Marcos Conigliaro, del Jalisco, completaron la lista de los cinco mayores goleadores con 16 y 15 anotaciones, respectivamente. El efímero portero del San Luis, David Hernández, y Mateo Bravo, del Pachuca, fueron los arqueros que recibieron más goles de Borja, con tres cada uno.

Y mientras el León quedó líder de goleo, el Atlético Español fue el equipo más goleado (72), el Atlante el menos vulnerado (28) y el Irapuato el menos ofensivo (26).

Calderón, Puente y Marín, los mejores arqueros

Los cambios de Orvañanos (del Zacatepec al Atlético Español), del *Gato* Vargas (del Atlas al Toluca), de Cirilo Saucedo (del Irapuato al Pachuca), de Antonio Valdivia (del Guadalajara al Jalisco) y del *Cacho* Alatorre (del Cruz Azul al Veracruz) fueron los movimientos que registró la nómina de los porteros.

El del América, el del Puebla y el del Zacatepec fueron los guardametas de "hierro". Prudencio Cortés, Nacho Sánchez Carbajal y Moisés Camacho jugaron todos los minutos de todos los partidos. El primero alineó además en los cuatro partidos que jugó el América en la liguilla y el segundo detuvo un par de penaltis por segundo año consecutivo.

Miguel Marín jugó 22 partidos y le metieron 22 goles. Su magnífico promedio de 1.00 solamente fue superado por el 0.61 de Nacho Calderón y el 0.64 de Rafael Puente. Tanto Marín como Calderón y Puente lograron sendas rachas de cuatro juegos seguidos sin admitir anotaciones.

De cinco en el campeonato anterior bajó a dos el número de porteros expulsados: Salvador Kuri, por tercera ocasión en su carrera, e Ignacio Martínez.

El Irapuato, un desastre

El América, que no había perdido ninguno de sus últimos 15 juegos del campeonato anterior, mantuvo su invencibilidad hasta la novena jornada para establecer el récord de 24 partidos invicto, marca que estuvo vigente más de 30 años hasta que el propio América la superó en 2005.

Otro súper récord impuesto en este torneo no ha sido jamás igualado, el del Irapuato de los 20 partidos conse-

cutivos sin ganar ninguno. Entre el 16 de diciembre del 71 y el 3 de mayo del 72 el equipo *fresero* no logró victoria alguna sino nueve empates y once reveses. Salvo el octavo juego, en el que alineó Vicente Alvirde, en los otros 19 fue Nacho Martínez quien custodió la meta del Irapuato. La pesadilla concluyó con un triunfo por 5-2 sobre el León en el Nou Camp. Además de ésta, el Irapuato sólo consiguió otra victoria en todo el campeonato, y con 20 derrotas y escasos 16 puntos fue sotanero indiscutible. El Atlético Español, que quedó en penúltimo lugar, sumó ocho puntos más que los *freseros*.

Goleada del Cruz Azul al América en la final

En la parte superior de la clasificación se ubicaron el Cruz Azul con 51 puntos, el América con 48, el Monterrey con 40, el Jalisco con 39 y las *Chivas* también con 39. El Jalisco no llegó a la liguilla por quedar tercero en el grupo que encabezaron Cruz Azul y América, de modo que los *Cementeros* se enfrentaron al Guadalajara y el Monterrey al América.

Cruz Azul perdió en casa (0-1) pero ganó de visita (2-0) y despachó a las *Chivas* mientras que el América y el Monterrey tuvieron que jugar un partido de desempate en León pues cada uno triunfó como local: el América por 1-0 y los *Rayados* por 2-1. El tercer juego lo ganó el América 3-1 y pasó a la final. Ésta se efectuó el 8 de julio del 72 en un abarrotado estadio Azteca que fue testigo de la espléndida y contundente victoria cruzazulina por cuatro goles a uno con tantos de Héctor Pulido, Cesáreo Victorino y un par de Octavio Muciño.

Se van el Irapuato y Alvirde

En la liguilla por el no descenso el Veracruz superó al Irapuato (3-1 y 0-0) y los *Toros* se salvaron derrotando 3-2 al Torreón en México tras empatar a uno en el estadio Moctezuma. El juego de vida o muerte entre el Irapuato y el Torreón se realizó el 15 de julio en Guadalajara. Con el arquero Vizcaíno atajándole un penalti a Ubiracy y con el argentino Aníbal Tarabini marcando el único tanto del juego, el equipo coahuilense mandó al Irapuato a la Segunda División. Este fue el último juego del portero Vicente Alvirde, quien en una temporada con Cruz Azul y cinco con Irapuato alineó 71 veces (cero expulsiones), recibió 106 goles y promedió 1.49 anotaciones por juego. También tuvo una participación con el Pachuca en la Copa México de 63-64.

Toño Carbajal y Pepe Moncebáez, los ex porteros entrenadores, dirigieron toda la temporada. La *Tota* colocó al León en el sexto sitio de la clasificación general y primero en goleo colectivo, en tanto que el Laguna, noveno equipo en la larga carrera de Moncebáez como director técnico, quedó en décimo lugar con nueve victorias, 15 empates y diez derrotas.

La copa Interamericana

Una semana después de la final por el título, el flamante campeón Cruz Azul comenzó la disputa por la Copa Interamericana con el Nacional de Uruguay, monarca de la Libertadores de América. El equipo *cementero* era el campeón de la Concacaf. En marzo se había efectuado este torneo en Guatemala y el Cruz Azul, con 3 victorias y 2 empates, había quedado en primer lugar junto con el Alajuelense de Costa Rica. El desempate se jugó en México el 19 de abril y los *cementeros* golearon 5-1 a los *ticos* y se coronaron.

En el juego de ida contra el Nacional en el Azteca, que finalizó empatado a un gol, el *Gato* Marín tuvo enfrente a *Manga*, el legendario ex portero del Santos de São Paulo. El partido de vuelta, en Montevideo, quedó programado para noviembre del 72.

Por cierto que el Santos continuaba siendo el "coco" de los equipos mexicanos. A mediados de este 1972 venció dos veces a los *Pumas* (2-0 y 5-1) y una al América (4-2), todos los juegos en Estados Unidos.

La selección fracasó en Europa pero ganó la Concacaf

Previo al inicio de la temporada 71-72 y teniendo como equipo base a la Selección de Alemania Oriental se jugaron dos torneos relámpago en la ciudad de México y uno en Guadalajara que fueron ganados por los *Pumas*, el Na-

cional uruguayo y el seleccionado alemán. En el torneo de Guadalajara participó la Selección Nacional, que fue vencida 0-1 por la escuadra germana. En este partido alineó como portero de México el tapatío Héctor Brambila.

En septiembre del 71 la Selección viajó a Europa y se dio tiempo para jugar también un partido en África. Los resultados fueron en su mayoría negativos: 0-5 con Alemania Occidental, 1-2 con Marruecos, 1-1 con la RDA, 0-4 frente a Yugoslavia, 0-2 ante Italia y, ¡por fin!, un triunfo de 1-0 a Grecia. En los primeros cuatro jugó Calderón y en los demás Puente.

En octubre derrotó 2-0 y 4-0 a Bermudas, partidos eliminatorios para el torneo Concacaf de países, el cual se efectuó en noviembre en Puerto España, capital de Trinidad y Tobago. Tras igualar a cero con Haití, México ligó cuatro triunfos sobre Trinidad y Tobago (2-0), Cuba (1-0), Costa Rica (1-0) y Honduras (2-1) y se proclamó campeón. El *Wama* Puente sólo permitió un gol en los seis partidos.

La Selección cerró su actividad en esta temporada con juegos de carácter amistoso contra Chile en Guadalajara en enero del 72 y contra Perú en México en abril, ganando ambos por 2-0 y 2-1. En uno actuó Puente y en el otro reapareció Calderón, quien con esta actuación llegó a 49 partidos con la Selección y superó la marca de 48 de Antonio Carbajal. Durante los cotejos contra las escuadras sudamericanas, tanto Puente como Calderón fueron cambiados por el *Pajarito* Cortés.

Nómina de porteros

América	Prudencio Cortés
Atlante	Rafael Puente y Armando Franco
Atlético Español	Raúl Orvañanos y Héctor Molina
Cruz Azul	Miguel Marín, Enrique Meza y Pedro Cortés
Guadalajara	Ignacio Calderón, Gilberto Rodríguez y Carlos Enrique Vázquez del Mercado
Irapuato	Ignacio Martínez y Vicente Alvirde
Jalisco	Jesús Mendoza, Antonio Valdivia y Rubén Vázquez
Laguna	Salvador Kuri, Blas Sánchez y Rogelio Ruiz Vaquera
León	Ismael García, Miguel Miranda y Jorge Jaramillo
Monterrey	Javier Quintero y Jorge Romero
Pachuca	Mateo Bravo y Cirilo Saucedo
Puebla	Ignacio Sánchez Carbajal
San luis	Ciro Barbosa, David Hernández y Domingo Ramírez
Toluca	Javier Vargas, Roberto Silva y Ángel López
Torreón	René Vizcaíno y Raúl Navarro
UNAM	Francisco Castrejón y Sergio Díaz
Veracruz	Jesús García, Roberto Alatorre, Vicente Cruz y Efrén González
Zacatepec	Moisés Camacho

Más juegos (J)

Prudencio Cortés (América)	34
Ignacio Sánchez Carbajal (Puebla)	34
Moisés Camacho (Zacatepec)	34
Mateo Bravo (Pachuca)	32
Ciro Barbosa (San Luis)	32
Rafael Puente (Atlante)	31
Javier Quintero (Monterrey)	31
Francisco Castrejón (UNAM)	31

Más juegos completos

Prudencio Cortés (América)	34
Ignacio Sánchez Carbajal (Puebla)	34
Moisés Camacho (Zacatepec)	34
Mateo Bravo (Pachuca)	32
Ciro Barbosa (San Luis)	32
Rafael Puente (Atlante)	31
Javier Quintero (Monterrey)	31
Francisco Castrejón (UNAM)	31

Más goles (g)

Raúl Orvañanos (Atlético Español)	51
Mateo Bravo (Pachuca)	43
Ignacio Martínez (Irapuato)	42
Ignacio Sánchez Carbajal (Puebla)	42
Ciro Barbosa (San Luis)	39
Moisés Camacho (Zacatepec)	36

Más bajo g/j (mínimo 18 juegos)

Ignacio Calderón (Guadalajara)	0.61
Rafael Puente (Atlante)	0.64
Miguel Marín (Cruz Azul)	1.00
Salvador Kuri (Laguna)	1.05
Javier Quintero (Monterrey)	1.06
Francisco Castrejón (UNAM)	1.06
Moisés Camacho (Zacatepec)	1.06

Penaltis detenidos

Ignacio Sánchez Carbajal (Puebla)	2
Raúl Orvañanos (Atlético Español)	1
Héctor Molina (Atlético Español)	1
Enrique Meza (Cruz Azul)	1
Ignacio Calderón (Guadalajara)	1
Carlos E. Vázquez del Mercado (Guadalajara)	1
Jesús Mendoza (Jalisco)	1
Javier Quintero (Monterrey)	1
Ciro Barbosa (San Luis)	1
René Vizcaíno (Torreón)	1

Expulsados

Ignacio Martínez (Irapuato)
Salvador Kuri (Laguna)

Más goles en un juego

Raúl Navarro (Torreón)	11
Ismael García (León)	7
Mateo Bravo (Pachuca)	6
David Hernández (San Luis)	6
Raúl Orvañanos (Atlético Español)	5
Héctor Molina (Atlético Español)	5
Miguel Marín (Cruz Azul)	5
Miguel Miranda (León)	5
Javier Quintero (Monterrey)	5
Roberto Silva (Toluca)	5
Vicente Cruz (Veracruz)	5

LIGUILLAS

Más juegos	Prudencio Cortés (América)	4
Más juegos completos	Prudencio Cortés (América)	4
Más goles	Prudencio Cortés (América)	7
Más bajo G/J	Miguel Marín (Cruz Azul)	0.67
Más goles en un juego	Prudencio Cortés (América)	4
Penaltis detenidos	Ninguno	
Expulsados	Ninguno	

72-73
Una final de 300 minutos

Una temporada en la que varios juegos decisivos en la Liga, en la Copa e incluso el partido de campeones requirieron de tiempos extra y en algunos casos de la ejecución de penaltis. Repitieron el Cruz Azul como súper líder y como campeón, el León como monarca de Copa y ganador del juego de Campeón de Campeones y Enrique Borja como máximo goleador. Sin embargo, el Cruz Azul no pudo ganar la Copa Interamericana ni el Toluca el torneo de la Concacaf. Descendió el Pachuca y ascendió por segunda vez el Ciudad Madero. Reapareció en Primera División Héctor Brambila y fue el portero más eficiente. La Selección comenzó la eliminatoria mundialista con cuatro victorias.

Luz y sombra en el fut olímpico

En agosto-septiembre de 1972 se jugó la Copa México, de nuevo antes que la Liga, mientras en el torneo de futbol de la Olimpiada de Munich la juvenil escuadra mexicana, comandada por Diego Mercado, pasaba a la ronda final merced a sendos triunfos por 1-0 sobre Sudán y Birmania a cambio de una derrota por 1-4 ante la URSS. En la segunda fase logró un meritorio empate a un gol con la República Federal Alemana pero luego fue estrepitosamente vapuleada por la otra Alemania, la Democrática, que le metió siete goles. México se despidió del torneo con otra derrota (0-2) ante Hungría. Horacio Sánchez fue el portero en todos los partidos menos contra los soviéticos, juego en el que Rogelio Ruiz Vaquera estuvo en el arco.

Y la Selección grande se preparaba para la eliminatoria de Alemania-74 con partidos en San José, Lima y Santiago con saldo de un revés frente a Costa Rica por 0-1, otro ante Perú por 2-3 y una victoria de 2-0 sobre Chile. En los juegos con *ticos* e incas actuó Rafael Puente y ante los andinos Nacho Calderón.

Canadá y Estados Unidos, los primeros rivales de México en la eliminatoria mundialista, sucumbieron por partida doble. Los canadienses cayeron 0-1 en Toronto y 1-2 en el Distrito Federal y los *gringos* por 1-3 en el Azteca y 1-2 en Los Ángeles. Puente jugó este último partido y Calderón los otros tres.

La Selección cerraría el año 72 e iniciaría el 73 con juegos amistosos en México contra

Costa Rica y Argentina, en los que prolongó su racha triunfal: 3-1 a los *ticos* y 2-0 a los *ches*. En el primer cotejo Calderón sufrió rotura de ligamento de la rodilla derecha. El *Wama* se hizo cargo del arco y recibió el único gol de Costa Rica, mientras que Héctor Brambila les bajó la cortina a los argentinos.

Dos títulos para el León

Así es que del 5 de agosto al 13 de septiembre se efectuó la Copa México, torneo en el que tuvo su despedida de la Primera División el descendido equipo de Irapuato. Se formaron tres grupos de seis equipos cada uno y la novedad fue que los empates quedaron prohibidos. Cuando hubo este resultado se jugaron tiempos extra, y si persistía la igualada se tiraban penaltis. El líder de cada grupo pasó a la ronda final donde jugaron todos contra todos a una vuelta. Primero el León batió 2-0 al Puebla en el Nou Camp, luego el Zacatepec recibió y venció por uno a cero al León, y en el último juego, en el Cuauhtémoc, el Puebla derrotó 6-5 en penaltis al Zacatepec tras empatar 1-1 en tiempos extra. Por mejor diferencia de goles el León se quedó con la Copa. Miguel Miranda (León), el novato Emigdio Lavalle (Puebla) y Moi Camacho (Zacatepec) fueron los porteros que jugaron la ronda final y Rafael Borja, del Puebla, figuró como líder de goleo con cinco tantos. En este torneo se registró el raro caso de un jugador que anota dos autogoles en un partido. Fue Pedro Salinas, defensa del Laguna, quien batió dos veces a su portero Salvador Kuri. El equipo beneficiado fue el León.

El 17 de septiembre el flamante monarca de Copa conquistó por segundo año consecutivo el título de Campeón de Campeones en una larga batalla con el Cruz Azul con tiempos extra y cinco penaltis por equipo. Ni el *Ojitos* Meza ni *Darío* Miranda permitieron goles en 120 minutos, luego Meza le detuvo un penalti a Carlos Gómez pero Miranda logró atajar los que tiraron Héctor Pulido y Alberto Quintano. Así, el León ganó 3-2.

Gran campaña del Atlas

La Liga arrancó el 28 de septiembre. A los dos grupos de nueve equipos cada uno se les pusieron los nombres de legendarias figuras del balompié mexicano como Luis *Pirata* Fuente y Juan Carreño.

La producción de goles continuó en ascenso llegando a 809, la cifra más alta en 24 años, y en las dos liguillas se registraron 29 tantos más.

Los equipos dominantes del campeonato fueron el Cruz Azul, el León, el Atlas y el América. Grata sorpresa la que dio el Atlas que en su temporada de regreso a Primera División quedó segundo en su grupo (por diferencia de goles), tercero general a sólo dos puntos del súper líder Cruz Azul y campeón de goleo con 63 anotaciones. Los *Cementeros* y los *Panzas Verdes* encabezaron los grupos con 46 y 44 puntos, respectivamente, mientras que el América, que únicamente perdió cinco juegos, no entró a la liguilla pese a sus 42 unidades, porque quedó abajo del León y el Atlas en el grupo "Juan Carreño".

La parte baja de la tabla también estuvo muy disputada. Finalmente el Pachuca, el Laguna, el Torreón y el Zacatepec con 24, 26, 27 y 28 puntos, respectivamente, pasaron a la batalla por la permanencia en el máximo circuito. Los *Tuzos*, a la postre el conjunto que descendió, fueron el equipo más goleado (68), en tanto que los *Pumas* presumieron la mejor defensa al recibir solamente 32 tantos y los *Rayados* del Monterrey figuraron como los menos ofensivos con 31 goles.

Un portero de 16 años

De los 41 porteros que tuvieron acción, solamente cuatro lo hicieron por primera vez, entre los que sobresalen: Raúl Morales, quien de hecho debutó en la Copa el 6 de agosto en Zacatepec con los *Cañeros* ante el Toluca y recibió de Albino Morales su primer gol; el jovencísimo Julio Aguilar, quien con sólo 16 años de edad se hizo cargo de la meta del Atlético Español el 12 de octubre en el Azteca enfrentando y venciendo 2-1 al Zacatepec (de Rubén Anguiano fue el tanto del conjunto morelense); y el paraguayo Apolinor Jiménez, importado por el Cruz Azul, que debutó en México el 25 de noviembre atajando un penalti y manteniéndose imbatido ante el Atlas, al que Cruz Azul superó por 2-0. No fue sino hasta el domingo siguiente en Puebla cuando le anotaron por primera vez a Apolinor mediante un penalti que tiró Alfonso Sabater.

En sus primeras actuaciones en nuestro país el portero paraguayo causó buena impresión, al grado que un conspicuo cronista y comentarista se apresuró a decir que "con esa sola intervención, Apolinor Jiménez le dio el pasaje de regreso a Argentina a Miguel Marín". En poco tiempo se daría cuenta, cabe suponer, de lo equivocado que estaba.

Brambila y Miranda, los mejores

Javier *Gato* Vargas que jugó con el Toluca la temporada que el Atlas pasó en Segunda División, regresó al club rojinegro pero sólo para seguir de suplente de Héctor Brambila, porque éste tuvo un estupendo desempeño, como lo indica su promedio de 0.92 goles recibidos por partido, el más bajo de la Liga, además de atajar dos penaltis. El Toluca, por su parte, contrató a Salvador Kuri, del Laguna. Este equipo y el de la UNAM intercambiaron a sus arqueros Blas Sánchez y Paco Castrejón. Blas se combinó con Sergio Díaz para situar a los *Pumas* como el club menos goleado del torneo.

Carlos Enrique Vázquez del Mercado pasó de las *Chivas* al Atlético Español para cubrir el hueco dejado por Raúl Orvañanos, pero alternándose con Julito Aguilar. Y reaparecieron en Primera División José Ledesma, ex del Nuevo León, con el Monterrey y Hugo Pineda, ex de los *Rayados*, con el Puebla.

Como arqueros más eficientes figuraron, después de Brambila, Miguel Miranda (León) con 0.97, Kuri con 1.00, el *Pajarito* Cortés (América) con 1.03 y Blas Sánchez con 1.04. En contraparte, Moisés Camacho, del Zacatepec, Ciro Barbosa, del San Luis y el *Torombolo* García, del Veracruz fueron los porteros más goleados con 50, 46 y 44 tantos, respectivamente.

Camacho fue el único guardameta que jugó los 34 partidos pero no todos los minutos, de modo que por tercera vez en la historia ningún portero actuó la temporada completa.

El arquero del León llamó la atención no sólo por su efectividad sino por desechar el tradicional suéter oscuro que portaban los porteros. El 12 de abril del 73 el León visitó al Atlético Español en el estadio Azteca con *Darío* Miranda enfundado en un suéter a rayas horizontales negras y rosas. Sus medias y short también eran de color rosa.

Borja es tricampeón

Aunque abundaron los goles en el campeonato, ningún jugador logró anotar más de tres en un partido. El Guadalajara, el León y el Veracruz consiguieron las mayores goleadas, todas de seis anotaciones. Mateo Bravo (Pachuca) recibió la de las *Chivas*, Ismael García (Veracruz) la del León y Ciro Barbosa (San Luis) la de los *Tiburones*.

Por tercer año consecutivo Enrique Borja fue el rey del gol. El artillero del América anotó once tantos en las últimas seis jornadas del torneo para superar apenas por un gol a Ricardo Chavarín, del Atlas. Borja acumuló 24 y Chavarín 23, luego figuraron Horacio López Salgado, del Cruz Azul, con 18 y Cirilo Peralta, del Zacatepec, con 14. El brasileño Amaury da Silva, del Atlas, también con 14 pepinos, fue el extranjero más anotador. La tercera parte de los goles de Borja fue a la cuenta de dos porteros, el del Veracruz (Ismael García) que recibió cinco y el del Atlante (Rafael Puente) que encajó tres.

Un no portero detiene un penalti

En algún momento del campeonato lucieron mucho porteros como René Vizcaíno y Salvador Kuri que lograron sendas rachas de cuatro partidos seguidos sin recibir gol. Todavía mejor estuvo Sergio Díaz al mantenerse imbatido durante cinco juegos consecutivos, siendo éste un récord vigente de los *Pumas*. Lo curioso es que inmediatamente antes de ligar esos cinco partidos con meta invicta y además ganando todos, el equipo universitario había sufrido seis derrotas al hilo, racha que también es récord del club.

En el tercer juego de los cinco sin gol en contra, que fue contra el Atlante el 25 de marzo del 73, los *Pumas* ganaban 2-0 cuando fue expulsado el *Wama* Puente. Éste le pasó el suéter a Marcos Rivas, un plurifuncional jugador de campo, quien no sólo no permitió más anotaciones sino que, en un hecho insólito en el futbol mexicano, le detuvo un penalti a Leo Cuéllar. Esta fue la segunda expulsión de Puente en el campeonato. Cuatro meses antes lo habían echado tras la gran bronca que protagonizaron elementos del Atlante y del Torreón en el Azteca. Como el *Wama* profirió amenazas contra el árbitro, le aplicaron seis partidos de suspensión.

Otros porteros que vieron tarjeta roja fueron Kuri y el *Gato* Marín, la de éste fue la primera de ocho que acumularía en su carrera en México.

Carbajal sale del León y Ormeño llega al Guadalajara

Luego de seis años de dirigir al Toluca, Nacho Trelles emigró a Puebla y Pepe Moncebáez se hizo cargo del equipo rojo. Buen trabajo hizo *Monche* (13 triunfos, 13 empates, ocho derrotas) al ubicar al Toluca en el quinto lugar de la clasificación general, aunque sin boleto para la liguilla. Tampoco pudo ganar la Copa de la Concacaf pues tras eliminar al Vida, de Honduras, el Toluca perdió la final con otro equipo hondureño, el Olimpia. Los dos partidos se efectuaron en Tegucigalpa, en el primero venció el Olimpia por 1-0 y en el segundo hubo empate a uno. Roberto Silva custodió la meta toluqueña en el primer juego y Salvador Kuri en el segundo.

La segunda etapa de Antonio Carbajal como director técnico del León llegó a su fin en la duodécima fecha, pues en la número 13 fue sustituido por Rafael Albrecht. Se fue la *Tota* con 50 victorias, 35 empates y 35 reveses, además de haber ganado dos veces la Copa México y dos veces el título de Campeón de Campeones.

Otro ex portero que tuvo trabajo como entrenador fue Walter Ormeño, quien tomó al Guadalajara en la jornada 14 cuando las *Chivas* solamente habían ganado dos juegos. Aquí concluyó el ciclo, sin duda brillante, de Javier de la Torre como técnico del "rebaño sagrado". Cinco campeonatos de Liga y dos de Copa fueron sus mayores logros.

Ormeño levantó a las *Chivas*, al grado de que sólo perdieron cinco de los 21 juegos restantes. Pero, terminado el campeonato, el Guadalajara jugó dos amistosos en Estados Unidos contra el Santos de Pelé, en los que se mantuvo la hegemonía del cuadro paulista sobre los clubes mexicanos. *Chivas* cayó 1-2 en Los Ángeles y 0-1 en Oakland.

Fiebre de empates y se corona el Cruz Azul

El 25 de febrero del 73 el árbitro peruano-japonés Arturo Yamasaki suspendió al minuto 82 el partido del Puebla y el América en el estadio Cuauhtémoc por obstrucción de Martín Ibarreche y del entrenador Trelles. La Federación ordenó anular el marcador (ganaba el Puebla 3 a 2) y repetir el juego el 4 de abril. Y ocurrió que aunque el *Pajarito* Cortés le atajó un penalti a Alfonso Sabater, el equipo de la Franja se impuso con idéntico marcador de 3-2.

La gran temporada del Atlas se echó a perder en el segundo juego de la liguilla contra el Cruz Azul al aflorar la indisciplina en el equipo. Cruz Azul triunfó en el primer partido en el estadio Jalisco por 3-2 y se puso arriba 1-0 en el segundo en el Azteca con un gol en aparente fuera de lugar. Las protestas de los rojinegros llevaron al árbitro Marco Antonio Dorantes a suspender el encuentro al minuto 37 luego de expulsar a cinco tapatíos.

En la otra semifinal el Atlético Español y el León empataron a cero en México, a tres en León y a uno en cancha neutral (Puebla). En el tiempo extra, para no variar también empataron (0-0), pero en los penaltis se impuso el León por 5-4.

En la final, entre Cruz Azul y León, siguieron los empates (1-1 en el Nou Camp el 12 de junio y 0-0 en el Azteca el 17) y también se hizo necesario el tercer juego en campo neutral, nuevamente el estadio Cuauhtémoc de la Angelópolis. El conjunto leonés llegó a este partido con una racha de 15 juegos seguidos invicto, pero sin su portero Miranda, quien salió lesionado en el segundo empate con el Cruz Azul.

El juego decisivo en Puebla se efectuó el 19 de junio en la noche. Jorge Jaramillo, que solamente había participado en cuatro juegos en el campeonato, fue el arquero del León. Por el Cruz Azul, Miguel Marín, que jugó toda la liguilla. La fiebre de los empates continuó: 1-1, pero en los tiempos extra un autogol de Jorge Davino al desviar un disparo de Juan Manuel Alejándrez hizo campeón al Cruz Azul. Segundo título consecutivo y cuarto en total del equipo *cementero*.

No fue, sin embargo, un año redondo del Cruz Azul porque no pudo conquistar la Copa Interamericana. La segunda y decisiva batalla con el Nacional de Uruguay se jugó el 7 de noviembre del 72 en Montevideo, imponiéndose el equipo *charrúa* por 2-1. Nuevamente los porteros fueron Marín y Manga.

Adiós al Pachuca

En la otra liguilla, la del no descenso, el Laguna derrotó en casa al Zacatepec 1-0, perdió en el Ingenio por el mismo marcador y ganó 3-0 el desempate en Guadalajara. Por su parte, el Torreón ganó en Pachuca 3-1 luego de que en su terreno sólo había empatado a cero. Así que el Pachuca y el Zacatepec se jugaron la permanencia en Primera División en el estadio Azteca. Otra dura batalla de 180 minutos en los que sólo se anotó un gol. Fue del *Diablo* Peralta y mandó al Pachuca al descenso.

Mateo Bravo figuró como el último portero del equipo *tuzo*, mientras que *Moi* Camacho llegó a 39 partidos en la temporada, ya que jugó toda la liguilla.

En los seis años que duró la estancia del Pachuca en el máximo circuito jugó Artemio Martínez, portero que en este torneo tuvo también su despedida. Alineó por última vez en Primera División el 25 de marzo del 73. Los *Tuzos* cayeron en Zacatepec por 2-4. En seis temporadas Artemio jugó 66 partidos, le metieron 102 goles y su promedio fue 1.55.

Nómina de porteros

América	Prudencio Cortés y Amado Palacios
Atlante	Rafael Puente y Armando Franco
Atlas	Héctor Brambila y Javier Vargas
Atlético Español	Carlos Enrique Vázquez del Mercado y Julio Aguilar
Cruz Azul	Miguel Marín, Enrique Meza y Apolinor Jiménez
Guadalajara	Gilberto Rodríguez, Ignacio Calderón y Rubén Vázquez
Jalisco	Antonio Valdivia y Jesús Mendoza
Laguna	Francisco Castrejón y Rogelio Ruiz Vaquera
León	Miguel Miranda, Jorge Jaramillo y Roberto Alatorre
Monterrey	Javier Quintero y José Ledesma
Pachuca	Mateo Bravo, Artemio Martínez y Agustín Prado Ávila
Puebla	Hugo Pineda, Ignacio Sánchez Carbajal y Emigdio Lavalle
San Luis	Ciro Barbosa y David Hernández
Toluca	Salvador Kuri y Roberto Silva
Torreón	René Vizcaíno y Raúl Navarro
UNAM	Blas Sánchez y Sergio Díaz
Veracruz	Ismael García y Efrén González
Zacatepec	Moisés Camacho y Raúl Morales

Más juegos (J)

Moisés Camacho (Zacatepec)	34
Prudencio Cortés (América)	32
Francisco Castrejón (Laguna)	32
Miguel Miranda (León)	30
Ismael García (Veracruz)	30
Ciro Barbosa (San Luis)	29
Gilberto Rodríguez (Guadalajara)	29

Más juegos completos

Moisés Camacho (Zacatepec)	33
Francisco Castrejón (Laguna)	32
Prudencio Cortés (América)	31
Miguel Miranda (León)	29
Ciro Barbosa (San Luis)	29
Gilberto Rodríguez (Guadalajara)	27

Más goles (G)

Moisés Camacho (Zacatepec)	50
Ciro Barbosa (San Luis)	46
Ismael García (Veracruz)	44
Francisco Castrejón (Laguna)	42
Mateo Bravo (Pachuca)	40

Más bajo G/J (mínimo 18 juegos)

Héctor Brambila (Atlas)	0.92
Miguel Miranda (León)	0.97
Salvador Kuri (Toluca)	1.00
Prudencio Cortés (América)	1.03
Blas Sánchez (UNAM)	1.04

Más goles en un juego

Mateo Bravo (Pachuca)	6
Ciro Barbosa (San Luis)	6
Ismael García (Veracruz)	6
Mateo Bravo (Pachuca)	5
David Hernández (San Luis)	5
Ismael García (Veracruz)	5
Moisés Camacho (Zacatepec)	5

Penaltis detenidos

Héctor Brambila (Atlas)	2
Prudencio Cortés (América)	1
Rafael Puente (Atlante)	1
Marcos Rivas (Atlante)	1
Julio Aguilar (Atlético Español)	1
Apolinor Jiménez (Cruz Azul)	1
Francisco Castrejón (Laguna)	1
Hugo Pineda (Puebla)	1
David Hernández (San Luis)	1

Expulsados

Rafael Puente (Atlante) (2 veces)
Miguel Marín (Cruz Azul)
Salvador Kuri (Toluca)

LIGUILLAS

Más juegos	Miguel Marín (Cruz Azul) y Miguel Miranda (León)	5
Más juegos completos	Miguel Marín (Cruz Azul)	5
Más goles	Miguel Miranda (León)	5
Más bajo G/J	Miguel Marín (Cruz Azul)	0.80
Más goles en un juego	Javier Vargas (Atlas), Carlos E. Vázquez del Mercado (Atlético Español) y Miguel Miranda (León)	3
Penaltis detenidos	Ninguno	
Expulsados	Ninguno	

73-74
Cruz Azul, tricampeón y México, eliminado del Mundial

Continuó la hegemonía del Cruz Azul. Por tercer año consecutivo fue súper líder y campeón. Se mantuvo invicto durante 19 juegos seguidos, fue finalista de Copa y conquistó también el título de Campeón de Campeones. El portero más eficiente fue el del Cruz Azul, Miguel Marín, el único que promedió menos de un gol por partido. Tras participar desde 1950 hasta 1970 en seis mundiales consecutivos, México quedó eliminado de Alemania-74 al perder el torneo de Concacaf realizado en Haití. Sin sufrir ninguna derrota el América ganó la Copa México y un delantero de este equipo, el chileno Oswaldo Castro, fue doble monarca de goleo: en la Liga con 26 y en la Copa con 10. Descendió el San Luis y subió el Universitario de Nuevo León. El subcampeón de la Segunda División, la Universidad de Guadalajara, adquirió la franquicia del Torreón, al tiempo que se decidió la expansión del Máximo Circuito a 20 equipos invitando para ello al Unión de Curtidores y a la Universidad de San Luis Potosí. Este último equipo cambió su nombre por el de Atlético Potosino.

Muchos goles y muchos porteros

El campeonato de Liga comenzó el 14 de julio de 1973, tuvo un receso en noviembre y tres semanas decembrinas, lapso en el que se realizó el torneo de Copa y la Selección Nacional se preparó, participó y no ganó la eliminatoria de Concacaf para el Mundial. A fin de año y con el amargo sabor de la eliminación del futbol mexicano se reanudó la Liga, cuya culminación ocurrió el 19 de mayo.

El torneo fue pródigo en goles: 913, la cifra más alta en 26 años, a la que se suman las 28 anotaciones registradas en los ocho juegos de las dos liguillas. También fue muy grande la nómina de porteros ya que los 18 equipos utilizaron a 46 guardametas. Tan sólo dos equipos, el Jalisco y el Toluca, alinearon a cuatro cada uno. Y por segundo año seguido ningún arquero completó la temporada.

De los ocho porteros que debutaron, uno de ellos en la Copa México, sobresalen los nombres de Rubén Chávez, apodado *Gato* (tercer guardameta con este apodo; los otros: Marín

y Vargas), y Horacio Sánchez. El primero se presentó el 30 de septiembre en Torreón sustituyendo a Ruiz Vaquera en el marco del Laguna en juego contra el América. Recibió su primer gol tres días después de parte de Elías Aguilar, del Ciudad Madero. Horacio, olímpico en Munich-72, debutó el 3 de febrero del 74 con los *Pumas*. Éstos vencieron al Veracruz en el puerto jarocho por 1-0, de modo que la primera anotación para el nuevo portero se registró dos semanas más tarde y fue de la autoría de Jorge Davino, del León.

Hugo Pini y Juan Carlos Hurts, ambos argentinos, engrosaron la lista de arqueros extranjeros. A Pini, guardameta del Banfield los últimos tres años, lo trajo el Toluca, con el que debutó el 13 de enero en la *Bombonera* en un 3-3 contra Cruz Azul. Entró por Roberto Silva y aceptó el tercer tanto del cuadro *cementero*. Hurts alineó con el Veracruz el 24 de febrero visitando al Laguna. Recibió un gol, se lesionó a los 25 minutos al chocar con su compañero Ary da Silva y salió del partido. Lo sustituyó el *Torombolo* García. Hurts no volvió a jugar. Fue pues debut y despedida. Tampoco hizo huesos viejos Hugo Pini. Participó en 14 partidos y se regresó a su país, no sin antes recibir siete goles del León el 3 de febrero en el Nou Camp, la mayor goleada del Toluca en toda su historia.

El adiós de un grande: Roberto Alatorre

73-74 fue la última temporada para cinco porteros. Por orden de desaparición: Blas Sánchez, Cirilo Saucedo, Ignacio Martínez, Raúl Navarro y Roberto Alatorre. Tres de ellos —Blas, Cirilo y Roberto— nunca fueron expulsados. Aunque Blas Sánchez jugó con el Aztecas de Los Ángeles a mediados del año 74, su última actuación en el futbol mexicano la tuvo el 4 de noviembre del 73 en un juego de Copa que *Pumas* le ganó al Atlante 2-0. Jugó siete temporadas con el Irapuato, cuatro con el Laguna y una con *Pumas*; 220 partidos, 281 goles y buen promedio de 1.28. En el Laguna y en el Irapuato es el portero con más juegos y más juegos completos, y en el caso del equipo *fresero* es también el arquero más goleado.

Saucedo alineó por última vez el 27 de enero del 74. El Veracruz visitó al Atlante y lo derrotó 4 a 2. Fueron los *Tiburones* el quinto equipo en la corta carrera de Cirilo. Antes militó dos años con el Morelia, también dos con el Monterrey, uno con Irapuato y uno con Pachuca. Solamente 73 juegos, en los que recibió 114 tantos, con promedio de 1.56.

Tras jugar tres temporadas con *Pumas*, una con Necaxa, una con Morelia, cuatro con Irapuato y ésta con el Ciudad Madero, Nacho Martínez se despidió el 2 de marzo del 74 llevándose tres pepinos del Monterrey en la Sultana del Norte. Acumuló 221 goles en 147 partidos, de modo que su promedio quedó en 1.50. Jugó en dos equipos —Morelia e Irapuato— que descendieron a Segunda.

También fue corta la carrera de Raúl Navarro. Solamente cinco años con el Torreón, en los que jugó 69 veces, permitió 106 goles (promedio: 1.54) y tuvo su última actuación el 7 de abril cuando el Torreón cayó ante su coterráneo Laguna por 0-2.

El más destacado fue Roberto Alatorre. El *Cacho* ganó dos títulos de Liga, uno de Copa, un Campeonísimo y dos de Concacaf, todos con el Cruz Azul, y también fue subcampeón de Liga con los *Cementeros* y con el León. Su promedio de 1.05 goles por juego es uno de los más bajos de la historia. Jugó dos temporadas con el Nacional, una con el Nuevo León, cinco con Cruz Azul, una con Veracruz, una con el León y esta última con el Jalisco. En total 192 partidos y 202 goles. Tres años seguidos fue el mejor arquero del campeonato mexicano. Tuvo su última actuación el 13 de abril del 74 y se despidió con un triunfo: Jalisco 2 Veracruz 1.

Las goleadas

Tras una ausencia de seis años regresó a Primera División el Ciudad Madero. Entre sus refuerzos figuró Rubén Vázquez, ex portero del Jalisco desde que este equipo se llamaba Oro. Otros arqueros que también cambiaron de equipo (además de los casos de Cirilo Saucedo, Ignacio Martínez y Roberto Alatorre, ya citados) fueron Hugo Pineda (del Puebla al León), Paco Castrejón (del Laguna al Puebla), el *Gato* Vargas (del Atlas al San Luis) y Jorge Romero (del Monterrey al León).

Así como a Hugo Pini el León le metió siete goles en un juego, también a Rubén Vázquez y a Moisés Camacho les hicieron la misma "travesura" el Atlético Es-

pañol y el Monterrey, respectivamente. Los siete tantos del Monterrey al Zacatepec en el estadio Agustín *Coruco* Díaz representan la mayor goliza sufrida por el equipo *cañero* en toda su historia y la única vez en su larga carrera que Camacho recibió más de cinco goles en un juego. Por cierto, una semana después, el 21 de octubre del 73, llegó a su fin la larga racha de juegos consecutivos que traía este portero desde mayo de 1971. Quedó en 99, de los cuales Moisés jugó completos 98.

En la goleada de los *Toros* a Rubén Vázquez y el Ciudad Madero (7-0) el 14 de marzo del 74, el cañonero uruguayo Ricardo Brandón marcó cinco goles. Antes, el argentino Jorge Davino (León) le había clavado cuatro a Castrejón (Puebla) y el brasileño Milton Carlos (Monterrey) la misma dosis a Ruiz Vaquera (Laguna).

En otro juego el arquero Vázquez encajó seis goles del Zacatepec y al final de la temporada figuró como el portero más goleado con 59 tantos, seguido por Héctor Brambila, del Atlas, con 46 y René Vizcaíno, del Torreón, con 45.

Los mejores arqueros

A la cabeza de la lista de los guardametas más eficientes quedó Miguel Marín con 0.95 goles por juego y muy cerca Nacho Calderón con 1.00, Pepe Ledesma con 1.10, Castrejón con 1.12 y el *Onassis* Díaz con 1.14. Mención aparte merece el novel Rubén Chávez que tuvo 1.06 pero con un juego menos del mínimo requerido, y que además protagonizó la racha más larga de partidos con meta invicta. Fueron cuatro, y todos los ganó el Laguna.

El 8 de septiembre del 73 el Monterrey batió 4-3 al Puebla, cuyo portero Castrejón fue víctima de sendos autogoles de Dagoberto Fontes y Luis Enrique Fernández. Lo mismo le pasó a Jesús Mendoza, del Jalisco, el 17 de enero. Dos de los tres tantos con los que el Atlético Español venció a los *Gallos* por 3-0 fueron anotaciones en propia meta de Alfredo Mendoza y Paco Barba.

Por lo que respecta a expulsiones, el *Coco* Rodríguez sufrió la segunda de su carrera y Rafael Puente vio su sexta tarjeta roja en cinco años.

Oswaldo Castro, doble campeón goleador

El 31 de octubre se interrumpió el campeonato para dar paso al torneo de Copa. Se formaron tres grupos de seis equipos cada uno. Sólo se jugó una vuelta y pasaron a semifinales los tres líderes y el mejor segundo lugar, que fueron Zacatepec, América, Laguna y Cruz Azul.

El América (invicto) y el Cruz Azul disputaron la final en dos partidos el 13 y el 16 de diciembre. En el primero empataron a uno y en el segundo se impuso el América 2-1 con goles de Roberto Hodge y Oswaldo Castro y conquistó por quinta vez la Copa México. En ambos juegos el *Pajarito* Cortés y el *Gato* Marín custodiaron los arcos y el *Pata Bendita* Castro se proclamó líder de goleo con 10 anotaciones. La revancha para el Cruz Azul vendría cinco meses después en el partido de "Campeón de Campeones".

Oswaldo Castro redondeó su gran temporada con el título de goleo de la Liga. Cerró el campeonato con una cadena de ocho partidos seguidos anotando, en los que se apuntó 14 goles para totalizar 26 y superar al cruzazulino Horacio López Salgado y al *rayado* Milton Carlos que lograron 22 cada uno. Abajo de ellos quedaron el argentino Roberto Salomone, del León, con 18, el brasileño Alcindo Marta da Freitas, del Jalisco, también con 18, y el *Astroboy* Ricardo Chavarín, del Atlas, con 17.

Cuatro porteros recibieron en conjunto casi la mitad de los goles del *Pata Bendita*: Brambila (Atlas), Vázquez del Mercado (Atlético Español), García (Veracruz) y Pineda (León). Cada uno admitió tres pepinos del artillero chileno.

Se corona Cruz Azul y se va el San Luis

El campeonato estuvo plagado de incidentes que provocaron que en algún momento fueran vetados los estadios de cu, Azteca, Jalisco, Moctezuma, Nou Camp, Universitario de Nuevo León (donde jugaba el Monterrey), *Coruco* Díaz y *Pirata* Fuente, este último en dos ocasiones.

Los ex porteros Ormeño y Moncebáez fueron cesados como entrenadores del Guadalajara y el Toluca, respectivamente. El peruano sólo dirigió hasta la fecha 7, las *Chivas* llevaban un triunfo, cuatro empates y dos reve-

ses, pero con el cambio de técnico no mejoró mucho el desempeño del equipo. El Guadalajara siguió en la mediocridad y finalizó el torneo en antepenúltimo lugar de su grupo.

Moncebáez dejó de conducir al Toluca a partir de la jornada 22 tras ganar nueve, empatar siete y perder cinco. En total, en dos años, dirigió al equipo rojo en 55 partidos, de los cuales ganó 22, empató 20 y solamente sucumbió en 13. Por su parte, Ormeño dejó números de 9-12-7 en su corto paso por la dirección técnica del Guadalajara.

El Cruz Azul y el Monterrey en el grupo "Corsarios" (la designación de los grupos con los nombres de dos glorias del futbol mexicano como Juan Carreño y el *Pirata* Fuente sólo duró un año. Tras exprimirse los sesos, los directivos optaron por los nombres de "Corsarios" y "Piratas"...) y el Atlético Español, el Puebla y el León en el "Piratas" protagonizaron reñida lucha por los primeros lugares y el pase a la liguilla. Cruz Azul y Monterrey fueron los mejores. Hicieron el 1-2 en la tabla general con 49 y 48 puntos, respectivamente. Los *Rayados* lograron 22 triunfos (10 como visitantes), cuatro más que los *Cementeros*, pero éstos solamente perdieron tres juegos en tanto que Monterrey cayó en ocho ocasiones. En el otro grupo el Atlético Español quedó en primer lugar con 41 puntos, seguido por el Puebla y el León con 40 cada uno. Su mayor cociente de goleo le dio al equipo de la franja el boleto para la liguilla.

Cruz Azul también fue líder en goles anotados (69) y en menos goles recibidos (35) y terminó la fase regular del torneo con una racha de 17 partidos consecutivos sin perder, que alargó a 19 tras despachar al Puebla en semifinales (1-1 y 6-1). El equipo más goleado fue Ciudad Madero con 75 y Veracruz el que anotó menos con 33. Por cierto, los *Tiburones* acumularon ocho derrotas seguidas entre el final del campeonato anterior y el comienzo del presente.

En la otra semifinal, aunque el Monterrey superó 4-3 al Atlético Español en el Azteca, sorpresivamente los *Toros* ganaron 3-1 en la visita y pasaron a la final. En el primer juego, el 12 de mayo, actuando como locales cortaron la racha invicta que traía el Cruz Azul al vencerlo por 2 a 1, pero una semana después López Salgado, Fernando Bustos y Nacho Flores perforaron la portería de Vázquez del Mercado mientras Marín se mantuvo imbatido, y así, con el marcador de 3-0 el equipo celeste se alzó con su tercera corona consecutiva pintando de azul la década de los setenta. La racha de 19 sin perder es récord en la historia del Cruz Azul, y con este campeonato Raúl Cárdenas alcanzó a Ignacio Trelles y Javier de la Torre con cinco títulos de Liga.

Aunque el Laguna superó en puntos a cinco equipos debió jugar la liguilla por el no descenso al quedar último en su grupo con 28 unidades, siete más que el San Luis, colero del otro grupo y sotanero general. El primer partido, en terreno potosino, quedó 0-0; en el segundo ganó Laguna dos a cero y envió al San Luis de regreso a Segunda División. En esta final el duelo de porteros lo protagonizaron dos *Gatos*: Chávez y Vargas. Para éste fue su segundo descenso en tres años, el primero había sido en 70-71 con el Atlas.

El campeón de campeones

La temporada llegó a su fin el 26 de mayo con el juego entre los monarcas de Liga y de Copa. El Cruz Azul le devolvió al América el marcador de 2-1 de la final copera y sumó al título de "Campeonísimo" que obtuvo en 68-69 el de "Campeón de Campeones" de 73-74.

Dos días después comenzó el VIII Pentagonal (a la postre el último) con la participación del Inter de Milán, el Independiente y los cuadros capitalinos América, Atlante y Atlético Español. Los dos equipos extranjeros ganaron el torneo con seis puntos cada uno.

También vinieron a México el Newell's Old Boys y el Rosario Central a jugar un cuadrangular en Guadalajara con el América y un combinado Atlas-Jalisco, del que salió campeón el Rosario.

Y el Benfica con el legendario Eusebio repartió goleadas en Monterrey y León: 4-2 y 4-3.

Fracasotote en Haití

Antes de acudir a Puerto Príncipe, Haití, a disputar el torneo de la Concacaf clasificatorio para la Copa del Mundo, la Selección Nacional, al mando de Javier de la Torre, sostuvo varios juegos amistosos. En Los Ángeles y Monterrey sufrió sendas derrotas ante el seleccionado de Polonia por 0-1 y 1-2; en México cayó 1-2 frente a Chile y

en Puebla le ganó dos a cero a Estados Unidos. Calderón alineó en los dos cotejos con los polacos y Puente en los otros juegos.

En el premundial de Haití los empates con Guatemala (0-0) y Honduras (1-1) pero sobre todo el inesperado y resonante tropezón ante Trinidad y Tobago por 0-4 determinaron la eliminación de México. De nada sirvió ni la goleada de 8-0 a Curazao, juego en el que Octavio Muciño anotó cuatro goles, ni el triunfo por 1-0 sobre Haití, el campeón del torneo. Fue para los haitianos el boleto para Alemania-74 y para México la frustración de no asistir al máximo certamen futbolístico por primera vez en más de veinte años.

Contra Guatemala estuvo en el arco Rafael Puente, pero como éste enfermó de gripa y Nacho Calderón, que era el titular, se cortó un dedo con un vaso, el tercer portero, Héctor Brambila, jugó contra Honduras y Curazao y sufrió la debacle ante Trinidad y Tobago. En el último juego, con Haití, reapareció Calderón.

La actividad de la Selección en esta temporada, ya con Ignacio Jáuregui como efímero técnico, concluyó el 31 de marzo del 74. Fue a Río de Janeiro a servirle de *sparring* a Brasil que se preparaba para defender su corona en el mundial alemán. Se obtuvo un buen resultado, empate a un gol, y Rafael Puente jugó su último partido con la Selección.

Nómina de porteros

América	Prudencio Cortés y Amado Palacios
Atlante	Rafael Puente, Armando Franco y José Antonio Cervantes
Atlas	Héctor Brambila y Carlos Novoa
Atlético Español	Carlos Enrique Vázquez del Mercado y Julio Aguilar
Ciudad Madero	Rubén Vázquez, Ignacio Martínez y (?) Ávila Rentería
Cruz Azul	Miguel Marín, Apolinor Jiménez y Enrique Meza
Guadalajara	Ignacio Calderón, Gilberto Rodríguez y Jesús Bracamontes
Jalisco	Jesús Mendoza, Antonio Valdivia, Roberto Alatorre y Enrique Torres
Laguna	Rogelio Ruiz Vaquera y Rubén Chávez
León	Hugo Pineda, Jorge Romero y Jorge Jaramillo
Monterrey	José Ledesma y Javier Quintero
Puebla	Francisco Castrejón e Ignacio Sánchez Carbajal
San Luis	David Hernández y Javier Vargas
Toluca	Roberto Silva, Hugo Pini, Salvador Kuri y Jorge Cruz Teista
Torreón	René Vizcaíno y Raúl Navarro
UNAM	Sergio Díaz y Horacio Sánchez
Veracruz	Ismael García, Cirilo Saucedo y Juan Carlos Hurts
Zacatepec	Moisés Camacho y Raúl Morales

Más juegos (J)	
Francisco Castrejón (Puebla)	33
Prudencio Cortés (América)	32
José Ledesma (Monterrey)	31
Héctor Brambila (Atlas)	30

Más juegos completos	
Francisco Castrejón (Puebla)	33
Prudencio Cortés (América)	32
Héctor Brambila (Atlas)	30
José Ledesma (Monterrey)	29

Más goles (G)	
Rubén Vázquez (Ciudad Madero)	59
Héctor Brambila (Atlas)	46
René Vizcaíno (Torreón)	45
Moisés Camacho (Zacatepec)	41
Rafael Puente (Atlante)	41

Más goles en un juego	
Rubén Vázquez (Ciudad Madero)	7
Hugo Pini (Toluca)	7
Moisés Camacho (Zacatepec)	7
Rubén Vázquez (Ciudad Madero)	6
Ignacio Martínez (Ciudad Madero)	6
Francisco Castrejón (Puebla)	6
David Hernández (San Luis)	6

Penaltis detenidos	
Armando Franco (Atlante)	1
Rafael Puente (Atlante)	1
Héctor Brambila (Atlas)	1
Jesús Mendoza (Jalisco)	1
Antonio Valdivia (Jalisco)	1
Rogelio Ruiz Vaquera (Laguna)	1
Jorge Romero (León)	1
Raúl Navarro (Torreón)	1
Sergio Díaz (UNAM)	1

Más bajo G/J (mínimo 18juegos)	
Miguel Marín (Cruz Azul)	0.95
Ignacio Calderón (Guadalajara)	1.00
José Ledesma (Monterrey)	1.10
Francisco Castrejón (Puebla)	1.12
Sergio Díaz (UNAM)	1.14

Expulsados
Rafael Puente (Atlante)
Gilberto Rodríguez (Guadalajara)

LIGUILLAS

Más juegos	Carlos E. Vázquez del Mercado (Atlético Español) y Miguel Marín (Cruz Azul)	4
Más juegos completos	Carlos E. Vázquez del Mercado (Atlético Español) y Miguel Marín (Cruz Azul)	4
Más goles	Carlos E. Vázquez del Mercado (Atlético Español)	9
Más bajo G/J	Miguel Marín (Cruz Azul)	1.00
Más goles en un juego	Francisco Castrejón (Puebla)	6
Penaltis detenidos	Ninguno	
Expulsados	Ninguno	

74-75
Termina la hegemonía de los *Cementeros*

Primer campeonato con veinte equipos y por primera vez desde que se inventaron las liguillas no se coronó el equipo que sumó más puntos en la temporada regular, que fue el León. El Toluca se llevó el título y los Pumas *la Copa y el "Campeón de Campeones". El Ciudad Madero fue un desastre y merecidamente descendió a Segunda División, de la que subió el equipo de la Universidad Autónoma de Guadalajara. Se incorporaron al futbol mexicano seis porteros extranjeros, uno de los cuales, el uruguayo Walter Gassire, fue el guardameta más eficiente del torneo. Horacio López Salgado se proclamó campeón goleador justo en el año de debut en nuestro país de Evanivaldo Castro* Cabinho*, el indiscutido rey del gol de toda la historia del balompié nacional.*

Un campeonato sin la "gran final"

El largo campeonato de 38 juegos por equipo comenzó el 10 de julio de 1974. Tres días antes había culminado el Mundial de Alemania en el que el "futbol total" de la escuadra holandesa maravilló al mundo, aunque el ganador del certamen fue el equipo teutón. A partir del 7 de agosto se intercaló la Copa México en la Liga, de modo que la temporada duró un año completo y concluyó el 27 de julio del 75 con el partido de "Campeón de Campeones". Un raro sistema de competencia que tuvo su debut y despedida fue el que rigió esta Liga. Tras jugarse la primera vuelta se formaron dos grupos de 10 equipos cada uno tomando en cuenta su posición en la clasificación, denominados "nones" y "pares" (los "corsarios" y "piratas" pasaron a mejor vida...). El primero y segundo lugares de cada grupo calificaron a la fase final en la que jugaron todos contra todos a visita recíproca y se proclamó campeón el que obtuvo más puntos. No hubo propiamente una final. De hecho, en la penúltima fecha de la liguilla el Toluca aseguró el primer lugar y con ello el título.

Para el torneo de Copa se formaron cuatro grupos de cinco equipos. En cada grupo, *round robin* a visita recíproca, calificando únicamente el líder, y en la fase final los cuatro equipos también jugaron una liguilla de todos contra todos a visita recíproca, coronándose el de mayor puntuación.

El reglamento de competencia presentó otra novedad: la autorización de un tercer cambio de jugadores en los partidos, pero exclusivamente de portero por portero.

UdeG pagó una millonada por Calderón

Ninguno de los nuevos equipos debutó ganando. El Unión de Curtidores, al mando de Antonio Carbajal, cayó en Puebla por 0-2 aunque inmediatamente después ligó 10 partidos consecutivos sin perder; el Potosino, que a lo largo de la temporada tuvo 5 entrenadores, sucumbió 2-3 en León; los *Tigres* del Universitario de Nuevo León consiguieron un emocionante empate a tres con el Monterrey en el primer "clásico regiomontano"; y la Universidad de Guadalajara, tras comprar la franquicia del Torreón y conmocionar al mundillo futbolístico al pagar 2 millones 700 mil pesos por Nacho Calderón, transferencia récord en el balompié mexicano, empató a dos con el América en el Azteca. Durante el torneo tanto el Potosino como el Universitario de Nuevo León padecieron sendas rachas de 16 juegos seguidos sin ganar.

Naturalmente al incrementarse el número de juegos creció también la producción de goles, y después de casi 30 años la cantidad volvió a ser de cuatro dígitos: 1094 más los 29 registrados en la liguilla. Lógicamente, también aumentó el número de porteros que tuvieron acción, a la cifra récord de 52, de los cuales sólo José Luis Lugo, del Curtidores, jugó todos los partidos aunque no completó uno, por expulsión. Este arquero fue uno de los 19 porteros debutantes (once en la Liga y ocho en la Copa) y se estrenó en Primera División en el juego del Curtidores y el Puebla, ya mencionado, ocurrido el 14 de julio. El primer gol recibido por Lugo fue obra del *charrúa* Luis Villalba.

La legión extranjera de porteros

El mismo día se presentó Jan Gomolá, un portero que el Atlético Español importó de Polonia. Los *Toros* perdieron en Veracruz. El único gol del partido fue un penalti ejecutado por el argentino Juan Carlos Cárdenas. Luego, el 20 de julio, hizo su presentación con el Jalisco el arquero argentino Ricardo Romera. Como los *Gallos* vencieron 2-0 al Puebla, fue en el siguiente juego, visitando al América, cuando el *che* recibió su primera anotación, curiosamente un autogol de Ernesto Cervantes.

Otro argentino, Miguel Ángel Laino, ex arquero de los clubes Atlanta y Rosario Central, debutó con el Atlante el 6 de octubre en un partido de Copa en Zacatepec. Sustituyó a Armando Franco y no permitió anotaciones. Su portería fue vencida por primera vez el 24 de noviembre en un juego de Liga por su paisano Luis Carlos Zivecci, del Puebla. Cabe señalar que tanto Romera como Laino tuvieron una estancia corta en México, sólo jugaron esta temporada. Mucho mejor fue la actuación de Romera que en 34 partidos (32 completos y dos expulsiones) sólo permitió 36 goles, atajó dos penaltis y con su promedio de 1.06 goles por juego se ubicó como el quinto mejor portero del torneo. En cambio, Laino alineó solamente 14 veces y encajó 20 tantos. En su último partido recibió cuatro del Puebla en la ciudad camotera.

El 25 de agosto el Toluca venció 1-0 al Laguna en Torreón, en este juego Roberto Silva fue sustituido por Walter Gassire, un magnífico guardameta uruguayo (Wanderers, 65-67 y Defensor, 68-73) que no sólo se adueñó de la titularidad en el marco sino que se constituyó en una pieza fundamental para que el equipo toluqueño conquistara el campeonato. Dos semanas más tarde, Gassire fue batido por primera vez. Le anotó José Luis Real, del Guadalajara. El uruguayo terminó el torneo con 0.81 goles por juego. Él y Calderón (0.83) fueron los únicos con promedio inferior a uno. Y en la liguilla Gassire solamente permitió un par de anotaciones en cinco partidos.

La lista de nuevos porteros extranjeros creció en abril del 75 con la llegada de los argentinos Néstor Verderi y Rubén Montoya para el América y *Pumas*, respectivamente. El primero había debutado en su patria en 1972 con el San Lorenzo de Almagro, de donde emigró a Perú para jugar con el Defensor Lima, coronándose en 1973. Se presentó en México en un partido de Copa en Monterrey ganado por el América a los *Tigres* por 2-0.

Montoya, primer guardameta extranjero en la historia de los *Pumas*, debutó en un juego de Liga en el Distrito Federal entre la UNAM (4) y el Ciudad Madero (0). El primer gol a Verderi corrió a cargo del atlista José de Jesús Aceves y el primero a Montoya fue del uruguayo Nelson Hernández, del Potosino.

Entre los nuevos porteros mexicanos hay que mencionar a Jorge Espinoza, de 18 años de edad, de los *Pumas*, y José Trinidad Caballero, del Monterrey, que debutaron en juegos de Copa en marzo y abril del 75 pero no tuvieron oportunidad este año de mostrarse en la Liga.

Muchos movimientos de arqueros

Además del traspaso de Ignacio Calderón de las *Chivas* al UdeG, hubo otros movimientos de porteros, destacando los de Rafael Puente (del Atlante al América), Salvador Kuri (del Toluca a las *Chivas*) y Vázquez del Mercado (de los *Toros* al Veracruz). El *Gato* Vargas regresó al Atlas mientras Carlos Novoa se fue al Potosino; Jorge Romero dejó de ser suplente en el Monterrey y en el León para encargarse de la portería del Ciudad Madero; con los *Tigres* reapareció Mateo Bravo tras jugar un año en Segunda División; Jorge Jaramillo permaneció en la ciudad de León pero cambió de equipo y quedó como suplente de José Luis Lugo en el Curtidores; y a Rubén Vázquez lo traspasó el Ciudad Madero al UdeG donde fungió como tercer arquero detrás de Calderón y de Vizcaíno y sólo tuvo acción en dos juegos de Liga y uno de Copa, siendo este último el que marcó el final de su carrera. Fue el 5 de septiembre del 74 (la UdeG venció 3-2 al Atlante) cuando Vázquez jugó por última vez. En siete temporadas con el Oro, dos con el Jalisco, una con el Guadalajara, una con el Ciudad Madero y ésta con los *Leones Negros* sumó 182 partidos y encajó 311 goles para promedio de 1.71. Encabeza la lista de los porteros del Oro en los rubros de juegos, juegos completos y goles admitidos. Con el equipo *áureo* fue subcampeón en 64-65. Nunca fue expulsado.

En este campeonato se dio el extraño caso de tres porteros que jugaron, cada uno, con dos equipos diferentes. El paraguayo Apolinor Jiménez alineó seis veces con el Cruz Azul y nueve con el Puebla, Enrique Meza jugó cinco partidos con los *Cementeros* antes de ser traspasado al Universitario de Nuevo León donde participó en siete juegos, y el novato Sergio Anaya jugó con UdeG el partido de su debut y en el final de la temporada alineó una vez con el Atlas. El Cruz Azul lamentaría haber cedido a Meza y a Jiménez. Faltando cuatro juegos de la liguilla Miguel Marín se fracturó la mano derecha. Se le sustituyó con el novato Ricardo Rivera. De los cuatro partidos, los *Cementeros* perdieron tres, quedaron en último lugar y terminó su reinado.

El 23 de marzo del 75 el argentino Ciro Barbosa cerró su carrera en México en un partido copero entre Potosino y Cruz Azul cuyo marcador fue 1-1. Dejó números de 65 juegos, 91 goles y 1.40 de promedio. Y el 27 de abril se despidió Jesús Mendoza, cuyo historial en Primera División abarcó doce años y lo adornan un título de Liga y un subcampeonato, ambos con el Oro, y lo afea un descenso con el Nuevo León. En seis torneos con el Oro, uno con el Nuevo León y cinco con el Jalisco participó en 167 juegos (cero expulsiones), admitió 231 anotaciones (1.38 goles por juego) y atajó cinco penaltis. En la cortísima historia del Nuevo León, Mendoza fue el arquero que jugó más partidos y recibió más goles.

El debut de *Cabinho*

El 30 de julio del 74 los *Pumas* vencieron en un juego amistoso al Werder Bremen. El único gol del partido lo anotó un delantero brasileño que ese día debutó con el cuadro universitario y que cinco días después jugó su primer partido oficial en México y también marcó un gol (*Pumas* 2 Toluca 2). Fue Roberto Silva el portero que recibió el primero de los 312 goles que acumularía Evanivaldo Castro *Cabinho* en su brillantísimo paso por el balompié mexicano, de los cuales registró 16 en esta su primera temporada. Además fue monarca de goleo en la Copa México igualando el añejo récord de 15 tantos de Arturo Chávez con el Puebla en 44-45.

Luego de quedar tercero en goleo en la Liga 72-73 y subcampeón un año después, Horacio López Salgado completó en este torneo la ruta ascendente al proclamarse líder anotador con 25 tantos, tres más que Fausto Vargas, el artillero estrella del sorprendente Curtidores. Horacio y Fausto fueron escoltados por cuatro cañoneros extranjeros: Eladio Vera, paraguayo del Cruz Azul, y el *che* Roberto Salomone, del León, ambos con 19 anotaciones, y el brasileño Jair de Jesús Pereira, de la UdeG, y el ecuatoriano Ítalo Estupiñán, del Toluca, con 18 cada uno.

Fueron Castrejón, del Puebla, con cuatro y Vázquez del Mercado (Veracruz) y el chaparrito Franco, del Atlan-

te, con tres cada uno, los arqueros más batidos por López Salgado. De ellos, solamente el atlantista figuró entre los guardametas más goleados del campeonato, lista que encabezaron Rubén Chávez, del Laguna, y Carlos Novoa, del Potosino, con 53 por cabeza, seguidos por Franco y Jorge Romero (Ciudad Madero) con 49 cada uno y Moi Camacho, del Zacatepec, con 47.

Romero recibió seis pepinos del América en un juego, lo mismo le pasó a Brambila, del Atlas, frente al León, y a Castrejón y al Puebla el Cruz Azul les repitió el 6-1 de la liguilla anterior, pero la máxima goliza del campeonato, un 8-0 del Atlético Español al Ciudad Madero en el Azteca la noche del 21 de noviembre, se la repartieron por igual los porteros Jorge Romero y Rubén Acosta. Este es el marcador más elevado, a favor y en contra, en la corta historia de los dos equipos. Superó el 7-0 que los mismos clubes habían protagonizado ocho meses antes, en el torneo 73-74, cuando el *charrúa* Ricardo Brandón anotó cinco. En cambio, en el 8-0 siete jugadores de los *Toros* marcaron gol.

Darío Miranda paró dos penaltis en un juego

No sólo se impuso en esta temporada el récord de la participación de 53 porteros sino también se establecieron marcas en expulsiones (8) y penaltis detenidos (16). Los que se llevaron tarjeta roja fueron: Lugo, Kuri, Romera (dos veces), el *Gato* Chávez (también dos), Pepe Ledesma y Calderón. Una de las expulsiones del *che* Romera y la de Ledesma ocurrieron en un accidentado partido en Monterrey, ganado por el equipo *rayado* por 3-0, en el que el árbitro Mario Rubio expulsó a 21 personas: los dos porteros, los dos entrenadores, el brasileño Alcindo, del Jalisco, y toda la gente de las dos bancas.

En cuanto a los tiros de castigo atajados, Romera (Jalisco) y Romero (Madero) detuvieron dos cada uno, lo mismo que Pineda, del León, sólo que éste paró uno en la liguilla, pero el rey en esta estadística fue Miguel *Darío* Miranda quien se convirtió en el primer portero con tres penaltis detenidos en una temporada y también el primero con dos en un juego. La noche del 16 de enero del 75 el arquero leonés hizo historia al pararle dos penaltis a Manuel Manzo en el estadio Azteca. No obstante, el Atlético Español derrotó 3-1 al León. Tres meses antes, Miranda le había detenido un tiro de castigo al argentino Jorge Coch en Puebla.

Se lucen Carbajal y Ormeño

Cuatro ex porteros tuvieron trabajo como directores técnicos y dos de ellos lo hicieron muy bien. Antonio Carbajal condujo al novel Curtidores a la liguilla tras lograr el segundo lugar del grupo "Pares" con 46 puntos y cerrar el torneo con cuatro victorias consecutivas, racha que alargó a cinco al ganar el primer partido de la liguilla. Walter Ormeño tomó el timón del Atlético Español en la cuarta fecha del campeonato y lo mantuvo invicto durante 15 semanas, lapso durante el cual los *Toros* lograron dos rachas de cinco victorias seguidas cada una y otra en la que Jan Gomolá no recibió gol en cuatro partidos al hilo. Con Ormeño el equipo albinegro ganó 20 juegos, empató siete y perdió ocho. Quedó en tercer lugar de su grupo y cuarto en la tabla general.

Pepe Moncebáez dirigió por segunda vez en su carrera al Veracruz e Isidro Gil asumió el mando del Zacatepec en la jornada 25. Dos equipos que navegaron en la parte baja de la tabla. Con *Monche* el equipo jarocho ganó 12 juegos, empató 7 y sufrió 19 derrotas, seis de ellas en las últimas seis jornadas del campeonato. Gil relevó al *Charro* Lara cuando el Zacatepec llevaba cuatro reveses al hilo y en su debut ante el Curtidores la racha negativa creció a cinco y terminó, porque en su siguiente partido los *Cañeros* golearon 3-0 al Jalisco.

Toluca, muy defensivo pero campeón

El entrenador uruguayo Ricardo de León hizo del Toluca un equipo muy defensivo, al grado de que fue el que recibió menos goles, sólo 32, y mantuvo en cero a su contrincante en 19 de sus 38 juegos, pero muy efectivo pues sumó 50 puntos (solamente lo superó el León con 51) y con cuatro triunfos en la liguilla se coronó campeón por tercera vez en su historia. El Toluca aseguró el título el 26 de junio del 75 en la penúltima fecha de la liguilla al vencer al León en la *Bombonera* por 1-0 con gol del ecuatoriano Ítalo Estupiñán. Ya no importó que en la última

jornada se desquitara el León por 3-1. Toluca hizo ocho puntos, León siete, Curtidores cinco y el destronado Cruz Azul quedó último con sólo cuatro.

El último juego entre Toluca y León, el 29 de junio, fue también el último de Liga de Roberto Silva, el portero que siempre vistió el uniforme del equipo choricero y que se retiró con un excelente promedio de 0.95 goles por juego tras actuar durante ocho años en 124 partidos y permitir solamente 118 anotaciones. Nunca dejó la cancha por expulsión.

Aunque el Monterrey no calificó a la liguilla, logró por primera vez en su historia el liderato de goleo colectivo con 72 tantos. Posteriormente debutó en el torneo de la Concacaf eliminando al Águilas Blancas, de Canadá. Javier Quintero fue el portero en los primeros juegos internacionales oficiales en la historia del cuadro regiomontano.

Por su parte, el Ciudad Madero fue el que anotó menos (30) y el que recibió más (86). Impuso el récord de 10 juegos perdidos en casa y solamente ganó uno de sus últimos 16 encuentros. El equipo fue una pasarela de entrenadores (6) y descendió automáticamente a Segunda División, sin liguilla de no descenso, al ser mayor de tres la diferencia entre sus 21 puntos y los 28 que logró el Atlante, colero del otro grupo.

Para ascender al máximo circuito los *Tecos* de la Universidad Autónoma de Guadalajara debieron derrotar al Irapuato por 1-0 en el estadio Azteca ya que en la liguilla de la Segunda División quedaron empatados.

Dos títulos para *Pumas*

Los *Pumas* de la UNAM, los *Leones Negros* de la UdeG, los *Toros* del Atlético Español y los *Cremas* del América jugaron la otra liguilla, la de la Copa México, en las tres semanas siguientes a la conclusión de la Liga. De manera invicta (cuatro triunfos y dos empates) los *Pumas* conquistaron en su decimotercer año en Primera División su primer título. En esta liguilla copera la UdeG quedó en segundo lugar con siete puntos, luego el Atlético Español con seis y muy abajo el América con sólo uno. Este equipo en la primera fase de la Copa había conseguido 15 puntos de 16 posibles.

Y a los pocos días la UNAM se hizo de otro título, el de "Campeón de Campeones", al vencer 1-0 al Toluca con anotación de Leo Cuéllar. Rubén Montoya custodió el marco de los *Pumas* y Roberto Silva, por última vez, el del Toluca.

La Selección Nacional solamente tuvo actividad a principios de septiembre de 1974. Dos amistosos contra Estados Unidos en Monterrey y Dallas. Nacho Calderón jugó los dos partidos. Fueron sus últimos juegos con la Selección. México ganó 3-1 y 1-0.

El 12 de octubre del 74, justo el día del cumpleaños 58 del América, falleció quien fuera su primer portero: Nacho de la Garza. También fue el guardameta de la primera Selección Nacional en 1923 y tetracampeón con el América en el lapso de 1924-1928.

Nómina de porteros

América	Rafael Puente, Prudencio Cortés y Néstor Verderi
Atlante	Armando Franco y Miguel Ángel Laino
Atlas	Héctor Brambila, Javier Vargas y Sergio Anaya
Atlético Español	Jan Gomolá y Julio Aguilar
Ciudad Madero	Jorge Romero, Rubén Acosta y (?) Ávila Rentería
Cruz Azul	Miguel Marín, Apolinor Jiménez, Enrique Meza, Pedro Cortés y Ricardo Rivera
Curtidores	José Luis Lugo y Jorge Jaramillo
Guadalajara	Salvador Kuri, Alfonso Reynoso y Gilberto Rodríguez
Jalisco	Ricardo Romera, Jesús Mendoza y Antonio Valdivia
Laguna	Rubén Chávez, Rogelio Ruiz Vaquera y Arturo Becerra
León	Hugo Pineda y Miguel Miranda
Monterrey	Javier Quintero y José Ledesma
Potosino	Carlos Novoa, Ciro Barbosa y Efrén González
Puebla	Francisco Castrejón, Apolinor Jiménez e Ignacio Sánchez Carbajal
Tigres	Mateo Bravo, José Luis Brizuela y Enrique Meza
Toluca	Walter Gassire y Roberto Silva
UdeG	Ignacio Calderón, René Vizcaíno, Rubén Vázquez y Sergio Anaya
UNAM	Horacio Sánchez, Sergio Díaz y Rubén Montoya
Veracruz	Carlos E. Vázquez del Mercado e Ismael García
Zacatepec	Moisés Camacho y Raúl Morales

Más juegos (j)

José Luis Lugo (Curtidores)	38
Carlos Novoa (Potosino)	36
Jan Gomolá (Atlético Español)	34
Ricardo Romera (Jalisco)	34

Más juegos completos

José Luis Lugo (Curtidores)	37
Jan Gomolá (Atlético Español)	34
Carlos Novoa (Potosino)	33
Ricardo Romera (Jalisco)	32

Más goles (g)

Rubén Chávez (Laguna)	53
Carlos Novoa (Potosino)	53
Armando Franco (Atlante)	49
Jorge Romero (Ciudad Madero)	49
Moisés Camacho (Zacatepec)	47

Más bajo g/j (mínimo 20 juegos)

Walter Gassire (Toluca)	0.81
Ignacio Calderón (UdeG)	0.83
Jan Gomolá (Atlético Español)	1.03
Miguel Marín (Cruz Azul)	1.04
Ricardo Romera (Jalisco)	1.06
Rafael Puente (América)	1.07

Más goles en un juego

Héctor Brambila (Atlas)	6
Jorge Romero (Ciudad Madero)	6
Francisco Castrejón (Puebla)	6
Armando Franco (Atlante)	5 (3 veces)
Javier Vargas (Atlas)	5 (2 veces)
Rubén Acosta (Ciudad Madero)	5
José Ledesma (Monterrey)	5
Carlos Novoa (Potosino)	5
Horacio Sánchez (UNAM)	5

Penaltis detenidos	
Miguel Miranda (León)	3
Jorge Romero (Ciudad Madero)	2
Ricardo Romera (Jalisco)	2
Rafael Puente (América)	1
Enrique Meza (Cruz Azul)	1
Salvador Kuri (Guadalajara)	1
Hugo Pineda (León)	1
Mateo Bravo (Tigres)	1
Walter Gassire (Toluca)	1
Sergio Díaz (UNAM)	1
Carlos E. Vázquez del Mercado (Veracruz)	1
Moisés Camacho (Zacatepec)	1

Expulsados
Ricardo Romera (Jalisco) (2 veces)
Rubén Chávez (Laguna) (2 veces)
José Luis Lugo (Curtidores)
Salvador Kuri (Guadalajara)
José Ledesma (Monterrey)
Ignacio Calderón (UdeG)

LIGUILLA

Más juegos	José Luis Lugo (Curtidores) y Hugo Pineda (León)	6
Más juegos completos	José Luis Lugo (Curtidores) y Hugo Pineda (León)	6
Más goles	Ricardo Rivera (Cruz Azul)	10
Más bajo G/J (mínimo 4 juegos)	Walter Gassire (Toluca)	0.40
Más goles en un juego	Ricardo Rivera (Cruz Azul)	5
Penaltis detenidos	Hugo Pineda (León)	1
Expulsados	Ninguno	

75-76
América, campeón y Atlante, a Segunda

En el año de su cumpleaños número 60, el América conquistó su tercer campeonato, fue subcampeón de Copa y le puso la cereza al pastel con el récord de siete juegos seguidos sin recibir gol y con el título de Campeón de Campeones. El Atlético Español se coronó en la Concacaf. El Potosino mandó al Atlante a la Segunda División, de la que retornó el San Luis. Por tercera vez Nacho Calderón fue el mejor guardameta, Cabinho *ganó su primer título de goleo y Miguel Marín protagonizó el autogol más insólito de la historia.*

Tigres, monarca de Copa

En un mes, del 3 de septiembre al 4 de octubre de 1975, con juegos casi a diario, se efectuó el torneo de Copa, en el que debutó en Primera División el equipo de la Universidad Autónoma de Guadalajara, los *Tecos*. Días después la ciudad de México acogió los VII Juegos Panamericanos, de modo que el campeonato de Liga no comenzó hasta el 29 de octubre.

El formato de la Copa consistió en cinco grupos de cuatro equipos cada uno, *round robin* a visita recíproca en cada grupo y pase a semifinales de los cuatro mejores líderes. Las semifinales y la final también a visita recíproca. En aquellas los *Tigres* eliminaron a los *Pumas* (1-1 y 2-0) y el América a la UdeG (1-1, 0-0, 0-0 en tiempos extra y 6-5 en penaltis; aquí el portero azulcrema Néstor Verderi le paró uno a Aurelio Martínez). En el primer juego de la final, el 2 de octubre, triunfó el América por 2 a 1 pero dos días después en Monterrey los *Tigres* ganaron 2-0 y conquistaron su primer título. Verderi y Enrique Meza fueron los porteros en los dos cotejos y Alfredo *Alacrán* Jiménez, de *Tigres*, se proclamó líder goleador con nueve anotaciones.

De los 10 porteros que debutaron en esta temporada, cinco lo hicieron en la Copa, entre los que destacan Jesús de Anda, el argentino Rubén Sánchez, Rogelio Garnica y Pedro Soto. De Anda y Sánchez se presentaron el 3 de septiembre con el Veracruz y el Atlante, respectivamente, Garnica con el León el día 7 y Soto con el Laguna el 10. El único que debutó ganando fue Garnica ya que el León goleó 4-1 al Laguna. De Anda y el Veracruz empataron 2-2 con el Cruz Azul y Rubén Sánchez y Pedro Soto salieron derrotados ante *Tigres* y *Pumas*, respectivamente.

Empate de Argentina (con La Volpe) y México

Antes del torneo copero se había efectuado en el Azteca un cuadrangular con las Selecciones de México, Argentina, Estados Unidos y la olímpica de Costa Rica. Una vez más al mando de Nacho Trelles, la escuadra nacional, que venía de jugar tres partidos contra Alemania Oriental en San Francisco, Los Ángeles y Monterrey con resultados de 2-3, 0-1 y 1-0, respectivamente, apabulló 7-0 a los *ticos* olímpicos, dobló 2-0 a los estadounidenses y empató a un gol con Argentina, con la cual compartió el primer lugar del torneo con 5 puntos aunque superó a los *ches* en diferencia de goles. En los juegos contra los alemanes la portería mexicana fue custodiada por Moi Camacho, Alfonso Reynoso (un novato con apenas una docena de partidos en Primera División con las *Chivas*) y Julio Aguilar, mientras que ante los *ticos*, los *gringos* y los argentinos sólo actuó Camacho. Por cierto que en este torneo tuvo su primer contacto con el futbol mexicano el arquero argentino Ricardo La Volpe.

La Selección cerró el año 75 con una derrota en Tel Aviv ante Israel por 0-1 y abrió el 76 goleando 4-1 a Hungría en México. En ambos partidos estuvo en el arco Moisés Camacho pero contra los húngaros también jugó el *Pajarito* Cortés porque Moi se lesionó. En junio y nuevamente con Camacho en la portería México fue goleado en Guadalajara por la Selección de Brasil por 0-3.

Nuevos porteros en casi todos los equipos

El sistema de competencia del campeonato de Liga se volvió a cambiar. Los 20 equipos fueron distribuidos en cuatro grupos de cinco y el primero y segundo lugares de cada grupo calificaron a la liguilla. En ésta los ocho calificados se ordenaron según su puntuación, de modo que en los cuartos de final el primero jugó contra el octavo, el segundo contra el séptimo, el tercero ante el sexto y el cuarto con el quinto. Para semifinales se ordenaron del primero al cuarto (primero *vs.* cuarto y segundo *vs.* tercero). Todos los duelos a visita recíproca. En la liguilla del no descenso participaron los dos equipos con menos puntos.

En este campeonato se anotaron 104 goles menos que en el anterior, pero en las liguillas, con más juegos, se registraron más anotaciones: 36. Participaron en la Liga 49 porteros, ocho de ellos extranjeros aunque sólo dos nuevos, el ya mencionado Rubén Sánchez, del Atlante, y el peruano José de Jesús Goyzueta, traído por el Veracruz, quien debutó el 2 de noviembre en el puerto jarocho en el partido Veracruz (2) Atlético Español (0).

La estancia de estos dos arqueros en México se limitó a una temporada. El peruano solamente jugó diez veces y al argentino le tocó sufrir el descenso del Atlante después de haber jugado cerca de una década con el Boca Juniors.

De los nuevos arqueros mexicanos cabe señalar a José Trinidad Caballero y a Jorge García Rulfo. Caballero se presentó en la misma primera jornada del campeonato con el Monterrey y fue el portero titular de los *Rayados* todo el torneo. En su debut, el 1 de noviembre, el cuadro regiomontano empató a un gol con el Atlante. García Rulfo, en cambio, jugó apenas dos partidos con la UdeG, pero en los años siguientes llegó a ser titular en este equipo y también en el Atlas, las *Chivas* y los *Tecos*, es decir, militó en cuatro de los cinco clubes tapatíos. Su debut ocurrió el 1 de mayo del 76 en el partido UdeG (2) Puebla (0).

Además de Atlante, Monterrey, Veracruz, Laguna y León también estrenaron portero el América, que obtuvo a Paco Castrejón, del Puebla; el Atlas, que se llevó a Miguel Miranda, del León; el Cruz Azul, que contrató como suplente del *Gato* Marín a José Ledesma, del Monterrey; el Jalisco, que se llevó del Atlas al *Gato* Vargas; el Potosino, que consiguió al *Tarzán* Palacios luego de que éste permaneció un año inactivo para poder salir del América; el Puebla, que obtuvo a Sergio Díaz, ex de *Pumas*; los *Tecos*, que para su estreno en el máximo circuito contrataron al *Pajarito* Cortés, del América; la UdeG, que se hizo de los servicios del *Gato* Chávez, del Laguna; los *Pumas*, a los que llegó Vázquez del Mercado, procedente del Veracruz; y el Atlético Español y el Zacatepec que intercambiaron guardametas pasando Jan Gomolá a los *Cañeros* y Moi Camacho a los *Toros*. Total, que solamente en cuatro equipos (Curtidores, *Chivas*, *Tigres* y Toluca) no hubo caras nuevas en la portería.

Histórica goleada de *Pumas* a *Tecos*

El guardameta del Curtidores, José Luis Lugo, fue por segundo año consecutivo el único que jugó los 38 partidos, y esta vez completó todos. Fue también el que recibió más goles con 47, apenas uno más que los 46 que admitieron, cada uno, el *Pajarito* Cortés y el debutante Jesús de Anda. El arquero de los *Tecos* recibió la goleada del campeonato. El 16 de mayo del 76 en el estadio de Ciudad Universitaria los *Pumas* aplastaron 9-0 al cuadro de la Universidad Autónoma de Guadalajara. Un marcador récord para los dos equipos, fabricado en buena parte por *Cabinho* quien marcó cuatro goles.

Anteriormente los argentinos Oswaldo Lamelza, del Potosino, y Roberto Salomone, del León, también habían conseguido la cuota de cuatro tantos en un partido. El 29 de febrero Lamelza le anotó cuatro a Raúl Morales, del Zacatepec, en San Luis, y el 21 de marzo en León, Salomone repitió la hazaña contra Enrique Meza, de los *Tigres*.

El 25 de enero los *Gallos* del Jalisco le propinaron a Carlos Novoa la mayor goleada de su carrera al vapulear al Potosino a domicilio por 7 a 2 y el 12 de junio el Cruz Azul en el Azteca aplastó 7-0 al Veracruz. Jesús de Anda encajó seis de los siete goles cruzazulinos.

Al igual que lo hizo en las temporadas 63-64 y 71-72, Ignacio Calderón encabezó la lista de los porteros más eficientes. Su promedio de goles por juego fue 0.87. Abajo de él se situaron el novato Garnica con 0.92 y el *Gato* Marín con 0.94.

Calderón y Garnica, y también Castrejón y Raúl Morales, detuvieron un par de penaltis cada uno, sólo que las dos atajadas de Calderón fueron en un mismo juego, por cierto de la liguilla. El 25 de julio durante el segundo partido de cuartos de final entre León y UdeG el *Cuate* le paró dos tiros de castigo a Salomone.

El autogol inverosímil

Miguel Marín vivió una temporada de claroscuros. Si bien fue el tercer mejor arquero del torneo y estableció el récord para porteros del Cruz Azul de cinco juegos seguidos sin recibir gol, se convirtió, por otra parte, en el primer guardameta expulsado en una liguilla y el 23 de mayo del 76 en el Azteca le regaló al Atlante el más extraño autogol de un portero en la historia del balompié mexicano. Estando en posesión de la pelota, se dispuso a realizar un saque de manos pero al momento de girar el brazo derecho, al parecer se arrepintió y el balón se le escapó y entró rodando en su portería. "No me pregunten, porque no sé cómo sucedió" fue su declaración al final del partido.

Ese mismo día del insólito autogol, Hugo Pineda recibió tarjeta roja por única vez en su carrera, a diferencia de su hijo del mismo nombre quien en las décadas de los 80 y 90 llegó a acumular hasta seis expulsiones.

El portero argentino del América, Néstor Verderi, emuló a su paisano Marín al ligar cinco partidos consecutivos con meta invicta, y el otro arquero *crema*, Castrejón, logró en la fase regular del campeonato y en la liguilla sendas rachas de cuatro juegos seguidos sin admitir gol. Castrejón y Verderi se combinaron para bajar la cortina de la meta americanista —e imponer récord— en una racha que abarcó el partido de la última jornada y los seis de la fase final. Dos porteros más, Mateo Bravo (*Tigres*) y Raúl Morales (Zacatepec) también protagonizaron rachas de cuatro juegos sin anotación.

Cabinho y el América, campeones

Con 29 tantos Evanivaldo Castro *Cabinho* ganó su primer título de goleo. Él marcó casi la mitad de los 67 goles de los *Pumas*, el equipo líder en este rubro. Los porteros favoritos de *Cabinho* fueron el *Pajarito* Cortés y el *Coco* Rodríguez. A cada uno le metió cuatro pepinos. El *Pata Bendita* Oswaldo Castro, del Jalisco, quedó subcampeón con 26 goles, atrás de él, con 23, el *Alacrán* Alfredo Jiménez, de *Tigres*, y luego los brasileños Alcindo Marta da Freitas (América) y Carlos Eloir Peruci (Laguna) con 20 y 18, respectivamente.

El equipo más débil ofensivamente fue el Atlante con sólo 27 anotaciones. Así que *Cabinho* metió más goles que todo el cuadro azulgrana. El equipo más goleado fue el Potosino (67) y el menos el UdeG (36).

Gracias a sus 23 triunfos el América sumó 53 puntos y encabezó la clasificación general. En su grupo le sacó una ventaja de 16 puntos al segundo lugar, los *Tecos*. En los otros grupos calificaron a la liguilla Monterrey (44) y

Curtidores (40); Cruz Azul (44) y UdeG (43); y *Pumas* (49) y León (46). Estos dos equipos gozaron de rachas positivas importantes. La de *Pumas*, de 15 juegos seguidos sin perder, es récord vigente del equipo universitario, y el León al conseguir siete victorias al hilo empató su marca impuesta veinte años atrás. *Pumas* se dio tiempo para meterle tres goles a la Selección de Brasil en un amistoso en San Francisco, California, pero el *scratch du ouro* respondió con cuatro.

En cuartos de final los *Leones Negros* de la UdeG despacharon al León con dos victorias, 5-0 en casa y 1-0 de visita (el juego de los dos penaltis detenidos de Calderón); el Monterrey también con dos triunfos, uno abultado, eliminó al Cruz Azul, 5-1 y 2-1; Curtidores siguió dando sorpresas y echó a los *Pumas* con un marcador global de 4-2, mientras que el súper líder América apenas con un gol eliminó a los *Tecos*: 1-0 en Guadalajara y 0-0 en México.

En semifinales UdeG pasó sobre el Monterrey (1-1 de local y 2-1 en la Sultana) y el América acabó con el sueño del Curtidores con dos victorias mínimas de 1-0. En el primer juego de la final, el 4 de agosto del 76, el América ligó su tercer triunfo seguido en cancha ajena en la liguilla al golear 3-0 a los *Leones Negros*, y cuatro días después en el Azteca ratificó su supremacía ganando por uno a cero y proclamándose campeón. Castrejón y Calderón alinearon en ambos partidos y para Raúl Cárdenas, técnico del América desde este campeonato, fue su sexto título colocándose como el entrenador con más coronas.

En la liguilla por el no descenso el Potosino, que quedó en último lugar, superó al Atlante, que fue penúltimo, por 2-1 en San Luis y 0-0 en México con gran actuación del *Tarzán* Palacios. El último partido del Atlante en Primera División fue también el último de Rubén Sánchez en nuestro país. Otro portero argentino y tocayo, Rubén Montoya, de los *Pumas*, igualmente se despidió de México en el juego de cuartos de final que la UNAM perdió 0-3 con el Curtidores. Sus números en el par de temporadas que jugó aquí fueron: 33 goles en 28 partidos, promedio 1.18, un título de Copa y el de Campeón de Campeones.

Y tras acumular 151 goles recibidos en 114 juegos (1.32 de promedio) durante seis campeonatos, el portero del Puebla, Ignacio Sánchez Carbajal, puso fin a su carrera el 1 de mayo en el partido UdeG (2) Puebla (0). Su nombre aparece en la lista de los porteros que nunca fueron expulsados.

Cinco ex porteros en la nómina de técnicos

A los cuatro ex porteros entrenadores —Carbajal, Ormeño, Moncebáez y Gil— se sumó por corto lapso el argentino Ciro Barbosa, quien hizo mancuerna con Alberto Guerra en el Potosino. Cuando tomaron al equipo, éste llevaba seis derrotas en fila y con ellos llegó a ocho (récord del Potosino). La dupla Barbosa-Guerra sólo dirigió once partidos, de los que perdió siete y únicamente ganó dos.

Toño Carbajal e Isidro Gil dirigieron todo el torneo al Curtidores y al Zacatepec, en tanto que Ormeño y Moncebáez no lograron terminar la primera vuelta al frente del Veracruz y el Cruz Azul, respectivamente. El *Cinco Copas* clasificó al Curtidores a su segunda liguilla consecutiva e impuso el récord de 20 empates en una temporada. A Ormeño solamente lo aguantaron en Veracruz hasta la fecha 13. Dejó números de tres ganados, dos empatados y ocho perdidos. Con Moncebáez el Cruz Azul cayó en la mediocridad. Llevaba cuatro triunfos, siete empates y cuatro fracasos cuando fue sustituido por Jorge Marik.

Atlético español, campeón de Concacaf

El 15 de agosto del 76 el América, flamante monarca de Liga, con anotaciones de Miguel Ángel Cornero y Carlos Reinoso derrotó 2-0 a los *Tigres* y conquistó el pomposo título de Campeón de Campeones. Fue una revancha por la derrota que *Tigres* le había infligido en la final de Copa. Paco Castrejón y Mateo Bravo jugaron este partido, el último de la temporada.

Por su parte, el Atlético Español se coronó en el torneo de la Concacaf sin perder ningún partido. Tras eliminar al Monterrey, venció dos veces al Saprissa en San José y derrotó al Transval en los dos juegos de la final en Paramaribo, Surinam, con Moi Camacho alineando en todos los partidos. Este fue el único título que obtuvieron los *Toros* en su corta vida.

El Athlétic de Bilbao realizó una rápida visita a México en mayo donde perdió 0-3 con la Selección y 0-1 con *Tigres* y venció 2-1 al Veracruz.

Fracaso olímpico

La Selección Mexicana amateur ganó con facilidad la eliminatoria olímpica y compartió con Brasil la medalla de oro en el torneo de futbol de los Juegos Panamericanos, pero a la hora de la verdad en la Olimpiada de Montreal-76 no pasó de la primera ronda: sucumbió 1-4 ante Francia y apenas empató con Israel (2-2) y con Guatemala (1-1). El portero de México en la eliminatoria fue José Gómez (nueve goles en seis juegos) y en los Juegos Olímpicos, Javier Regalado. El técnico, Diego Mercado.

La temporada 75-76 registró un gol de portería a portería, como aquel de Luis Heredia en 1945, pero fue en la Segunda División. Lo anotó el arquero Zárate, del Necaxa, y lo recibió Abel Alonso, del Estudiantes de Querétaro.

Nómina de porteros

América	Francisco Castrejón, Néstor Verderi y Rafael Puente
Atlante	Rubén Sánchez y Armando Franco
Atlas	Miguel Miranda, Héctor Brambila, Sergio Anaya y José Luis González
Atlético Español	Moisés Camacho y Julio Aguilar
Cruz Azul	Miguel Marín y José Ledesma
Curtidores	José Luis Lugo
Guadalajara	Gilberto Rodríguez, Alfonso Reynoso y Ernesto Pérez Álvarez
Jalisco	Javier Vargas y Antonio Valdivia
Laguna	Pedro Soto y Rogelio Ruiz Vaquera
León	Rogelio Garnica y Hugo Pineda
Monterrey	José Trinidad Caballero y Javier Quintero
Potosino	Amado Palacios, Efrén González y Carlos Novoa
Puebla	Ignacio Sánchez Carbajal, Sergio Díaz y Apolinor Jiménez
Tigres	Enrique Meza y Mateo Bravo
Toluca	Walter Gassire y Jorge Cruz Teista
UAG	Prudencio Cortés y Arturo Castellanos
UdeG	Ignacio Calderón, Rubén Chávez y Jorge García Rulfo
UNAM	Rubén Montoya, Carlos Enrique Vázquez del Mercado y Horacio Sánchez
Veracruz	Jesús de Anda, José de Jesús Goyzueta e Ismael García
Zacatepec	Raúl Morales, Jan Gomolá y Juan Buenrostro

Más juegos (J)

José Luis Lugo (Curtidores)	38
Moisés Camacho (Atlético Español)	32
Pedro Soto (Laguna)	32
José Trinidad Caballero (Monterrey)	32
Walter Gassire (Toluca)	32
Prudencio Cortés (UAG)	32

Más juegos completos

José Luis Lugo (Curtidores)	38
Moisés Camacho (Atlético Español)	32
Pedro Soto (Laguna)	32
Prudencia Cortés (UAG)	32
José Trinidad Caballero (Monterrey)	31
Walter Gassire (Toluca)	31

Más goles (G)	
José Luis Lugo (Curtidores)	47
Prudencio Cortés (UAG)	46
Jesús de Anda (Veracruz)	46
Miguel Miranda (Atlas)	43
Raúl Morales (Zacatepec)	43

Más bajo G/J (mínimo 20 juegos)	
Ignacio Calderón (UdeG)	0.87
Rogelio Garnica (León)	0.92
Miguel Marín (Cruz Azul)	0.94
José Trinidad Caballero (Monterrey)	1.00
Rubén Montoya (UNAM)	1.00
Walter Gassire (Toluca)	1.03

Más goles en un juego	
Prudencio Cortés (UAG)	9
Carlos Novoa (Potosino)	7
Francisco Castrejón (América)	6
Jesús de Anda (Veracruz)	6
Raúl Morales (Zacatepec)	6

Penaltis detenidos	
Francisco Castrejón (América)	2
Rogelio Garnica (León)	2
Raúl Morales (Zacatepec)	2
Miguel Miranda (Atlas)	1
Julio Aguilar (Atlético Español)	1
José Ledesma (Cruz Azul)	1
Alfonso Reynoso (Guadalajara)	1
Arturo Castellanos (UAG)	1
Rubén Chávez (UdeG)	1
Jesús de Anda (Veracruz)	1

Expulsados
Néstor Verderi (América)
Miguel Marín (Cruz Azul)
Gilberto Rodríguez (Guadalajara)
Hugo Pineda (León)
Amado Palacios (Potosino)

LIGUILLAS

Más juegos	Ignacio Calderón (UdeG)	6
Más juegos completos	Ignacio Calderón (UdeG)	6
Más goles	Hugo Pineda (León) e Ignacio Calderón (UdeG)	6
Más bajo G/J	Francisco Castrejón (América)	0.00
Más goles en un juego	Hugo Pineda (León)	5
Penaltis detenidos	Ignacio Calderón (UdeG)	2
Expulsados	Miguel Marín (Cruz Azul)	

76-77
Rugen los *Pumas*

De la mano de Cabinho *y sus 34 goles (más seis en la liguilla), los* Pumas *ganaron su primer campeonato al cumplir 15 años en la Primera División. El Atlético Español perdió en penaltis la Copa Interamericana. México logró en Túnez el subcampeonato mundial juvenil. Tercer descenso del Zacatepec y rápido retorno del Atlante. Cinco porteros tuvieron promedios de goles por juego inferiores a 0.90. No se jugó el torneo por la Copa México. Entre los porteros debutantes figuró Pilar Reyes y entre los que se despidieron Rafael Puente.*

En penaltis pierden los *Toros* la Interamericana

El campeonato de Liga comenzó el 8 de septiembre de 1976, apenas tres semanas después de que terminó la temporada anterior. Días antes, el 26 y 29 de agosto, el Atlético Español, campeón de la Concacaf, y el Independiente, monarca de la Libertadores, habían disputado en terreno neutral —Caracas— la Copa Interamericana. En los dos juegos empataron: 2-2 y 0-0, el segundo con tiempos extra. Finalmente la copa se fue a Buenos Aires al imponerse el Independiente por 4-2 en los penaltis. El arquero de los *Toros*, Moisés Camacho, no pudo detener ninguno, y de los cuatro disparos de su equipo, uno pegó en un poste y otro —de Juan Manuel Borbolla— fue atajado por el portero argentino Carlos Gay.

Con el argumento de falta de tiempo se suspendió la Copa México, un torneo que venía efectuándose ininterrumpidamente desde 1936. Por lo que respecta a la Liga, se volvió a cambiar el sistema de competencia. Con los primeros dos lugares de cada grupo se formaron dos grupos para la liguilla, uno con el primero, cuarto, quinto y octavo lugares y otro con el segundo, tercero, sexto y séptimo. En cada grupo jugaron todos contra todos a visita recíproca y los líderes disputaron la final, también a visita recíproca. En la liguilla del no descenso participaron los dos equipos con la puntuación más baja.

Debuta Pilar y juega 44 partidos completos

Pocos movimientos hubo en la nómina de porteros. Verderi pasó del América al Potosino; Gomolá regresó al Atlético Español; Kuri reapareció con el León; Julio Aguilar salió de los *Toros* y llegó al Universitario de Nuevo León y el *Tarzán* Palacios dejó al Potosino para irse al Zacatepec. Llegaron dos arqueros extranjeros, el argentino Miguel Ángel Leyes, de paso efímero pues solamente jugó ocho partidos con el Potosino, y el uruguayo Jorge Phoyú, quien compartió con Ruiz Vaquera la titularidad en la portería del Laguna. Era Phoyú un trotamundos pues además de jugar en su país lo había hecho en Ecuador, Perú, Honduras y Alemania.

Incluyendo a los dos sudamericanos, debutaron en total nueve porteros, el más destacado de los cuales fue José Pilar Reyes, quien se presentó con el San Luis en la reaparición de este equipo en la Primera División el 12 de septiembre del 76 en Zacatepec. El partido fue ganado por los *Cañeros* por 2-1 y el argentino Oswaldo Lamelza fue el autor del primer gol a Pilar. Al final de la temporada, sin embargo, el San Luis jugaría la liguilla por el título y el Zacatepec la del no descenso. Pilar Reyes fue titular indiscutible en el arco sanluisino, jugó completos los 38 partidos del calendario y también los seis de la fase final, hazaña casi igualada sólo por el *Coco* Rodríguez, arquero de las *Chivas*, quien también actuó en 44 juegos pero no completó dos de la liguilla. Nunca antes un portero había jugado tantos partidos completos en una temporada como Pilar Reyes, quien siempre gozó de la confianza de su técnico Carlos Miloc.

También hicieron su debut en la primera jornada del campeonato el olímpico Javier Regalado, con el Monterrey, y Gregorio Cortés, con el Atlético Español. Monterrey perdió 1-2 con UdeG en Guadalajara y los *Toros* empataron 1-1 en San Luis con el Potosino. El primer gol para Regalado fue de Raúl Mañón, mientras que Cortés, que entró de cambio por Moi Camacho, recibió el tanto del Potosino de parte de Mario Montante.

En la segunda vuelta, el 17 de abril del 77, debutó Marco Antonio Paredes con los *Gallos* del Jalisco. El cuadro tapatío empataba a cero con el Atlético Español en el Azteca cuando el juvenil arquero sustituyó al *Gato* Vargas. Finalmente el Jalisco perdió 0-2 y el primer gol que recibió Paredes fue un penalti que tiró Benito Pardo.

México, subcampeón mundial juvenil

Dos meses después Marco Antonio Paredes fue nombrado el mejor portero del primer Campeonato Mundial Juvenil, que se disputó en Túnez, y en el que México logró el segundo lugar tras perder en penaltis la final contra la Unión Soviética. La Selección Mexicana, dirigida por Horacio Casarín y Alfonso Portugal, goleó 6-0 a Túnez y luego ligó cuatro empates: 1-1 con España, 1-1 con Francia, mismo marcador con Brasil al que eliminó en penaltis 5-3, y el 2-2 de la final con los soviéticos que se decidió a favor de éstos por 9-8 en los tiros de castigo. Paredes jugó todos los partidos y se dio el lujo de anotar uno de los penaltis.

Por su parte, la Selección mayor comenzó en octubre del 76 la eliminatoria para el Mundial de Argentina-78. Con Paco Castrejón en la puerta empató sin goles con Estado Unidos en Los Ángeles, perdió por primera vez con Canadá (0-1 en Vancouver), ganó 3-0 a los estadounidenses en Puebla y nuevamente no le pudo anotar a Canadá que se llevó un 0-0 de Toluca. Los malos resultados provocaron el cese de Nacho Trelles y la designación de José Antonio Roca como nuevo timonel nacional.

Durante el primer semestre de 1977 la Selección tuvo varios encuentros de preparación para el torneo de Concacaf a jugarse en nuestro país en octubre, que sería clasificatorio para el Mundial. Así, dividió triunfos con Yugoslavia ganando 5-1 en León y perdiendo 0-1 en Monterrey. Moisés Camacho jugó el primer partido y Castrejón el segundo. Luego empató a uno con Hungría en Puebla, partido en el que hizo su debut como seleccionado Pilar Reyes; otro 1-1 con Perú en el Azteca en que también jugó Pilar; victoria por 2-1 sobre la escuadra inca en Monterrey y un empate a 2 ante Alemania Federal en el "coloso de Santa Úrsula". En los últimos juegos volvió a la portería Castrejón.

Brillan los guardametas

En la Liga se anotaron 978 goles, la cifra más baja desde que participan veinte equipos. Naturalmente la producción de goles en la fase final se elevó considerablemente (67) porque en la liguilla por el título casi se duplicó el número de juegos.

Participaron 53 porteros (¡el Atlas tuvo cinco!), cifra récord, de los cuales, como ya se dijo, solamente Pilar Reyes y Gilberto Rodríguez jugaron la temporada completa. Cinco arqueros —otro número inusitado— lucieron promedios de goles por juego inferiores a 0.90. Encabezó la lista *Moi* Camacho con 0.82, seguido por Salvador Kuri y Miguel Marín empatados con 0.87, el novato García Rulfo con 0.88 y el veterano Castrejón con 0.89.

En la liguilla, García Rulfo no permitió goles en seis de los ocho partidos, cinco en forma consecutiva, y su promedio fue un impresionante 0.50. Casi tan efectivo estuvo Carlos Enrique Vázquez del Mercado con 0.57 y además campeón con los *Pumas*. Por cierto, este arquero de kilométrico nombre y Jorge Jaramillo, del Curtidores, empataron el récord de *Darío* Miranda de tres penaltis detenidos en un torneo, y el novato Javier Regalado igualó la otra marca de Miranda al atajar dos en un juego.

La hazaña de Regalado ocurrió durante el partido entre Curtidores y Monterrey en León el 28 de abril del 77. Ganaron los *Rayados* 3-2 gracias a que su guardameta frustró sendos penaltis a Hugo Dávila y Oribe Maciel.

Vázquez del Mercado les detuvo sendos tiros de castigo a Guillermo Torres (*Chivas*), Nery Castillo (Potosino) y Luis Montoya (Monterrey) y Jaramillo, por su parte, atajó penaltis de Héctor Hugo Eugui (Toluca), Edmundo Manzotti (*Tigres*) y Rubén Anguiano (UdeG). En total en el campeonato ocho arqueros detuvieron trece tiros de castigo.

Último juego de Rafael Puente y última expulsión

Desde luego, también hubo goleadas. Las mayores fueron para Jesús de Anda y Néstor Verderi. Al primero el Jalisco le metió ocho en Guadalajara el 7 de mayo del 77 (Veracruz perdió 2-8) y al segundo, el 22 de junio en partido de liguilla su ex equipo el América le anotó siete en el Azteca (Potosino cayó 1-7), con la particularidad de que los siete tantos fueron obra de siete distintos jugadores. En su paso por el futbol mexicano ésta fue la única vez que Verderi recibió más de cuatro goles en un partido. Y las siete anotaciones americanistas establecieron una marca en liguillas.

De Anda fue el portero más goleado del campeonato con 57 tantos. Pilar quedó en segundo lugar con 46 y Vázquez del Mercado fue tercero con 43. El arquero del Veracruz y el de los *Pumas* fueron expulsados una vez cada uno y por eso no jugaron completos los 38 partidos. También recibieron tarjeta roja el *Gato* Marín, Raúl Morales, Moi Camacho (en la liguilla), Verderi (también en la fase final) y Rafael Puente, quien tuvo la séptima y última expulsión de su carrera precisamente en su último partido, el 14 de noviembre de 1976 en el estadio de Ciudad Universitaria. Los *Pumas* vencieron al América 2-0, Puente recibió los dos goles y luego la roja que le mostró Marco Antonio Dorantes. La trayectoria del *Wama*, afectada por varias lesiones, contiene 7 torneos con el Atlante y 3 con el América, 242 goles en 204 juegos para un bajo 1.19 de promedio. Ganó un campeonato con el América. En 21 partidos (nueve oficiales, 12 amistosos) con la Selección Nacional solamente permitió 12 goles. Excelente promedio de 0.57.

También se fueron

También tuvieron su despedida de la Primera División Ismael García, Amado Palacios, Hugo Pineda, Antonio Valdivia y los importados Jan Gomolá y Apolinor Jiménez. El *Torombolo* tuvo su última actuación precisamente en el juego en el que Jesús de Anda fue expulsado (13 de febrero del 77). García lo sustituyó y recibió el gol con el que el Veracruz perdió 0-1 en San Luis ante el Potosino. Militó un año con el Morelia, dos con el León y cinco con el Veracruz, 119 juegos, cero expulsiones y 166 goles, promedió 1.39 y ganó un título de Copa y uno de Campeón de Campeones con los *Panzas Verdes*.

Al *Tarzán* Palacios, que el año anterior con su gran desempeño evitó el descenso del Potosino y envió al Atlante a Segunda, le tocó la otra cara de la moneda al perder el Zacatepec contra *Tigres* la liguilla por la permanencia. Tras empatar a dos en Zacatepec, juego en el que Palacios defendió la meta *cañera* y Julio Aguilar la de los *Tigres*, éstos se impusieron en Monterrey por 2-1, ahora con el *Ojitos* Meza de portero. Este juego, efectuado el 11 de junio del 77, fue el último de Palacios. Jugó cuatro torneos con el Cruz Azul, cuatro con el América, uno con Potosino y éste con Zacatepec. Muy bueno su

promedio de 1.12 ya que en 97 partidos sólo admitió 109 anotaciones. Fue campeonísimo con Cruz Azul y ganó una Liga con el América.

El 19 de septiembre del 76 concluyó la carrera de Hugo Pineda al visitar el León al Puebla (y perder por 1-2). Actuó dos años con el Tampico, seis con el Monterrey, uno con el Puebla y cuatro con el León, totalizó 188 juegos y 264 goles para 1.40 de promedio. Una vez fue subcampeón de Liga con el León, y con Tampico y Monterrey logró sendos subcampeonatos de Copa.

Antonio Valdivia, quien en dos torneos con *Chivas* y seis con Jalisco participó en 70 juegos, recibió 122 goles (promedio: 1.74) y formó parte del Guadalajara campeón en 69-70, se despidió el 25 de mayo del 77 en el partido Jalisco (1) UdeG (3). Nunca fue expulsado.

El 14 de mayo y el 26 de junio dijeron adiós a México el paraguayo Apolinor Jiménez y Jan Gomolá, el único portero polaco que ha jugado aquí. En seis años, tres con Cruz Azul y tres con Puebla, el guaraní apenas jugó 64 veces, mientras que Gomolá lo hizo en 49 en dos torneos con el Atlético Español y uno con el Zacatepec. Ambos lograron buenos promedios, Gomolá 1.08 pues sólo admitió 53 tantos, y Jiménez 1.20 por 77 goles recibidos. Apolinor fue partícipe de dos de los tres títulos que ganó el Cruz Azul al comenzar la década.

Cabinho, terror de los porteros

Habían transcurrido 27 años desde la última vez que un jugador anotó 30 goles en un campeonato. *Cabinho* repitió el truco y con 34 anotaciones se erigió rey goleador por segundo año consecutivo. El brasileño tuvo cinco juegos de tres goles cada uno y el 14 de abril del 77 le metió cuatro a Jorge Phoyú y al Laguna en el estadio de los *Pumas*. A Gassire, Brambila, el *Coco*, Verderi, Vargas y Regalado les marcó tres tantos a cada uno. Su ventaja sobre el segundo lugar en la lista de artilleros fue enorme: 14 goles más que los sublíderes Berna García, del Atlas, y el argentino Silvio Fogel, del Puebla. Inmediatamente abajo quedaron los importados Alberto Jorge (León), Ricardo Brandón (Veracruz), Oswaldo Castro (Jalisco) y Carlos Eloir Peruci (Laguna), argentino, uruguayo, chileno y brasileño, respectivamente.

En la liguilla *Cabinho* siguió mostrando su capacidad goleadora. Marcó seis incluyendo el que le dio el campeonato a los *Pumas*. El brasileño aportó el 50% de los goles del cuadro universitario en el campeonato y el 60% en la liguilla.

Uno de los subcampeones de goleo, el habilidoso Berna García, también anotó cuatro veces en un juego. Su hazaña se registró en la primera jornada, el 11 de septiembre del 76, en Monterrey contra los *Tigres* y Julio Aguilar.

Un jugador que, como *Cabinho*, llegaría a ser goleador de época, debutó en esta temporada. El 23 de octubre del 76 se jugaba en Monterrey el partido entre los *Tigres* y los *Pumas*. A los 19 minutos ingresó a la cancha con el uniforme de la UNAM Hugo Sánchez en cambio por el brasileño Cándido. Seis meses después, el 27 de marzo, anotó su primer gol en una derrota de *Pumas* ante el América en el estadio Azteca por 1-2. Paco Castrejón recibió la primera anotación en el futbol profesional del llamado "niño de oro".

Malas campañas de los ex porteros

Por primera vez en tres años Antonio Carbajal no consiguió meter al Curtidores a la liguilla. El equipo del *Cinco Copas* tuvo más derrotas que victorias y terminó con apenas cinco puntos más que el colero Zacatepec. Por su parte, José Moncebáez continuó su peregrinar y ahora dirigió al Puebla, su undécimo equipo en más de veinte años. Tampoco calificó ya que ocupó el cuarto lugar de su grupo. Y el otro ex portero que trabajó como técnico, Isidro Gil, fue cesado por el Zacatepec tras la jornada 14. En ese momento el equipo *cañero* llevaba cinco juegos seguidos sin ganar y con el nuevo entrenador siguió en la misma tónica hasta acumular 16 fechas sin saborear un triunfo e imponer récord del equipo. Los números totales de Gil con el Zacatepec en tres años fueron: 21 ganados, doce empatados y 33 perdidos. No volvió a dirigir en Primera División.

Se coronan los *Pumas*

Empatados UNAM y América en puntos con 50, la mayor diferencia de goleo le dio a *Pumas* el súper liderato. Cruz

Azul y los *Leones Negros*, con 46 cada uno, encabezaron los otros grupos, y las *Chivas*, el Atlético Español y los sorprendentes Potosino y San Luis también clasificaron a la liguilla. Los *Pumas* fueron líderes de goleo con 67 tantos y los *Toros* lucieron la mejor defensa al recibir sólo 33. Zacatepec anotó menos (28) y Atlas y Laguna fueron los más goleados con 65 cada uno.

En la liguilla los *Pumas* ganaron su grupo contra Cruz Azul, San Luis y Atlético Español. En el otro la UdeG y el América empataron en puntos pero el cociente de goleo les dio a los tapatíos el pase a la final. Cabe señalar que en la última jornada de la liguilla, al vencer el América a UdeG por 3-1 le quitó lo invicto, lo alcanzó en el primer lugar y le cortó a su arquero García Rulfo su racha de cinco juegos consecutivos imbatido.

Dos partidos muy equilibrados dieron *Pumas* y *Leones Negros* en la final. En el primer partido, en Guadalajara, ni García Rulfo ni Vázquez del Mercado permitieron anotaciones; en el segundo, efectuado en el estadio Azteca el 3 de julio de 1977, el solitario gol de *Cabinho* le dio a la UNAM su primera corona de Liga y al húngaro Jorge Marik su único título como director técnico, mientras que los *Leones Negros* ligaron su segundo subcampeonato seguido.

El León perdió en la mesa

Escasa y desafortunada fue la participación mexicana en la competencia de la Concacaf. El León empató 1-1 a domicilio con el equipo salvadoreño Águila y tres días después le ganaba 2-1 cuando estalló una bronca a los 40 minutos, el partido se suspendió y los *Panzas Verdes* abandonaron la cancha. La Concacaf le otorgó la victoria al Águila y el León quedó eliminado.

A fines de mayo del 77 el Real Madrid pisó canchas mexicanas. Empató con el Atlas y con el Monterrey y derrotó a *Pumas*. Otro club de gran prosapia, el Bayern Munich, venció a la Selección Nacional en Oakland y a la UdeG en Los Ángeles.

Nómina de porteros

América	Francisco Castrejón y Rafael Puente
Atlas	Héctor Brambila, Eulogio Mena, Sergio Anaya, Miguel Miranda y José Luis González
Atlético Español	Moisés Camacho, Jan Gomolá y Gregorio Cortés
Cruz Azul	Miguel Marín, José Ledesma y José Gómez
Curtidores	Jorge Jaramillo y José Luis Lugo
Guadalajara	Gilberto Rodríguez y Alfonso Reynoso
Jalisco	Javier Vargas, Antonio Valdivia y Marco Antonio Paredes
Laguna	Rogelio Ruiz Vaquera y Jorge Phoyú
León	Salvador Kuri, Rogelio Garnica y Hugo Pineda
Monterrey	Javier Quintero, José Trinidad Caballero y Javier Regalado
Potosino	Carlos Novoa, Néstor Verderi, Miguel Ángel Leyes y Efrén González
Puebla	Apolinor Jiménez y Sergio Díaz
San Luis	José Pilar Reyes
Tigres	Mateo Bravo, Julio Aguilar y Enrique Meza
Toluca	Walter Gassire y Jorge Cruz Teista
UAG	Prudencio Cortés, Arturo Castellanos y Jaime Rodríguez
UdeG	Jorge García Rulfo, Ignacio Calderón y Rubén Chávez
UNAM	Carlos E. Vázquez del Mercado y Horacio Sánchez
Veracruz	Jesús de Anda e Ismael García
Zacatepec	Amado Palacios, Raúl Morales y Juan Buenrostro

Más juegos (J)

Gilberto Rodríguez (Guadalajara)	38
José Pilar Reyes (San Luis)	38
Carlos E. Vázquez del Mercado (UNAM)	38
Jesús de Anda (Veracruz)	38

Más juegos completos

Gilberto Rodríguez (Guadalajara)	38
José Pilar Reyes (San Luis)	38
Carlos E. Vázquez del Mercado (UNAM)	37
Jesús de Anda (Veracruz)	37

Más goles (G)

Jesús de Anda (Veracruz)	57
José Pilar Reyes (San Luis)	46
Carlos E. Vázquez del Mercado (UNAM)	43
Rogelio Ruiz Vaquera (Laguna)	40
Jorge Jaramillo (Curtidores)	39

Más bajo G/J (mínimo 20 juegos)

Moisés Camacho (Atlético Español)	0.82
Salvador Kuri (León)	0.87
Miguel Marín (Cruz Azul)	0.87
Jorge García Rulfo (UdeG)	0.88
Francisco Castrejón (América)	0.89
Gilberto Rodríguez (Guadalajara)	1.00

Más goles en un juego

Jesús de Anda (Veracruz)	8
Rogelio Ruiz Vaquera (Laguna)	6
José Trinidad Caballero (Monterrey)	6
Miguel Miranda (Atlas)	5
Héctor Brambila (Atlas)	5
José Luis Lugo (Curtidores)	5
Gilberto Rodríguez (Guadalajara)	5
Javier Regalado (Monterrey)	5
Apolinor Jiménez (Puebla)	5

Penaltis detenidos

Jorge Jaramillo (Curtidores)	3
Carlos E. Vázquez del Mercado (UNAM)	3
Javier Regalado (Monterrey)	2
Eulogio Mena (Atlas)	1
Moisés Camacho (Atlético Español)	1
José Luis Lugo (Curtidores)	1
Rogelio Ruiz Vaquera (Laguna)	1
Apolinor Jiménez (Puebla)	1

Expulsados

Rafael Puente (América)
Miguel Marín (Cruz Azul)
Carlos E. Vázquez del Mercado (UNAM)
Jesús de Anda (Veracruz)
Raúl Morales (Zacatepec)

LIGUILLAS

Más juegos	Jorge García Rulfo (UdeG)	8
Más juegos completos	Jorge García Rulfo (UdeG)	8
Más goles	Néstor Verderi (Potosino)	10
Más bajo G/J	Jorge García Rulfo (UdeG)	0.50
Más goles en un juego	Néstor Verderi (Potosino)	7
Penaltis detenidos	Ninguno	
Expulsados	Moisés Camacho (Atlético Español) y Néstor Verderi (Potosino)	

77-78
El quinto lugar es el campeón

El América fue campeón de la Concacaf, le ganó la Copa Interamericana al Boca Juniors, fue súper líder del campeonato mexicano, pero el Universitario de Nuevo León se proclamó campeón, convirtiéndose en el segundo equipo que gana el título sin haber sido líder general. Desastrosa actuación de México en la Copa del Mundo.El Atlas descendió por tercera vez en su historia y el Zacatepec consiguió su cuarto ascenso. Walter Gassire igualó el viejo récord de Evaristo Murillo de seis juegos consecutivos sin recibir gol y Cabinho *ligó su tercer liderato de goleo.*

García Rulfo jugó con dos equipos

Nuevamente no hubo tiempo para efectuar la Copa México. El torneo de la Concacaf, clasificatorio para el Mundial, realizado en México en octubre del 77, y la propia Copa del Mundo en junio del 78 ajustaron el campeonato de Liga al lapso del 27 de julio al 27 de mayo con suspensión en octubre. En la liguilla se volvió a utilizar el sistema de competencia empleado en la temporada 75-76. Reaparecieron en Primera División el Atlante y el Tampico, éste mediante la adquisición de la franquicia del San Luis.

Varios y sonados cambios registró la nómina de porteros. A Pilar Reyes lo compraron los *Tigres*; los dos arqueros del Atlas, Miranda y Brambila, pasaron al León; los de *Pumas*, Vázquez del Mercado y Horacio Sánchez, emigraron a UAG y Atlético Español, respectivamente; Pedro Soto reapareció con el América; Kuri llegó al Potosino, que sería su último equipo; el Atlas se llevó a Raúl Morales, del Zacatepec; Javier Quintero no cambió de ciudad aunque sí de club al pasar del Monterrey al Universitario de Nuevo León; de este equipo salió Julio Aguilar con rumbo a la banca del Cruz Azul, de la cual emigró Pepe Ledesma para ser titular en el Tampico; y tras dos años de inactividad actuó también con el equipo *jaibo* René Vizcaíno.

Transcurrido el primer mes del campeonato la UdeG obtuvo al goleador del Atlas, Berna García, por una buena suma de dinero y el arquero Jorge García Rulfo, éste ya había jugado un partido con los *Leones Negros* y luego participó en 29 con los rojinegros y jugó (y perdió)

la liguilla por el no descenso. Un año antes García Rulfo había jugado (y perdido) la final por el título.

Muchos goles... pero de extranjeros

Se anotaron 1067 goles, casi cien más que en el campeonato anterior, pero solamente 43 en las liguillas, por la disminución en el número de partidos. Por tercer año seguido los *Pumas* fueron campeones de goleo, esta vez anotaron 81, cantidad nunca antes alcanzada por el equipo universitario. Responsable de más de la tercera parte, el implacable *Cabinho* consiguió con 33 tantos su tercer liderato consecutivo. También por tercer año seguido tuvo un juego de cuatro goles: el 25 de agosto del 77 fusiló cuatro veces en cu al portero del Jalisco, Marco Antonio Paredes.

Similar hazaña registraron el brasileño Sergio Lima, del Jalisco, el 14 de septiembre; Hugo Rodríguez, del Laguna, cuatro días después; y el chileno Oswaldo Castro, del Jalisco, el 11 de febrero del año siguiente. Los cuatro goles de Lima fueron a la cuenta de Sergio Díaz, arquero del Puebla; los de Rodríguez cayeron en la portería del Atlas a cargo de Raúl Morales; y Salvador Kuri, del Potosino, recibió los cuatro del *Pata Bendita*.

El dominio de los goleadores extranjeros fue abrumador ya que los mayores anotadores mexicanos, Jaime Pajarito (Atlas) y Berna García (UdeG), apenas marcaron 13 cada uno, ¡veinte menos que *Cabinho*! Otro brasileño, Carlos Eloir Peruci, del Atlético Español, fue sublíder de goleo con 29 pepinos, seguido por el *Pata* con 24, el *charrúa* Ricardo Brandón (Veracruz) que metió 22, su paisano Rubén Romeo Corbo, del Monterrey, con 19, y Sergio Lima, 16.

A Marco Antonio Paredes se unieron García Rulfo y Vázquez del Mercado como los arqueros más batidos por *Cabinho* con cuatro y tres goles, respectivamente.

Goleadas y debuts

Nunca desde la temporada 49-50 había habido tantos juegos en los que un equipo anotó cinco o más goles como los quince registrados en este torneo. Dos de las mayores goleadas le tocaron al arquero del Curtidores, José Luis Lugo, ambas en Guadalajara y en un lapso de 15 días: recibió siete goles de los *Tecos* y seis del Jalisco. También encajaron seis pepinos en un partido Carlos Novoa (Potosino) ante uag; Sergio Díaz (Puebla) frente al Jalisco en el juego en que Sergio Lima marcó cuatro tantos; Marco Antonio Paredes (Jalisco) contra los *Pumas* por quienes *Cabinho* metió 4, y Jorge Marcín, arquero novato de la unam frente al Cruz Azul. Y entre los que recibieron cinco goles en un partido figuraron algunos consagrados como el *Gato* Marín, Gassire, el *Coco* Rodríguez, García Rulfo y el *Gato* Vargas.

De los 51 porteros que actuaron en el campeonato ocho lo hicieron por primera vez, entre ellos un extranjero, el argentino Sergio Bratti, importado por el Monterrey. Este arquero jugaba en Chile con el Deportes Concepción y debutó en México el 1 de octubre del 77 al recibir el Monterrey a los *Tecos*. Ganaron los *Rayados* 2-1. Miguel Ángel Gamboa horadó por primera vez la portería de Bratti. El guardameta argentino jugó 23 partidos, uno incompleto por expulsión, admitió 34 anotaciones y dijo adiós a México.

De los otros debutantes hay que destacar a Jorge Marcín, Refugio de la Cruz, Óscar Mascorro y Rubí Valencia. Marcín compartió la titularidad en la portería *puma* con Jorge Espinoza, un arquero que había debutado en la Copa México de 74-75 y que hasta ahora no había jugado en la Liga. Precisamente el debut de Marcín, el 7 de agosto, ocurrió al sustituir a Espinoza durante un juego contra el Potosino que *Pumas* ganó 2-0. De la Cruz jugó por primera vez el 18 de septiembre, sustituyó al *Coco* Rodríguez en el partido que el Guadalajara perdió 0-2 ante el Toluca en el estadio Jalisco. El 25 del mismo mes se presentó Mascorro en el arco del Puebla en un triunfo de 1-0 sobre el Monterrey, y Rubí Valencia debutó con el Curtidores el 30 de octubre enfrentando a la UdeG que ganó por 2 a 1.

Contrastantes resultaron los números del novel Mascorro con los de Sergio Díaz y Jorge Cruz Teista, los otros porteros del Puebla, equipo que en la tabla general ocupó la posición 18 y tuvo la ofensiva más débil al anotar solamente 35 veces. Mientras el primero sólo recibió 15 goles en 21 juegos, al *Onassis* le anotaron 27 en 13 partidos y a Cruz Teista diez en seis. Así, Mascorro con promedio de 0.71 goles por juego fue el arquero más efectivo del campeonato, seguido por Walter Gassire con 0.89. Fueron

los únicos con promedio inferior a uno. El destacado desempeño del guardameta uruguayo fue fundamental para que el Toluca, con 37 goles, figurara por sexta vez en su historia como el equipo menos goleado del campeonato.

Gassire igualó el récord de Murillo

Durante la primera vuelta cuando el Toluca enfrentó sucesivamente al León, Cruz Azul, Atlante, Tampico, Laguna y Atlas, Gassire bajó la cortina con lo cual empató el viejo récord de seis juegos consecutivos sin anotaciones de Evaristo Murillo en 54-55. La racha terminó estrepitosamente en el estadio Jalisco con los *Leones Negros* batiendo cuatro veces a Gassire. Otro arquero que disfrutó de una seguidilla de partidos sin recibir gol fue el *Gato* Marín con cuatro.

Por otra parte, los porteros del Veracruz (Jesús de Anda), Atlante (Armando Franco), Laguna (Jorge Phoyú) y Tampico (José Ledesma) fueron los más goleados con 56, 55, 49 y 47, respectivamente. Sin embargo, el equipo que recibió más anotaciones fue el Curtidores, sólo que los 71 goles se los repartieron sus tres arqueros: José Luis Lugo (45), Jorge Jaramillo (17) y Rubí Valencia (9).

El *charrúa* Phoyú fue el portero de "hierro", el único que jugó completos los 38 partidos.

Con golazo de Reinoso el América dobló al Boca

Al empezar el año 1978 el América obtuvo su primer título internacional al ganar el torneo de la Concacaf. Sólo jugó dos partidos, ambos en Paramaribo. Derrotó al Robin Hood por 1-0 y luego empató a uno con este equipo surinamés. Pedro Soto, arquero del América en ambos cotejos, cedió su puesto a Paco Castrejón para los juegos contra el Boca Juniors por la Copa Interamericana a celebrarse el 28 de marzo en Buenos Aires y el 12 de abril en México. El Boca en su *Bombonera* acribilló con tres goles a Castrejón y ganó 3-0, pero en el Azteca el América logró batir una vez a Hugo Gatti, el afamado portero argentino, y triunfó 1-0, con lo que forzó la realización de un juego de desempate dos días después en el mismo escenario. Épica batalla, empate a un gol, tiempos extra, y en el último minuto un espléndido tiro libre de Carlos Reinoso le dio la Copa al América.

En otra final universitaria se coronan los *Tigres*

Tras ganar la Interamericana el América se enfiló hacia el superliderato del campeonato mexicano, mismo que consiguió con 51 puntos. Sin embargo, en cuartos de final no pudo vencer al Tampico, octavo clasificado con 16 puntos menos. Empate a dos en el puerto *jaibo*, a uno en el Azteca con tiempos extra, y finalmente en penaltis se impuso el Tampico por 4-2 gracias a que Ledesma le atajó uno a Hugo Kiese y el ecuatoriano Estupiñán tiró el suyo a un lado del marco. El América perdió solamente seis juegos de 40 pero quedó eliminado...

En los otros duelos de cuartos de final los *Pumas* dejaron fuera a los *Leones Negros*, los *Tigres* a los *Tecos* y el Cruz Azul al Toluca con gol en tiempo extra. En semifinales el Universitario de Nuevo León despachó a los *Cementeros* y UNAM eliminó a los *Jaibos*, así que por segundo año consecutivo dos universidades disputaron la final. Los *Pumas* iban por el bicampeonato pero estaban incompletos porque desde la jornada 36 del torneo los equipos se habían quedado sin sus seleccionados, siendo América y *Pumas* los más afectados ya que tuvieron que jugar la fase final sin cinco y cuatro titulares, respectivamente.

El 24 de mayo los *Tigres* se impusieron en casa 2-0 y tres días después se alzaron con el título tras empatar a un gol en México. Mateo Bravo y Jorge Espinoza se desempeñaron como porteros en los dos juegos, en los que curiosamente todas las anotaciones fueron obra de uruguayos. Walter Mantegazza anotó los tres de los *Tigres* y Washington Olivera el único de los *Pumas*. Y Carlos Miloc se convirtió en el tercer entrenador uruguayo que gana un campeonato de Liga en México.

Mal año para ex porteros

El Curtidores, último lugar en la tabla general, y el Atlas, penúltimo, se jugaron la permanencia en Primera División en dos encuentros. En León, ni José Luis Lugo ni

Jorge García Rulfo permitieron anotaciones, pero en Guadalajara mientras los rojinegros batían dos veces a Lugo, los leoneses le clavaban cuatro a García Rulfo para mandar al Atlas al descenso por tercera vez en su historia.

Durante la temporada el equipo curtidor había empatado el récord de nueve derrotas consecutivas del Zamora en 59-60 y había impuesto la marca de 29 juegos seguidos sin empatar (los últimos nueve del campeonato anterior y los primeros 20 del actual). Esa pesadillesca racha de nueve reveses al hilo le tocó a Antonio Carbajal y provocó al poco tiempo su salida del equipo, al que había dirigido desde su llegada a la Primera División en 74-75. En total, la *Tota* dejó números de 42 victorias, 46 empates y 44 derrotas además de 3-1-6, respectivamente, en dos liguillas por el título.

José Moncebáez fue otro ex portero cesado como entrenador. En 15 jornadas el Puebla había perdido once juegos y ganado sólo dos. En año y medio el equipo de la franja con Moncebáez como técnico sumó 15 triunfos, 13 empates y 25 descalabros. Por cierto, en este campeonato el Puebla igualó el récord del Ciudad Madero y del Zacatepec de 10 derrotas como local.

Y otro ex arquero, Roberto Silva, tomó el mando del León en la fecha 36. De los tres juegos que dirigió, empató dos y perdió uno.

Los que se fueron

1978 marcó el final de las carreras de Salvador Kuri, Sergio Díaz, Gilberto Rodríguez y René Vizcaíno. El 17 de marzo con el Potosino perdiendo en casa 0-3 ante Cruz Azul jugó Kuri por última vez. Militó en seis equipos (dos años con Torreón, dos con Laguna, dos con Toluca, uno con *Chivas*, uno con León y uno con Potosino) y participó en 179 juegos habiendo recibido 212 goles para un muy buen promedio de 1.18. Fue expulsado cinco veces.

El *Onassis* Díaz se despidió el 25 de marzo también en un partido contra el Cruz Azul. Sustituyó a Mascorro en la portería poblana. Con este equipo jugó tres torneos y antes había actuado en seis con los *Pumas*. En total, 101 juegos (sin expulsiones) y 140 goles, promedio de 1.39. Ganó una Copa México con *Pumas*.

Tras jugar 15 años, siempre con el Guadalajara, el *Coco* Rodríguez dijo adiós el 7 de mayo en Tampico. Entró por Refugio de la Cruz y recibió los 2 goles con los que los *Jaibos* vencieron 2-1 a las *Chivas*. En su palmarés, además de un magnífico promedio de 1.15 goles por juego ya que admitió 347 en 302, figuran dos títulos de Liga, uno de Copa, un subcampeonato de Liga y también uno de Copa. En tres temporadas su promedio de goles por partido fue inferior a uno. Con 50 partidos es el cuarto portero con más juegos de Copa.

Y el juego América (1) Tampico (1) del 14 de mayo fue el último partido de Vizcaíno. Jugó seis torneos con el Torreón, uno con la UdeG y éste con el Tampico. Le marcaron 185 goles en 121 encuentros y promedió 1.53. Nunca lo echaron de la cancha por expulsión y es el portero líder en juegos, juegos completos y goles del Torreón.

En esta temporada también se despidió uno de los máximos ídolos del balompié mexicano. El 18 de septiembre del 77 una multitud abarrotó el estadio Azteca para atestiguar el último juego y los últimos goles de Enrique Borja. El tricampeón goleador al comienzo de la década y dos veces mundialista les anotó dos tantos a los *Pumas*, su anterior equipo, contribuyendo al triunfo del América por 4 a 2. Jorge Marcín fue el portero que recibió las últimas anotaciones del popular goleador.

El desastre de Argentina-78

Luego de vencer 3-0 a Estados Unidos en un juego amistoso en Monterrey, la Selección Nacional no tuvo problemas para clasificar al Mundial ganando el torneo de la Concacaf que se efectuó en las ciudades de México y Monterrey en octubre del 77, durante el cual Pilar Reyes y Paco Castrejón se alternaron en la portería mexicana. Castrejón paró ante Haití (4-1), Guatemala (2-1) y Canadá (3-1) y Reyes lo hizo frente a El Salvador (3-1) y Surinam (8-1).

Seis meses después, al empezar la preparación para la Copa del Mundo, José Antonio Roca le dio la titularidad a Pilar y convocó a Pedro Soto que había lucido mucho en el arco del América. Soto debutó con la Selección en un partido contra Bulgaria en Guadalajara que México ganó por 3-0. En los demás juegos actuó Pilar: 5-1 a El Salvador en San Salvador, 0-1 con Perú en Los Ángeles, 0-2 ante España en Granada y 1-0 a Finlandia en Helsinki.

En Argentina-78 México tuvo la peor actuación de

toda su historia en copas del mundo. Tres derrotas, dos goles anotados y doce recibidos, repartidos equitativamente: seis a Pilar y seis a Soto. A Túnez se le ganaba 1-0 en el primer tiempo pero en el segundo la velocidad de los africanos fue letal y México cayó 1-3. El segundo juego, ante Alemania Federal, fue un paseo para los teutones y una pesadilla para los mexicanos y produjo la célebre anécdota de nuestros dos porteros. En la jugada del tercer gol alemán, poco antes de que terminara el primer tiempo, Pilar se lastimó y tuvo que salir del partido con un corte en la rodilla derecha. Se fue al vestidor, adonde llegó Soto al término del encuentro diciéndole: "¡empatamos!". Pilar, sorprendido, preguntó: "¿anotamos tres goles?". "No", respondió Pedro, "a ti te metieron tres y a mí otros tres..."

Finalmente Polonia despidió al desmoralizado equipo de Roca con un 3-1

Nómina de porteros

América	Pedro Soto y Francisco Castrejón
Atlante	Armando Franco y Rubén Becerril
Atlas	Jorge García Rulfo, Raúl Morales, Eulogio Mena y José Luis González
Atlético Español	Gregorio Cortés, Moisés Camacho y Horacio Sánchez
Cruz Azul	Miguel Marín, José Gómez y Julio Aguilar
Curtidores	José Luis Lugo, Jorge Jaramillo y Rubí Valencia
Guadalajara	Gilberto Rodríguez y Refugio de la Cruz
Jalisco	Marco Antonio Paredes y Javier Vargas
Laguna	Jorge Phoyú
León	Miguel Miranda, Héctor Brambila y Rogelio Garnica
Monterrey	Sergio Bratti, Javier Regalado, José Trinidad Caballero y Alejandro Jiménez
Potosino	Carlos Novoa, Salvador Kuri y Néstor Verderi
Puebla	Óscar Mascorro, Sergio Díaz y Jorge Cruz Teista
Tampico	José Ledesma y René Vizcaíno
Tigres	José Pilar Reyes, Mateo Bravo y Javier Quintero
Toluca	Walter Gassire y Carlos Garrido
UAG	Carlos E. Vázquez del Mercado, Prudencio Cortés y Jaime Rodríguez
UdeG	Rubén Chávez, Ignacio Calderón y Jorge García Rulfo
UNAM	Jorge Marcín y Jorge Espinoza
Veracruz	Jesús de Anda y Manuel Domínguez

Más juegos (J)

Armando Franco (Atlante)	38
Jorge Phoyú (Laguna)	38
Walter Gassire (Toluca)	37
Carlos E. Vázquez del Mercado (UAG)	37
Miguel Marín (Cruz Azul)	36
Jesús de Anda (Veracruz)	36

Más juegos completos

Jorge Phoyú (Laguna)	38
Armando Franco (Atlante)	37
Walter Gassire (Toluca)	37
Miguel Marín (Cruz Azul)	35
Jesús de Anda (Veracruz)	35

Más goles (G)

Jesús de Anda (Veracruz)	56
Armando Franco (Atlante)	55
Jorge Phoyú (Laguna)	49
José Ledesma (Tampico)	47

Más bajo G/J (mínimo 20 juegos)

Óscar Mascorro (Puebla)	0.71
Walter Gassire (Toluca)	0.89
Pedro Soto (América)	1.04
José Pilar Reyes (Tigres)	1.14

Más goles en un juego

José Luis Lugo (Curtidores)	7
José Luis Lugo (Curtidores)	6
Marco Antonio Paredes (Jalisco)	6
Carlos Novoa (Potosino)	6
Sergio Díaz (Puebla)	6
Jorge Marcín (UNAM)	6
Jorge García Rulfo (Atlas)	5
Gregorio Cortés (Atlético Español)	5
Miguel Marín (Cruz Azul)	5
Jorge Jaramillo (Curtidores)	5
Gilberto Rodríguez (Guadalajara)	5
Javier Vargas (Jalisco)	5
Salvador Kuri (Potosino)	5
Walter Gassire (Toluca)	5
Jesús de Anda (Veracruz)	5

Penaltis detenidos

Ignacio Calderón (UdeG)	2
Armando Franco (Atlante)	1
Jorge García Rulfo (Atlas)	1
Gregorio Cortés (Atlético Español)	1
Gilberto Rodríguez (Guadalajara)	1
Marco Antonio Paredes (Jalisco)	1
Jorge Phoyú (Laguna)	1
Miguel Miranda (León)	1
Carlos Novoa (Potosino)	1
José Ledesma (Tampico)	1
Carlos E. Vázquez del Mercado (UAG)	1
Rubén Chávez (UdeG)	1
Jorge Espinoza (UNAM)	1

Expulsados

Miguel Marín (Cruz Azul)
Sergio Bratti (Monterrey)
José Pilar Reyes (Tigres)
Carlos Enrique Vázquez del Mercado (UAG)
Jesús de Anda (Veracruz)

LIGUILLAS

Más juegos	Mateo Bravo (Tigres)	6
Más juegos completos	Mateo Bravo (Tigres)	6
Más goles	José Ledesma (Tampico)	6
Más bajo G/J	Mateo Bravo (Tigres)	0.67
Más goles en un juego	José Ledesma (Tampico)	4
Penaltis detenidos	Ninguno	
Expulsados	Ninguno	

78-79
Otro año azul

Tanto el Cruz Azul como Ignacio Trelles, su entrenador, inscribieron sus nombres por sexta vez en la lista de campeones. Los Pumas *perdieron su segunda final consecutiva pero se convirtieron en el único equipo en la historia que ha tenido dos líderes goleadores en la misma temporada. El Veracruz descendió por segunda vez y el Atlas ascendió por tercera ocasión. La franquicia del Laguna fue vendida a Ciudad Neza. Miguel Marín fue el mejor portero tanto en la fase regular del torneo como en la liguilla. Dos excelentes arqueros argentinos, Héctor Zelada y Ricardo La Volpe, se incorporaron al futbol mexicano y debutaron varios guardametas que serían figuras como los michoacanos Olaf Heredia y Marco Antonio Ferreira y el morelense Nacho Rodríguez.*

Se enriquece la nómina de porteros

Durante los meses de julio y agosto de 1978, antes del campeonato de Liga, que comenzó el 6 de septiembre, se efectuó un pequeño torneo llamado "de nuevos valores", en el que los equipos tuvieron que alinear a cinco novatos en cada juego. Quedó campeón el conjunto de la UdeG y podría decirse que en este certamen hicieron su "presentación en sociedad" los porteros Olaf Heredia, con *Pumas*, e Ignacio Rodríguez, con Zacatepec, quienes en la Liga fueron titulares en sus respectivos clubes e incluso uno de ellos —Rodríguez— jugó todos los partidos.

El debut oficial de Olaf y Nacho ocurrió en la primera jornada del campeonato y curiosamente sus equipos ganaron con el mismo marcador, los *Pumas* 4-1 al Potosino en San Luis y los *Cañeros* 4-1 a *Tigres* en Zacatepec, y fueron jugadores sudamericanos, el uruguayo Jorge Siviero y el peruano Gerónimo Barbadillo, los autores de los primeros goles en las carreras de ambos guardametas. Bora Milutinovic y Horacio Casarín fueron los primeros directores técnicos de Heredia y Rodríguez.

En total debutaron doce arqueros, incluyendo tres argentinos. El Tampico trajo a Ricardo Anhiello, de 30 años de edad, campeón de Argentina con el San Lorenzo en 1974, quien también debutó en la primera fecha, aunque con una derrota de los *Jaibos* ante el América

en México por 1-2. Posteriormente, en marzo del 79 durante la segunda vuelta, arribaron Héctor Miguel Zelada, un portero joven de 21 años, contratado por el América, y Ricardo La Volpe, de 26 años, que había jugado cinco temporadas con el Banfield y cuatro con el San Lorenzo y fue el tercer arquero de Argentina en la reciente Copa del Mundo, importado por el Atlante, equipo que para esas fechas ya pertenecía al IMSS y por lo tanto gozaba de jugoso presupuesto gubernamental.

Zelada había iniciado su carrera en el Rosario Central en 1975 y debutó en el futbol mexicano el 4 de marzo en un clásico América-*Chivas* en el que no hubo goles, de modo que fue en su segunda actuación, contra *Pumas*, cuando fue batido por primera vez. Le anotó Jesús Ramírez. La Volpe recibió su primera anotación de un compañero, Emilio Gallegos, quien marcó un autogol en el triunfo del Atlante sobre el Tampico por 2-1 en el Azteca el día 30.

A diferencia de Anhiello, cuya portería fue vencida 65 veces, Zelada y La Volpe se mostraron efectivos y seguros. El primero sólo recibió 13 tantos en una docena de partidos y en la liguilla promedió un gol por juego. El segundo permitió diez anotaciones en nueve juegos y detuvo tres penaltis para empatar el récord de Miguel Miranda y Jorge Jaramillo.

Un joven portero tamaulipeco de 18 años que tendría una larga carrera tuvo una breve primera actuación. Los *Tecos* se enfrentaban a los *Pumas* en CU el 1 de octubre del 78. Ya la UNAM llevaba un gol cuando el austriaco Helmut Senekovitch, técnico debutante de la UAG cambió a su portero, salió un novato, Jaime Rodríguez, y entró otró, Alberto Aguilar. A éste le anotó *Cabinho* y los *Pumas* ganaron 2-1. Los *Tecos* fueron el primero de los diez equipos en los que jugaría Alberto Aguilar en los siguientes 16 años.

En la última jornada del campeonato hizo su presentación en el arco del Toluca el joven portero Marco Antonio Ferreira. Debut no muy afortunado pues recibió en la capital de Nuevo León tres goles del Monterrey, el primero de ellos del brasileño Totonho. Fue sin embargo el primero de casi 500 partidos que acumularía el *Chato* Ferreira en Primera División. El húngaro Marik fue su primer entrenador.

ANULADOS EN LA FINAL LOS *PUMAS* GOLEADORES

Se registraron 1,086 goles en la fase regular del torneo y 61 en la liguilla, que esta vez se volvió a realizar como en 76-77: dos grupos de 4 equipos cada uno, *round robin* a visita recíproca, y la final entre los líderes de cada grupo. Por cuarto año seguido *Pumas* fue campeón de goleo. De sus 77 anotaciones, 52 corrieron a cargo de su dupla de artilleros integrada por *Cabinho* y Hugo Sánchez con 26 cada uno, suficientes para que el brasileño obtuviera su cuarto título de goleo. En el último juego del campeonato *Cabinho* dejó a Hugo tirar un penalti contra el Cruz Azul para compartir con él el liderato de los romperredes. Ambos promediaron 0.70 goles por partido. De los nueve tantos de los *Pumas* en la liguilla, *Cabinho* anotó cuatro y Hugo dos, sin embargo, en la final el equipo universitario se fue en blanco en 180 minutos ante el *Gato* Marín y la gran defensa del Cruz Azul.

Los *Pumas* habían empatado el récord del Veracruz en 46-47 y del ADO en 48-49 al ligar 28 partidos (los últimos 23 de la fase regular y los primeros cinco de la liguilla) anotando, racha que terminó en el último juego de la liguilla al perder 0-2 con *Tigres* en Monterrey. No pudieron batir a Pilar Reyes y luego Marín les bajó la cortina en los partidos decisivos.

Hugo Sánchez fue el único mexicano en la lista de los cinco mayores anotadores del campeonato. Atrás de él y de *Cabinho* quedaron el *Pata Bendita* Castro, del Jalisco, con 24 y Carlos Eloir Peruci, del Atlético Español, y Silvio Fogel, del Puebla, con 21 cada uno. Autor de 20 goles, el cruzazulino Rodolfo Montoya fue el segundo mexicano con más tantos.

En realidad *Cabinho* no metió 26 goles sino 27, pero uno fue en su propia meta, se lo anotó a Olaf Heredia. Y hablando de autogoles, hubo uno del portero de los *Tecos*, el *Pajarito* Cortés, en beneficio de la UdeG. Por cierto, ni los dos equipos universitarios de Guadalajara ni las *Chivas* ni el Jalisco pudieron meterse a la liguilla. La afición tapatía tuvo que verla por televisión.

FORMIDABLE TEMPORADA DE MARÍN

De los 50 porteros que tuvieron acción, sólo tres jugaron todos los partidos pero ninguno todos los minutos.

Marín, Anhiello y Nacho Rodríguez participaron en los 38 juegos e incluso el del Cruz Azul y el del Zacatepec en todos los de la liguilla, que en el caso de Marín fueron ocho por lo que jugó en total 46 partidos (45 completos), en los que admitió solamente 37 goles. Sus promedios, 0.84 en la Liga y 0.62 en la liguilla, fueron los más bajos y por supuesto el Cruz Azul fue con 32 tantos el equipo menos goleado.

Con menor efectividad que el arquero del Cruz Azul figuraron Walter Gassire (1.00), Prudencio Cortés (1.10) y José Ledesma (1.11). Este último regresó al Monterrey tras pasar dos años en Cruz Azul y uno en Tampico, siendo uno de los muy pocos guardametas que cambiaron de equipo esta temporada. Los otros fueron *Moi* Camacho, que pasó de los *Toros* al Puebla, Jorge García Rulfo quien tras el descenso del Atlas el año anterior fue contratado por el Guadalajara, y Jorge Cruz Teista, del Puebla al Atlante, en ambos equipos como suplente.

Porteros bombardeados

Por tercer año consecutivo el portero del Veracruz, Jesús de Anda, fue el guardameta con más goles admitidos, pero esta vez con cifras no registradas en los últimos treinta años. De Anda encajó 72 de los 83 tantos que en total recibió el equipo jarocho, un cuadro que tuvo cinco entrenadores, sólo anotó 35 veces y apenas hizo 23 puntos para irse directo a Segunda División sin posibilidad de salvarse en una liguilla. Tras el arquero del Veracruz quedaron, también con números muy altos, Ricardo Anhiello y Héctor Brambila (León) con 65 y 61 anotaciones recibidas. Brambila tuvo un juego de siete goles y uno de seis; De Anda acumuló cuatro de cinco, pero fue Anhiello el que se llevó la mayor goliza del campeonato. El 18 de marzo del 79 la portería del Tampico en el estadio de CU fue batida ocho veces por los *Pumas*, quedando el marcador en 8-1. Lo curioso fue que una semana después el mismo Tampico recibió al León y le metió un 7-1.

El paraguayo Eladio Vera, de los *Tecos*, y el uruguayo Gustavo León, del Puebla, inscribieron sus nombres en la lista de los anotadores de cuatro o más goles en un juego. El guaraní se los marcó a Hector Brambila en Zapopan el 7 de octubre del 78 y el *charrúa* a Néstor Verderi (Potosino) en Puebla el 19 de noviembre.

El nuevo equipo, el Neza, surgido a raíz de la compra de la franquicia del Laguna, sufrió el 25 de enero del 79 una derrota por 1-6 ante el América en el Azteca, que sería la mayor goleada de su corta historia en Primera División. En este partido el portero Jorge Phoyú recibió cuatro goles y fue expulsado; su suplente, el novato Abel Alonso, admitió los otros dos.

Por cierto, como no contaban con un estadio adecuado, los *Coyotes* de Neza tuvieron que jugar sus partidos de local en Ciudad Cooperativa Cruz Azul (2) y en Texcoco (17). Solamente anotaron 35 goles, igual que el Veracruz, y quedaron en el sitio 18 de la clasificación general.

Destacados arqueros dicen adiós

Para Miguel *Darío* Miranda y Javier *Gato* Vargas este campeonato marcó el final de sus respectivas carreras. Miranda dijo adiós el 14 de enero del 79 en una derrota del León ante el Atlante por 0-2 y seis meses después, el 2 de junio, también perdiendo (UAG 4 Jalisco 0) se despidió Vargas.

Darío, que nunca fue expulsado, jugó nueve años con el León y dos con el Atlas, en total 195 partidos en los que recibió 265 goles (promedio 1.36), atajó cinco penaltis, fue dos veces subcampeón de Liga, ganó una Copa México y un título de Campeón de Campeones, todo esto con el equipo leonés.

Más larga fue la carrera del *Gato*. En 18 años (se retiró a la edad de 38) jugó con cuatro clubes: doce con el Atlas, uno con el Toluca, uno con el San Luis y cuatro con el Jalisco. En 353 partidos admitió 498 goles para promedio de 1.41. Tanto en la historia del Atlas como en la del Jalisco es el arquero líder en juegos y juegos completos. En el rubro de goles recibidos también es el número uno en el Jalisco y lo fue por varios años en el cuadro rojinegro hasta que fue superado por Erubey Cabuto. Tuvo un descenso con el Atlas y otro con el San Luis. En su palmarés figuran una Copa y un subcampeonato de Liga con el Atlas y el título de los Panamericanos de Winnipeg-67. Fue el tercer portero de México en el Mundial de Inglaterra-66.

La estancia en México del uruguayo Jorge Phoyú también llegó a su fin en esta temporada luego de jugar un

par de años con el Laguna y este torneo con el Neza, habiendo sumado 78 partidos y 103 goles, por lo que tuvo promedio de 1.32. El *charrúa* actuó por última vez el 25 de febrero en un empate 1-1 del Neza con el Jalisco.

Una figura del futbol mexicano, Fernando Bustos, gambetero diabólico, tuvo su partido de despedida el 6 de enero y marcó el primero de los cuatro goles que el Cruz Azul le metió a las *Chivas* en el estadio Azteca. La última anotación de Bustos fue a la cuenta de Jorge García Rulfo. Desgraciadamente ocho meses después perdió la vida en un accidente automovilístico.

Otra muerte lamentable: el 7 de septiembre del 78 falleció el ex portero Ricardo Zamora, figura mítica del futbol español. El *Divino* tenía 77 años.

La única expulsión del *Pajarito*

Muchos porteros expulsados pero también muchos penaltis detenidos se registraron en esta temporada. De los siete arqueros que recibieron tarjeta roja destaca el caso del *Pajarito* Cortés, a quien el árbitro Marcel Pérez Guevara mandó a las regaderas el 6 de mayo en Tampico. Sería ésta la única expulsión en la carrera de más de 400 partidos del guardameta de los *Tecos*.

En cuanto a los tiros de castigo atajados, la lista se integra por once porteros que pararon en total quince penaltis, sobresaliendo desde luego Ricardo La Volpe con tres, seguido por Walter Gassire y Abel Alonso con un par cada uno. La Volpe se lució anulando los disparos del *Pata Bendita* Castro, del Jalisco, de Salvador Carrillo, de *Tigres*, y de Luis Estrada, del León.

Por otra parte, el 5 de mayo del 79 el *Gato* Chávez comenzó una racha de partidos que lo convertiría tres años después en uno de los diez porteros que han logrado participar ininterrumpidamente en cien o más juegos.

Cruz Azul siempre fue el mejor

El súper liderato en la fase regular del campeonato lo ratificó el Cruz Azul ganando su grupo de la liguilla y la final a los *Pumas*. Los *Cementeros* nunca perdieron como locales. En segundo lugar en la tabla general quedaron los *Tigres* del Universitario de Nuevo León con mejores números que en la temporada anterior cuando fueron campeones. Tuvieron dos series de 12 juegos seguidos sin perder, en la primera de las cuales lograron cinco triunfos al hilo y en la segunda cinco empates consecutivos. Todas estas rachas son récords del equipo. En la liguilla empataron en puntos con los *Pumas* pero éstos pasaron a la final por su mejor diferencia de goles.

El 28 y 30 de junio culminó el campeonato con la sexta coronación del Cruz Azul. En cu, *Pumas* y *Cementeros* no se hicieron daño pero en el Azteca Carlos Jara Saguier y Horacio López Salgado perforaron la cabaña de Olaf Heredia para el triunfo cruzazulino por 2 a 0.

Así, perdiendo y sin hacer gol, los *Pumas* cerraron el año como lo habían comenzado en agosto del 78 cuando sucumbieron dos veces por 0-1 ante los *Leones Negros* de la UdeG en el debut de ambos equipos en las competencias de la Concacaf. Entonces fue Nacho Calderón el arquero que dejó en cero a los cañoneros de la unam y Jorge Espinoza y Jorge Marcín se convirtieron en los primeros porteros *pumas* en jugar partidos internacionales oficiales.

Las dos victorias le permitieron a la UdeG obtener el título de "campeón zonal" de la Concacaf, compartido con el Comunicaciones, de Guatemala, y el Defense Force, de Trinidad y Tobago.

Moncebáez dirige a la Selección

Por tercera vez en su carrera de entrenador, Antonio Carbajal dirigió al León. Lo hizo a partir de la fecha 21 y en 18 juegos solamente tuvo un empate.

Y Pepe Moncebáez, otro ex portero de vasta trayectoria como técnico, se hizo cargo de la Selección Nacional luego del estrepitoso fracaso de Roca en el Mundial. Fueron tres juegos en una semana a principios del año 79 contra el seleccionado olímpico de la urss. En Los Ángeles ganaron los soviéticos 1-0; en Monterrey venció México por el mismo marcador; y en Tampico empataron 1-1. Pilar Reyes jugó el primero y el segundo y Gregorio Cortés el último.

A medio año la Selección (que no era tal sino el Curtidores disfrazado) le ganó a Estados Unidos la eliminatoria olímpica, sin embargo, al comprobarse que México había jugado con profesionales fue descalificado. Así, por

hacer trampa, el futbol mexicano cortó una racha de participación en cuatro olimpiadas consecutivas.

Nómina de porteros

América	Francisco Castrejón, Héctor Zelada y Pedro Soto
Atlante	Armando Franco, Ricardo La Volpe, Jorge Cruz Teista y José de Jesús Celestino
Atlético Español	Gregorio Cortés y Horacio Sánchez
Cruz Azul	Miguel Marín y Julio Aguilar
Curtidores	José Luis Lugo y Jorge Jaramillo
Guadalajara	Jorge García Rulfo y Refugio de la Cruz
Jalisco	Marco Antonio Paredes y Javier Vargas
León	Héctor Brambila, Rogelio Garnica y Miguel Miranda
Monterrey	José Ledesma, Javier Regalado y Alejandro Jiménez
Neza	Jorge Phoyú y Abel Alonso
Potosino	Néstor Verderi y Carlos Novoa
Puebla	Moisés Camacho y Óscar Mascorro
Tampico	Ricardo Anhiello y José Trinidad Mendoza
Tigres	José Pilar Reyes y Mateo Bravo
Toluca	Walter Gassire, Carlos Garrido y Marco Antonio Ferreira
UAG	Prudencio Cortés, Jaime Rodríguez y Alberto Aguilar
UdeG	Rubén Chávez, Ignacio Calderón y Jorge Corona
UNAM	Olaf Heredia, Jorge Espinoza y Jorge Marcín
Veracruz	Jesús de Anda y Sergio Vázquez
Zacatepec	Ignacio Rodríguez y Jorge Romero

Más juegos (J)

Miguel Marín (Cruz Azul)	38
Ricardo Anhiello (Tampico)	38
Ignacio Rodríguez (Zacatepec)	38
José Pilar Reyes (Tigres)	37
Walter Gassire (Toluca)	36

Más juegos completos

Miguel Marín (Cruz Azul)	37
Ignacio Rodríguez (Zacatepec)	37
Ricardo Anhiello (Tampico)	36
Héctor Brambila (León)	35
José Pilar Reyes (Tigres)	35

Más goles (G)

Jesús de Anda (Veracruz)	72
Ricardo Anhiello (Tampico)	65
Héctor Brambila (León)	61
Gregorio Cortés (Atlético Español)	56
José Luis Lugo (Curtidores)	50
Jorge García Rulfo (Guadalajara)	50

Más bajo G/J (mínimo 20 juegos)

Miguel Marín (Cruz Azul)	0.84
Walter Gassire (Toluca)	1.00
Prudencio Cortés (UAG)	1.10
José Ledesma (Monterrey)	1.11
Ignacio Rodríguez (Zacatepec)	1.16
José Pilar Reyes (Tigres)	1.19

Más goles en un juego

Ricardo Anhiello (Tampico)	8
Héctor Brambila (León)	7
Héctor Brambila (León)	6
Carlos Novoa (Potosino)	6
José Luis Lugo (Curtidores)	5
José Pilar Reyes (Tigres)	5
Jesús de Anda (Veracruz)	5 (4 veces)
Sergio Vázquez (Veracruz)	5

Expulsados

Jorge Phoyú (Neza)
Carlos Novoa (Potosino)
Moisés Camacho (Puebla)
Ricardo Anhiello (Tampico)
Walter Gassire (Toluca)
Prudencio Cortés (UAG)
Jesús de Anda (Veracruz)

Penaltis detenidos

Ricardo La Volpe (Atlante)	3
Abel Alonso (Neza)	2
Walter Gassire (Toluca)	2
Horacio Sánchez (Atlético Español)	1
Armando Franco (Atlante)	1
Miguel Marín (Cruz Azul)	1
Héctor Brambila (León)	1
José Pilar Reyes (Tigres)	1
Jaime Rodríguez (UAG)	1
Rubén Chávez (UdeG)	1
Ignacio Rodríguez (Zacatepec)	1

LIGUILLA

Más juegos	Miguel Marín (Cruz Azul) y Olaf Heredia (UNAM)	8
Más juegos completos	Miguel Marín (Cruz Azul) y Olaf Heredia (UNAM)	8
Más goles	Néstor Verderi (Potosino) y Olaf Heredia (UNAM)	8
Más bajo G/J	Miguel Marín (Cruz Azul)	0.62
Más goles en un juego	Carlos Novoa (Potosino), José Pilar Reyes (Tigres) y Walter Gassire (Toluca)	3
Penaltis detenidos	Ninguno	
Expulsados	Ninguno	

79-80
Culmina la década celeste

Logrando el bicampeonato el Cruz Azul se consolidó como el indiscutido "equipo de la década" y Nacho Trelles impuso la marca para directores técnicos de siete títulos de Liga. Por segundo año consecutivo y aunque fue expulsado tres veces, Miguel Marín figuró como el número uno de los guardametas. Cabinho, *que pasó de los Pumas al Atlante, ligó su quinto campeonato de goleo y empató el récord de nueve juegos seguidos anotando. Ascendió el Atletas Campesinos, de Querétaro, y se fue a Segunda División el Jalisco. Este último y el Tampico protagonizaron un juego de 12 goles. En el segundo Mundial Juvenil la Selección Mexicana fue eliminada en la primera ronda. Amanecer y ocaso de dos porteros históricos: primera temporada de Javier* Zully *Ledesma y la última de Nacho Calderón.*

El adiós de Calderón

En agosto-septiembre de 1979 se efectuó en Japón el II Torneo Mundial Juvenil. México no pudo repetir su destacada actuación de dos años antes. La Selección, al mando de José Moncebáez, jugó tres partidos en cinco días (1-1 con Argelia, 1-2 ante España y 1-1 con Japón) y no pudo pasar de la primera fase. Alberto Aguilar custodió el arco mexicano en los tres encuentros, aunque en el último fue sustituido por Pablo Larios a quien le tocó el gol de los japoneses.

Mientras tanto, cuatro equipos mexicanos hacían pretemporada en Europa: los *Tigres* en Yugoslavia y Hungría donde enfrentaron a clubes de primera y segunda divisiones, y Cruz Azul, Monterrey y *Tecos* en España donde participaron en algunos de los tradicionales mini torneos de verano.

La Liga comenzó el 19 de septiembre y el sistema de competencia fue el mismo del torneo anterior. Para su retorno al máximo circuito, el Atlas importó de Uruguay al portero Gerardo Rodríguez. Éste se alternó en el arco con Raúl Morales, quien reapareció en Primera División tras haber descendido con el Zacatepec dos años antes. Además, con el cuadro rojinegro jugó sus últimos partidos Nacho Calderón, el extraordinario arquero tapatío en cuyo impresionante palmarés destacan tres campeonatos de Liga, dos títulos de Campeón de Campeones,

cuatro subcampeonatos (uno de Copa), diez penaltis atajados y un excelente promedio de 0.99 goles por juego. La carrera del *Cuate* duró 18 años, los primeros 12 con el Guadalajara, luego cinco con la UdeG, equipo con el que obtuvo tres de los subcampeonatos, y el presente con el Atlas. En 273 partidos sólo permitió 270 goles. Solamente una vez le anotaron más de cuatro en un juego (fueron cinco), tuvo en cambio dos rachas de cinco juegos consecutivos y otras dos de cuatro con meta invicta.

Portero titular de México en los Mundiales de 1966 y 1970, acumuló 59 partidos (entre oficiales y amistosos) y 66 goles (promedio: 1.12) con la Selección, superando a Carbajal. Se mantuvo por un buen tiempo como líder en tales estadísticas hasta que lo sobrepasó Jorge Campos en la década de los 90 y más recientemente Oswaldo Sánchez.

El 9 de mayo de 1980 jugó su último partido a los 37 años de edad. El Atlas empató a dos con el Atlante en el estadio Azteca.

Muerte de un portero

Cabe señalar que el regreso del Atlas a Primera División fue muy poco afortunado. Sus escasos 29 puntos apenas le alcanzaron para salvarse de jugar nuevamente una liguilla por el no descenso, y sus 70 goles recibidos lo ubicaron como el equipo más goleado del torneo. De los 70, el uruguayo Rodríguez permitió 27 en sólo 17 juegos, que fue lo que duró su corta estancia en el balompié mexicano.

Otro portero extranjero que tampoco hizo huesos viejos en nuestro país fue Ricardo Anhiello, el argentino que había jugado toda la temporada anterior con el Tampico. Anhiello salió del cuadro *jaibo* al hacerse éste de los servicios de los veteranos Castrejón y Vázquez del Mercado y se fue al Potosino donde apenas jugó 5 veces, la última el 17 de febrero del 80 recibiendo cinco goles del Neza. En 43 partidos el *che* admitió 77 anotaciones para un alto 1.79 de promedio.

La lista de porteros para los que 79-80 fue su última temporada contiene también los nombres de José Luis Lugo, Rogelio Ruiz Vaquera y Marco Antonio Paredes. El primero, tras jugar seis años con el Curtidores, quedó como el portero líder de juegos, juegos completos y goles recibidos de este equipo. Permitió 230 anotaciones en 160 partidos (promedio: 1.44) y recibió tres tantos de las *Chivas* en su último juego el 25 de abril del 80.

Aunque militó seis temporadas con el Laguna y ésta con los *Tigres*, Ruiz Vaquera solamente participó en 60 juegos en los que encajó 109 goles para promedio de 1.82. En la corta historia del Laguna figura como el arquero más goleado.

El 19 de abril de 1980 Marco Antonio Paredes custodió la portería del Jalisco en la derrota de los *Gallos* ante el Cruz Azul en el estadio Azteca por 0-1. Nadie podía imaginar que allí terminaba la carrera del joven arquero, de apenas 24 años de edad, que tanto había brillado en el primer Mundial Juvenil en Túnez. Víctima de pancreatitis y tras permanecer diez días en el hospital, Paredes falleció el primer día de mayo. Dejó números de 72 partidos, 116 goles y promedio de 1.61 en cuatro temporadas con el Jalisco.

Brilla Javier Ledesma en su primera temporada

Fueron 48 los arqueros que tuvieron acción en el campeonato, nueve de ellos por primera vez. Entre los debutantes el más destacado fue Javier *Zully* Ledesma, de 21 años de edad, que hizo su presentación con las *Chivas* el 16 de diciembre del 79 en Guadalajara, su ciudad natal. Un autogol de Arturo Razo significó la primera anotación para el *Zully* pero el cuadro tapatío derrotó 2-1 al Curtidores. Ledesma se adueñó de la titularidad en el cuadro dirigido por Carlos Miloc y en 26 juegos sólo recibió 26 tantos. Su promedio exacto de un gol por partido lo situó como el mejor portero mexicano de la temporada. Solamente los argentinos Marín y Zelada tuvieron promedios más bajos: 0.89 el arquero del Cruz Azul y 0.95 el del América. Por cierto, otro argentino —La Volpe, del Atlante— quedó en cuarto lugar con 1.03 y Marco Antonio Ferreira, del Toluca, figuró como el mejor mexicano después de Ledesma.

Del resto de nuevos guardametas cabe señalar a Román Sánchez (8 de mayo con el Atlético Español), Fernando López Vega (19 de marzo con la UAG), Jesús Contreras (14 de junio con el Monterrey) y Jorge Miranda (6 de enero con la UNAM).

Cinco goles de *Cabinho* en Monterrey

Los porteros del América y UdeG, Héctor Zelada y el *Gato* Chávez, fueron los únicos que jugaron los 38 partidos pero sólo el mexicano logró la temporada completa pues Zelada en tres ocasiones abandonó la cancha por lesión. Chávez fue también el que recibió más goles con 56, seguido por el *Pajarito* Cortés y Moisés Camacho con 55 y 54, respectivamente. Sin embargo, las mayores goleadas del torneo fueron para Mateo Bravo, Marco Antonio Paredes y Héctor Brambila. El 3 de mayo de 1980 es una fecha negra en la historia del Universitario de Nuevo León. En su casa los *Tigres* fueron apabullados 7-0 por el Atlante, marcador récord para el equipo *felino*, forjado principalmente por *Cabinho*, anotador de cinco goles. Esta fue la mayor cuota de anotaciones en un juego que logró el cañonero brasileño en toda su espectacular actuación en México. Mateo Bravo se tragó los siete goles azulgranas.

Marco Antonio Paredes había recibido igual cantidad el 15 de marzo en Tampico mientras en la portería contraria Paco Castrejón admitía cinco del Jalisco en un loco partido de 12 goles. A Héctor Brambila, por su parte, el Cruz Azul le clavó seis en León el antepenúltimo día del 79.

No cinco goles en un juego, como *Cabinho*, pero sí cuatro, lograron Silvio Fogel, del Puebla, y Juan Manuel Azuara, de los *Tigres*. Gregorio Cortés (Monterrey) recibió los 4 de Fogel en Puebla y el *charrúa* Gerardo Rodríguez (Atlas) los de Azuara en Monterrey.

Cabinho y ocho más

En la fase regular del campeonato se registraron 1,045 goles, 41 menos que en 78-79, pero fue notable el elevado número de delanteros que mandaron el balón a las redes en veinte o más ocasiones. De hecho, desde la temporada 45-46 no habían figurado tantos anotadores de 20 goles como los nueve que hubo en este torneo, a saber: Cabinho (Atlante, 30), Hugo Sánchez (UNAM, 29), Juan Manuel Azuara (UNL, 24), Oswaldo Castro (Neza, 24), Hugo Kiese (UAG, 24), Heber Revetria (Tampico, 22), Mario Hernández (Zacatepec, 21), Silvio Fogel (Puebla, 20) y Osvaldo Faria (América, 20). En total, seis sudamericanos y tres mexicanos.

Cabinho debutó con el Atlante en la cuarta fecha, cuando Hugo Sánchez ya había anotado seis veces. Le dio alcance y al final lo superó para conquistar su quinto campeonato consecutivo de goleo. De sus 30 tantos, 16 fueron en campo ajeno. Además, unió su nombre al de Horacio Casarín como los únicos jugadores del Atlante que han logrado rachas de nueve partidos seguidos anotando. *Cabinho* les marcó sucesivamente un gol a Pilar Reyes (*Tigres*), dos a Gerardo Rodríguez (Atlas), uno a Héctor Brambila (León), uno a Jorge Jaramillo (Curtidores), dos a Horacio Sánchez (Atlético Español), uno a Jorge Marcín (*Pumas*), tres a Carlos Enrique Vázquez del Mercado (Tampico), dos a Moisés Camacho (Puebla) y uno a Marco Antonio Paredes (Jalisco). Totalizó 14 pepinos, uno menos que Casarín, y durante la racha el Atlante ganó siete juegos y perdió dos.

Otro centro delantero que gozó de una buena racha goleadora fue Ricardo Castro, del Zacatepec, quien al ligar seis partidos consecutivos anotando empató el récord del equipo impuesto en 54-55 por Mario Pérez e igualado por Carlos Lara en 61-62. La racha de Castro se dio mientras el equipo *cañero* cerraba el torneo marcando al menos un gol en las últimas 16 jornadas (récord vigente del Zacatepec) para conquistar el campeonato de goleo con 72 tantos, más del doble de los 34 con los que el Potosino se ubicó en el último lugar de la tabla de anotaciones. La racha del Zacatepec terminó en el primer juego de la liguilla al empatar a cero con los *Pumas*.

Porteros argentinos, los más indisciplinados

Además de Paco Castrejón que pasó del América al Tampico mientras Anhiello se iba al Potosino, y las reapariciones de Vázquez del Mercado con el cuadro *jaibo* y de Raúl Morales con los rojinegros, hubo más porteros que cambiaron de camiseta (y suéter) como Goyo Cortés que emigró del Atlético Español al Monterrey; Jorge Espinoza, de *Pumas* a Neza; Verderi también llegó al Neza procedente del Potosino; y el novato Alberto Aguilar quien tras debutar con los *Tecos* en la temporada pasada arribó al León para compartir con Brambila el arco de los *Esmeraldas*.

En materia de expulsiones se empató la marca de ocho impuesta en el campeonato 74-75. Los argentinos

La Volpe, Marín y Verderi aportaron más del 70 por ciento porque el del Atlante sufrió sus primeras dos en México, al del Cruz Azul lo echaron tres veces y el del Neza registró su tercera tarjeta roja en nuestro país.

Por cierto que el arquero azulgrana fue el gran "cliente" de Hugo Sánchez. El llamado *Niño de oro* le hizo tres agujeros a La Volpe en el estadio Azteca y le repitió la dosis en el Universitario. Y a su hermano Horacio, arquero de los *Toros*, le metió un par en el Azteca.

Cruz Azul, gran campeón

Un equipo como los *Tigres* del Universitario de Nuevo León que ocupó el octavo lugar en la clasificación general, que registró más goles recibidos que anotados, que tuvo cuatro entrenadores y que en el torneo de la Concacaf fue eliminado en la primera ronda por el club salvadoreño FAS con marcador global de 0-1, estuvo a punto de ser campeón. En la liguilla superó por un punto al América y a los *Pumas* y por dos al Zacatepec. Cabe señalar que el América había sido el súper líder y había sumado 17 puntos más que los *Tigres*. También el cuadro azulcrema fue protagonista de una racha de 19 partidos seguidos sin perder (en todos los cuales jugó Zelada).

El otro grupo de la liguilla (Cruz Azul, Atlante, Neza y Tampico) lo ganó el equipo *cementero*. En el primer partido de la final, en Monterrey, se impuso el Cruz Azul por 1 a 0 con gol de Rodolfo Montoya. El juego decisivo, el 13 de julio en el Azteca, tuvo un final sumamente emotivo. Adrián Camacho, una vez, y Montoya, dos, habían batido a Pilar Reyes, en tanto que Gerónimo Barbadillo y el *Alacrán* Jiménez habían hecho lo mismo con el *Gato* Marín. Ganaba pues el Cruz Azul por 3-2. Faltando seis minutos *Tigres* hizo un cambio, salió Raúl Ruiz y entró Mateo Bravo a la portería, pasando Pilar a la delantera. Un pase de Pilar a Azuara produjo el empate a tres, marcador final del encuentro, pero insuficiente para el equipo *felino*. El global de 4-3 le dio al Cruz Azul su segunda corona consecutiva, quinta en la década y séptima en total.

Campeón con toda justicia, el cuadro *cementero* solamente perdió cinco de cuarentaiséis juegos, fue el equipo menos goleado con 34, obtuvo 14 victorias como visitante (once en la fase regular y tres en la liguilla) e impuso el récord de siete triunfos consecutivos en cancha ajena. Por si fuera poco, se mantuvo invicto como local por segundo año seguido. La racha de invencibilidad en casa había comenzado el 22 de abril de 1978 y se prolongó hasta el 28 de junio de 1980 cuando en la cuarta fecha de la liguilla el Cruz Azul cayó en el Azteca ante el Tampico por 0-1. Fueron 47 partidos, de los cuales ganó 31 y empató 16. Se trata, sin duda, de una de las grandes marcas del futbol mexicano. Por contraste, los *Toros* del Atlético Español resultaron casi un cheque al portador para los equipos que los visitaron ya que perdieron diez juegos como locales, por lo que empataron el récord del Ciudad Madero, Zacatepec y Puebla.

Adiós al Jalisco

En el fondo de la clasificación general se ubicaron el Jalisco y el Curtidores con 28 unidades cada uno y el León, el Potosino y el Atlas con 29. Les tocó pues a Jalisco y Curtidores disputar la otra liguilla, la del no descenso. Con Jorge Jaramillo defendiendo el arco curtidor y el novato Anselmo Romero el de los *Gallos*, el primer juego registró victoria jalisciense por 2-1 en Guadalajara, pero en el segundo, en León, los Curtidores remontaron (3-1) y enviaron al Jalisco a Segunda División. Factor importante en la salvación del equipo leonés fue el brasileño Geraldo Goncalves, autor de tres de los cuatro goles curtidores.

Con respecto al otro conjunto de la ciudad cuerera, el León, la *Tota* Carbajal solamente lo dirigió hasta la fecha 5. Causó baja tras obtener una victoria, un empate y tres descalabros. En su tercera etapa como director técnico de los *Panzas Verdes* tuvo números de nueve ganados, dos empatados y 12 perdidos. Carbajal no volvería a dirigir en Primera División hasta 1985 con el Morelia.

La Selección

Efímera fue la estancia de Pepe Moncebáez en la dirección técnica de la Selección Nacional pues en noviembre del 79 comenzó la segunda era de Raúl Cárdenas. De ese mes a junio del año siguiente la Selección disputó once juegos amistosos, de los que ganó seis (a Perú en Monterrey, a El Salvador en San Salvador, a Checoeslova-

quia en León, a Honduras en Tegucigalpa y también en Toluca, y a Guatemala en Guatemala), empató tres (con Finlandia en México, con El Salvador en Texcoco y con Guatemala en Toluca) y perdió dos (con Corea del Sur en Los Ángeles y con Brasil en Río de Janeiro). En siete partidos alineó como portero Pilar Reyes; en los otros cuatro tuvieron oportunidad de mostrarse Nacho Rodríguez y Gregorio Cortés, además de Horacio Sánchez que en el partido en Tegucigalpa entró de cambio por Nacho al lastimarse éste.

Nómina de porteros

América	Héctor Zelada y Pedro Soto
Atlante	Ricardo La Volpe y Armando Franco
Atlas	Raúl Morales, Gerardo Rodríguez e Ignacio Calderón
Atlético Español	Horacio Sánchez y Román Sánchez
Cruz Azul	Miguel Marín y Julio Aguilar
Curtidores	Jorge Jaramillo y José Luis Lugo
Guadalajara	Javier Ledesma y Jorge García Rulfo
León	Alberto Aguilar, Héctor Brambila y Rogelio Garnica
Jalisco	Marco Antonio Paredes, Salvador Castillo, Anselmo Romero y José Antonio Panduro
Monterrey	Gregorio Cortés, José Ledesma y Jesús Contreras
Neza	Abel Alonso, Jorge Espinoza y Néstor Verderi
Potosino	Carlos Novoa y Ricardo Anhiello
Puebla	Moisés Camacho y Óscar Mascorro
Tampico	Francisco Castrejón y Carlos Enrique Vázquez del Mercado
Tigres	José Pilar Reyes, Mateo Bravo y Rogelio Ruiz Vaquera
Toluca	Marco Antonio Ferreira, Walter Gassire y Carlos Garrido
UAG	Prudencio Cortés y Fernando López Vega
UdeG	Rubén Chávez
UNAM	Olaf Heredia, Jorge Marcín y Jorge Miranda
Zacatepec	Ignacio Rodríguez y Jorge Romero

Más juegos (J)

Rubén Chávez (UdeG)	38
Héctor Zelada (América)	38
Ricardo La Volpe (Atlante)	37
Miguel Marín (Cruz Azul)	37
Moisés Camacho (Puebla)	37
Ignacio Rodríguez (Zacatepec)	37

Más juegos completos

Rubén Chávez (UdeG)	38
Moisés Camacho (Puebla)	36
Héctor Zelada (América)	35
Ricardo La Volpe (Atlante)	35
Horacio Sánchez (Atlético Español)	35
Prudencio Cortés (UAG)	35

Más goles (g)

Rubén Chávez (UdeG)	56
Prudencio Cortés (UAG)	55
Moisés Camacho (Puebla)	54
Ignacio Rodríguez (Zacatepec)	49
Horacio Sánchez (Atlético Español)	49

Más bajo g/j (mínimo 20 juegos)

Miguel Marín (Cruz Azul)	0.89
Héctor Zelada (América)	0.95
Javier Ledesma (Guadalajara)	1.00
Ricardo La Volpe (Atlante)	1.03
Marco Antonio Ferreira (Toluca)	1.10

Más goles en un juego

Mateo Bravo (Tigres)	7
Marco Antonio Paredes (Jalisco)	7
Héctor Brambila (León)	6
Raúl Morales (Atlas)	5
Horacio Sánchez (Atlético Español)	5
Jorge Jaramillo (Curtidores)	5
Marco Antonio Paredes (Jalisco)	5 (2 veces)
Gregorio Cortés (Monterrey)	5
Ricardo Anhiello (Potosino)	5
Óscar Mascorro (Puebla)	5
Francisco Castrejón (Tampico)	5 (2 veces)
José Pilar Reyes (Tigres)	5
Prudencio Cortés (UAG)	5 (2 veces)
Rubén Chávez (UdeG)	5

Penaltis detenidos

Ricardo La Volpe (Atlante)	2
Moisés Camacho (Puebla)	2
Prudencio Cortés (UAG)	2
Rubén Chávez (UdeG)	2
Héctor Zelada (América)	1
Raúl Morales (Atlas)	1
Miguel Marín (Cruz Azul)	1
Salvador Castillo (Jalisco)	1
Gregorio Cortés (Monterrey)	1
Mateo Bravo (Tigres)	1

Expulsados

Miguel Marín (Cruz Azul) (3 veces)
Ricardo La Volpe (Atlante) (2 veces)
Néstor Verderi (Neza)
José Pilar Reyes (Tigres)
Olaf Heredia (UNAM)

LIGUILLAS

Más juegos	Miguel Marín (Cruz Azul) y José Pilar Reyes (Tigres)	7
Más juegos completos	Miguel Marín (Cruz Azul)	7
Más goles	Carlos E. Vázquez del Mercado (Tampico)	10
Más bajo g/j	Olaf Heredia (UNAM)	0.50
Más goles en un juego	Carlos E. Vázquez del Mercado (Tampico)	5
Penaltis detenidos	Ninguno	
Expulsados	Ninguno	

80-81
Año de *Pumas* y retiro inesperado de Marín

Goleándolo en la final los Pumas *destronaron al Cruz Azul y redondearon un gran año ya que también ganaron el torneo de Concacaf y la Copa Interamericana. Durante 1075 minutos (casi doce juegos seguidos) el Atlas fue incapaz de meter un gol, pero precisamente por una anotación se salvó de volver a caer a Segunda División, a la que bajó el Curtidores. Ascendió el Morelia. Para no variar,* Cabinho *fue el rey del gol. Una afección cardiaca obligó a Miguel Marín a colgar los guantes. Su sustituto, Ricardo José Ferrero, también argentino, fue el mejor portero del campeonato. Por primera vez en 46 años la Selección Mexicana perdió con la de Estados Unidos.*

Con apuros México pasa al pre mundial

Previo al campeonato, que empezó el 19 de septiembre de 1980, el Cruz Azul y el Tampico participaron en los torneos veraniegos de España, país donde también jugó el equipo de la UAG mientras que el de la U. de Nuevo León lo hizo en Italia. A México vino el Peñarol a sufrir derrotas ante el Neza, el Toluca y el América, en tanto que la Selección realizó un periplo por el quinto continente donde tras caer estrepitosamente 0-4 frente a Nueva Zelanda, empató dos veces con Australia (2-2 y 1-1) y venció 2-0 a Islas Fidji y 1-0 a Tahití. En el segundo juego contra los australianos el portero de México fue Gregorio Cortés pero el gol lo recibió Ignacio Rodríguez, que entró de cambio porque *Goyo* se fracturó la mano derecha. En los demás partidos Nacho se hizo cargo de la cabaña mexicana.

Posteriormente, en octubre y noviembre, empezó la eliminatoria para el Mundial de España-82. México superó la primera fase con apuros pues si bien goleó a Estados Unidos por 5-1 en el Azteca, sólo empató dos veces con Canadá, ambas a un gol, y perdió con los estadounidenses en Fort Lauderdale por 1-2. Primer triunfo del equipo *gringo* desde 1934. En los primeros tres juegos alineó Nacho Rodríguez y en el último *Goyo* Cortés. Para ambos fueron sus últimas actuaciones con la Selección. Pilar Reyes reapareció en el arco mexicano en los amistosos contra Bulgaria (1-1) y Corea del Sur (4-0) efectuados en el Distrito Federal en enero y febrero de 1981. El partido contra los coreanos fue el último de Pilar con la Selección. Paco

Castrejón también volvió a alinear en una derrota por 1-3 ante la Selección de España que nos visitó en junio y que también jugó en Puebla donde cayó ante el equipo de la franja por 1-2.

Rachas impresionantes

En la quinta jornada de la Liga los *Tecos*, con Carlos Miloc al mando, comenzaron a acumular victorias y empates pero ninguna derrota hasta llegar en la fecha 24, ya en la segunda vuelta, a veinte partidos consecutivos sin perder. La magia terminó cuando el equipo de la UAG visitó al Neza y sucumbió por 2-3. La racha catapultó a los *Tecos* a una cerrada batalla por el súper liderato con los *Pumas*, que por su parte se mantuvieron invictos en quince juegos seguidos, igualando su récord impuesto en 75-76. Al final, *Tecos* quedó en el primer lugar general con 51 puntos mientras que *Pumas* fue segundo con 49, pero en la liguilla el cuadro tapatío se desplomó al sótano de su grupo y la UNAM escaló las mayores alturas hasta conquistar su segundo título de Liga además de obtener el liderato de goleo (con 79) por quinta vez en los últimos seis años.

En la racha invicta de los *Tecos* y de hecho en todos los juegos de la fase regular alineó en la portería el *Pajarito* Cortés. Fue uno de los tres únicos arqueros que jugaron completos los 38 partidos, siendo los otros el *Gato* Chávez, de la UdeG, que lo hizo por segundo año consecutivo y Paco Castrejón, que en esta temporada se vistió de rojinegro y padeció con el Atlas un torneo de verdadera pesadilla, ya que además de empatar el récord de todos los tiempos de 9 derrotas al hilo, del Zamora en 59-60 y del Curtidores en 77-78, estableció la marca de once juegos seguidos sin anotar. El equipo rojinegro se quedó en blanco 1075 minutos hasta que un gol del argentino Héctor Pitarch a Vázquez del Mercado, del Tampico, el 11 de abril del 81, rompió el maleficio.

Los debuts de Larios y de Celestino

En total fueron 50 los porteros que actuaron en el campeonato, de los cuales nueve lo hicieron por primera vez y seis tuvieron su última participación. Entre todos se repartieron 996 goles más las 69 anotaciones registradas en las liguillas. La nómina de guardametas se enriqueció con la aparición de dos jóvenes arqueros que tendrían largas y exitosas carreras: Pablo Larios, oriundo de Zacatepec, de 20 años de edad, mundialista juvenil en Japón-79 y Celestino Morales, nativo de Aguascalientes, de 21 años. Éste debutó primero. El 21 de septiembre del 80 custodió la meta del Guadalajara en una victoria de las *Chivas* por 4-2 sobre los *Tecos* en el estadio Jalisco. Un penalti del paraguayo Hugo Kiese fue el primer gol encajado por Celestino.

Larios era el tercer portero del Zacatepec y el 4 de enero del 81 tuvo su bautizo en Primera División al entrar de cambio por Jorge Romero y jugar unos minutos en una holgada victoria de los *Cañeros* sobre el Atlético Español por 5-0. Así que no fue sino hasta nueve meses después, en el siguiente campeonato, cuando Larios fue batido por primera vez, siendo Roberto Díaz, del León, quien le marcó el gol número uno el 27 de septiembre de 1981.

El orizabeño Nahum Corro, del León, fue otro de los porteros debutantes. A diferencia de Larios y Morales tuvo mucha actividad en su primera temporada ya que jugó 12 partidos (10 completos) en los que recibió 20 anotaciones, la primera de ellas en Tampico el 21 de septiembre del 80, día de su debut. Gol del yugoslavo Miroslav Draganic.

El retiro de Marín

Miguel Marín sufrió un mareo durante un entrenamiento del Cruz Azul el 5 de diciembre de 1980 y cuatro días después fue hospitalizado en el Instituto Nacional de Cardiología. Al parecer, el mareo fue un leve paro cardiaco. Permaneció dos semanas en el hospital. Los médicos le prohibieron seguir jugando.

En febrero viajó a Houston donde le transplantaron una vena de la pierna derecha cerca del corazón. Se reveló que tenía tapado 90 % de las arterias coronarias y un cuádruple desvío de las mismas. A los 35 años de edad llegaba a su fin la carrera del extraordinario portero argentino. Había jugado por última vez el 29 de noviembre del 80 cuando el Cruz Azul venció a domicilio al Atlante por 1-0.

Se organizó su despedida para el 6 de junio, día en que el Cruz Azul se enfrentó al Guadalajara en el Azteca. Precisamente jugando contra las *Chivas* había debutado en México diez años antes. Tras recibir un caluroso homenaje, Marín se quitó el suéter y se lo entregó a su paisano Ricardo José Ferrero, nuevo arquero del equipo *cementero*, quien había debutado el 11 de enero anterior en un empate 2-2 del Cruz Azul en Toluca.

Considerado por muchos como el mejor portero extranjero que ha jugado en México, el *Gato* Marín es dueño de un palmarés verdaderamente extraordinario. En diez años con Cruz Azul ganó cinco campeonatos de Liga, un título de Campeón de Campeones, un subcampeonato de Copa, un torneo Concacaf y le toca también el subcampeonato de Liga de esta temporada. Recibió menos de un gol por juego (0.96) ya que en 310 partidos sólo admitió 299 tantos. Tuvo cuatro rachas de cuatro o más juegos seguidos con meta invicta y jugó 95 partidos consecutivos entre 1977 y 1980. Tres años fue el mejor portero, siempre con promedios inferiores a la unidad.

Por otra parte, acumuló ocho expulsiones, que lo ubican en el segundo lugar en la lista de guardametas con más tarjetas rojas, y fue autor del más insólito y famoso autogol de la historia.

Cambios y despedidas

Ferrero, el nuevo portero del Cruz Azul, que había militado cinco años en el Rosario Central, tuvo destacadas actuaciones con las que contribuyó a que los *Cementeros* fueran por tercer año seguido el equipo menos goleado del torneo, esta vez con 36 tantos, además de ubicarse como el mejor arquero con un 0.83 de promedio, seguido por otro argentino, Néstor Verderi, del Neza, con 0.96 y los jóvenes porteros mexicanos Marco Antonio Ferreira y Javier Ledesma con 0.97 y 1.00, respectivamente.

Al ser transferido el *charrúa* Gassire al Atletas Campesinos, Ferreira quedó como titular indiscutible de la portería del Toluca. El *Chato* empató el récord de penaltis detenidos al atajarles sendos tiros de castigo a Ítalo Estupiñán (Campesinos), Leo Cuéllar (Campesinos) y Miguel Ángel Torres (Monterrey). En este rubro volvió a lucir Ricardo La Volpe al detener dos y llegar a siete en tres años, aunque también siguió acumulando expulsiones al registrar un par, como en el campeonato anterior. También Zelada, del América, recibió dos tarjetas rojas.

Al igual que Walter Gassire, otros porteros cambiaron de equipo: Castrejón (del Tampico al Atlas), Jorge Marcín (de *Pumas* al Campesinos), Alberto Aguilar (del León al Neza), Rogelio Garnica (del León al Potosino), Jorge Miranda (de *Pumas* al Puebla) y Jesús de Anda, quien había descendido con el Veracruz en 78-79 y reapareció en Primera División con los *Tigres*.

Dos veteranos como Enrique Meza y Javier Quintero también reaparecieron pero sólo para cerrar su carrera. El *Ojitos* entró por Julio Aguilar, expulsado, en el partido Cruz Azul (2) Neza (1) del 11 de julio del 81. Fue su última actuación. Eterno suplente de Marín en el Cruz Azul y con poca participación en el Universitario de Nuevo León, Meza militó siete años con los *Cementeros*, dos con los *Tigres* y uno con ambos equipos. Jugó 87 partidos, recibió 106 goles, promedió 1.22, nunca fue expulsado y le tocaron cuatro títulos de Liga, uno de Copa y uno de Concacaf con Cruz Azul, y uno más de Copa con *Tigres*.

Javier Quintero no jugaba desde la campaña 77-78 (con *Tigres*), se contrató con el Tampico para fungir como suplente de Vázquez del Mercado y tuvo oportunidad de jugar tres partidos y concluir su carrera. Su último juego tuvo lugar en San Luis Potosí donde el Tampico cayó ante el Potosino por 1-3 el 27 de marzo de 1981. Otro arquero que nunca fue expulsado, Quintero sumó 178 juegos, 200 goles y muy buen promedio de 1.12 en nueve años con Monterrey, dos con Atlas, uno con *Tigres* y uno con Tampico. Con los *Tigres* fue campeón de Liga. Por cierto que en la última jornada del campeonato el Tampico tenía suspendidos a sus dos porteros, Vázquez del Mercado y Quintero. El tercer arquero estaba lesionado, así que Edmundo Marón, un jugador de campo, fue el que custodió la cabaña *jaiba* y lo hizo muy bien pues sólo recibió un gol del Atlético Español y su equipo ganó 2-1.

Rogelio Garnica y Óscar Mascorro, dos porteros que tuvieron poca actividad, también se despidieron en esta temporada. Mascorro el 15 de marzo y Garnica el 4 de julio. Óscar solamente jugó con el Puebla, 33 partidos en cuatro años, admitió 32 goles por lo que su promedio fue un extraordinario 0.97. Rogelio actuó cinco años con el León y éste con el Potosino. En total 46 juegos, 54 anotaciones y promedio de 1.17.

Armando Franco, siempre atlantista, incluso en Segunda División, cierra la lista de los guardametas que en 80-81 dijeron adiós. El 27 de diciembre sustituyó a La Volpe durante una goleada que el Atlante le propinó al Zacatepec por 5 a 3 para tener su última aparición. Sumó 146 juegos y 220 goles (1.51) en once años con los azulgranas. Su palmarés no registra ninguna expulsión.

La sexta corona de *Cabinho*

El *Gato* Chávez, Vázquez del Mercado, *Goyo* Cortés y Castrejón resultaron los porteros más goleados de la temporada, todos con más de 50 tantos recibidos, aunque el equipo que admitió más goles fue el León con 65, repartidos entre Brambila (45) y Corro (20).

Los dos arqueros leoneses así como Castrejón y Jorge Miranda sufrieron las mayores goleadas. Brambila, cuando el León visitó a los *Tecos* y recibió una paliza de 6-0; Corro, en Zacatepec con idéntico marcador; Castrejón, al ir el Atlas a Puebla a perder por 1-6; y Miranda, en la derrota por 2-6 del equipo de la franja en Zacatepec.

En camino de su sexto título consecutivo de rey del gol, Evanivaldo Castro marcó cuatro anotaciones el 27 de diciembre del 80 contra el Zacatepec en el Azteca, hazaña que fue igualada el 12 de abril siguiente en el estadio Jalisco por Jaime Pajarito, centro delantero de las *Chivas*, contra los *Pumas*. Jorge Romero y Olaf Heredia fueron los porteros que recibieron las cuartetas de goles de *Cabinho* y Pajarito.

En total, *Cabinho* logró 29 tantos, justamente la mitad de los goles que hizo el Atlante y uno más de los que anotó todo el equipo de Curtidores. Ocho de sus anotaciones fueron por la vía del penalti. Su ventaja sobre el segundo lugar fue de cinco pepinos. El *charrúa* Luis Villalba (*Tecos*), Ricardo Castro (Zacatepec) y el propio Jaime Pajarito compartieron el sublíderato de los rompe-rredes con 24 goles cada uno. Abajo quedaron los brasileños Carlos Eloir Peruci (Atlético Español) y Ricardo Ferretti (UNAM) con 20 pepinos por cabeza y en séptimo lugar, con 19, Hugo Sánchez. Éste, al terminar la temporada y obtener el campeonato con los *Pumas*, se fue a préstamo al Atlético de Madrid para convertirse en el quinto mexicano en jugar en España.

El club hispano vino a México en mayo del 81 para inaugurar el estadio "Benito Juárez" de Ciudad Juárez y para participar en un torneo cuadrangular relámpago con motivo del cumpleaños núm. 15 del estadio Azteca. Sin goles terminó el primer partido en el nuevo estadio entre el Atlético madrileño y la Selección Nacional, y por lo que respecta al cuadrangular, lo ganó el Cruz Azul tras derrotar 3-1 al Barcelona y 2-1 al América. En el otro juego los *Cremas* superaron 1-0 al Atlético.

Tres títulos de los *Pumas*

El gran año de los *Pumas* comenzó a forjarse cuando ganaron invictos el torneo de la Concacaf doblando 3-0 al Robin Hood de Surinam y 2-0 al Universidad de Honduras, ambos partidos en Tegucigalpa. Antes habían eliminado al Cruz Azul venciéndolo por 1-0 y 3-1. En los últimos tres juegos actuó Olaf Heredia; en el primero Jorge Espinoza, mientras que por los *Cementeros* el portero fue Julio Aguilar.

Posteriormente, en marzo y abril de 1981, *Pumas* disputó la Copa Interamericana con el Nacional de Uruguay, campeón de la Copa Libertadores de América. La escuadra universitaria triunfó en casa por 3 a 1 pero los uruguayos le devolvieron el marcador en Montevideo, de modo que se fueron a un juego de desempate en Los Ángeles el 13 de mayo. Con goles del *Tuca* Ferretti y Gustavo Vargas los *Pumas* consiguieron una resonante victoria por 2-1 y se proclamaron campeones interamericanos. En los tres partidos alineó Espinoza, aunque en el segundo se lesionó y fue suplido por Heredia quien admitió los dos goles del triunfo *charrúa*.

Por esos días comenzó el siguiente torneo de la Concacaf. El Cruz Azul avanzó despachando al equipo hondureño Real España: cayó 1-2 en Tegucigalpa pero goleó 3-0 en Ciudad Cooperativa Cruz Azul. Ferrero jugó ambos partidos. Y los *Tigres* superaron al Xelajú (0-0 en Guatemala y 4-2 en Monterrey) utilizando a sus tres porteros, De Anda, Bravo y Pilar, pero luego, tras empatar 1-1 con el Atlético Marte en la Sultana, no se presentaron al segundo juego en San Salvador y quedaron eliminados.

Luego de sus logros internacionales, los *Pumas* obtuvieron el sublíderato general del campeonato mexicano y ganaron su grupo en la liguilla con cuatro triunfos en seis juegos superando al Neza, a las *Chivas* y a los *Toros*. Por

cierto, el Atlético Español fue dirigido por Walter Ormeño, quien regresó de Guatemala para tomar por segunda vez el mando de los *Toros*. El gigante peruano colocó al equipo en el liderato de su grupo y en el sexto puesto de la tabla general pero fracasó en la liguilla.

Cruz Azul ganó el otro grupo pese a que sólo metió cinco goles en seis juegos, la clave fueron los escasos tres tantos que recibió. Zacatepec, Toluca y los alicaídos *Tecos* escoltaron a los *Cementeros*. En esta liguilla se registró el extraño caso de un autogol de portero. Lo cometió el del Zacatepec, Nacho Rodríguez, al visitar los *Cañeros* a los *Tecos*, juego que sin embargo ganó Zacatepec por 4-3.

El 6 de agosto y con gol de Adrián Camacho, el Cruz Azul recibió y derrotó a los *Pumas* por 1-0 en el primer juego de la final. Parecía que se encaminaba al tricampeonato, pero tres días después en Ciudad Universitaria la historia cambió radicalmente. Ricardo José Ferrero, que solamente había recibido un gol en seis partidos de la liguilla incluyendo el primero de la final, fue bombardeado por los *Pumas* con sendos tantos de Hugo, Ferretti, Manuel Manzo y López Zarza, mientras Olaf Heredia sólo admitía uno de Rafael Toribio. Así con un contundente 4-1 los *Pumas* de Bora Milutinovic inscribieron su nombre por segunda vez en la lista de monarcas del balompié mexicano.

Adiós al Curtidores

El Atlas finalizó en el sótano con 27 puntos pero como la diferencia con el penúltimo (Curtidores, con 30) no fue mayor de tres puntos, tuvo la oportunidad de salvarse del descenso en el par de juegos extra con el equipo leonés. En Guadalajara Castrejón se mantuvo imbatido y los rojinegros le hicieron dos agujeros al arco de Rubí Valencia. Una semana después Curtidores ganó 2-1, marcador insuficiente para impedir su regreso a la división de ascenso y la salvación rojinegra. El brasileño Sergio Lima, que había marcado uno de los goles del Atlas en el primer partido, fue el autor del tanto de la diferencia en el marcador global de 3-2.

El equipo benjamín del circuito, el Atletas Campesinos, de Querétaro, tuvo en su primera temporada rachas importantes: 14 juegos consecutivos sin empatar, diez sin ganar y siete derrotas seguidas. Hizo 31 puntos, uno más que el Curtidores por lo que se libró de jugar la liguilla por el no descenso.

El 13 de febrero del 81 el autobús en el que viajaba el Guadalajara rumbo a Puebla para jugar al día siguiente fue embestido por un tráiler. En el accidente nueve jugadores resultaron heridos y uno murió. El lamentable fallecimiento de Pepe Martínez cubrió de luto al futbol mexicano. Desde luego el partido contra el equipo de la franja se pospuso.

Y en mayo el Puebla hizo un viaje relámpago a España invitado por el Barcelona para participar en un partido de homenaje a Manuel Asensi, el destacado mediocampista hispano que militó 10 años con el equipo catalán y en esta temporada juega con los *Camoteros*. El Barcelona venció al Puebla por 2-1.

Nómina de porteros

América	Héctor Zelada y Pedro Soto
Atlante	Ricardo La Volpe, Armando Franco y E Negrete
Atlas	Francisco Castrejón
Atletas Campesinos	Pedro Cortés, Walter Gassire, Jorge Marcín y Óscar Díaz
Atlético Español	Román Sánchez y Horacio Sánchez
Cruz Azul	Ricardo José Ferrero, Julio Aguilar, Miguel Marín y Enrique Meza
Curtidores	Rubí Valencia y Jorge Jaramillo
Guadalajara	Javier Ledesma y Celestino Morales
León	Héctor Brambila y Nahum Corro
Monterrey	Gregorio Cortés y José Ledesma
Neza	Néstor Verderi y Alberto Aguilar
Potosino	Carlos Novoa y Rogelio Garnica
Puebla	Moisés Camacho, Jorge Miranda y Óscar Mascorro
Tampico	Carlos E. Vázquez del Mercado, Javier Quintero y Edmundo Marón
Tigres	José Pilar Reyes, Mateo Bravo y Jesús de Anda
Toluca	Marco Antonio Ferreira, Raúl González, Mariano Ortiz y Carlos Garrido
UAG	Prudencio Cortés y Fernando López Vega
UdeG	Rubén Chávez
UNAM	Olaf Heredia, Jorge Espinoza y Federico Valerio
Zacatepec	Ignacio Rodríguez, Jorge Romero y Pablo Larios

Más juegos (J)

Ricardo La Volpe (Atlante)	38
Francisco Castrejón (Tampico)	38
Prudencio Cortés (UAG)	38
Rubén Chávez (UdeG)	38

Más juegos completos

Francisco Castrejón (Tampico)	38
Prudencio Cortés (UAG)	38
Rubén Chávez (UdeG)	38
Marco Antonio Ferreira (Toluca)	37

Más goles (G)

Rubén Chávez (UdeG)	55
Carlos E. Vázquez del Mercado (Tampico)	52
Gregorio Cortés (Monterrey)	51
Francisco Castrejón (Atlas)	51
Prudencio Cortés (UAG)	49

Más bajo G/J (mínimo 20 juegos)

Ricardo José Ferrero (Cruz Azul)	0.83
Néstor Verderi (Neza)	0.96
Marco Antonio Ferreira (Toluca)	0.97
Javier Ledesma (Guadalajara)	1.00

Más goles en un juego

Francisco Castrejón (Atlas)	6
Nahum Corro (León)	6
Héctor Brambila (León)	6
Jorge Miranda (Puebla)	6
Román Sánchez (Atlético Español)	5 (2 veces)
Javier Ledesma (Guadalajara)	5
Héctor Brambila (León)	5
Gregorio Cortés (Monterrey)	5 (2 veces)
Carlos E. Vázquez del Mercado (Tampico)	5
Rubén Chávez (UdeG)	5
Olaf Heredia (UNAM)	5
Jorge Romero (Zacatepec)	5

Penaltis detenidos

Marco Antonio Ferreira (Toluca)	3
Ricardo La Volpe (Atlante)	2
Francisco Castrejón (Atlas)	1
Román Sánchez (Atlético Español)	1
Óscar Díaz (Atletas Campesinos)	1
Rubí Valencia (Curtidores)	1
Javier Ledesma (Guadalajara)	1
Carlos Novoa (Potosino)	1
Carlos E. Vázquez del Mercado (Tampico)	1
José Pilar Reyes (Tigres)	1
Rubén Chávez (UdeG)	1
Olaf Heredia (UNAM)	1

Expulsados

Héctor Zelada (América) (2 veces)
Ricardo La Volpe (Atlante) (2 veces)
Julio Aguilar (Cruz Azul)

LIGUILLAS

Más juegos	Ricardo José Ferrero (Cruz Azul) y Olaf Heredia (UNAM)	7
Más juegos completos	Ricardo José Ferrero (Cruz Azul) y Olaf Heredia (UNAM)	7
Más goles	Román Sánchez (Atlético Español), Prudencio Cortés (UAG), Olaf Heredia (UNAM) e Ignacio Rodríguez (Zacatepec)	8
Más bajo G/J	Néstor Verderi (Neza) y Marco Antonio Ferreira (Toluca)	0.50
Más goles en un juego	Prudencio Cortés (UAG), Carlos Garrido (Toluca) y Ricardo José Ferrero (Cruz Azul)	4
Penaltis detenidos	Néstor Verderi (Neza) y Olaf Heredia (UNAM)	1
Expulsados	Marco Antonio Ferreira (Toluca)	

81-82
Otro fracaso de la Selección

Año negro para el futbol mexicano. Para la Concacaf había dos boletos para el Mundial de España-82 y México no fue capaz de ganar ninguno; la Selección juvenil no pasó de la primera ronda en el III Mundial de la categoría; y el Cruz Azul fue eliminado del torneo de clubes de Concacaf. Los Tigres *conquistaron su segundo título de Liga en cinco años y* Cabinho *amplió su récord a siete campeonatos de goleo consecutivos. El portero novato Pablo Larios empató la marca de seis juegos seguidos sin recibir gol y fue el mejor guardameta del torneo, y Carlos Novoa rompió el récord de penaltis detenidos en una temporada. Por segundo año al hilo el Atlas se salvó del descenso adonde mandó al Tampico. Subió el Oaxtepec. El Neza estrenó estadio. Y la* FIFA *le otorgó a México la sede del IV Mundial Juvenil para 1983.*

El América estrena apodo y vence al River

Tres semanas antes de que comenzara el campeonato se inauguró el estadio de Neza. Los *Coyotes* dejaron de jugar en Texcoco y para el estreno de su nueva casa trajeron al Boca Juniors con el que empataron a un gol. Otro de los grandes de Argentina, el River Plate, también vino a México para disputar un cuadrangular relámpago de pretemporada con América, *Chivas* y Atlante. River venció 3-2 a los *Potros* pero sucumbió 1-2 ante el América que ganó el torneíto al derrotar también al Guadalajara. Inmediatamente después el América y el River viajaron a Los Ángeles a sostener otro encuentro y de nuevo triunfó el cuadro *crema* por 4-3 en tiempos extra.

En este año el América estrenó uniforme y adoptó el apodo de *Águilas*. Con la nueva camiseta y el nuevo mote el equipo habría de conquistar en los siguientes años cinco títulos de Liga y uno de Concacaf para ubicarse como el equipo de la década de los 80, así como lo fue el Cruz Azul en los setentas.

Pretemporada de claroscuros tuvo el Puebla al viajar por segunda vez a España para participar en torneos veraniegos. Registró, entre otros resultados, una victoria de 1-0 sobre el Atlé-

tico de Madrid, un empate a uno con el Gremio de Porto Alegre y derrotas ante el Betis, Sevilla y Espanyol.

Otra vez fuera del Mundial

El 17 de septiembre de 1981 se puso en marcha la Liga e inmediatamente después el Cruz Azul sufrió la eliminación del torneo de Concacaf a manos del Marathón de Honduras. Con Ricardo José Ferrero en la puerta, los *Cementeros* sucumbieron por 1-3 en la antigua Jasso y empataron 1-1 en San Pedro Sula.

Mejor les fue a los *Pumas* en abril del 82 al comenzar su participación en el siguiente torneo de la Confederación Norte-Centroamericana y del Caribe: con marcadores de 2-2 y 5-0 superaron al Vida, también de Honduras.

En noviembre la Concacaf efectuó en Tegucigalpa su torneo de países, que nuevamente fue clasificatorio para la Copa del Mundo. El primero y segundo lugares acudirían a España-82. México, al mando de Raúl Cárdenas, cuyo auxiliar fue José Moncebáez, inició con una victoria fácil por 4-0 sobre Cuba pero no volvió a ganar. Cayó por 0-1 ante El Salvador y empató 1-1 con Haití y con Canadá y 0-0 con Honduras. A este último partido llegó la Selección Nacional con la posibilidad de obtener el segundo lugar si derrotaba a los hondureños, que ya se habían asegurado el primer puesto. Faltando tres minutos para concluir el juego Hugo Sánchez quedó solo ante el portero rival. Preparó, apuntó y ¡mandó el balón a las tribunas!

El "fracasotote" de Haití en 1973 se repetía ocho años después en Honduras. A España fueron los hondureños y los salvadoreños y México volvió a ver el Mundial por televisión.

En Tegucigalpa tuvieron su última actuación con la Selección los arqueros Prudencio Cortés y Francisco Castrejón. El *Pajarito* jugó los partidos contra Cuba, El Salvador, Haití y Canadá, mientras que en el decisivo contra Honduras paró Castrejón.

La debacle del seleccionado nacional se sumó a la rápida eliminación que la juvenil había sufrido el mes anterior en Australia en el III Mundial Sub-20. Los jóvenes mexicanos, al mando de Alfonso Portugal, perdieron 0-1 con Alemania Federal y empataron a uno con España y a tres con Egipto. En los tres juegos se desempeñó en la portería Adrián Chávez, capitalino de 19 años de edad, quien pocas semanas después hizo su debut en la Primera División con el Atlético Español.

Los nuevos porteros

El 20 de septiembre del 81, durante la primera jornada del campeonato de Liga, se produjo la reaparición del Morelia después de 13 años de ausencia en la máxima división. Los *Canarios* recibieron al Atlante, que los venció por uno a cero. Esta fue la primera de once victorias como visitante y 21 en total que lograrían los azulgranas para ubicarse como súper líderes del torneo. Los once triunfos en patio ajeno empataron el récord del Cruz Azul de 79-80. El gol del Atlante, anotado por José Luis González, fue el del "bautizo" de Félix Madrigal, joven guardameta michoacano que subió con el Morelia a la Primera División. A lo largo de la temporada Madrigal se alternó en la portería con Nacho Rodríguez, ex arquero del Zacatepec.

En total nueve porteros hicieron su debut, entre ellos Manuel Ibarra con la UdeG, Hugo Salazar con el América, el argentino Luis Alberto Landaburu con el Tampico, y el juvenil Adrián Chávez, ya mencionado. Salazar se presentó el mismo día que Félix Madrigal, al visitar el América al Neza en el primer partido oficial en el nuevo estadio de Ciudad Neza. El marcador quedó 1-1 y Heber Revetria se encargó de batir por primera vez a Salazar.

El 16 de octubre los *Leones Negros* empataban a un gol con el Potosino en San Luis cuando fue expulsado su portero Rubén Chávez, quien llevaba 84 juegos completos consecutivos. Ingresó Manuel Ibarra, otro joven arquero oriundo de Guadalajara, quien más adelante, al lesionarse Chávez, se haría cargo de la cabaña de la UdeG en la segunda vuelta y en la liguilla con magníficas actuaciones pues en 21 partidos (liga y liguilla) solamente permitió 18 anotaciones.

El *che* Landaburu, suplente del gran Fillol en el River Plate, se llevó cuatro goles del Monterrey en su debut con el Tampico el 31 de octubre en la capital neoleonesa. Monterrey triunfó 4-3 y su defensa central Everardo Rodríguez Plata le metió de penalti el primer gol al arquero argentino.

El debut de Adrián Chávez ocurrió el 22 de noviembre en el estadio Azteca durante el choque entre el Atlético

Español y el Cruz Azul. Entró de cambio por Román Sánchez cuando los *Cementeros* ganaban 3-1. Así terminó el partido, de modo que fue a la semana siguiente cuando Chávez fue batido por primera vez. César Flores, del Neza, le marcó el primero de los 630 goles que recibiría en su larga y exitosa carrera de 21 años. El uruguayo Ricardo de León fue el técnico que debutó a Chávez.

El Puebla también contrató a un portero extranjero, el hispano Francisco José Llangostera, que era el tercer arquero del Barcelona. En el equipo de la franja fungió como suplente de Moi Camacho. Jugó solamente seis partidos en los que recibió una docena de goles. El Toluca importó a Gustavo Fernández, portero suplente de Uruguay en el Mundial de 74, que había jugado varios años con el Sevilla en España. Sin embargo, alineó muy pocas veces con los *Diablos*.

Brilla Pablo Larios

Los 45 porteros que tuvieron acción en el campeonato encajaron 989 goles, apenas siete menos que el año anterior, pero en la liguilla sí se registró un notable descenso en la producción goleadora (de 69 a 40) debido a la reducción en el número de juegos porque se volvió al formato utilizado en la temporada 77-78.

Solamente dos arqueros, Carlos Novoa y el novato Pablo Larios, alinearon en los 38 juegos del calendario pero Novoa fue el único que jugó todos los minutos. La racha que traía el *Gato* Chávez desde mayo de 1979 llegó a su fin el 31 de enero del 82 y quedó en 101 partidos consecutivos. La causa fue una lesión. De esos 101 encuentros, jugó completos 99, porque en este campeonato fue expulsado dos veces.

El Zacatepec fue el equipo menos goleado (29) y quedó tercero en la tabla general gracias en buena parte a la formidable actuación de su portero. Con el muy bajo promedio de 0.68 goles por juego, Larios figuró como el mejor arquero del torneo. Superó por una centésima a La Volpe y por trece a Zelada, y en la segunda vuelta protagonizó una racha de seis juegos consecutivos con meta invicta, por lo que empató el gran récord de Evaristo Murillo en 54-55 y de Walter Gassire en 77-78.

Entre el 7 de marzo y el 2 de abril del 82 ni el Guadalajara, ni el Monterrey, ni el Atletas Campesinos, ni el América, ni el Toluca, ni el Atlante pudieron meterle un gol a Larios.

Curiosamente, el portero anterior del Zacatepec, Ignacio Rodríguez, ahora con el Morelia, tuvo la segunda racha más larga de invencibilidad con cinco partidos seguidos sin gol. Por su parte, los arqueros de *Pumas* y Atletas Campesinos, Olaf Heredia y Pedro Soto, lograron sendas rachas de cuatro. Por cierto que Olaf empezó el 7 de enero del 82 una racha de juegos consecutivos igual a la del *Gato* Chávez.

Novoa paró cuatro penaltis

Fueron pocos los porteros que cambiaron de equipo. Además de Nacho Rodríguez y de Pedro Soto (del América al Campesinos), Rubí Valencia que había descendido con el Curtidores se enroló con el Atlante, Horacio Sánchez dejó al Atlético Español y emigró a León, y el *charrúa* Gassire pasó del Campesinos a los *Toros*.

Veintiún penaltis detenidos quedaron registrados en este campeonato, un nuevo récord. Cuatro arqueros —Marco Antonio Ferreira, Jorge Espinoza, Román Sánchez y Héctor Zelada— atajaron un par cada uno, con la particularidad de que los de Zelada fueron en un solo juego. El 16 de abril del 82 en el Azteca le paró dos a Ricardo Brandón, del Campesinos, mientras el América ganaba 3-0. Sin embargo, el líder de los ataja-penaltis fue Carlos Novoa. El portero del Potosino rompió la marca en una temporada al detenerle sendos tiros de castigo a Benjamín Galindo (Tampico), Mario Hernández (Zacatepec), Aurelio Martínez (Guadalajara) y Arturo Magaña (Atlas).

De no haber detenido esos penaltis, Novoa habría terminado el campeonato como el portero más goleado. Quedó en segundo lugar con 53 y el líder fue Gregorio Cortés con 55. También Landaburu y Ferreira alcanzaron las cinco decenas con 52 y 50, respectivamente.

La goliza del torneo fue para Horacio Sánchez. El 24 de diciembre sus ex compañeros *pumas* le dieron su regalo de navidad metiéndole siete pepinos en el estadio de CU. Perdió el León por 2-7. Otro ex portero *puma*, Paco Castrejón, también fue acribillado por el cuadro universitario cuando el Atlas visitó a la UNAM el 25 de marzo y se llevó un 0-6 en contra. La misma cuota de

seis goles le propinó el Neza a Novoa el 4 de abril. Aquí el marcador fue 6-1.

Cabinho impone un súper récord

Tres cañoneros extranjeros tuvieron jornadas de cuatro goles en un juego. El 2 de octubre el *Pata Bendita* Castro, del Potosino, le metió cuatro a Vázquez del Mercado (Tampico) en San Luis; el 1 de noviembre Heber Revetria, del Neza, y el 13 de diciembre Norberto Outes, del América, repitieron el truco con López Vega (UAG) en Neza y con *Goyo* Cortés (Monterrey) en el D.F., respectivamente.

Castro (24 goles), Revetria (23) y Outes(21) ocuparon precisamente el tercero, cuarto y quinto lugares en la lista de los romperredes, misma que fue encabezada por séptimo año consecutivo por don Evanivaldo Castro, el gran *Cabinho*, quien ahora marcó 32 goles, su tercera cifra más alta en una temporada. Poquito más de la mitad de las anotaciones del súper líder Atlante fueron obra de *Cabinho*, aunque los *Pumas* fueron el equipo más goleador por sexta vez en los últimos siete años. Anotaron 64 por 62 del Atlante.

De sus 32 tantos *Cabinho* hizo 18 en cancha ajena. Los porteros más batidos por el brasileño fueron Ferreira y Landaburu con cinco y tres goles, respectivamente.

El subcampeón de goleo con 26 tantos fue otro brasileño, el *puma* Ricardo *Tuca* Ferretti, y su paisano Carlos Eloir Peruci, del Cruz Azul, empató con Outes el quinto puesto. Fue pues un dominio absoluto de los artilleros extranjeros. Los mexicanos con más goles (apenas 13) fueron Agustín Manzo, del Toluca, Luis Flores, de *Pumas*, y Víctor Rangel, del Guadalajara.

Ormeño fracasa en León y Moncebáez levanta al Morelia

El León se convirtió en el décimo equipo mexicano en la larga carrera de Walter Ormeño como director técnico. Con poca fortuna, porque al perder cinco juegos en forma consecutiva impuso una marca negativa del equipo que se mantiene vigente. El peruano fue cesado en la fecha 13 cuando los *Esmeraldas* llevaban seis jornadas sin saborear una victoria. Los desastrosos números del ex portero inca fueron: dos triunfos, tres empates y ocho descalabros.

Y a partir de la vigésima primera fecha José Moncebáez asumió el mando del Morelia, equipo que había sufrido seis derrotas en sus más recientes siete juegos. Con *Monche*, que tenía cuatro años sin dirigir en Primera División, los *Canarios* sorpresivamente ligaron cinco partidos sin perder y sin recibir gol. Fue ésta la racha de imbatibilidad de Nacho Rodríguez antes mencionada. Más adelante el Morelia impuso un récord del futbol mexicano al sumar ocho empates consecutivos, racha que también le tocó al portero morelense, quien, asimismo, fue el guardameta ante el cual se estrellaron los artilleros del Potosino el 31 de enero del 82 en Morelia para poner fin a una cadena de 31 juegos seguidos anotando. La racha se integró con los últimos once partidos del torneo anterior y los primeros 20 del actual.

Adiós al Tampico y a Vázquez del Mercado

Por segundo año al hilo el Atlas se ubicó en el último lugar de la tabla general, pero nuevamente eludió el descenso al superar al Tampico en una dramática liguilla que se alargó a tres partidos. Se enfrentaron el equipo que anotó menos (Atlas, 35 goles) y el que recibió más (Tampico, 72 tantos). Los rojinegros ganaron el primero por 1-0 en el Jalisco; los *Jaibos* el segundo en el Tamaulipas por el mismo marcador. El juego decisivo se efectuó en San Luis el 2 de junio. Como en los dos encuentros anteriores, y como en la liguilla del año pasado, Paco Castrejón custodió exitosamente la portería atlista, en tanto que el *che* Landaburu se despidió de México con una derrota que envió al Tampico a Segunda División por tercera ocasión en su historia. El Atlas se impuso 3-1 con goles de Paco Chávez, de penalti, autogol de David Sepúlveda, y José Luis Real. El solitario tanto *jaibo* lo hizo el uruguayo Rubén Romeo Corbo.

El otro arquero del Tampico, el veterano Carlos Enrique Vázquez del Mercado, colgó los botines en este campeonato. Tan larga como su nombre fue la carrera de este portero tapatío. Militó dos temporadas con el América, dos con las *Chivas*, dos con el Atlético Español,

una con el Veracruz, dos con *Pumas*, una con *Tecos* y tres con el Tampico. Con los *Pumas* fue campeón y con los *Toros* subcampeón. En 285 juegos recibió 357 goles (promedio: 1.25), detuvo 7 penaltis y nunca le metieron más de cinco goles en un juego. Disputó su último partido el 21 de febrero de 1982, una derrota del Tampico por 0-1 ante la UdeG.

Dos porteros más, Raúl Morales y Jorge Romero, también alinearon por última vez en Primera División. Morales el 6 de marzo en una derrota del Atlas en Guadalajara ante el Puebla por 1-3 y Romero el 15 de mayo en Monterrey al sustituir a Larios durante un juego en el que los *Tigres* vencieron 3-0 al Zacatepec. En cinco temporadas con el Zacatepec y tres con el Atlas, Morales acumuló 112 juegos en los que recibió 172 goles y promedió 1.54. Con los *Cañeros* logró un subcampeonato de Copa y le tocaron dos descensos consecutivos, el del Zacatepec en 76-77 y el del Atlas en 77-78. Menos actividad tuvo Romero ya que sólo participó en 72 partidos con 101 goles y un promedio de 1.40, habiendo militado tres años con el Monterrey, uno con el León, uno con el Ciudad Madero y cuatro con el Zacatepec.

Los penaltis coronan a los *Tigres*

Asiduo participante de las liguillas, el Cruz Azul fue vapuleado 5-0 por el América en la última jornada del torneo y quedó fuera de la fase final por primera vez en diez años. Entró a la liguilla el Atlético Español que hizo 10 puntos menos que el cuadro *cementero* y que tuvo más derrotas que triunfos. La diferencia en la puntuación entre los *Toros* y el súper líder Atlante fue abismal: 20 puntos. Por cierto que el portero Román Sánchez, del Atlético, inscribió su nombre en la lista de arqueros que metieron el balón en su propia meta al cometer un autogol el 2 de mayo a favor de los *Pumas* en el estadio olímpico universitario.

Como se esperaba, el Atlante eliminó a los *Toros* en cuartos de final al igual que el América al Monterrey, el Neza al Zacatepec y los *Tigres* a los *Leones Negros*. En semifinales los azulgranas despacharon al Neza con un marcador global de apenas 1-0 mientras que en otra reñida batalla de 180 minutos las *Águilas* fueron devoradas por los *Tigres* con un global de 2 a 1.

Tigres, un equipo que en la primera vuelta había perdido cuatro partidos consecutivos sin anotar en ninguno, recibió y venció al Atlante en el primer juego de la final por 2-1. Tomás Boy y Geraldo Goncálvez perforaron la cabaña de La Volpe y Eduardo Moses la de Mateo Bravo. Pero en el juego decisivo el 6 de junio en el Azteca una anotación de *Cabinho* empató el marcador global y obligó a los tiempos extra. Como aquí no hubo goles, el campeonato se tuvo que decidir por primera vez en la historia con la ejecución de penaltis.

Aunque La Volpe le detuvo uno a Salvador Carrillo y a su vez le marcó uno a Bravo, el Atlante terminó perdiendo por 1-3 ya que el *Ratón* Ayala erró su disparo y los tiros de Sergio Lira y de Moses fueron atajados por el arquero de los *Tigres*, mientras que Goncálvez, Gerónimo Barbadillo y Sergio Orduña fueron certeros en sus ejecuciones. Así, el equipo regiomontano y su técnico Carlos Miloc volvieron a coronarse en la ciudad de México como lo habían hecho cuatro años antes.

En su primera, difícil, temporada en España Hugo Sánchez anotó ocho goles con el Atlético de Madrid y al terminar la campaña vino a México con el equipo *colchonero* para disputar un par de juegos amistosos con sendos combinados UNAM-Puebla y UNAM-UAG, sin poder ganar ninguno.

Y el 11 de julio Italia alcanzó a Brasil como tricampeón mundial al vencer 3-1 a Alemania en la final de España-82...

Nómina de porteros	
América	Héctor Zelada y Hugo Salazar
Atlante	Ricardo La Volpe y Rubí Valencia
Atlas	Raúl Morales, Francisco Castrejón y José María Díaz
Atletas Campesinos	Pedro Soto y Pedro Cortés
Atlético Español	Román Sánchez, Adrián Chávez, Walter Gassire y Miguel Ángel García
Cruz Azul	Ricardo José Ferrero y Julio Aguilar
Guadalajara	Javier Ledesma y Celestino Morales
León	Horacio Sánchez, Héctor Brambila y Nahum Corro
Monterrey	Gregorio Cortés y José Ledesma
Morelia	Félix Madrigal e Ignacio Rodríguez
Neza	Alberto Aguilar y Néstor Verderi
Potosino	Carlos Novoa
Puebla	Moisés Camacho y Francisco Llangostera
Tampico	Luis Alberto Landaburu, Carlos Enrique Vázquez del Mercado y Refugio de la Cruz
Tigres	José Pilar Reyes y Mateo Bravo
Toluca	Marco Antonio Ferreira y Gustavo Fernández
UAG	Prudencio Cortés y Fernando López Vega
UdeG	Rubén Chávez y Manuel Ibarra
UNAM	Olaf Heredia, Jorge Espinoza y Federico Valerio
Zacatepec	Pablo Larios y Jorge Romero

Más juegos (j)	
Carlos Novoa (Potosino)	38
Pablo Larios (Zacatepec)	38
Héctor Zelada (América)	37
Gregorio Cortés (Monterrey)	37
Moisés Camacho (Puebla)	35
Marco Antonio Ferreira (Toluca)	33

Más juegos completos	
Carlos Novoa (Potosino)	38
Gregorio Cortés (Monterrey)	37
Pablo Larios (Zacatepec)	35
Marco Antonio Ferreira (Toluca)	33
Héctor Zelada (América)	32
Moisés Camacho (Puebla)	32

Más goles (g)	
Gregorio Cortés (Monterrey)	55
Carlos Novoa (Potosino)	53
Luis Alberto Landaburu (Tampico)	52
Marco Antonio Ferreira (Toluca)	50
Moisés Camacho (Puebla)	44

Más bajo g/j (mínimo 20 juegos)	
Pablo Larios (Zacatepec)	0.68
Ricardo La Volpe (Atlante)	0.69
Héctor Zelada (América)	0.81
Rubén Chávez (UdeG)	0.95
Alberto Aguilar (Neza)	1.03
Ricardo José Ferrero (Cruz Azul)	1.06

Más goles en un juego	
Horacio Sánchez (León)	7
Francisco Castrejón (Atlas)	6
Carlos Novoa (Potosino)	6
Francisco Castrejón (Atlas)	5
Ricardo José Ferrero (Cruz Azul)	5
Gregorio Cortés (Monterrey)	5 (2 veces)
Carlos E. Vázquez del Mercado (Tampico)	5
José Pilar Reyes (Tigres)	5
Fernando López Vega (UAG)	5

Penaltis detenidos

Carlos Novoa (Potosino)	4
Héctor Zelada (América)	2
Román Sánchez (Atlético Español)	2
Marco Antonio Ferreira (Toluca)	2
Jorge Espinoza (UNAM)	2
Rubí Valencia (Atlante)	1
Pedro Cortés (Atletas Campesinos)	1
Pedro Soto (Atletas Campesinos)	1
Ricardo José Ferrero (Cruz Azul)	1
Gregorio Cortés (Monterrey)	1
José Pilar Reyes (Tigres)	1
Prudencio Cortés (UAG)	1
Olaf Heredia (UNAM)	1
Pablo Larios (Zacatepec)	1

Expulsados

Rubén Chávez (UdeG) (2 veces)
Román Sánchez (Atlético Español)
Walter Gassire (Atlético Español)
Ricardo José Ferrero (Cruz Azul)
José Pilar Reyes (Tigres)

LIGUILLAS

Más juegos	Ricardo La Volpe (Atlante) y Mateo Bravo (Tigres)	6
Más juegos completos	Ricardo La Volpe (Atlante) y Mateo Bravo (Tigres)	6
Más goles	Héctor Zelada (América), Ricardo La Volpe (Atlante) y Mateo Bravo (Tigres)	5
Más bajo G/J	Alberto Aguilar (Neza)	0.75
Más goles en un juego	José Ledesma (Monterrey)	4
Penaltis detenidos	Ninguno	
Expulsados	Gregorio Cortés (Monterrey)	

82-83
El América impone récords pero el Puebla gana el campeonato

Tras una temporada de ensueño en la que estableció récords de todos los tiempos en victorias y en puntos, el América no pudo culminar su año maravilloso con la obtención del campeonato, al sucumbir ante el Guadalajara en una accidentada semifinal que le abrió la puerta al Puebla para proclamarse campeón por primera vez en su historia. Los Pumas *se coronaron en la Concacaf por segunda vez. La Selección Juvenil fracasó rotundamente en el Mundial jugado en México. Reapareció el Necaxa y surgió un nuevo equipo, el Tampico-Madero, como consecuencia de la desaparición del Atlético Español y del Atletas Campesinos. Descendió el Zacatepec y regresó a Primera División el Curtidores. Cuatro porteros, encabezados por el argentino Ferrero, lograron promedios de goles por juego inferiores a uno. Miguel Marín y Enrique Meza debutaron como entrenadores, pero el* Gato *agredió a un árbitro y fue suspendido un año.* Cabinho *se retiró a media temporada y los goleadores tuvieron en Norberto Outes a su nuevo rey. Los guardametas detuvieron 30 penaltis, una cifra sin precedentes. La* FIFA *le concedió a nuestro país la organización de la Copa del Mundo de 1986.*

Vuelve el Necaxa y surge el Tampico-Madero

Once y dos años fueron el tiempo que duraron el Atlético Español y el Atletas Campesinos, respectivamente. Los *Toros* albinegros desaparecieron para dar paso a la reaparición de los rojiblancos del Necaxa y la franquicia del equipo queretano fue adquirida por el sindicato de los petroleros para fundar al Tampico-Madero, evitando que el puerto *jaibo* se quedara sin futbol de Primera División. Curiosamente los nuevos equipos se enfrentaron en la primera jornada del campeonato. El partido se efectuó en Tampico y lo ganaron los *Petrojaibos* por 3 a 2. Los porteros en este juego fueron Román Sánchez, uno de los arqueros que el Necaxa heredó del Atlético Español, y Walter Gassire, quien en los últimos dos años jugó precisamente con Campesinos y *Toros*.

La reaparición formal del Necaxa había ocurrido unos días antes aprovechando una nueva visita a México del Santos de Brasil. Recordando aquella épica victoria de veintiún años

atrás, los rojiblancos volvieron a vencer al cuadro paulista, ahora por 3-1. Por cierto que le fue muy mal al Santos en esta gira. El América lo vapuleó 4-0, las *Chivas* le ganaron 2-1 y apenas empató a uno con el Cruz Azul.

Mientras tanto los *Pumas* hicieron pretemporada en España, donde quedaron a mano: dos victorias, un empate y dos derrotas, y el Atlante perdió en Los Ángeles con el Corinthians brasileño por 2-3.

El América, impresionante

El 3 de septiembre de 1982 comenzó el campeonato de Liga con el partido entre el América y el monarca de Segunda División, el Oaxtepec, que, entre otros refuerzos, obtuvo del Atlante al gran arquero argentino Ricardo La Volpe. Con marcador favorable de 2 a 0 el América se apuntó la primera de 26 victorias que lograría en el torneo. Nunca antes y nunca después un equipo ha ganado tantos juegos en un campeonato. El conjunto azulcrema sólo perdió tres partidos, fue líder de goleo con 69 tantos, equipo menos goleado con 27, y estableció, con 61 puntos y efectividad de 80.3%, otros dos súper récords. También quedaron como marca los 17 triunfos de local. Al final del torneo la tabla de clasificación mostraba una diferencia de 14 puntos entre el súper líder América y el segundo lugar general, que fue el Atlante. Y en su grupo, la ventaja de las *Águilas* sobre el segundo lugar (Guadalajara) fue de 21 puntos.

Durante la mayor parte del campeonato el Oaxtepec jugó sus partidos de local en Puebla mientras se ampliaba y acondicionaba su pequeño estadio en el centro vacacional morelense. A pesar de tener a La Volpe, el Oaxtepec era un equipo débil. Resultó el más goleado con 63 tantos (empatado con el León) y sumó apenas dos puntos más que los coleros Zacatepec (el menos anotador con 30) y Morelia, los equipos que disputaron la liguilla que nadie quiere jugar.

Luz y sombra del *Oso* Ferrero

Tres de los 44 porteros que participaron en este campeonato jugaron todos los minutos de los 38 partidos. Ellos fueron Fernando López Vega, Marco Antonio Ferreira y Olaf Heredia. El primero, vistiendo ahora los colores rojinegros, comenzó así una racha que alcanzaría la centena de juegos consecutivos. Ferreira también jugó los dos partidos del Toluca en la liguilla. Él y Olaf tuvieron el mismo promedio de 1.13 goles por partido y coincidieron también en la lista de los que detuvieron dos penaltis en la temporada.

Los promedios más bajos los consiguieron los argentinos Ferrero y Zelada, del Cruz Azul y América, con 0.60 y 0.72, respectivamente, seguidos por el *Zully* Ledesma (*Chivas*) con 0.85 y Pablo Larios (Zacatepec) con 0.94. Cabe señalar que Ferrero sólo jugó 20 partidos y cerca del final del torneo tuvo una bronca con un árbitro que derivó en una suspensión de 14 juegos, lo que marcó su retiro del futbol mexicano.

El 23 de abril del 83 el portero del Cruz Azul fue expulsado por reclamar agresivamente, insultar y amenazar a Maximiliano Couret durante un juego contra el Atlante, que quedó 1-1. Curiosamente, su sustituto, Julio Aguilar, entró a jugar los últimos minutos de su carrera. Despedida doble en un mismo partido. En tres años con el Cruz Azul, Ferrero logró un extraordinario promedio de 0.85 al recibir solamente 69 anotaciones en 81 juegos. Por su parte, Aguilar, pese a que participó en once campeonatos (cuatro con el Atlético Español, uno con *Tigres* y seis con Cruz Azul) sólo sumó 93 juegos en los que admitió 123 goles, por lo que su promedio fue 1.32. En cuanto a títulos, a Ricardo José le tocó un subcampeonato y a Julio dos coronas y un segundo lugar con Cruz Azul y también un subcampeonato con el Atlético Español.

Se van Castrejón y Gassire y llega Aguado

A la semana siguiente apareció un nuevo arquero en la portería cruzazulina: Silvino Román, de 22 años de edad, quien en su debut recibió un gol del argentino José Luis Ceballos con el cual el Puebla venció 1-0 a los *Cementeros*. Además de éste hubo cinco debuts de porteros en el campeonato, de los cuales sólo uno hizo carrera, el capitalino de 22 años Víctor Manuel Aguado, quien tuvo una destacada presentación con el León el 9 de enero en el estadio olímpico de cu. Los *Panzas Verdes*, cuyo técnico era José Gomes Nogueira, vencieron 1-0 a los *Pumas*

y Aguado detuvo un penalti. No fue hasta el 21 de enero en el Azteca cuando el nuevo arquero fue vencido por primera vez al recibir un gol del brasileño Nilton Pinheiro *Batata* del América en uno de los numerosos triunfos de las *Águilas*.

A los 36 años de edad dos excelentes porteros, el tapatío Paco Castrejón y el *charrúa* Walter Gassire, jugaron su última temporada. El Morelia fue el séptimo y último equipo en la larga carrera de Castrejón, que abarcó siete años con los *Pumas*, uno con el Laguna, dos con el Puebla, cuatro con el América, dos con el Atlas y éste con el equipo michoacano, en los que acumuló 469 juegos sin haber sido expulsado nunca. En la historia de la Liga no hay otro portero con tantas actuaciones y cero tarjetas rojas. Recibió 593 goles (promedio: 1.26) y atajó ocho penaltis. Con el América ganó una Liga, un título de Campeón de Campeones y una Copa Interamericana, y con *Pumas* un subcampeonato de Liga. En 28 partidos (ocho oficiales y 20 amistosos) con la Selección solamente permitió 20 anotaciones. Por cierto que en éste su último torneo, Castrejón fue víctima de sendos autogoles de sus compañeros Jorge López Malo y Sergio Peluffo en un juego en Puebla que perdió el Morelia por 2-4.

Nueve años duró la estancia de Gassire en el balompié mexicano. Desde luego sus mejores actuaciones las tuvo con el Toluca, con el que jugó seis torneos y ganó un campeonato. Militó también con Campesinos y Atlético Español y se despidió con el Tampico-Madero. Al admitir 255 goles en 235 juegos logró un magnífico promedio de 1.09. Además, detuvo 5 penaltis, dos de ellos en este torneo.

El último juego de Castrejón fue una derrota del Morelia en casa por 0-3 con el Cruz Azul el 20 de febrero de 1983, en cambio el de Gassire fue un triunfo de los *Petrojaibos* por 3-1 sobre el Morelia el 8 de mayo.

Antes, el 23 de octubre del 82, otro veterano arquero, José Ledesma, le había puesto el punto final a su carrera a los 37 años de edad. El portero que una vez en el año 68 encajó diez goles de las *Chivas* en un juego dejó números de 197 partidos, 267 anotaciones y 1.36 tras jugar dos años con el Nuevo León, ocho con el Monterrey, dos con el Cruz Azul y uno con el Tampico. Le tocó el descenso de los *Jabatos*. Alineó por última vez en un empate a dos entre Monterrey y Tampico-Madero.

Récord de penaltis atajados

Los movimientos más importantes que se registraron en la nómina de porteros fueron los de Nacho Rodríguez, del Morelia al Atlante; Fernando López Vega, de *Tecos* al Atlas; Castrejón, del Atlas al Morelia; La Volpe, del Atlante al Oaxtepec; Pedro Soto, del Campesinos al Puebla; y las reapariciones de Jesús de Anda y Jorge García Rulfo tras uno y dos años, respectivamente, de no jugar en Primera División. A De Anda lo contrató el Potosino y a García Rulfo la UAG, su cuarto equipo tapatío.

Por tercer año seguido la producción de goles (983) quedó cerca de mil. Hubo diez juegos, incluyendo uno de liguilla, en los que un equipo marcó cinco tantos, pero la mayor goleada fue un 6-0 del Guadalajara al León en el estadio Jalisco, que quedó en el palmarés de Horacio Sánchez.

Con 60, 58 y 48, respectivamente, La Volpe, López Vega y Novoa encabezaron la lista de los arqueros que encajaron más anotaciones. Y pudieron ser más de no ser porque Ricardo detuvo un penalti y Fernando y Carlos dos cada uno.

Este año los guardametas estuvieron más efectivos que nunca atajando tiros de castigo. Detuvieron 28 en la temporada regular y dos en la fase final. El líder fue Pablo Larios con tres, uno de ellos en la liguilla del no descenso.

Outes, campeón goleador tras retiro de *Cabinho*

A mitad de temporada Evanivaldo Castro anunció su retiro del futbol por no sentirse bien. Llevaba once goles. Se iba *Cabinho* dejando el súper récord de siete títulos de goleo consecutivos, sin embargo regresaría en el siguiente campeonato y más tarde conseguiría su octava corona.

El argentino Norberto Outes, del América, aprovechó la ausencia del cañonero brasileño para proclamarse nuevo rey goleador con 22 tantos, de los cuales anotó una docena en canchas ajenas. Superó apenas por un gol a su paisano Alberto Jorge, del Oaxtepec. En tercer lugar, con 16 anotaciones, quedaron empatados el uruguayo Atilio Ramírez, del Necaxa, y Agustín Manzo, del Toluca.

y con 15 el polaco Grzegorz Lato (Atlante), nada menos que el máximo anotador del Mundial de Alemania-74.

Outes repartió muy bien sus goles de modo que ningún portero recibió más de dos en un partido.

Dos de sus ex porteros dirigen al Cruz Azul

En el primer tercio del campeonato el Cruz Azul andaba dando tumbos. Sumaba cinco empates, cinco reveses y sólo tres éxitos, por lo que el alto mando decidió cesar a Trelles y darle la oportunidad de dirigir al *Gato* Marín. Sin embargo, un mes después en el Cuauhtémoc de Puebla, tras ser expulsado le dio un cabezazo al árbitro Jesús Mercado, con lo que se ganó una suspensión por un año. La corta estancia de Marín en el timón cruzazulino se resume en dos triunfos, dos empates y dos derrotas.

A partir de la segunda vuelta otro ex cancerbero *cementero*, Enrique Meza, asumió la dirección del Cruz Azul. En los primeros cinco juegos tuvo cuatro empates a cero goles y estableció el récord del equipo de cinco partidos seguidos sin anotar. En su primer trabajo como técnico el *Ojitos* ganó cinco, empató ocho y perdió seis. Números mediocres que dejaron al equipo fuera de la liguilla por segundo año consecutivo.

Coincidiendo con el debut como técnico de Miguel Marín se produjo el final de la carrera como entrenador de José Moncebáez, quien fue cesado por el Morelia cuando llevaba 2-5-7 en ganados, empatados y perdidos. Además, *Monche* había tenido problemas con los jugadores uruguayos del equipo, uno de los cuales lo acusó de pedirles dinero para alinearlos. En su larguísima carrera de 30 años y doce equipos dirigidos, el veterano ex portero ganó 144 partidos, empató 138, perdió 155 y alcanzó una eficiencia de 48.7%.

Finalmente, desde la jornada 17 Walter Ormeño tomó el mando del reaparecido Necaxa.

De rachas a rachas

Volviendo al Morelia, resulta pertinente hacer notar las contrastantes estadísticas en que se vio envuelto. Si en la temporada 81-82 impuso la marca de ocho empates seguidos, en 82-83 ligó 20 juegos consecutivos sin empatar. Por otra parte, entre los dos torneos acumuló 18 partidos al hilo sin victoria, pero en ambos tuvo rachas de cinco juegos seguidos sin recibir gol. En la del año pasado se lució Nacho Rodríguez y ahora fue Félix Madrigal el guardameta imbatido.

y para concluir el tema de las rachas, el León por segundo año seguido tuvo una de once partidos al hilo sin ganar, mientras que el novel Oaxtepec alternó una cadena de cinco victorias consecutivas con una seguidilla de cinco derrotas seguidas.

Pumas se corona en Concacaf

Además de jugar completos los 38 partidos de la temporada, Olaf Heredia también defendió la portería universitaria en todos los juegos del torneo de la Concacaf, que por segunda vez en su historia ganaron los *Pumas* tras eliminar al guatemalteco Comunicaciones por 2-2 y 3-0 y vencer en la final al surinamés Robin Hood por 0-0 en Querétaro y 3-2 en México.

Por su parte, Atlante y *Tigres* comenzaron exitosamente su participación en el siguiente certamen de Concacaf. Los azulgranas superaron al Comunicaciones por 2-2 y 2-0 jugando ambos partidos en Guatemala y luego fueron a Nueva York donde con un gol en tiempos extra, tras dos empates 1-1 y 2-2, eliminaron al Freedom. Nacho Rodríguez y Rubí Valencia jugaron dos partidos cada uno.

Los *Tigres* también utilizaron a sus dos arqueros, Pilar Reyes y Mateo Bravo, en sus encuentros con el Olimpia de Honduras. El equipo regiomontano triunfó en ambos por 1-0 y 2-1. El segundo juego se suspendió al minuto 72 porque los hondureños abandonaron la cancha tras armar una bronca durante la que agredieron al árbitro.

Tras 18 penaltis el Puebla gana el Campeonato

En la liguilla el América despachó con facilidad al Potosino por 2-0 y 4-0 y derrotó 2-1 al Guadalajara en el Jalisco en el primer juego de semifinales. Con ello el cuadro azulcrema sumaba 29 victorias en la temporada. Sin embargo, las *Chivas* dieron la campanada en el Azteca

al golear 3-0 a las *Águilas* en un partido que terminó con una fenomenal bronca que duró más de 20 minutos. El saldo, además de la eliminación del súper líder de los grandes récords, fue que cinco titulares del Guadalajara, entre ellos su portero Ledesma, fueron suspendidos dos partidos, precisamente los de la final.

Antes las *Chivas* habían eliminado al sublíder general Atlante metiéndole seis goles (3-1 y 3-0), la UdeG al Toluca con marcador global de 4-3 y el Puebla, que volvió a una liguilla después de ocho años, a los *Tecos* por 1-2 y 5-1. En la otra semifinal el equipo de la franja pasó sobre los *Leones Negros* (0-1 y 4-2) y se enfiló a la final contra las diezmadas *Chivas*.

Con el *Zully* suspendido y Celestino Morales lastimado, el Guadalajara debutó en el primer juego a Estéfano Rodríguez, hermano menor del *Coco*, y para el segundo ya pudo actuar Celestino. En el Jalisco las *Chivas* se impusieron 2-1 con tantos de Samuel Rivas y Demetrio Madero, y el único gol que admitió el novel arquero fue de Paul Moreno, otro novato por cierto. Pedro Soto custodió la cabaña poblana en los dos encuentros.

En el juego decisivo el 29 de mayo en el Cuauhtémoc el Puebla, dirigido por Manuel Lapuente, igualó el marcador global gracias a un autogol de Madero, y como en los tiempos extra no hubo anotaciones, por segunda temporada consecutiva el título se decidió con la ejecución de penaltis.

En total cada equipo tiró nueve, de los cuales el Puebla falló dos y el Guadalajara tres, así que por 7 a 6 el conjunto poblano se alzó con el primer campeonato de Liga de su historia. Por el Puebla anotaron Muricy Ramalho, Raúl Arias, Nelson Sanhueza, Ítalo Estupiñán, José Luis Ceballos, Arturo Orozco y Luis Enrique Fernández. Por *Chivas* Eduardo Cisneros, Fernando Dávalos, Fernando Quirarte, Samuel Rivas, Jaime Pajarito y Alejandro Guerrero. Fallaron Paul Moreno y Antonio de la Torre por el equipo *camotero* y Carlos Rizo, Sergio Lugo y Demetrio Madero por el tapatío. De los cinco penaltis errados sólo uno fue atajado por los porteros, el de De la Torre por Celestino.

Por segundo año seguido la liguilla por el no descenso se prolongó a tres partidos. La jugaron el Morelia y el Zacatepec, los dos peores equipos del torneo. Cada uno ganó en su casa por dos goles de diferencia. El Morelia por 2-0 y el Zacatepec por 4-2, así que el descenso se decidió en México en el estadio Azteca el 25 de mayo. Félix Madrigal y Pablo Larios jugaron los tres partidos. En el tercero el arquero del Zacatepec no pudo impedir un gol de Jacinto Ambriz, el único del juego, que mandó a los *Cañeros* de regreso a Segunda.

Dos mundiales en México en tres años

En junio las ciudades de México, Toluca, Guadalajara, Puebla, León, Irapuato y Monterrey fueron sede del IV Mundial Juvenil, un torneo que ganó en forma invicta la Selección de Brasil. Los juveniles mexicanos, comandados por Mario Velarde, no pasaron de la primera ronda ya que solamente consiguieron un punto, producto de un empate con Australia a un gol. Sucumbieron ante Corea por 1-2 y frente a Escocia por 0-1. Actuó en los tres partidos Nicolás Navarro, un portero que seis meses después debutaría en la Primera División para iniciar una larga y destacada carrera de veinte años.

Por lo que toca a la Selección mayor, tras su fracaso en Honduras en la eliminatoria mundialista quedó desintegrada y no jugó ningún partido durante todo el año 1982. El yugoslavo Bora Milutinovic, nuevo técnico de la Selección, comenzó en marzo del 83 una larga preparación para la Copa del Mundo de 1986. Primero formó una Selección B en la que alinearon como porteros Pablo Larios y Marco Antonio Ferreira. Esta nueva Selección venció dos veces por 1-0 a Costa Rica en San José y el Distrito Federal y derrotó 2-0 a la olímpica de Guatemala en Los Ángeles.

En vista de que Colombia renunció a la sede del Mundial-86, el 20 de mayo de 1983 la FIFA hizo el anuncio oficial de que México organizaría la Copa convirtiéndose en el primer país en alojar a dos campeonatos mundiales de futbol.

En este mes de mayo concluyó la segunda temporada de Hugo Sánchez con el Atlético de Madrid. El *Niño de Oro* casi duplicó su cuota goleadora al marcar quince veces.

Y el 31 de enero falleció Gregorio Blasco, el portero multicampeón en España y México que recibió el gol inaugural de la época profesional del futbol mexicano. Tenía 73 años.

Nómina de porteros

América	Héctor Zelada y Hugo Salazar
Atlante	Rubí Valencia, Ignacio Rodríguez y Édgar Carrillo
Atlas	Fernando López Vega
Cruz Azul	Ricardo José Ferrero, Julio Aguilar y Silvino Román
Guadalajara	Javier Ledesma, Celestino Morales y Estéfano Rodríguez
León	Horacio Sánchez, Víctor Manuel Aguado, Héctor Brambila y Nahum Corro
Monterrey	Gregorio Cortés, Jesús Contreras y José Ledesma
Morelia	Francisco Castrejón y Félix Madrigal
Necaxa	Adrián Chávez y Román Sánchez
Neza	Alberto Aguilar y Néstor Verderi
Oaxtepec	Ricardo La Volpe y José de Jesús Celestino
Potosino	Carlos Novoa y Jesús de Anda
Puebla	Moisés Camacho y Pedro Soto
Tampico-Madero	Walter Gassire y Pedro Cortés
Tigres	José Pilar Reyes, Mateo Bravo y José Rodríguez Báez
Toluca	Marco Antonio Ferreira
UAG	Prudencio Cortés y Jorge García Rulfo
UdeG	Manuel Ibarra y Rubén Chávez
UNAM	Olaf Heredia
Zacatepec	Pablo Larios y Rodolfo Ocampo

Más juegos (j)

Fernando López Vega (Atlas)	38
Marco Antonio Ferreira (Toluca)	38
Olaf Heredia (UNAM)	38
Ricardo La Volpe (Oaxtepec)	37
Pablo Larios (Zacatepec)	37

Más juegos completos

Fernando López Vega (Atlas)	38
Marco Antonio Ferreira (Toluca)	38
Olaf Heredia (UNAM)	38
Pablo Larios (Zacatepec)	36
Ricardo La Volpe (Oaxtepec)	35

Más goles (g)

Ricardo La Volpe (Oaxtepec)	60
Fernando López Vega (Atlas)	58
Carlos Novoa (Potosino)	48
Walter Gassire (Tampico-Madero)	46
Prudencio Cortés (UAG)	46

Más bajo g/j (mínimo 20 juegos)

Ricardo José Ferrero (Cruz Azul)	0.60
Héctor Zelada (América)	0.72
Javier Ledesma (Guadalajara)	0.85
Pablo Larios (Zacatepec)	0.94
Marco Antonio Ferreira (Toluca)	1.13
Olaf Heredia (UNAM)	1.13

Más goles en un juego

Horacio Sánchez (León)	6
Fernando López Vega (Atlas)	5 (dos veces)
Adrián Chávez (Necaxa)	5
Alberto Aguilar (Neza)	5
Moisés Camacho (Puebla)	5
Carlos Novoa (Potosino)	5
Mateo Bravo (Tigres)	5
Prudencio Cortés (UAG)	5
Rubén Chávez (UdeG)	5

Penaltis detenidos

Fernando LópezVega (Atlas)	2
Javier Ledesma (Guadalajara)	2
Víctor Manuel Aguado (León)	2
Carlos Novoa (Potosino)	2
Walter Gassire (Tampico-Madero)	2
Marco Antonio Ferreira (Toluca)	2
Prudencio Cortés (UAG)	2
Olaf Heredia (UNAM)	2
Pablo Larios (Zacatepec)	2
Ignacio Rodríguez (Atlante)	1
Ricardo José Ferrero (Cruz Azul)	1
Francisco Castrejón (Morelia)	1
Adrián Chávez (Necaxa)	1
Alberto Aguilar (Neza)	1
Ricardo La Volpe (Oaxtepec)	1
Jesús de Anda (Potosino)	1
Mateo Bravo (Tigres)	1
José Pilar Reyes (Tigres)	1
Rubén Chávez (UdeG)	1

Expulsados

Héctor Zelada (América)
Ricardo José Ferrero (Cruz Azul)
Néstor Verderi (Neza)
Ricardo La Volpe (Oaxtepec)
José Pilar Reyes (Tigres)
Pablo Larios (Zacatepec)

LIGUILLAS

Más juegos	Pedro Soto (Puebla)	6
Más juegos completos	Pedro Soto (Puebla)	6
Más goles	Pedro Soto (Puebla)	8
Más bajo G/J	Javier Ledesma (Guadalajara)	0.75
Más goles en un juego	Jorge García Rulfo (UAG)	5
Penaltis detenidos	Pedro Soto (Puebla) y Pablo Larios (Zacatepec)	1
Expulsados	Rubí Valencia (Atlante)	

83-84
La revancha del América

El América, de nuevo superlíder, se desquitó del Guadalajara venciéndolo en la final para conquistar su cuarto campeonato. El Atlante ganó su primer título internacional. El mejor portero del año fue Héctor Zelada, quien además detuvo dos penaltis en la liguilla, uno de ellos en el partido final contra las Chivas. *Norberto Outes repitió como líder de goleo, reapareció* Cabinho *y debutó Carlos Hermosillo, quien llegaría a ser el mayor goleador mexicano de todos los tiempos. Descendió el Curtidores tras imponer dos marcas de derrotas y el Zacatepec logró su quinto ascenso. Félix Madrigal se convirtió en el primer portero mexicano que anotó un gol de meta a meta. La Volpe colgó los botines y tomó el mando del Oaxtepec. La Selección Olímpica perdió la eliminatoria ante Canadá y se quedó sin boleto para Los Ángeles-84. El futbol profesional mexicano cumplió 40 años. Como siempre, el aniversario pasó inadvertido...*

La Volpe, de portero a director técnico

De los 50 porteros que tuvieron acción en este campeonato, que comenzó el 2 de septiembre del 83 y finalizó el 10 de junio del año siguiente, únicamente tres eran extranjeros. Desde la temporada 72-73 no se habían registrado tan pocos foráneos en la nómina de los guardametas. Zelada con el América, Verderi con el Neza y La Volpe con el Oaxtepec, los tres argentinos, fueron los arqueros importados, aunque La Volpe sólo jugó los primeros cinco partidos, con los cuales puso fin a su carrera de futbolista para iniciar la de director técnico en la sexta jornada del torneo.

La Volpe jugó por última vez el 2 de octubre cuando el Oaxtepec visitó al Tampico-Madero y sucumbió por 1-3. En seis años en México, de los cuales cuatro con el Atlante y dos con el Oaxtepec, el cancerbero argentino sumó 164 partidos y 193 goles para un muy buen promedio de 1.18. Detuvo ocho penaltis, fue expulsado cinco veces y con el equipo azulgrana logró un subcampeonato. Sustituyó en el timón del equipo morelense a su paisano Carlos Lara cuando el Oaxtepec sólo había ganado tres puntos de diez disputados. La Volpe se mantuvo hasta el final del campeonato y consiguió 30 puntos más.

Tambien tuvieron su última temporada en Primera División los veteranos Rubén *Gato* Chávez y Jorge Jaramillo. Aquél, tras haber jugado dos años con Laguna y ocho con UdeG, se enroló en este torneo con los *Tigres*, mientras que Jaramillo reapareció con el Curtidores después de pasar un par de años en Segunda División.

Una derrota de los *Tigres* en Tampico por 1-3 el 12 de mayo del 84 fue el último juego del *Gato* Chávez, portero que en la historia del equipo de la Universidad de Guadalajara figura como líder de partidos, partidos completos, goles recibidos, penaltis detenidos e incluso expulsiones. En total, en los once campeonatos en que participó, Chávez acumuló 236 juegos y 323 anotaciones (promedio de 1.37), detuvo siete penaltis, nunca permitió más de cinco goles en un juego, fue expulsado cuatro veces y protagonizó una racha de 101 partidos consecutivos con los *Leones Negros*, con quienes fue subcampeón de Liga un par de ocasiones.

Una semana después, el 19 de mayo, ocurrió la despedida de Primera División del Curtidores y de su arquero Jaramillo. El equipo leonés fue con mucho el peor del campeonato. Solamente ganó seis juegos y 19 puntos y dejó dos récords negativos, el de 25 derrotas en un campeonato y el de 18 juegos perdidos como visitante, que al parecer quedarán para siempre en la historia del balompié mexicano. Ese último juego del Curtidores y de Jaramillo tuvo lugar en el Azteca ante el Cruz Azul, victoria de los *Cementeros* por dos a cero. En Primera División Jorge Jaramillo jugó cuatro años con el León y siete con el Curtidores. Nunca fue expulsado, con los *Panzas Verdes* quedó una vez subcampeón de Liga pero con el cuadro curtidor bajó dos veces a Segunda. Sus números totales fueron: 125 juegos, 159 goles y 1.27.

Zelada, el mejor. Olaf, portero de "hierro"

De los 1071 goles contabilizados en el torneo, la cantidad más alta en cinco años, los *Pumas* anotaron 65 con los que consiguieron su séptimo campeonato de goleo en nueve años. El Potosino fue el equipo que menos anotó (30) y el Atlas el que más tantos recibió (74), mientras que el América tuvo por segunda temporada consecutiva la mejor defensa (30) y su portero Zelada ligó tres campeonatos admitiendo menos de un gol por juego en promedio. Con 0.84 encabezó a los arqueros y en la liguilla fue factor fundamental para la coronación de las *Águilas* al detener dos penaltis y permitir solamente cuatro anotaciones en seis juegos. Durante el torneo el guardameta argentino se mantuvo imbatido en cuatro juegos seguidos, racha que también consiguió Nacho Rodríguez, del Atlante, aunque ambos fueron superados por Héctor Brambila, del León y Carlos Novoa, el nuevo portero del Cruz Azul, que no permitieron gol en cinco partidos consecutivos. Con estas rachas el León impuso un récord del equipo y el Cruz Azul igualó una marca del club.

Abajo de Zelada en la tabla de promedios figuraron Novoa (0.94), Olaf Heredia (1.05), Ignacio Rodríguez (1.08) y Jorge García Rulfo (1.11).

Heredia y Rodríguez alinearon en los 38 partidos —al igual que López Vega, del Atlas— pero sólo el guardameta de los *Pumas* jugó todos los minutos. Precisamente en el último juego de los *Pumas* en la liguilla, el 2 de junio del 84 contra *Chivas*, Olaf cumplió 101 partidos consecutivos, todos completos, con lo que ingresó al muy selecto club de porteros con cien o más juegos seguidos. Durante la racha cayeron 111 goles en la cabaña de Heredia, de modo que su promedio fue magnífico: 1.10.

Cambios y debuts

Hubo pocos cambios pero muchas caras nuevas en la nómina de los guardametas. De los primeros destacó la transferencia de Carlos Novoa del Potosino al Cruz Azul así como la de Pilar Reyes de los *Tigres* al Tampico-Madero. A esto se agrega el pase ya mencionado del *Gato* Chávez de los *Leones Negros* a los *Tigres*, la reaparición en Primera División de Jorge Miranda con los *Petrojaibos* y el cambio de Horacio Sánchez que emigró del León al Morelia para fungir como suplente de Félix Madrigal.

Los debutantes fueron trece, entre ellos el mundialista juvenil Nicolás Navarro, quien se presentó con el Necaxa el 12 de noviembre del 83 en Oaxtepec. Este partido, único que jugó Navarro en la temporada, lo perdieron los rojiblancos por 0-2 tocándole a Omar Mendiburu "estrenar" al nuevo arquero. Unos días antes, el 28 de octubre, el Curtidores había debutado a Alejandro Murillo Kuri en un juego contra el Atlante que ganaron los azulgra-

nas por 3-1. Alejandro Ramírez marcó el primer gol en la cuenta del novel cancerbero. El partido tuvo lugar en el viejo estadio de Insurgentes que a partir de esta temporada se convirtió en la nueva casa del Atlante, por lo cual fue rebautizado como estadio Azulgrana.

El 30 de octubre apareció en el arco del Tampico-Madero Hugo Pineda, de 22 años, oriundo del puerto *jaibo* e hijo del portero del mismo nombre que llevaba siete años de haberse retirado. El primer juego del joven Pineda fue contra los *Pumas* y lo ganaron los *Petrojaibos* por 2-1. Ricardo Ferretti se encargó de fusilarlo por primera vez. Pineda se agregó a la lista de destacados arqueros debutados por Carlos Miloc que incluye a figuras de la talla de Pilar Reyes y Javier Ledesma.

El 7 y el 19 de enero de 1984 debutaron Eduardo Fernández, con el Oaxtepec, y Vicente Munguía, con el Toluca. Fernández en un triunfo del equipo de La Volpe sobre *Tigres* por 2-0 y Munguía en un empate a uno de los *Diablos* en Puebla. Y en la última jornada del campeonato el América debutó a Arturo Báez mientras derrotaba 2-0 al Tampico-Madero. Suplió a Hugo Salazar, pero no volvería a alinear sino hasta el torneo México-86.

México, eliminado de la Olimpiada

Fernando López Vega fue el portero más goleado del campeonato y también el más bombardeado en un partido. En la temporada acumuló 73 anotaciones y cuando el Atlas visitó al Monterrey encajó siete pepinos. En la otra gran goleada de la temporada, propinada por los *Tecos* al Atlante en el "3 de Marzo" por seis a uno el 4 de diciembre del 83, Hugo Kiese fusiló en cuatro ocasiones a Nacho Rodríguez. Por esos días los *Tecos* pasaban por una gran racha victoriosa que llegó a ser de seis triunfos consecutivos en los cuales Kiese marcó once tantos.

Curiosamente, cinco días antes de la hazaña del goleador paraguayo, en un juego de la Selección B en Forefrance contra Martinica, Luis Flores había anotado los cuatro tantos de México en un loco empate 4-4, partido en el que Javier Ledesma y Víctor Manuel Aguado se repartieron, dos cada uno, los goles del representativo de la isla antillana. Los dos porteros también participaron en la paliza por 5-0 que esta Selección B le propinó a Canadá en Irapuato a principios de diciembre.

Sin embargo, poco después los juveniles canadienses eliminaron a México de los juegos olímpicos de Los Ángeles-84 al vencerlo por 1-0 en un partido de desempate en terreno neutral (Fort Lauderdale) luego de que en Victoria había ganado Canadá 1-0 y en Toluca había salido triunfador México 2-1. De esta eliminatoria olímpica saltaron a Primera División el joven arquero de 21 años Eduardo Fernández, nacido en El Paso, Texas, pero de nacionalidad mexicana, y el centro delantero veracruzano Carlos Hermosillo, quien en su debut el 28 de enero del 84 anotó dos de los cuatro goles con los que el América aplastó 4-0 al Atlas en Guadalajara. Así que Fernando López Vega fue el portero que recibió el primero y segundo goles de los 295 que anotaría Hermosillo en los siguientes 19 años para convertirse en el número dos de los goleadores históricos de nuestro balompié y en el líder de los romperredes mexicanos.

Gol del portero Madrigal

El 8 de enero al jugarse la última fecha de la primera vuelta se registró en el estadio Venustiano Carranza, de Morelia, un gol de portería a portería, jugada tan rara que no había ocurrido en 35 años. Protagonizaron este insólito gol Félix Madrigal, anotándolo, y Víctor Manuel Aguado, recibiéndolo. El Morelia venció al León por 4 a 2 y la anotación de su arquero fue el tercer tanto.

Cuando estaba por concluir en Monterrey el 21 de octubre el partido que los *Rayados* le ganaban al Tampico-Madero por 1-0, Pilar Reyes tuvo un altercado con uno de los jóvenes que recogen balones fuera de la cancha, lo que originó una bronca con varios aficionados del Monterrey que saltaron al terreno de juego para encararse con los jugadores visitantes y su cuerpo técnico. Del zipizape salió en camilla, conmocionado, un porrista del Monterrey, en tanto que Pilar, el portero suplente Jorge Miranda y Héctor Hugo Eugui, auxiliar de Carlos Miloc, técnico del Tampico-Madero, fueron detenidos y encarcelados dos días. Posteriormente a Pilar lo suspendieron 15 juegos y a Miranda tres, por lo que Miloc se vio obligado a utilizar a su tercer portero. Fue así como debutó Hugo Pineda hijo.

Atlante, monarca de Concacaf

Con diferente fortuna participaron el Atlante y los *Tigres* en el torneo de la Concacaf. El equipo regiomontano fue rápidamente eliminado por el Suchitepequez de Guatemala. Con Mateo Bravo en el arco, *Tigres* sólo empató 1-1 en casa y fue goleado 0-3 en Mazatenango. En cambio el Atlante sacó un empate 2-2 de visita y luego vapuleó 6-0 en casa al mismo cuadro guatemalteco, alineando a Rubí Valencia en el primer juego y a Nacho Rodríguez en el segundo. Y con otra goleada en México, ésta por 5-0 al Robin Hood de Surinam el 1 de febrero del 84, el conjunto azulgrana se coronó campeón de Concacaf ya que en el primer partido, en Paramaribo, había conseguido empatar a un gol. Nacho actuó en los dos juegos de la final.

Poco tiempo después les tocó al Puebla y al Guadalajara intervenir en el siguiente torneo de la confederación nortecentroamericana y del caribe. Ambos superaron la primera fase teniendo como rivales al Universidad de Honduras y al Águila, respectivamente. Pedro Soto, portero de los *Camoteros*, se mantuvo imbatido en los dos cotejos contra el equipo hondureño (0-0 y 2-0), mientras que el *Zully* Ledesma recibió par de anotaciones del cuadro salvadoreño pero las *Chivas* ganaron los dos partidos: 4-2 de visita y 3-0 en casa.

Sin embargo, el Puebla fue eliminado en semifinales por un equipo estadounidense llamado Freedom. Los dos partidos se jugaron en Nueva York, en el primero no hubo goles y en el segundo también empataron pero a uno. En tiempos extra se repitió el 1-1 y fue en los penaltis cuando el equipo neoyorquino se alzó con la victoria al imponerse por 4-2. *Moi* Camacho custodió el marco poblano en los dos encuentros.

La vasta trayectoria de Ormeño como DT

Dirigiendo al Necaxa toda la temporada aunque suspendido por ocho juegos al principio de la misma, Walter Ormeño cerró su carrera como entrenador en México, no sin antes haber propiciado el debut de Nicolás Navarro, guardameta que jugaría 20 años y establecería varios récords. Con los rojiblancos, Ormeño tuvo números negativos: 15 triunfos, 23 empates y 22 fracasos. Once equipos mexicanos estuvieron bajo el mando del ex portero peruano a lo largo de veinte años. Su eficiencia fue prácticamente del 50% ya que ganó 125 juegos, empató 108 y perdió 126. A estos numeritos habrá que sumarles las tres victorias, los tres empates y las cuatro derrotas que obtuvo cuando codirigió con Raúl Cárdenas al Cruz Azul y los ocho triunfos, tres igualadas y un revés logrados junto con Octavio Vial con el Atlante. En cuanto a títulos, solamente el subcampeonato con *Pumas* en 67-68.

En las filas del último club dirigido por Ormeño estuvo el campeón goleador de esta temporada. Traspasado del América al Necaxa, el argentino Norberto Outes volvió a encabezar a los romperredes, ahora con 28 tantos, de los cuales nueve fueron penaltis. El portero más goleado por Outes fue Jesús de Anda, del Potosino, con cuatro, y a siete guardametas les marcó dos goles a cada uno.

El segundo artillero de la Liga fue el *Tuca* Ferretti, de *Pumas*, con 27 anotaciones y el tercer lugar lo compartieron Hugo Kiese y el atlista José de Jesús Aceves con 21 cada uno.

El retiro de *Cabinho* duró poco tiempo. El extraordinario goleador brasileño firmó contrato con el León y en su reaparición le anotó un tanto al Tampico-Madero pero también falló un penalti, atajado por Pilar Reyes. Con 18 anotaciones fue el quinto goleador de la Liga.

Se luce Zelada en la coronación del América

Tras hacer pretemporada en España donde jugó cuatro torneos veraniegos, de los que ganó uno y fue subcampeón en los otros tres, el América repitió como súper líder del campeonato mexicano aunque con 10 puntos menos que en 82-83. Llegó a la liguilla con una racha de 15 partidos consecutivos sin perder y la alargó a 21 al superar al Monterrey en cuartos de final (1-1 y 1-0), al Cruz Azul en semifinales (2-0 y 0-0) y al Guadalajara en la final de la revancha por 2-2 en el Jalisco y 3-1 en el Azteca.

En esta liguilla solamente hubo 31 goles, la cantidad más baja en nueve años. En tres series fueron necesarios los tiempos extra y los penaltis para decidirse. Así fue como el Cruz Azul y las *Chivas* eliminaron al Atlante y a la UAG, respectivamente, en cuartos de final, y el Gua-

dalajara a los *Pumas* en una semifinal. Tras un marcador global de 2-2 y 1-1 en tiempos extra los *Cementeros* superaron a los azulgranas en los penaltis por 4-2 con Carlos Novoa vistiéndose de héroe al detenerle un tiro al *Ratón* Ayala. Otro portero, el *Zully* Ledesma, también se erigió como el gran héroe al atajarle un penalti a su colega García Rulfo y luego anotar el decisivo para la victoria de las *Chivas* por 9-8 (el global en 210 minutos fue 1-1). En el cotejo entre *Chivas* y *Pumas* cada equipo ganó en su casa por 2-1, no hubo goles en los tiempos extra, y el Guadalajara se impuso en penaltis por 5-3 con Celestino Morales parándole uno a Manuel Negrete.

En la victoria americanista sobre Cruz Azul en el primer juego de semifinales Zelada detuvo un tiro de castigo y repitió el truco en el segundo partido de la final atajando el penalti de Eduardo Cisneros mientras Lalo Bacas, Alfredo Tena y Javier Aguirre perforaban la meta de Celestino para darle al América su cuarto campeonato y a Carlos Reinoso su ingreso al selecto club de los que han sido campeones como jugador y como director técnico. Fernando Quirarte anotó de penalti el único gol de las *Chivas*.

La selección golea y la golean

Con Marco Antonio Ferreira en la puerta, la Selección Nacional derrotó 5-0 a El Salvador en Los Ángeles y 2-0 a Suecia en Morelia a finales del año 83 y comenzó el 84 con un triunfo por 3-0 sobre Venezuela en Irapuato, partido en el que alineó Olaf Heredia. Sin embargo, la rachita de imbatibilidad terminó estrepitosamente el 4 de febrero en Roma donde Ferreira recibió cuatro tantos en el primer tiempo y Olaf uno en el segundo en la goliza al son de 5-0 que Italia le propinó a México.

Una docena de goles fue la cuota de Hugo Sánchez en su tercer año con el Atlético de Madrid. Los *Colchoneros* quedaron en cuarto lugar en el torneo español.

Y Eugenio Arenaza, el portero peruano que en México defendió la meta de siete equipos y ganó tres campeonatos, falleció a la edad de 60 años el 16 de diciembre de 1983.

Nómina de porteros

América	Héctor Zelada, Hugo Salazar y Arturo Báez
Atlante	Ignacio Rodríguez y Rubí Valencia
Atlas	Fernando López Vega y José María Díaz
Cruz Azul	Carlos Novoa y Salvador Corona
Curtidores	Alejandro Murillo Kuri y Jorge Jaramillo
Guadalajara	Javier Ledesma y Celestino Morales
León	Héctor Brambila, Víctor Manuel Aguado y Nahum Corro
Monterrey	Gregorio Cortés y Jesús Contreras
Morelia	Félix Madrigal y Horacio Sánchez
Necaxa	Adrián Chávez, Román Sánchez, Nicolás Navarro y Miguel Ángel García
Neza	Néstor Verderi, Martín Pérez Padrón y Carlos Garrido
Oaxtepec	Eduardo Fernández, Gerardo Cifuentes y Ricardo La Volpe
Potosino	Jesús de Anda, Refugio de la Cruz y Rodolfo Cabrera
Puebla	Moisés Camacho y Pedro Soto
Tampico-Madero	José Pilar Reyes, Hugo Pineda, Jorge Miranda y Pedro Cortés
Tigres	Mateo Bravo y Rubén Chávez
Toluca	Marco Antonio Ferreira y Vicente Munguía
UAG	Jorge García Rulfo, Prudencio Cortés y Alfonso Martínez
UdeG	Manuel Ibarra, Jesús Andrade y Gerardo Gómez
UNAM	Olaf Heredia

Más juegos (j)

Ignacio Rodríguez (Atlante)	38
Fernando López Vega (Atlas)	38
Olaf Heredia (UNAM)	38
Jesús de Anda (Potosino)	37
Carlos Novoa (Cruz Azul)	36
Gregorio Cortés (Monterrey)	36
Félix Madrigal (Morelia)	36

Más juegos completos

Olaf Heredia (UNAM)	38
Fernando López Vega (Atlas)	37
Ignacio Rodríguez (Atlante)	36
Gregorio Cortés (Monterrey)	36
Carlos Novoa (Cruz Azul)	35
Jesús de Anda (Potosino)	35
Néstor Verderi (Neza)	34

Más goles (g)

Fernando López Vega (Atlas)	73
Jesús de Anda (Potosino)	52
Néstor Verderi (Neza)	51
Adrián Chávez (Necaxa)	51

Más bajo g/j (mínimo 20 juegos)

Héctor Zelada (América)	0.84
Carlos Novoa (Cruz Azul)	0.94
Olaf Heredia (UNAM)	1.05
Ignacio Rodríguez (Atlante)	1.08
Jorge García Rulfo (UAG)	1.11

Más goles en un juego

Fernando López Vega (Atlas)	7
Ignacio Rodríguez (Atlante)	6
Fernando López Vega (Atlas)	5 (2 veces)
Jorge Jaramillo (Curtidores)	5
Gregorio Cortés (Monterrey)	5
Jesús de Anda (Potosino)	5
Jorge García Rulfo (UAG)	5 (2 veces)
Jesús Andrade (UdeG)	5

Penaltis detenidos

Javier Ledesma (Guadalajara)	2
Héctor Zelada (América)	1
Ignacio Rodríguez (Atlante)	1
Fernando López Vega (Atlas)	1
Carlos Novoa (Cruz Azul)	1
Alejandro Murillo Kuri (Curtidores)	1
Celestino Morales (Guadalajara)	1
Héctor Brambila (León)	1
Adrián Chávez (Necaxa)	1
Néstor Verderi (Neza)	1
Moisés Camacho (Puebla)	1
José Pilar Reyes (Tampico-Madero)	1
Jorge Miranda (Tampico-Madero)	1
Marco Antonio Ferreira (Toluca)	1
Vicente Murguía (Toluca)	1
Jesús Andrade (UdeG)	1

Expulsados

Jesús de Anda (Potosino) (2 veces)
Rubí Valencia (Atlante)
Fernando López Vega (Atlas)
Javier Ledesma (Guadalajara)

LIGUILLA

Más juegos	Héctor Zelada (América)	6
Más juegos completos	Héctor Zelada (América)	6
Más goles	Celestino Morales (Guadalajara)	6
Más bajo G/J	Jorge García Rulfo (UAG) 0.50, Héctor Zelada (América) 0.67	
Más goles en un juego	Mateo Bravo (Tigres) y Celestino Morales (Guadalajara)	3
Penaltis detenidos	Héctor Zelada (América) 2, Mateo Bravo (Tigres) 1	
Expulsados	Ninguno	

84-85
Bicampeonato americanista

El América, cuarto lugar en la fase regular del torneo, logró el bicampeonato tras imponerse al súper líder Pumas *en una final que se alargó a tres juegos, en el segundo de los cuales se produjo la mayor tragedia en la historia del futbol en México.* Cabinho *llegó a 300 goles y conquistó su octavo título. El Zacatepec descendió por quinta vez a la Segunda División y subió el Irapuato. Javier* Zully *Ledesma fue el mejor portero y Víctor Manuel Aguado empató el récord de cuatro penaltis detenidos en una temporada. La* Tota *Carbajal y el* Gato *Marín reaparecieron como directores técnicos. Al adquirir el gobierno de Puebla la franquicia del Oaxtepec dio paso a un segundo equipo poblano: el Ángeles. Giras de la Selección por Europa y Sudamérica. Se inauguró el estadio "La Corregidora" de Querétaro. Doble eliminación del Guadalajara en Concacaf. Y en España, Hugo Sánchez se proclamó campeón de goleo y luego fue adquirido por el Real Madrid.*

Nuevo equipo en Puebla y dos porteros que se van

El 17 de agosto de 1984, mientras la Selección Nacional realizaba una gira por el continente europeo, comenzó la Liga en México y en la primera semana el Oaxtepec cambió de nombre, de sede y de uniforme porque la franquicia fue adquirida por el gobierno de Puebla. Los *Halcones* se transformaron en Ángeles y el nuevo equipo poblano, que conservó a Ricardo La Volpe como director técnico, debutó en la segunda jornada. Pocas semanas antes el Atlante había sido cedido por el IMSS al Departamento del Distrito Federal.

Entre los 47 porteros que actuaron en el campeonato hubo siete caras nuevas, pero ninguna extranjera, de modo que Héctor Zelada y Néstor Verderi fueron los únicos arqueros foráneos.

Verderi jugó por undécimo y último año en México. Tras militar dos torneos con el América, tres con el Potosino y seis con el Neza, se retiró el 5 de mayo del 85 habiendo acumulado 192 partidos y 235 goles para un aceptable promedio de 1.22. Fue expulsado cinco veces, detuvo cuatro penaltis (dos en esta temporada) y ganó un campeonato de Liga y un subcampeonato de Copa, ambos con el América. En la corta historia de los *Coyotes* de Neza figura

como el portero líder en juegos, juegos completos, goles recibidos y penaltis atajados.

El mismo día también alineó por última vez Jorge García Rulfo, el arquero tapatío que jugó con todos los equipos jaliscienses con excepción precisamente del Jalisco. Tuvo acción en dos torneos con la UdeG, uno con *Leones Negros* y Atlas, dos con las *Chivas* y tres con *Tecos*, habiendo conseguido un par de subcampeonatos de Liga con la escuadra de la Universidad de Guadalajara. Participó en 172 juegos en los que recibió 220 goles (promedio: 1.28) y nunca fue expulsado. En la jornada 25 de este campeonato fue el portero ante el que se estrelló la poderosa delantera del Tampico-Madero que había anotado en todos sus primeros 24 partidos.

La última actuación de Verderi fue en un empate a tres tantos entre Neza y Potosino, y la última de García Rulfo en una igualada de 1-1 entre *Tecos* y Atlas.

Cien juegos consecutivos de López Vega

Entre los guardametas debutantes cabe mencionar a Juan Carlos Vega, Adrián Marmolejo, José Luis Sámano y Guillermo Valadez. El primero se presentó el 26 de agosto con el Zacatepec en una victoria de los *Cañeros* sobre los *Tigres* por 2 a 1 y recibió su primer gol de Ricardo Márquez. Fue titular en esta temporada histórica del Zacatepec: la de su quinto ascenso y también su quinto descenso.

Ricardo La Volpe debutó a Marmolejo en el Ángeles el 24 de noviembre, fecha en la que el nuevo equipo poblano superó en casa al Zacatepec por 4-2, y el primer gol al novel arquero lo anotó Gilberto Figueroa.

Un autogol de Luis Enrique Fernández fue el primer tanto que recibió el tapatío Valadez en su debut con el Atlas el 3 de febrero del 85 en Puebla, partido ganado por el cuadro de la franja 2 a 1. Una semana antes, el 27 de enero, el portero titular rojinegro Fernando López Vega había llegado a 100 juegos consecutivos, convirtiéndose en el quinto arquero en conseguir tal hazaña. Una lesión cortó su racha y propició el debut de Valadez.

En la última jornada, el 5 de mayo, tuvo oportunidad de alinear en Primera División el portero capitalino José Luis Sámano. Lo hizo con el Potosino precisamente en el partido que marcó la despedida de Néstor Verderi, y fue batido por primera vez por Eugenio Rivas.

Brillan Ledesma, Larios y Espinoza

Varios porteros cambiaron de equipo. Alejandro Murillo Kuri pasó del Curtidores al León; Celestino Morales, del Guadalajara al Puebla; Olaf Heredia, de los *Pumas* a los *Tigres* en el traspaso más sonado; Héctor Brambila, del León a la UdeG, y Román Sánchez, del Necaxa al Zacatepec. Además reaparecieron en la máxima división Jorge Espinoza con *Pumas*, Alberto Aguilar con Tampico-Madero, José Antonio Panduro con Zacatepec, Silvino Román con el Morelia, y el más importante, Pablo Larios, quien tras jugar en Segunda con el Zacatepec fue fichado por el Cruz Azul.

Larios y Espinoza fueron los mejores arqueros de la temporada después del *Zully* Ledesma. El portero de las *Chivas* promedió 0.78 anotaciones por juego superando por muy poco al nuevo cancerbero cruzazulino y al de los *Pumas* que alcanzaron 0.83 y 0.94, respectivamente. Ya con promedio ligeramente arriba de uno quedó Héctor Zelada con 1.05. Por cierto, Ledesma y Zelada fueron los porteros más activos con 37 juegos cada uno, pero el argentino actuó además en siete partidos de la liguilla.

Goleadores y goleados

Después de 23 años el Guadalajara volvió a ser el equipo menos goleado del campeonato. Desde la época del gran *Tubo* Gómez el chiverío no había encabezado esta estadística. Fueron solamente 30 los balones que horadaron la portería tapatía. En cambio los *Pumas* lograron su octavo campeonato de goleo en los últimos diez años con 71 anotaciones, más del doble de las 31 que hizo el Zacatepec, el equipo con la peor ofensiva. Los *Cañeros* padecieron anemia goleadora en seis partidos consecutivos. El más goleado fue el Monterrey donde Gregorio Cortés con 40 y Jesús Contreras con 28 se repartieron las 68 pelotas que besaron las redes regiomontanas. Uno de los cuarenta goles que recibió Cortés se lo anotó él mismo. El autogol se registró en un empate 3-3 entre los *Rayados* y el León el 8 de septiembre. También cometió autogol el

otro portero de igual apellido, el *Pajarito* Cortés, el 25 del mismo mes en el juego Puebla 2 UAG 1.

Entonces los guardametas más batidos fueron Eduardo Fernández, del Ángeles, con 53 goles, seguido por Verderi y López Vega con 50 y 45, respectivamente. No obstante, López Vega protagonizó la mayor racha de imbatibilidad con cuatro juegos seguidos sin gol en contra, hazaña que también lograron Héctor Zelada, Silvino Román y Celestino Morales.

Al arquero angelino Fernández le tocó la goleada del torneo. La noche del 5 de enero el Guadalajara le dio su regalo de reyes con un marcador de 6 a 1.

En total se marcaron 995 goles en el campeonato y 35 en las liguillas.

300 goles y ocho títulos de *Cabinho*

El 4 de mayo de 1985 Evanivaldo Castro *Cabinho* siguió haciendo historia al ganar por octava vez el campeonato de goleo, ampliando su récord, y al convertirse en el primer (y único hasta ahora) jugador que anota 300 goles en México. La histórica anotación fue la segunda del León en una fácil victoria de 3-0 de los *Panzas Verdes* sobre los *Pumas* en el Nou Camp. Quien recibió el tricentésimo gol del brasileño fue Federico Valerio, un portero novato de la UNAM.

Para conseguir su octavo título, *Cabinho* marcó 23 tantos, de los cuales hizo 12 como visitante y siete de penalti. A ningún portero le pudo anotar más de dos veces. Un desconocido delantero del Ángeles, Miguel Ángel Gómez, fue sorpresivamente sublíder de goleo con 19 pepinos y en tercer lugar quedó con 18 Luis Flores, el sucesor de Hugo Sánchez en los *Pumas*. Precisamente en este año Hugo fue el máximo anotador en España con 19 goles. Conquistó el trofeo Pichichi y también la Copa del Rey con el Atlético de Madrid, méritos suficientes para que al final de la temporada fuera transferido al Real Madrid en una negociación intermediada por la UNAM. No fue Hugo el único mexicano que jugó en España. También lo hizo el *Wendy* Guillermo Mendizábal, sólo que en la Segunda División con el Rayo Vallecano.

Aguado alcanza el récord de Novoa

El récord de 30 penaltis detenidos en la temporada 82-83 estuvo muy cerca de ser empatado en este campeonato ya que los porteros atajaron 28, de los cuales 26 en la fase regular y dos en las liguillas. Destacó Víctor Manuel Aguado, del León, quien igualó la marca de 4 impuesta por Carlos Novoa en 81-82. Le detuvo uno al atlista José de Jesús Aceves en la primera vuelta y en las postrimerías del torneo en tres juegos consecutivos atajó sendos tiros de castigo a Dante Juárez, del Necaxa, Carlos Acevedo, del Morelia, y Fortino Rojas, del Zacatepec.

Como lo hiciera en el campeonato anterior, Héctor Zelada volvió a parar penaltis en la fase regular y en la liguilla, y en ésta al mismo tirador: Eduardo Cisneros, de las *Chivas*.

Por otra parte, por undécimo año consecutivo se registraron cinco o más expulsiones de porteros.

Reaparición de Carbajal y Marín

En la jornada 21, cuando el Morelia sólo había ganado un juego y empatado diez, Antonio Carbajal asumió el mando del equipo michoacano. En ese momento los *Canarios* llevaban 12 fechas seguidas sin victoria y en el debut de la *Tota*, el 6 de enero del 85, empataron a cero con el Potosino. La racha negativa se alargó a 18 partidos para empatar un récord del club hasta que por fin en la jornada 27 llegó el primer triunfo de Carbajal como estratega del Morelia: 2-0 al Zacatepec. Finalmente los números del *Cinco Copas* se equilibraron en cinco victorias, ocho empates y cinco derrotas.

Poco antes también había reaparecido como director técnico otro gran ex portero, el *Gato* Miguel Marín, quien en la fecha 17 empuñó el timón del Neza cuando este equipo pasaba por una racha de nueve juegos al hilo sin ganar. La situación de los *Coyotes* no mejoró porque siguieron sin saborear un triunfo siete semanas más para imponer un récord del equipo. Al final del campeonato la estadística de Marín fue de 6-6-10 en ganados, empatados y perdidos y el Neza se salvó por un punto de caer en la liguilla por el no descenso.

Por su parte, Ricardo La Volpe dirigió toda la temporada al Ángeles con el cual logró una docena de victorias,

once empates y perdió quince veces. Quedó en el sitio 13 en la clasificación general, la mejor posición del equipo en su muy corta historia. Lo notable fue que La Volpe, quien como jugador en seis años en México fue expulsado cinco veces, ahora como técnico acumuló nueve expulsiones en una sola temporada.

Quinto campeonato del América

Los *Pumas* llegaron a la liguilla como súper líderes tras jugar la mejor temporada de su historia. Tuvieron rachas de siete y de seis triunfos seguidos y en total ganaron 25 partidos (once de visitantes, empatando el récord del Cruz Azul y del Atlante) quedando a sólo uno de la marca del América.

La UdeG quedó en segundo lugar general a ocho puntos de *Pumas*. El cuadro tapatío disfrutó de una racha invicta de 15 partidos durante la cual ganó seis juegos en forma consecutiva. Ya en la liguilla, tanto los *Pumas* como los *Leones Negros* tuvieron que llegar hasta la instancia de los penaltis para decidir sus respectivos duelos de cuartos de final contra el Puebla y el León.

Empatados a dos goles en el marcador global, con tiempos extra incluidos, los *Pumas* derrotaron al Puebla en los penaltis por 5 a 3. En cambio, la UdeG fue eliminada por los *Panzas Verdes* por 5-4 en penaltis tras igualar a 2 en el global. El penalti que fallaron los universitarios tapatíos, ejecutado por el brasileño Joao Amaral, fue detenido por... ¡Aguado!, el mayor ataja-penaltis de la temporada.

En los otros cuartos de final el Atlas despachó al Cruz Azul y el América al Guadalajara (en el primer choque, en el Jalisco, las *Águilas* vencieron 2-0 con Zelada parándole de nuevo un tiro de castigo a Cisneros), mientras que en semifinales *Pumas* dobló en cu al León por 2-0 a continuación de un vibrante 3-3 en el Nou Camp, y el Atlas y el América empataron sus dos encuentros (1-1 y 0-0) y se fueron a una larga serie de 16 penaltis que ganaron las *Águilas* por 8 a 7.

Carlos Hermosillo y Alberto García Aspe marcaron los goles del primer juego de la final en el Azteca. En el segundo *Pumas* y América volvieron a empatar, sólo que a cero, en un abarrotado estadio de cu el domingo 26 de mayo del 85, fatídica fecha ya que ocho personas murieron asfixiadas cuando intentaban ingresar al coso universitario por el túnel 29.

La cancha neutral del flamante estadio Corregidora de Querétaro fue el escenario donde dos días después se decidió el campeonato. En medio de un polémico arbitraje de Joaquín Urrea, cuyas decisiones dieron mucho de qué hablar, y con par de goles de Daniel Brailovsky y uno de Hermosillo el América se proclamó bicampeón derrotando por 3 a 1 a los *Pumas*, cuya única anotación fue un autogol de Vinicio Bravo. Este año las *Águilas* tuvieron tres técnicos: Carlos Reinoso en 23 juegos, Mario *Pichojos* Pérez en uno y el argentino Miguel Ángel López en 14 y siete de liguilla.

También accidentada resultó la otra liguilla. El 19 de mayo en Zacatepec el partido entre el Necaxa y los *Cañeros* tuvo que ser suspendido al minuto 85 cuando el marcador favorecía a los rojiblancos por 1-0 y 3-1 en el global, porque el público invadió la cancha. La gente, molesta por la inminente derrota del Zacatepec que lo mandaba otra vez —¡la quinta!— a Segunda División hizo grandes destrozos en la cancha del *Coruco* Díaz. Hubo 70 personas heridas.

En el primer juego, en el Azteca, el Necaxa había ganado 2-1 y en el segundo su portero Adrián Chávez le detuvo un penalti al *Harapos* Morales y el brasileño Gilson de Oliveira anotó el gol con el que el equipo rojiblanco aseguró la permanencia en la máxima división.

También en Concacaf el América venció a *Chivas*

Mal le fue al Guadalajara en los dos torneos de Concacaf en que participó en esta temporada. En el primero, durante septiembre y octubre del 84, eliminó al Comunicaciones de Guatemala por 0-0 y 4-1 y le tocaba medirse con el Freedom de Nueva York, pero como los directivos de ambos equipos no se pudieron poner de acuerdo en las fechas, la Concacaf decidió eliminarlos.

En el siguiente torneo a las *Chivas* les tocó el América como primer rival. Los dos partidos se jugaron en Los Ángeles en abril del 85 y las *Águilas* despacharon a su odiado adversario por 3-1 y 1-1. En la derrota del Guadalajara su portero fue el novato Estéfano Rodríguez, mientras que en el empate reapareció el titular Ledesma. Con

el América alineó Zelada no sólo en estos dos encuentros sino en todo el torneo.

Luego, en julio, el cuadro azulcrema perdió 0-1 en Honduras con el Vida pero lo goleó 3-0 en Querétaro y avanzó a semifinales.

Larios y Olaf, los porteros nacionales

Bora Milutinovic convocó a Pablo Larios y Olaf Heredia para la gira de la Selección en agosto del 84 por canchas europeas. De los seis partidos, Larios jugó en los empates contra Irlanda (0-0) y Alemania Oriental (1-1), en la derrota con la Unión Soviética (0-3) y en el empate con Suecia (1-1) y Heredia en los triunfos por 3-0 sobre Finlandia y 2-0 a Hungría. A continuación México se midió con Argentina en Monterrey, partido en el que volvió a alinear Olaf y cuyo marcador quedó igualado a un gol. En la cabaña argentina apareció Luis Alberto Islas, un portero que muchos años después se incorporaría al futbol mexicano.

En octubre la Selección continuó su intensa preparación para México-86 con juegos en Los Ángeles contra Colombia (su director técnico era Efraín *Caimán* Sánchez, aquel gran portero que jugara con el Atlas a finales de la década de los cincuentas) y El Salvador y una corta gira por Sudamérica, en los que Bora siguió alternando a Larios y Heredia. Por 1-0 derrotó tanto a los colombianos como a los salvadoreños y en el cono sur volvió a empatar a uno con Argentina, sucumbió ante Chile por 0-1 e igualó 1-1 con Uruguay. Cerró el año con victorias de 2-0 y 3-2 sobre Trinidad y Tobago en Puerto España y Ecuador en Los Ángeles, respectivamente. Todo esto mientras la Selección B con Celestino Morales y Víctor Manuel Aguado como porteros doblaba a Estados Unidos por 2 a 1 en Neza.

La actividad del seleccionado nacional en 1985 comenzó con un torneo cuadrangular relámpago el 5 y 6 de febrero con el cual se inauguró el estadio "La Corregidora" de Querétaro. En el juego inaugural México, con Larios en el arco, aplastó a Polonia por 5-0. Al día siguiente la B (con Celestino) sucumbió 1-2 frente a los suizos. A medio año el River Plate, el Flamengo, el Cruz Azul y los *Tecos* protagonizaron otro rápido torneo de tres días en el nuevo estadio que ganó el equipo argentino.

Y en mayo y junio se tuvo la visita de las Selecciones de Italia, Inglaterra y Alemania Federal que vinieron a ambientarse para el Mundial jugando entre sí y contra México, además de un partido que Italia jugó en Puebla. El equipo de Bora venció a los ingleses 1-0 y a los alemanes 2-0 y empató con los italianos a un tanto, habiendo actuado Larios contra Italia e Inglaterra y Olaf frente a Alemania. A su vez Italia pasó sobre Inglaterra por 2-1 y ésta goleó 3-0 a los germanos.

Nómina de porteros

América	Héctor Zelada y Hugo Salazar
Ángeles	Eduardo Fernández y Adrián Marmolejo
Atlante	Ignacio Rodríguez y Rubí Valencia
Atlas	Fernando López Vega y Guillermo Valadez
Cruz Azul	Pablo Larios y Carlos Novoa
Guadalajara	Javier Ledesma y Estéfano Rodríguez
León	Víctor Manuel Aguado, Alejandro Murillo Kuri y Alejandro López
Monterrey	Gregorio Cortés, Jesús Contreras y Román Ramírez
Morelia	Félix Madrigal y Silvino Román
Necaxa	Adrián Chávez y Nicolás Navarro
Neza	Néstor Verderi, Carlos Garrido y Martín Pérez Padrón
Potosino	Jesús de Anda, Rodolfo Cabrera y José Luis Sámano
Puebla	Celestino Morales y Moisés Camacho
Tampico-Madero	José Pilar Reyes, Hugo Pineda y Alberto Aguilar
Tigres	Olaf Heredia y Mateo Bravo
Toluca	Marco Antonio Ferreira y Vicente Munguía
UAG	Prudencio Cortés y Jorge García Rulfo
UdeG	Héctor Brambila y Manuel Ibarra
UNAM	Jorge Espinoza, Federico Valerio y Félix Ríos
Zacatepec	Juan Carlos Vega, José Antonio Panduro y Román Sánchez

Más juegos (J)

Héctor Zelada (América)	37
Javier Ledesma (Guadalajara)	37
Fernando López Vega (Atlas)	36
Celestino Morales (Puebla)	36
Jorge Espinoza (UNAM)	36

Más goles (G)

Eduardo Fernández (Ángeles)	53
Néstor Verderi (Neza)	50
Fernando López Vega (Atlas)	45
Marco Antonio Ferreira (Toluca)	44
Celestino Morales (Puebla)	40
Gregorio Cortés (Monterrey)	40

Más juegos completos

Héctor Zelada (América)	37
Javier Ledesma (Guadalajara)	37
Celestino Morales (Puebla)	36
Jorge Espinoza (UNAM)	36
Fernando López Vega (Atlas)	35

Más bajo G/J (mínimo 20 juegos)

Javier Ledesma (Guadalajara)	0.78
Pablo Larios (Cruz Azul)	0.83
Jorge Espinoza (UNAM)	0.94
Héctor Zelada (América)	1.05
Olaf Heredia (Tigres)	1.09
Héctor Brambila (UdeG)	1.09

Más goles en un juego

Eduardo Fernández (Ángeles)	6
Jesús Contreras (Monterrey)	5
Jesús de Anda (Potosino)	5
Rodolfo Cabrera (Potosino)	5
Hugo Pineda (Tampico-Madero)	5
Vicente Munguía (Toluca)	5

Expulsados

Fernando López Vega (Atlas)
Víctor Manuel Aguado (León)
Alejandro Murillo Kuri (León)
Félix Madrigal (Morelia)
Néstor Verderi (Neza)

Penaltis detenidos

Víctor Manuel Aguado (León)	4
Pablo Larios (Cruz Azul)	2
Néstor Verderi (Neza)	2
Rodolfo Cabrera (Potosino)	2
José Pilar Reyes (Tampico-Madero)	2
Héctor Zelada (América)	1
Eduardo Fernández (Ángeles)	1
Rubí Valencia (Atlante)	1
Carlos Novoa (Cruz Azul)	1
Javier Ledesma (Guadalajara)	1
Jesús Contreras (Monterrey)	1
Gregorio Cortés (Monterrey)	1
Hugo Pineda (Tampico-Madero)	1
Olaf Heredia (Tigres)	1
Marco Antonio Ferreira (Toluca)	1
Héctor Brambila (UdeG)	1
Manuel Ibarra (UdeG)	1
José Antonio Pandero (Zacatepec)	1
Juan Carlos Vega (Zacatepec)	1

LIGUILLAS

Más juegos	Héctor Zelada (América) y Jorge Espinoza (UNAM)	7
Más juegos completos	Héctor Zelada (América) y Jorge Espinoza (UNAM)	7
Más goles	Jorge Espinoza (UNAM)	9
Más bajo G/J	Héctor Zelada (América)	0.43
Más goles en un juego	Jorge Espinoza (UNAM) (2 veces) y Víctor Manuel Aguado (León)	3
Penaltis detenidos	Héctor Zelada (América) y Adrián Chávez (Necaxa)	1
Expulsados	Ninguno	

85-86
Dos campeonatitos y un Mundial

El campeonato fue sustituido por dos torneos cortos cuyas finales se decidieron en tiempos extra. Los campeones fueron el América y el Monterrey. Después de seis años la lista de goleadores volvió a ser encabezada por artilleros mexicanos. No hubo descenso pero sí ascenso, el del Cobras de Querétaro, por lo que el campeonato 86-87 será disputado por 21 equipos. Buen papel de la Selección Nacional en el Mundial. Sin perder ninguno de cinco juegos quedó eliminada en cuartos de final por Alemania en penaltis. A nivel juvenil México sucumbió también en cuartos ante Nigeria, tras una primera ronda perfecta, y en el primer Mundial Infantil fue eliminado por Brasil. El América fracasó en el torneo de Concacaf. Debutó un histórico de la portería mexicana: Adolfo Ríos. Y Jesús Contreras se convirtió en el segundo arquero mexicano que anota un gol.

Debut de Adolfo Ríos

Con motivo de la Copa del Mundo que a mediados del año 86 organizó nuestro país, se suspendió el campeonato de Liga, sustituyéndosele por dos torneos cortos —uno pequeñísimo de apenas 8 juegos por equipo— llamados "Prode-85" y "México-86". El primero se jugó del 12 de julio al 6 de octubre de 1985 e inmediatamente después, el 11 de octubre, comenzó el segundo (18 partidos por equipo) y culminó el 1 de marzo del 86. Como para estos torneos se anuló el descenso y no participaron los integrantes de la Selección, los equipos los aprovecharon para debutar jugadores siendo *Pumas* el que presentó más caras nuevas con 16, entre ellas el portero Adolfo Ríos, quien al paso del tiempo figuraría como el guardameta líder de partidos jugados y goles recibidos del balompié mexicano.

Oriundo de Uruapan, Michoacán, y con 18 años de edad, Ríos debutó el 3 de noviembre del 85 sustituyendo a Jorge Espinoza en el arco de los *Pumas* en un partido contra el Guadalajara en el estadio Jalisco. El marcador final señaló empate a dos y el segundo gol de las *Chivas*, anotado por Néstor de la Torre, fue el del "bautizo" de Ríos. Mario Velarde fue el DT que le dio la oportunidad de jugar por primera vez en el máximo circuito.

Semanas antes, en la primera jornada del "México-86", se había presentado con el Neza el

portero irapuatense Alejandro García, apodado el *Gallo*, de la misma edad que Ríos. Su debut se dio en un 0-0 del Neza con los *Tigres*. No fue hasta el 27 de octubre cuando García fue batido por primera vez por un gol de Héctor Prieto, de la UdeG en Guadalajara. Desde su debut, el *Gallo* se adueñó de la titularidad de la portería de los *Coyotes*.

En esta temporada varios equipos incluyeron entre sus refuerzos a porteros. Ángeles contrató a Alberto Aguilar, Pedro Soto reapareció con el Atlante, Celestino Morales regresó a las *Chivas* mientras el *Zully* Ledesma era prestado al Morelia, el Necaxa le traspasó al León a Adrián Chávez y recibió del América a Hugo Salazar, el Puebla firmó a Rubí Valencia, Federico Valerio se fue al Neza, *Tigres* consiguió a Víctor Manuel Aguado, y Félix Madrigal salió del Morelia para reforzar al nuevo equipo en Primera División, el Irapuato.

Los mundiales juvenil e infantil

En agosto, mientras se desarrollaba el Prode-85, en la Unión Soviética y en China se jugaron el V Mundial Juvenil y el I Mundial Infantil, respectivamente. En el primer torneo la selección mexicana, dirigida por Jesús del Muro, destacó de manera notable al ganar sus tres partidos de la primera ronda: 3-1 a China, 2-0 a Paraguay y 1-0 a Inglaterra, pero el sueño terminó al caer en cuartos de final con Nigeria por 1-2.

En el campeonato infantil -que más adelante se denominó Sub-17- México debutó empatando sin goles con Hungría, después venció a Qatar por 3 a 1 y se despidió al caer 0-2 con Brasil.

El portero de la Juvenil fue Héctor Quintero y el de la Infantil Raúl Zepeda, aunque éste se lesionó en el tercer partido y fue sustituido por Manuel Villegas, quien recibió los dos tantos brasileños. Por lo que hace a Quintero, se trata del tercer miembro de la dinastía de porteros al ser hermano de Javier (Atlas, Monterrey, *Tigres* y Tampico) e hijo de Francisco (Guadalajara y Oro).

También en agosto el Olimpia de Honduras despidió al América del torneo de la Concacaf. El equipo de Zelada sacó un empate a dos en Tegucigalpa pero sorpresivamente perdió 0-1 en Querétaro.

Mucha actividad de Larios y Olaf con la Selección

Durante el segundo semestre de 1985 la Selección Nacional continuó su intensa preparación para el Mundial en casa. Bora Milutinovic siguió alternando en la portería a Pablo Larios y Olaf Heredia. Así ocurrió en los partidos contra Chile-B (2-1), Bulgaria (1-1) y Perú (0-0) en Los Ángeles y contra el mismo Perú (1-0) en San José California, así como en la gira afroasiática en la que la escuadra tricolor perdió 1-3 con Libia, venció 2-0 a Yemen del Norte, empató sin anotaciones con Jordania, sucumbió en Egipto por 1-2 y terminó con empates ante un Combinado de Emiratos Árabes Unidos (2-2) y frente a Kuwait (0-0).

De regreso, un par de duelos con Argentina en Los Ángeles y en Puebla. En ambos jugó Larios, así como Luis Alberto Islas en el arco albiceleste. En los dos choques el marcador fue 1-1 y el juego en la Angelópolis tuvo como marco la inauguración de las obras de ampliación del estadio Cuauhtémoc.

Y en diciembre y de nuevo en Los Ángeles la Selección derrotó a Corea del Sur y posteriormente ganó en forma invicta un torneo cuadrangular que tuvo lugar en canchas mexicanas con la participación de las selecciones de Argelia, Hungría y la misma Corea del Sur, juegos en los que Milutinovic siguió alineando una vez a Larios, una a Heredia... Por 2-0, 2-1 y 2-0 México venció a argelinos, surcoreanos y húngaros, respectivamente.

Los mejores porteros: Novoa y Zelada

En el torneo Prode-85 se formaron cuatro grupos de cinco equipos cada uno; en el México-86 dos grupos de diez. En el primero pasaron a la liguilla el líder y sublíder de cada grupo y en el otro los primeros cuatro de cada sector. Durante el Prode-85 ocurrió la reaparición en el máximo circuito del Irapuato y con los *Freseros* también reapareció el portero Anselmo Romero, quien había jugado ocho veces con el Jalisco en la última temporada de este equipo, en 79-80.

En el Prode-85 tuvieron acción 38 guardametas. Este número aumentó a 43 en el México-86. Todos mexicanos menos Zelada, el arquero del América, quien en el

segundo torneo fue el mejor portero con 0.69 goles por juego superando apenas por una décima al *Zully* Ledesma. Los mejores guardametas en el Prode-85 fueron Carlos Novoa, del Cruz Azul, y Pedro Soto, del Atlante, con promedios de 0.50 y 0.87, respectivamente. Aquí Zelada fue tercero con 1.00, y sus buenas actuaciones llamaron la atención de Bilardo, el técnico de Argentina, que lo llevó al Mundial como tercer arquero de la albiceleste.

Zelada, Novoa, Adrián Chávez, *Zully* y el *Chato* Ferreira jugaron todos los minutos del corto calendario del primer torneo, mientras que el *Gallo* García, Rubí Valencia y otra vez Novoa jugaron completos los 18 partidos del segundo. Chávez se destacó por detener tres penaltis, uno en el Prode-85 y dos en el México-86. Valencia participó en un juego Puebla 4 Potosino 2, en el que hubo tres autogoles, dos de los cuales fueron de sus compañeros Rafael Cruz y Mario Carrillo para el par de anotaciones potosinas.

Sergio Lira, doble campeón de goleo

En el primer certamen la producción goleadora ascendió a 226 tantos más 42 en la liguilla, y a 478 más 37 en el segundo. Justo en la primera fecha del Prode-85 Sergio Lira, artillero del Tampico-Madero, hizo cuatro agujeros en la portería de Adrián Chávez, del León, y se encaminó a ganar el campeonato de goleo con 10 anotaciones, superando por cuatro al argentino Daniel Brailovsky, del América, y al novato Ricardo Peláez, también de las *Águilas*. Cabe hacer notar que nueve de los diez goles de Lira se registraron en cancha propia.

En el México-86 Horacio Rocha, de los *Tigres*, repitió la proeza de Lira con cuatro goles a la UdeG en un juego, de los cuales Héctor Brambila recibió dos y Manuel Ibarra dos, pero las mayores goleadas del año, todas de seis y propinadas por el Tampico-Madero, el América y el Monterrey, las recibieron Marco Antonio Ferreira (Toluca), Ibarra y Nacho Rodríguez (Atlante), respectivamente. La del Monterrey al Atlante fue en la liguilla.

Sergio Lira repitió como campeón goleador en el segundo torneo con 14 pepinos pero compartió el título con el novato sensación del Monterrey, Francisco Javier Cruz, el *Abuelo*, quien se convirtió en el primer monarca de goleo en la historia del equipo regiomontano. El brasileño Mario Souza *Bahía*, también del Monterrey, quedó en segundo lugar con 10 tantos.

Gol del portero del Monterrey

Poco menos de dos años después del gol de portería a portería de Félix Madrigal en Morelia, se registró otro de las mismas características el 14 de diciembre del 85 en Puebla. Lo anotó Jesús Contreras y lo recibió Alberto Aguilar. Con este gol el Monterrey venció 1-0 al Ángeles. Fue una de las 13 victorias de los *Rayados* con las cuales lograron el súper liderato del México-86 con 29 puntos. En la liguilla el portero Contreras se mantuvo imbatido en cuatro juegos consecutivos y en el segundo juego de la final le bajó la cortina al Tampico-Madero, equipo que llevaba 23 partidos seguidos anotando y había sido el campeón de goleo con 45 tantos.

En el Prode-85 el súper líder fue el Puebla con 13 puntos y compartió con el cuadro *petrojaibo* el campeonato de goleo con 21 pepinos. El Potosino, con cinco, y el Ángeles, con 14, fueron respectivamente los que menos anotaron en los dos torneos, mientras que el Cruz Azul, con cuatro, y América y Morelia, ambos con 14, figuraron como los menos goleados. Por lo que respecta a goles recibidos, en el Prode-85 el líder fue el Monterrey con 20 y en el México-86 los *Pumas* con 39. Fue notable la metamorfosis del Monterrey: del decimoctavo lugar en el primer torneo a campeón del segundo.

En el México-86 el América empató ocho partidos en forma consecutiva y alcanzó el récord impuesto por el Morelia en 81-82.

Últimos en la tabla general fueron el Potosino en el Prode-85 y los Ángeles en el México-86, pero en este año el descenso se canceló por decreto.

Dos finales con tiempos extra

Siete equipos que jugaron la liguilla del primer torneo también participaron en la del segundo. El único cambio en el elenco se dio porque la UdeG clasificó en el Prode-85 y el Monterrey en el México-86. En el primer certamen el Tampico-Madero eliminó al Cruz Azul, el Atlante al Morelia, el Puebla a las *Chivas* y el América a los *Leones*

Negros en los cuartos de final. Después las *Águilas* despacharon a los azulgranas y el Tampico-Madero al Puebla con un gol en tiempos extra.

En el primer juego de la final los *Petrojaibos* tomaron una ventaja que lucía insuperable al golear 4-1 al América, sin embargo, en el Azteca las *Águilas* fusilaron tres veces a Pilar Reyes y con un gol de penalti de Eduardo Bacas en el tiempo extra culminaron la gran remontada para conseguir el título y así presumir de tricampeones, aunque éste haya sido realmente un campeonatito.

En los cuartos de final del México-86 el Monterrey pasó sobre el Atlante, el Guadalajara se desquitó del Puebla, el Tampico-Madero superó al Morelia y el América al Cruz Azul. Otro desquite se dio en una de las semifinales cuando el Tampico-Madero, tras caer 2-3 ante el América en México, lo eliminó en el puerto *Jaibo* con un demoledor 4-0, partido en el que Benjamín Galindo le anotó tres penaltis consecutivos a Zelada, con lo que empató el récord de Rafael Albrecht en 71-72.

Con dos triunfos mínimos por 1-0 el Monterrey superó a las *Chivas* y pasó a la final contra los *Petrojaibos*. Justamente el primero y el segundo de la clasificación general. Dos juegos muy reñidos. Tampico-Madero ganó en su casa 2-1 y Monterrey 1-0 en la suya, con un penalti del brasileño Reynaldo Güeldini. Luego el *Abuelo* Cruz se erigió en el gran héroe de los *Rayados* al marcar en el tiempo extra el gol del campeonato, el primero en la historia del Monterrey, dirigido en esta temporada por Francisco Avilán. Y el Tampico-Madero, que en la fase regular del torneo había ligado seis victorias seguidas, un récord del equipo, volvió a quedarse en la antesala del título. Jesús Contreras y Hugo Pineda, porteros del campeón y el subcampeón, jugaron todos los partidos de la liguilla.

Los problemas de La Volpe

En su primera temporada completa como director técnico del Morelia, Toño Carbajal clasificó al equipo a las dos liguillas pero en ambas no pasó de la fase de cuartos de final. Miguel Marín, también en su primer año completo como estratega, navegó en la mediocridad con el Neza, y Ricardo La Volpe, tras un primer torneo aceptable con el Ángeles, vio cómo el equipo se le desplomaba en el México-86 hasta ser cesado en la fecha 11, cuando el cuadro poblano llevaba cinco partidos seguidos sin anotar un gol, de los cuales había perdido cuatro. Además, La Volpe había tenido problemas con Juan Manuel Álvarez, su preparador físico, a quien destituyó públicamente, y con Alejandro Frías, uno de sus jugadores, con el que se lió a golpes. La primera experiencia como entrenador del ex portero argentino, con el Oaxtepec y el Ángeles, dejó estos números: 27 triunfos, 25 empates, 38 fracasos y ¡16 expulsiones!

México, invicto en el Mundial

Finalmente, Bora se decidió por Pablo Larios como arquero titular de la Selección y llamó a Nacho Rodríguez como tercer portero. En la fase final de preparación del Tri durante el primer semestre del 86 se registraron triunfos mínimos de 1-0 sobre la URSS y Uruguay en México y Los Ángeles, respectivamente; un empate a un gol con Dinamarca, también en Los Ángeles; reveses por 1-2 con Alemania Oriental en San José California y por 0-3 frente a Inglaterra en Los Ángeles y una victoria de 3-0 sobre Canadá en México, único juego en que paró Olaf Heredia y su último con la Selección.

El campeón Italia y Bulgaria abrieron la segunda Copa del Mundo organizada por México, en una fecha emblemática, 31 de mayo, la del inicio en 1970 del primer Mundial jugado en canchas mexicanas. Tres días después entró en acción la escuadra nacional y lo hizo con una ajustada victoria por 2 a 1 sobre Bélgica. En éste y en los demás partidos Pablo Larios encabezó la alineación del "Tri".

Paraguay fue el segundo rival. Al minuto 89, con el marcador empatado a uno, el portero guaraní Roberto Fernández atajó un penalti mal tirado por Hugo Sánchez y evitó la derrota de su equipo. Al salir del estadio Azteca, el público, molesto, comenzó a corear: "Hugo tarugo", olvidando o desdeñando que Sánchez acababa de ganar por segunda vez el Pichichi además de salir campeón de España y conquistar la Copa de la UEFA con el Real Madrid.

Derrotando a Irak apenas por 1-0 México avanzó a octavos de final para medirse con Bulgaria. El 15 de junio Manuel Negrete ejecutó una media chilena que cuajó en

un gol espectacularmente hermoso para rubricar el triunfo mexicano por 2 a 0.

En cuartos de final, mientras Maradona, la figura del torneo, hacía de las suyas en el Azteca ayudado por "la mano de Dios" para dejar fuera a los ingleses; el Tri tuvo que viajar a Monterrey para enfrentar a la temible Alemania Federal en el estadio Universitario. Y aunque México estuvo más cerca de ganar que los teutones, el 0-0 permaneció en el marcador incluso en la media hora extra que se jugó.

En la tanda de penaltis los alemanes fusilaron cuatro veces a Larios, en tanto que su guardameta Harald Schumacher atajaba los disparos de Fernando Quirarte y Raúl Servín. Solamente Negrete pudo anotar, quedando el marcador 4-1 favorable al equipo que a la postre fue el subcampeón.

Argentina se coronó invicta (6 éxitos y un empate) y México quedó sexto en la tabla final, la mejor posición jamás lograda.

Murió Mota

Salvador Mota, un histórico de la portería mexicana, falleció el 16 de febrero del 86 a los 63 años de edad. Fue mundialista en Suiza-54 y primer arquero del América en la época profesional. También jugó con las *Chivas* y muchos años con el Atlante.

Nómina de porteros Prode-85

América	Héctor Zelada
Ángeles	Alberto Aguilar y Eduardo Fernández
Atlante	Pedro Soto e Ignacio Rodríguez
Atlas	Fernando López Vega y Guillermo Valadez
Cruz Azul	Carlos Novoa
Guadalajara	Celestino Morales y Gregorio Sánchez
Irapuato	Félix Madrigal y Anselmo Romero
León	Adrián Chávez
Monterrey	Jesús Contreras y Román Ramírez
Morelia	Javier Ledesma
Necaxa	Hugo Salazar y Nicolás Navarro
Neza	Federico Valerio y Martín Pérez Padrón
Potosino	José Luis Sámano, Rodolfo Cabrera y Jesús de Anda
Puebla	Rubí Valencia y Moisés Camacho
Tampico-Madero	Hugo Pineda, José Pilar Reyes y Fabián Ventura
Tigres	Víctor Manuel Aguado y Mateo Bravo
Toluca	Marco Antonio Ferreira
UAG	Prudencio Cortés y Saturnino López
UdeG	Héctor Brambila y Jesús Andrade
UNAM	Jorge Espinoza, Félix Ríos y Gerardo Souza

Más juegos (j)

Héctor Zelada (América)	8
Pedro Soto (Atlante)	8
Carlos Novoa (Cruz Azul)	8
Adrián Chávez (León)	8
Javier Ledesma (Morelia)	8
Marco Antonio Ferreira (Toluca)	8

Más juegos completos

Héctor Zelada (América)	8
Carlos Novoa (Cruz Azul)	8
Adrián Chávez (León)	8
Javier Ledesma (Morelia)	8
Marco Antonio Ferreira (Toluca)	8

Más goles (g)

Jesús Contreras (Monterrey)	17
Adrián Chávez (León)	15
Marco Antonio Ferreira (Toluca)	12
Jorge Espinoza (UNAM)	11

Más bajo g/j (mínimo 5 juegos)

Carlos Novoa (Cruz Azul)	0.50
Pedro Soto (Atlante)	0.87
Héctor Zelada (América)	1.00
Rubí Valencia (Puebla)	1.00
Prudencio Cortés (UAG)	1.00

Más goles en un juego

Anselmo Romero (Irapuato)	5
Adrián Chávez (León)	5
Jesús Contreras (Monterrey)	5
Martín Pérez Padrón (Neza)	5
Hugo Pineda (Tampico-Madero)	5

Penaltis detenidos

Adrián Chávez (León)	1

Expulsados

Celestino Morales (Guadalajara)
Jesús de Anda (Potosino)

LIGUILLA

Más juegos	Héctor Zelada (América)	6
Más juegos completos	Héctor Zelada (América)	6
Más goles	Héctor Zelada (América)	8
Más bajo G/J	Gregorio Sánchez (Guadalajara)	0.50
Más goles en un juego	Héctor Zelada (América), Rubí Valencia (Puebla) y José Pilar Reyes (Tampico-Madero)	4
Penaltis detenidos	Javier Ledesma (Morelia) y Hugo Pineda (Tampico-Madero)	1
Expulsados	Ninguno	

Nómina de porteros México-86

América	Héctor Zelada y Arturo Báez
Ángeles	Adrián Marmolejo, Eduardo Fernández y Alberto Aguilar
Atlante	Ignacio Rodríguez y Pedro Soto
Atlas	Fernando López Vega y Guillermo Valadez
Cruz Azul	Carlos Novoa
Guadalajara	Rolando Soto, Salvador Rosales, Gregorio Sánchez y César Hernández
Irapuato	Félix Madrigal, Anselmo Romero y Refugio de la Cruz
León	Adrián Chávez y Alejandro López
Monterrey	Jesús Contreras
Morelia	Javier Ledesma y Silvino Román
Necaxa	Nicolás Navarro y Hugo Salazar
Neza	Alejandro García
Potosino	Rodolfo Cabrera, José Luis Sámano y Jesús de Anda
Puebla	Rubí Valencia
Tampico-Madero	Hugo Pineda, Fabián Ventura y Juan Carlos Vega
Tigres	Mateo Bravo y Víctor Manuel Aguado
Toluca	Marco Antonio Ferreira y Vicente Munguía
UAG	Prudencio Cortés, Saturnino López y Alfonso Martínez
UdeG	Manuel Ibarra y Héctor Brambila
UNAM	Jorge Espinoza y Adolfo Ríos

Más juegos (j)	
Carlos Novoa (Cruz Azul)	18
Jesús Contreras (Monterrey)	18
Alejando García (Neza)	18
Rubí Valencia (Puebla)	18
Javier Ledesma (Morelia)	17
Ignacio Rodríguez (Atlante)	16
Fernando López Vega (Atlas)	16

Más juegos completos	
Carlos Novoa (Cruz Azul)	18
Alejandro García (Neza)	18
Rubí Valencia (Puebla)	18
Jesús Contreras (Monterrey)	17
Javier Ledesma (Morelia)	17
Ignacio Rodríguez (Atlante)	16

Más goles (g)	
Fernando López Vega (Atlas)	29
Jorge Espinoza (UNAM)	26
Adrián Chávez (León)	21
Alejandro García (Neza)	21
Mateo Bravo (Tigres)	21

Más bajo g/j (mínimo 10 juegos)	
Héctor Zelada (América)	0.69
Javier Ledesma (Morelia)	0.70
Rubí Valencia (Puebla)	0.83
Félix Madrigal (Irapuato)	0.86
Ignacio Rodríguez (Atlante)	0.87
Jesús Contreras (Monterrey)	0.89

Más goles en un juego	
Marco Antonio Ferreira (Toluca)	6
Manuel Ibarra (UdeG)	6
Fernando López Vega (Atlas)	5
Adrián Chávez (León)	5

Penaltis detenidos	
Adrián Chávez (León)	2
Adrián Marmolejo (Ángeles)	1
Carlos Novoa (Cruz Azul)	1
Javier Ledesma (Morelia)	1
Nicolás Navarro (Necaxa)	1
Rodolfo Cabrera (Potosino)	1
José Luis Sámano (Potosino)	1
Mateo Bravo (Tigres)	1
Marco Antonio Ferreira (Toluca)	1
Jorge Espinoza (UNAM)	1

Expulsados
Hugo Pineda (Tampico-Madero) (2 veces)
Eduardo Fernández (Ángeles)
Fernando López Vega (Atlas)
Jesús Contreras (Monterrey)

Liguilla

Más juegos	Jesús Contreras (Monterrey) y Hugo Pineda (Tampico-Madero)	6
Más juegos completos	Jesús Contreras (Monterrey) y Hugo Pineda (Tampico-Madero)	6
Más goles	Hugo Pineda (Tampico-Madero)	8
Más bajo g/j	Jesús Contreras (Monterrey)	0.33
Más goles en un juego	Ignacio Rodríguez (Atlante)	6
Penaltis detenidos	Hugo Pineda (Tampico-Madero)	1
Expulsados	Ninguno	

1 José Iborra. **2** Ángel León. **3** Joaquín Urquiaga. **4** Raymundo Palomino. **5** Eugenio Arenaza. **6** Miguel Rugilo. **7** José Sanjenís. **8** Salvador Mota. **9** Luis Heredia. **10** Ángel Torres. **11** Raúl Landeros. **12** Guillermo Contreras.

1 Raúl Córdoba. **2** Manuel Camacho. **3** Antonio Carbajal. **4** Evaristo Murillo. **5** Vicente González. **6** Jaime Gómez. **7** Javier Vargas. **8** Nelson Festa. **9** Melesio Osnaya. **10** Jorge Morelos. **11** Jorge Iniestra. **12** Fernando Barrón.

1 Walter Ormeño. **2** Ataúlfo Sánchez. **3** Florentino López. **4** Raúl Orvañanos. **5** Blas Sánchez. **6** Ignacio Calderón. **7** Antonio Mota. **8** Carlos Enrique Vázquez del Mercado. **9** Miguel Miranda. **10** Gilberto Rodríguez. **11** José Ledesma. **12** Hugo Pineda.

1 Enrique Meza. **2** Pedro Soto. **3** Francisco Castrejón. **4** Julio Aguilar. **5** Miguel Marín. **6** Walter Gassire y Rafael Puente. **7** Prudencio Cortés. **8** Miguel Ángel Laino. **9** Ignacio Sánchez Carbajal. **10** Jan Gomolá. **11** Ricardo Romera. **12** Apolinor Jiménez.

1 Moisés Camacho. **2** Ricardo José Ferrero. **3** Ricardo La Volpe. **4** Rubí Valencia. **5** Jorge Espinoza. **6** Olaf Heredia. **7** Héctor Zelada. **8** Ignacio Rodríguez. **9** José Pilar Reyes. **10** Pablo Larios. **11** Fernando López Vega. **12** Alberto Aguilar.

1 Antonio Carbajal y José Moncebáez (directores técnicos). **2** Celestino Morales. **3** Javier Ledesma. **4** Adrián Chávez. **5** Carlos Briones. **6** Víctor Manuel Aguado. **7** Adrián Marmolejo. **8** Alejandro Lanari. **9** Eduardo Fernández. **10** Ricardo Martínez. **11** Nicolás Navarro. **12** Marco Antonio Ferreira.

1 Alejandro García. **2** Félix Fernández. **3** Javier Lavallén. **4** Adolfo Ríos. **5** Martín Zúñiga. **6** Alan Cruz. **7** Robert Dante Siboldi. **8** Isaac Mizrahi. **9** Jorge Campos. **10** Rubén Ruiz Díaz. **11** René Higuita. **12** Gerardo Rabajda.

1 Sergio Bernal. **2** Hernán Cristante. **3** Erubey Cabuto. **4** Adrián Martínez. **5** Óscar Pérez. **6** Miguel Calero. **7** Oswaldo Sánchez. **8** Omar Ortiz. **9** Moisés Muñoz. **10** Federico Vilar. **11** José de Jesús Corona. **12** Guillermo Ochoa.

86-87
Noveno título de las *Chivas*

Veintiún equipos jugaron el campeonato más grande de la historia, y tras 17 años el Guadalajara volvió a ser campeón. Debut y despedida del Cobras de Querétaro. También descendió el León y subió el Correcaminos *de la Universidad Autónoma de Tamaulipas. El* Zully *Ledesma fue el líder de los porteros y el* Gallo *García empató la marca de cuatro penaltis atajados en una temporada.* Cabinho *terminó su carrera y marcó su último gol, el 312. El uruguayo José Luis Zalazar, un especialista en tirar penaltis, ganó el campeonato de goleo. En el II Mundial Infantil, México fue eliminado en la primera ronda y en los Juegos Panamericanos quedó en cuarto lugar. Héctor Brambila, Moi Camacho y el* Pajarito *Cortés, tres grandes de la portería, jugaron por última vez. Y cuatro futbolistas mexicanos actuaron en las Ligas de España y Portugal.*

Muchos juegos, pocos goles

A los dos campeonatitos de 85-86 siguió el mayor torneo de la historia con 21 equipos y 420 juegos, cuarenta por club, más la liguilla. Todo esto en diez meses, del 1 de agosto de 1986 al 7 de junio del año siguiente. Por ser impar el número de competidores, a cada equipo le tocó descansar una semana. No obstante el mayor número de partidos, la producción de goles fue parca, al grado de que las 985 anotaciones registradas representan el segundo promedio más bajo de goles por juego de la historia: 2.34. A la escasez de goles contribuyeron los 30 penaltis —cifra récord— que detuvieron veinte porteros, sobresaliendo el novel Alejandro García y el veterano Horacio Sánchez con 4 y 3, respectivamente. El *Gallo* igualó la marca de Novoa y Aguado, pero por otra parte se convirtió en el noveno cancerbero con dos expulsiones en una temporada. Horacio, López Vega y Anselmo Romero protagonizaron el 17 de agosto un hecho histórico al detener sendos penaltis el mismo día.

El marcador en más del 12 % de los partidos de este torneo fue 0-0, y en más de la cuarta parte de dichos juegos participó el Toluca. El equipo rojo impuso el récord de 23 empates en una temporada, de los cuales 12 fueron sin goles. Otro equipo con la pólvora mojada fue el Necaxa que, además de ser el que menos anotó (33), estableció una marca del club de

ocho juegos consecutivos sin gol. Por su parte, el Irapuato alcanzó el récord histórico del Morelia y el América de ocho empates al hilo y su arquero Félix Madrigal se unió a Nacho Rodríguez en el récord de porteros de juegos seguidos sin ganar ni perder.

Tres equipos, Atlante, Ángeles y Toluca, tardaron un buen rato en conseguir su primer triunfo. El cuadro azulgrana no ganó hasta la fecha 11; el poblano lo hizo en la jornada 16; y el Toluca saboreó al fin un éxito en su partido 17.

Novedades en el elenco de arqueros

Entre los 55 porteros que actuaron en el largo campeonato hubo siete debuts y cinco reapariciones. Protagonistas de estas últimas fueron Celestino Morales con las *Chivas*, Horacio Sánchez con Ángeles, Alejandro Murillo Kuri con el León y Pablo Larios y Olaf Heredia que el año anterior lo pasaron con la Selección.

De los nuevos arqueros puede mencionarse al capitalino Ricardo Martínez, al tapatío Héctor Quintero, al mexiquense José Luis López y al irapuatense José Luis Miranda. El mundialista juvenil Quintero se presentó con los *Tecos* el 11 de abril del 87. Sustituyó al *Pajarito* Cortés durante un juego contra el Tampico-Madero (1-1) y recibió su primer gol una semana después de parte del *Chepo* de la Torre, del Guadalajara.

Poco antes, el 22 de marzo, había debutado José Luis López en la portería toluqueña en la visita del equipo rojo al Atlante, partido que quedó empatado a cero. El primer gol que encajó López llegó también en la siguiente jornada cuando el Toluca igualó 1-1 con la UdeG. La anotación fue de Paco Romero.

El 9 de mayo apareció Miranda en el arco del Irapuato, el equipo de su ciudad natal. El partido entre los *Freseros* y el Tampico-Madero en el estadio Tamaulipas quedó empatado a 2 y Sergio Lira fue el primero en marcarle un gol al nuevo portero.

Y Ricardo Martínez, el más joven de los cuatro, jugó unos minutos en el último partido del Ángeles en la temporada, el 16 de mayo, contra *Tecos* en Zapopan. Entró por Horacio Sánchez y no le anotaron. Fue en el siguiente campeonato cuando Marcelino Bernal, del Puebla, lo batió por primera vez el 10 de enero de 1988.

Zully y Chávez, ases de la portería

Los porteros de "hierro" fueron el atlantista Nacho Rodríguez y el necaxista Nicolás Navarro. Jugaron todos los minutos de los 40 partidos. Contando los de liguilla, Javier Ledesma jugó 42 pero sólo completó 39. Por cierto, el *Zully* inició el 28 de febrero del 87 en el partido Guadalajara (1) Ángeles (0) una racha de 151 juegos consecutivos, que culminaría casi cuatro años después y es la mayor de la historia.

El Guadalajara fue el equipo menos goleado (28) y Ledesma el mejor guardameta con un formidable promedio de 0.61 goles por juego. Cinco porteros más lograron también promedios inferiores a la unidad: con 0.68 Adrián Chávez, quien llegó al América para desplazar a Zelada; con 0.86 Marco Antonio Ferreira, del Toluca; con 0.90 Pablo Larios en su reaparición con el Cruz Azul; con 0.92 el novel Adolfo Ríos, ya titular con los *Pumas*; y con 0.97 Rodríguez, del Atlante.

Además de la transferencia de Chávez, del León al América, se registraron los cambios de Arturo Báez (de América a Cobras), Mateo Bravo (de *Tigres* a Cobras), Javier Ledesma (del Morelia regresó a *Chivas*), Alberto Aguilar (no cambió de ciudad pues del Ángeles pasó al Puebla), Víctor Manuel Aguado (de los *Tigres* regresó al León), Jorge Espinoza (de los *Pumas* al Morelia) y Pilar Reyes, quien retornó a los *Tigres* dejando al Tampico-Madero.

Récord de penaltis

Adrián Chávez y Nacho Rodríguez lograron las rachas más largas de juegos consecutivos sin admitir anotación con cinco y cuatro, respectivamente, en tanto que las mayores golizas del torneo fueron para Hugo Pineda, del Tampico-Madero, y Alejandro López, del León. El arquero *petrojaibo* tuvo su día negro el 3 de mayo del 87 al recibir un cargamento de ocho pepinos del Puebla en el estadio Cuauhtémoc, y al leonés el Cruz Azul le metió seis el 4 de octubre del 86 en el Azteca. Esa goleada de 8-1 fue fundamental para que el Tampico-Madero figurara como el equipo con más goles recibidos (59) del torneo y Pineda como el portero más goleado con 51 tantos, seguido por el *Pajarito* Cortés y Nicolás Navarro con 48 cada

uno. Cabe señalar que el promedio de 1.47 del Tampico-Madero es el más bajo de la historia en el caso de los equipos más goleados en una temporada.

En la vapuleada del Cruz Azul al León Agustín Manzo anotó cuatro goles, misma cuota que una semana antes había logrado el chileno Marco Antonio Figueroa, del Morelia, contra el Puebla y Rubí Valencia en la Angelópolis.

Esta temporada llegó a los *Tecos* José Luis Zalazar, un uruguayo especialista en la ejecución de penaltis. Disparó quince sin fallar ninguno, con lo que rompió el récord de Rafael Albrecht de 12 en el campeonato 71-72. Nueve de los quince fueron en campo ajeno, y en la liguilla marcó uno más. Pero como también anotó uno de tiro libre y siete con balón en movimiento, Zalazar sumó 23 tantos y se coronó campeón de goleo, el primero en la historia de la UAG. Jesús Contreras, con cuatro, y Nacho Rodríguez y Nicolás Navarro, con tres cada uno, fueron los porteros que recibieron más anotaciones del *charrúa*.

El bicampeón goleador de 85-86, Sergio Lira, quedó en segundo lugar con 20 tantos, seguido por el argentino José Luis Leyva, del Neza, y Luis Roberto Alves, del América, con 17 cada uno. Veintiún años antes, el padre de Luis Roberto, José, mejor conocido por su apodo *Zague*, había sido campeón con el América y rey de los romperredes.

Tres porteros suspendidos

El 17 de agosto del 86 en una edición más del "clásico" América-*Chivas* el árbitro Antonio R. Márquez se vio obligado a suspender el juego a los 72 minutos (ganaban las *Águilas* 1-0) por una multitudinaria bronca, tras la cual fueron expulsados nueve jugadores del América y ocho del Guadalajara. Todos fueron suspendidos y a Carlos Hermosillo le tocó el mayor castigo: doce juegos. También fueron inhabilitados por dos fechas los porteros Zelada, Ledesma y Celestino, por lo que las *Chivas* tuvieron que utilizar a su tercer arquero, Estéfano Rodríguez.

Pocos días después el Atlas también sufrió la baja de su portero titular, Fernando López Vega, quien recibió un balazo en el hombro derecho tras un incidente de tránsito en Guadalajara. Su ausencia fue bien aprovechada por Guillermo Valadez que llevaba dos años en la banca.

Reanudado el partido de las *Águilas* y las *Chivas* un mes y medio después, con otro árbitro, se mantuvo el marcador favorable al América. Al final de la temporada estos equipos ocuparon la primera y tercera posiciones en la tabla general. Además de ser súper líder con 55 puntos el Guadalajara quedó campeón de goleo con 63 pepinos, galardón que no había conseguido desde 1970. Sin embargo, su promedio de 1.57 goles por juego es el más bajo de un monarca de goleo en la historia. El Cruz Azul, que solamente perdió cinco veces, fue sublíder con 54 puntos, dos más que el América. A estos tres clubes se les agregaron para disputar la liguilla el Morelia, los *Tigres*, el Puebla y dos equipos de muy mediocre desempeño, los *Tecos* y el Monterrey, que quedaron en décimo y duodécimo lugares, respectivamente, con 16 puntos menos que las *Chivas*.

El descenso a Segunda División, cancelado en los torneos jugados en 85-86, ahora fue doble. Les tocó al último y penúltimo de la clasificación general, Cobras y León, que sólo obtuvieron 31 y 32 puntos, respectivamente.

El último gol de *Cabinho*

Para la liguilla se adoptó el criterio "europeo" de darle doble valor a los goles de visitante en caso de empate global en el marcador. Esta regla, sin embargo, no funcionó en el duelo Cruz Azul-*Tecos* de cuartos de final, ya que ninguno anotó de visitante y los dos ganaron en casa por 2-0, así que jugaron 30 minutos más, y como no hubo goles se recurrió a los penaltis, y aquí Pablo Larios se convirtió en el primer portero que le pudo detener un penalti a José Luis Zalazar. Además le atajó uno a Édgar Plascencia, pero Héctor Quintero a su vez paró los disparos de Agustín Manzo y Edgardo Fuentes. Finalmente los *Cementeros* ganaron por 3-2 en los penaltis.

En los otros cuartos de final el Puebla sorpresivamente eliminó al América con un gol agónico del mundialista chileno Gustavo Moscoso en el Azteca y marcador global de 4-3; el Guadalajara con apuros echó al Monterrey también por 4-3 y el Morelia a *Tigres*, para no variar por 4-3. En estos partidos entre *Canarios* y *Felinos* anotó su último gol y jugó por última vez el gran *Cabinho*, el histórico rey goleador del futbol mexicano. La anotación 312

y última del brasileño se registró en el primer juego, el 20 de mayo del 87, ganado por los *Tigres* en el estadio Universitario por 3-2, y fue precisamente el gol del triunfo. Silvino Román pasó a la historia como el último portero batido por *Cabinho*.

Cuatro días después en Morelia el equipo de Carbajal venció 2-0, eliminó a los *Tigres* y *Cabinho* terminó su brillantísima carrera.

Cinco arqueros se van

El campeonato 86-87 despidió a cinco muy destacados porteros mexicanos, tres de los cuales formaron parte de equipos campeones.

Por orden de desaparición: Jorge Espinoza, Prudencio Cortés, Moisés Camacho, Manuel Ibarra y Héctor Brambila.

En su último partido, el 26 de diciembre del 86, Espinoza se enfrentó a los *Pumas* (UNAM cero Morelia cero), el equipo en el que hizo prácticamente toda su carrera y con el cual ganó una Liga, una Copa, un Concacaf, una Copa Interamericana y tres veces quedó subcampeón. Jugó siete años con *Pumas*, uno con Neza y uno con Morelia. En 166 partidos admitió 197 goles para un magnífico promedio de 1.19. Nunca fue expulsado y jamás recibió más de cuatro anotaciones en un juego.

En cinco torneos con el América y 13 con los *Tecos*, el *Pajarito* Cortés acumuló 432 juegos y 537 goles (1.24), habiendo conquistado una Liga, una Copa y un subcampeonato, todos con el América. En la historia de los *Tecos* figura como el segundo portero con más juegos, juegos completos y goles recibidos. Alineó por última vez el 11 de abril del 87 en un empate a un tanto de *Tecos* en Tampico.

El 3 de mayo concluyó la larga carrera de Moi Camacho cuando entró de cambio por Alberto Aguilar en la goleada histórica de 8-1 del Puebla al Tampico-Madero. Fue su partido número 421 tras jugar cinco años en el Zacatepec, tres en el Atlético Español y nueve en el equipo de la franja. Admitió 527 goles y promedió 1.25. Sólo cuatro veces le anotaron cinco o más goles. Con el Zacatepec obtuvo dos subcampeonatos de Copa; con los *Toros* un torneo Concacaf; y con el Puebla una Liga. Jugó 99 partidos seguidos con los *Cañeros*. Es líder de juegos en los tres equipos y de goles recibidos en el Zacatepec y en el Puebla.

Con cuatro goles despidió el Neza a Manuel Ibarra el 9 de mayo. Siempre con los *Leones Negros* y ayuno de títulos, este portero sumó 95 juegos y 121 anotaciones (1.27) en seis torneos.

Brambila militó ocho temporadas en el Atlas, siete en el León y cuatro en la UdeG y tampoco fue campeón. Participó en 363 juegos y nunca fue expulsado. Le metieron 505 goles, por lo que su promedio quedó en 1.39. Su último partido fue el 17 de mayo en el estadio Jalisco, empate de los *Leones* con el Necaxa a un tanto. Tres semanas antes Brambila había sido víctima de dos autogoles de su compañero Víctor Rodríguez en un juego contra el Tampico-Madero.

El Guadalajara vuelve a ser campeón

Tras superar respectivamente al Puebla con global de 4-0 y al Morelia por 4-3, el Guadalajara y el Cruz Azul, los dos mejores del campeonato, llegaron con toda justicia a la final. En el Azteca un paradón de Larios en los últimos minutos impidió el empate de las *Chivas* y los *Cementeros* se alzaron con el triunfo por 2 a 1 con goles de Nacho Flores, de penalti, y Juan Morales. El tanto tapatío fue de Luis Antonio Valdez, el del insólito apodo de *Cadáver*. Sin embargo, en el estadio Jalisco las *Chivas* bombardearon a Larios, anotando Fernando Quirarte y dos veces Eduardo de la Torre (hijo de Javier, el técnico pentacampeón del Guadalajara), mientras el *Zully* se mantuvo imbatido. Se coronó el Guadalajara por novena ocasión y primera desde la temporada 69-70. El técnico campeón fue Alberto Guerra, para quien la tercera fue la vencida ya que había perdido las finales de 82-83 y 83-84.

Por lo que respecta a los ex porteros entrenadores, la *Tota* Carbajal llevó al Morelia a su tercera liguilla consecutiva y su primer liderato de grupo, además de imponer el récord del equipo de 18 victorias en una temporada. Todo esto a pesar de que el *Cinco Copas* fue expulsado doce veces. Por cierto, el uruguayo Hugo Fernández, técnico del Puebla, sufrió expulsión en los cuatro partidos de su equipo en la liguilla.

El *Gato* Marín continuó dirigiendo al Neza. Los *Coyotes* quedaron undécimos en la tabla general. Si les hubiera

tocado el grupo I (que encabezaron *Tecos* y Monterrey) habrían clasificado a la liguilla.

Las *Chivas* estrenaron su corona en un torneo llamado "Copa de Oro" que se jugó en Los Ángeles y San José California en el que también participaron el América, los sudamericanos Vasco da Gama y Rosario Central y los europeos Dundee United y Roma. Sobresalió una goliza de 5-0 que el Vasco le recetó a las *Águilas*. Sin perder ningún juego el cuadro *carioca* se llevó la Copa. Guadalajara quedó en tercer lugar.

Buen papel de México en los Panamericanos

Después de doce años el Monterrey volvió a jugar en un torneo de la Concacaf. El equipo regiomontano, con Jesús Contreras en la portería, comenzó su participación con un par de triunfos (1-0 y 3-1) sobre el Kurtiss de San Luis Missouri durante el mes de abril del 87. Sus siguientes partidos fueron programados para la temporada 87-88.

Aprovechando su semana de descanso en la Liga, el Monterrey viajó a Inglaterra a mediados de agosto del 86 para jugar dos partidos, con el Luton y el Newcastle, empatando ambos a un gol.

Y las *Chivas* en diciembre igualaron 2-2 con el Stuttgart y vencieron 2-1 al River Plate en Los Ángeles.

Mientras tanto, Mario Velarde, el nuevo director técnico de la Selección Nacional, empezó su trabajo formando una selección B, cuyo portero fue Hugo Pineda. Tras vencer 3-1 a El Salvador en Los Ángeles y 3-2 a China en León, jugó la eliminatoria olímpica en la que hubo marcadores escandalosos como el 13-0 a Bahamas y el 6-0 a Bermudas, ambos en Toluca, pero también una derrota por 1-2 con Bermudas en Hamilton. La visita al cuadro de Bahamas en Nassau se saldó con un favorable 3-0.

Cabe apuntar que en la súper goleada a Bahamas en Toluca jugó la Selección A y que en la paliza a Bermudas alineó el *Zully* Ledesma.

Posteriormente, en agosto de 1987 en Indianápolis, México compitió con una selección profesional en el torneo de futbol de los Juegos Panamericanos. La escuadra de Velarde se preparó con un par de juegos contra Argentina en tierras californianas. Empataron a uno y ganaron 3-0. En ambos partidos cubrió el arco Pablo Larios y también lo hizo en cuatro de los cinco encuentros en Indianápolis, donde México batió 1-0 a Guatemala, 7-0 a Paraguay, 2-1 a Colombia (en éste paró el *Zully*), cayó ante Brasil 0-1 en tiempos extra, y en el juego por el tercer lugar empató sin goles en 120 minutos con Argentina pero sucumbió 4-5 en los penaltis.

El II Mundial Infantil se efectuó en Canadá en julio del 87. Al igual que en China-85 los chamacos mexicanos fueron eliminados en la primera ronda, en la que se llevaron una goliza de 0-7 ante los soviéticos. En sus otros juegos empataron 2-2 con Bolivia y derrotaron 1-0 a Nigeria. El portero fue Óscar Resano.

En el mismo año murieron los Mota

Muy joven, 47 años de edad, murió Antonio Mota. Un infarto cegó su vida el 13 de septiembre de 1986. Apenas siete meses antes había fallecido su hermano Salvador.

Y el 14 de enero del 87 murió Óscar Bonfiglio, el *Yori*, fundador del Marte y primer portero mexicano que jugó en una Olimpiada (Amsterdam, 1928) y en una Copa del Mundo (Uruguay, 1930). Tenía 81 años.

Cuatro mexicanos en Europa

En España Hugo Sánchez volvió a coronarse con el Real Madrid y conquistó su tercer Pichichi. Por única vez en la historia del balompié hispano se jugó una liguilla al terminar el torneo. Hugo marcó 27 goles en el campeonato de 34 jornadas y siete en los diez partidos extra. Poco más de la tercera parte de todas sus anotaciones fueron de penalti.

Con el Gijón jugó Luis Flores y anotó doce veces. Manuel Negrete, otro ex *Puma*, hizo tres goles en 15 juegos con el Sporting de Lisboa y terminó la temporada alineando en el Gijón donde marcó un tanto en la liguilla.

Mala suerte tuvo Javier Aguirre con el Osasuna ya que fue fracturado en la fecha once del certamen español.

Nómina de porteros

América	Adrián Chávez y Héctor Zelada
Ángeles	Eduardo Fernández, Adrián Marmolejo, Horacio Sánchez y Ricardo Martínez
Atlante	Ignacio Rodríguez
Atlas	Guillermo Valadez, Fernando López Vega y José Antonio Gómez Luna
Cobras	Arturo Báez, Abraham Ramón y Mateo Bravo
Cruz Azul	Pablo Larios, Carlos Novoa y Salvador Corona
Guadalajara	Javier Ledesma, Estéfano Rodríguez y Celestino Morales
Irapuato	Félix Madrigal, Anselmo Romero, José Luis Miranda y Refugio de la Cruz
León	Víctor Manuel Aguado, Alejandro López y Alejandro Murillo Kuri
Monterrey	Jesús Contreras, Román Ramírez y Julio Muciño
Morelia	Silvino Román y Jorge Espinoza
Necaxa	Nicolás Navarro
Neza	Alejandro García y Federico Valerio
Potosino	Jesús de Anda, José Luis Sámano y Rodolfo Cabrera
Puebla	Rubí Valencia, Alberto Aguilar y Moisés Camacho
Tampico-Madero	Hugo Pineda, Juan Carlos Vega y Fabián Ventura
Tigres	Olaf Heredia y José Pilar Reyes
Toluca	Marco Antonio Ferreira, Vicente Munguía y José Luis López
UAG	Prudencio Cortés, Héctor Quintero y Saturnino López
UdeG	Héctor Brambila y Manuel Ibarra
UNAM	Adolfo Ríos y Gerardo Souza

Más juegos (j)

Ignacio Rodríguez (Atlante)	40
Nicolás Navarro (Necaxa)	40
Héctor Brambila (UdeG)	39
Adolfo Ríos (UNAM)	38
Javier Ledesma (Guadalajara)	36

Más goles (g)

Hugo Pineda (Tampico-Madero)	51
Prudencio Cortés (UAG)	48
Nicolás Navarro (Necaxa)	48
Héctor Brambila (UdeG)	46
Olaf Heredia (Tigres)	42

Más juegos completos

Ignacio Rodríguez (Atlante)	40
Nicolás Navarro (Necaxa)	40
Héctor Brambila (UdeG)	39
Adolfo Ríos (UNAM)	38
Javier Ledesma (Guadalajara)	33
Hugo Pineda (Tampico-Madero)	33

Más bajo g/j (mínimo 21 juegos)

Javier Ledesma (Guadalajara)	0.61
Adrián Chávez (América)	0.68
Marco Antonio Ferreira (Toluca)	0.86
Pablo Larios (Cruz Azul)	0.90
Adolfo Ríos (UNAM)	0.92
Ignacio Rodríguez (Atlante)	0.97

Más goles en un juego

Hugo Pineda (Tampico-Madero)	8
Alejandro López (León)	6
Pablo Larios (Cruz Azul)	5
Anselmo Romero (Irapuato)	5
Prudencio Cortés (UAG)	5 (2 veces)

Expulsados

Alejandro García (Neza) (2 veces)
Pablo Larios (Cruz Azul)
Javier Ledesma (Guadalajara)
Víctor Manuel Aguado (León)
Hugo Pineda (Tampico-Madero)

Penaltis detenidos

Alejandro García (Neza)	4
Horacio Sánchez (Ángeles)	3
Ignacio Rodríguez (Atlante)	2
Anselmo Romero (Irapuato)	2
Jorge Espinoza (Morelia)	2
Hugo Pineda (Tampico-Madero)	2
Olaf Heredia (Tigres)	2
Héctor Zelada (América)	1
Adrián Chávez (América)	1
Fernando López Vega (Atlas)	1
Arturo Báez (Cobras)	1
Carlos Novoa (Cruz Azul)	1
Javier Ledesma (Guadalajara)	1
Víctor Manuel Aguado (León)	1
Nicolás Navarro (Necaxa)	1
Rodolfo Cabrera (Potosino)	1
Alberto Aguilar (Puebla)	1
Vicente Munguía (Toluca)	1
Prudencio Cortés (UAG)	1
Héctor Brambila (UdeG)	1

LIGUILLA

Más juegos	Javier Ledesma (Guadalajara)	6
Más juegos completos	Javier Ledesma (Guadalajara)	6
Más goles	Pablo Larios (Cruz Azul), Silvino Román (Morelia) y Alberto Aguilar (Puebla)	7
Más bajo G/J	Javier Ledesma (Guadalajara)	0.83
Más goles en un juego	Silvino Román (Morelia)	4
Penaltis detenidos	José Pilar Reyes (Tigres)	1
Expulsados	Ninguno	

87-88
El castigo de la FIFA

Cuando culminaba su campeonato, pletórico de goles y ganado con toda justicia por el América, el futbol mexicano recibió la peor noticia: por tramposo, la FIFA *lo suspendió por dos años de toda competencia internacional. Así, nuestro balompié quedó marginado de la Olimpiada en Seúl y de la Copa del Mundo en Italia. Después de doce años se revivió la Copa México. El América se coronó en el torneo de Concacaf y obtuvo el título de Campeón de Campeones derrotando al Puebla, monarca de Copa. Por segundo año consecutivo Javier Ledesma fue el mejor portero. Adrián Chávez empató las marcas de cuatro penaltis detenidos en una temporada y dos en un juego. La portería de Nicolás Navarro permaneció casi setecientos minutos sin ser horadada. Descendió el* Correcaminos *pero compró la franquicia del Neza para continuar jugando en el máximo circuito. El próximo año la ciudad de Torreón volverá a tener futbol de Primera División ya que su equipo de Segunda, el Santos, adquirió la franquicia del Ángeles de Puebla. Y el Cobras, ahora de Ciudad Juárez, logró su segundo ascenso. Entre los arqueros debutantes figuró Jorge Campos, un portero de época.*

Los "cachirules"

El 30 de junio de 1988, fecha del primer juego de la final entre *Pumas* y América, la FIFA suspendió a México de las competencias internacionales por dos años a partir del 25 de abril, y de por vida al presidente y vicepresidente de la Federación Mexicana de Futbol, quienes este día presentaron su renuncia. La dura sanción fue motivada por la falsificación de las actas de nacimiento de cuatro jugadores que participaron en el Premundial Juvenil efectuado en Guatemala en abril. Cabe señalar que un año y medio después, en diciembre de 1989, la FIFA les levantó el castigo a los directivos pero el futbol mexicano quedó fuera de la Olimpiada de Seúl-88 y de las eliminatorias para el Mundial de Italia-90.

Ya se tenía el boleto para Seúl pues en diciembre del 87 y febrero del 88 la Selección se había impuesto a Guyana por 9-0 en Santa Ana, California y por 2-0 en la mesa al no presentarse el equipo caribeño al segundo partido, y había derrotado a Guatemala por 2 a 1 en

Toluca y por 3-0 en la capital chapina, partidos con los que concluyó la eliminatoria olímpica y en los cuales el portero de México fue Pablo Larios.

Récord de imbatibilidad de Nicolás Navarro

El 4 de septiembre del 87 comenzó el campeonato de Liga. Con la actuación del nuevo equipo, los *Correcaminos* de la Universidad Autónoma de Tamaulipas, fueron cinco las instituciones de educación superior que estuvieron representadas.

Por segunda vez en la historia no jugó ningún portero extranjero. De los 45 guardametas que tuvieron acción, cuatro actuaron en todos los minutos de los 38 partidos, y hubo uno —Adolfo Ríos, de los *Pumas*— que además completó los seis juegos de liguilla. Esto también lo hizo Adrián Chávez, pero en la fase regular del torneo el cancerbero del América registró 37 encuentros completos.

Acompañaron a Ríos en la lista de los arqueros de hierro Javier Ledesma (Guadalajara), Nicolás Navarro (Necaxa) y Fernando López Vega (*Correcaminos*). Los dos últimos fueron, por otra parte, los más goleados al recibir cada uno 64 pepinos. Lo curioso es que Navarro comenzó a admitir anotaciones a partir de la octava jornada luego de mantenerse imbatido en los primeros siete juegos rompiendo el récord de seis de Evaristo Murillo en 54-55 y de Walter Gassire en 77-78. En total fueron 683 minutos sin gol hasta que Carlos Hermosillo, del América, le anotó el primero.

Adolfo Ríos también empezó el campeonato en gran forma. No permitió goles en sus primeros cuatro partidos y como tampoco le anotaron en el último del torneo anterior, ligó cinco seguidos con meta invicta.

Abundancia de goles

Los goles, la mayor emoción de un partido, llovieron en este campeonato como pocas veces. De hecho, las 1132 anotaciones registradas son la segunda cifra más alta de la historia, solamente inferior a los 1,182 goles de aquella temporada de locura de 45-46 cuando el Atlante y el Veracruz superaron cada uno la centena de tantos. En esta ocasión el campeón goleador, el América, anotó 86, la mayor cantidad en cuarenta años. El equipo que salió mejor librado del bombardeo, es decir el que recibió menos goles, fue el Guadalajara con 35 y su arquero Ledesma figuró como el único portero que logró promediar menos de un gol por juego. Así, el *Zully* con 0.92 se ubicó por segundo año consecutivo como el mejor guardameta. Dejó atrás a Chávez (1.00), Aguado (1.11), el novel Héctor Quintero (1.13) y Olaf Heredia (1.14).

El equipo que anotó menos fue el Potosino con 34 y el más goleado, el Ángeles con 79. El cuadro de San Luis compartió con el de la Universidad de Tamaulipas el sótano de la clasificación general con 29 puntos cada uno, y el segundo equipo poblano quedó arribita de ellos con 30. La mejor diferencia de goles salvó al Potosino del descenso y condenó a la escuadra tamaulipeca. Todo se decidió en la última fecha: el Potosino derrotó a *Correcaminos* 1-0 y el Ángeles consiguió su única victoria como visitante derrotando al Atlante en México por 2-0, un resultado que levantó sospechas por la forma en que se dio.

En el campeonato el Ángeles llegó a sumar 17 juegos seguidos sin ganar y también seis derrotas consecutivas. Una vez salvado, la franquicia fue vendida a Torreón, en tanto que los *Correcaminos* adquirieron la del Neza, maniobra que les permitió continuar militando en la Primera División.

Alejandro *Gallo* García y Federico Valerio fueron los últimos porteros en la historia del Neza; Horacio Sánchez, Pedro Soto y los novatos Ricardo Martínez y Heriberto San Martín los últimos en la del Ángeles; y Fernando López Vega el primero en la del equipo de la Universidad Autónoma de Tamaulipas.

El Puebla gana la Copa México

Tras doce años de estar enterrada y olvidada fue revivida la Copa México. El torneo se intercaló con la segunda vuelta de la Liga y solamente lo disputaron 16 equipos. Quedaron excluidos Tampico-Madero, *Tigres*, Potosino e Irapuato por quedar en los últimos cuatro lugares de la clasificación al cabo de la primera vuelta. El formato de la Copa fue eliminación directa a visita recíproca con base en la posición de los equipos a la mitad del cam-

peonato. Llegaron a la final el Puebla y el Cruz Azul. En el primer juego, el 25 de mayo en Querétaro, empataron a un gol, y el 8 de junio en el Cuauhtémoc volvieron a igualar sólo que a cero. El gol de visitante en el primer partido erigió al Puebla en campeón de Copa por tercera vez en su historia. Alberto Aguilar y Eduardo Fernández, sustituido éste por Larios, fueron los porteros de la final, y el uruguayo Daniel Bartolotta, del Puebla, quedó como líder anotador con cinco goles.

Destacados porteros se retiraron

Muchos porteros cambiaron de camiseta (y suéter) y algunos lo hicieron sólo para jugar sus últimos partidos en Primera División, como Mateo Bravo, Gregorio Cortés, Carlos Novoa y Pedro Soto. Mateo puso fin a su larga carrera jugando un partido con el Atlante el 5 de junio del 88, que perdió por 2-3 ante el Necaxa. Nunca fue expulsado en más de quince años y quedó dos veces campeón y una subcampeón con *Tigres*, aunque también le tocaron los descensos del Pachuca y Cobras. En tres torneos con el Pachuca, 13 con el representativo de la Universidad de Nuevo León, uno con Cobras y el juego con el Atlante, acumuló 256 partidos y 347 goles (promedio: 1.36). Es líder histórico de los *Tigres* en goles recibidos.

Goyo Cortés llevaba dos años sin jugar en Primera División. Se contrató con los *Tigres* para tener su última temporada. Había actuado tres años con el Atlético Español y 6 con el Monterrey. De este equipo es líder de porteros en juegos, juegos completos y goles admitidos. En su último partido, el 19 de febrero del 88, el Atlante le anotó cuatro veces en el viejo estadio "Azulgrana". Sus números finales: 267 juegos, 379 goles, promedio 1.42.

Carlos Novoa, otro arquero de larga y destacada trayectoria (dos años con el Atlas, nueve con el Potosino, cinco con Cruz Azul y éste con el Irapuato), se despidió el 12 de junio en la última jornada del campeonato, precisamente en el que a la postre resultó ser el último juego en la historia del Neza. Cuando los *Coyotes* ya le habían anotado par de goles a Novoa, el novel árbitro Rogelio Robles le mostró la tarjeta roja. Fue apenas su segunda expulsión; la primera había ocurrido diez años antes cuando militaba en el Potosino. El Neza terminó goleando al Irapuato por 5-0. Novoa jugó en total 339 partidos en los que recibió 456 goles (1.35) y atajó 12 penaltis. Con el Cruz Azul fue subcampeón de Liga y encabeza a los porteros del Potosino en juegos, juegos completos, goles recibidos y penaltis detenidos.

Tras haber jugado una temporada con el Laguna, cuatro con el América, una con Atletas Campesinos, dos con Puebla y dos con el Atlante y ganado un campeonato con el equipo poblano y un torneo de Concacaf con las *Águilas*, Pedro Soto cerró su carrera actuando en tres partidos con el Ángeles. Nunca fue expulsado y sus números finales fueron: 146 juegos, 172 anotaciones y magnífico promedio de 1.18. Jamás recibió más de cuatro goles en un partido.

Curiosamente Pedro Soto y Pilar Reyes, los dos arqueros de México en el Mundial de Argentina-78, jugaron su última Liga en esta temporada. Reyes fue titular con el Monterrey, el cuarto equipo de su carrera ya que antes había actuado un año con el San Luis, siete con *Tigres* y tres con el Tampico-Madero.En 313 juegos admitió 401 goles (1.28), detuvo nueve penaltis y fue expulsado cuatro veces. Nunca recibió más de cinco tantos en un partido. Se coronó en dos ocasiones campeón con los *Tigres*, y con este equipo y con el Tampico-Madero obtuvo sendos subcampeonatos. En la historia del cuadro *felino* es el portero con más juegos, más juegos completos, más expulsiones y más penaltis detenidos (empatado con Mateo Bravo).

Su última aparición en la Liga fue el 4 de junio del 88 en el encuentro Monterrey 1 Potosino 1. Cabe señalar que dos años después, Pilar todavía participó en dos juegos de Copa con el Irapuato y colgó los botines.

Esta temporada fue también la última para Jesús Contreras y Horacio Sánchez. El primero, autor de un gol de portería a portería y siempre fiel a los colores *Rayados* del Monterrey, participó en 92 juegos durante ocho torneos y recibió 123 goles para un promedio de 1.34. Campeón del México-86. Las *Chivas* lo despidieron con un 4-1 en la Perla Tapatía el 28 de mayo.

La carrera de Horacio Sánchez transcurrió por cinco equipos a lo largo de trece calendarios y llegó a su fin el 22 de mayo en un empate a tres entre *Pumas* y Ángeles, precisamente sus primero y último equipos. Jugó cuatro torneos con el equipo de la UNAM con el que ganó una Liga y una Copa, cuatro con el Atlético Español, dos con el León, uno con Morelia y dos con Ángeles. Participó en

187 partidos y nunca fue expulsado. Con los 279 goles que permitió tuvo 1.49 de promedio. Un dato curioso: en sus primeros once años solamente detuvo un penalti; en los dos torneos que jugó con el Ángeles atajó cinco.

Cambios y debuts

Arturo Báez, que descendió con el Cobras en el campeonato pasado, retornó al América para fungir como suplente de Adrián Chávez. Al emigrar López Vega al *Correcaminos*, el Atlas obtuvo del Guadalajara a Celestino Morales. El Cruz Azul contrató como segundo arquero a Eduardo Fernández, del Ángeles, mientras Novoa pasaba al Irapuato. Olaf Heredia fue transferido de los *Tigres* al Morelia en tanto Vicente Munguía llegaba del Toluca al equipo *felino*, y a Víctor Manuel Aguado, que había descendido con el León, lo firmó la UdeG.

Además debutaron 10 guardametas, entre ellos: Carlos Briones, tapatío de 19 años de edad, que se presentó con los *Tecos* el 12 de diciembre de 1987. El súper goleador América no pudo batir al nuevo portero y los *Tecos* ganaron 1-0. No fue hasta el 7 de febrero del año siguiente cuando Briones recibió su primer gol. Se lo anotó Manuel Negrete, quien este año retornó a los *Pumas* tras su fugaz paso por el balompié europeo.

El 27 de abril del 88 en un partido de Copa en Querétaro entre el Cruz Azul y los *Pumas* debutó con el club universitario el acapulqueño Jorge Campos, quien poco tiempo después llamaría la atención por su eficacia como portero y su habilidad como delantero, además de su variada indumentaria multicolor. Nacho Flores, de penalti, le metió el primer gol a Campos.

Héctor Sanabria y el austriaco Senekovitch (en su segundo periodo como entrenador de los *Tecos*) fueron los técnicos que debutaron a Campos y a Briones.

En la última jornada de la Liga el Monterrey presentó a Tirso Carpizo y el Toluca a Juan Gutiérrez. Carpizo, oriundo de Coatzacoalcos, alineó con los *Rayados* en el estadio Azteca frente al Cruz Azul el 11 de junio y el mexiquense Gutiérrez debutó al día siguiente al visitar el Toluca al Tampico-Madero. Al nuevo portero toluqueño lo "bautizó" Antonio Piña y al del Monterrey —curiosamente— el mismo Nacho Flores con otro penalti.

Otra vez un *Puma* es líder de goleo

Desde que *Cabinho* dejó a los *Pumas* en 1979, la escuadra universitaria no había tenido en sus filas al campeón de goleo, hasta esta temporada en que Luis Flores, repatriado de España, conquistó el trono de los romperredes con 24 anotaciones, de las cuales siete fueron por la vía del penalti (también falló cuatro). Los porteros más goleados por Flores fueron Gerardo Gómez (UdeG) con cuatro y Jesús Contreras con tres.

Ricardo Ferretti, ahora del Toluca, quedó en segundo lugar con 22 goles, uno más que Rafael Chávez Carretero, del Atlante, y dos más que el chileno Carlos Poblete, pieza clave para que el Ángeles eludiera el descenso.

Hubo 18 juegos (cifra más alta en casi 40 años) en los que uno de los equipos anotó cinco o más goles, tocándole las cuotas más altas a Nicolás Navarro que recibió seis del Puebla en la Angelópolis; José Antonio Gómez Luna, portero del Atlas, al que el Morelia le metió seis en la capital de Michoacán; Jesús Contreras que en el estadio de CU se llevó seis zarpazos de los *Pumas*; y José Luis Miranda, del Irapuato, que también encajó seis tantos de los *Leones Negros* en Guadalajara.

De los numerosos partidos en los que un equipo marcó cinco goles se destaca el del 18 de octubre del 87 en Ciudad Victoria entre *Correcaminos* y UdeG porque Luis Plascencia en el primer minuto de juego perforó dos veces la portería de López Vega. Los *Leones Negros* terminaron ganando 5 a 2.

Los ataja-penaltis

El récord de 30 penaltis detenidos por 20 porteros en el campeonato anterior fue alcanzado en este torneo por 18 arqueros. Navarro (Necaxa), Ledesma (*Chivas*) y Ferreira (Toluca) atajaron tres cada uno y Adrián Chávez empató la marca de cuatro en un torneo y el 28 de mayo del 88 les detuvo sendos tiros de castigo a Armando Romero y Agustín Manzo, del Cruz Azul, en el Azteca, partido que ganó el América 4-2. Así, Chávez se convirtió en el tercer portero en la historia con dos penaltis parados en un juego.

El año del América

En su pretemporada el América derrotó 3-0 al Flamengo en México, en los primeros meses del campeonato disputó y ganó el torneo de la Concacaf, y poco antes de que finalizara la Liga venció en penaltis al Peñarol y obtuvo la Copa Confraternidad. Redondeó el año con el superliderato, su séptimo título campeonil, y de postre el Campeón de Campeones.

En el Concacaf y siempre con Chávez en la portería, el América eliminó al Saprissa (2-2 y 2-1) y al Monterrey (3-3 en el Azteca y 2-0 en el Tecnológico) y se coronó superando al Defense Force de Trinidad y Tobago (1-1 de visita y 2-0 en México). Antes de enfrentarse a las *Águilas* el Monterrey había despachado al Olimpia de Honduras (1-0 y 2-2).

Como monarca de Concacaf el América se enfrentó el 21 de abril de 1988 en Los Ángeles al Peñarol, campeón de la Copa Libertadores. Tras empatar a dos goles, el equipo mexicano se impuso en los penaltis por 5-4. Sin embargo, ni la Concacaf ni la Confederación Sudamericana aprobaron que en este partido se disputara oficialmente la Copa Interamericana, por lo que al trofeo ganado por el América se le nombró "Copa Confraternidad".

Dos títulos para las *Águilas*

En la Liga el América hizo 55 puntos, ganó 24 juegos, once en cancha ajena (récord empatado) y anotó siempre en sus últimos 20 partidos, racha que alargó a 24 en la liguilla hasta que en el primer duelo de la final contra los *Pumas* no pudo batir la cabaña de Adolfo Ríos.

En cuartos de final el América eliminó al Puebla con marcador global de 6-2, el Morelia venció dos veces a las *Chivas* (1-0 y 2-1), los *Pumas* superaron sin problemas a los *Tecos* por 6-1 global, y los *Leones Negros* doblaron al Toluca con par de victorias por uno a cero.

Pumas ganó la semifinal a UdeG con empate 2-2 en casa y triunfo 2-1 a domicilio. En la otra semifinal el América y el Morelia quedaron 2-2 en ambos juegos, por lo que hubo tiempos extra en el estadio Azteca. Al empatar a un gol, los morelianos supusieron que su gol de visitantes les daba la victoria y se fueron felices de la cancha. Obviamente la regla del mayor valor de los goles anotados en campo ajeno no se puede aplicar en tiempos extra porque estos sólo se juegan en una cancha. Los pupilos de la *Tota* Carbajal y el mismo árbitro tardaron un buen rato en entenderlo hasta que 45 minutos después de la finalización del partido volvieron a la cancha para tirar los penaltis.

Adrián Chávez volvió a lucirse al detener dos disparos, en tanto que del otro lado Olaf Heredia sólo pudo atajar uno. Ganó el América 3-1 y pasó a la final.

El 30 de junio un penalti de Luis Flores determinó el triunfo de los *Pumas* por uno a cero, pero el 3 de julio una actuación fatal de Adolfo Ríos fue clave para la goleada americanista por 4-1. Anotaron Gonzalo Farfán (2), Adrián Camacho y el brasileño Antonio Carlos Santos de penalti. El único de los *Pumas* lo hizo Flores y fue su quinto gol en la liguilla. Cabe señalar que durante la temporada completa Ríos y Chávez recibieron nueve tantos de penalti cada uno. El equipo subcampeón llegó con éste a 21 juegos consecutivos anotando. Después de perder el campeonato los *Pumas* se fueron a Chicago a recibir una paliza de 0-4 que les aplicó la Selección de Polonia.

El título de Campeón de Campeones se decidió en dos juegos entre el América y el Puebla el 7 y 10 de julio. Por cierto, el último equipo que había conquistado este rimbombante título había sido el América en 1976. Con marcador de 2-1 favorable al Puebla terminó el primer cotejo en el Cuauhtémoc. Aarón Gamal y Marcelino Bernal horadaron la cabaña de Chávez y sólo Farfán pudo batir a Alberto Aguilar. Pero en el Azteca con sendos goles de Carlos Hermosillo y *Chema* Huerta las *Águilas* se alzaron con el triunfo y con el trofeo. El técnico del América fue el brasileño Jorge Vieira desde la fecha 12; antes el argentino Cayetano Rodríguez.

Destaca Carbajal

Otra vez muy buen trabajo el que hizo Antonio Carbajal con el Morelia metiéndolo a su cuarta liguilla consecutiva y quedando como líder de su grupo por segundo año seguido, además de que el equipo ligó 13 partidos de local sin recibir gol entre 86-87 y 87-88.

En cambio, Miguel Marín tuvo una campaña de altibajos con el Neza y dejó al equipo en la jornada 33

cuando había ligado tres derrotas seguidas. Los números del *Gato* en los cuatro años que dirigió a los *Coyotes* fueron negativos: 35 victorias, 39 empates, 47 derrotas y 15 expulsiones.

A la lista de ex porteros entrenadores entró este año José Ledesma, quien dirigió toda la temporada al Monterrey. Los *Rayados* quedaron en decimosexto lugar.

Con 29 goles, nueve de ellos de penalti, Hugo Sánchez ganó su cuarto Pichichi consecutivo y el Real Madrid se coronó por tercer año seguido.

En la Segunda División de México se registró un gol del portero Román Ramírez del equipo *Jabatos* contra el Cachorros Neza.

Chávez y Ríos llegan a la Selección

Chávez y Ríos, los arqueros de la final protagonizada por *Águilas* y *Pumas*, tuvieron su debut en la Selección Nacional B en unos partidos amistosos en los meses de marzo y abril del 88. Adrián alineó en la goleada de 8-0 a El Salvador en México y en la derrota por 0-1 ante la olímpica de Canadá en Victoria, y Adolfo en el triunfo por 4-1 sobre Honduras en Ciudad Victoria. En otro juego, éste contra Canadá en Vancouver (1-1) actuó Hugo Pineda.

Nómina de porteros

América	Adrián Chávez y Arturo Báez
Ángeles	Horacio Sánchez, Ricardo Martínez, Pedro Soto y Heriberto San Martín
Atlante	Ignacio Rodríguez y Mateo Bravo
Atlas	Celestino Morales, Guillermo Valadez y José Antonio Gómez Luna
Correcaminos	Fernando López Vega
Cruz Azul	Pablo Larios y Eduardo Fernández
Guadalajara	Javier Ledesma
Irapuato	Félix Madrigal, José Luis Miranda, Carlos Novoa y Héctor Durán
Monterrey	José Pilar Reyes, Jesús Contreras, Julio Muciño y Tirso Carpizo
Morelia	Olaf Heredia y Fernando Piña
Necaxa	Nicolás Navarro
Neza	Alejandro García y Federico Valerio
Potosino	José Luis Sámano y Jesús de Anda
Puebla	Alberto Aguilar y Rubí Valencia
Tampico-Madero	Hugo Pineda y Juan Carlos Vega
Tigres	Vicente Munguía, Gregorio Cortés y Jorge Maldonado
Toluca	Marco Antonio Ferreira, José Luis López y Juan Gutiérrez
UAG	Héctor Quintero y Carlos Briones
UdeG	Víctor Manuel Aguado y Gerardo Gómez
UNAM	Adolfo Ríos

Más juegos (j)

Adrián Chávez (América)	38
Fernando López Vega (Correcaminos)	38
Javier Ledesma (Guadalajara)	38
Nicolás Navarro (Necaxa)	38
Adolfo Ríos (UNAM)	38
Ignacio Rodríguez (Atlante)	37

Más juegos completos

Javier Ledesma (Guadalajara)	38
Fernando López Vega (Correcaminos)	38
Nicolás Navarro (Necaxa)	38
Adolfo Ríos (UNAM)	38
Adrián Chávez (América)	37
Ignacio Rodríguez (Atlante)	37

Más goles (g)

Fernando López Vega (Correcaminos)	64
Nicolás Navarro (Necaxa)	64
Ignacio Rodríguez (Atlante)	59
Hugo Pineda (Tampico-Madero)	59
Adolfo Ríos (UNAM)	55

Más bajo g/j (mínimo 20 juegos)

Javier Ledesma (Guadalajara)	0.92
Adrián Chávez (América)	1.00
Víctor Manuel Aguado (UdeG)	1.11
Héctor Quintero (UAG)	1.13
Olaf Heredia (Morelia)	1.14

Expulsados

Carlos Novoa (Irapuato)
Julio Muciño (Monterrey)
Marco Antonio Ferreira (Toluca)

Más goles en un juego

José Antonio Gómez Luna (Atlas)	6
José Luis Miranda (Irapuato)	6
Jesús Contreras (Monterrey)	6
Nicolás Navarro (Necaxa)	6
Adrián Chávez (América)	5
Horacio Sánchez (Ángeles)	5
Heriberto San Martín (Ángeles)	5
Ignacio Rodríguez (Atlante)	5
Celestino Morales (Atlas)	5
Fernando López Vega (Correcaminos)	5 (2 veces)
Félix Madrigal (Irapuato)	5
Nicolás Navarro (Necaxa)	5 (2 veces)
Hugo Pineda (Tampico-Madero)	5
Jorge Maldonado (Tigres)	5
Gerardo Gómez (UdeG)	5 (2 veces)

Penaltis detenidos

Adrián Chávez (América)	4
Javier Ledesma (Guadalajara)	3
Nicolás Navarro (Necaxa)	3
Marco Antonio Ferreira (Toluca)	3
Horacio Sánchez (Ángeles)	2
José Luis Sámano (Potosino)	2
Alberto Aguilar (Puebla)	2
Ignacio Rodríguez (Atlante)	1
Pablo Larios (Cruz Azul)	1
José Pilar Reyes (Monterrey)	1
Jesús Contreras (Monterrey)	1
Olaf Heredia (Morelia)	1
Federico Valerio (Neza)	1
Juan Carlos Vega (Tampico-Madero)	1
Jorge Maldonado (Tigres)	1
Vicente Munguía (Tigres)	1
Héctor Quintero (UAG)	1
Adolfo Ríos (UNAM)	1

LIGUILLA

Más juegos	Adrián Chávez (América) y Adolfo Ríos (UNAM)	6
Más juegos completos	Adrián Chávez (América) y Adolfo Ríos (UNAM)	6
Más goles	Adrián Chávez (América)	9
Más bajo G/J	Víctor Manuel Aguado (UdeG) y José Luis López (Toluca)	1.00
Más goles en un juego	Alberto Aguilar (Puebla), Carlos Briones (UAG) y Adolfo Ríos (UNAM)	4
Penaltis detenidos	Ninguno	
Expulsados	Ninguno	

88-89
Culmina la década americanista

El América se consolidó como el equipo de la década de los ochenta con cinco títulos de Liga y dos de Campeón de Campeones. El Puebla tuvo la mejor temporada de toda su historia pero fracasó en la liguilla. En accidentada final de Copa se coronó el Toluca. El Morelia estrenó estadio. Descendió el Potosino. Fracaso del Cruz Azul en Concacaf. Adolfo Ríos fue el mejor guardameta. En "final de fotografía" Sergio Lira conquistó el liderato de goleo. Veracruz compró la franquicia del Potros Neza, campeón de Segunda División. Dos ex porteros dirigieron al Atlante con gran éxito, pero el cuadro azulgrana también se desplomó en la liguilla. Jesús de Anda se retiró como portero y debutó como director técnico. Otra vez, cuatro mexicanos en la Liga de España.

Sergio Lira y el Tampico-Madero, reyes del gol

La temporada empezó con la Copa México. La primera fase de este torneo se efectuó del 8 de septiembre al 13 de octubre de 1988, lapso en el que cada equipo jugó ocho partidos, al cabo de los cuales el Toluca, el Potosino, el Cruz Azul y la UdeG emergieron como semifinalistas.

El 15 de octubre se inició la Liga y las semifinales de la Copa se aplazaron para la segunda quincena de noviembre. En la primera jornada, mientras el Atlas bombardeaba con ocho goles a la UdeG, el portero Adrián Marmolejo, en su reaparición, le paró dos penaltis a Sergio Lira en Tampico, aunque no pudo evitar la derrota del Atlante por 1-3 con par de anotaciones del mismo Lira. En sus 37 juegos siguientes ese Atlas goleador de la primera fecha promedió apenas un gol por partido y terminó el campeonato en penúltimo lugar y fue el más goleado con 73 tantos encajados, de los cuales a Celestino Morales le tocaron 62 para ser el portero más batido del torneo.

En cambio, Lira continuó haciendo goles, en su gran mayoría en Tampico, y tras una cerrada lucha con el chileno Jorge Aravena, del Puebla, y el argentino Patricio Hernández, del Cruz Azul, a los que superó con tres anotaciones en el último jornada, conquistó su tercera corona de goleo.

El *Mortero* Aravena llegó a la última fecha del campeonato con 27 goles y el *Pato* Hernández y Sergio Lira con 26 cada uno. Tanto el chileno como el argentino marcaron un tanto, pero el mexicano aprovechó que el rival era el Potosino (colero y ya condenado al descenso) con un portero novato, Margarito Torres, y clavó tres pepinos. De hecho Lira cerró el torneo anotando en los últimos seis partidos y extendió la racha a ocho en la liguilla. Carlos Hermosillo, del América, hizo 24 goles y ocupó el cuarto lugar en la lista final de los romperredes.

La afición de Tampico y Ciudad Madero disfrutó 23 de los 29 goles que logró Sergio Lira y el 29 de diciembre vio como el artillero *petrojaibo* le anotó tres penaltis a Marco Antonio Ferreira en un explosivo duelo regional entre el Tampico-Madero y el *Correcaminos* que concluyó con empate a cinco tantos.

Lira hizo exactamente la tercera parte de los 87 goles que acumuló el Tampico-Madero, cifra igual a la que consiguió el León en 47-48 y que hasta este año era la tercera más grande de la historia.

En total se registraron 1,053 goles en el campeonato, es decir, 79 menos que en 87-88.

Cambios y nuevos porteros

Varias reapariciones, cambios y debuts marcaron la nómina de porteros. De las primeras sobresalen las de Héctor Zelada y Adrián Marmolejo con el Atlante, Alejandro Murillo Kuri con el Irapuato, Anselmo Romero con el Tampico-Madero y José Antonio Panduro y Silvino Román que se hicieron cargo de la portería del nuevo equipo, el Santos de Torreón, heredero de la franquicia del Ángeles de Puebla.

Al desaparecer el Neza el *Gallo* García pasó al América para fungir como suplente de Adrián Chávez; para su reaparición en Primera División el Cobras obtuvo del Puebla a Rubí Valencia; el América le cedió al Monterrey a Arturo Báez; Nacho Rodríguez pasó del Atlante a los *Tigres* y Marco Antonio Ferreira salió del Toluca para jugar con el *Correcaminos*; por último, al desaparecer el Ángeles Ricardo Martínez se quedó en Puebla con el equipo de la franja.

Debutaron doce arqueros, la mayor parte —ocho— en el torneo de Copa. Algunas de las caras nuevas fueron, por orden de aparición: Juan Ignacio Palou, Hugo Guerrero, Félix Fernández, Jorge Luis Núñez, Sergio Bernal y Alan Cruz.

Palou, Guerrero y Fernández se presentaron en la Copa. El poblano Palou el 15 de septiembre del 88 con *Tigres*, dos días después Guerrero con los *Leones Negros* y el 8 de octubre Fernández con el Atlante. Los *Tigres* visitaron y vencieron al Necaxa por 3-2 siendo Manuel Calderón quien batió por primera vez a Palou. Un penalti del *Mortero* Aravena fue el primer gol recibido por Hugo Guerrero, sin embargo, su equipo ganó en Puebla 2-1. Por su parte, Félix Fernández no permitió anotaciones en el 3-0 del Atlante a los *Tigres*. No fue sino hasta un año y medio después, el 15 de abril de 1990 cuando en un empate a un tanto entre el Morelia y el Atlante el chileno Marco Antonio Figueroa perforó por primera vez la cabaña de Félix.

En la Liga Palou sólo alineó una vez con el equipo *felino*, Fernández ninguna, en cambio Hugo Guerrero fue titular y jugó 37 partidos porque Víctor Manuel Aguado tuvo problemas con la directiva de la UdeG que lo acusó de incumplimiento de contrato y lo "congeló". El nuevo arquero de los *Leones Negros* también actuó en 10 juegos de Copa incluyendo los dos de la final contra el Toluca.

El equipo de Ciudad Juárez —Cobras— debutó a Jorge Luis Núñez y a Alan Cruz mientras que con *Pumas* lo hizo Sergio Bernal. El 5 de febrero del 89 se presentó Núñez, oriundo de Zacatecas, en el juego: Cobras (1) Guadalajara (1). Bernal, nacido en la ciudad de México, tuvo su primer partido el 20 de mayo (sustituyó a Adolfo Ríos durante el juego: UdeG uno UNAM cero) y Cruz, también capitalino, alineó por primera vez el 10 de junio en el choque: Cobras (2) UdeG (1).

Juan Carlos Vázquez (*Chivas*), Luis Plascencia (UdeG) y Jorge Dávalos (UdeG) fueron los autores del primer gol en las carreras de Núñez, Bernal y Cruz, respectivamente.

Los mejores cancerberos y los más goleados

El único portero de "hierro" de los 47 que tuvieron acción en la Liga fue el del Guadalajara. El *Zully* Ledesma jugó completos los 38 de la fase regular y seis de ligui-

lla, pero al promediar 1.13 goles por juego cortó su racha de tres años seguidos con promedio abajo de uno. Esta vez los arqueros más efectivos fueron Ríos (*Pumas*) con 0.76, Alberto Aguilar (Puebla) 0.84 y Nicolás Navarro (Necaxa) 0.97 y los mayores ataja-penaltis Larios, Zelada, Ledesma y Marmolejo con dos cada uno.

Adolfo Ríos y los noveles Carlos Briones y Hugo Guerrero tuvieron las rachas más largas de juegos seguidos sin gol en contra. La de Briones fue de cinco y las de Ríos y Guerrero de cuatro.

Cabe señalar que los *Pumas* por primera vez desde 72-73 y por segunda ocasión en toda su historia fueron el equipo menos goleado (30), mientras que el Santos en su primera temporada y el Potosino en su última compartieron el último lugar en goles anotados con sólo 31.

La racha que traían los *Pumas* del campeonato anterior de 21 partidos al hilo anotando se cortó en la décima jornada ante Pablo Larios y el Cruz Azul. Los 30 juegos seguidos con gol es récord vigente del equipo universitario.

Debajo de Celestino Morales en la lista de los porteros más goleados quedaron Nacho Rodíguez con 58 y Ferreira, Larios y Carpizo con 56 cada uno. De los 56 pepinos que se tragó Ferreira, ocho fueron de penalti.

Desde luego la goliza del campeonato fue el 8-2 del Atlas a la UdeG en la jornada inicial. Le tocó a Gerardo Gómez, quien después de esta humillación no volvió a jugar en Primera División. Otros marcadores abultados fueron el 7-2 del Tampico-Madero al Toluca, el 6-0 del Necaxa al Atlas y el 6-0 del Puebla al Santos. José Luis López, Celestino Morales y Silvino Román fueron respectivamente los arqueros acribillados.

Tres jugadores, Luis Francisco García, del Atlas, el *Pato* Hernández, del Cruz Azul, y Ricardo Peláez, del Necaxa, tuvieron su particular orgía goleadora con cuatro anotaciones en un partido. El 19 de noviembre del 88 García fusiló cuatro veces a Alejandro Murillo Kuri (Irapuato) en el Jalisco; el 7 de mayo del siguiente año Peláez hizo lo mismo con Celestino en el Azteca; y el 20 de mayo Hernández logró el cuadruplete a costa del suplente de Celestino, José Antonio Gómez Luna, también en el Azteca.

De Anda, de portero a director técnico

Jesús de Anda y Rubí Valencia, dos porteros con más de diez años de trayectoria en Primera División, colgaron los botines en esta temporada.

En su último juego, De Anda entró de cambio por José Luis Sámano el 11 de febrero del 89 durante el partido del Potosino en Monterrey contra los *Tigres*. Inmediatamente después de este juego fue nombrado director técnico del conjunto sanluisino y debutó con un triunfo sobre el Tampico-Madero en la última fecha de la primera vuelta. Sin embargo, la segunda parte del torneo fue desastrosa para el Potosino: tres triunfos, tres empates y 13 fracasos, números que lo mandaron a Segunda División.

Sólo como portero, De Anda ya había sufrido un descenso con el Veracruz en 78-79, justo diez años antes. No volvió a dirigir en Primera División. Jugó cuatro años con el Veracruz, uno con *Tigres* y ocho con Potosino, en los que participó en 242 partidos y admitió 389 goles (promedio: 1.61). Con los *Tiburones Rojos* jugó 85 partidos consecutivos y a lo largo de su carrera recibió siete tarjetas rojas.

Rubí Valencia alineó por última vez el 4 de junio de 1989. Él fue portero del Curtidores (dos años), del Atlante (cuatro años), del Puebla (cuatro años) y del Cobras esta temporada. Al recibir 197 goles en 169 juegos logró un magnífico promedio de 1.17. Con el Atlante fue subcampeón de Liga y campeón de Concacaf. En su última actuación recibió un gol del Guadalajara y fue cambiado por Jorge Luis Núñez. Las *Chivas* terminaron derrotando 3-0 al Cobras en el estadio Jalisco.

El 19 de abril Rubí Valencia, Pablo Larios y Tirso Carpizo atajaron cada uno un penalti empatando el récord de tres tiros de castigo detenidos el mismo día.

Accidentada final de Copa

En las semifinales coperas el Toluca eliminó al Cruz Azul (2-1 de visita y 2-2 en casa) y la UdeG al Potosino (1-1 en San Luis y 2-0 en Guadalajara). Los juegos finales se efectuaron el 11 y el 25 de enero del 89. El primero, en la Perla Tapatía, acabó 1-1 y lo mismo ocurrió en el segundo en Toluca. Al comenzar el primer tiempo extra el cuadro mexiquense marcó un gol con el que a la postre se

alzó con la Copa ya que el juego se suspendió al minuto nueve porque los *Leones* se quedaron con sólo seis jugadores pues el árbitro Arturo Brizio les expulsó a cuatro y en el tiempo normal había enviado a las regaderas a uno.

El camino del Toluca para ganar la Copa México por segunda vez en su historia constó de doce juegos. En todos alineó el portero Juan Gutiérrez.

Pequeño consuelo para la UdeG fue que su centro delantero, Daniel Guzmán, obtuvo el liderato de goleo con siete tantos.

Altibajos en Concacaf

Durante esta temporada varios equipos mexicanos tuvieron participación en dos torneos de la Concacaf. Primero el Cruz Azul y el Morelia que tras superar fácilmente a equipos de Belice y Estados Unidos llegaron a semifinales donde los *Cementeros* sucumbieron ante el Olimpia de Honduras (0-0 y 1-2) y el equipo michoacano quedó eliminado por negarse a jugar contra el Alajuelense. Después la UdeG y los *Pumas* iniciaron el siguiente torneo eliminando a los estadounidenses Busch Soccer y Greeks American, respectivamente. Los *Leones Negros* perdieron el primer partido por 0-1 y aplastaron 8-0 en el segundo y los *Pumas* empataron de visita 2-2 y golearon 5-1 en juego efectuado en Colima. (Por diversos vetos a varios estadios o por la huelga que hubo en la UNAM, cinco partidos de la Liga se realizaron en Celaya, dos en Querétaro y uno en Tijuana).

Impedida la Selección Nacional de disputar la eliminatoria mundialista, sostuvo algunos juegos amistosos en febrero del 89. Con nuevo director técnico, Alberto Guerra, derrotó 3-1 al seleccionado de Polonia en Puebla, 2-1 al de Guatemala en Los Ángeles y 2-0 a El Salvador también en la ciudad angelina. En estos partidos se alternaron en la portería el *Zully* Ledesma y Adolfo Ríos.

Y algunos equipos se dieron tiempo para jugar amistosos internacionales con rivales de jerarquía, como el América que venció 2-1 al Bayern Munich en Santa Ana California y 3-0 al PSV Eindhoven en México, empató 1-1 con la selección olímpica de Argentina y perdió 0-3 con la olímpica de Brasil en San José, California. El Toluca, por su parte, derrotó 3-1 a la Selección de Bélgica en la *Bombonera*, la UdeG goleó 5-0 a Perú en San José, California y las *Chivas* perdieron allí por 0-2 con la selección olímpica de Brasil.

Ochenta goles en la Liguilla

El súper líder del campeonato fue el Puebla. El equipo de la franja logró los mejores números de su historia. Ganó 20 juegos y sólo perdió cinco. En la quinta jornada de la liguilla el Guadalajara le cortó una racha de 14 juegos seguidos sin perder, que es récord del club.

Los otros calificados a la fase final fueron el Atlante, Tampico-Madero, Guadalajara, América, Cruz Azul, *Pumas* (no obstante que ligó 12 juegos consecutivos sin ganar y cinco sin anotar) y *Tecos*.

Después de siete años se cambió el formato de la liguilla. Se volvió a utilizar el que rigió en los campeonatos de 76-77, 78-79, 79-80 y 80-81, es decir, dos grupos de cuatro equipos cada uno, en cada grupo *round robin* a visita recíproca y los líderes pasan a la final.

En los 26 juegos de esta liguilla se marcaron 80 goles, nuevo récord para fases finales.

En el grupo A el América y las *Chivas* hicieron ocho puntos, pero por un gol de diferencia calificaron las *Águilas*. El Puebla sólo ganó uno de sus seis juegos y quedó en tercer sitio con cinco puntos y abajo los *Tecos* con tres. El Cruz Azul, también con ocho puntos, encabezó al grupo B donde el Tampico-Madero quedó segundo con siete, luego *Pumas* con seis y Atlante con tres.

Los dos juegos de la final, ambos en el Azteca el 13 y el 16 de julio, fueron emocionantes y de muchos goles. El América, actuando de visitante, ganó el primero por 3 a 2. Luis Roberto Alves, Carlos Hermosillo y Antonio Carlos Santos, de penalti, batieron a Larios, mientras que Porfirio Jiménez y Narciso Cuevas lograron vencer a Chávez.

El marcador de 2-2 del segundo choque le dio al América su octavo campeonato y el quinto de la década ochentera. Fue también el segundo consecutivo del técnico Jorge Vieira. Anotaron Juan Hernández y Hermosillo, por las *Águilas*, y Patricio Hernández y Ricardo Mojica, por los *Cementeros*.

Cuatro días después, el 20 de julio, el América y el Toluca se jugaron en un solo partido en el Azteca el título de Campeón de Campeones. Adrián Chávez le paró

un penalti al *Tuca* Ferretti y el juego, empatado a un gol, se prolongó a tiempos extra. El brasileño Carlos Alberto Seixas venció el arco de José Luis López y le dio la victoria y el título al América.

Éxito y fracaso de la dupla La Volpe-Puente

Magnífico resultado le dio al Atlante entregarle la dirección técnica a la pareja formada por Ricardo La Volpe y Rafael Puente, en su tiempo figuras destacadas de la portería azulgrana. El equipo fue sublíder general, ganó 20 juegos y sumó 49 puntos, cifras que no había alcanzado desde la temporada 81-82 cuando fue subcampeón. Sin embargo, en la liguilla no pudo ganar ninguno de sus seis partidos (tres empates, tres reveses) y terminó siendo una decepción. En total la mancuerna La Volpe-Puente tuvo 20 victorias, 12 empates y 12 derrotas.

José Ledesma fue despedido del Monterrey en el primer mes del campeonato porque los *Rayados* no sólo perdieron sus primeros cuatro juegos sino que tampoco hicieron un gol. Números muy negativos (nueve ganados, 13 empatados y 20 perdidos) tuvo este ex portero en su única experiencia como director técnico de Primera División.

Por lo que toca a Toño Carbajal, aunque el Morelia impuso una marca del equipo de 13 partidos consecutivos invicto, nunca ganó de visitante (igual que el Irapuato, el Santos y el Potosino) y cortó su racha de cuatro liguillas seguidas.

En este año el Morelia inauguró su nuevo estadio, el "Morelos", con un triunfo sobre el América por 2 a 1 el 9 de abril del 89.

Goles mexicanos en España

Al igual que hace dos años, cuatro mexicanos participaron en la Liga de España. Acompañaron a Hugo Sánchez, Luis Flores, que retornó al balompié hispano contratado por el Valencia, el *Abuelo* Cruz con el Logroñés y el *Chepo* De la Torre con el Oviedo. Este último tuvo el mejor desempeño al apuntarse ocho goles. Flores metió tres y el *Abuelo* uno.

A Hugo le cortaron su racha de cuatro Pichichis al hilo. Anotó 27 tantos y quedó en segundo lugar de goleo abajo del brasileño Baltazar, del Atlético de Madrid. Sin embargo, el Real Madrid quedó campeón por cuarto año seguido y también ganó la Copa del Rey.

Nómina de porteros

América	Adrián Chávez y Alejandro García
Atlante	Héctor Zelada y Adrián Marmolejo
Atlas	Celestino Morales y José Antonio Gómez Luna
Cobras	Rubí Valencia, Jorge Luis Núñez y Alan Cruz
Correcaminos	Marco Antonio Ferreira y Fernando López Vega
Cruz Azul	Pablo Larios y Eduardo Fernández
Guadalajara	Javier Ledesma
Irapuato	José Luis Miranda, Alejandro Murillo Kuri y Félix Madrigal
Monterrey	Tirso Carpizo, Arturo Báez y Román Ramírez
Morelia	Olaf Heredia y Fernando Piña
Necaxa	Nicolás Navarro y Samuel Monroy
Potosino	José Luis Sámano, Margarito Torres y Jesús de Anda
Puebla	Alberto Aguilar y Ricardo Martínez
Santos	José Antonio Panduro, Silvino Román y José Luis Lozoya
Tampico-Madero	Hugo Pineda, Anselmo Romero y Fabián Ventura
Tigres	Ignacio Rodríguez y Juan Ignacio Palou
Toluca	Juan Gutiérrez, José Luis López y Gustavo Álvarez
UAG	Carlos Briones y Héctor Quintero
UdeG	Hugo Guerrero y Gerardo Gómez
UNAM	Adolfo Ríos, Jorge Campos y Sergio Bernal

Más juegos (j)

Javier Ledesma (Guadalajara)	38
Marco Antonio Ferreira (Correcaminos)	37
Olaf Heredia (Morelia)	37
Nicolás Navarro (Necaxa)	37
Alberto Aguilar (Puebla)	37
Hugo Pineda (Tampico-Madero)	37
Ignacio Rodríguez (Tigres)	37
Hugo Guerrero (UdeG)	37

Más juegos completos

Javier Ledesma (Guadalajara)	38
Olaf Heredia (Morelia)	37
Nicolás Navarro (Necaxa)	37
Alberto Aguilar (Puebla)	37
Hugo Guerrero (UdeG)	37
Marco Antonio Ferreira (Correcaminos)	36
Hugo Pineda (Tampico-Madero)	36
Ignacio Rodríguez (Tigres)	36

Más goles (g)

Celestino Morales (Atlas)	62
Ignacio Rodríguez (Tigres)	58
Marco Antonio Ferreira (Correcaminos)	56
Pablo Larios (Cruz Azul)	56
Tirso Carpizo (Monterrey)	56

Más bajo g/j (mínimo 20 juegos)

Adolfo Ríos (UNAM)	0.76
Alberto Aguilar (Puebla)	0.84
Nicolás Navarro (Necaxa)	0.97
Adrián Chávez (América)	1.08
Héctor Zelada (Atlante)	1.08
José Antonio Panduro (Santos)	1.10

Más goles en un juego

Gerardo Gómez (UdeG)	8
José Luis López (Toluca)	7
Celestino Morales (Atlas)	6
Silvino Román (Santos)	6
José Antonio Gómez Luna (Atlas)	5
Celestino Morales (Atlas)	5
Jorge Luis Núñez (Cobras)	5
Marco Antonio Ferreira (Correcaminos)	5
Pablo Larios (Cruz Azul)	5
Alejandro Murillo Kuri (Irapuato)	5
José Luis Sámano (Potosino)	5
Alberto Aguilar (Puebla)	5
Silvino Román (Santos)	5
Hugo Pineda (Tampico-Madero)	5
Hugo Guerrero (UdeG)	5

Expulsados

Héctor Zelada (Atlante)
Félix Madrigal (Irapuato)
Hugo Pineda (Tampico-Madero)
Ignacio Rodríguez (Tigres)

Penaltis detenidos

Adrián Marmolejo (Atlante)	2
Héctor Zelada (Atlante)	2
Pablo Larios (Cruz Azul)	2
Javier Ledesma (Guadalajara)	2
Adrián Chávez (América)	1
Celestino Morales (Atlas)	1
Rubí Valencia (Cobras)	1
Marco Antonio Ferreira (Correcaminos)	1
Arturo Báez (Monterrey)	1
Tirso Carpizo (Monterrey)	1
Olaf Heredia (Morelia)	1
Jesús de Anda (Potosino)	1
Margarito Torres (Potosino)	1
Alberto Aguilar (Puebla)	1
Anselmo Romero (Tampico-Madero)	1
Juan Gutiérrez (Toluca)	1
José Luis López (Toluca)	1
Carlos Briones (UAG)	1
Adolfo Ríos (UNAM)	1

LIGUILLA

Más juegos	Adrián Chávez (América) y Pablo Larios (Cruz Azul)	8
Más juegos completos	Adrián Chávez (América) y Pablo Larios (Cruz Azul)	8
Más goles	Héctor Zelada (Atlante) y Pablo Larios (Cruz Azul)	14
Más bajo G/J	Javier Ledesma (Guadalajara)	0.67
Más goles en un juego	Hugo Pineda (Tampico-Madero)	5
Penaltis detenidos	Ninguno	
Expulsados	Adolfo Ríos (UNAM)	

89-90
El año del Puebla

Ahora el Puebla no fue el súper líder pero ganó el campeonato, y como también conquistó la Copa, ingresó al selecto club de los campeonísimos. Los Pumas *conquistaron el torneo de Concacaf pero perdieron la Copa Interamericana. En su primera temporada en México el uruguayo Robert Dante Siboldi fue el portero más destacado. El Atlante se mudó a Querétaro y descendió, en tanto que el León retornó a Primera División. Al finalizar la temporada los dueños del Atlante compraron la franquicia del Tampico-Madero para no dejar a Querétaro sin futbol de Primera. Los seis mayores romperredes fueron sudamericanos. Nicolás Navarro empató su récord de imbatibilidad. Última temporada de Héctor Zelada. Quinto Pichichi de Hugo Sánchez en España.*

Cuatro goles de Peláez a los coreanos

Como preámbulo al campeonato, tres de los cuatro equipos tapatíos —Atlas, *Chivas* y UdeG— fueron visitados por otros tantos clubes sudamericanos de renombre como el São Paulo, Peñarol y Botafogo para disputar un torneo hexagonal en el que solamente se enfrentaron los conjuntos mexicanos con los extranjeros. El São Paulo quedó en primer lugar y los *Leones Negros* en segundo. También vino el Internacional de Porto Alegre a jugar en Toluca (2-2) y en Puebla (1-0). Y los *Pumas* y la UdeG continuaron su participación en el torneo Concacaf midiéndose con equipos panameños. Adolfo Ríos casi no se despeinó en las vapuleadas de la UNAM por 4-0 y 6-0 (este juego en Colima) al Plaza Amador, en cambio los *Leones Negros* sufrieron para eliminar a La Previsora pues ganaron 1-0 en Panamá con Hugo Guerrero en la puerta, pero con Estéfano Rodríguez en el arco cayeron 2-3 en Guadalajara y se impusieron por 3 a 2 en los tiempos extra.

Por su parte, el Atlante jugó algunos partidos en España, en uno de ellos perdió 3-4 con el Zaragoza. En Los Ángeles el Morelia empató a uno con el Boca Juniors y lo superó en penaltis 4 a 2.

También tuvo actividad la Selección B. Un partido contra Corea del Sur en Los Ángeles en el que Hugo Pineda custodió el arco y Ricardo Peláez marcó cuatro goles. Ganó México 4-2.

La legión extranjera de porteros

La Liga comenzó el 9 de septiembre del 89. En la primera jornada hicieron su debut cuatro porteros extranjeros: el yugoslavo Branco Davidovic, los argentinos Carlos Alberto Pancirolli y Gustavo Moriconi y el uruguayo Robert Dante Siboldi, el más joven de los cuatro. Con ellos y Héctor Zelada, la nómina de guardametas importados llegó a cinco, cantidad no registrada desde el torneo 82-83.

Entre los refuerzos del Veracruz en su reaparición en el máximo circuito estuvo el arquero Davidovic, de 30 años de edad; sin embargo, sólo jugó dos partidos (cinco goles), se lesionó y volvió a su patria.

A Pancirolli, que jugaba en el Newell's Old Boys en Argentina, lo trajo el Irapuato. Debutó contra el Atlante en Querétaro pero sufrió una lesión que lo mantuvo inactivo casi toda la primera vuelta. No obstante, en la segunda se mostró como un arquero muy eficaz. Esta fue su única temporada en México y dejó números de sólo 17 goles recibidos en 19 partidos.

Gustavo Moriconi (Independiente, Misiones y Gimnasia y Esgrima) llegó a México contratado por el Monterrey y Robert Dante Siboldi (cinco años con Peñarol y uno con Gimnasia y Esgrima La Plata) por el Atlas. Los dos jugaron todos los partidos de la Liga. En su primero el *che* Moriconi encajó cuatro goles del Morelia en el estadio Morelos y el Monterrey perdió 0-4, en tanto que el *charrúa* Siboldi debutó exitosamente al vencer el cuadro rojinegro a las *Chivas* en el clásico tapatío por 2 a 1. Javier Gómez y Eduardo de la Torre fueron los autores de los primeros goles que recibieron en México Moriconi y Siboldi, respectivamente.

Al final del campeonato Moriconi resultó ser el portero más goleado con 51 pepinos y Siboldi, por el contrario, logró el promedio más bajo de goles por juego (0.76), tuvo dos rachas de cuatro juegos seguidos sin recibir anotación y fue pieza clave para que el Atlas figurara como el equipo con menos anotaciones en contra (29), galardón que no había conseguido desde la lejana temporada de 50-51 cuando fue campeón por única vez en su historia.

Los porteros bajaron la cortina

Seis de los 45 guardametas que actuaron en la Liga jugaron los 3420 minutos de las 38 jornadas. Además de Moriconi y Siboldi, los porteros de "hierro" fueron el *Zully* Ledesma (por tercer año consecutivo), Olaf Heredia, Adrián Marmolejo y Marco Antonio Ferreira. Los dos últimos jugaron además dos partidos de liguilla.

La producción de goles sufrió un notable descenso hasta 912, la cantidad más baja desde que en los campeonatos participan 20 equipos, con excepción por supuesto de los dos torneos cortos de 85-86. El campeón goleador del año pasado, el Tampico-Madero, ahora fue el que menos anotó. El equipo *petrojaibo* marcó 29 tantos, exactamente la tercera parte de los que hizo en 88-89, y siete clubes promediaron uno o menos de uno por juego. De modo que hasta cinco porteros lucieron al final de la temporada promedios inferiores a la unidad. En la lista, encabezada por Siboldi con 0.76, estuvieron Adrián Marmolejo (0.87), Nicolás Navarro (0.91), Marco Antonio Ferreira (0.95) y Adolfo Ríos (0.96).

Navarro igualó su propia marca de siete juegos consecutivos con meta invicta. La racha acabó cuando recibió un gol del *Mortero* Aravena en el partido que el Necaxa y el Puebla empataron 1-1 en el Azteca el 15 de noviembre. Esta vez Nicolás sumó 669 minutos de imbatibilidad.

Marmolejo, Ríos y Pablo Larios lograron sendas rachas de cuatro partidos al hilo sin recibir gol y Ferreira se lució como el mayor ataja penaltis de la temporada, con tres.

Dominio abrumador de los artilleros importados

Aunque el Veracruz quedó en último lugar de su grupo y decimoquinto en la tabla general, tuvo un refuerzo que sí le funcionó y muy bien, el argentino Jorge Comas, quien con 26 goles se proclamó rey de los romperredes. Así los *Tiburones Rojos* volvieron a tener en sus filas a un líder de goleo después de 40 años. Comas repartió perfectamente sus anotaciones: 13 de local y 13 de visitante. Sus porteros favoritos fueron el novato René Sánchez, del Atlante, y Gustavo Moriconi. Cuatro veces fusiló a cada uno.

La hegemonía de los artilleros extranjeros fue espectacular, ya que abajo de Comas quedaron su paisano

Jorge Gabrich (Irapuato) con 22 goles, el brasileño Eduardo Antonio Santos *Edú* (América) con 21, el paraguayo Raúl Amarilla (también del América) con 20, el chileno Carlos Poblete (Puebla) y el *che* Sergio Almirón (*Tigres*) empatados con 16; y con 15, ¡por fin un mexicano! Luis Flores (Cruz Azul), igualado con el chileno del Puebla, Jorge Aravena y el panameño René Mendieta, de los *Correcaminos*.

El 11 de enero del 90 Poblete tuvo su día inolvidable al meterle cuatro pepinos al portero cruzazulino Eduardo Fernández en Puebla. Nadie más consiguió el cuadruplete en este torneo.

Otra fecha importante es la del 1 de octubre del 89 cuando Pablo Larios, ahora arquero del Puebla, comenzó una racha de 143 juegos seguidos, la segunda más grande de la historia. Ese día el Puebla venció 2-1 a los *Tigres* en la Angelópolis con un gol olímpico del *Chepo* De la Torre, y curiosamente una semana después en Ciudad Juárez otro jugador del Puebla, Jorge Aravena, también hizo un olímpico contra Cobras. Cabe apuntar también que el 19 de noviembre, con el juego Guadalajara (0) Tampico-Madero (0), inició Hugo Pineda una cadena de 103 partidos consecutivos.

Pumas, campeón de Concacaf

En octubre los *Pumas* y los *Leones Negros* prosiguieron su actuación en el torneo de Concacaf. El cuadro de la UNAM eliminó al Olimpia de Honduras (1-1 y 5-0) y pasó a semifinales, pero el de la Universidad de Guadalajara se quedó en el camino al perder en San José con el Herediano por 1-2 y solamente empatar 1-1 en Colima. Ríos por los *Pumas* y Aguado por los *Leones* alinearon en estos encuentros.

Al mes siguiente el verdugo de la UdeG cayó ante los *Pumas* en semifinales: empate a un gol en San José y paliza al Herediano en México por 5-1. En el primer cotejo actuó Ríos y en el segundo el novato Sergio Bernal jugó su primer partido internacional oficial.

El 6 de febrero del 90 Ríos volvió a la portería y los *Pumas* conquistaron su tercer título de Concacaf al derrotar por tres a uno en CU al Pinar del Río, equipo cubano con el que habían empatado a uno en La Habana tres semanas antes.

Otra dupla de arqueros padre-hijo

De los movimientos registrados en la nómina de porteros destacan las transferencias de Pablo Larios, del Cruz Azul al Puebla; Celestino Morales, del Atlas al Cruz Azul; Adrián Marmolejo, del Atlante al Toluca; Alberto Aguilar, del Puebla al Cobras; Alejandro Murillo Kuri, del Irapuato al Veracruz; Fernando López Vega, de *Correcaminos* a los *Tiburones*; Arturo Báez, del Monterrey al Necaxa; José Luis Sámano, del Potosino al Veracruz; y Estéfano Rodríguez, de *Chivas* a UdeG. También las reapariciones de Víctor Manuel Aguado con la UdeG, Vicente Munguía con *Tigres* y Hugo Salazar, quien no jugaba en Primera División desde el torneo México-86 y ahora compartió la titularidad de la portería de la escuadra de la Universidad de Nuevo León con el novato Nacho Palou.

Entre los arqueros debutantes estuvo el hijo de Raúl Orvañanos, del mismo nombre. El chico de 20 años de edad y capitalino como su padre, se presentó con el Cruz Azul el 27 de febrero del 90 en un juego de Copa visitando los *Cementeros* al Monterrey. 0-0 fue el marcador. En la Liga tuvo oportunidad de jugar en la última fecha y fue entonces cuando encajó su primer gol, precisamente el número 26 de Jorge Comas.

Pocas goleadas, muchas expulsiones y el adiós de Zelada

Naturalmente escasearon las golizas. Nunca habían sido tan pocas como en este año. De hecho, solamente hubo tres juegos en los que un equipo marcó cinco o más goles, a saber: Atlante 6-3 al Veracruz (José Luis Sámano), *Tigres* 5-1 al Atlante (Héctor Zelada) y América 5-3 al Veracruz (Fernando López Vega).

En cambio, cundió la indisciplina entre los guardametas y se empató el récord de ocho expulsados establecido en el campeonato 74-75 e igualado en 79-80. Entre los que vieron la tarjeta roja estuvieron los dos arqueros de los *Tecos*, Briones y Quintero.

Aquella goleada de los *Tigres* al Atlante ha sido la única ocasión en que a Zelada le metieron cinco goles en un juego. El gran portero argentino puso fin a su carrera en esta temporada y lamentablemente le tocó el descenso del equipo azulgrana. En su último juego, el 6

de mayo de 1990, el Atlante venció 3-1 al Monterrey. Tras cuatro operaciones de rótula, meniscos y tendón de la rodilla izquierda, tuvo que retirarse a los 33 años de edad.

Zelada jugó diez años con el América y dos con el Atlante. Sus estadísticas son impresionantes: 362 goles en 359 partidos para un microscópico promedio de 1.01. De los porteros con al menos cien juegos sólo Roberto Silva, Miguel Marín y Nacho Calderón ostentan promedios más pequeños. Atajó doce penaltis, ganó tres campeonatos con el América y en la lista histórica de los guardametas de este equipo ocupa el segundo lugar en juegos, juegos completos y goles. Al retirarse, Zelada era el portero extranjero con más partidos jugados en México.

El mismo día —2 de diciembre de 1989— que Zelada detuvo su último penalti, los cancerberos de los *Tecos* (Briones) y del Atlas (Siboldi) también pararon cada uno un disparo desde los once metros.

También se retiró Fernando López Vega, arquero que en doce años jugó con cuatro equipos: *Tecos* (tres torneos), Atlas (seis), *Correcaminos* (dos) y Veracruz (uno). Totalizó 217 partidos y 345 goles (promedio: 1.59). Con el club rojinegro tuvo una racha de 100 juegos consecutivos. En su última actuación recibió par de goles del Cruz Azul en el Azteca el 5 de mayo del 90.

Vicente Munguía sólo participó en tres partidos de los *Tigres* y el tercero marcó el final de su carrera el 29 de diciembre de 1989, una goleada de 4-1 propinada por el América al conjunto *felino* en el estadio Azteca. Munguía militó cuatro años en el Toluca y dos en *Tigres*. Solamente 62 juegos con 93 goles y promedio de 1.50. Con los *Tigres* fue subcampeón de Copa.

La goliza de 6-3 del Atlante al Veracruz antes mencionada fue el último partido de Liga de Primera División que jugó José Luis Sámano, un portero que nunca fue expulsado habiendo participado en 88 juegos del Potosino durante seis torneos y en cuatro juegos con el Veracruz en esta temporada. Posteriormente siguió jugando en Segunda División con el equipo de San Luis Potosí y tuvo acción en dos torneos de Copa a mediados de la década de los noventas, en los que participaron equipos de Primera A (eufemismo con el que se rebautizó a la división de ascenso en 1994). En la Liga, Sámano recibió 131 goles y promedió 1.42.

El Puebla gana la Copa

La Copa México se intercaló con la segunda vuelta de la Liga. Comenzó el 17 de enero del 90 y culminó tres meses después. Los equipos que al terminar la primera vuelta ocuparon los lugares del 13 al 20 en la tabla general jugaron una rápida eliminatoria directa que dejó vivos a cuatro clubes. Con estos y los primeros 12 de la clasificación se formaron dos grupos de ocho equipos cada uno. En cada grupo se repitió el proceso de eliminación directa a visita recíproca hasta quedar los cuatro semifinalistas, que fueron los dos equipos de Monterrey, el Puebla y el América.

El cuadro de la franja se impuso a los *Rayados* (1-1 en la visita y 1-0 en casa) mientras que *Tigres* y América empataron sus dos encuentros, a un gol en Monterrey y a dos en México, por lo que el mayor número de goles de visitante catapultó a los *Tigres* a la final en contra del Puebla.

El cuadro *felino* ganó el primer partido el 11 de abril por 2 a 0, pero una semana después en Puebla los *Camoteros* remontaron el marcador. Ganaron 4-1 y conquistaron por cuarta vez en su historia el torneo copero. Hugo Salazar fue quien custodió la cabaña de los *Tigres* en los dos juegos; por el Puebla, Ricardo Martínez jugó el primero y Larios el segundo.

Con cinco pepinos cada uno el *Mortero* Aravena y Sergio Almirón compartieron el liderato de goleo.

Y también la Liga

El América terminó la fase regular del torneo de Liga como líder general con 48 puntos y como campeón de goleo con 70 anotaciones. Escoltaron a las *Águilas* los *Pumas* y el Puebla con 46 puntos cada uno. También calificaron a la liguilla UdeG, *Tigres* (a pesar de haber sido el más goleado con 64), Toluca y dos sorpresas: *Correcaminos* y Necaxa que nunca habían llegado a una fase final.

En el fondo de la tabla aparecieron el Atlante con 28 puntos y el Tampico-Madero con 29, y muy cerca de ellos el Cruz Azul que tuvo su peor temporada en los 26 años que llevaba en Primera División. Los azulgranas sufrieron su segundo descenso y los *Petrojaibos* desaparecieron ya que la franquicia fue vendida a Querétaro.

Para la disputa de la liguilla se desechó el formato de la temporada pasada y se volvió al utilizado anteriormente de eliminación directa a visita recíproca. Y si en la fase regular del campeonato la producción de goles fue parca, en la liguilla fue abundante. Se anotaron 55, cifra récord para liguillas de 14 juegos, de los cuales el Puebla hizo la tercera parte (18) gracias a la explosiva dupla chilena de Poblete y Aravena que marcaron seis cada uno.

En cuartos de final el América eliminó al Toluca, los *Pumas* al Necaxa, el Puebla a *Correcaminos* y los *Leones Negros* a los *Tigres*. Luego la UdeG echó a las *Águilas* con un apretado 3-2 global y el Puebla y los *Pumas* protagonizaron dos espectaculares choques pletóricos de goles. En el Cuauhtémoc empataron 4-4 y en el estadio de CU el cuadro poblano repitió la dosis y triunfó por 4 a 2.

La pareja de Aravena y Poblete venció el arco de Aguado y llevó al Puebla a la victoria por 2-1 en el primer juego de la final, el 23 de mayo en el estadio Jalisco. Octavio Mora anotó el tanto de los tapatíos.

Tres días después en Puebla, en la primera media hora del partido un autogol de Ruiz Esparza y un remate de Daniel Guzmán tenían a los *Leones Negros* arriba en el marcador global, pero la enrachada delantera camotera volvió a clavar cuatro goles por tercera vez en la liguilla (uno de Javier *Chícharo* Hernández, dos del *Mortero* y uno de Poblete), y aunque todavía Jorge Dávalos batió la meta de Larios, el Puebla obtuvo su segundo campeonato y automáticamente el título de Campeonísimo.

Manuel Lapuente, quien desde enero tenía a su mando a la Selección Nacional, también se proclamó bicampeón de Liga con el Puebla.

MAL AÑO DE LA VOLPE, PUENTE Y CARBAJAL

Lapuente debutó como técnico de la Selección con un triunfo por 2 a 0 sobre Argentina en Los Ángeles. De porteros convocó a Larios, a Pineda y a Chávez y los fue alternando. Pablo paró contra los *ches*, luego Hugo lo hizo contra Uruguay también en Los Ángeles, y Adrián ante Colombia en la misma ciudad. Estos juegos también los ganó México por 2-1 y 2-0, respectivamente.

Finalmente, a principios de junio la escuadra mexicana viajó a Bruselas para servirle de *sparring* a la Selección de Bélgica que se aprestaba a partcipar en el Mundial de Italia-90. Los belgas fusilaron tres veces a Larios y México cayó 0-3.

Esta temporada no fue buena para los ex porteros entrenadores. El binomio La Volpe-Puente, que tan buen papel hizo con el Atlante el año pasado, se desintegró. Rafael se quedó con los azulgranas y Ricardo se contrató con las *Chivas*. Ninguno hizo huesos viejos. A La Volpe lo despidieron tras la jornada 14 y a Puente en la fecha 20, porque el primero llevaba dos victorias, cinco empates y siete derrotas, y el segundo seis triunfos, dos empates y 12 descalabros.

Tras la salida de La Volpe quedó como técnico interino por un partido Jesús Bracamontes, quien en 73-74 jugó una vez como portero del Guadalajara.

Y por segundo año consecutivo Antonio Carbajal no pudo meter al Morelia a la liguilla. El cuadro michoacano quedó en cuarto lugar en su grupo y a la mitad en la tabla general.

QUINTO PICHICHI DE HUGO

Hugo Sánchez aumentó su colección de pichichis al obtenerlo por quinta vez y el Real Madrid se proclamó penta campeón de España. Hugo compartió con el búlgaro Hristo Stoichkov la "Bota de Oro", trofeo que distingue a los mayores goleadores de las ligas europeas.

Otro romperredes mexicano, Carlos Hermosillo, tuvo una corta estancia en el futbol del viejo continente. Jugó seis partidos con el Standard de Lieja, anotó dos veces y retornó al América en la segunda vuelta.

En mayo del 90, luego de finalizar la temporada en España, el multicampeón Real Madrid vino a México a jugar partidos amistosos en Monterrey, Toluca y Veracruz, de los cuales ganó uno (3-1 al Toluca) y perdió dos (0-2 con el Monterrey y 2-3 con los *Pumas*).

FRACASAN LOS *PUMAS* EN LA INTERAMERICANA

La disputa por la Copa Interamericana se programó para el 25 de julio y 1 de agosto. Por primera vez el campeón de la Copa Libertadores de América había sido un equipo colombiano, el Nacional de Medellín, y éste fue el adver-

sario que tuvieron los *Pumas*, monarcas de la Concacaf. El equipo mexicano fracasó rotundamente, perdió los dos partidos y fue goleado en su casa. Los colombianos perforaron seis veces la portería de Sergio Bernal, dos en Medellín y cuatro en cu; los *Pumas* solamente anotaron uno en México.

Obituario

El 2 de octubre de 1989 murió José Sanjenís, el portero catalán que llegó a México a fines de los años treinta, ganó títulos con el España y fue maestro de Antonio Carbajal. Tenía 70 años de edad.

Y el 21 de marzo del 90 falleció uno de los más grandes porteros de todos los tiempos, auténtica leyenda del futbol mundial: Lev Yashin, la *Araña Negra*.

Nómina de porteros

América	Adrián Chávez, Alejandro García y Gabriel Farfán
Atlante	Héctor Zelada, René Sánchez y Félix Fernández
Atlas	Robert Dante Siboldi
Cobras	Alberto Aguilar, Alan Cruz y Jorge Luis Núñez
Correcaminos	Marco Antonio Ferreira
Cruz Azul	Celestino Morales, Eduardo Fernández, Nicolantonio Di Nino y Raúl Orvañanos
Guadalajara	Javier Ledesma
Irapuato	Carlos Alberto Pancirolli, José Luis Miranda y Félix Madrigal
Monterrey	Gustavo Moriconi
Morelia	Olaf Heredia
Necaxa	Nicolás Navarro y Arturo Báez
Puebla	Pablo Larios y Ricardo Martínez
Santos	Heriberto López, José Antonio Panduro y José Luis Lozoya
Tampico-Madero	Hugo Pineda y Samuel Monroy
Tigres	Juan Ignacio Palou, Hugo Salazar y Vicente Munguía
Toluca	Adrián Marmolejo
UAG	Carlos Briones y Héctor Quintero
UdeG	Víctor Manuel Aguado y Estéfano Rodríguez
UNAM	Adolfo Ríos, Sergio Bernal y Jorge Campos
Veracruz	Fernando López Vega, Alejandro Murillo Kuri, José Luis Sámano y Branco Davidovic

Más juegos (j)

Robert Dante Siboldi (Atlas)	38
Marco Antonio Ferreira (Correcaminos)	38
Javier Ledesma (Guadalajara)	38
Gustavo Moriconi (Monterrey)	38
Olaf Heredia (Morelia)	38
Adrián Marmolejo (Toluca)	38
Adrián Chávez (América)	37

Más juegos completos

Robert Dante Siboldi (Atlas)	38
Marco Antonio Ferreira (Correcaminos)	38
Javier Ledesma (Guadalajara)	38
Gustavo Moriconi (Monterrey)	38
Olaf Heredia (Morelia)	38
Adrián Marmolejo (Toluca)	38
Adrián Chávez (América)	36

Más goles (g)

Gustavo Moriconi (Monterrey)	51
Hugo Pineda (Tampico-Madero)	45
Adrián Chávez (América)	43
Javier Ledesma (Guadalajara)	42
Olaf Heredia (Morelia)	42

Más bajo g/j (mínimo 20 juegos)

Robert Dante Siboldi (Atlas)	0.76
Adrián Marmolejo (Toluca)	0.87
Nicolás Navarro (Necaxa)	0.91
Marco Antonio Ferreira (Correcaminos)	0.95
Adolfo Ríos (UNAM)	0.96

Más goles en un juego

José Luis Sámano (Veracruz)	6
Héctor Zelada (Atlante)	5
Fernando López Vega (Veracruz)	5

Penaltis detenidos

Marco Antonio Ferreira (Correcaminos)	3
Hugo Pineda (Tampico-Madero)	2
Sergio Bernal (UNAM)	2
Adolfo Ríos (UNAM)	2
Héctor Zelada (Atlante)	1
Robert Dante Siboldi (Atlas)	1
Alan Cruz (Cobras)	1
Jorge Luis Núñez (Cobras)	1
Celestino Morales (Cruz Azul)	1
José Luis Miranda (Irapuato)	1
Carlos Alberto Pancirolli (Irapuato)	1
Javier Ledesma (Guadalajara)	1
Gustavo Moriconi (Monterrey)	1
Olaf Heredia (Morelia)	1
Hugo Salazar (Tigres)	1
Carlos Briones (UAG)	1

Expulsados

Adrián Chávez (América)
Héctor Zelada (Atlante)
Celestino Morales (Cruz Azul)
Pablo Larios (Puebla)
Hugo Pineda (Tampico-Madero)
Carlos Briones (UAG)
Héctor Quintero (UAG)
Alejandro Murillo Kuri (Veracruz)

LIGUILLA

Más juegos	Pablo Larios (Puebla) y Víctor Manuel Aguado (UdeG)	6
Más juegos completos	Pablo Larios (Puebla) y Víctor Manuel Aguado (UdeG)	6
Más goles	Pablo Larios (Puebla)	14
Más bajo G/J	Adrián Chávez (América)	1.00
Más goles en un juego	Pablo Larios (Puebla), Víctor Manuel Aguado (UdeG) y Adolfo Ríos (UNAM) (2 veces)	4
Penaltis detenidos	Ninguno	
Expulsados	Ninguno	

90-91
El despegue de Jorge Campos y la tercera corona de los *Pumas*

La década de los años noventa comenzó igual que la inmediata anterior: con los Pumas *ganando el campeonato. Una vez cumplido el castigo de la* FIFA, *el futbol mexicano reapareció en competencias internacionales. Derrotado por Estados Unidos, se tuvo que conformar con el tercer lugar en la Copa de Oro (nuevo nombre del torneo de países de Concacaf), y en el Mundial Juvenil no pasó de la segunda ronda. Al conquistar la Copa México, la Universidad de Guadalajara logró el único título de su historia. No se realizó el juego de Campeón de Campeones. El Atlante regresó al estadio Azulgrana y también a la Primera División. El* Zully *Ledesma impuso el récord de 151 juegos consecutivos. Los* Pumas *tuvieron al mejor portero de la temporada —Jorge Campos— y al mayor goleador —Luis García—. Descendió el Irapuato. El América ganó por tercera vez el torneo Concacf de clubes. Y Nacho Trelles cerró su carrera de cuarenta años de director técnico.*

El ir y venir de porteros

El campeonato de Liga estuvo precedido por la primera fase del torneo de Copa, en la que cada equipo jugó dos partidos por semana durante un mes (del 22 de agosto al 23 de septiembre) y por el primer "draft" o régimen de transferencia de jugadores, mal copiado del beisbol estadounidense y organizado para "eliminar intermediarios entre los equipos y combatir la inflación", propósitos que por supuesto nunca se alcanzaron.

El 28 de septiembre del 90 comenzó la Liga y al día siguiente debutó el Querétaro, dirigido por Ricardo La Volpe, y reapareció el León. Ambos perdieron por 1-2 con el Puebla y el Monterrey, respectivamente.

El Querétaro adquirió al portero Celestino Morales, del Cruz Azul, y el León se llevó a Marco Antonio Ferreira, de los *Correcaminos*. Los *Cementeros* cubrieron la baja de Celestino con Alberto Aguilar, mientras que en el equipo de la Universidad Autónoma de Tamaulipas suplieron a Ferreira con Ricardo Martínez, quien después de cuatro años de estar en la banca con los equipos poblanos recibió la oportunidad de ser titular.

El Cruz Azul renovó totalmente su plantilla de porteros ya que cedió al Morelia a Eduardo Fernández a cambio de Olaf Heredia, pero éste sólo jugó dos partidos. Hugo Pineda, del desaparecido Tampico-Madero, fue contratado por la UdeG, Adolfo Ríos pasó de los *Pumas* al Veracruz, y los *Tigres* consiguieron en préstamo al gran arquero argentino Ángel Comizzo, campeón con el River Plate y tercer guardameta de la Selección de Argentina en el Mundial de Italia. La llegada de Comizzo mandó a la banca a Hugo Salazar y a Nacho Palou, y la metamorfosis de Ríos, de *Puma* a *Tiburón*, permitió a Jorge Campos mostrar sus grandes cualidades de portero. Hasta entonces se había distinguido como delantero marcando 16 goles.

Con sus nuevos equipos, Ricardo Martínez y Hugo Pineda así como Pablo Larios, del Puebla, fueron los únicos arqueros que jugaron completos los 38 partidos del calendario. Dos semanas antes de que comenzara la Liga, Pineda había sufrido la pérdida de su padre. El lamentable deceso del ex portero del mismo nombre ocurrió el 17 de septiembre.

El debut de Ángel Comizzo

Comizzo, de 28 años de edad, fue uno de los siete porteros que debutaron esta temporada, la mayor parte en el torneo copero, y uno de los tres extranjeros que figuraron en la nómina de 43 guardametas que tuvieron acción en la Liga, siendo los otros sus paisanos Siboldi y Moriconi, que permanecieron en el Atlas y el Monterrey.

En el juego de Copa que *Tigres* le ganó a *Correcaminos* por 2-0 el 25 de agosto hizo su debut Comizzo. Su primer gol en México se lo anotó otro argentino, Américo Scatolaro, del Irapuato, el día 29 al vencer los *Freseros* 3-2 al conjunto *felino*. Una de las otras dos anotaciones del Irapuato en este partido fue un autogol del propio Comizzo. No fue la única anotación en meta propia en este torneo. También Heriberto López, portero del Santos, metió la pelota en su cabaña en un juego contra las *Chivas*.

El mismo Scatolaro en otro partido de Copa, el 19 de septiembre, "bautizó" a Jesús Alfaro, joven portero tamaulipeco del *Correcaminos*, quien no jugaría en la Liga sino hasta la temporada 92-93.

Otros debutantes en la Copa fueron José Luis Rodríguez con el Morelia e Ignacio Sánchez Barrera con el Puebla. Este último, hijo de Ignacio Sánchez Carbajal, aquel cancerbero que tuvo el Puebla en la primera mitad de la década de los setenta. Al moreliano Rodríguez le anotó por primera vez Andrés Carranza, un novato del Santos, y al poblano Sánchez Barrera nada menos que el *Tuca* Ferretti.

La Copa para la UdeG y el Concacaf para el América

En la última semana de octubre se disputaron las semifinales de la Copa. La UdeG le ganó los dos juegos al Necaxa, 2-0 de local y 2-1 de visitante, y el América eliminó al Cruz Azul por 4-1 y 2-0. La final se programó para el 16 y 23 de enero del 91. Hubo apenas un gol en los 180 minutos, anotado por el defensa de los *Leones*, Víctor Rodríguez, y con él la escuadra de la Universidad de Guadalajara pudo celebrar por primera vez la obtención de un título. Muy buena actuación en los dos juegos de los porteros Hugo Pineda y Adrián Chávez. Luis Roberto Alves, del América, fue el líder goleador, con nueve tantos.

En este torneo copero alineó por última vez Pilar Reyes. Su último juego en la Liga había ocurrido dos años atrás. El 2 de septiembre defendió la portería del Irapuato ante los *Correcaminos* en Ciudad Victoria, recibió un gol y se despidió con una expulsión.

Mejor suerte tuvo el América en el torneo de la Concacaf. Los dos partidos contra el Olimpia hondureño se efectuaron en las poblaciones californianas de San José y Santa Ana. Las *Águilas* ganaron 3-0 y aunque perdieron el segundo por 1-2 pasaron a la final. Su rival fue el equipo cubano Pinar del Río, el mismo que perdió la final del año pasado contra los *Pumas*. El América se trajo un empate a dos de La Habana y en el Azteca apabulló a los cubanos por 6-0 para sumar su tercer título del certamen regional. Sus porteros, Chávez y el *Gallo* García, se alternaron. El primero actuó contra el Olimpia y el segundo ante el Pinar del Río.

Nuevo goleador mexicano

La producción de goles en la Liga aumentó a 964 pero en la liguilla disminuyó a 40 con respecto al campeonato 89-90. Los *Pumas* fueron líderes en más anotados con 67 y en menos admitidos con 30. Irapuato, el más goleado con 72 y Santos y *Correcaminos* padecieron de las peores ofensivas al anotar solamente 35 veces cada uno. El equipo de Torreón tuvo una pésima temporada. Sólo ganó seis partidos, tuvo una racha de 15 juegos al hilo sin ganar (récord vigente del club lagunero) y terminó empatado con el Irapuato en el último sitio de la clasificación general con 26 puntos. Su mejor diferencia de goles lo salvó del descenso y el conjunto *fresero* bajó por segunda vez en su historia.

En cambio los *Pumas*, tras hacer su pretemporada en Inglaterra, Irlanda del Norte y Escocia, fueron por mucho los mandones del campeonato. Súper líderes con 55 puntos, ocho más que el Monterrey, ocupante del segundo lugar, eslabonaron en la segunda vuelta una cadena de seis victorias consecutivas en las que únicamente recibieron dos goles, y en la liguilla ganaron cinco de seis partidos. Llama la atención que sus triunfos, empates y derrotas en la fase regular del torneo fueron en igual número que en la temporada 84-85: 25 ganados, cinco empatados y ocho perdidos.

Un joven *puma*, Luis García, encabezó a los romperredes con 26 tantos. El sublíder fue Carlos Hermosillo, ahora con la casaca rayada del Monterrey, quien anotó 20, y en tercero y cuarto lugares quedaron los argentinos Américo Scatolaro con 19 (la mitad de los goles del Irapuato) y Jorge Gabrich, del Veracruz, con 18. Abajo de ellos los americanistas Luis Roberto Alves (17) y Eduardo Antonio Santos *Edú* (16).

Los arqueros del Irapuato, José Luis Miranda, y de la UdeG, Hugo Pineda, admitieron siete de los 26 goles de Luis García. Cuatro Miranda y tres Pineda.

Jorge Campos, gran portero

Jorge Campos jugó como portero 31 partidos en los que solamente admitió 21 goles. Detuvo tres penaltis y su promedio de 0.68 anotaciones por juego fue el más bajo. El mejor arquero del año pasado, el *charrúa* Siboldi, quedó ahora en segundo lugar con 0.85 y hubo otros dos cancerberos que también promediaron menos de un gol por partido: Javier Ledesma, 0.89 y Alberto Aguilar, 0.92.

Campos fue protagonista de una situación muy extraña que se presentó en una de las escasas derrotas que sufrió su equipo. El 25 de noviembre en Querétaro los *Pumas* estaban perdiendo 0-3. Miguel Mejía Barón, director técnico de la escuadra universitaria, decidió al minuto 56 que Campos dejara la portería y se incorporara a la delantera e hiciera su debut el arquero Óscar Resano, mundialista infantil en Canadá-87. Entonces Jorge anotó el primer gol de los *Pumas* pero Resano, tras admitir el cuarto de los queretanos, fue expulsado, de modo que Campos tuvo que volver a la portería. Finalmente el Querétaro ganó 4-2 y Resano nunca volvió a jugar en Primera División.

El récord de Ledesma

El 2 de diciembre de 1990 las *Chivas* visitaron al *Correcaminos* y lo vencieron 1-0. Este fue el partido consecutivo número 151 de Javier Ledesma, quien salió expulsado y ya no pudo alinear en el siguiente juego del Guadalajara porque lo suspendieron una fecha. El *Zully* impuso con esta racha un récord de todos los tiempos para porteros. Cabe hacer notar que esta gran marca no existiría si el arquero tapatío hubiera sido sancionado en enero de 1988 cuando se convirtió en el primer futbolista mexicano en dar positivo el examen *antidoping* ordenado por la Federación. Sin embargo, al demostrar que los residuos de efedrina que le detectaron provenían de un medicamento que tomó por prescripción médica, fue exonerado. Al que castigaron con una suspensión por seis meses fue al médico del equipo. Ledesma siguió jugando.

Volviendo al récord, de los 151 partidos seguidos, 150 los jugó completos, e impresiona saber que durante la racha solamente admitió 147 goles, es decir, menos de uno por juego, exactamente 0.97.

La marca anterior pertenecía al *Tubo* Gómez, también del Guadalajara, con 123 partidos consecutivos entre 1951 y 1955.

Los *Leones Negros* devoraron fresas

Por segunda vez en su carrera Nicolás Navarro fue el guardameta más batido. El necaxista recibió 68 goles, doce más que José Luis Miranda, del Irapuato, sin embargo fue este último el que admitió más anotaciones en un juego. Miranda y el equipo *fresero* recibieron las tres mayores goleadas de la temporada, una ante *Pumas* por 1-6 en Irapuato, otra en Guadalajara por 2-6 frente a la UdeG, y la tercera, la más grande, por 0-7 ante los mismos *Leones Negros* en la tierra de las fresas. En este torneo los universitarios tapatíos se cansaron de meter balones en la cabaña de Miranda.

En cambio, porteros como Gustavo Moriconi y Pablo Larios lograron sendas rachas de cuatro juegos seguidos sin gol en contra. Por cierto que el cancerbero del Puebla en un encuentro con el América en el Azteca vio dos veces introducirse en su meta el balón tocado por su compañero Martín Vázquez. Dos autogoles con los que ganaron las *Águilas* 3-1.

El arquero de los *Tecos*, Carlos Briones, también anotó un autogol favorable al Morelia.

La indisciplina siguió haciendo presa de los guardametas al grado de que superaron la marca de ocho expulsados en un campeonato. Ahora diez porteros sumaron once tarjetas rojas porque el flamante arquero de los *Tigres*, Comizzo, recibió dos.

Anemia goleadora en la Selección

A partir de diciembre del 90 la Selección Nacional sostuvo varios partidos amistosos, aproximadamente uno por mes, en los que en total marcó un gol y recibió dos. Primero ligó tres empates a cero: con Brasil en Los Ángeles, con Colombia en León y con Argentina en Buenos Aires, después venció por 1-0 a la Selección de Chile en Veracruz y perdió en Los Ángeles con Uruguay por 0-2. Contra brasileños y argentinos jugó Larios; en los otros actuó Hugo Pineda, quien también participó con la Selección B que al mando de Nacho Trelles ganó en marzo la Copa Norteamericana en Los Ángeles. En este mini torneo México empató a dos con Estados Unidos y dobló 3-0 a Canadá.

La B también jugó un partido en San José, Costa Rica, contra la selección tica en el que no hubo goles y que fue el único de Alberto Aguilar como seleccionado, con la mala suerte de que se lastimó. Tomó su puesto Ricardo Martínez, otro debutante.

Los que se fueron

Con el descenso del Irapuato y luego de actuar once años en Primera División, Félix Madrigal, el primer portero mexicano que anotó un gol de meta a meta, jugó su último partido. Fue el 26 de mayo del 91 en Monterrey donde los *Rayados* pasaron sobre el Irapuato por 4 a 1. En cuatro torneos con el Morelia y siete con los *Freseros*, Madrigal sumó 193 juegos, recibió 263 goles y promedió 1.36.

Otro que se despidió fue Hugo Salazar, quien siempre fue suplente en el América (cuatro temporadas) y el Necaxa (dos torneos) y con *Tigres* compartió la titularidad con Nacho Palou y jugó una liguilla. Le tocaron dos títulos de Liga del América y un subcampeonato de Copa con el equipo regiomontano. Jugó en total 58 partidos y solamente admitió 62 anotaciones para un estupendo promedio de 1.07.

Castigan a La Volpe

Ricardo La Volpe tuvo a su mando al Querétaro toda la temporada, aunque durante buena parte de ella dirigió desde la tribuna, porque a fines de octubre fue suspendido cuatro meses por "hacer declaraciones en agravio de directivos de la Federación Mexicana de Futbol". El equipo queretano solamente ganó ocho juegos y sumó 30 puntos, cuatro más que los coleros Irapuato y Santos.

Después de dos años de estar ausente de la liguilla, el Morelia de Carbajal clasificó a la fase final del campeonato no obstante haber ocupado el lugar 13 en la tabla general. En cambio el León, que ganó seis juegos más y seis puntos más que el Morelia y quedó en sexto lugar, no pudo meterse a la "fiesta final".

Los invitados, además del súper líder *Pumas* y del suertudo Morelia, fueron el Monterrey, el Cruz Azul, el América, la UdeG, las *Chivas* y el Puebla.

El León se consoló con un par de triunfos en juegos

amistosos con la Selección de Uruguay (2-1) y el Juventus (2-0). Poco antes el Monterrey y el Guadalajara se habían medido con el Vasco da Gama en Los Ángeles. Los *Rayados* ganaron 2-1 y las *Chivas* cayeron 0-1.

En la Liguilla terminó la carrera de Trelles

El Guadalajara fue el rey del empate. En 21 juegos de las *Chivas* no hubo vencedor ni derrotado. Sin embargo, en la liguilla se olvidaron de los empates y protagonizaron emocionantes duelos con el Cruz Azul en cuartos de final y con el América en semifinales. A los *Cementeros* los bombardearon con ocho goles, tres en el Jalisco y cinco en el Azteca, a cambio de sólo dos del Cruz Azul en el segundo juego.

Luis Antonio Valdez, el *Cadáver*, le clavó cuatro tantos a Alberto Aguilar en la goleada de las *Chivas* de 5-2. Es el primer jugador que anota cuatro veces en un juego de liguilla.

Pero los goles se le acabaron al Guadalajara cuando se enfrentó al América. Las *Águilas* triunfaron por 2-0 en la Perla Tapatía y por 3-0 en México y pasaron a la final. Antes, en cuartos, habían eliminado a los *Leones Negros* (0-0 de visita y 3-1 en casa), mientras los *Pumas* despachaban con facilidad al Morelia (1-0 en el Morelos y 5-1 en CU) y el Puebla al Monterrey (4-0 en el Cuauhtémoc y 0-1 en el Tecnológico).

En la otra semifinal los *Pumas* ligaron su tercera y cuarta victorias derrotando 2-0 al Puebla en la Angelópolis y 1-0 en el estadio de la UNAM.

Este fue el último partido que dirigió Nacho Trelles. El número 1,082 de Liga de Primera División. Cifra récord de todos los tiempos que muy probablemente permanecerá para siempre. Siete títulos de Liga, dos Copas, cuatro veces Campeón de Campeones y dos coronas de Concacaf destacan en su impresionante palmarés. Trelles, el veterano de más de mil batallas, asumió la dirección técnica del Puebla en la fecha 29 luego de que el brasileño Jorge Vieira hiciera la "graciosa huida" antes de un partido contra su ex equipo América.

Tercer campeonato de la UNAM

El 19 y el 22 de junio del 91 se efectuaron los dos juegos de la final. En el primero el América, con goles de Toninho, Farfán y A.C. Santos (de penalti), cortó la racha victoriosa de los *Pumas* venciéndolos por 3 a 2. Los goles universitarios, muy importantes por su condición de visitantes, fueron de Luis García y David Patiño.

En el último juego de su carrera, Ricardo Ferretti se puso el traje de héroe con un tiro libre que no pudo detener Adrián Chávez y que fue el único gol del segundo partido. Era todo lo que necesitaban los *Pumas* para coronarse ya que el marcador global se empató a 3 pero ellos superaron al América en los goles de visitante.

Diez años atrás el *Tuca* también había anotado un gol en la final contra el Cruz Azul cuando *Pumas* obtuvo su segundo campeonato.

Mientras tanto, en la Segunda División el Atlante y el Pachuca alargaron la final hasta un tercer juego en Puebla con tiempos extra y 22 penaltis, de los cuales los azulgranas acertaron nueve y los *Tuzos* ocho. El portero atlantista Félix Fernández fue quien anotó el penalti decisivo que mandó al Atlante de regreso a Primera.

Derrota ante EU y renuncia de Lapuente

En ese sexto mes del año se produjo la reaparición de nuestro futbol en competencias internacionales. La Selección Juvenil participó en el Mundial de Portugal y la Mayor en la Copa de Oro de la Concacaf. Los juveniles superaron la primera fase mediante un triunfo sobre Suecia por 3-0 y empates a dos goles con Brasil y a uno con Costa de Marfil, pero fueron eliminados en la segunda ronda por el anfitrión que se impuso por 2 a 1. Miguel de Jesús Fuentes fue el portero de México en todos los partidos menos contra Costa de Marfil, en el cual alineó Javier Quintero Monsiváis, un miembro más de la dinastía Quintero de porteros. Para Alfonso Portugal, el técnico, fue su tercer mundial.

El torneo de países de Concacaf, pomposamente renombrado como "Copa de Oro", estaba programado para comenzar unos cuantos días después de que terminó la Liga en México. Acaso por eso fue que se canceló el

duelo entre los *Pumas* y los *Leones Negros* por el "Campeón de Campeones".

Los Ángeles fue la sede de la Copa de Oro. Con victorias sobre Jamaica por 4-1, Canadá 3-1 y empate con Honduras a un gol, México pasó a semifinales. Larios alineó en el primer partido y Chávez en los otros dos. Pero Estados Unidos se erigió en verdugo de la escuadra mexicana por 2-0 y además provocó la renuncia del técnico Lapuente. El auxiliar Luis Fernando Tena dirigió el juego por el tercer lugar contra Costa Rica, que ganó México dos a cero.

Fue precisamente el partido contra Estados Unidos el número 50 y último de Pablo Larios con la Selección. Solamente Nacho Calderón y Toño Carbajal habían acumulado más juegos, pero en esta década de los noventas Jorge Campos superaría a los tres.

Lesión de Hugo y muerte de Festa

Por una fuerte lesión en la rodilla izquierda, Hugo Sánchez se perdió la mitad de la temporada en España. Solamente pudo jugar 19 partidos y anotó 12 tantos. Su compañero Emilio Butragueño fue el Pichichi pero la racha campeonil del Real Madrid se cortó. El equipo *merengue* quedó en tercer lugar.

Quince días después de sufrir un accidente automovilístico en carretera falleció en nuestro país el 24 de abril del 91 Nelson Festa, el portero argentino que fue campeón con el Zacatepec en 57-58 y también jugó en el Toluca y el Morelia.

Nómina de porteros	
América	Adrián Chávez y Alejandro García
Atlas	Robert Dante Siboldi y Alejandro Herrera
Cobras	Jorge Luis Núñez y Alan Cruz
Correcaminos	Ricardo Martínez
Cruz Azul	Alberto Aguilar y Olaf Heredia
Guadalajara	Javier Ledesma y José Luis López
Irapuato	José Luis Miranda y Félix Madrigal
León	Marco Antonio Ferreira y Leonel Ortiz
Monterrey	Gustavo Moriconi, Tirso Carpizo y Román Ramírez
Morelia	Eduardo Fernández, José Luis Rodríguez, Fernando Piña y Alejandro López
Necaxa	Nicolás Navarro y Arturo Báez
Puebla	Pablo Larios
Querétaro	Celestino Morales, Fernando Palomeque y Federico Valerio
Santos	José Antonio Panduro y Heriberto López
Tigres	Angel Comizzo, Hugo Salazar y Juan Ignacio Palou
Toluca	Adrián Marmolejo y Juan Gutiérrez
UAG	Héctor Quintero y Carlos Briones
UdeG	Hugo Pineda
UNAM	Jorge Campos, Sergio Bernal y Óscar Resano
Veracruz	Adolfo Ríos y Hugo Guerrero

Más juegos (j)

Ricardo Martínez (Correcaminos)	38
Nicolás Navarro (Necaxa)	38
Pablo Larios (Puebla)	38
Hugo Pineda (UdeG)	38
Jorge Luis Núñez (Cobras)	37

Más juegos completos

Ricardo Martínez (Correcaminos)	38
Pablo Larios (Puebla)	38
Hugo Pineda (UdeG)	38
Jorge Luis Núñez (Cobras)	37
Nicolás Navarro (Necaxa)	37

Más goles (g)

Nicolás Navarro (Necaxa)	68
José Luis Miranda (Irapuato)	56
Adolfo Ríos (Veracruz)	52
Jorge Luis Núñez (Cobras)	50
Ricardo Martínez (Correcaminos)	46

Más bajo g/j (mínimo 20 juegos)

Jorge Campos (UNAM)	0.68
Robert Dante Siboldi (Atlas)	0.85
Javier Ledesma (Guadalajara)	0.89
Alberto Aguilar (Cruz Azul)	0.92
Hugo Pineda (UdeG)	1.05

Más goles en juego

José Luis Miranda (Irapuato)	7
José Luis Miranda (Irapuato)	6 (2 veces)
Adrián Chávez (América)	5
Ricardo Martínez (Correcaminos)	5
José Luis Miranda (Irapuato)	5
Nicolás Navarro (Necaxa)	5
José Luis Rodríguez (Morelia)	5
Hugo Pineda (UdeG)	5

Penaltis detenidos

Jorge Campos (UNAM)	3
Ricardo Martínez (Correcaminos)	2
Marco Antonio Ferreira (León)	2
Alejandro García (América)	1
Jorge Luis Núñez (Cobras)	1
Gustavo Moriconi (Monterrey)	1
Eduardo Fernández (Morelia)	1
Nicolás Navarro (Necaxa)	1
Celestino Morales (Querétaro)	1
Ángel Comizzo (Tigres)	1
Héctor Quintero (UAG)	1
Sergio Bernal (UNAM)	1
Adolfo Ríos (Veracruz)	1

Expulsados

Ángel Comizzo (Tigres) (2 veces)
Alejandro García (América)
Javier Ledesma (Guadalajara)
Marco Antonio Ferreira (León)
Gustavo Moriconi (Monterrey)
Celestino Morales (Querétaro)
Federico Valerio (Querétaro)
José Antonio Panduro (Santos)
Óscar Resano (UNAM)
Adolfo Ríos (Veracruz)

LIGUILLA

Más juegos	Adrián Chávez (América) y Jorge Campos (UNAM)	6
Más juegos completos	Adrián Chávez (América)	6
Más goles	Alberto Aguilar (Cruz Azul)	8
Más bajo G/J	Adrián Chávez (América) y Jorge Campos (UNAM)	0.67
Más goles en un juego	Alberto Aguilar (Cruz Azul) y José Luis Rodríguez (Morelia)	5
Penaltis detenidos	Ninguno	
Expulsados	Ninguno	

91-92
Volvió a rugir el León

Por primera vez en la historia del futbol mexicano el mejor equipo del campeonato fue el que ascendió de Segunda División: el Atlante; sin embargo, el que quedó campeón fue el León. Luis García repitió como líder goleador. El Monterrey ganó la Copa México y el Puebla se coronó en la Concacaf. México empató sus tres juegos en la Olimpiada de Barcelona. Cinco porteros mexicanos promediaron menos de un gol por partido, y por cuarta ocasión Javier Zully Ledesma fue el mejor guardameta. El América cumplió 75 años y lo festejó ganando la Copa Interamericana. Tuvieron su estreno algunas modificaciones al sistema de competencia como la reclasificación o repechaje para la liguilla y la tabla de cocientes o promedios de puntos por juego para determinar al equipo que desciende. Subió el Pachuca y bajó el Cobras. Murió el legendario Miguel Marín.

Monterrey, campeón de Copa

Como preámbulo al campeonato de Liga se efectuó la Copa México del 9 de agosto al 8 de septiembre de 1991. Cinco grupos de cuatro equipos cada uno, *round robin* a visita recíproca en cada grupo, calificando los cinco líderes y los tres mejores segundos lugares. Los cuartos de final se realizaron el mismo día en jornadas dobles en Puebla y en Ciudad Juárez, ciudades que también alojaron los juegos de semifinales. En cuartos el Cruz Azul eliminó al Atlas, el Atlante al León y el Cobras a la UAG, mientras que Puebla y Monterrey empataron 1-1 y tuvieron que tirar penaltis. Se impusieron los *Rayados* por 3-2 porque Héctor Quintero, nuevo portero del Monterrey, detuvo dos y Pablo Larios solamente uno.

En semifinales el equipo regiomontano superó al Cruz Azul por 2-1 en Puebla y el Cobras al Atlante por 5-3 en penaltis tras empatar a cero en Ciudad Juárez. En la final, que tuvo como sede a la capital de Nuevo León, el Monterrey batió 4-2 a Cobras e inscribió su nombre en la lista de campeones de la Copa México. El argentino Germán Martelotto, de los *Rayados*, fue líder de goleo con seis tantos, dos de ellos anotados en la final.

En este torneo debutaron siete porteros, entre ellos dos extranjeros, el estadounidense Allan Adams con el Santos y el argentino Alejandro Lanari con los *Tigres*. En su presentación

el 10 de agosto en Veracruz, Adams encajó cinco pepinos de los *Tiburones Rojos*, el primero de ellos obra de Gustavo Gaytán. Santos perdió 1-5. Por su parte, Lanari, quien llegó a *Tigres* para sustituir a Ángel Comizzo que regresó al River Plate, recibió tres goles de los *Pumas* en México el 19 de agosto. El partido quedó empatado a tres y le tocó a José Antonio Noriega marcarle al arquero argentino su primer gol en México. En su patria, Lanari había cursado la carrera de medicina. En 86-87 el doctor fue campeón con el Rosario Central.

También hizo su debut Adrián Martínez, capitalino de 21 años de edad que tendría una larga y destacada carrera. Se llevó varios goles en su presentación el 10 de agosto con el León. Los *Panzas Verdes* cayeron 0-4 ante el Necaxa en el Azteca siendo el ecuatoriano Álex Aguinaga el que fusiló por primera vez a Adrián.

En cambio, un guardameta tuvo su despedida el 25 de agosto en el empate sin goles entre el Santos y los *Tecos* en Torreón. Fue el último juego de José Antonio Panduro, arquero que después de tocarle sendos descensos con el Jalisco y el Zacatepec jugó tres años con el Santos. Curiosamente el marcador de su último partido de Liga también fue 0-0, entre Santos y Morelia el 2 de junio del 91. En total Panduro participó en 71 juegos de Liga y sólo admitió 80 anotaciones para un buen promedio de 1.13.

El Puebla se impone en Concacaf

La Liga comenzó el 14 de septiembre. En este mes también empezó la eliminatoria olímpica, en la que a México le tocó enfrentarse a Surinam y Honduras, y se efectuó un inusitadamente corto y rápido torneo Concacaf, que ganó el Puebla jugando solamente tres partidos.

Sergio Bernal y Alejandro Herrera se desempeñaron como porteros de la Selección Olímpica en la primera fase de la eliminatoria, que superó México con dos empates como visitante, una derrota mínima ante Honduras en Toluca y una goleada a Surinam en el D.F.

Para obtener el título de Concacaf el Puebla sólo tuvo que vencer a la UdeG en el Cuauhtémoc (2-0), al Police Sports, de Trinidad y Tobago, también en el estadio poblano (3-1) y empatar a uno con este equipo en Puerto España. Pablo Larios custodió el arco *camotero* en los tres juegos.

Poco antes la Selección Sub-17 había participado con poco éxito en el Mundial de la categoría, efectuado en Italia. Perdió con Australia (3-4) y Congo (1-2) y derrotó a Qatar (1-0). Víctor Silva fue el portero en el primer partido y Rubén Salas en los otros.

Más debuts

Cuarentaiún porteros tuvieron acción en el campeonato de Liga. Sólo Larios jugó todos los minutos de todos los partidos, y en la liguilla participó en los seis juegos del Puebla, pero en uno fue expulsado.

Además de Lanari y Adams hubo otro nuevo guardameta extranjero, el chileno José Letelier, ex portero del Colo Colo y del Alianza de Lima, quien debutó con el Morelia el 15 de septiembre enfrentando al Necaxa. El marcador fue 0-0, de modo que Letelier fue batido por primera vez en México una semana después en Querétaro donde el Morelia perdió 1-2 y Carlos Alberto Seixas anotó el primero de los queretanos.

También debutaron, aunque jugaron poco, los jóvenes José Alberto Guadarrama, con el Cruz Azul, y Javier Quintero Monsiváis, con los *Leones Negros*. Guadarrama entró de cambio por Alberto Aguilar cuando éste ya había recibido un gol de la UdeG el 11 de diciembre en el Azteca. El partido quedó 1-1. Tres días después el nuevo arquero del Cruz Azul jugó 90 minutos en Veracruz y recibió un gol de Juan Morales con el que los *Tiburones* se impusieron 1-0.

Posteriormente Guadarrama fue llamado a la Selección Olímpica, actuó en la última parte de la eliminatoria y en todos los partidos de México en Barcelona-92.

Un cómodo debut tuvo Quintero Monsiváis en las postrimerías del campeonato. El hijo, sobrino y nieto de porteros se presentó con la UdeG el 3 de mayo del 92 en un juego en el Jalisco en el que los *Leones* vapulearon 5-1 a Cobras. El hondureño Eduardo Benet marcó el primer gol en la cuenta de Quintero.

Los cambios y los goles

Correcaminos, Monterrey, Morelia, Querétaro, Santos, *Tigres* y Toluca hicieron cambios en su lista de porteros.

El equipo tamaulipeco y el mexiquense intercambiaron a Ricardo Martínez por Adrián Marmolejo; al importar a Letelier, el Morelia cedió a Eduardo Fernández al reaparecido Atlante; Gustavo Moriconi pasó del Monterrey al Querétaro y los *Rayados* obtuvieron a Héctor Quintero, de los *Tecos*; al Santos llegó Víctor Manuel Aguado para cerrar su carrera; los *Tigres*, como ya se dijo, trajeron a Lanari para sustituir a Comizzo; y después de siete años de no jugar en Primera División reapareció Jorge Miranda participando en algunos partidos de los *Correcaminos*.

La producción de goles disminuyó de 964 a 931 pero en la liguilla aumentó de 40 a 53 porque hubo cuatro juegos más, los del repechaje. Por tercera vez en su historia en el balompié profesional el Necaxa logró el liderato de goleo. El cuadro rojiblanco anotó 67 veces, quedó segundo en la tabla general y no perdió ninguno de sus últimos 17 juegos de la fase regular del torneo. Cobras, el colero del campeonato, fue el que menos anotó (33) y el que más recibió (60), en esta estadística empatado con UdeG. El equipo de Ciudad Juárez se despidió de la Primera División perdiendo sus últimos siete juegos. Su promedio de puntos por juego (el erróneamente llamado "porcentaje") tomando en cuenta el campeonato anterior y el presente, fue el muy bajo 0.6842.

El mejor a la defensiva fue el Guadalajara con sólo 31 goles permitidos, y por tercer año consecutivo *Chivas* fue rey del empate. Este año la mitad de sus juegos no tuvieron ganador.

El mejor portero y el mejor artillero

Los arqueros más efectivos fueron Javier Ledesma, Marco Antonio Ferreira, Adrián Chávez, Juan Gutiérrez, Jorge Campos y Tirso Carpizo. El promedio de goles por juego de los porteros de *Chivas*, León, América, Toluca y *Pumas* fue inferior a la unidad, en tanto que el del cancerbero del Monterrey fue exactamente 1.00. El *Zully* logró el más bajo: 0.84.

Pablo Larios, el portero de "hierro" del campeonato, ligó cinco juegos seguidos sin gol en contra, y Lanari, Marmolejo, Chávez y Gutiérrez tuvieron sendas rachas de cuatro con meta invicta.

Los que encajaron más pepinos fueron Hugo Pineda (UdeG) con 58, Alan Cruz (Cobras) 54 y Moriconi (Querétaro) 49. Se registraron ocho juegos en los que un equipo anotó cinco goles y no hubo goleadas mayores. Dos le tocaron a Alejandro García, el segundo portero del América. *Correcaminos* le metió cinco en el estadio Marte R. Gómez y el Necaxa le repitió la dosis en el Azteca.

Con 24 goles, dos menos que en el torneo anterior, Luis García repitió como máximo artillero. La tercera parte de sus anotaciones fueron penaltis. El centro delantero de los *Pumas* superó por dos goles al chileno Ivo Basay, del Necaxa, y por tres a Daniel Guzmán, quien en esta temporada hizo sus "travesuras" con el Atlante. Luis Roberto Alves, del América, quedó en cuarto lugar con 18 pepinos.

Solamente un jugador logró la cuarteta de goles en un juego y fue precisamente Luis García. Se los marcó a Hugo Pineda en cu el 1 de diciembre. Al finalizar la temporada, García fue vendido al Atlético de Madrid.

Exitoso cumpleaños del América

En octubre el América celebró su septuagésimo quinto aniversario con varios partidos amistosos contra clubes sudamericanos y con la conquista de su segunda Copa Interamericana. Las *Águilas* vencieron en fila al Racing de Argentina (2-1), Fluminense de Brasil (3-0) y Nacional de Uruguay (2-0) y se impusieron al Olimpia de Paraguay, sorpresivo campeón de la Libertadores, en la disputa del trofeo continental. Sacaron un empate de 1-1 en Asunción y doblaron al Olimpia en el Azteca por 2 a 1. En ambos partidos la portería americanista fue custodiada por el *Gallo* García. El América prolongó sus festejos en noviembre con triunfos sobre los brasileños Santos y Botafogo por 2-1 y 4-2, respectivamente, hasta que el Palmeiras puso fin a la racha victoriosa americanista con marcador de 3-2.

A los directivos de la Concacaf se les ocurrió hacer un torneo con los campeones de Copa de la zona, llamado "Recopa". En él participó y fracasó la UdeG. Los *Leones Negros* eliminaron a un equipo estadounidense llamado Brooklyn Italians, pero en la fase final, jugada en Guatemala al iniciar el año 92, no pudieron vencer ni al local Comunicaciones (0-0), ni al salvadoreño Atlético Marte (0-1) ni al Racing de la isla de Guadalupe (1-2). En este torneo tuvo su debut internacional el portero Quintero Monsiváis.

En febrero empezó el siguiente certamen de Concacaf de campeones y subcampeones de Liga. A las primeras de cambio los *Pumas* fueron echados por el Luis Ángel Firpo mediante un empate sin goles en San Salvador y una victoria del Firpo en Los Ángeles por 1-0. Con esta derrota llegó a su fin la racha invicta de 21 partidos que traían los *Pumas* en Concacaf.

El América sí pudo superar la primera fase del torneo. Tras empatar a cero con el Saprissa en San José lo derrotó 4-2 en el Azteca. En este juego, Adrián Chávez recibió un gol de los *ticos* y Alejandro García el otro.

Muere el *Gato* Marín

Un infarto cegó la vida de Miguel Marín el 30 de diciembre de 1991. El extraordinario portero tenía 46 años de edad y unos días antes había renunciado como director técnico del equipo Gallos Blancos de Segunda División. Se sintió mal y fue internado en un hospital. Allí lo fulminó el infarto.

Por cierto que en esta temporada Tirso Carpizo igualó un récord negativo del legendario arquero argentino, el de tres expulsiones en un campeonato. Al portero del Monterrey le mostraron la tarjeta roja en los partidos en que el equipo *rayado* visitó a Cobras, América y Toluca y sufrió derrotas en los tres. La tercera expulsión de Carpizo se registró apenas a los 33 segundos del juego en Toluca. El árbitro Rogelio Robles lo sancionó por jugar el balón con las manos fuera del área penal.

El 26 de octubre ocurrió un hecho inusitado en el juego entre Veracruz y Necaxa en el puerto jarocho. Los dos porteros, Adolfo Ríos y Nicolás Navarro, cometieron sendos autogoles. El marcador final fue 5-3 favorable al Veracruz.

Exactamente seis meses después, el 26 de abril del 92, Navarro comenzó una racha de más de cien partidos consecutivos, y el día 29 terminó la que llevaba Hugo Pineda desde el año 89, que quedó en 103 juegos seguidos, todos completos. En ese lapso el arquero de los *Leones Negros* recibió 133 goles (promedio: 1.29).

La corta carrera en Primera División del arquero Hugo Guerrero terminó el 10 de noviembre del 91, cuando custodió la portería veracruzana en Toluca. Jugó un año con la UdeG y dos con los *Tiburones*. Admitió 47 tantos en 41 partidos (con un promedio de 1.15) y con los *Leones* fue subcampeón de Copa.

Mucho más larga fue la trayectoria de Víctor Manuel Aguado, quien alineó por última vez el 1 de marzo de 1992 (Santos perdió en Querétaro por 0-2). Vistió cuatro años la camiseta del León, dos la de los *Tigres*, dos la de UdeG y este año jugó con el Santos. Fue subcampeón de Liga y monarca copero con los *Leones Negros*. Acumuló 183 partidos y 239 goles, quedando su promedio en 1.31. En la historia del León figura como el portero líder en penaltis atajados con siete.

Gran trabajo de La Volpe y de Bracamontes

El Morelia repitió sus números de triunfos, empates y reveses del campeonato anterior pero ahora no le alcanzaron para clasificar a la liguilla, ni siquiera mediante el novedoso repechaje. El equipo de Carbajal quedó cuarto en su grupo y decimoquinto en la tabla general.

Otro ex portero, Jesús Bracamontes, hizo un buen papel como técnico del Guadalajara. Aunque empataron muchos juegos, las *Chivas* solamente sufrieron seis derrotas, todas en campo ajeno. El único otro equipo que no perdió en su casa fue el León. El Guadalajara fue líder de su grupo y en la clasificación general sólo lo superaron el Atlante y el Necaxa.

Al equipo azulgrana, el súper líder del torneo, lo dirigió Ricardo La Volpe. En su reaparición en el máximo circuito, el Atlante hizo una formidable primera vuelta en la que solamente perdió una vez y logró una racha de 15 juegos consecutivos invicto.

Poblete acaba con la racha del Necaxa

Las series Cruz Azul-América y *Correcaminos*-Veracruz inauguraron la fase de repechaje o pre liguilla. Con una goleada de 4-0 en el primer partido los *Cementeros* prácticamente aseguraron la calificación. En el segundo ganó el América por sólo 2-0 y quedó fuera. En la otra serie el Veracruz calificó con un marcador global de 4-3.

En dos emotivos y dramáticos partidos el Cruz Azul eliminó al Atlante en cuartos de final porque anotó un

gol de visitante más. El cuadro de La Volpe ganó 3-1 en el Azteca y los *Cementeros* 4-2 en el Azulgrana.

Con dos victorias mínimas de 1-0 el León dejó fuera a los *Pumas*, el Necaxa llegó a 19 juegos seguidos sin perder tras empatar a 2 en Veracruz y arponear al tiburón en México por cuatro a cero, y el Puebla, en su novena liguilla consecutiva, despachó a las *Chivas* con global de 4-3.

La racha invicta del Necaxa terminó en Puebla en el primer juego de semifinales. Un partido en el que Carlos Poblete no sólo perforó tres veces la meta de Nicolás Navarro sino que —por la expulsión de Larios— jugó de portero los últimos 13 minutos sin permitir el gol que el Necaxa necesitaba para empatar. El Puebla ganó 3-2 y la racha de Larios de juegos seguidos completos quedó en 123. Sin embargo, como no lo suspendieron, pudo seguir jugando y alargar su cadena de partidos consecutivos.

El marcador de 0-0 en el Azteca le dio al equipo de la franja el pase a la final, mientras que en la otra semifinal, al Cruz Azul ahora le tocó perder por el criterio del mayor valor de los goles de visitante, ya que no anotó en el Nou Camp, donde perdió 0-2, y el León metió uno en el Azteca, donde Cruz Azul ganó 3-1.

Se corona el León en tiempo extra

Pablo Larios y Marco Antonio Ferreira se mantuvieron imbatidos tanto en el primer encuentro de la final, el 4 de junio en Puebla, como en el segundo, el día 7 en León. El campeonato se decidió en los 30 minutos extra por una anotación de Carlos Turrubiates, defensa leonés, y un autogol de Roberto Ruiz Esparza, defensor poblano. Así, con la dirección técnica de Víctor Manuel Vucetich, los *Panzas Verdes* ganaron su quinto título de Liga y el primero desde 1956.

En este año tampoco hubo juego de Campeón de Campeones.

Mientras tanto, en la Segunda División el Pachuca volvió a disputar una larga final con tiempos extra y muchos penaltis como la del año anterior con el Atlante, pero esta vez sí logró el triunfo. Su rival fue el Zacatepec. Cada equipo ganó como local por un gol de diferencia, nadie anotó en el tiempo extra, y después de tirarse 24 penaltis se coronó el Pachuca por 11 a 10.

Tres empates en la Olimpiada

Miguel de Jesús Fuentes, Alejandro Herrera y José Alberto Guadarrama fueron los porteros que utilizó la Selección Olímpica en el torneo final clasificatorio para Barcelona-92. Fuentes actuó en las dos derrotas que México sufrió ante Estados Unidos (1-2 de local y 0-3); Herrera participó en los juegos contra Canadá (1-1 de visita y 4-1); y Guadarrama jugó los dos partidos contra Honduras (3-1 en Tegucigalpa y 5-1 en México) en los que se consiguió el boleto para la Olimpiada.

Aunque no perdió ningún juego, la Selección Mexicana, al mando del argentino Cayetano Rodríguez, no consiguió avanzar a la siguiente fase del torneo olímpico porque tampoco ganó ningún partido. Con Guadarrama en la meta, se enfrentó a Dinamarca, Australia y Ghana y con los tres empató a un gol.

Campos llega a la Selección

En noviembre del 91 la Selección mayor estrenó director técnico y portero. El argentino César Luis Menotti tomó el mando del equipo y de inmediato convocó a Jorge Campos. Ambos debutaron en un amistoso contra la Selección Uruguaya en Veracruz, juego que terminó empatado a un gol.

En los siguientes partidos, todos amistosos, contra Costa Rica en Los Ángeles (1-1), Hungría en León (3-0) y República de Rusia en México y Tampico (4-0 y 1-1) Menotti continuó alineando a Campos.

En España Hugo Sánchez reapareció a media temporada. Solamente jugó ocho partidos y marcó dos goles. Fue su último año con el Real Madrid. El "pentapichichi" anunció su regreso al futbol mexicano para jugar con el América en el campeonato 92-93.

Para el anecdotario queda que, con un mes de diferencia, Víctor Manuel Aguado y Ricardo La Volpe fueron asaltados en Torreón y en la ciudad de México, respectivamente, y despojados de sus vehículos.

Nómina de porteros

América	Adrián Chávez y Alejandro García
Atlante	Eduardo Fernández y Félix Fernández
Atlas	Robert Dante Siboldi y Alejandro Herrera
Cobras	Alan Cruz y Jorge Luis Núñez
Correcaminos	Adrián Marmolejo y Jorge Miranda
Cruz Azul	Alberto Aguilar, Olaf Heredia y José Alberto Guadarrama
Guadalajara	Javier Ledesma y José Luis López
León	Marco Antonio Ferreira, Leonel Ortiz y Alejandro Murillo Kuri
Monterrey	Tirso Carpizo y Héctor Quintero
Morelia	José Letelier y Fernando Piña
Necaxa	Nicolás Navarro y Arturo Báez
Puebla	Pablo Larios
Querétaro	Gustavo Moriconi y Fernando Palomeque
Santos	Allan Adams y Víctor Manuel Aguado
Tigres	Alejandro Lanari y Juan Ignacio Palou
Toluca	Juan Gutiérrez y Ricardo Martínez
UAG	Carlos Briones y Javier Barajas
UdeG	Hugo Pineda y Javier Quintero Monsiváis
UNAM	Jorge Campos y Sergio Bernal
Veracruz	Adolfo Ríos y Hugo Guerrero

Más juegos (J)

Pablo Larios (Puebla)	38
Gustavo Moriconi (Querétaro)	38
Carlos Briones (UAG)	38
Eduardo Fernández (Atlante)	37
Robert Dante Siboldi (Atlas)	37
Alan Cruz (Cobras)	37
Javier Ledesma (Guadalajara)	37
Nicolás Navarro (Necaxa)	37
Adolfo Ríos (Veracruz)	37

Más juegos completos

Pablo Larios (Puebla)	38
Robert Dante Siboldi (Atlas)	37
Javier Ledesma (Guadalajara)	37
Nicolás Navarro (Necaxa)	37
Gustavo Moriconi (Querétaro)	37
Carlos Briones (UAG)	37
Adolfo Ríos (Veracruz)	37
Eduardo Fernández (Atlante)	36
Alan Cruz (Cobras)	36
Hugo Pineda (UdeG)	36

Más goles (g)

Hugo Pineda (UdeG)	58
Alan Cruz (Cobras)	54
Gustavo Moriconi (Querétaro)	49
Carlos Briones (UAG)	46
Nicolás Navarro (Necaxa)	44
Eduardo Fernández (Atlante)	44

Más bajo g/j (mínimo 20 juegos)

Javier Ledesma (Guadalajara)	0.84
Marco Antonio Ferreira (León)	0.91
Adrián Chávez (América)	0.92
Juan Gutiérrez (Toluca)	0.93
Jorge Campos (UNAM)	0.97
Tirso Carpizo (Monterrey)	1.00

Más goles en un juego

Alejandro García (América)	5 (2 veces)
Alan Cruz (Cobras)	5
Jorge Luis Núñez (Cobras)	5
Tirso Carpizo (Monterrey)	5
José Letelier (Morelia)	5
Nicolás Navarro (Necaxa)	5
Hugo Pineda (UdeG)	5

Penaltis detenidos

Adolfo Ríos (Veracruz)	2
Eduardo Fernández (Atlante)	1
Alejandro Herrera (Atlas)	1
Alan Cruz (Cobras)	1
Adrián Marmolejo (Correcaminos)	1
Javier Ledesma (Guadalajara)	1
Marco Antonio Ferreira (León)	1
Pablo Larios (Puebla)	1
Gustavo Moriconi (Querétaro)	1
Ricardo Martínez (Toluca)	1
Hugo Pineda (UdeG)	1

Expulsados

Tirso Carpizo (Monterrey) (3 veces)
Eduardo Fernández (Atlante)
Alan Cruz (Cobras)
Leonel Ortiz (León)
Fernando Piña (Morelia)
Víctor Manuel Aguado (Santos)
Alejandro Lanari (Tigres)
Jorge Campos (UNAM)

LIGUILLA

Más juegos	Olaf Heredia (Cruz Azul), Marco Antonio Ferreira (León) y Pablo Larios (Puebla)	6
Más juegos completos	Olaf Heredia (Cruz Azul) y Marco Antonio Ferreira (León)	6
Más goles	Olaf Heredia (Cruz Azul)	10
Más bajo G/J	Marco Antonio Ferreira (León)	0.50
Más goles en un juego	Adrián Chávez (América), Eduardo Fernández (Atlante), Jorge Miranda (Correcaminos) y Adolfo Ríos (Veracruz)	4
Penaltis detenidos	Adrián Chávez (América)	1
Expulsados	Adrián Chávez (América) y Pablo Larios (Puebla)	

92-93
Exitoso debut de México en la Copa América

La Selección consiguió la clasificación para la Copa del Mundo, ganó la Copa de Oro y en su debut en la Copa América conquistó el subcampeonato. Después de 46 años el Atlante volvió a ganar la Liga. Nuevamente se suspendió el torneo copero. El América y el Monterrey ganaron títulos de Concacaf. Marco Antonio Ferreira fue el único portero que promedió menos de un gol por juego. Dos meses después de inaugurar su estadio, el Pachuca descendió a Segunda División. Ivo Basay se convirtió en el primer chileno que se proclama campeón de goleo en México. La Federación Internacional de Historia y Estadísticas del Futbol clasificó a Jorge Campos como tercer portero del mundo. Subió el equipo de la Universidad Tecnológica de Neza, que cambió su nombre a "Toros Neza". Al Puebla le clausuraron su estadio y tuvo que peregrinar por el país para efectuar algunos de sus partidos de local. En el Mundial Juvenil Inglaterra eliminó a México en cuartos de final por penaltis.

Campos se consolida en la Selección

De julio de 1992 a julio de 1993 la Selección Nacional jugó cerca de cuarenta partidos, alineando casi siempre a Jorge Campos, y en ese lapso logró el boleto para el Mundial de Estados Unidos-94, fue la agradable sorpresa de la Copa América donde perdió la final con Argentina, y ganó en forma invicta la Copa de Oro.

En preparación para la eliminatoria mundialista sostuvo varios juegos amistosos en los que escasearon los resultados positivos. Tras derrotar a domicilio a la selección salvadoreña por 2-1, sufrió una goliza de 0-5 ante Brasil en Los Ángeles, y en esta misma ciudad empató sin goles con Colombia. Desde la goleada contra Italia en 1984 México no había recibido cinco anotaciones en un juego.

Después realizó dos giras por Europa en agosto y octubre. Perdió con Rusia (0-2), empató con Bulgaria (1-1), cayó con Rumania (0-2), igualó con Alemania (1-1) -magnífico resultado- y sucumbió ante Croacia (0-3).

A fin de año se efectuó la primera fase de la eliminatoria, que para México, salvo una

derrota frente a Costa Rica, fue un paseo: 4-0 a San Vicente, 2-0 a Honduras, 4-0 sobre Costa Rica, 0-2 con los *Ticos*, maxi goleada de 11-0 (cuatro anotaciones de Carlos Hermosillo) en el segundo juego con los isleños de San Vicente y empate a uno con Honduras. Casi al final del primer partido contra Costa Rica fue expulsado Campos, supliéndolo el *Gallo* García, y en el siguiente juego con los *Ticos* debutó con la Selección Eduardo Fernández, quien también actuó en la paliza a San Vicente. Jorge Campos llevaba 17 partidos consecutivos con el Tri. Reapareció en el último juego con los hondureños.

Ocurrió entonces la renuncia de Menotti y el nuevo año 93 trajo para la Selección un nuevo timonel, Miguel Mejía Barón, quien mantuvo a Campos como titular y debutó con una derrota por 0-2 en Florencia ante la Selección de Italia y un empate a un tanto con la de España en Las Palmas.

El nuevo técnico consiguió su primer éxito al derrotar el Tri a Rumania en Monterrey por 2-0, partido en el que jugaron tanto Campos como el *Gallo* García.

Y en abril y mayo se efectuó el cuadrangular final a visita recíproca entre México, Canadá, Honduras y El Salvador por el pase al Mundial. Tras caer en San Salvador por 1-2, el equipo mexicano, siempre con Jorge Campos en el arco, recibió y venció a Honduras (3-0), se desquitó de El Salvador (3-1), goleó a Canadá en México (4-0) y a Honduras en Tegucigalpa (4-1), y consiguió la calificación derrotando a los canadienses en Toronto (2-1).

Un portero ruso en México

La Liga comenzó el 15 de agosto del 92 con varias novedades en la nómina de guardametas, entre ellas la llegada de dos extranjeros, un ruso (Viktor Derbounov) y un paraguayo (Rubén Ruiz Diaz), las reapariciones de Nacho Rodríguez (con *Tigres*), Celestino Morales (con *Tecos*) y Silvino Román (con Pachuca), el debut de Miguel de Jesús Fuentes y los cambios del *Zully* Ledesma (de *Chivas* a *Leones Negros*), Hugo Pineda (de UdeG al *Correcaminos*), Alberto Aguilar (del Cruz Azul al Morelia), Adrián Marmolejo (del *Correcaminos* al Santos), Héctor Quintero (del Monterrey al Veracruz), Juan Ignacio Palou (de los *Tigres* al Querétaro) y Eduardo Fernández (del Atlante al Morelia).

Derbounov, segundo arquero de la Selección de Rusia, debutó con el Atlas el 19 de septiembre en juego que los rojinegros empataron a cero con el Monterrey en el estadio Jalisco, y recibió su primer gol en nuestro país el 3 de octubre en el mismo escenario. Lo fusiló el uruguayo Santiago Ostolaza, del Querétaro.

En la primera fecha del campeonato el Atlas había debutado a Miguel de Jesús Fuentes, portero tapatío, mundialista juvenil en Portugal-91. Fue en un partido contra el Puebla que se jugó en León porque el estadio Cuauhtémoc había sido clausurado. Triunfó el Atlas por 4-1 y el brasileño Paulo César Silva venció por primera vez la meta de Fuentes.

Después llegó Derbounov y Fuentes fue a la banca, pero la estancia del ruso en el balompié mexicano fue muy corta, sólo diez juegos y catorce goles, y el juvenil se quedó con la titularidad del marco rojinegro.

Al guaraní Ruiz Díaz, apodado la *Bomba*, lo trajo el Monterrey y debutó el 26 de septiembre en un empate 0-0 entre los *Rayados* y los *Tecos* en el estadio Tecnológico. Una semana después Jorge Guerra, del Morelia, le metió en el estadio Morelos el primer gol al arquero paraguayo, que en las dos temporadas anteriores había defendido el marco del San Lorenzo en Argentina.

Martín Zúñiga, un portero tampiqueño que tendría una larga carrera, tuvo su debut en esta temporada. Los *Tigres* lo alinearon el 13 de marzo del 93 cuando recibieron y vencieron al Toluca por dos a cero. Fue la única actuación de Zúñiga. En el siguiente campeonato, el argentino Rubén Omar Romano, del Veracruz, anotó de penalti el primer gol en la cuenta del nuevo arquero.

Pachuca: 19 años para subir, uno para bajar

Al salir del Atlante Eduardo Fernández, su tocayo Félix recibió la oportunidad de ser titular, quedando como segundo arquero Alan Cruz, que había descendido con Cobras el año anterior.

Para cubrir la ausencia de Gustavo Moriconi, el Querétaro se llevó de los *Tigres* a Juan Ignacio Palou. El portero poblano fue titular toda la temporada pero en dos ocasiones recibió tarjeta roja. Una de sus expulsiones dio paso al debut de José Guadalupe Alonso, joven arque-

ro de 21 años, oriundo de Querétaro. Alonso entró por Palou cuando éste ya había recibido dos goles del Cruz Azul el 19 de diciembre en el Azteca. Los *Cementeros* se mostraron implacables con el bisoño portero anotándole cuatro tantos más, el primero de ellos, un penalti de José Manuel de la Torre.

Diecinueve años tardó el Pachuca para volver a Primera División. Con el equipo *tuzo* también reapareció en el máximo circuito el arquero Silvino Román para jugar su sexta y última temporada. Compartió la portería con Rolando Soto, otro reaparecido. Soto actuó con el Guadalajara en el torneo México-86 y después jugó en Segunda División. Él fue el héroe del Pachuca en la épica final contra el Zacatepec por el ascenso al anotar el penúltimo penalti de los *Tuzos* y detener el último de los *Cañeros*.

El Pachuca perdió 21 juegos y quedó en antepenúltimo lugar, pero su bajo promedio de 0.7105 puntos por partido determinó su rápido retorno a Segunda. Y el *Correcaminos*, equipo con la peor ofensiva al anotar únicamente 27 goles, se convirtió en el primer equipo colero que no descendió, porque su cociente, tomando en cuenta los últimos dos campeonatos y el presente, fue 0.8684. Para el Pachuca sólo contó este torneo.

Se despidieron los *Tuzos* el 1 de mayo del 93 recibiendo cuatro goles del Cruz Azul en el Azteca, ellos metieron dos. Este fue el último juego de Silvino Román, quien inició su carrera precisamente con el Cruz Azul diez años atrás. Jugó además tres temporadas con el Morelia y una con el Santos. En 81 partidos admitió 112 goles (1.38), tuvo par de rachas de cuatro juegos seguidos con meta invicta, una de ellas en esta temporada, y nunca fue expulsado.

Números casi iguales (81 juegos, 109 anotaciones y promedio de 1.35) tuvo José Luis López, el portero de las *Chivas* que jugó su última Liga en Primera División. En los años siguientes actuó en la división de ascenso. En total actuó tres años con el Toluca y tres con el Guadalajara. Nunca fue expulsado, y en su último partido recibió cuatro goles del Puebla en el estadio Cuauhtémoc el 7 de marzo del 93.

El cancerbero del Toluca, Ricardo Martínez, también consiguió en este campeonato ligar cuatro partidos consecutivos sin recibir gol.

Una de las 21 derrotas del Pachuca ocurrió durante la inauguración del nuevo estadio de la capital hidalguense el 14 de febrero del 93. Los *Tuzos* sucumbieron 0-2 ante los *Pumas* y Jorge Santillana marcó el primer gol.

143 juegos seguidos de Larios

Por primera vez desde el campeonato 88-89 la cantidad de goles rebasó la barrera de mil. Exactamente 1,010 anotaciones (y 53 en la liguilla) se repartieron los 45 porteros que tuvieron acción, de los cuales sólamente el del Necaxa, Nicolás Navarro, jugó todos los minutos de todos los partidos, y el del León, Marco Antonio Ferreira, fue el único que promedió menos de un gol por juego.

La racha de partidos consecutivos que traía Pablo Larios desde 1989 llegó a su fin, no por lesión o suspensión, sino porque fue convocado a la Selección para estar en la banca en el partido en Costa Rica de la eliminatoria mundialista.

Larios llegó a 143 juegos seguidos el 21 de noviembre del 92 (Puebla tres *Pumas* cero), de los cuales jugó completos 142. Es la segunda racha más larga de la historia, solamente superada por la del *Zully* Ledesma de 151. En ese lapso recibió 174 goles, es decir, 1.22 por partido.

La ausencia de Larios en la portería del Puebla fue cubierta por Ignacio Sánchez Barrera, joven arquero nacido en la Angelópolis, hijo de Ignacio Sánchez Carbajal, quien fue portero del equipo de la franja en los años setenta.

Con promedio de 0.94, Ferreira encabezó a los guardametas, seguido por Ruiz Díaz (1.04), Carlos Briones (1.05), Juan Gutiérrez (1.10) y Navarro (1.13). El arquero paraguayo del Monterrey fue el líder de penaltis detenidos con tres, seguido por el novato Fuentes, del Atlas, con dos, al igual que Adrián Chávez, quien atajó uno en la Liga y otro en la liguilla. El portero americanista fue protagonista de una anécdota. El 8 de noviembre en el partido contra el Querétaro ingresó a la cancha del estadio Azteca para jugar siete minutos como delantero.

En los partidos Veracruz-Santos y Monterrey-León, ambos de la segunda vuelta, los porteros Adolfo Ríos y Rubén Ruiz Díaz salieron de la cancha con conmoción cerebral. El arquero del Veracruz se repuso pronto y jugó el partido siguiente, pero el paraguayo no lo hizo hasta un mes después.

Durante el campeonato, Ríos y dos cancerberos más,

Celestino Morales y Jorge Campos, fueron suspendidos tres juegos cada uno.

Goleadas y goleadores

Adrián Marmolejo, Sergio Bernal, Nacho Palou y el mismo Larios fueron los porteros más goleados del torneo. El del Santos y el de *Pumas* admitieron 50 pepinos cada uno, Palou 49 y Larios 48.

Marmolejo recibió siete en un juego cuando el Santos visitó al León el 8 de noviembre y regresó a Torreón con una paliza de 1-7. Posteriormente, el 5 de diciembre en el Jalisco, el Atlas vapuleó a la UdeG por 7-0 anotando cuatro el brasileño Joao Vanderlei. Este fue el único juego en la carrera de Javier Ledesma en que el *Zully* permitió más de cinco horadaciones en su meta.

Otra gran goliza de este torneo fue el 6-0 de los *Pumas* a los *Tigres* en México el 6 de marzo del 93, partido en el que Jorge Santillana logró el cuadruplete de goles contra el arquero Ignacio Rodríguez.

En el cuadro de honor de los goleadores, que encabezó el chileno Ivo Basay, del Necaxa, con 27 anotaciones, solamente figuró un mexicano, el atlantista Luis Miguel Salvador, quien quedó en segundo lugar con 23 tantos. Enseguida el brasileño Milton Queiroz *Tita*, del León, que marcó 19; el argentino Jorge Comas, del Veracruz, con 18; otro *che*, Christian Domizzi, del Atlas, 17; y empatados con 16, Vanderlei y el ghanés (segundo africano en la historia del futbol mexicano) Isaac Ayipey, del León.

Cabe señalar que Basay pudo haber logrado 30 anotaciones si no hubiera fallado tres penaltis. En cambio, Salvador marcó prácticamente la mitad de sus goles con disparos desde los once metros.

Los porteros más batidos por el romperredes Basay fueron Félix Fernández con cinco goles, Miguel de Jesús Fuentes con cuatro y Adrián Marmolejo tres.

Títulos de Concacaf para el América y el Monterrey

Antes de que comenzara el campeonato las autoridades municipales de Puebla clausuraron el estadio Cuauhtémoc por un adeudo de la directiva del equipo con el Ayuntamiento. Así que el conjunto de la franja jugó sus primeros dos partidos de local en el Nou Camp de León, luego emigró a Hermosillo, a Ciudad Cooperativa Cruz Azul, a Veracruz y a Villahermosa, hasta que el equipo fue vendido, se acabó el problema y el estadio fue reabierto. En la capital de Tabasco disputó con el Colo Colo el primer juego por la Copa Interamericana. En este partido Marcelo Barticciotto fusiló tres veces a Larios y el equipo chileno terminó ganando 4-1. En Santiago el Colo Colo completó la obra con una victoria por 3 a 1 y se alzó con la Copa.

Mientras, en el torneo de Concacaf el América eliminó a los cuadros *gringos* Dallas Rockets y Black Hawks y al surinamés Robin Hood, y se coronó el 5 de enero del 93 venciendo 1-0 al Alajuelense en San José California. En este cuarto título regional de las *Águilas*, el *Gallo* García jugó todos los partidos.

Y en el otro certamen de Concacaf, el de Recopa, el Monterrey con Tirso Carpizo en el arco y con un gol de oro al minuto dos de tiempo extra eliminó al US Robert, de Martinica, y pasó a la fase final. Ésta se efectuó en Los Ángeles en julio del 93. Para entonces los *Rayados* eran los subcampeones de México tras perder la final con el Atlante. Monterrey, ya con la *Bomba* Ruiz Díaz en la portería, empató 1-1 con el Real España de Honduras, derrotó 2-0 al Suchitepequez de Guatemala y se coronó al vencer 4-3 al Luis Ángel Firpo de El Salvador.

Dirigen cinco ex porteros y uno gana el Campeonato

Dos ex porteros entrenadores que llevaban muchos años sin dirigir en Primera División, como Enrique Meza y Roberto Silva, reaparecieron en esta temporada. El *Ojitos* tomó el mando del Cruz Azul en la jornada 18 y Silva se hizo cargo del Toluca en la fecha 30. Meza clasificó a los *Cementeros* a la liguilla como líderes de su grupo pero no pasó de la fase de cuartos de final. Cuando Silva llegó al Toluca, éste llevaba doce juegos sin ganar. La racha se alargó a quince, pero el cuadro rojo terminó el campeonato ganando cuatro de sus últimos seis partidos.

En la fecha 31 terminó la era de Jesús Bracamontes con el Guadalajara. Las *Chivas* solamente habían ganado dos de sus últimos 12 encuentros. Predominaron los

empates en los números de Bracamontes en dos años con el equipo tapatío: 23 triunfos, 20 reveses y 28 juegos sin vencedor.

Para Antonio Carbajal esta temporada del Morelia fue para olvidar. Simplemente la peor del equipo michoacano bajo la dirección de la *Tota*. Sólo ganó ocho juegos, fue colero de su grupo y el equipo más goleado del torneo con 61 tantos. Como detalle curioso, dos de estas anotaciones fueron sendos autogoles de los tocayos Francisco Javier Garay y Francisco Javier Gómez en el partido que el Morelia perdió en Pachuca por 1-3 el 28 de marzo, y de los cuales fue víctima el portero Eduardo Fernández.

Ricardo La Volpe continuó dirigiendo al Atlante. Tras una mediocre campaña, con el equipo a media tabla general pero líder de su grupo, los azulgranas se agigantaron en la liguilla hasta coronarse, apenas por segunda vez en su historia.

El décimo lugar fue campeón

Carlos Briones y Celestino Morales se combinaron con su defensiva para hacer de *Tecos* el equipo menos goleado del campeonato con 32 tantos en contra. El campeón de goleo y además súper líder fue el Necaxa. Los rojiblancos anotaron 76 goles, ganaron 23 juegos, no perdieron en casa y sumaron 54 puntos. Sin embargo, fueron las primeras víctimas del Atlante en la liguilla (2-4 en el Azulgrana y 0-1 en el Azteca) para sumarse a la lista de súper líderes fracasados.

En los repechajes los *Tecos* superaron al Veracruz y los *Tigres* —gracias a un gol de visitante— a los *Pumas*. Pero tanto la UAG como el Universitario de Nuevo León fueron eliminados en cuartos de final por el Monterrey y el León, respectivamente. En la otra serie de esta fase el América pasó sobre el Cruz Azul por global de 6 a 4. Sin embargo, la *Bomba* Ruiz Díaz y el Monterrey silenciaron a la artillería de las *Águilas*, y con un solitario gol en 180 minutos eliminaron al América en una de las semifinales. En la otra el Atlante, no obstante que en casa sólo empató a uno, se deshizo del León al batirlo en su cubil por 3-1.

El 26 y 29 de mayo fueron las fechas de la final. El equipo azulgrana jugó su partido de local en el estadio Azteca. Apenas al minuto seis el cuadro de La Volpe sufrió la expulsión de su portero Félix Fernández. Su sustituto, Alan Cruz, tuvo un buen desempeño no permitiendo ningún daño a su cabaña, y Daniel Guzmán anotó el único gol del partido.

Con esa ventaja mínima el Atlante viajó a Monterrey al juego decisivo. Reapareció Félix porque no fue suspendido, y mantuvo impenetrable la portería azulgrana mientras los goles de Wilson Graniolatti y el *Travieso* Guzmán (2) contra Ruiz Díaz sepultaban a los *Rayados*. Así, con marcador global de 4-0 el Atlante levantó la Copa.

México, subcampeón de la Copa América

En marzo de 1993 se efectuó en Australia el campeonato mundial juvenil. México (director técnico: Juan de Dios Castillo), aunque perdió con Brasil por 1-2, pasó a cuartos de final merced a sus victorias sobre Noruega (3-0) y Arabia Saudita (2-1). Le tocó como rival la selección inglesa. El marcador de 0-0 se mantuvo en los tiempos extra. Finalmente Inglaterra ganó en penaltis 4-3. El portero de México en todos los juegos fue un tapatío de 19 años llamado Oswaldo Sánchez.

Terminada la Liga, se puso nuevamente en pie la Selección Nacional para afrontar la Copa de Oro y su debut en la Copa América (torneo que anteriormente se llamaba: campeonato sudamericano), a la cual fue invitado nuestro balompié.

Antes de viajar a Ecuador al certamen sudamericano, la Selección derrotó 3-1 a Paraguay en el Azteca, un partido en el que Jorge Campos actuó de portero en el primer tiempo y de delantero en el segundo. El *Gallo* García custodió la meta en la segunda parte y permitió el gol guaraní.

En la Copa América, Campos, clasificado por la Federación Internacional de Historia y Estadísticas del Futbol como el tercer mejor portero del mundo, jugó todos los minutos de los seis partidos de México.

La actuación de la Selección fue de menos a más hasta llegar sorpresivamente a la final. Empezó perdiendo 1-2 con Colombia con un misterioso apagón y un gol "fantasma", luego dio un gran partido contra Argentina empatando a uno, y calificó apuradamente al igualar a cero con Bolivia. Pero en cuartos de final arrolló a Perú

por 4 a 2 y en semifinales dobló al anfitrión Ecuador por 2-0.

En la final se volvió a enfrentar a Argentina. Partido vibrante y parejo. Benjamín Galindo marcó de penalti. La potencia de Gabriel Batistuta decidió el cotejo. Los *ches* lograron la victoria (2-1) y se proclamaron campeones.

HISTÓRICA GOLEADA DE ZAGUE

Una semana después comenzó la Copa de Oro. Se jugó en Dallas y en la ciudad de México. El Tri debutó metiéndole nueve goles a la Selección de Martinica. El gran verdugo del portero Marc Lagier fue Luis Roberto Alves, quien se cansó de anotar hasta sumar siete pepinos.

Tras un insípido empate 1-1 con Costa Rica, volvieron las goleadas: 8-0 a Canadá, 6-1 a Jamaica y 4-0 a Estados Unidos en la final. Total, 28 goles en cinco juegos; once anotaciones de *Zague*.

En los partidos contra Martinica, Canadá y Jamaica se repitieron los movimientos realizados en aquel amistoso contra Paraguay, es decir, el ingreso del *Gallo* García a la portería mientras Campos pasaba a la delantera.

BUEN DEBUT DE LUIS GARCÍA EN ESPAÑA

En su primera temporada en España Luis García jugó 29 partidos con el Atlético de Madrid, anotó 17 goles y quedó quinto en la lista de los romperredes. El brasileño *Bebeto*, quien algunos años después vendría a jugar a México, fue el *Pichichi* con 29 anotaciones.

La broma del año fue por cortesía de la Federación Mexicana de Futbol. A Jorge Campos, que únicamente jugó dos partidos con los *Pumas* en el campeonato, lo premiaron como el mejor portero del torneo...

NÓMINA DE PORTEROS

América	Alejandro García y Adrián Chávez
Atlante	Félix Fernández y Alan Cruz
Atlas	Miguel de Jesús Fuentes y Viktor Derbounov
Correcaminos	Hugo Pineda, Jorge Miranda y Jesús Alfaro
Cruz Azul	Olaf Heredia y José Alberto Guadarrama
Guadalajara	José Luis López y Alejandro Herrera
León	Marco Antonio Ferreira y Adrián Martínez
Monterrey	Rubén Ruiz Díaz y Tirso Carpizo
Morelia	Alberto Aguilar y Eduardo Fernández
Necaxa	Nicolás Navarro
Pachuca	Silvino Román y Rolando Soto
Puebla	Pablo Larios e Ignacio Sánchez Barrera
Querétaro	Juan Ignacio Palou, José Guadalupe Alonso, Javier Castellanos y Jorge Valverde
Santos	Adrián Marmolejo, José Luis Miranda y Heriberto López
Tigres	Ignacio Rodríguez, Alejandro Lanari y Martín Zúñiga
Toluca	Juan Gutiérrez y Ricardo Martínez
UAG	Carlos Briones y Celestino Morales
UdeG	Javier Ledesma y Javier Quintero Monsiváis
UNAM	Sergio Bernal, Jorge Campos y Rafael Calderón
Veracruz	Adolfo Ríos y Héctor Quintero

Más juegos (j)

Nicolás Navarro (Necaxa)	38
Juan Ignacio Palou (Querétaro)	37
Olaf Heredia (Cruz Azul)	36
Sergio Bernal (UNAM)	36
Marco Antonio Ferreira (León)	33
Pablo Larios (Puebla)	33
Adrián Marmolejo (Santos)	33

Más juegos completos

Nicolás Navarro (Necaxa)	38
Olaf Heredia (Cruz Azul)	36
Juan Ignacio Palou (Querétaro)	34
Sergio Bernal (UNAM)	34
Pablo Larios (Puebla)	32
Adrián Marmolejo (Santos)	32

Más goles (g)

Adrián Marmolejo (Santos)	50
Sergio Bernal (UNAM)	50
Juan Ignacio Palou (Querétaro)	49
Pablo Larios (Puebla)	48
José Luis López (Guadalajara)	44
Alberto Aguilar (Morelia)	44

Más bajo g/j (mínimo 20 juegos)

Marco Antonio Ferreira (León)	0.94
Rubén Ruiz Díaz (Monterrey)	1.04
Carlos Briones (UAG)	1.05
Juan Gutiérrez (Toluca)	1.10
Nicolás Navarro (Necaxa)	1.13
Olaf Heredia (Cruz Azul)	1.17

Más goles en un juego

Javier Ledesma (UdeG)	7
Adrián Marmolejo (Santos)	7
Ignacio Rodríguez (*Tigres*)	6
Alejandro García (América)	5
Miguel de Jesús Fuentes (Atlas)	5
José Luis López (Guadalajara)	5
Alberto Aguilar (Morelia)	5 (2 veces)
Rolando Soto (Pachuca)	5
Juan Ignacio Palou (Querétaro)	5
Carlos Briones (UAG)	5
Javier Ledesma (UdeG)	5
Héctor Quintero (Veracruz)	5

Penaltis detenidos

Rubén Ruiz Díaz (Monterrey)	3
Miguel de Jesús Fuentes (Atlas)	2
Alejandro García (América)	1
Adrián Chávez (América)	1
Alan Cruz (Atlante)	1
Félix Fernández (Atlante)	1
Hugo Pineda (Correcaminos)	1
José Luis López (Guadalajara)	1
Alejandro Herrera (Guadalajara)	1
Nicolás Navarro (Necaxa)	1
Juan Ignacio Palou (Querétaro)	1
Javier Ledesma (UdeG)	1
Héctor Quintero (Veracruz)	1

Expulsados

Alejandro García (América) (2 veces)
Juan Ignacio Palou (Querétaro) (2 veces)
Marco Antonio Ferreira (León)
Eduardo Fernández (Morelia)
Pablo Larios (Puebla)
Javier Ledesma (UdeG)
Sergio Bernal (UNAM)
Adolfo Ríos (Veracruz)

LIGUILLA

Más juegos	Félix Fernández (Atlante) y Rubén Ruiz Díaz (Monterrey)	6
Más juegos completos	Rubén Ruiz Díaz (Monterrey)	6
Más goles	Ignacio Rodríguez (Tigres)	10
Más bajo G/J	Félix Fernández (Atlante)	0.67
Más goles en un juego	Ignacio Rodríguez (Tigres) (2 veces), Adrián Chávez (América) y Nicolás Navarro (Necaxa)	4
Penaltis detenidos	Adrián Chávez (América)	1
Expulsados	Félix Fernández (Atlante)	

93-94
Los *Tecos* hacen historia

Los Tecos *de la Universidad Autónoma de Guadalajara derrotaron al Santos en una final con tiempos extra y se convirtieron en el primer equipo que ha sido campeón en Tercera, Segunda y Primera Divisiones. Su portero, Alan Cruz, fue el más eficaz e impuso un récord de imbatibilidad. La Selección Nacional clasificó por primera vez a octavos de final en una Copa del Mundo efectuada en el extranjero, pero tres penaltis fallados le impidieron trascender. En el Mundial Sub-17 México no pasó de la primera ronda. Debutaron Oswaldo Sánchez y Óscar Pérez, futuros porteros mundialistas, y se retiró Javier Ledesma, uno de los mejores arqueros mexicanos de todos los tiempos. Descendió el Querétaro y regresó al máximo circuito el Tampico-Madero. Última temporada de la UdeG, equipo condenado a desaparecer. La Federación compró la franquicia para reducir el número de equipos en el próximo campeonato. Murieron los* Leones Negros *sin poder ganar ninguno de sus últimos 17 juegos. Carlos Hermosillo encabezó a los romperredes y Luis Miguel Salvador repitió como sublíder de goleo. Se estableció la marca de 13 guardametas expulsados.*

Sin perder, el León quedó subcampeón de Concacaf

Preparándose para el campeonato, algunos equipos jugaron partidos amistosos en el extranjero, como el Atlas que cayó 0-3 ante la Selección de Paraguay en Asunción; el Santos disputó tres juegos en Chile; el Necaxa participó en un torneo en Shangai en el que obtuvo un triunfo y dos empates contra equipos de China y Ghana; y el América sucumbió por 3-4 frente al São Paulo en Los Ángeles.

Otros, como el León y el Puebla, sostuvieron sus primeros partidos del torneo de la Concacaf. Los *Panzas Verdes* eliminaron al cuadro hondureño Real España (0-0 y 4-0) y a los *ticos* del Alajuelense (0-0 y 2-1) y clasificaron al cuadrangular final que se realizó en Guatemala en diciembre. En cambio, el Puebla no pasó de la primera ronda al sucumbir en penaltis por 5-6 ante el Saprissa luego de empatar a un gol en San José y a cero en Puebla. En estos partidos el equipo de la franja utilizó a su portero titular, Pablo Larios, mientras que el León alineó a

Adrián Martínez, su segundo arquero. En la fase final del torneo en Guatemala, el León empató 2-2 con el Saprissa y, ya con Marco Antonio Ferreira en el arco, goleó 4-0 al Robin Hood e igualó 0-0 con el Municipal. Como el Saprissa aplastó por 9 a 1 al Robin, los *ticos* superaron por diferencia de goles al León y se alzaron con la corona.

Y casi al mismo tiempo que concluía un torneo comenzaba el siguiente de Concacaf, en el que tomaron parte el Atlante y el Monterrey. Los azulgranas superaron la primera fase con par de triunfos sobre el Luis Ángel Firpo: 4-1 en San Salvador y 2-1 en Hermosillo, pero los *Rayados* fueron eliminados por el Petrotela, de Honduras: 1-4 en San Pedro Sula, partido en el que fue expulsado el portero Carpizo, y 3-2 en la Sultana, con Rubén Ruiz Díaz en el arco regiomontano.

Posteriormente el Atlante eliminó al Herediano de Costa Rica (3-3 y 3-1) y clasificó a la fase final, programada para el mes de febrero de 1995. En los cuatro partidos la meta azulgrana estuvo al cuidado de Félix Fernández. Poco antes el guardameta atlantista había sido la víctima de un "bromista". Había terminado un juego contra los *Pumas* en cu, que ganó el Atlante 4-3, cuando un aficionado se le acercó y le regaló una caja. Al abrirla Félix, le estalló en la cara un cohete que le produjo una lesión en el ojo derecho.

Regresa Siboldi y debuta Cristante

La Liga comenzó el 13 de agosto del 93. Unos días antes estuvo en México el Atlético de Madrid con Luis García. Los *Colchoneros* vencieron 3-2 a la Selección en el Azteca con par de goles del delantero mexicano, sucumbieron 2-3 en Veracruz, derrotaron al Monterrey por 1-0 en la Sultana y se despidieron con una derrota ante el Cruz Azul por 2-3 en Villahermosa.

El recién ascendido equipo Toros Neza tuvo problemas para efectuar sus partidos de local porque el estadio Neza-86, dañado por el terremoto de 1985, no fue autorizado por el gobierno mexiquense. Solamente jugó un partido allí, otro en el estadio de los *Pumas*, y terminó por irse al Hidalgo, el nuevo estadio de Pachuca, además de perder un partido en la mesa, contra el Santos, por pretender jugar en el coso prohibido.

Por cierto que el Toros Neza tuvo un estruendoso debut en Primera División al derrotar por 3 a 2 al América en el estadio Azteca. En este partido debutó en México el portero suizo Jorge Stiel, uno de los refuerzos que consiguió el equipo mexiquense. Stiel, a quien el brasileño Antonio Carlos Santos le clavó su primer gol en nuestro país, fue uno de los seis arqueros extranjeros que tuvieron acción en el campeonato. Cabe apuntar que varios años después, en 2004, Stiel fue el portero de la Selección de Suiza que jugó la Eurocopa de Portugal.

Después de un año de ausencia, volvieron al futbol mexicano Robert Dante Siboldi, con el Cruz Azul, y Gustavo Moriconi, con el Querétaro, y el 2 de octubre el uruguayo Siboldi comenzó una larga racha de más de 100 juegos consecutivos. Moriconi participó en una docena de partidos y cerró su carrera en México. Tras jugar dos torneos con el Monterrey y dos con el Querétaro en los que sumó 127 juegos y admitió 166 goles (promedio: 1.31), alineó por última vez el 9 de enero del 94 en una derrota del Querétaro ante los *Tecos* por 1-2.

Alejandro Lanari jugó su tercera y última temporada con los *Tigres* y Rubén Ruiz Díaz la segunda con el Monterrey, de modo que el sexto guardameta extranjero fue una cara nueva, el argentino Hernán Cristante, quien llegó al Toluca proveniente del Gimnasia y Esgrima. Su debut se retrasó varios meses porque tras su llegada a México en julio, estuvo jugando con el equipo filial de Tercera División del Toluca y en un partido sufrió una grave lesión en la cara. Fue el 9 de febrero del 94 cuando por fin se presentó con los *Diablos*. Partido efectuado en Puebla y ganado cómodamente por el Toluca por cuatro a cero. Cuatro días después en la *Bombonera*, Cristante recibió su primera anotación en México. Fue un gol de penalti que le anotó Alberto García Aspe en el empate 1-1 del Toluca y el Necaxa.

Presentación de Oswaldo y del *Conejo*

Entre los porteros mexicanos debutantes sobresalen los nombres de Óscar Pérez y Oswaldo Sánchez. El primero, apodado *Conejo*, oriundo del Distrito Federal y con 20 años de edad, se presentó con el Cruz Azul el 21 de agosto en el estadio Azteca. Los *Cementeros* se enfrentaban al Atlas y el debut del *Conejo* ocurrió porque durante el partido el arquero Guadarrama se lesionó el codo. El

juego quedó 0-0. Una semana después Cruz Azul visitó a los *Tecos* y en este partido Jorge Gabrich abrió la cuenta de goles de Pérez.

A Oswaldo, también de 20 años pero oriundo de Guadalajara, lo debutó el argentino Marcelo Bielsa, director técnico del Atlas, el 30 de octubre cuando los rojinegros visitaron al Veracruz. Sánchez entró de cambio por Miguel de Jesús Fuentes y recibió un gol de Alberto Durán. Empatado a uno terminó el primer juego de Oswaldo.

En este campeonato también se registró el debut de Isaac Mizrahi, un portero que jugaría con varios equipos pero siempre como suplente, y luego se convertiría en director técnico. El 16 de marzo del 94 el Atlante visitó al *Correcaminos*. Como el arquero azulgrana Félix Fernández fue expulsado, ingresó Mizrahi y recibió dos goles, pero el Atlante ganó 3-2. Miguel Ángel Murillo fue el que "bautizó" al nuevo portero.

Última temporada del *Zully*

Los 48 porteros que participaron en el torneo encajaron 1,029 goles y 52 en la liguilla, repechaje incluido. Acumularon 13 expulsiones (una más en la liguilla), cantidad sin precedentes. Los que más contribuyeron a este récord fueron la *Bomba* Ruiz Díaz y José Luis Rodríguez, quienes recibieron dos tarjetas rojas cada uno. Con su expulsión en esta temporada, Hugo Pineda acumuló seis en su carrera, a diferencia de su padre quien en trece años sólo fue echado una vez. La sanción para Pineda fue una suspensión de tres juegos, igual lapso de inactividad que tuvo Ruiz Díaz por sus dos expulsiones.

A Javier Ledesma le mostraron la roja por quinta y última ocasión en su carrera cuando apenas llevaba 14 minutos en la cancha del estadio de cu. Había sustituido a Pineda, quien se lesionó al minuto 21. La expulsión del *Zully* ocurrió a los 35. Los *Pumas* ganaban 1-0 y Humberto Romero, un jugador de campo y además bajito de estatura, se colocó en la portería de los *Leones Negros*. Se auguraba una goleada para la UdeG, pero el improvisado arquero se desempeñó muy bien y en 55 minutos solamente recibió el segundo gol de los *Pumas*, que ganaron 2-0.

La brillante carrera de Javier Ledesma terminó esta temporada. Actuó por última vez el 19 de marzo del 94 en el estadio Tecnológico de Monterrey. Los *Rayados* derrotaron 3-0 a los *Leones Negros* en el adiós de uno de los mejores porteros mexicanos de todos los tiempos. Sus impresionantes estadísticas lo avalan: al recibir solamente 502 goles en 492 partidos logró un microscópico promedio de 1.02 tantos por juego (de los porteros con al menos 150 juegos, sólo Miguel Marín, Nacho Calderón y Héctor Zelada lograron promedios más pequeños); detuvo 17 de 69 penaltis que le tiraron; impuso el récord de jugar 151 partidos en forma consecutiva; sólo en tres juegos permitió más de cuatro goles en cada uno; en la historia del Guadalajara es el portero líder en juegos, juegos completos, goles y penaltis atajados.

Jugó doce torneos con las *Chivas*, dos con el Morelia y dos con la UdeG. Ganó un campeonato y dos subcampeonatos con las *Chivas*. Otro récord del *Zully*: siete temporadas con promedio de goles por partido inferior a uno.

Otro destacado guardameta mexicano también registró este año sus últimas actuaciones. A los 37 años de edad y luego de jugar tres años con el Zacatepec, uno con el Morelia, siete con el Atlante, tres con *Tigres* y un torneo de Copa con el Puebla, Ignacio Rodríguez alineó por última vez el 4 de septiembre del 93 en el empate 2-2 entre *Tigres* y *Correcaminos*. Acumuló 380 partidos y 483 goles para promedio de 1.27. Detuvo 6 penaltis, ganó un torneo de la Concacaf con el Atlante, equipo con el que jugó 94 partidos consecutivos entre los años 85 y 88, y antes con el Zacatepec había logrado una racha de 60 juegos seguidos.

Alejandro Lanari, el arquero argentino de los *Tigres*, jugó su tercera y última temporada en México. Dijo adiós en el partido entre *Tigres* y Necaxa en el Azteca el 3 de abril del 94 (última jornada), que ganó el cuadro rojiblanco por 2-1. Lanari regresó a su país para jugar con el Racing. Aquí dejo estos números: 72 juegos, 98 goles y promedio de 1.36.

736 minutos sin goles

Tras jugar en los últimos años con el Atlas, el Cruz Azul, el Querétaro y los *Tecos*, Celestino Morales retornó esta temporada al Guadalajara para ser el suplente de Eduardo Fernández, el nuevo portero de las *Chivas*, adquirido del

Morelia. El veterano Celestino sólo permitió tres goles en siete partidos y se lució con una racha de cuatro juegos al hilo sin gol en contra. En otros movimientos, Nacho Palou emigró de la portería del Querétaro a la banca del Puebla; Olaf Heredia pasó del Cruz Azul al Santos; Ricardo Martínez retornó al *Correcaminos* tras jugar dos años con el Toluca; Hugo Pineda regresó a los *Leones Negros*; y Alan Cruz pasó del Atlante a los *Tecos* para compartir con Carlos Briones la portería menos violada del torneo al recibir solamente 26 anotaciones, de las cuales Cruz permitió 15 en 21 partidos y Briones 11 en 17.

En la segunda vuelta Alan Cruz entró al libro de récords del futbol mexicano al empatar la marca de Nicolás Navarro de siete juegos consecutivos sin recibir gol e implantar el récord de imbatibilidad con 736 minutos sin anotación, hasta que un gol de Marco Antonio Figueroa, del Morelia, rompió el encanto el 16 de marzo. Durante la racha de Alan, los *Tecos* ganaron seis partidos (a Toluca, *Correcaminos*, Puebla, Necaxa, Veracruz y América) y empataron uno con el Atlas.

Con un promedio de 0.71 goles por juego, Alan Cruz fue el cancerbero más efectivo del campeonato, aunque no jugó en la liguilla. Juan Gutiérrez, Siboldi, Campos y Eduardo Fernández también pudieron presumir promedios inferiores a uno. El arquero del Toluca tuvo 0.85, el del Cruz Azul, 0.87, el de *Pumas*, 0.90 y el de las *Chivas*, 0.93.

A los 77 minutos del partido que los *Pumas* perdían en su campo ante el Atlas por 0-2 el 9 de enero, Jorge Campos y Eduardo Medina intercambiaron posiciones. Medina se fue a la portería y Campos al ataque. El cuadro universitario marcó un gol, que no fue suficiente para evitar la derrota.

Hermosillo se corona en la última jornada

Nicolás Navarro, único portero que jugó el campeonato completo, fue el tercer arquero más goleado al ser batido 52 veces. Lo superaron el del Veracruz, Adolfo Ríos, con 61 goles, y el suizo Stiel con 59, quien sufrió la mayor goleada del torneo el 9 de febrero del 94 cuando el Cruz Azul visitó al Toros Neza y lo llenó de cuero por 8-2 con sendos tripletes de Carlos Hermosillo y el *che* Julio Zamora.

Ese 9 de febrero también fue pesadillesco para el paraguayo Ruiz Díaz, quien encajó siete pepinos del Necaxa en el Azteca. El Monterrey perdió por 0-7, y once días después, en otra visita al "Coloso de Santa Úrsula", sufrió otra paliza, 0-6, cortesía del América. Esta goleada ya no la recibió Ruiz Díaz sino Tirso Carpizo.

El brasileño Ederval Lourenco *Tato*, de los *Leones Negros*, y Carlos Hermosillo anotaron cada uno cuatro goles en un juego. Los de *Tato* se registraron en el estadio Jalisco el 25 de septiembre y los del artillero cruzazulino el 5 de febrero en el Azteca. Los porteros bombardeados fueron respectivamente Jorge Stiel y Martín Zúñiga (*Tigres*).

Hermosillo y el azulgrana Luis Miguel Salvador llegaron a la última jornada del campeonato empatados en la cima de la tabla de goleo. A ambos les tocó jugar de visitantes. Carlos le metió dos al Monterrey y Luis Miguel sólo uno al León. Así, Hermosillo se coronó con 27 tantos y Salvador, con 26, volvió a quedar en segundo lugar, como en el campeonato pasado. Abajo de ellos, cuatro extranjeros: Germán Martelotto, argentino del América, con 20; Marco Antonio Figueroa, chileno del Morelia, con 19; Leonel Bolsonello, brasileño de *Pumas*, con 18; y el chileno Ivo Basay, campeón del torneo anterior, con 16.

Por equipos, el Atlante anotó más (78), el Monterrey fue el más goleado (71) y la peor ofensiva la tuvo *Tigres* (34).

Buen trabajo de los ex porteros

Ricardo La Volpe, Antonio Carbajal, Enrique Meza y Roberto Silva continuaron como directores técnicos del Atlante, Morelia, Cruz Azul y Toluca, respectivamente. Por tercer año seguido el argentino clasificó al Atlante a la liguilla, siempre como primer lugar de su grupo, pero fue eliminado en cuartos de final por el Toluca. El Morelia llegó a su sexta liguilla bajo el mando del *Cinco Copas*. Le tocó jugar un repechaje con el Guadalajara. En el estadio Morelos empataron a dos y en el Jalisco los michoacanos se impusieron 3-2 y enterraron a las *Chivas*. Sin embargo, en cuartos de final el súper líder *Tecos* les recetó un marcado de 3-0 por partida doble y los mandó de vacaciones.

El Cruz Azul ocupó el segundo sitio en la tabla general, pero al igual que el año pasado fue eliminado en cuartos por el América. Y el Toluca hizo una gran campaña, quedó tercero en la clasificación general y llegó hasta semifinales, donde lo echó el Santos por un gol de diferencia en el marcador global.

La otra semifinal fue disputada por *Tecos* y América. En la primera vuelta las *Águilas* habían establecido un récord del equipo al ligar ocho victorias en forma consecutiva. No obstante, su camino hacia la liguilla tuvo que pasar por un repechaje que le ganaron al Necaxa. En el primer juego de esta serie Adrián Chávez se convirtió en el primer portero con dos expulsiones en liguillas.

El América y los *Tecos* se repartieron victorias a domicilio. En el Azteca ganó el cuadro de Zapopan por 3-2 y en el Tres de Marzo las *Águilas* por 2-1. El mayor número de goles de visitante le otorgó a *Tecos* el boleto a la final para medirse con el Santos. Éste, antes de despachar al Toluca había eliminado al Atlas en cuartos de final.

El título es de los *Tecos*

Los partidos culminantes del campeonato se efectuaron el 27 y el 30 de abril. En la temporada regular el cuadro de la UAG había repartido goleadas sobre el Santos: 3-0 en Torreón y 4-1 en Zapopan. En el primer choque de la final el Santos pudo al fin vencer a los *Tecos* con solitario gol de penalti del argentino Héctor Adomaitis, pero en el segundo, en Zapopan, un autogol de Jesús Gómez le dio el triunfo a la UAG por 1-0.

En los tiempos extra el ariete brasileño Osmar Donizette marcó el gol que coronó a los *Tecos* por primera vez y a su técnico Víctor Manuel Vucetich por segunda. Por cierto, en los dos campeonatos ganados por Vucetich, hace 2 años con el León y ahora con *Tecos*, la final se decidió en tiempo extra.

Carlos Briones fue el portero de los *Tecos* en toda la liguilla, mientras que Santos alineó a Marmolejo en tres juegos, incluido el segundo de la final, y a Heredia en los otros tres.

Un rector futbolista

El Querétaro y el *Correcaminos* tuvieron las actuaciones más flojas del torneo. Cada uno ganó solamente seis juegos, empató 15 y perdió 17. Por su diferencia de goleo ligeramente superior, el equipo tamaulipeco ocupó el penúltimo sitio y el queretano fue el colero y bajó a Segunda División porque también tuvo el promedio de puntos más pequeño (0.7456).

Jesús Bracamontes dirigió a los *Correcaminos* en las últimas 14 jornadas del campeonato y en el último partido, el 3 de abril contra el América, le dio gusto al rector de la Universidad Autónoma de Tamaulipas, Humberto Filizola, quien a los 44 años de edad tuvo la ocurrencia de jugar unos minutos en Primera División.

En la fecha 31 otro ex portero, Mateo Bravo, tuvo su debut y despedida como director técnico en el máximo circuito. Fue técnico interino de los *Tigres* por un día. Por cierto, venció a *Pumas* uno a cero.

Los penaltis noquean a México en el Mundial

De agosto del 93 a junio del 94 fue el lapso de preparación que tuvo la Selección para disputar el Mundial en Estados Unidos. Jugó 16 partidos, casi todos en canchas estadounidenses. Ganó seis (1-0 a Camerún, 4-0 a Sudáfrica, 2-1 a Ucrania, 3-0 a China, 2-1 a Suecia y 3-0 a Irlanda del Norte), empató seis (1-1 con Brasil en Maceió, 0-0 con Polonia-B, 1-1 con Estados Unidos, 0-0 con Alemania en México, 1-1 con Bulgaria y 0-0 con Colombia también en la capital mexicana) y perdió cuatro (0-1 ante Brasil en Guadalajara, 1-5 con Suiza, 1-4 frente a Rusia y 0-1 con Estados Unidos).

Jorge Campos acumuló 31 partidos seguidos como portero de la Selección hasta que en la goleada sufrida ante los suizos alineó Adrián Chávez. Jorge reapareció en el siguiente juego —contra los rusos— y se enfiló a su primer Mundial. Chávez y Félix Fernández fueron los otros arqueros que llevó Mejía Barón a la Copa del Mundo pero no tuvieron acción.

En un grupo reñidísimo, en el que los cuatro equipos ganaron uno, empataron uno y perdieron uno, México se clasificó en primer lugar por tener más goles anotados y

pasó a octavos de final por primera vez en un Mundial en el extranjero. Debutó perdiendo con Noruega por 0-1, se repuso con un triunfo ante Irlanda por 2-1 y cerró con un meritorio empate a uno con la poderosa Italia.

En octavos le tocó enfrentar a Bulgaria en Nueva York. Empate a un gol al cabo de 120 minutos y luego... los malditos penaltis. Campos atajó el primero; después lo fusilaron tres veces. Por México, García Aspe falló el primero, luego el portero búlgaro Borislav Mihailov detuvo los disparos de Marcelino Bernal y Jorge Rodríguez. El único mexicano que anotó fue Claudio Suárez. Ganó Bulgaria 3-1.

A la postre Bulgaria quedó en cuarto lugar e Italia fue subcampeón.

No le fue mejor a la Selección Sub-17 que participó en el Mundial de la categoría en Japón, ya que tras derrotar a Italia por 2-1, perdió 1-4 con Ghana y 1-2 con el anfitrión y quedó eliminada. En los tres partidos jugó de portero Hugo Olmedo.

Miscelánea

Jorge Campos y Hugo Sánchez recibieron invitación para formar parte junto con un ramillete de figuras internacionales de un equipo llamado "Estrellas de Navidad", que la noche del 29 de diciembre protagonizó un espectacular partido con el Milán en Milán. Hugo marcó un gol y Jorge recibió cuatro. Las Estrellas perdieron 3-5.

El Milán vino a México en mayo, cuando el campeonato ya había terminado. También nos visitó el Inter. Los dos poderosos cuadros italianos jugaron en Monterrey y en Guadalajara. El Milán empató 1-1 con las *Chivas* y venció 1-0 a los *Rayados*, mientras que el Inter también dobló al Monterrey por uno a cero y perdió con el Combinado Jalisco (0-1) y con el Guadalajara (0-1).

En su segunda temporada en el balompié español, Luis García le dio once goles al Atlético de Madrid. No fue el único mexicano en la Liga de España, porque Hugo Sánchez regresó al ámbito de sus grandes éxitos, aunque no precisamente al Real Madrid sino al modesto Rayo Vallecano, un equipo que terminó bajando a Segunda División tras perder una promoción de tres partidos con el Compostela, en la que Hugo falló un penalti en el primer juego y fue expulsado en el tercero y definitivo. Sin embargo, en el campeonato Hugo anotó 16 veces. Fueron sus últimos goles "españoles".

El Necaxa goleó 5-1 a un equipo californiano llamado Deportivo México y se clasificó a la fase final del torneo Recopa Concacaf, a efectuarse la próxima temporada.

El 15 de septiembre de 1993 falleció en Argentina Miguel Rugilo, el legendario "León de Wembley", primer portero que tuvo el León y también entrenador de este equipo y del Celaya de Segunda División en los años sesenta. Antes y después del León, Rugilo jugó muchos años con el Vélez Sarsfield y en las postrimerías de su larga carrera militó en el Palmeiras de Brasil y en el O'Higgins de Chile. Tenía 76 años de edad.

Nómina de porteros

América	Adrián Chávez, Alejandro García y Ángel Maldonado
Atlante	Félix Fernández, Alejandro Herrera e Isaac Mizrahi
Atlas	Miguel de Jesús Fuentes y Oswaldo Sánchez
Correcaminos	Jesús Alfaro y Ricardo Martínez
Cruz Azul	Robert Dante Siboldi, Óscar Pérez y Alan Guadarrama
Guadalajara	Eduardo Fernández y Celestino Morales
León	Marco Antonio Ferreira y Adrián Martínez
Monterrey	Rubén Ruiz Díaz, Tirso Carpizo y Raúl Salas
Morelia	Alberto Aguilar, José Luis Rodríguez y Fernando Piña
Necaxa	Nicolás Navarro
Puebla	Pablo Larios y Juan Ignacio Palou
Querétaro	José Guadalupe Alonso, Gustavo Moriconi y Marco Antonio Cervantes
Santos	Adrián Marmolejo y Olaf Heredia
Tigres	Alejandro Lanari, Martín Zúñiga e Ignacio Rodríguez
Toluca	Juan Gutiérrez y Hernán Cristante
Toros Neza	Jorge Stiel, Homero Pasallo y Martín Salcedo
UAG	Alan Cruz y Carlos Briones
UdeG	Hugo Pineda y Javier Ledesma
UNAM	Jorge Campos, Sergio Bernal y Rafael Calderón
Veracruz	Adolfo Ríos y Héctor Quintero

Más juegos (j)

Nicolás Navarro (Necaxa)	38
Pablo Larios (Puebla)	37
Adolfo Ríos (Veracruz)	37
Félix Fernández (Atlante)	35
Adrián Chávez (América)	34
Juan Gutiérrez (Toluca)	34
Jorge Stiel (Toros Neza)	34

Más juegos completos

Nicolás Navarro (Necaxa)	38
Pablo Larios (Puebla)	37
Adolfo Ríos (Veracruz)	36
Adrián Chávez (América)	34
Félix Fernández (Atlante)	34
Juan Gutiérrez (Toluca)	34
Jorge Stiel (Toros Neza)	34

Más goles (g)

Adolfo Ríos (Veracruz)	61
Jorge Stiel (Toros Neza)	59
Nicolás Navarro (Necaxa)	52
Félix Fernández (Atlante)	51
Pablo Larios (Puebla)	47

Más bajo g/j (mínimo 20 juegos)

Alan Cruz (UAG)	0.71
Juan Gutiérrez (Toluca)	0.85
Robert Dante Siboldi (Cruz Azul)	0.87
Jorge Campos (UNAM)	0.90
Eduardo Fernández (Guadalajara)	0.93

Más goles en un juego

Jorge Stiel (Toros Neza)	8
Rubén Ruiz Díaz (Monterrey)	7
Tirso Carpizo (Monterrey)	6
Olaf Heredia (Santos)	6
Marco Antonio Ferreira (León)	5 (2 veces)
Rubén Ruiz Díaz (Monterrey)	5
Pablo Larios (Puebla)	5
Jorge Stiel (Toros Neza)	5 (2 veces)
Adolfo Ríos (Veracruz)	5

Penaltis detenidos

Miguel de Jesús Fuentes (Atlas)	2
Adrián Marmolejo (Santos)	2
Jorge Stiel (Toros Neza)	2
Félix Fernández (Atlante)	1
Jesús Alfaro (Correcaminos)	1
Robert Dante Siboldi (Cruz Azul)	1
Adrián Martínez (León)	1
Rubén Ruiz Díaz (Monterrey)	1
Pablo Larios (Puebla)	1
José Guadalupe Alonso (Querétaro)	1
Olaf Heredia (Santos)	1
Hugo Pineda (UdeG)	1
Adolfo Ríos (Veracruz)	1

Expulsados

Rubén Ruiz Díaz (Monterrey) (2 veces)
José Luis Rodríguez (Morelia) (2 veces)
Félix Fernández (Atlante)
Jesús Alfaro (Correcaminos)
Ricardo Martínez (Correcaminos)
Eduardo Fernández (Guadalajara)
Olaf Heredia (Santos)
Hugo Pineda (UdeG)
Javier Ledesma (UdeG)
Sergio Bernal (UNAM)
Adolfo Ríos (Veracruz)

LIGUILLA

Más juegos	Carlos Briones (UAG)	6
Más juegos completos	Carlos Briones (UAG)	6
Más goles	José Luis Rodríguez (Morelia)	10
Más bajo G/J	Olaf Heredia (Santos)	0.67
Más goles en un juego	Adrián Chávez (América), Félix Fernández (Atlante), Oswaldo Sánchez (Atlas), Eduardo Fernández (Guadalajara) y José Luis Rodríguez (Morelia)	3
Penaltis detenidos	Ninguno	
Expulsados	Adrián Chávez (América)	

94-95
El Necaxa es campeonísimo

El Necaxa ganó todo (Liga, Copa y, de pilón, la Recopa Concacaf) en una temporada de muchos goles y algunas novedades. Se creó la Primera A con 15 equipos y su primer campeón fue el Celaya, que ascendió al máximo circuito. Se revivió la Copa México. Hubo dos descensos para reducir a 18 el número de equipos para el próximo campeonato. Carlos Hermosillo repitió como campeón goleador y Jorge Campos fue el mejor portero. Año de pesadilla para todos los ex porteros entrenadores. Con penaltis la Selección de Estados Unidos eliminó a la de México en la Copa América. El Atlante fracasó en la final del torneo Concacaf. Terminó la racha de más de cien juegos seguidos de Nicolás Navarro. Uno de los equipos que descendió, el Correcaminos, *antes de irse a la Primera A dejó el súper récord de cero triunfos en 54 partidos consecutivos de visitante.*

El portero uruguayo del Morelia fue el más goleado

Diecinueve equipos comenzaron el campeonato de Liga el 3 de septiembre del 94, luego de que algunos realizaran su pretemporada en el extranjero, como el Santos, que jugó cuatro partidos en Colombia, el Guadalajara, que tuvo cinco juegos en Italia y el Veracruz, que actuó dos veces en Portugal y cinco en España, con saldo favorable para los clubes mexicanos ya que obtuvieron 10 triunfos, dos empates y solamente cuatro derrotas.

Los 19 equipos quedaron distribuidos en tres grupos de cinco y uno de cuatro, y cada semana le tocó descanso a un club.

Las novedades en la nómina de porteros fueron las transferencias de Robert Dante Siboldi, del Cruz Azul al Puebla, y de Pablo Larios, del Puebla al Toros Neza, así como la contratación de Hugo Pineda por el Atlante y la importación que hizo el Morelia del arquero uruguayo Héctor Walter Búrguez, reciente campeón de su país con el Progreso. También se registraron los cambios de Jesús Alfaro, del *Correcaminos* al Toluca; de Alejandro Herrera, del Atlante al *Correcaminos*; y de José Guadalupe Alonso, del Querétaro, que descendió la temporada pasada, al Monterrey. El argentino Hernán Cristante, que debutó con el Toluca en el torneo anterior, retornó a su país para jugar con el Platense. Por lo que respecta al nuevo

equipo, el Tampico-Madero, la portería fue compartida por los Quintero, Héctor (17 juegos) y su sobrino Javier (19), quienes de este modo terminaron su actuación en Primera División. En los años siguientes los Quintero jugaron en Primera A. La estadística de Héctor luego de jugar cinco torneos con *Tecos*, uno con Monterrey, dos con Veracruz y el presente con Tampico-Madero, fue: 122 partidos, 182 goles, promedio 1.49. Fue campeón de Copa con los *Rayados*. Javier solamente participó en 28 juegos y tuvo un promedio muy alto, de 1.71.

El *charrúa* Búrguez hizo su debut en la primera jornada del campeonato durante el partido en Morelia entre el equipo de la *Tota* Carbajal y los *Tigres*. Al ser expulsado el arquero moreliano José Luis Rodríguez, ingresó a la cancha el uruguayo. Recibió un gol (un penalti de Dante Juárez hijo) pero el Morelia ganó 2-1. Búrguez jugó los siguientes 35 partidos —34 completos— y al final del torneo, él en lo individual y el Morelia en lo colectivo fueron los más goleados con 75 anotaciones.

En la segunda vuelta el Cruz Azul trajo al veterano guardameta Norberto Scoponi, figura del futbol argentino, tres veces campeón con el Newell's Old Boys, equipo con el que jugó trece años. Scoponi, quien formó parte de la Selección de Argentina en el Mundial de 1994, hizo su debut el 18 de enero del 95 al recibir el equipo *cementero* al Guadalajara. Ganaron las *Chivas* merced a un gol solitario del *Chepo* De la Torre.

Arqueros bombardeados

Los 40 porteros que tuvieron acción en la Liga recibieron entre todos 1,012 goles, cantidad notablemente alta teniendo en cuenta que disminuyó el número de juegos. En contraste, sólo se registraron 36 anotaciones en la liguilla, que incluyó cuatro partidos de repechaje.

En la temporada abundaron las goleadas, a tal grado que hubo veinte juegos en los que un portero recibió cinco o más goles, lo que no había ocurrido desde el muy lejano campeonato de 48-49. En este renglón "destacaron" Búrguez con cuatro juegos en los que fue fusilado cinco o más veces y Hugo Pineda, Alejandro Herrera, Olaf Heredia y Adrián Martínez con dos cada uno. Las mayores golizas les tocaron a Alejandro Herrrera y Héctor Quintero y ambas fueron cortesía del América. El 21 de octubre en el Azteca las *Águilas* llenaron de cuero al *Correcaminos* por 8-1 y el 11 de diciembre le recetaron un 8-2 al Tampico-Madero al estrenar este equipo su nueva sede, el estadio Corregidora de Querétaro. (En un hecho insólito, poco antes de terminar la primera vuelta el equipo *petrojaibo* emigró a Querétaro y adoptó el nombre extraoficial de "TM Gallos Blancos"). Una de las anotaciones del América fue un autogol del arquero Quintero. Por cierto que un mes después el *Conejo* Óscar Pérez cometió el segundo autogol de un portero en esta temporada en un empate 3-3 entre Toros Neza y Cruz Azul.

El guardameta uruguayo del Morelia fue otro cliente del América: en la primera vuelta le metieron siete y en la segunda seis. A Hugo Pineda el Necaxa le anotó siete en un juego, y para cerrar con broche de oro el explosivo campeonato, en la última fecha el Puebla (con Siboldi) y el Atlante (con Pineda) ¡empataron a seis goles!

Carlos Hermosillo, bicampeón de goleo

El Cruz Azul y el América se cansaron de marcar goles. Los *Cementeros* anotaron 91 y las *Águilas* 88, las cuotas más altas desde aquella legendaria temporada 45-46 cuando el Atlante y el Veracruz metieron más de 100 cada uno. Tanto en el Cruz Azul como en el América, más de la mitad de sus goles fueron obra de un par de artilleros. Carlos Hermosillo (35) y Julio Zamora (17) formaron la dupla letal del Cruz Azul y Luis Roberto Alves (23) y el camerunés Omam Biyik (33) la del América. Hermosillo logró su segundo título de goleo con la cifra más alta desde los 36 pepinos del *Dumbo* López en 47-48. Él y Biyik llegaron a la última fecha del torneo empatados en la cima de los romperredes con 33 tantos. El camerunés no pudo anotar en Monterrey mientras que el mexicano se apuntó 2 contra los *Tigres* en el Azteca.

De los 35 goles de Hermosillo, sólo tres fueron penaltis. En dos juegos logró sendos cuadrupletes: el 24 de septiembre contra el Veracruz (Adolfo Ríos) en el puerto jarocho y el 11 de marzo contra el Monterrey (Tirso Carpizo) en México.

Los cañoneros del América también tuvieron juegos de cuatro goles. El 7 de octubre Biyik fusiló cuatro veces a Búrguez en el Azteca en una de las dos goleadas del América al Morelia, y el 11 de diciembre Luis Roberto

Alves le clavó cuatro a Héctor Quintero en la goliza al TM Gallos Blancos.

Así que Hermosillo, Biyik y Alves ocuparon los primeros tres lugares en la lista de romperredes. En cuarto quedó el *Fantasma* Figueroa, del Morelia, con 19, y el quinto puesto fue para Julio Zamora.

Biyik hace goles en once juegos seguidos

En la multicitada paliza del América al equipo híbrido de jaiba y gallo, Omam Biyik anotó dos veces y llegó a once juegos consecutivos con gol. Un nuevo récord de asiduidad goleadora que dejó atrás la marca de nueve que compartían Horacio Casarín, Isidro Lángara, Agustín Santillán, Roberto Rolando, Amaury Epaminondas y Evanivaldo Castro *Cabinho*. Durante su racha, el espigado camerunés acumuló 17 anotaciones, tantas como las que logró Lángara con dos partidos menos.

El portero que le bajó la cortina a Biyik fue el necaxista Nicolás Navarro, quien anteriormente había ligado cuatro partidos seguidos sin recibir gol, una racha que también lograron en este año Adolfo Ríos y Jorge Campos. En el caso de Ríos, por cuarta vez en su carrera.

Otra racha de Navarro, la de juegos consecutivos, llegó a su fin el 29 de diciembre (TM Gallos Blancos 2 Necaxa 2). El arquero necaxista no había dejado de jugar desde el torneo de 91-92. Sumó 105 partidos, todos completos, en los que admitió 122 goles, promediando 1.16. ¿Por qué dejó de jugar? Porque en los primeros días de enero viajó con la Selección a Riad a jugar la Copa Rey Fahd (semilla de la Copa Confederaciones), aunque él no tuvo acción pues sólo fungió como suplente de Campos. Lo suplió en el Necaxa Raúl Orvañanos, quien no jugaba desde la temporada 89-90 cuando debutó con el Cruz Azul.

Navarro y Campos figuraron destacadamente en la lista de los mejores guardametas del campeonato mexicano. Jorge Campos quedó en primer lugar con promedio de 0.67 y Nicolás Navarro en tercero con 0.97. La segunda posición fue para Eduardo Fernández, de las *Chivas*, con 0.83, y abajo de ellos quedó el paraguayo Ruiz Díaz con 1.08 y el otro arquero de los *Pumas*, Sergio Bernal, con 1.10.

Necaxa, campeón de Copa y de Recopa

Después de dos años de suspendido se volvió a efectuar el torneo de Copa, que contó con la participación de los 15 equipos de la Primera A (eufemismo con el que se rebautizó a la Segunda División) y cuatro de Segunda (anteriormente Tercera División). Se jugó del 24 de enero al 15 de marzo del 95, intercalado con la segunda vuelta de la Liga. Los clubes de Primera División se enfrentaron a los de las divisiones inferiores en las canchas de éstos bajo el sistema de eliminación directa y penaltis en caso de empates.

Tras de que en la primera fase quedaron eliminados diez equipos de Primera División, a la fase final clasificaron solamente conjuntos del máximo circuito. En cuartos de final el Veracruz eliminó a los *Tecos* y el Santos al Toros Neza, luego los *Tiburones* echaron al cuadro lagunero y avanzaron a la final contra el Necaxa que había pasado directo desde la tercera fase del torneo.

La final se disputó en Puebla. Con dos goles de Ricardo Peláez la escuadra necaxista ganó el juego y, por tercera vez en su historia, la Copa México.

Nicolás Navarro y Rafael Calderón fueron los cancerberos que actuaron en la final. A lo largo del torneo hubo once partidos que se decidieron con penaltis, y en cuanto al líder de goleo, tres jugadores de Primera División, uno de Primera A y dos de Segunda quedaron empatados con tres tantos cada uno.

Este fue el segundo título ganado por el Necaxa en esta temporada. Durante el último mes de 1994 había ganado el torneo Recopa de la Concacaf, cuya fase final se disputó en Miami. El conjunto rojiblanco goleó 4-1 al Lambada, de Barbados, y 3-0 al Aurora, de Guatemala, para llevarse el trofeo. En ambos partidos alineó Navarro.

Atlante y Santos fracasan en Concacaf

El otro certamen de Concacaf, el de clubes campeones y subcampeones, tuvo su desenlace en febrero en San José California. Tras derrotar el Atlante al cuadro salvadoreño Alianza por 2-1, cayó ante el Cartaginés por 2-3 para que el equipo *tico* se proclamara campeón. En todo el torneo la portería atlantista estuvo custodiada por Félix Fernández.

En marzo comenzó el siguiente campeonato, en el que ocurrió el debut en estas competencias de los *Tecos* y el Santos. El cuadro lagunero, con Adrián Marmolejo en el arco, eliminó al hondureño Real España (1-1 y 6-2) en tanto que el equipo de la UAG fulminó al guatemalteco Comunicaciones (3-1 y 4-1) jugando Carlos Briones el primer partido y Alan Cruz el segundo.

Posteriormente, en junio, los *Tecos* barrieron (5-0 y 10-0) con un club panameño llamado Projusa. Los dos juegos fueron un día de campo para Alan Cruz. Pero en julio el FAS de El Salvador eliminó al Santos mediante una victoria por tres a cero y un empate sin goles. Olaf Heredia encajó los tres pepinos salvadoreños y en el segundo juego debutó con el Santos un portero argentino, José Miguel, de 25 años de edad, que en su patria había jugado con el River Plate y el Platense.

El retiro de grandes arqueros

Robert Dante Siboldi fue el único portero que jugó todos los minutos de todos los partidos. Con el Puebla, su tercer equipo en México, el uruguayo también completó cuatro juegos de post temporada para totalizar 40 en el año, misma cifra que alcanzó Nicolás Navarro, quien a sus 34 partidos en temporada regular agregó seis de liguilla.

Para varios destacados guardametas mexicanos éste fue su último campeonato. Las largas carreras en Primera División de Alberto Aguilar, Marco Antonio Ferreira, Celestino Morales y Adrián Marmolejo tuvieron su conclusión.

Al jugar por última vez, el 5 de marzo del 95, Alberto Aguilar impuso el récord para porteros, de militancia en diez equipos. Había jugado un torneo con *Tecos*, uno con León, tres con Neza, uno con Tampico-Madero, dos con Ángeles, tres con Puebla, uno con Cobras, dos con Cruz Azul y dos con Morelia. Nueve equipos. El décimo fue el *Tigres* con quien en este año jugó un partido, precisamente el último de su carrera. Fue en el estadio Azteca contra el América. *Tigres* perdió 1-2.

Aguilar, quien jamás fue expulsado, totalizó 349 juegos en los que admitió 431 goles para un buen promedio de 1.23. En su largo peregrinar por diez clubes solamente conquistó un título, una Copa México con el Puebla, y estuvo bajo el mando de 19 entrenadores, algunos de ellos más de una vez.

En cerca de quinientos juegos participó Marco Antonio Ferreira durante los once torneos que jugó con el Toluca, dos con *Correcaminos* y cinco con el León. Especialista en atajar penaltis —detuvo 20 de 88—, el *Chato* Ferreira se retiró a los 38 años de edad tras haber actuado en 491 partidos y recibido 577 anotaciones (promedio: 1.18). Solamente en cuatro ocasiones permitió más de cuatro goles en un juego. Fue campeón de Liga y subcampeón de Concacaf con el León. Su último partido tuvo lugar en Puebla el 16 de octubre de 1994, juego que los *Panzas Verdes* perdieron 1-2 con el equipo de la franja.

Celestino Morales también fue portero de muchos equipos pero la mayor parte de su carrera la hizo con el Guadalajara. Con las *Chivas* jugó ocho torneos y participó en seis con cinco equipos, a saber: uno con el Puebla, dos con el Atlas, uno con el Cruz Azul, uno con el Querétaro y uno con la UAG. En total, 243 juegos, 325 goles y promedio de 1.34. Con el Guadalajara ganó un título de Liga y dos veces fue subcampeón. Su última actuación se registró en el torneo de Copa, el 25 de enero del 95, en un partido del Guadalajara contra el San Francisco, de Primera A.

Adrián Marmolejo pasó por cinco equipos en diez años. Jugó tres torneos con el Ángeles, uno con el Atlante, dos con el Toluca, uno con los *Correcaminos* y tres con el Santos, sumando 214 partidos y admitiendo 253 goles (1.18). Nunca recibió una tarjeta roja, logró dos rachas de 4 juegos seguidos sin gol en contra y detuvo seis penaltis. En su último partido, el 14 de abril del 95, el Santos visitó al Atlante y perdió 2-3.

Igual que Celestino Morales, otro portero tuvo su último partido en Primera División en el torneo copero. Alejandro Murillo Kuri, cuya última actuación en la Liga había ocurrido en la temporada 91-92, custodió la meta del León en su partido contra el Bachilleres, de Segunda División, el 25 de enero. Este arquero solamente tuvo acción en 65 juegos tras militar un año con Curtidores, tres con el León, uno con el Irapuato y uno con el Veracruz. Recibió 105 anotaciones, promedió 1.62 y sufrió sendos descensos con Curtidores y León.

Mala temporada de los ex porteros entrenadores

El 23 de abril de 1995 Jorge Campos inauguró una estadística en el futbol mexicano al convertirse en el primer portero que anotó un gol de penalti. Se lo marcó a Héctor Quintero en el estadio Corregidora y fue la tercera anotación de los *Pumas* en su triunfo por 3 a 0 sobre el TM Gallos Blancos. Por cierto que dos días después, Campos jugó en Argentina, invitado por el Quilmes, de Segunda División, para la inauguración de su estadio. Jorge actuó de portero en el primer tiempo y de delantero en el segundo. El partido fue contra el Nacional, de Uruguay, y lo ganó Quilmes con un gol del arquero-delantero mexicano.

El TM Gallos Blancos y el *Correcaminos* fueron los equipos que por tener los promedios de puntos más bajos descendieron a Primera A. En la clasificación general el equipo del nombre híbrido se ubicó en el último lugar y el representativo de la Universidad Autónoma de Tamaulipas en el antepenúltimo. *Correcaminos* pasó tres años sin ganar un juego de visitante hasta que el 18 de febrero triunfó en Veracruz por 2-1. Implantó el récord de 54 partidos consecutivos sin victoria en cancha ajena. El triunfo sobre los *Tiburones* se produjo poco antes de que Jesús Bracamontes fuera cesado de la dirección técnica. El ex portero salió del cuadro tamaulipeco cuando éste llevaba ocho ganados, ocho empates y 12 perdidos.

Roberto Silva duró menos tiempo en el timón del Toluca. Lo despidieron tras la fecha 15 cuando los *Diablos* sólo habían ganado uno de sus últimos siete juegos. Finalmente esta temporada resultó una de las peores del Toluca en toda su historia. Igualó el récord de 10 derrotas como local e impuso una marca del club al ligar seis partidos seguidos sin anotar. En los tres años que dirigió al cuadro rojo, Silva obtuvo un saldo positivo ya que ganó 28 veces, empató 18 y perdió 20.

Enrique Meza tampoco pudo terminar el campeonato al mando del Cruz Azul. Llevaba ocho victorias, seis empates y seis derrotas cuando fue cesado en la segunda fecha de la segunda vuelta. El cambio de técnico le funcionó muy bien al equipo *cementero*. Con Luis Fernando Tena el Cruz Azul ganó 12 de 16 juegos, ocho en forma consecutiva, y llegó a la final. La estadística total del *Ojitos* en tres torneos con la Máquina fue: 38 ganados, 24 empatados y 21 perdidos.

También fue un mal año para Carbajal y La Volpe. El Morelia fue el equipo más goleado y el Atlante tuvo su temporada más floja desde que es dirigido por el argentino. Con el equipo azulgrana jugó Hugo Sánchez.

Otro ex portero, Nacho Rodríguez, fungió en un juego como director interino de los *Tigres*. Perdió ante el Atlante. Por cierto, el equipo de la Universidad de Nuevo León tuvo la ofensiva más pobre del torneo con 34 goles y quedó penúltimo general.

Se corona el Necaxa

El sábado 6 de mayo de 1995, en la última jornada del campeonato, se rompió el récord de tres penaltis detenidos el mismo día, ya que Martín Zúñiga, Adrián Chávez, Hugo Pineda y Ricardo Martínez atajaron sendos tiros de castigo.

El Guadalajara encabezó la clasificación general con 52 puntos y fue el equipo menos goleado con 35. Los súper anotadores América y Cruz Azul fueron líderes de sus grupos y escoltaron a las *Chivas* en la tabla general. También calificaron a la liguilla el Necaxa, *Pumas* (empató su récord de 15 juegos seguidos sin perder) y Santos, y cuatro clubes disputaron dos series de repechaje, en las que el Puebla y los *Tecos* consiguieron el pase a la "fiesta final" eliminando al Veracruz y al Monterrey, respectivamente.

Al cuadro de la Franja y al de la Autónoma de Guadalajara los pararon en cuartos de final el América y el Necaxa con marcadores globales de 4-2 y 4-1, respectivamente, mientras que Cruz Azul y *Chivas* aprovecharon su mejor posición en la tabla general para eliminar a *Pumas* y Santos, con los que empataron en el marcador global.

La calificación del Cruz Azul fue dramática. En el primer partido ganó el conjunto universitario 1-0 y le cortó al *cementero* su racha de ocho ganados al hilo. Para pasar a semifinales el Cruz Azul necesitaba ganar el segundo juego. Con el marcador empatado a cero, en los últimos minutos se marcó un penalti a favor de la Máquina. El disparo de Julio Zamora fue rechazado por Campos pero Lupillo Castañeda contrarremató y anotó el gol que eliminó a los *Pumas*.

La *Máquina Celeste* continuó su marcha en semifina-

les a costa del América (1-1 y 2-1) y el Necaxa echó a las *Chivas* (0-0 y 1-1) gracias a su gol de visitante.

Nicolás Navarro y Norberto Scoponi alinearon en los dos partidos de la final, ambos en el Azteca el 1 y 4 de junio del 95. En el primero, goles de Ivo Basay y Carlos Hermosillo dejaron el marcador empatado a uno. Y con anotaciones del mismo Basay y del ecuatoriano Álex Aguinaga los rojiblancos conquistaron su primer título de Liga en la época profesional, que a la vez fue el tercero del técnico Manolo Lapuente.

Como el Necaxa ya poseía la Copa México, se convirtió en el quinto campeonísimo de la historia.

ESTADOS UNIDOS, VERDUGO DE MÉXICO

Después del Mundial de Estados Unidos, la Selección Nacional volvió a tener actividad en diciembre del 94 al golear a Hungría en un amistoso en el Azteca por 5-1, partido en el que jugaron Campos y Navarro. Su participación en la Copa Rey Fahd en enero fue así: 2-0 al anfitrión Arabia Saudita (con éste, su sexagésimo partido con la Selección, Jorge Campos se convirtió en el portero mexicano con más juegos con el Tri), 1-1 y 2-4 en penaltis frente a Dinamarca y 1-1 con Nigeria, al que superó en penaltis por 5-4 (Campos le detuvo uno a Emanuel Amunike) para quedarse con el tercer lugar de la competencia.

En febrero y marzo jugó amistosos contra Uruguay y Chile en San Diego y Los Ángeles. Venció a los *charrúas* por uno a cero y perdió con los andinos por 1-2 (en este partido Campos jugó de delantero en el segundo tiempo y Hugo Pineda fue el portero).

En junio disputó la Copa USA en Washington y Dallas, donde México recibió una paliza histórica de 0-4 por parte de Estados Unidos, empató sin goles con Colombia y se despidió doblando 2-1 a Nigeria.

Enseguida se efectuó la Copa América en Uruguay. La segunda participación mexicana en el añejo torneo sudamericano no fue tan exitosa como la primera dos años antes en Ecuador.

Apuradamente pasó a cuartos de final ya que perdió 1-2 con Paraguay (el arquero guaraní fue Rubén Ruiz Díaz), venció 3-1 a Venezuela y empató a un gol con Uruguay. Luego, por segunda vez en menos de un mes la Selección no pudo anotarle a Estados Unidos, aunque en esta ocasión tampoco los *gringos* pudieron marcar. Vinieron los penaltis y de nuevo la pesadilla. Luis García anotó, Hermosillo y Alberto Coyote fallaron, Campos no atajó ninguno y Estados Unidos ganó 4-1. Con la eliminación de México concluyó el ciclo del Dr. Mejía Barón. Y Jorge Campos llegó a 22 juegos consecutivos con el Tri.

En el segundo semestre de 1994 terminó el paso de Luis García por el balompié español. Fue transferido a la Real Sociedad, jugó 10 partidos, no anotó y se regresó a México para jugar con el América en la segunda vuelta.

El Pachuca, equipo de Primera A, participó en febrero en un torneo cuadrangular que tuvo lugar en Bogotá. Perdió con el Vélez Sarsfield (0-1) pero venció a una selección de Polonia (2-1) y quedó en segundo lugar.

Nómina de porteros

América	Adrián Chávez y Ángel Maldonado
Atlante	Hugo Pineda, Félix Fernández e Isaac Mizrahi
Atlas	Oswaldo Sánchez y Miguel de Jesús Fuentes
Correcaminos	Ricardo Martínez y Alejandro Herrera
Cruz Azul	Óscar Pérez, Norberto Scoponi y Alan Guadarrama
Guadalajara	Eduardo Fernández y Celestino Morales
León	Adrián Martínez y Marco Antonio Ferreira
Monterrey	Rubén Ruiz Díaz, Tirso Carpizo y José Guadalupe Alonso
Morelia	Héctor Walter Búrguez y José Luis Rodríguez
Necaxa	Nicolás Navarro y Raúl Orvañanos
Puebla	Robert Dante Siboldi
Santos	Olaf Heredia y Adrián Marmolejo
Tampico-Madero	Javier Quintero y Héctor Quintero
Tigres	Martín Zúñiga y Alberto Aguilar
Toluca	Juan Gutiérrez y Jesús Alfaro
Toros Neza	Pablo Larios y Martín Salcedo
UAG	Carlos Briones y Alan Cruz
UNAM	Jorge Campos y Sergio Bernal
Veracruz	Adolfo Ríos y Rafael Calderón

Más juegos (j)

Héctor Walter Búrguez (Morelia)	36
Robert Dante Siboldi (Puebla)	36
Adrián Chávez (América)	35
Hugo Pineda (Atlante)	35
Martín Zúñiga (Tigres)	35
Pablo Larios (Toros Neza)	35
Adolfo Ríos (Veracruz)	35
Nicolás Navarro (Necaxa)	34

Más juegos completos

Robert Dante Siboldi (Puebla)	36
Adrián Chávez (América)	35
Martín Zúñiga (Tigres)	35
Héctor Walter Búrguez (Morelia)	34
Nicolás Navarro (Necaxa)	34
Pablo Larios (Toros Neza)	34
Adolfo Ríos (Veracruz)	34

Más goles (g)

Héctor Walter Búrguez (Morelia)	75
Hugo Pineda (Atlante)	65
Pablo Larios (Toros Neza)	57
Olaf Heredia (Santos)	55
Martín Zúñiga (Tigres)	48

Más bajo g/j (mínimo 19 juegos)

Jorge Campos (UNAM)	0.67
Eduardo Fernández (Guadalajara)	0.83
Nicolás Navarro (Necaxa)	0.97
Rubén Ruiz Díaz (Monterrey)	1.08
Sergio Bernal (UNAM)	1.10

Más goles en un juego

Alejandro Herrera (Correcaminos)	8
Héctor Quintero (Tampico-Madero)	8
Hugo Pineda (Atlante)	7
Héctor Walter Búrguez (Morelia)	7
Hugo Pineda (Atlante)	6
Adrián Martínez (León)	6
José Guadalupe Alonso (Monterrey)	6
Tirso Carpizo (Monterrey)	6
Héctor Walter Búrguez (Morelia)	6
Robert Dante Siboldi (Puebla)	6
Sergio Bernal (UNAM)	6

Penaltis detenidos

Adrián Chávez (América)	2
Hugo Pineda (Atlante)	2
Ricardo Martínez (Correcaminos)	2
Héctor Walter Búrguez (Morelia)	2
Nicolás Navarro (Necaxa)	2
Pablo Larios (Toros Neza)	2
Miguel de Jesús Fuentes (Atlas)	1
Oswaldo Sánchez (Atlas)	1
Óscar Pérez (Cruz Azul)	1
Adrián Martínez (León)	1
Rubén Ruiz Díaz (Monterrey)	1
Robert Dante Siboldi (Puebla)	1
Martín Zúñiga (Tigres)	1

Expulsados

Rubén Ruiz Díaz (Monterrey)
José Luis Rodríguez (Morelia)
Pablo Larios (Toros Neza)

LIGUILLA

Más juegos	Norberto Scoponi (Cruz Azul) y Nicolás Navarro (Necaxa)	6
Más juegos completos	Norberto Scoponi (Cruz Azul) y Nicolás Navarro (Necaxa)	6
Más goles	Norberto Scoponi (Cruz Azul) y Carlos Briones (UAG)	6
Más bajo G/J	Nicolás Navarro (Necaxa), Jorge Campos (UNAM) y Adolfo Ríos (Veracruz)	0.50
Más goles en un juego	Robert Dante Siboldi (Puebla)	4
Penaltis detenidos	Jorge Campos (UNAM)	1
Expulsados	Ninguno	

95-96
Los *Tigres* ganan la Copa y se van a Primera A

Al conseguir el bicampeonato, el Necaxa se perfiló para ser considerado el equipo de la década. Gran sorpresa del Celaya, que al subir a Primera División estuvo a punto de ser campeón. Carlos Hermosillo se convirtió en el mayor goleador mexicano de la época profesional. Tigres *ganó la Copa México, fue el equipo menos goleado en la Liga y ¡descendió a Primera A! México ganó la Copa de Oro. El Cruz Azul impuso el récord de 15 juegos seguidos invicto como visitante. El portero más efectivo fue Félix Fernández. El Pachuca ascendió a Primera División por tercera vez en su historia. En la Olimpiada de Atlanta, la Selección fue eliminada en cuartos de final por Nigeria. Después de dirigir diez años al Morelia, Antonio Carbajal cerró su carrera como entrenador. A partir de esta temporada, por disposición de la* FIFA, *supuestamente para desalentar los empates, los juegos ganados valen tres puntos.*

Variada actividad internacional

El 26 de agosto de 1995 comenzó el campeonato de Liga con 18 equipos, distribuidos en dos grupos de cinco y dos de cuatro. Como preparación para el torneo algunos clubes jugaron en el extranjero. *Tigres* empató dos partidos y perdió uno en Italia y ganó uno y empató uno en Grecia; el Atlante ganó tres y empató uno en Austria, y el Monterrey participó en torneos de verano en Portugal y España.

Posteriormente, con la Liga en marcha, el Celaya viajó a Alicante para sostener un partido con el Real Madrid, que ganaron los *Merengues* por 2-1, y los *Pumas* fueron a Valparaíso a derrotar 3-1 al Colo Colo en el primer juego por la Copa Confraternidad, misma que conquistaron al apabullar por seis a cero al cuadro chileno en el estadio de Ciudad Universitaria en el juego de "vuelta".

Dos futbolistas mexicanos participaron en un juego benéfico efectuado en Tokio entre una Selección de América y una Selección "Resto del Mundo". Jorge Campos fue el portero de los Americanos y Carlos Hermosillo anotó tres de los cinco goles con los que el representativo de este continente se impuso por 5-1. Campos también jugó un partido benéfico

en Barcelona entre otra Selección de América (4) y una de Europa (3), al cual fue invitado Hugo Sánchez. Jorge admitió los tres tantos europeos.

Y los *Tecos* disputaron la final del torneo de Concacaf con el Alajuelense de Costa Rica. En el Tres de Marzo ganó el equipo tapatío 2-1 pero en Alajuela perdió por idéntico marcador. En los tiempos extra los *ticos* marcaron un gol y se llevaron el título. El guardameta de la UAG en el primer partido fue Alan Cruz y en el segundo, Carlos Briones.

Varios meses después los mismos *Tecos* jugaron y ganaron en dos días el torneo Recopa de Concacaf. Vencieron a los clubes centroamericanos Marathón y Luis Ángel Firpo .El marcador en los dos juegos efectuados en Santa Ana, California fue 2-1.

Se retira Carbajal y La Volpe sale del Atlante

El Morelia comenzó el campeonato con un empate y cuatro derrotas consecutivas. Después del último descalabro, el *Cinco Copas* Carbajal renunció. "Me dio vergüenza perder cuatro partidos seguidos, por eso dije adiós", explicó el técnico del equipo michoacano, al que dirigió diez años y lo clasificó a seis liguillas. En esta época donde los entrenadores (y los jugadores) van y vienen de un equipo a otro, es único y ejemplar el caso de Carbajal al mantenerse tanto tiempo en el timón del mismo equipo.

Sus números con el Morelia fueron ligeramente negativos, ya que ganó 129 juegos, empató 141 y perdió 139, sin embargo, su estadística total dirigiendo al León, al Curtidores y al Morelia quedó equilibrada: 236 victorias, 230 empates y 236 reveses, es decir, 50 % de eficiencia.

Tras el retiro de Carbajal, el Morelia siguió dando tumbos en el fondo de la tabla hasta que en la jornada 27 tomó al equipo el *Ojitos* Enrique Meza, quien lo sacó de los últimos lugares al ganar cuatro y empatar tres de los últimos ocho juegos.

Mal les fue a los otros ex porteros que dirigieron este año. La Volpe salió del Atlante en la fecha 23 y Jesús Bracamontes fue despedido por los *Tecos* en la 24. El equipo azulgrana solamente había obtenido cinco triunfos, mientras que el de la UAG apenas cuatro (aunque sólo llevaba cinco derrotas y navegaba en la mediocridad de quince empates).

En los cinco años que dirigió al Atlante, La Volpe ganó un campeonato y clasificó a tres liguillas, en una como súper líder. En total, 74 triunfos, 50 empates y 59 derrotas. También 14 expulsiones, número que palidece ante las 46 que sufrió la *Tota* con el Morelia.

Regresa Cristante, llega Rabajda y Campos pasa al Atlante

Por segundo año consecutivo el uruguayo Siboldi fue el único portero que alineó todos los minutos de todos los juegos. Esta temporada el gran arquero *charrúa* defendió la cabaña de los *Tigres* y promedió 1.12 goles admitidos por juego, la tercera mejor efectividad entre los guardametas, estadística que encabezaron Félix Fernández con 1.00 y Martín Zúñiga con 1.10. Este último jugó con el Guadalajara. Los *Tigres* lo transfirieron a las *Chivas* cuando contrataron a Siboldi.

Por primera vez en 36 años ningún portero promedió menos de un gol por partido.

En los otros movimientos que se registraron en la nómina de guardametas destacó la compra de Jorge Campos, por quien el Atlante pagó diez millones de nuevos pesos a *Pumas*. Sin embargo, pese a contar con Campos, quien se alternó en la portería con Félix Fernández, el cuadro azulgrana tuvo una de las peores temporadas de su historia al quedar en penúltimo lugar y ser el equipo más goleado con 56 tantos, de los cuales Campos encajó 30, Fernández 19 y los otros siete el novato Samuel Máñez, arquero guerrerense proveniente del Acapulco, de Primera A.

Del Atlante emigró Hugo Pineda al Celaya, el nuevo equipo en Primera División, que protagonizó una temporada de ensueño que a punto estuvo de culminar con la obtención del título. El conjunto de la tierra de las cajetas tuvo rachas de ocho partidos seguidos sin perder y de cinco victorias al hilo; ganó su grupo con seis puntos de ventaja sobre el América; quedó cuarto en la tabla general, y en la liguilla llegó a la final y no perdió ninguno de los dos juegos con el campeón Necaxa.

Ricardo Martínez arribó al León como suplente de Adrián, su tocayo de apellido. Alejandro *Gallo* García

reapareció con el Puebla. Él y Juan Ignacio Palou se hicieron cargo de la cabaña camotera en la primera vuelta, pero se fueron a la banca en la segunda ante la llegada de Gerardo Rabajda, espectacular y eficaz cancerbero uruguayo de apellido checoeslovaco, que había defendido las porterías del Peñarol y del Unión Española (Chile).

Juan Gutiérrez dejó de ser titular en el Toluca para fungir como suplente de Larios en el Toros Neza porque a los *Diablos* regresó el argentino Hernán Cristante, e Isaac Mizrahi salió del Atlante y se fue a los *Pumas* como suplente de Sergio Bernal. Cabe señalar que uno de los tres únicos partidos que jugó Mizrahi fue en el que terminó una racha goleadora que el Toros Neza traía desde la temporada pasada y que llegó a 35 juegos seguidos anotando. Mizrahi cerró la puerta y *Toros* y *Pumas* empataron a cero.

El arquero argentino José Miguel, que había debutado con el Santos en el pasado torneo de la Concacaf, jugó su primer partido de Liga en la jornada inicial al visitar el equipo lagunero al Atlas. Jared Borgetti le dio la bienvenida anotándole el primero de los dos goles con los que los rojinegros se impusieron por 2-0.

La presentación de Rabajda ocurrió el 23 de diciembre cuando el Puebla visitó al Toros Neza y cayó 0-1 con anotación de Pedro Pineda.

El mismo día debutó con el Atlas Erubey Cabuto, joven arquero de 20 años oriundo de Tepic. El Atlas dobló al Santos en Torreón por 1 a 0 y no fue hasta el 20 de enero del 96 cuando la meta de Cabuto fue horadada por primera vez, encargándose de ello el brasileño Marco de Almeida, de los *Pumas*, en el estadio Jalisco (Atlas 1 *Pumas* 1). En el campeonato, Erubey figuró como suplente de Oswaldo Sánchez.

Héctor Walter Búrguez, el arquero uruguayo del Morelia, terminó su actuación en nuestro país. Se despidió en la última fecha del torneo cuando el equipo michoacano cayó ante el Santos por 0-1. Su participación en dos temporadas se resume en estos números que ciertamente no son para presumir: 59 juegos, 111 goles recibidos, promedio 1.88. Emigró a Colombia contratado por el Millonarios.

Carlos Hermosillo hace historia

En total actuaron 38 porteros, que en conjunto permitieron 824 anotaciones en la fase regular del torneo y 42 en la liguilla. Los más goleados fueron: con 44, Oswaldo Sánchez y la *Bomba* Ruiz Díaz; con 43, Adrián Chávez, José Miguel y Pablo Larios; y con 42, Adolfo Ríos. No obstante ser uno de los más batidos, el veterano Larios mantuvo inviolada su portería durante cuatro juegos consecutivos, siendo ésta la quinta vez en su carrera que lo consigue.

El arquero del Veracruz y Alan Cruz, de *Tecos*, fueron víctimas de las mayores golizas. El 31 de diciembre Toros Neza despidió el año fusilando seis veces a Adolfo Ríos y venciendo al Veracruz por 6-1 y el 20 de enero el Monterrey aplastó 6-1 a *Tecos*, con la particularidad de que los seis tantos de los *Rayados* contra Alan Cruz se registraron en el primer tiempo.

El 28 de octubre del 96 el portero del Puebla Alejandro García recibió el gol 197 de Carlos Hermosillo, con el cual el centro delantero del Cruz Azul se convirtió en el mayor goleador mexicano de la época profesional superando al legendario *Dumbo* López.

Hermosillo continuó anotando y al final de la temporada se coronó campeón goleador por tercer año consecutivo y alcanzó a Oswaldo Castro, el *Pata Bendita*, en el segundo lugar de la lista de los mayores romperredes del balompié mexicano profesional.

Hermosillo totalizó en este torneo 26 anotaciones, de las cuales sólo dos fueron penaltis. Quince de sus goles, es decir, más del 50 %, los marcó en canchas ajenas. Es el tercer mexicano en lograr el tricampeonato de goleo. Sus porteros "favoritos" fueron Siboldi, Cristante, el *Gallo* García y Juan Gutiérrez a los que les anotó tres veces a cada uno.

El subcampeón anotador fue el brasileño Milton Queiroz *Tita*, del León, con 19, seguido por Ricardo Peláez, del Necaxa, con 16, Antonio Carlos Santos (Veracruz) 15 y Luis García (América) y el hispano ex figura del Real Madrid Emilio Butragueño (Celaya) con 14.

Tita comenzó el campeonato marcando gol en todos y cada uno de los primeros nueve juegos hasta que se fue en blanco ante el América y Adrián Chávez. Con esa racha empató el récord del León impuesto por Agustín Santillán en 53-54.

Segundo título de Copa de los *Tigres*

Igual que en la temporada pasada la Copa México se efectuó durante la segunda vuelta de la Liga. Comenzó el 23 de enero y concluyó el 6 de marzo. Participaron los 16 equipos de Primera A y 16 de los 18 de Primera. Fueron excluidos el Morelia y el Puebla por haber quedado en penúltimo y último lugares, respectivamente, en la primera vuelta.

Los partidos se jugaron en las plazas de Primera A. En los casos de empates, los penaltis fueron el factor de decisión. Doce equipos de Primera fueron eliminados en las primeras fases, pero en cuartos de final los cuatro de Primera echaron a los cuatro de la división inferior, de modo que a semifinales llegaron Cruz Azul, *Tigres*, Atlas y *Chivas*.

Con partidos a visita recíproca, el Atlas pasó sobre el Guadalajara (4-2 y 0-1) y los *Tigres* sobre los *Cementeros* (0-1 y 4-2). En la final el cuadro de la universidad neoleonesa empató 1-1 en casa y con gol de Arnulfo Tinoco derrotó 1-0 a los rojinegros en el Jalisco y se coronó. En los dos juegos actuaron Siboldi y Oswaldo. El líder de goleo, con cinco anotaciones, fue también Carlos Hermosillo.

Sin recibir gol, México ganó la Copa de Oro

Con un par de goleadas por 5-0 en Panamá y 4-0 en Toluca la Selección Sub 23 comenzó en diciembre la eliminatoria olímpica. Oswaldo Sánchez y Óscar Pérez eran los porteros de este equipo que en mayo del 96 conquistó de manera destacada el boleto para los Juegos Olímpicos de Atlanta. El torneo preolímpico se efectuó en Edmonton y la escuadra mexicana barrió con todos sus oponentes: 3-0 a El Salvador, 4-0 a Costa Rica, 2-0 a Trinidad y Tobago, 2-1 a Jamaica y 1-0 a Canadá. En todos alineó Oswaldo. Sin embargo, en Atlanta-96 el técnico Carlos de los Cobos lo dejó en la banca y el arquero del Tri fue Jorge Campos.

México pasó invicto a cuartos de final gracias a una victoria sobre Italia (1-0) y empates con Corea del Sur (0-0) y Ghana (1-1), pero su sueño terminó al perder frente a Nigeria por 0-2.

La Selección mayor, ya con Bora Milutinovic como su nuevo técnico, sostuvo en los últimos meses de 1995 varios juegos amistosos de preparación para la Copa de Oro en Estados Unidos. Bora convocó a Nicolás Navarro y Félix Fernández, también probó a Carlos Briones, pero en el torneo de la Concacaf el que paró fue Campos.

Con Navarro en la puerta, México venció 2-1 a Arabia Saudita en Los Ángeles; con Briones, empató 2-2 con Colombia; con Campos, perdió 1-2 con Eslovenia en Hermosillo; y con Navarro recibiendo tres goles y Fernández uno, fue goleado 1-4 por Yugoslavia en Monterrey.

La Copa de Oro tuvo lugar en San Diego y Los Ángeles en enero del 96. México la obtuvo ganando todos sus partidos y Campos se mantuvo imbatido. Ciertamente los rivales fueron de poca monta en las primeras fases: San Vicente (5-0) y Guatemala, al que se derrotó dos veces por 1-0. En la final el Tri dobló 2-0 a la Sub-23 de Brasil.

Posteriormente, la Selección perdió un amistoso con Chile en Viña del Mar por 1-2 y goleó a Eslovaquia en Chicago al son de 5-2. En este juego reapareció con el equipo nacional Adolfo Ríos. Llevaba siete años ausente del Tri. La rotación de arqueros continuó en un torneo en Japón en el que México empató sin goles con Yugoslavia y cayó 2-3 ante la selección nipona. Briones jugó el primer partido y Campos el segundo.

A la Copa USA, en junio, asistió una selección híbrida de la olímpica y la mayor, y con ella debutó Oswaldo Sánchez. El guardameta tapatío jugó contra Bolivia (1-0) en Dallas y contra Irlanda (2-2) en Nueva Jersey. Para el tercer partido, contra Estados Unidos en Pasadena (2-2) regresó Jorge Campos, quien, habiendo terminado el campeonato mexicano, se había contratado con el Galaxy de Los Ángeles. Precisamente, el día del partido contra Estados Unidos el arquero mexicano también participó en el juego del Galaxy contra el Mutiny de la Liga Norteamericana (MSL). En este cotejo Campos jugó 70 minutos de portero y 20 de delantero.

No fue Campos el primer guardameta mexicano que jugó en Estados Unidos. Anteriormente lo habían hecho Manuel Camacho y Blas Sánchez.

Gol del *Conejo*. Brizio, verdugo de arqueros

El 14 de febrero del 96 la Selección Sub-23 que se preparaba para el Preolímpico de Edmonton sostuvo un en-

cuentro contra Corea del Sur en Santa Ana, California. Los surcoreanos iban ganando 1-0 cuando en el último minuto del partido se marcó un saque de esquina a favor de México. El portero Óscar Pérez corrió hacia el área rival, remató y clavó el gol del empate. Lee Wan Tae es el nombre del arquero coreano batido por el *Conejo*.

El 24 de septiembre del 95 Félix Fernández se convirtió en el portero que ha estado menos tiempo en una cancha, ya que fue expulsado apenas a los 19 segundos de comenzado el juego en Neza entre los *Toros* y el Atlante. El árbitro que lo echó fue Arturo Brizio, el mismo que dos meses después, al sacarle la roja a Jorge Campos, se convirtió en el juez que ha expulsado a más porteros en el balompié mexicano con once.

En un juego de Primera A el delantero argentino Américo Scatolaro, del Acapulco, jugó de portero y su equipo venció 1-0 a Gallos Blancos. Esto porque el Acapulco se quedó sin guardametas debido a que el titular, Héctor Quintero, fue suspendido, y el suplente se fracturó.

Necaxa, bicampeón

El Necaxa y el Cruz Azul, campeón y subcampeón de la temporada anterior, continuaron imponiendo su hegemonía e hicieron el 1-2 en la clasificación general, sólo que el uno fue el equipo *cementero*, con 56 puntos, mientras que los rojiblancos sumaron 55, seguidos por el Atlas con 53 y el sorprendente Celaya con 52. La elevada puntuación se debe a que a partir de este año en todo el mundo entró en vigor la regla que incrementa el valor de los juegos ganados a tres puntos.

El Cruz Azul también fue líder de goleo (61) y uno de los dos equipos con menos goles recibidos (38) —el otro fue *Tigres*— e impuso un récord de invencibilidad en cancha ajena al ligar quince partidos (los últimos dos de 94-95 y los primeros trece de este torneo) consecutivos de visitante sin perder.

Los *Tigres* arrastraban la baja puntuación obtenida en los dos campeonatos anteriores, y aunque en éste aumentaron la cosecha e incluso clasificaron a la liguilla, terminaron con el cociente más bajo. Así que el campeón de Copa y cuartofinalista y club menos goleado de la Liga descendió a Primera A.

En el último lugar de la tabla quedó el Puebla, que tuvo la peor temporada de toda su historia. Sólo ganó seis de 34 juegos y su ofensiva fue la más raquítica con 29 tantos.

En los repechajes el América eliminó a *Pumas* (2-0, marcador global) y los *Tigres* al León (5-4). En cuartos de final, con marcadores apretados, el Necaxa despidió a los *felinos* (2-1), el América fulminó al súper líder (3-2), el Celaya echó al Monterrey y el Veracruz al Atlas. En estas últimas series hubo empates en los marcadores globales, siendo el mayor número de goles de visitante lo que clasificó al Celaya y al Veracruz.

En semifinales el Necaxa pasó sobre el América con global de 3-1 y el Celaya devoró al *Tiburón* al que venció por 1-0 en el puerto jarocho y luego lo aplastó 5-1 en terreno propio. En este juego el chileno Richard Zambrano logró el único cuadruplete de la temporada. Sus cuatro goles los encajó Adolfo Ríos.

Un gol de Ricardo Peláez en el primer juego de la final, en Celaya el 1 de mayo del 96, fue a la postre el que le dio el título al Necaxa. Se coronó el equipo de Lapuente a pesar de que no anotó en el segundo partido, el 4 de mayo en el Azteca, el cual quedó 0-0. El marcador del primer encuentro fue 1-1, habiendo anotado Carlos Hernández el gol celayense.

Un mexicano en el River

Cincuenta y cinco años transcurrieron para que en la Primera División de Argentina volviera a jugar un mexicano. Aunque sólo participó en cinco juegos con el River Plate, Alberto García Aspe unió su nombre a los de Luis *Pirata* Fuente y Luis García Cortina, quienes en 1940 jugaron con el Vélez Sarsfield. En la segunda vuelta, Aspe regresó al Necaxa para ganar el bicampeonato.

Hugo Sánchez sólo jugo dos partidos con el Atlante y se largó a Austria para jugar con el Linz, de Segunda División.

El 15 de abril del 96 murió Ángel León. El popular *Pulques* fue uno de los porteros pioneros del futbol profesional mexicano.

Nómina de porteros

América	Adrián Chávez y Ángel Maldonado
Atlante	Jorge Campos, Félix Fernández y Samuel Máñez
Atlas	Oswaldo Sánchez y Erubey Cabuto
Celaya	Hugo Pineda y Homero Pasallo
Cruz Azul	Norberto Scoponi y Óscar Pérez
Guadalajara	Martín Zúñiga y Eduardo Fernández
León	Adrián Martínez y Ricardo Martínez
Monterrey	Rubén Ruiz Díaz y Tirso Carpizo
Morelia	Héctor Walter Búrguez, Miguel Ángel Murillo y José Luis Rodríguez
Necaxa	Nicolás Navarro y Alan Guadarrama
Puebla	Gerardo Rabajda, Alejandro García y Juan Ignacio Palou
Santos	José Miguel y Olaf Heredia
Tigres	Robert Dante Siboldi
Toluca	Hernán Cristante y Jesús Alfaro
Toros Neza	Pablo Larios y Juan Gutiérrez
UAG	Carlos Briones y Alan Cruz
UNAM	Sergio Bernal e Isaac Mizrahi
Veracruz	Adolfo Ríos y Fernando Palomeque

Más juegos (j)

Adrián Chávez (América)	34
José Miguel (Santos)	34
Robert Dante Siboldi (Tigres)	34
Adolfo Ríos (Veracruz)	34
Rubén Ruiz Díaz (Monterrey)	33

Más juegos completos

Robert Dante Siboldi (Tigres)	34
Adrián Chávez (América)	33
José Miguel (Santos)	33
Rubén Ruiz Díaz (Monterrey)	32
Adolfo Ríos (Veracruz)	32

Más goles (g)

Oswaldo Sánchez (Atlas)	44
Rubén Ruiz Díaz (Monterrey)	44
Adrián Chávez (América)	43
José Miguel (Santos)	43
Pablo Larios (Toros Neza)	43
Adolfo Ríos (Veracruz)	42

Más bajo g/j (mínimo 18 juegos)

Félix Fernández (Atlante)	1.00
Martín Zúñiga (Guadalajara)	1.10
Robert Dante Siboldi (Tigres)	1.12
Carlos Briones (UAG)	1.14
Norberto Scoponi (Cruz Azul)	1.16
Sergio Bernal (UNAM)	1.22

Más goles en un juego

Alan Cruz (UAG)	6
Adolfo Ríos (Veracruz)	6
Oswaldo Sánchez (Atlas)	5
Alejandro García (Puebla)	5
Gerardo Rabajda (Puebla)	5
Robert Dante Siboldi (Tigres)	5
Juan Gutiérrez (Toros Neza)	5
Adolfo Ríos (Veracruz)	5

Penaltis detenidos

Rubén Ruiz Díaz (Monterrey)	2
Nicolás Navarro (Necaxa)	2
Juan Ignacio Palou (Puebla)	2
Adrián Chávez (América)	1
Oswaldo Sánchez (Atlas)	1
Norberto Scoponi (Cruz Azul)	1
Martín Zúñiga (Guadalajara)	1
Gerardo Rabajda (Puebla)	1
Alejandro García (Puebla)	1
Juan Gutiérrez (Toros Neza)	1
Adolfo Ríos (Veracruz)	1

Expulsados

Héctor Walter Búrguez (Morelia) (2 veces)
Jorge Campos (Atlante)
Félix Fernández (Atlante)
Norberto Scoponi (Cruz Azul)
Rubén Ruiz Díaz (Monterrey)
Juan Ignacio Palou (Puebla)
Pablo Larios (Toros Neza)

LIGUILLA

Más juegos	Adrián Chávez (América), Hugo Pineda (Celaya) y Nicolás Navarro (Necaxa)	6
Más juegos completos	Adrián Chávez (América), Hugo Pineda (Celaya) y Nicolás Navarro (Necaxa)	6
Más goles	Adolfo Ríos (Veracruz)	9
Más bajo G/J	Nicolás Navarro (Necaxa)	0.50
Más goles en un juego	Adolfo Ríos (Veracruz)	5
Penaltis detenidos	Ninguno	
Expulsados	Ninguno	

Invierno-96
La época de los campeonatitos

Comienza la era de los torneos cortos, dos por año, y el Santos es el primer campeón. El Atlante regresó al estadio Azteca y el Cruz Azul se fue al de Insurgentes, cuyo nombre fue acortado de "Azulgrana" a "Azul". Toros Neza *jugó 23 partidos sin empatar ninguno. Un veterano español se convirtió en el primer monarca de goleo del Puebla. Se efectuó por última vez la Copa México y la ganó el Cruz Azul. Félix Fernández volvió a ser el mejor guardameta y Pablo Larios jugó su partido número 500. La Selección superó la primera fase de la eliminatoria mundialista con cuatro victorias y dos derrotas.*

Dos torneos, dos liguillas

Como las liguillas habían probado ser muy redituables económicamente, aunque en muchas ocasiones se atropellase la justicia deportiva, los directivos que padece el futbol mexicano decidieron duplicar el negocio. ¿Cómo? Partiendo el campeonato en dos para tener un par de liguillas. Así, la primera vuelta será un torneo y la segunda vuelta otro. En lugar de un campeón habrá dos cada año. También dos líderes de goleo. Por lo que respecta al descenso a Primera A, sólo habrá uno y se decidirá al cabo del segundo torneo. Y de la división de ascenso emergerá un campeón que será el ganador de una final entre los monarcas de los dos torneos cortos.

Por otra parte, a partir de esta temporada si en las fases de repechaje, cuartos de final y semifinales se registra un marcador global empatado, ganará el equipo que haya quedado mejor colocado en la clasificación general. De haber empate en la final, se jugarán tiempos extra y, de ser necesarios, los penaltis definirán al campeón.

El "Invierno-96" se efectuó del 9 de agosto al 22 de diciembre, es decir en verano y otoño. El siguiente torneo, el "Verano-97", se programó para jugarse del 11 de enero al 1 de junio, o sea, en invierno y primavera. En la Federación se tardaron seis años para darse cuenta que los nombres de los torneos no concordaban con las estaciones del año en que se efectuaban. Así, desde el segundo semestre de 2002 se llaman "Apertura" y "Clausura", nombres copiados del futbol argentino.

El Cruz Azul gana la Copa

En las cinco semanas previas al Invierno-96 y mientras en Atlanta tenía lugar la fiesta olímpica, se realizó en México el torneo de Copa, nuevamente con la participación de los equipos de Primera A. Se formaron tres grupos de ocho equipos cada uno y uno de nueve. En cada grupo, *round robin* a una vuelta y penaltis para decidir los juegos empatados. Los cuatro líderes clasificaron a semifinales.

Fueron el Guadalajara, el Cruz Azul, Toros Neza y los *Tigres*, que ya estaban en Primera A. Todos sumaron 18 puntos. Entonces el Toros Neza eliminó a las *Chivas* mediante un triunfo por 2-0 en el Jalisco y el Cruz Azul, tras empatar a un gol con *Tigres*, pasó a la final al ganar en penaltis por 4-3.

En la Ciudad Cooperativa Cruz Azul, la vieja sede del equipo *cementero*, se efectuó la final el 3 de agosto del 96. Carlos Hermosillo y el brasileño Luis Carlos de Oliveira *Pintado* perforaron el arco de Pablo Larios en tanto que Norberto Scoponi se mantuvo imbatido. El marcador de 2-0 pudo ser mayor de no haber errado un penalti Hermosillo, que habría sido su décimo gol en el torneo.

El Cruz Azul conquistó la Copa por segunda vez en su historia y Carlos Hermosillo, su artillero estelar, logró el bicampeonato de goleo.

Hubo un juego en el que se registró un cuadruplete. El 7 de julio Gerardo Fernández, del Tampico, hizo cuatro agujeros en la cabaña de Rubén Ruiz Díaz, el portero del Monterrey. El encuentro tuvo lugar en el puerto *jaibo*.

En este torneo hicieron su debut en Primera División varios porteros, entre ellos: Alberto Becerra, Óscar Dautt, Emmanuel González y Saúl Sánchez. Becerra, de sólo 17 años de edad, sustituyó a Hugo Pineda en el marco del América en un partido contra el Tampico que ganaron las *Águilas* por 5-3 el 14 de julio; Dautt era arquero del Saltillo y su primer rival de Primera División fue el América el 6 de julio; González se presentó con el Celaya en un partido en Toluca el 4 de julio, en el que entró de cambio por Marco Antonio Cervantes cuando los *Diablos* ya ganaban por cuatro a cero; y Sánchez debutó con el León el 28 de julio contra La Piedad, juego que quedó 2-2.

El primer gol que recibió Becerra fue de Carlos Ramírez; Omam Biyik le marcó el primero a Dautt; Lorenzo Sáez, del Pachuca, fue el primer verdugo de Emmanuel, y Adrián Cano el de Saúl Sánchez.

En la Liga, Alberto Becerra no jugó sino hasta el Verano-00; Óscar Dautt hasta el Verano-98; Emmanuel González hasta el Verano-97 y Saúl Sánchez hasta el Verano-99.

Luis Alberto Islas, un famoso portero argentino de larga trayectoria, seleccionado albiceleste en la Olimpiada de Seúl y en el Mundial de Estados Unidos, vino a México para jugar con el Toluca y se presentó el 10 de julio en el juego de Copa entre el Toluca y el Pachuca en la capital hidalguense. El primer gol que recibió Islas en nuestro país se lo hizo su paisano Lorenzo Sáez de penalti. El marcador fue 2-2.

Oswaldo y Pineda al América, Comizzo al León

Con el Invierno-96 en marcha, el Celaya aplazó algunos de sus primeros juegos porque hizo dos visitas a España donde sostuvo partidos amistosos con el Logroñés (2-1), el Betis (1-2), el Cádiz (2-0), el Gijón (2-6) y el Real Madrid (0-3). A su vez, el América se enfrentó en Chicago a la Selección de Colombia. Marcador: 0-0 y en penaltis triunfó el conjunto mexicano por 5 a 4.

Treinta y ocho porteros tuvieron acción en la Liga, algunos reapareciendo en Primera División como José Luis Miranda, ausente desde la temporada 92-93, y Miguel de Jesús Fuentes. Ambos cubrieron el arco del ascendido Pachuca, equipo que a la postre fue el más goleado con 36 tantos (empatado con Toros Neza) y quedó penúltimo en la tabla general, solamente arriba del Morelia. La producción de goles en el torneo fue de 434.

Con la reaparición en nuestro país de Ángel Comizzo, contratado por el León, y la llegada de Luis Alberto Islas se reunieron en el futbol mexicano tres arqueros mundialistas de la Selección de Argentina. El otro, por supuesto, Norberto Scoponi, del Cruz Azul.

El América y el Celaya intercambiaron guardametas. Hugo Pineda llegó a las *Águilas*, su séptimo equipo, y Adrián Chávez terminó su ciclo de diez años (y diez liguillas) con la escuadra americanista y se fue a custodiar la cabaña del subcampeón del torneo anterior. La nómina de porteros del América se renovó totalmente con la contratación de Oswaldo Sánchez, lo que permitió a Erubey Cabuto obtener la titularidad de la portería del

Atlas. Caso similar al de Alan Cruz con los *Tecos* al ser transferido Carlos Briones al Cruz Azul.

Cabuto fue uno de los tres arqueros que jugaron completos todos los partidos. Los otros, el uruguayo Rabajda, del Puebla, y el argentino Islas, con quien el Toluca cubrió la ausencia de Cristante, que regresó por segunda vez a su país para jugar ahora con el Newell's.

Ricardo Martínez llegó al Morelia, su sexto equipo en diez años, pero solamente actuó en cuatro juegos y en uno de ellos fue protagonista de un autogol en beneficio del Atlas.

Los *Tecos* y los *Pumas* debutaron respectivamente a Pedro Prieto y Esdras Rangel, jalisciense de 21 años el primero y capitalino de 19 años el segundo. La presentación de Prieto ocurrió el 24 de agosto en el estadio Tres de Marzo y la de Rangel el 3 de noviembre en el Neza-86, ambas ante el mismo rival pero con muy diferentes resultados, ya que en Zapopan el Toros Neza venció a los *Tecos* por 2-1 mientras que en Neza los *Pumas* golearon 6-2. El brasileño Nidelsson Silva de Mello y el argentino Antonio Mohamed fueron los autores de las primeras anotaciones en la cuenta de Prieto y Rangel.

Los mejores cancerberos y los más goleados

Por segundo torneo consecutivo Félix Fernández logró el promedio más bajo de goles por juego. Encabezó pues a los porteros con un diminuto 0.67. Entre él y Jorge Campos, que retornó al Atlante para jugar las últimas cinco fechas y la liguilla, sólo permitieron once anotaciones —cifra récord— en 17 juegos. Sin embargo, la gran muralla defensiva azulgrana se partió en mil pedazos en cuartos de final porque Toros Neza le metió cuatro goles en el primer partido y continuó el bombardeo en el segundo con cinco tantos más.

Los *ches* José Miguel, del Santos, e Islas, del Toluca, también registraron promedios inferiores a la unidad: 0.80 y 0.88, respectivamente. En cuarto y quinto lugares quedaron Martín Zúñiga (*Chivas*) con 1.12 y Comizzo (León) con 1.14. Este último fue el único arquero que atajó dos penaltis, uno en la fase regular y uno en la liguilla.

Pablo Larios con 27 y Erubey Cabuto con 26 fueron los que admitieron más goles, fundamentalmente porque padecieron sendos juegos de seis tantos en contra. A Cabuto se los clavó el Toros Neza el 13 de octubre en Neza y a Larios los *Pumas* el día que debutó Esdras Rangel. El segundo portero del Celaya, Homero Pasallo, también encajó seis pepinos en un juego, cortesía del Atlante en el Azteca el 18 de noviembre.

Cinco días después, durante el partido entre el Celaya y el Santos en la tierra de la cajeta, Pasallo fue expulsado y más tarde el árbitro Edgar Ulises Rangel también echó a Adrián Chávez, así que el veterano hispano Miguel González Michel se improvisó de portero. Jamás había ocurrido en el futbol mexicano la expulsión de dos arqueros de un equipo en un juego. A Michel le metieron dos goles y el Santos triunfó 2-0.

Primer líder goleador del Puebla

El veterano artillero español Carlos Muñoz, del Puebla, y Luis García, del América, consiguieron sendos cuadrupletes. El arquero del Morelia, Miguel Ángel Murillo, recibió los cuatro goles de García en el Azteca el 20 de agosto y el de *Tecos*, Alan Cruz, los de Muñoz en el Cuauhtémoc el 12 de octubre.

Muñoz anotó once veces más en el torneo y se convirtió en el primer campeón goleador en la historia del Puebla. De sus 15 anotaciones sólo una fue de penalti. A Carlos Hermosillo, que marcó 13, se le frustró el tetracampeonato. Quedó en segundo lugar, empatado con Gabriel García, del Guadalajara, y Lorenzo Sáez, del Pachuca.

Colectivamente, las *Chivas* anotaron más (33) y los *Tiburones* menos (14).

Con Meza, Toros Neza fue semifinalista

Con excepción de Enrique Meza, los demás ex porteros entrenadores anduvieron de capa caída. La Volpe sólo dirigió cuatro juegos al América, igual que Jesús Bracamontes al Morelia. El que duró más tiempo fue Rafael Puente, quien comandó al Pachuca hasta la jornada 14. Con La Volpe el América obtuvo un triunfo y sufrió tres derrotas, una ante las *Chivas* por 0-5, que determinó el cese del estratega argentino. Números casi iguales tuvo

Bracamontes: un empate y tres reveses, mientras que los *Tuzos* al mando de Puente solamente ganaron dos juegos de 14 y perdieron siete.

En cambio, el *Ojitos* dirigió todo el torneo al Toros Neza y llegó hasta semifinales, luego de eliminar al León en el repechaje y arrollar al superlíder Atlante en cuartos de final. Además impusó el récord de 23 partidos consecutivos (17 de la fase regular y 6 de liguilla) sin empatar.

PRIMER TÍTULO DEL SANTOS

En la fase final del torneíto el portero del Monterrey, Rubén Ruiz Díaz, se convirtió en el décimo arquero expulsado en una liguilla. Se fue a las regaderas después de recibir cuatro goles del Atlas en el primer juego de repechaje en el estadio Tecnológico. Los rojinegros le anotaron el quinto a Carpizo y con el triunfo por 5-1 prácticamente aseguraron el pase a cuartos de final. En el Jalisco ganó el Monterrey por 2-1. En el otro repechaje Toros Neza venció al León por 2 a 1 tanto en el Nou Camp como en el Neza-86.

En cuartos, el Necaxa echó al Guadalajara, el Santos, que fue sublíder general, al Atlas, el Puebla al Toluca y, en la gran sorpresa, el Toros Neza le recetó dos golizas al Atlante: cuatro anotaciones a Campos en Neza y cinco a Fernández en Ciudad de México. El marcador global de 9-2 fue devastador para el superlíder.

El Necaxa, que iba por el tricampeonato, dobló dos veces al Puebla en semifinales (3-2 y 4-1) y el Santos paró al enrachado Toros Neza ganándole 2-0 en Neza y 3-2 en Torreón. En el primer partido, el 11 de diciembre, Pablo Larios hizo historia. Se convirtió en el primer portero con 500 juegos de Liga.

Al Necaxa le tocó recibir al Santos en el primer partido de la final el 19 de diciembre y con un autogol de Benjamín Galindo sacó una victoria mínima de 1-0. Sin embargo, en el segundo cotejo el día 22 la escuadra lagunera, dirigida por Alfredo Tena, remontó y se alzó con su primer trofeo de campeón. El marcador de 4-2 favorable al Santos lo fabricaron Francisco Gabriel de Anda, Gabriel Caballero (dos goles) y Jared Borgetti. Los tantos necaxistas fueron de Ricardo Peláez y Luis Hernández. Los arqueros titulares, José Miguel y Nicolás Navarro, actuaron en los 180 minutos de la final.

La liguilla, pues, estuvo pletórica de goles. Se anotaron 64 y Jared Borgetti impuso la marca de siete tantos en una fase final.

MÉXICO AVANZA EN LA ELIMINATORIA MUNDIALISTA

El Cruz Azul y el Necaxa comenzaron en septiembre su participación en el torneo de la Concacaf. El primero, con Carlos Briones en el arco, eliminó al Victoria, de Honduras, por 0-1 y 2-0, mientras que el segundo, con Navarro en la meta, se trajo de San José un empate a dos con el Saprissa.

Antes de iniciar la eliminatoria mundialista la Selección Nacional sostuvo un encuentro con la de Francia en París. Los galos le anotaron dos veces a Oswaldo Sánchez, a quien sustituyó Adolfo Ríos, y se impusieron por 2 a 0.

Los rivales de México en la primera fase de la eliminatoria para Francia-98 fueron San Vicente, Honduras y Jamaica. El Tri venció al primero en Kingstown por 3-0, perdió con el segundo en San Pedro Sula por 1-2 y le ganó al tercero en el Azteca por 2-1. Posteriormente, México recibió y goleó 5-1 a San Vicente, se vengó de Honduras ganándole 3-1 en el Azteca y terminó perdiendo con Jamaica 0-1 en Kingston. En todos los partidos menos el último alineó Jorge Campos. El segundo choque contra Jamaica fue el único juego oficial de Félix Fernández con la Selección.

El Tri también jugó un amistoso en Oakland contra Ecuador. El resultado fue 1-0 a favor de los ecuatorianos, el gol lo recibió Adolfo Ríos, quien entró de cambio por Campos. Y cerró el año con una victoria por 3-1 sobre El Salvador en Los Ángeles, también con Jorge en el marco.

Por cierto que el gran portero mexicano se había codeado con algunas figuras de fama mundial como Lothar Matthaeus, Michael Laudrup, Jurgen Klinsmann, Fernando Hierro y George Weah en un partido que tuvo lugar en Nueva Jersey entre la Olímpica de Brasil y las "Estrellas Mundiales" de la FIFA. Campos jugó el primer tiempo y se mantuvo imbatido. En la segunda parte Brasil marcó dos veces y ganó 2-1.

La presencia de futbolistas mexicanos en el extranjero continuó al ser contratado Joaquín del Olmo por el Vitesse de Holanda.

Nómina de porteros

América	Oswaldo Sánchez y Hugo Pineda
Atlante	Félix Fernández y Jorge Campos
Atlas	Erubey Cabuto
Celaya	Adrián Chávez y Homero Pasallo
Cruz Azul	Carlos Briones, Norberto Scoponi y Óscar Pérez
Guadalajara	Martín Zúñiga y Eduardo Fernández
León	Ángel Comizzo y Adrián Martínez
Monterrey	Rubén Ruiz Díaz, Tirso Carpizo e Israel Lugo
Morelia	Miguel Ángel Murillo, Ricardo Martínez y Fernando Piña
Necaxa	Nicolás Navarro y Raúl Orvañanos
Pachuca	José Luis Miranda, Miguel de Jesús Fuentes y Hugo Said Hernández
Puebla	Gerardo Rabajda
Santos	José Miguel y Olaf Heredia
Toluca	Luis Alberto Islas
Toros Neza	Pablo Larios y Juan Gutiérrez
UAG	Alan Cruz y Pedro Prieto
UNAM	Isaac Mizrahi, Sergio Bernal y Esdras Rangel
Veracruz	Adolfo Ríos y Fernando Palomeque

Más juegos (j)

Erubey Cabuto (Atlas)	17
Martín Zúñiga (Guadalajara)	17
Gerardo Rabajda (Puebla)	17
Luis Alberto Islas (Toluca)	17
Nicolás Navarro (Necaxa)	16
Adolfo Ríos (Veracruz)	16

Más goles (g)

Pablo Larios (Toros Neza)	27
Erubey Cabuto (Atlas)	26
José Luis Miranda (Pachuca)	22
Gerardo Rabajda (Puebla)	22
Alan Cruz (UAG)	22
Adolfo Ríos (Veracruz)	21

Más juegos completos

Erubey Cabuto (Atlas)	17
Gerardo Rabajda (Puebla)	17
Luis Antonio Islas (Toluca)	17
Martín Zúñiga (Guadalajara)	16
Nicolás Navarro (Necaxa)	16
Adolfo Ríos (Veracruz)	15

Más bajo g/j (mínimo 10 juegos)

Félix Fernández (Atlante)	0.67
José Miguel (Santos)	0.80
Luis Alberto Islas (Toluca)	0.88
Martín Zúñiga (Guadalajara)	1.12
Ángel Comizzo (León)	1.14

Más goles en un juego

Erubey Cabuto (Atlas)	6
Homero Pasallo (Celaya)	6
Pablo Larios (Toros Neza)	6
Oswaldo Sánchez (América)	5
Adrián Chávez (Celaya)	5
Miguel Ángel Murillo (Morelia)	5
Miguel de Jesús Fuentes (Pachuca)	5 (2 veces)
Pablo Larios (Toros Neza)	5
Alan Cruz (UAG)	5 (2 veces)

Expulsados

Adrián Chávez (Celaya)
Homero Pasallo (Celaya)
José Luis Miranda (Pachuca)
Pablo Larios (Toros Neza)

Penaltis detenidos

Erubey Cabuto (Atlas)	1
Homero Pasallo (Celaya)	1
Ángel Comizzo (León)	1
Miguel Ángel Murillo (Morelia)	1
Nicolás Navarro (Necaxa)	1
Luis Alberto Islas (Toluca)	1
Juan Gutiérrez (Toros Neza)	1

LIGUILLA

Más juegos	Nicolás Navarro (Necaxa), José Miguel (Santos) y Pablo Larios (Toros Neza)	6
Más juegos completos	Nicolás Navarro (Necaxa) y Pablo Larios (Toros Neza)	6
Más goles	Nicolás Navarro (Necaxa) y Pablo Larios (Toros Neza)	9
Más bajo G/J	José Miguel (Santos) y Luis Alberto Islas (Toluca)	1.00
Más goles en un juego	Félix Fernández (Atlante)	5
Penaltis detenidos	Ángel Comizzo (León)	1
Expulsados	Rubén Ruiz Díaz (Monterrey)	

Verano-97
Décimo título de las *Chivas*

Anotando seis goles en el segundo tiempo del juego final, el Guadalajara conquistó su décimo campeonato. Además impuso el récord del equipo de 18 partidos consecutivos sin perder. Por segunda vez en la década el Pachuca descendió a Primera A. Los Tigres *del Universitario de Nuevo León retornaron al máximo circuito tras ganar los torneos de invierno y verano. Hugo Pineda fue el mejor portero y dos artilleros argentinos compartieron el liderato de goleo. México se mantuvo invicto en la primera vuelta del torneo hexagonal clasificatorio para la Copa del Mundo y obtuvo el tercer lugar en la Copa América, en la que Luis Hernández fue el máximo anotador. Francia echó a México del Mundial Juvenil en Malasia.*

Destaca Adolfo Ríos con la Selección

El primer torneo "veraniego" se realizó del 11 de enero al 1 de junio de 1997. La Copa México fue cancelada por tercera vez en la historia y quizás sea la definitiva.

En el primer mes del año la Selección ganó la Copa USA y el Necaxa y el Cruz Azul eliminaron a los costarricenses Saprissa y Alajuelense, respectivamente, y pasaron a la fase final del torneo de la Concacaf. Adolfo Ríos solamente permitió una anotación en los tres partidos del certamen estadounidense, que incluyeron una victoria por 3-1 sobre Dinamarca, otra por 2 a 0 frente al país anfitrión y un empate sin goles con Perú.

Durante marzo y abril comenzó la primera parte del hexagonal final de Concacaf por dos boletos para Francia-98. En el estadio Azteca (que por poco tiempo fue rebautizado con el nombre de Guillermo Cañedo, uno de los más importantes dirigentes en la historia del balompié mexicano, fallecido el 28 de enero) México repartió goleadas por 4-0 a Canadá y 6-0 a Jamaica y sacó empates de visita ante Costa Rica (0-0) y Estados Unidos (2-2).

También sostuvo partidos amistosos contra Guatemala (1-1) en Fresno, California, contra Inglaterra (0-2) en Londres y ante Brasil (0-4) en Miami. Y ya en junio cerró la primera vuelta de la eliminatoria derrotando por 1 a 0 a El Salvador en la capital salvadoreña. Al cubrir el arco mexicano en todos los partidos, Adolfo Ríos ligó una docena de actuaciones consecutivas

con la Selección, que se cortó el 13 de junio al iniciarse la Copa América en Bolivia porque en el primer juego, contra Colombia, alineó Hugo Pineda, por quien entró de cambio Martín Zúñiga. Sin embargo, en los demás partidos Ríos volvió a custodiar el marco mexicano.

A la Copa América fue una Selección "A-B", es decir, mezcla de mayor y sub-23, que avanzó a cuartos de final tras doblar por 2-1 a los colombianos (el tanto de éstos lo recibió Zúñiga), caer ante Brasil por 2-3 y empatar a uno con Costa Rica.

En la siguiente fase el Tri también igualó 1-1 con Ecuador pero lo venció en penaltis por 4-3 con gran actuación de Ríos que atajó tres disparos desde los once metros. En semifinales fue vencido por Bolivia, el país sede, por 1-3, y cerró su participación con un triunfo de 1-0 sobre Perú para quedarse con el tercer lugar.

Figura destacada del torneo sudamericano fue Luis Hernández, quien con seis anotaciones se proclamó rey de goleo. Uno de sus tantos, el del empate con los *ticos*, fue el gol 2,000 en la historia de la Copa América. Su gran actuación le valió ser contratado por el Boca Juniors.

Notables rachas de *Chivas* y América

En la primera jornada de la Liga el Guadalajara fue vencido por los *Pumas*. No volvió a sufrir una derrota hasta el primer juego de semifinales contra el Morelia. El lapso de invencibilidad abarcó 18 partidos, un récord para las *Chivas*. Sin embargo, el equipo tapatío no encabezó la tabla general ya que fue superado por tres puntos por el América. Las *Águilas* lograron ganar ocho juegos en forma consecutiva, racha con la que empataron una marca del club. Además el América fue el equipo menos goleado. Entre Hugo Pineda y Oswaldo Sánchez solamente permitieron 12 anotaciones, y Pineda encabezó a los porteros con el promedio de goles por juego más bajo (0.64) y tuvo la racha más grande de partidos seguidos con meta invicta (4).

En este segundo torneo corto se anotaron diez goles más que en el primero, pero en la liguilla (con un solo repechaje) hubo quince anotaciones menos. Cuarenta y dos guardametas se repartieron 444 goles y por primera vez en doce años ningún portero jugó completos todos los partidos.

La nómina de arqueros extranjeros se incrementó cuando los *Pumas* cerraron un periodo de poco más de 20 años sin tener un portero no mexicano y contrataron al argentino Javier Lavallén, de 23 años de edad y proveniente del Quilmes. Debutó el 12 de enero en el partido de la única derrota de las *Chivas* en la fase regular del torneo. Su primer gol en México lo recibió de Paulo César Chávez.

No sólo Hugo Pineda promedió menos de un gol por partido. Martín Zúñiga, de *Chivas*, y Ángel Comizzo, del León, tuvieron 0.92 y 0.93, respectivamente.

Hegemonía extranjera en el goleo

También en la primera fecha del campeonato se registró el partido de más goles. En el estadio Jalisco el Atlas le metió seis a la UAG y recibió cuatro. Alan Cruz fue el portero bombardeado por los rojinegros. En el resto del torneo ningún equipo volvió a marcar seis tantos hasta el segundo juego de la final cuando las *Chivas* acribillaron a Pablo Larios.

Tres arqueros recibieron cinco goles en un partido y a dos de ellos se los anotó el mismo equipo en juegos consecutivos. El Toros Neza, equipo sensación del campeonato, le metió cinco a Rubén Ruiz Díaz (Monterrey) en Neza y una semana después, en Veracruz, le repitió la dosis a Fernando Palomeque. El novato Hugo Said Hernández, del Pachuca, también se tragó cinco pepinos, cortesía del Monterrey.

En la tabla de goleadores los argentinos Lorenzo Sáez, del Pachuca, y Gabriel Caballero, del Santos, se ubicaron en la primera posición con una docena de anotaciones cada uno. Tres extranjeros más, el argentino Christian Domizzi (UNAM), el chileno Marco Antonio Figueroa (Morelia) y el brasileño Claudio da Silva (Morelia), además del mexicano Gustavo Nápoles (Guadalajara) quedaron abajo. Domizzi marcó once y los otros tres hicieron nueve cada uno.

Con 32 goles encajados, el atlista Erubey Cabuto figuró como el portero más goleado, seguido por Larios, que recibió 28, y José Miguel, 27.

Casi 500 partidos de Olaf Heredia

Para dos guardametas el Verano-97 fue su último campeonato. Con 39 años de edad y una larga carrera de casi veinte temporadas, Olaf Heredia se despidió el 16 de marzo (Santos 2 Toluca 1), y Tirso Carpizo, quien siempre portó los colores del Monterrey, jugó por última vez el 4 de mayo (Atlante 2 Monterrey 0).

En seis torneos con *Pumas*, dos con *Tigres*, tres con Morelia, tres con Cruz Azul y cinco con Santos, Olaf sumó 495 juegos y 629 goles. Promedió 1.27, detuvo 12 penaltis, ganó dos títulos de Liga, dos de Copa y una Copa Interamericana. También fue dos veces subcampeón de Liga. Con los *Pumas* jugó 101 partidos consecutivos. Dieciocho veces vistió la camiseta nacional y fue el segundo portero de México en el Mundial-86.

Carpizo permaneció diez años con los *Rayados*. Fue monarca de Copa y subcampeón de Liga. Sus números: 126 juegos, 181 anotaciones y promedio de 1.44.

Luego de participar en cuatro torneos con el Cruz Azul, el magnífico arquero argentino Norberto Scoponi concluyó su ciclo en México y retornó a su país para jugar con el Independiente. En el poco tiempo que actuó en el futbol mexicano ganó una Copa, un Concacaf y un subcampeonato de Liga. Logró un extraordinario promedio de 1.09 goles por partido al recibir 81 tantos en 74 encuentros. En su último juego, el 19 de marzo, el Cruz Azul derrotó 3-1 al Pachuca.

A José Luis Miranda le faltó un juego para alcanzar la centena de partidos en Primera División. En este torneo solamente actuó una vez con el Pachuca y le tocó su segundo descenso, el primero lo había sufrido con el Irapuato en 90-91. Acumuló 99 juegos en cinco años con los *Freseros*, uno con el Santos y dos con los *Tuzos*. Le metieron 152 goles y su promedio fue 1.54.

Este portero fue el que recibió el último gol de Hugo Sánchez. El *Pentapichichi* escogió al Celaya como el último equipo de su carrera, y el 20 de abril en el estadio Hidalgo marcó su postrer tanto mientras el Celaya derrotaba 3-1 al Pachuca.

Guadalajara, campeón

Tras ligar 14 juegos seguidos sin un triunfo, el Veracruz ocupó el último lugar en la clasificación general con sólo 10 puntos, pero el equipo que bajó a Primera A fue el Pachuca por tener el promedio de puntos más pequeño.

El Puebla tuvo la ofensiva más débil, sólo anotó 15 goles, mientras que el Monterrey fue el más goleado con 38 y el liderato de anotaciones lo consiguió el Toros Neza con 40. Estos *Toros*, dirigidos nuevamente por el *Ojitos* Meza, quedaron en tercer sitio en la tabla general, y si en el Invierno-96 llegaron a semifinales, ahora se metieron a la final.

Por cierto que Enrique Meza fue el único ex portero que dirigió en este torneo. Llegó a la final pasando sobre los *Pumas* en cuartos de final y sobre el Necaxa en semifinales por marcador global de 4-3 en ambos cotejos.

Tras eliminar a los *Tecos* por global de 4-2 en el único repechaje, el Morelia despidió al súper líder América al que venció por 1-0 en terreno michoacano y por 3-1 a domicilio. En la fase regular del torneo las *Águilas* sumaron doce puntos más que el cuadro moreliano.

En las otras series de cuartos de final las *Chivas* sacaron un empate de Torreón y luego aplastaron 5-0 al Santos en Guadalajara, y el Necaxa hizo valer su mejor posición en la tabla general para eliminar al Atlante, ya que el marcador global quedó empatado a tres. Los azulgranas ganaron el primer partido por dos a cero y el Necaxa el segundo por 3-1. Al irse en blanco ante la portería de Jorge Campos, el cuadro rojiblanco terminó una racha que traía desde el Invierno-96 de 29 juegos seguidos anotando.

El enrachado Morelia dobló al Guadalajara por 1-0 en el primer duelo semifinal, apenas la segunda derrota de las *Chivas* en todo el torneo. En el Jalisco el cuadro tapatío le devolvió el marcador y pasó a la final por su mejor posición.

El 29 de mayo Toros Neza y *Chivas* empataron a uno en el Neza-86. A Larios lo batió Manuel Martínez, y a Zúñiga, Carlos Briseño. El 1 de junio el marcador continuaba empatado cuando terminó el primer tiempo, pero en el segundo el Guadalajara, con Ricardo *Tuca* Ferretti en el timón, se destapó con seis anotaciones para conquistar su décima corona de Liga. En la lluvia de goles sobre la cabaña de Larios destacó Gustavo Nápoles, autor de cuatro tantos. Los otros fueron de Paulo César Chávez y Manuel Martínez. El argentino Germán Arangio marcó el del "honor" del Toros Neza.

Padre e hijo juegan juntos

En Malasia tuvo lugar el Mundial Juvenil, en el cual la selección mexicana, al mando de José Luis Real, consiguió pasar a cuartos de final merced a una goleada de 5-0 sobre Emiratos Árabes y un empate 1-1 con Costa de Marfil. El tercer juego de la primera ronda lo perdió 0-1 frente a Inglaterra. Y al caer ante Francia, otra vez por 0-1, se fue del torneo. El portero en todos los partidos fue Alexandro Álvarez.

El 12 de marzo ocurrió un hecho digno de figurar en los archivos del celebérrimo señor Ripley. En un juego de la Primera División A entre el San Luis y el Cruz Azul Hidalgo alinearon con el equipo potosino el portero José Luis Sámano y su hijo Hugo. Ah, ganó San Luis 1-0.

Nómina de porteros

América	Hugo Pineda y Oswaldo Sánchez
Atlante	Eduardo Fernández y Jorge Campos
Atlas	Erubey Cabuto y Alejandro Herrera
Celaya	Adrián Chávez, Emmanuel González y Homero Pasallo
Cruz Azul	Norberto Scoponi y Óscar Pérez
Guadalajara	Martín Zúñiga y Eduardo Fernández
León	Ángel Comizzo y Adrián Martínez
Monterrey	Tirso Carpizo y Rubén Ruiz Díaz
Morelia	Ricardo Martínez y Fernando Piña
Necaxa	Nicolás Navarro y Raúl Orvañanos
Pachuca	Miguel de Jesús Fuentes, Hugo Said Hernández y José Luis Miranda
Puebla	Gerardo Rabajda y Alejandro García
Santos	José Miguel, Olaf Heredia y Mario López
Toluca	Luis Alberto Islas y Jesús Alfaro
Toros Neza	Pablo Larios y Juan Gutiérrez
UAG	Alan Cruz y José Guadalupe Alonso
UNAM	Javier Lavallén, Sergio Bernal e Isaac Mizrahi
Veracruz	Adolfo Ríos, Fernando Palomeque, Rubén Salas y José Luis Vincent

Más juegos (j)	
Luis Alberto Islas (Toluca)	17
Erubey Cabuto (Atlas)	16
Gerardo Rabajda (Puebla)	16
José Miguel (Santos)	16
Javier Lavallén (UNAM)	16

Más juegos completos	
Erubey Cabuto (Atlas)	16
Gerardo Rabajda (Puebla)	16
Luis Alberto Islas (Toluca)	16
Ángel Comizzo (León)	15
José Miguel (Santos)	15
Alan Cruz (UAG)	15
Javier Lavallén (UNAM)	15

Más goles (g)	
Erubey Cabuto (Atlas)	32
Pablo Larios (Toros Neza)	28
José Miguel (Santos)	27
Tirso Carpizo (Monterrey)	23

Más bajo g/j (mínimo 10 juegos)	
Hugo Pineda (América)	0.64
Martín Zúñiga (Guadalajara)	0.92
Ángel Comizzo (León)	0.93
Gerardo Rabajda (Puebla)	1.12

Más goles en un juego	
Alan Cruz (UAG)	6
Rubén Ruiz Díaz (Monterrey)	5
Hugo Said Hernández (Pachuca)	5
Fernando Palomeque (Veracruz)	5

Penaltis detenidos	
Gerardo Rabajda (Puebla)	2
Hugo Pineda (América)	1
Félix Fernández (Atlante)	1
Erubey Cabuto (Atlas)	1
Martín Zúñiga (Guadalajara)	1
Ángel Comizzo (León)	1
Ricardo Martínez (Morelia)	1
José Miguel (Santos)	1
Adolfo Ríos (Veracruz)	1

Expulsados
Fernando Piña (Morelia)
José Miguel (Santos)

LIGUILLA

Más juegos	Martín Zúñiga (Guadalajara), Ricardo Martínez (Morelia) y Pablo Larios (Toros Neza)	6
Más juegos completos	Martín Zúñiga (Guadalajara), Ricardo Martínez (Morelia) y Pablo Larios (Toros Neza)	6
Más goles	Pablo Larios (Toros Neza)	13
Más bajo G/J	Martín Zúñiga (Guadalajara) y Ricardo Martínez (Morelia)	0.67
Más goles en un juego	Pablo Larios (Toros Neza)	6
Penaltis detenidos	Ricardo Martínez (Morelia) y Alan Cruz (UAG)	1
Expulsados	Ninguno	

Invierno-97
Octavo campeonato del Cruz Azul

Después de 17 años el Cruz Azul volvió a ganar la Liga y redondeó el semestre con dos Copas Concacaf. Su portero, el Conejo Pérez, *fue el guardameta más eficiente y debutó con la Selección. Luis García obtuvo su tercer título de goleo. Con más empates que victorias el Tri consiguió el boleto para Francia-98. En el Mundial Sub-17 México fue eliminado en la primera ronda. El famoso portero colombiano René Higuita se incorporó al futbol mexicano.* Toros Neza *cortó una racha de 39 juegos seguidos aceptando gol y el Cruz Azul se mantuvo invicto como visitante.*

Cruz Azul, doble monarca de Concacaf

En poco más de un mes, entre el 15 de julio y el 24 de agosto, el Cruz Azul enriqueció su sala de trofeos con dos Copas de Concacaf, la segunda de ellas llamada "Copa de Campeones", en cuya disputa también participaron, entre otros, el Guadalajara y el Santos, así como el Galaxy y el DC United de Estados Unidos.

Los *Cementeros* ganaron el primer título al lograr el liderato del cuadrangular final que tuvo sede en Guatemala. Allí el Cruz Azul empató a uno con el Necaxa, venció por 2-1 al Comunicaciones y aplastó inmisericordemente por 11-0 al Seattle Sounders. Por su parte, el Necaxa también dobló al equipo *gringo* (4-1) pero no pudo vencer al guatemalteco (3-3).

En el partido entre los dos cuadros mexicanos resultó curioso ver en la portería cruzazulina a Nicolás Navarro enfrentando al que fue su equipo por doce años. Ya contra Comunicaciones y Seattle actuó Óscar Pérez, mientras que la puerta del Necaxa fue cubierta por los jóvenes Raúl Orvañanos, en el primer juego, y Alan Guadarrama, en los otros dos.

Luego a la Confederación Nortecentroamericana y del Caribe se le ocurrió realizar un torneo rápido (contrastante de sus tradicionales certámenes prolongados que en ocasiones duraban un año o más) que en su mayor parte se jugó en canchas estadounidenses y al que se le puso el nombre de "Copa de Campeones".

El sistema de competencia fue eliminación directa. El Galaxy —con Jorge Campos— despachó al Santos en Los Ángeles, y a las *Chivas* el Cruz Azul en un partido que se efectuó en

Washington. Allí mismo el Galaxy venció al DC United y en Ciudad de México los *Cementeros* golearon al Comunicaciones de Guatemala. Antes de perder con Cruz Azul, el Guadalajara batió al Cartaginés de Costa Rica en la Perla Tapatía y finalmente quedó en tercer lugar tras empatar a dos con el DC United en Washington.

La capital de Estados Unidos también fue sede de la final entre el Galaxy y el Cruz Azul. Partido de ocho goles. Tanto Jorge Campos como el *Conejo* Pérez recibieron tres tantos cada uno, sólo que una de las anotaciones del Galaxy fue del propio Campos, quien nuevamente se desempeñó como portero y delantero. Cruz Azul ganó 5-3 y se llevó la Copa.

Higuita al Veracruz y Ríos al Necaxa

El torneo Invierno-97 comenzó el 25 de julio con dos novedades en lo que a porteros se refiere, el argentino Marcos Gutiérrez, de 27 años de edad, transferido por el Huracán al Toros Neza, y el colombiano René Higuita, de 30 años, mundialista en Italia-90, con una larga y exitosa carrera en su país y un breve paso por el futbol español, a quien contrató el Veracruz.

Ambos debutaron en la primera jornada. Gutiérrez en el juego Morelia 3 Toros Neza 0 en el estadio Morelos e Higuita en el empate 1-1 entre *Tecos* y *Tiburones* en Zapopan. El *Fantasma* Figueroa, del Morelia, y Mauricio Gallaga, de *Tecos*, fueron los autores de los primeros goles recibidos en nuestro país por estos cancerberos, con los cuales el número de arqueros extranjeros creció a nueve, cantidad no registrada desde la temporada 74-75.

Posteriormente, el 13 de septiembre, se presentó con el Monterrey Omar Ortiz, arquero regiomontano de 21 años. Lo hizo en una edición más del Clásico del Norte, que ganaron los *Tigres* por 3-2 en el estadio del Tecnológico, y su meta fue vencida por primera vez por el búlgaro Emil Kostadinov. Fue el único partido que jugó Ortiz ya que la portería rayada fue custodiada por séptimo torneo consecutivo por la *Bomba* Ruiz Díaz.

Varios movimientos se registraron en la nómina de porteros. Después de jugar cinco años con los *Tecos*, Alan Cruz regresó al Atlante para fungir como suplente de Félix Fernández, misma función que desempeñó en el Atlas con Cabuto el ex *Puma* Isaac Mizrahi. También como suplente —de Comizzo— retornó al León el veterano Adrián Chávez, quien había jugado con el equipo *esmeralda* los torneos Prode-85 y México-86. Con la llegada de Higuita, Adolfo Ríos se fue al Necaxa donde se alternó en el arco con Raúl Orvañanos. Al Veracruz también arribó Eduardo Fernández, procedente del Guadalajara, y Carlos Briones, que había jugado el Invierno-96 con el Cruz Azul, reapareció con *Tecos*, equipo al que también se incorporó Jesús Alfaro, proveniente del Toluca. Miguel de Jesús Fuentes, que descendió con el Pachuca en el torneo anterior, se quedó en Primera División para jugar con el Celaya.

Finalmente, el cambio ya mencionado de Nicolás Navarro del Necaxa al Cruz Azul.

Jorge Campos terminó su contrato con el Galaxy y volvió a México para jugar la última fecha del campeonato con el conjunto *cementero*. Fue su única actuación con el Cruz Azul ya que en la liguilla siempre jugó Óscar Pérez. En dos años con el equipo estadounidense, Campos participó en 43 partidos y recibió 50 goles.

La racha de Siboldi quedó en 114

De los 36 porteros que tuvieron acción, cinco jugaron el torneo completo, predominando los importados, ya que Gerardo Rabajda, José Miguel, Luis Alberto Islas y el debutante Marcos Gutiérrez participaron en todos los minutos de los 17 partidos. El único mexicano que lo hizo fue Martín Zúñiga.

La reaparición en el máximo circuito de los *Tigres* del Universitario de Nuevo León vino acompañada por la de Robert Dante Siboldi, el magnífico guardameta uruguayo que pudo continuar su racha de juegos consecutivos en Primera División, iniciada en el campeonato 93-94. Sin embargo, un llamado a la Selección de Uruguay para afrontar la eliminatoria sudamericana para el Mundial provocó el final de la racha. Ésta terminó el 10 de agosto. Siboldi jugó 114 partidos seguidos, todos completos. Es la sexta racha más larga de la historia. Durante ella recibió solamente 124 anotaciones para un muy bajo promedio de 1.09.

La producción de goles en este torneo "invernal" fue

de 438 y en la liguilla, que esta vez no tuvo repechajes, de 33. El equipo más anotador fue el León (30), el que registró menos fue el Veracruz (19), los más goleados, Santos y Necaxa con 31 cada uno, y Cruz Azul ostentó la defensa más sólida con sólo 16 tantos recibidos. Por cierto que en las filas necaxistas militó Joaquín del Olmo, cuya estancia en el futbol holandés sólo duró un semestre.

Supremacía de goleadores mexicanos

Anotando casi la mitad de los goles de su equipo, el ahora atlantista Luis García conquistó su tercer campeonato de goleo. Logró una docena de anotaciones y superó por dos goles a Carlos Hermosillo y al *puma* Jesús Olalde. Abajo de ellos quedó Daniel Guzmán (Atlas) con nueve y luego Gustavo Nápoles, de *Chivas*, y Germán Arangio, de Toros Neza con ocho. Con excepción del último, los mayores artilleros fueron mexicanos, a diferencia del torneo anterior en el que dominaron los extranjeros.

En cambio, cuatro porteros no nacidos en México fueron los guardametas más goleados del campeonato: los *ches* José Miguel (31), Marcos Gutiérrez (29) y Javier Lavallén (28) y el *charrúa* Rabajda (27). Por cierto que Lavallén jugó su segundo y último torneo en México. Se le vio por última vez en el arco de los *Pumas* el 26 de noviembre en el juego UNAM (1) Monterrey (3). Sus números totales fueron: 33 partidos, 54 goles, promedio 1.64.

Gutiérrez, el arquero del Toros Neza, encajó pepinos en todos los juegos menos en uno, el del 5 de octubre, que su equipo le ganó al Toluca por dos a cero para cortar una larga racha de 39 encuentros al hilo recibiendo goles.

El *Conejo* Pérez fue el mejor portero

Los porteros del Cruz Azul, Atlante y América, Óscar Pérez, Félix Fernández y Oswaldo Sánchez, respectivamente, lucieron los promedios de goleo más bajos. El *Conejo*, con 0.80, fue el único que admitió menos de un gol por juego. Félix tuvo 1.06 y Oswaldo 1.12.

Ricardo Martínez, del Morelia, detuvo tres penaltis, uno más que los atajados por Martín Zúñiga, José Miguel y Erubey Cabuto. El arquero del Santos cargó con la goleada del torneo, un 6-3 que el Morelia le propinó al cuadro lagunero el 14 de septiembre en el Morelos. Cabe hacer notar que, salvo en la liguilla donde el León tundió al Toros Neza también por 6-3, no hubo ningún otro juego en el que un equipo anotara más de cuatro goles. Esto no había sucedido nunca en la historia de los campeonatos mexicanos.

Por cierto que ese juego de nueve anotaciones entre el León y Toros Neza, del 23 de noviembre en el Nou Camp, fue con el que cerró su carrera el portero mexiquense Juan Gutiérrez. Participó en siete torneos con el Toluca y en cuatro con Toros Neza (en éste sólo en la liguilla), sumó 157 partidos y 203 goles. Con el Toluca ganó una Copa México y con *Toros* fue subcampeón de Liga. Nunca fue expulsado. Su promedio de anotaciones por juego quedó en 1.29.

Meza dirige al Toluca y La Volpe al Atlas

El Atlas se convirtió en el séptimo equipo dirigido por Ricardo La Volpe, mientras que con el Veracruz debutó Víctor Manuel Aguado, y al Toluca llegó Enrique Meza en la fecha 6, cuando los *Diablos* solamente habían ganado un punto. En los dos torneos que dirigió al Toros Neza, el *Ojitos* logró 23 triunfos, cuatro empates y perdió 19 veces. Clasificó a dos liguillas y en una quedó subcampeón.

En este Invierno-97 el Atlas de La Volpe llegó hasta cuartos de final donde cayó ante el Cruz Azul, a la postre campeón, mientras que el Veracruz de Aguado y el Toluca de Meza quedaron en décimo y duodécimo lugares, respectivamente, en la tabla general.

Califica la Selección y cambia de técnico

En los meses de octubre y noviembre se jugó la segunda vuelta del hexagonal clasificatorio para Francia-98. Jorge Campos reapareció en la portería mexicana. Se mantuvo imbatido frente a El Salvador y Estados Unidos en el Azteca y recibió par de goles de Canadá en Edmonton. El Tri aplastó a los salvadoreños por cinco a cero y empató a dos con Canadá y a cero con los estadounidenses.

Posteriormente, con Oswaldo en el arco, México sufrió para empatar 3-3 con Costa Rica en el Azteca y terminó la eliminatoria igualando sin goles con Jamaica en Kingston. Se obtuvo el boleto, no se perdió ningún partido, pero de diez juegos sólo se ganaron cuatro, y el desempeño del equipo provocó abucheos en varias ocasiones, lo que determinó el cese de Bora Milutinovic y el retorno de Manuel Lapuente a la dirección técnica de la Selección.

La Copa Confederaciones en Riad marcó el debut de Lapuente en su segunda etapa al frente del Tri. La escuadra mexicana comenzó perdiendo 1-3 con Australia, después dobló 5-0 al anfitrión Arabia Saudita y quedó eliminada al sucumbir ante Brasil por 2-3. En los primeros dos juegos actuó Oswaldo Sánchez y en el tercero hizo su debut con la Selección el *Conejo* Pérez.

No había corrido con mejor suerte la Sub-17 en el Mundial efectuado en septiembre en Egipto: derrota frente a España (2-3), goleada a Nueva Zelanda (5-0), revés ante Mali (1-3) y adiós. El portero fue José de Jesús Corona, sobrino de Gilberto *Coco* Rodríguez, el gran arquero de las *Chivas* en los años sesenta y setenta.

Se corona el Cruz Azul con gol de oro

Por primera vez desde que se instituyó en 91-92 no hubo repechaje. Los ocho cuartofinalistas fueron: León, Cruz Azul, Atlante, América, Guadalajara, Morelia, Atlas y Toros Neza. El duelo más cerrado fue protagonizado por el Atlante y el Morelia, dos equipos que en todo el torneo se mantuvieron invictos en casa. El primer partido, en Morelia, quedó cero a cero; en el segundo triunfó el cuadro azulgrana 1-0.

Mientras tanto el Cruz Azul batió dos veces al Atlas (1-0 y 4-1) y lo mismo hizo el América con el Guadalajara (3-1 y 1-0). El tercer tanto de las *Águilas* en el primer juego quedó registrado como el gol número tres mil en la historia del América. Lo anotó Alberto García Aspe y lo recibió Martín Zúñiga.

Por su parte, el León, líder general, se levantó de una derrota en Neza por 0-1 con la goleada de 6-3 antes mencionada. En semifinales se repitió la historia. Los *Panzas Verdes* perdieron 0-1 con el América en el Azteca y remontaron en el Nou Camp (3-1) eliminando al cuadro aguilista.

El Cruz Azul despachó al Atlante mediante empate a uno y victoria mínima de 1-0, y se dispuso a enfrentar al León en la final.

El 4 de diciembre en el estadio Azul un penalti de Benjamín Galindo le dio el triunfo a los celestes. Por tercera vez consecutiva en la liguilla el León perdió por 0-1 en cancha ajena el primer juego. Tres días después en el estadio leonés un golazo de Misael Espinosa empató el marcador global y la final se alargó a tiempo extra.

Ya estaba en vigor el "gol de oro", una disposición de la FIFA por la cual el tiempo extra termina al anotarse un gol. A los 10 minutos el arquero leonés Comizzo arrolló a Hermosillo y lo pateó en la frente provocándole una herida en la sien izquierda. Se marcó el penalti pero el portero no fue expulsado. Hermosillo, recientemente operado de dos costillas fracturadas, engañó al cancerbero argentino y anotó el gol del octavo campeonato del Cruz Azul, esta vez dirigido por Luis Fernando Tena. La corona del equipo *cementero* se adornó con el dato de que en este torneo no perdió ningún partido en campo ajeno.

Por último, Luis Hernández con el Boca Juniors en Argentina tuvo más o menos la misma suerte que García Aspe con el River, ya que solamente jugó cuatro partidos de la Supercopa Sudamericana.

Nómina de porteros

América	Oswaldo Sánchez y Hugo Pineda
Atlante	Félix Fernández y Alan Cruz
Atlas	Erubey Cabuto e Isaac Mizrahi
Celaya	Miguel de Jesús Fuentes y Emmanuel González
Cruz Azul	Óscar Pérez, Nicolás Navarro y Jorge Campos
Guadalajara	Martín Zúñiga
León	Ángel Comizzo y Adrián Chávez
Monterrey	Rubén Ruiz Díaz y Omar Ortiz
Morelia	Ricardo Martínez, Miguel Ángel Murillo y Rubén Salas
Necaxa	Adolfo Ríos, Raúl Orvañanos y Alan Guadarrama
Puebla	Gerardo Rabajda
Santos	José Miguel
Tigres	Robert Dante Siboldi, Carlos Guerrero y Juan Carlos Herrera
Toluca	Luis Alberto Islas
Toros Neza	Marcos Gutiérrez y Juan Gutiérrez
UAG	Jesús Alfaro y Carlos Briones
UNAM	Javier Lavallén y Esdras Rangel
Veracruz	René Higuita y Eduardo Fernández

Más juegos (j)

Erubey Cabuto (Atlas)	17
Martín Zúñiga (Guadalajara)	17
Gerardo Rabajda (Puebla)	17
José Miguel (Santos)	17
Luis Alberto Islas (Toluca)	17
Marcos Gutiérrez (Toros Neza)	17

Más juegos completos

Martín Zúñiga (Guadalajara)	17
Gerardo Rabajda (Puebla)	17
José Miguel (Santos)	17
Luis Alberto Islas (Toluca)	17
Marcos Gutiérrez (Toros Neza)	17

Más goles (g)

José Miguel (Santos)	31
Marcos Gutiérrez (Toros Neza)	29
Javier Lavallén (UNAM)	28
Gerardo Rabajda (Puebla)	27
Erubey Cabuto (Atlas)	25

Más bajo g/j (mínimo 10 juegos)

Óscar Pérez (Cruz Azul)	0.80
Félix Fernández (Atlante)	1.06
Oswaldo Sánchez (América)	1.12
Rubén Ruiz Díaz (Monterrey)	1.19
Ricardo Martínez (Morelia)	1.19
Ángel Comizzo (León)	1.20

Más goles en un juego

José Miguel (Santos)	6

Penaltis detenidos

Ricardo Martínez (Morelia)	3
Erubey Cabuto (Atlas)	2
Martín Zúñiga (Guadalajara)	2
José Miguel (Santos)	2
Félix Fernández (Atlante)	1
Adrián Chávez (León)	1
Javier Lavallén (UNAM)	1
René Higuita (Veracruz)	1

Expulsados
Ángel Comizzo (León) (2 veces)
Miguel Ángel Murillo (Morelia)
Robert Dante Siboldi (Tigres)

LIGUILLA

Más juegos	Óscar Pérez (Cruz Azul) y Ángel Comizzo (León)	6
Más juegos completos	Óscar Pérez (Cruz Azul) y Ángel Comizzo (León)	6
Más goles	Ángel Comizzo (León)	8
Más bajo G/J	Óscar Pérez (Cruz Azul), Félix Fernández (Atlante) y Ricardo Martínez (Morelia)	0.50
Más goles en un juego	Juan Gutiérrez (Toros Neza)	6
Penaltis detenidos	Ninguno	
Expulsados	Ninguno	

Verano-98
Un semestre histórico

Después de 23 años el Toluca volvió a ser campeón de Liga y su técnico, Enrique Meza, se convirtió en el segundo portero en la historia del balompié profesional mexicano que gana campeonatos como jugador y como entrenador. México conquistó la Copa de Oro y en Francia-98 logró su mejor actuación en mundiales celebrados en Europa. Por primera vez en la historia de la Copa Libertadores de América participaron equipos mexicanos. El Cruz Azul implantó la marca de 19 partidos seguidos de visitante sin perder. Descendió el Veracruz y regresó al máximo circuito, por tercera vez en la década, el Pachuca. Adolfo Ríos, Óscar Pérez y Alan Cruz fueron los porteros más eficientes. El del Veracruz, René Higuita, anotó dos goles de penalti. José Saturnino Cardozo se convirtió en el primer paraguayo en coronarse campeón goleador de México.

América y Guadalajara en la Libertadores

Cinco años después de que el futbol mexicano comenzara a participar en el torneo sudamericano de países (la Copa América) llegó la invitación para que también lo hiciera en el de clubes, la Copa Libertadores de América, sólo que antes tendría que superar a equipos venezolanos en un torneo "Prelibertadores".

El América y el Guadalajara fueron los escogidos. Entre los dos obtuvieron cinco triunfos y dos empates en ocho cotejos con el Zulia y el Caracas. La única derrota se la llevó el América en su visita a la capital de Venezuela. Las *Chivas* quedaron en primer lugar con 10 puntos y las *Águilas* en segundo con siete. Ambos consiguieron boleto para el gran certamen sudamericano. En estos partidos, efectuados a mitad de semanas de enero y febrero, Hugo Pineda y Oswaldo Sánchez se alternaron en la portería americanista, al igual que Martín Zúñiga y el novato Gustavo Sedano en la tapatía.

En la Libertadores el Guadalajara y el América se ubicaron en un grupo con los cuadros brasileños Gremio y Vasco da Gama. El 4 de marzo de 1998 es la fecha del debut mexicano en la Libertadores. En un accidentado partido en el estadio Jalisco el América tuvo dos expulsados pero derrotó al Guadalajara 1-0 con un penalti de García Aspe y gracias a que Oswaldo

le detuvo uno a Paulo César Chávez. Posteriormente, las *Chivas* vencieron en casa tanto al Gremio como al Vasco por 1-0, pero en Porto Alegre y en Río de Janeiro sucumbieron por 0-2 en ambas visitas, mismo marcador que les aplicó el América en el estadio Azteca.

En México las *Águilas* perdieron con el Gremio 1-2 y empataron a uno con el Vasco. En Brasil, otra derrota frente al Gremio (0-1) y otro 1-1 con Vasco. Este punto les dio el pase a la segunda fase del torneo, mientras que el Guadalajara quedó eliminado. El líder del grupo fue el Gremio, con Vasco y América empatados en segundo lugar.

En menos de 24 horas el América jugó dos partidos oficiales en dos torneos. El 9 de abril enfrentó al Vasco da Gama en Río de Janeiro y el 10 al Toros Neza en Neza en el primer juego de repechaje del Verano-98. El director técnico Carlos Reinoso tuvo que formar dos equipos, echando mano de algunos jóvenes de las fuerzas inferiores, logrando salir avante ya que el América empató en Brasil y triunfó en Neza.

La actuación de la escuadra americanista en la Libertadores terminó en octavos de final ante el River Plate. En México empataron a uno y en Buenos Aires ganó el River por 1 a 0. En el campeonato mexicano las *Águilas* llegaron hasta semifinales donde se estrellaron ante el Toluca, a la postre campeón.

Oswaldo Sánchez (4 juegos), Hugo Pineda (4) y Gustavo Sedano (6) pasan a la historia como los primeros porteros mexicanos en jugar la Copa Libertadores.

Gran actuación de Sedano en su primera temporada

El 3 de enero se puso en marcha la Liga. Como Luis Alberto Islas se regresó a Argentina, el Toluca debutó al portero mexiquense Mario Albarrán; con los Toros Neza reapareció Pablo Larios; y Jorge Campos volvió a hacerse cargo del marco de los *Pumas*. En la presentación de Albarrán los *Diablos* derrotaron al Monterrey por 2 a 1. El brasileño Cleomar Pires le marcó el primer tanto al nuevo arquero.

Más adelante en el torneo el Toluca trajo a Martín Herrera, otro portero argentino, de 27 años de edad, que jugaba en la Primera-B del país sudamericano y antes había pasado varias temporadas en la banca del Boca Juniors. Sin embargo, la estancia de Herrera en el futbol mexicano fue corta, apenas cinco partidos en los que recibió diez goles. Cabe apuntar que este guardameta incursionó posteriormente en el balompié de España con el Alavés, y en el campeonato 99-00 fue el portero menos goleado.

Gustavo Sedano, arquero tapatío de 23 años que había debutado con el Guadalajara en el torneo Prelibertadores, jugó su primer partido de Liga el 22 de febrero y fue "bautizado" por el *tico* Hernán Medford, del León. *Chivas* y *Esmeraldas* empataron a un gol. En los siguientes cinco juegos (contra Veracruz, Puebla, Toluca, Toros Neza y *Pumas*) Sedano se mantuvo imbatido mientras las *Chivas* ligaban cinco victorias consecutivas, por cierto, los únicos cinco partidos que ganó el cuadro tapatío en el torneo. La racha de cinco juegos sin recibir gol de Sedano fue la más larga del campeonato. En total sólo permitió seis goles en nueve actuaciones. A Martín Zúñiga le metieron once en ocho juegos y el Guadalajara figuró como el equipo menos goleado.

En la nómina de porteros también apareció el nombre de Óscar Dautt, el arquero sinaloense que había jugado en la Copa México de 1996. Debutó en la Liga con el Monterrey. El primero que le anotó gol fue García Aspe, de penalti.

Paraguayo goleador y uruguayo goleado

De los 35 porteros que actuaron en el torneo, y que encajaron 427 goles en la fase regular y 60 en la liguilla, sólo cuatro jugaron todos los minutos de todos los partidos: los sudamericanos Gerardo Rabajda y José Miguel, ambos por segundo torneo seguido, Erubey Cabuto y el veterano Pablo Larios. Pero Rabajda y Larios también figuraron en la lista de los más goleados. El uruguayo la encabezó con 30, seguido por René Higuita con 27, Ricardo Martínez 26, Jorge Campos y Pablo Larios con 24 cada uno.

La cuota máxima de anotaciones de un equipo en un partido fue de 5 y ocurrió siete veces en la fase regular y dos en la liguilla. En uno de estos juegos el Puebla goleó por 5-3 al Morelia en el estadio Cuauhtémoc, con el veterano artillero hispano Carlos Muñoz perforando cuatro veces la meta de Ricardo Martínez.

La tercera parte de las 39 anotaciones que hizo el Toluca, campeón de goleo, fueron obra de José Saturnino Cardozo. De los 13 tantos del paraguayo, sólo uno fue de penalti. Repartió democráticamente sus goles: once a once equipos y dos al Monterrey. Él solo marcó tantos goles como todo el Celaya, equipo que impuso el récord de menos anotaciones en un campeonato.

Por cuarta ocasión en su carrera Carlos Hermosillo fue sublíder de los romperredes. Quedó a dos goles de Cardozo. El brasileño Claudio da Silva, del Morelia, también anotó once. A continuación, con nueve pepinos quedó Luis Hernández, quien tras su desangelada aventura con el Boca Juniors regresó a México para jugar con el Necaxa.

Dos goles de penalti de Higuita

De las 88 expulsiones (81 en la fase regular y 7 en la liguilla) ocurridas en el Verano-98 solamente una fue para un portero, la cifra más baja en 29 años. El único expulsado fue Siboldi, y el árbitro que lo envió a las regaderas, Marco Antonio Rodríguez.

Cinco arqueros mexicanos lograron los promedios más bajos de goles por juego. Adolfo Ríos tuvo 1.06, Óscar Pérez y Alan Cruz 1.07, Carlos Briones 1.13 y el debutante Mario Albarrán 1.25.

El *charrúa* Rabajda fue el mayor atajador de penaltis con dos, uno de ellos en la liguilla.

Y René Higuita pasó a la historia al anotar dos goles, ambos de penalti y en partidos consecutivos. El 8 de enero le metió uno al América en el Azteca y el 17 del mismo mes repitió la hazaña contra el Santos en el Luis *Pirata* Fuente. Los porteros fusilados por el colombiano fueron Oswaldo Sánchez y José Miguel.

Este torneo fue el último de Rabajda e Higuita en México. El uruguayo participó en cinco campeonatos con el Puebla, en los que sumó 90 partidos, 131 goles y 5 penaltis detenidos. Promedió 1.46 anotaciones por juego, nunca lo expulsaron y tuvo una racha de 52 partidos consecutivos.

Higuita sólo jugó dos torneos con el Veracruz, recibió 46 tantos en 30 partidos (promedio: 1.53) y le tocó el descenso de los *Tiburones* al cabo de este Verano-98 por tener el promedio de puntos más bajo. Cabe apuntar aquí que Víctor Manuel Aguado fue cesado de la dirección técnica del Veracruz tras la décima jornada cuando el cuadro jarocho solamente había ganados dos partidos, empatado dos y perdido seis. Los números de Aguado en torneo y medio que estuvo al frente del *Tiburón* fueron: siete triunfos, ocho empates y una docena de reveses.

Emocionante coronación del Toluca

El 22 de febrero terminó en Neza la racha invicta en canchas ajenas del Cruz Azul, que comenzó en el Verano-97. Antes de perder con el Toros Neza por 0-1, el equipo *cementero* sumó 19 juegos consecutivos de visitante sin derrota, récord en el futbol mexicano.

En esta Liga el Cruz Azul quedó en tercer lugar en la clasificación general con 30 puntos, abajo del Necaxa que hizo 32 y del Toluca que logró 33. Los otros equipos que ganaron boleto para la liguilla fueron el Atlas, el Santos y el Atlante, mientras que *Tecos*, América, Toros Neza y Puebla disputaron los repechajes. En esta etapa el América venció dos veces a los *Toros* y los eliminó con global de 6-3, y la UAG despachó al cuadro de la franja por 5-3.

Los ganadores de las series de cuartos de final fueron el Toluca (6-1 al Atlante), el Atlas (5-4 a *Tecos*), el Necaxa (2-1 al Santos) y el América (3-2 a Cruz Azul). A las *Águilas* las eliminaron los *Diablos* de Enrique Meza en semifinales por 1-0 en México y 2-1 en Toluca, mientras que a los rojinegros de Ricardo La Volpe los echó el Necaxa por 2-1 en Guadalajara y 1-1 en México.

En el primer partido de la final, el 7 de mayo, Pedro Pineda, del Necaxa, horadó dos veces el arco de Albarrán al tiempo que Ríos sólo permitió un gol de Víctor Ruiz para el triunfo necaxista 2 a 1.

Tres días después en la *Bombonera* el Necaxa anotó dos goles en los primeros minutos de juego, el segundo tanto por una falla del novel arquero toluqueño, ampliando su ventaja en el marcador global a 4-1, pero la reacción de los Diablos fue contundente. Antonio Taboada y José Manuel Abundis batieron a Ríos en el primer tiempo y el mismo Abundis y dos veces Cardozo en la segunda parte para ganar el juego 5-2, dejando el global en 6-4.

De manera, pues, muy emotiva conquistó el Toluca el cuarto campeonato de su historia y primero desde la

temporada 74-75. Y el *Ojitos* Meza entró a acompañar a Joaquín Urquiaga en el selectísimo club de los porteros que han ganado campeonatos de Liga como jugador y como director técnico.

Buen papel del Tri en el Mundial

Con el *Conejo* Pérez en la portería la Selección Nacional ganó de manera invicta la Copa de Oro efectuada en febrero en tierras californianas. Las victorias fueron sobre Trinidad y Tobago (4-2), Honduras (2-0), Jamaica (1-0) y Estados Unidos (1-0). En los meses siguientes sostuvo juegos amistosos de preparación para el Mundial en los que participaron Ricardo Martínez, Jorge Campos, Oswaldo Sánchez y Óscar Pérez. Martínez solamente en un juego, que se perdió con Holanda por 2-3 en Miami; Campos actuó en el empate 1-1 con Paraguay en el Azteca, en el triunfo 1-0 sobre Perú en Los Ángeles, en el empate sin goles con Irlanda en Dublín y en la victoria sobre Japón por 2-1 en Ginebra; Oswaldo recibió cinco goles de Noruega en Oslo (México perdió 2-5); y el *Conejo* tuvo acción en el empate 0-0 con Arabia Saudita en Creitel, Francia. Además, Campos y Oswaldo jugaron el partido en el que el Tri goleó 6-0 a Estonia en Montecatini.

En el encuentro contra Paraguay (cuyo portero fue Rubén Ruiz Díaz) en la ciudad de México jugó diez segundos Hugo Sánchez. De este modo se despidió de la Selección el *Pentapichichi*, a quien se le rindió un homenaje, no obstante que su trayectoria con el equipo nacional no pasó de mediocre.

En Francia-98 donde México, al derrotar 3-1 a Corea del Sur, empatar 2-2 con Bélgica y también con la poderosa Holanda y caer en octavos de final con la durísima Alemania por 1-2, protagonizó su mejor actuación en un Mundial efectuado en Europa, Manolo Lapuente utilizó a Campos en todos los partidos. La mitad de los goles del Tri fueron obra de Luis Hernández, convertido así en el primer futbolista mexicano en anotar cuatro tantos en una Copa del Mundo.

Y en Francia-98 el gran récord de Antonio Carbajal de jugar cinco Mundiales fue alcanzado por el alemán Lothar Matthaeus.

Nómina de porteros	
América	Oswaldo Sánchez y Hugo Pineda
Atlante	Alan Cruz y Félix Fernández
Atlas	Erubey Cabuto
Celaya	Emmanuel González, Homero Pasallo y Miguel de Jesús Fuentes
Cruz Azul	Óscar Pérez y Nicolás Navarro
Guadalajara	Gustavo Sedano y Martín Zúñiga
León	Ángel Comizzo, Adrián Chávez y Adrián Martínez
Monterrey	Rubén Ruiz Díaz y Óscar Dautt
Morelia	Ricardo Martínez y Rubén Salas
Necaxa	Adolfo Ríos y Alan Guadarrama
Puebla	Gerardo Rabajda
Santos	José Miguel
Tigres	Robert Dante Siboldi y Carlos Guerrero
Toluca	Mario Albarrán y Martín Herrera
Toros Neza	Pablo Larios
UAG	Carlos Briones y Jesús Alfaro
UNAM	Jorge Campos, Esdras Rangel y Víctor Guevara
Veracruz	René Higuita y Eduardo Fernández

Más juegos (j)

Erubey Cabuto (Atlas)	17
Adolfo Ríos (Necaxa)	17
Gerardo Rabajda (Puebla)	17
José Miguel (Santos)	17
Pablo Larios (Toros Neza)	17
Ricardo Martínez (Morelia)	16
Robert Dante Siboldi (Tigres)	16
Jorge Campos (UNAM)	16
René Higuita (Veracruz)	16

Más juegos completos

Erubey Cabuto (Atlas)	17
Gerardo Rabajda (Puebla)	17
José Miguel (Santos)	17
Pablo Larios (Toros Neza)	17
Adolfo Ríos (Necaxa)	16
René Higuita (Veracruz)	16

Más goles (g)

Gerardo Rabajda (Puebla)	30
René Higuita (Veracruz)	27
Ricardo Martínez (Morelia)	26
Jorge Campos (UNAM)	24
Pablo Larios (Toros Neza)	24

Más bajo g/j (mínimo 10 juegos)

Adolfo Ríos (Necaxa)	1.06
Óscar Pérez (Cruz Azul)	1.07
Alan Cruz (Atlante)	1.07
Carlos Briones (UAG)	1.13
Mario Albarrán (Toluca)	1.25

Más goles en un juego

Homero Pasallo (Celaya)	5
Adrián Martínez (León)	5
Ricardo Martínez (Morelia)	5
Gerardo Rabajda (Puebla)	5
José Miguel (Santos)	5
Carlos Briones (UAG)	5
René Higuita (Veracruz)	5

Penaltis detenidos

Hugo Pineda (América)	1
Alan Cruz (Atlante)	1
Emmanuel González (Celaya)	1
Adolfo Ríos (Necaxa)	1
Gerardo Rabajda (Puebla)	1
José Miguel (Santos)	1
Robert Dante Siboldi (Tigres)	1

Expulsados

Robert Dante Siboldi (Tigres)

LIGUILLA

Más juegos	Hugo Pineda (América), Adolfo Ríos (Necaxa) y Mario Albarrán (Toluca)	6
Más juegos completos	Hugo Pineda (América), Adolfo Ríos (Necaxa) y Mario Albarrán (Toluca)	6
Más goles	Adolfo Ríos (Necaxa)	9
Más bajo G/J	Mario Albarrán (Toluca) y José Miguel (Santos)	1.00
Más goles en un juego	Alan Cruz (Atlante) y Adolfo Ríos (Necaxa)	5
Penaltis detenidos	Gerardo Rabajda (Puebla)	1
Expulsados	Ninguno	

Invierno-98
Otra vez campeón el Necaxa

Venciendo al Guadalajara en el estadio Jalisco el Necaxa ganó su tercera Liga de la década. El Cruz Azul y el Toluca solamente perdieron un juego cada uno y sus porteros, Óscar Pérez y Hernán Cristante, fueron los guardametas más eficaces. Se retiró un histórico de la portería mexicana: Pablo Larios. El Monterrey clasificó a la Copa Libertadores de América, no así el Necaxa. Cuauhtémoc Blanco se coronó campeón de goleo. Entre Ángel Comizzo y Robert Dante Siboldi acumularon cinco expulsiones. El Toluca fue subcampeón de Concacaf. En la Primera A se registró un gol de portería a portería.

El Monterrey va a la Libertadores; el Necaxa no

El torneo Invierno-98 comenzó el 31 de julio, nuevamente con 18 equipos ubicados en cuatro grupos, dos de cinco clubes y dos de cuatro. Algunos, como el Monterrey y el Toluca, realizaron parte de su pretemporada en Sudamérica. Los *Rayados* sucumbieron ante el Colo Colo en Santiago por 0-3 y los *Diablos* perdieron tres juegos en Argentina, uno de ellos ante el Boca Juniors por 0-2, y empataron 1-1 con el Newell's. Mientras tanto otros clubes sudamericanos como la Universidad Católica, el Wanderers y el Olimpia, y el búlgaro Spartak Varna sostuvieron partidos amistosos en canchas mexicanas, en total siete juegos, habiendo perdido todos.

A partir de la tercera semana del campeonato diez equipos protagonizaron en varias ciudades de Estados Unidos un rápido torneo clasificatorio para el Prelibertadores. Participaron, por orden de desaparición ya que el formato fue eliminación directa y lanzamiento de penaltis en caso de empate, Atlante, *Pumas*, *Tigres*, Cruz Azul, Guadalajara, América, Toluca, Santos, Necaxa y Monterrey. Los últimos dos fueron los vencedores y obtuvieron el boleto para disputar con los venezolanos Estudiantes de Mérida y Universidad de Los Andes el pase a la Libertadores de 1999.

En casa el Necaxa y el Monterrey obtuvieron sendos pares de triunfos al recibir a los cuadros venezolanos, pero fueron incapaces de vencerlos al pagar las visitas. Monterrey perdió los dos partidos en Venezuela y Necaxa consiguió dos empates. Sin embargo, como los *Ra-*

yados empataron con el Necaxa en México y le ganaron en Monterrey, quedaron en primer lugar del Prelibertadores superando por diferencia de goles al Estudiantes de Mérida, mientras que el Necaxa, con un punto menos, ocupó la tercera posición y quedó eliminado.

Adolfo Ríos, arquero necaxista, sólo admitió tres goles en los seis juegos; Óscar Dautt, del Monterrey, recibió nueve en la misma cantidad de partidos, pero su equipo anotó 13 y el Necaxa apenas cinco.

Claroscuros de Campos en Estados Unidos y México

Los principales movimientos de porteros que se registraron en la Liga fueron los pases de Félix Fernández del Atlante al Celaya; Nicolás Navarro, del Cruz Azul al Pachuca; Adrián Martínez, del León al Santos; y Alan Guadarrama, del Necaxa al León. El *che* Hernán Cristante regresó al Toluca para iniciar su tercera estancia en el balompié mexicano tras haber jugado en los dos años anteriores con el Newell's Old Boys y el Huracán. Con el Cruz Azul reapareció Juan Ignacio Palou y con Toros Neza lo hizo el argentino Marcos Gutiérrez. El Pachuca, en su retorno al máximo circuito, también contrató a Jesús Alfaro, ex arquero de los *Tecos*. Además, Marcelo Capirossi, un portero que había jugado algunos partidos con los *Pumas* en la Copa México de 91-92, actuó por fin en la Liga, siete años después, con el Santos.

Jorge Campos volvió a irse a Estados Unidos, ahora para jugar con el Chicago Fire. Sin embargo, tuvo un pleito con su entrenador y a media temporada se regresó a México para vestirse nuevamente de *Puma*. En ocho juegos con el equipo de Chicago recibió 15 goles. Participó en el Juego de Estrellas de Estados Unidos que se efectuó en Orlando el 2 de agosto. En el primer tiempo le anotaron cuatro tantos; en el segundo jugó de delantero.

Con los *Pumas*, Campos recibió apenas tres goles en siete partidos y en la liguilla detuvo un penalti y le sacaron la tarjeta roja por tercera vez en su carrera.

Los 34 guardametas que tuvieron acción representan la cantidad más pequeña desde la temporada 69-70. Dos de ellos, José Antonio Bravo y Aarón Hernández, hicieron su debut en Primera División, ambos con el Atlante. Cada uno jugó solamente un partido.

Los porteros de hierro fueron Félix Fernández, Óscar Dautt y Alejandro García, quien había "calentado" la banca del Puebla durante el tiempo que estuvo el *charrúa* Rabajda. Jugaron todos los minutos de todos los partidos. Al necaxista Adolfo Ríos sólo le faltó completar un juego, pero alineó en los seis de la liguilla, de modo que fue el único arquero que sumó 23 actuaciones.

Torneo pletórico de goles

Salvo los arqueros del Cruz Azul (el *Conejo* Pérez y Palou) y el Toluca (Cristante y Albarrán) que solamente permitieron en ambos casos 14 perforaciones a sus porterías, los guardametas fueron sometidos a intenso bombardeo como lo indica la cifra de 505 goles anotados en el torneo, es decir, 3.30 por juego, el promedio más alto en 44 años.

Así, Pérez y Cristante fueron los únicos que promediaron menos de un gol por juego. El *Conejo* tuvo 0.73 y el argentino 0.78. Por cierto, Cruz Azul y Toluca sólo perdieron un juego e hicieron el 1-2 en la clasificación general con 40 y 36 puntos, respectivamente, sin embargo, en la liguilla ambos fueron eliminados en cuartos de final. Los 40 puntos del Cruz Azul corresponden a una eficiencia de 82.3%, la más alta de la historia.

Los *Cementeros* también fueron campeones de goleo con 41 anotaciones, mientras que con la misma cantidad el Puebla fue el más goleado, y con sólo 13 goles marcados empató el récord de menos tantos en un campeonato. El cuadro de la franja y el Toros Neza fueron coleros con 9 puntos cada uno, en camino hacia la Primera A, ya que en los años siguientes ambos descendieron.

Entonces el *Gallo* García, receptor de los 41 tantos que tuvo en contra el Puebla, fue el portero más goleado, seguido por Nicolás Navarro con 36 y Marcos Gutiérrez con 31. Navarro sufrió una de las dos mayores golizas del torneo cuando el 18 de octubre encajó seis pepinos del Atlas en Pachuca. La otra se la llevó Siboldi el 30 de agosto en el Azteca frente al América. Por segunda vez en su carrera en México el uruguayo recibió seis goles en un juego.

Con 16 anotaciones Cuauhtémoc Blanco, del América, se proclamó campeón de goleo y puso fin a la racha de 15 años que llevaban las *Águilas* sin tener al líder de

los romperredes. Casi la mitad de sus goles —siete— los marcó en cancha ajena, y sus porteros favoritos fueron Siboldi y Navarro, a quienes venció tres veces a cada uno.

Tres artilleros extranjeros quedaron atrás de Cuauhtémoc: el paraguayo José Saturnino Cardozo, del Toluca, y el hondureño Carlos Pavón, del Celaya, con 13 cada uno, y el argentino Federico Lagorio, del Atlas, con 12. Nótese que Cardozo repitió su cuota del torneo anterior cuando fue campeón.

Toluca, subcampeón de Concacaf

Apenas había comenzado la Liga cuando el Cruz Azul, el León y el Toluca viajaron a Washington para participar en el torneo de la Concacaf, que otra vez fue de eliminación directa y con penaltis en caso de empate. Con el Cruz Azul, en su único partido, ya que fue eliminado por el Saprissa (0-0 y 3-5 en penaltis), jugó el veterano Adrián Chávez. El León, con Comizzo en el marco, eliminó al Luis Ángel Firpo por 3-2 en penaltis tras empatar a uno, y el Toluca, con Albarrán, dobló 2-0 al Alajuelense.

Luego los *Panzas Verdes* cayeron 0-2 ante el DC United y los *Diablos* superaron al Saprissa por 1-1 y 3-2 en penaltis. En el juego por el tercer lugar el León cambió de portero y fue Alan Guadarrama quien recibió los dos tantos con los que el Saprissa derrotó 2-0 al cuadro *esmeralda*. La final, entre el Toluca y el DC United, se resolvió en favor del equipo estadounidense por 1-0. Todo este "maratón" de juegos se realizó en cinco días de agosto.

En este semestre posterior al Mundial no tuvo actividad la Selección Nacional salvo por un par de amistosos que jugó en días consecutivos de noviembre en Los Ángeles contra El Salvador y Guatemala. No fue en realidad la Selección mayor sino un híbrido de titulares y jóvenes sub-23. Derrotó a los salvadoreños por 2-0 y empató a dos con los guatemaltecos, pero perdió 3-5 en los penaltis. Oswaldo alineó en el primer partido y el *Conejo* en el segundo.

El adiós de Pablo Larios

Con más de 500 actuaciones y poco más de 700 goles, Pablo Larios, a los 38 años de edad, jugó su último partido el primer día de noviembre de 1998. El gran portero morelense, poseedor de la segunda racha más larga de partidos consecutivos con 143, es el tercer guardameta con más juegos (544), quinto con más goles (702) y segundo con más expulsiones (8). Durante su paso por el Zacatepec (3 torneos), Cruz Azul (4), Puebla (5) y Toros Neza (6) ganó una Liga, cuatro subcampeonatos, una Copa, dos subcampeonatos de Copa, un torneo Concacaf y un título de Campeonísimo. Atajó 13 penaltis, tuvo rachas de seis y de cinco juegos seguidos sin gol en contra y su promedio de anotaciones por partido fue 1.29. Mundialista en 1986, jugó en total 50 veces con la Selección Nacional. En su despedida el Toros Neza cayó en casa ante el Monterrey por 1-3.

También terminó la carrera de Alejandro García y su último partido fue, por coincidencia, contra el Monterrey. Tras jugar tres torneos con el Neza, seis con el América y tres con el Puebla, sumó 172 juegos, 232 goles, 8 penaltis detenidos y 5 expulsiones. En su palmarés queda un título de Liga, dos de Concacaf, una Copa Interamericana y dos subcampeonatos, de Liga y de Copa. El promedio de goles por juego del *Gallo* fue 1.35 y en su último partido el Puebla empató a 2 con los *Rayados* en el Cuauhtémoc.

Porteros indisciplinados

En su sexta temporada en México y última con el León, Ángel Comizzo igualó el récord de tres expulsiones de un portero en un campeonato, impuesto por Miguel Marín y empatado por Tirso Carpizo. En las tres ocasiones en que al arquero del León le sacaron la tarjeta roja, el cuadro *esmeralda* perdió dos juegos y empató uno.

Otro portero sudamericano indisciplinado fue Robert Dante Siboldi. Al *charrúa* lo mandaron dos veces a las regaderas. En una ganaron los *Tigres*; en la otra perdieron. Por cierto que las dos expulsiones de Siboldi y dos de las tres de Comizzo fueron dictaminadas por los mismos árbitros: Édgar Ulises Rangel y José de Jesús Robles.

En torneos anteriores con el León, Comizzo había sido expulsado dos veces, de modo que él figura en la historia de este equipo como el portero líder en expulsiones con cinco, en tanto que Siboldi en los *Tigres* empató el récord de Pilar Reyes de cuatro tarjetas rojas.

Tercer título del Necaxa

La única derrota del Toluca en la fase regular del torneo ocurrió en la primera fecha, de modo que llegó a la liguilla con una racha de 16 juegos seguidos invicto. Le tocó medirse con el Atlas, es decir, el equipo del *Ojitos* Meza contra el de La Volpe. En el Jalisco vencieron los *Diablos* por 2-1 y alargaron la racha a 17, pero en la *Bombonera* la escuadra rojinegra se impuso por 2 a 0 y acabó con la racha y con las aspiraciones del Toluca de lograr el bicampeonato.

El otro equipo que sólo tuvo una derrota en el campeonato, el Cruz Azul, tampoco pudo llegar a semifinales. Lo eliminó *Pumas* mediante un triunfo por 3-2 en cu y empate 1-1 en el estadio Azul. En este partido Campos le detuvo un penalti a Héctor Adomaitis y más tarde fue expulsado.

En las otras series de cuartos de final las *Chivas* echaron al Morelia con global de 5-2, que pudo ser mayor de no haber parado un penalti el arquero moreliano Ricardo Martínez, y el Necaxa eliminó a los *Tecos* por su mejor posición en la tabla general pues el marcador global fue 3-3.

Luego el Guadalajara sacó a los *Pumas* (1-1 y 1-0) y por segundo torneo consecutivo el Necaxa fue verdugo del Atlas de La Volpe (0-0 y 3-2) en semifinales.

La final entre los dos equipos rojiblancos se jugó el 10 y el 13 de diciembre. En el Azteca ni Adolfo Ríos ni Martín Zúñiga permitieron anotaciones; en el Jalisco Ríos le detuvo un penalti a Alberto Coyote y el Necaxa ganó 2-0 con goles de Salvador Cabrera y Sergio Vázquez, proclamándose campeón por tercera ocasión en la década, esta vez dirigido por Raúl Arias.

Gol de meta a meta

En la Primera A se registró un gol de portería a portería. La hazaña fue realizada por Alexandro Álvarez, arquero del Cuautitlán, en un juego contra el Tigrillos. En el invierno siguiente Álvarez debutaría en Primera División con el Necaxa.

Y en el máximo circuito de España volvió a participar un futbolista mexicano, el mediocampista Germán Villa, que jugó una docena de partidos con el Español de Barcelona.

Nómina de porteros

América	Oswaldo Sánchez y Hugo Pineda
Atlante	Alan Cruz, José Antonio Bravo y Aarón Hernández
Atlas	Isaac Mizrahi y Erubey Cabuto
Celaya	Félix Fernández
Cruz Azul	Óscar Pérez y Juan Ignacio Palou
Guadalajara	Martín Zúñiga y Gustavo Sedano
León	Ángel Comizzo y Alan Guadarrama
Monterrey	Óscar Dautt
Morelia	Ricardo Martínez y Fernando Piña
Necaxa	Adolfo Ríos y Raúl Orvañanos
Pachuca	Nicolás Navarro y Jesús Alfaro
Puebla	Alejandro García
Santos	Adrián Martínez y Marcelo Capirossi
Tigres	Robert Dante Siboldi y Carlos Guerrero
Toluca	Hernán Cristante y Mario Albarrán
Toros Neza	Marcos Gutiérrez y Pablo Larios
UAG	Carlos Briones y Pedro Prieto
UNAM	Sergio Bernal y Jorge Campos

Más juegos (J)

Félix Fernández (Celaya)	17
Óscar Dautt (Monterrey)	17
Adolfo Ríos (Necaxa)	17
Alejandro García (Puebla)	17
Nicolás Navarro (Pachuca)	16

Más juegos completos

Félix Fernández (Celaya)	17
Óscar Dautt (Monterrey)	17
Alejandro García (Puebla)	17
Adolfo Ríos (Necaxa)	16

Más goles (G)

Alejandro García (Puebla)	41
Nicolás Navarro (Pachuca)	36
Marcos Gutiérrez (Toros Neza)	31
Óscar Dautt (Monterrey)	30
Félix Fernández (Celaya)	29

Más bajo G/J (mínimo 10 juegos)

Óscar Pérez (Cruz Azul)	0.73
Hernán Cristante (Toluca)	0.78
Martín Zúñiga (Guadalajara)	1.27
Adolfo Ríos (Necaxa)	1.29
Carlos Briones (UAG)	1.33

Más goles en un juego

Nicolás Navarro (Pachuca)	6
Robert Dante Siboldi (Tigres)	6
Oswaldo Sánchez (América)	5
Alan Cruz (Atlante)	5
Ángel Comizzo (León)	5
Adrián Martínez (Santos)	5
Marcelo Capirossi (Santos)	5
Marcos Gutiérrez (Toros Neza)	5

Penaltis detenidos

Isaac Mizrahi (Atlas)	2
Oswaldo Sánchez (América)	1
Alan Cruz (Atlante)	1
Fernando Piña (Morelia)	1
Nicolás Navarro (Pachuca)	1
Alejandro García (Puebla)	1
Carlos Guerrero (Tigres)	1
Robert Dante Siboldi (Tigres)	1
Hernán Cristante (Toluca)	1
Carlos Briones (UAG)	1

Expulsados

Ángel Comizzo (León) (3 veces)
Robert Dante Siboldi (Tigres) (2 veces)
Mario Albarrán (Toluca)

LIGUILLA

Más juegos	Martín Zúñiga (Guadalajara) y Adolfo Ríos (Necaxa)	6
Más juegos completos	Martín Zúñiga (Guadalajara) y Adolfo Ríos (Necaxa)	6
Más goles	Erubey Cabuto (Atlas), Martín Zúñiga (Guadalajara), Ricardo Martínez (Morelia) y Adolfo Ríos (Necaxa)	5
Más bajo G/J	Sergio Bernal (UNAM)	0.33
Más goles en un juego	Ricardo Martínez (Morelia)	4
Penaltis detenidos	Ricardo Martínez (Morelia), Adolfo Ríos (Necaxa) y Jorge Campos (UNAM)	1
Expulsados	Jorge Campos (UNAM)	

Verano-99
Quinta corona del Toluca

El Toluca emergió vencedor de una final de 210 minutos y 12 penaltis para ganar su quinto campeonato. Al Puebla le tocó descender pero adquirió la franquicia del Curtidores, campeón de la Primera A, y permaneció en el máximo circuito. Jesús Alfaro, Mario Albarrán y Ricardo Martínez fueron los porteros más destacados. José Saturnino Cardozo logró su segunda corona de goleo. Jorge Campos llegó a 100 partidos con la Selección. Magnífica actuación de México en el Mundial Juvenil de Nigeria. El Monterrey fue eliminado en la primera fase de la Copa Libertadores. Se inauguró el estadio de San Luis Potosí.

Veintinueve goles de Cardozo y Abundis

Otro torneo abundante en goles fue éste que comenzó el 15 de enero y concluyó el 6 de junio de 1999. Cayeron 491 tantos en la fase regular y 60 en la liguilla (con un repechaje) y el Toluca se convirtió en el primer equipo que anota 50 goles en un torneo corto. Dos *Diablos*, José Saturnino Cardozo y José Manuel Abundis, formaron una mancuerna goleadora que registró más anotaciones que diez equipos, uno de estos, el Puebla, que padeció la ofensiva más pobre con sólo 15 goles, justo el número de tantos que metió Cardozo para proclamarse por segunda vez líder de los romperredes. Abundis quedó en segundo lugar con 14, empatado con Cuauhtémoc Blanco, el campeón del torneo pasado.

Ninguna de las quince anotaciones de Cardozo fue de penalti. Oswaldo Sánchez y Óscar Dautt, con tres cada uno, fueron los porteros que recibieron más pepinos del goleador paraguayo, quien en la liguilla se apunto cinco goles más.

Después de Cardozo, Abundis y Blanco, los mayores goleadores fueron Pedro Pineda (Atlante) y el hondureño Carlos Pavón (Celaya) con 13 cada uno y Luis Hernández (*Tigres*) con una docena. O sea que Pavón repitió su producción del Invierno-98 y Pineda hizo dos más de los que anotó con el Necaxa en ese campeonato.

El equipo más goleado fue el Monterrey con 38 y el Guadalajara, el que recibió menos con 21.

Fracaso del Monterrey en la Libertadores

A fines de febrero y en marzo el Monterrey disputó sus partidos de la Copa Libertadores con los clubes uruguayos Nacional y Bellavista y el venezolano Estudiantes de Mérida. Con este último dividió victorias. También con el Nacional, con la particularidad de que ganó a domicilio y perdió en casa. En los dos juegos con el otro equipo uruguayo sólo obtuvo un punto, de modo que en total sumó siete quedando en el último lugar del grupo. Los clasificados a octavos de final fueron Nacional con 12 puntos y Estudiantes de Mérida con nueve.

Omar Ortiz, el joven portero que debutó en Primera División en el Invierno-97, custodió el marco de los *Rayados* en los seis juegos del torneo sudamericano, en los que admitió nueve goles.

Siete porteros de "hierro"

La cuarta parte de los 30 porteros (el número más bajo en 35 años) que actuaron en el Verano-99 jugaron todos los minutos de todos los partidos. Así, siete equipos utilizaron solamente a un guardameta: Atlas (Erubey Cabuto), Celaya (Félix Fernández), Guadalajara (Martín Zúñiga), Monterrey (Omar Ortiz), Necaxa (Adolfo Ríos), *Tigres* (Robert Dante Siboldi) y *Tecos* (Carlos Briones). Cabuto, Zúñiga, Ríos y Briones también alinearon en todos los juegos de sus equipos en la liguilla.

De este ramillete de arqueros solamente el del Guadalajara y el del Atlas figuraron en la lista de los más eficientes, los de promedio de goles por juego más bajo. Zúñiga tuvo 1.23 y Cabuto 1.29. Arriba de ellos, con promedio inferior a uno, quedaron Jesús Alfaro, del Pachuca, con 0.90, Mario Albarrán, del Toluca, con 0.92 y Ricardo Martínez, del Morelia, con 0.93. Albarrán y Alfaro registraron las mayores rachas de imbatibilidad. El primero ligó cinco juegos sin permitir gol y el segundo cuatro.

Por otra parte, Ortiz, Siboldi, Briones y Fernández fueron los porteros que encajaron más goles con 38, 32, 28 y 26, respectivamente.

Una de las muchas anotaciones que recibió Carlos Briones y una de las pocas que admitió Jesús Alfaro fueron autogoles de los propios arqueros. El del portero de los *Tecos* se registró en el Tres de Marzo contra el Santos y el del arquero del Pachuca en el Hidalgo ante el Monterrey.

Uno de los pocos arqueros que cambiaron de camiseta, Óscar Dautt, quien fue transferido del Monterrey al Toros Neza, recibió la goleada del torneo el 21 de marzo en el Neza-86 donde el Toluca arrolló por 6 a 1. Cinco porteros encajaron cinco goles en un juego cada uno, entre ellos Jorge Campos quien nunca había admitido tantas anotaciones en un partido de Liga como las que le metió el Necaxa en la primera jornada. El marcador fue 5-1.

De los pocos movimientos que registró la nómina de guardametas destacan las reapariciones de Miguel de Jesús Fuentes, Rubén Ruiz Díaz, José Miguel y Eduardo Fernández, y los debuts de Tomás Adriano y Sergio Cisneros. Fuentes hizo pareja con Alan Guadarrama en el León para cubrir la ausencia de Comizzo, quien se fue a jugar la Libertadores con el América de Cali. Ruiz Díaz fue contratado por el Puebla, y su suplente fue Guillermo Matíes, quien se dio a conocer en la Copa México de 1996. José Miguel regresó al Santos y Eduardo Fernández llegó al Toros Neza para darle el cerrojazo a su carrera.

En su debut con el Santos, Tomás Adriano enfrentó dos penaltis de los *Tecos*. Detuvo uno (al peruano Roberto Palacios) y fue batido en el otro por Pavel Pardo.

Última temporada de tres guardametas

El 25 de abril en el partido Toros Neza (1) Cruz Azul (1) alineó por última vez Eduardo Fernández. En su larga carrera vistió ocho camisetas, a saber: una temporada con Oaxtepec, cuatro con Ángeles, tres con Cruz Azul, dos con Morelia, una con Atlante, cinco con Guadalajara, dos con Veracruz y la presente con Toros Neza. Ganó un campeonato con las *Chivas* y fue subcampeón de Liga y de Copa con el Cruz Azul. Logró un buen promedio de 1.23 goles por partido tras participar en 262 juegos y recibir 323 tantos.

Una semana después se registró el último juego de Juan Ignacio Palou y el último en nuestro país del argentino José Miguel. En su estancia de cuatro años con *Tigres*, uno con Querétaro, dos con Puebla y dos con Cruz Azul, Nacho Palou sumó 83 juegos, permitió 127

goles y promedió 1.53. Con los *Tigres* fue subcampeón de Copa. En su última actuación el Cruz Azul venció 3-2 al Monterrey.

José Miguel jugó seis torneos con el Santos, fue campeón una vez y tuvo rachas de 49 juegos seguidos y de cuatro partidos consecutivos sin gol en contra. Participó en 117 juegos y recibió 161 anotaciones (1.38). El Santos venció al Necaxa por 3-1 en la despedida de Miguel, quien retornó a Argentina para jugar con el Banfield.

Campos, cien veces internacional

Durante el semestre la Selección Nacional jugó diez partidos amistosos en canchas de Estados Unidos, Hong Kong, Monterrey, Seúl y Paraguay. En este abigarrado periplo venció dos veces a Egipto y una a Bolivia y a Estados Unidos, empató con Ecuador, Argentina y Corea del Sur y perdió con Paraguay, Croacia y Argentina. El técnico Lapuente alineó en la mayor parte de estos encuentros a Adolfo Ríos, quien no jugaba con la Selección desde la Copa América de 1997. El necaxista tuvo acción en siete partidos, de los cuales completó cinco. El *Conejo* Pérez actuó en tres (dos completos) y Campos en dos (uno completo).

El empate a dos goles con Argentina el 9 de junio en Chicago marcó el juego número 100 de Jorge Campos con la Selección. Y tres días después el espectacular portero cubrió el marco del combinado "Resto del Mundo" que se enfrentó a Australia en la inauguración del estadio de Sydney. Allí Campos encajó los tres goles con los que la escuadra australiana derrotó a los mundialistas por 3 a 2.

No fue la única ocasión en que el portero mexicano se codeó con las grandes figuras del futbol mundial. El 10 de marzo fue parte de un "Dream Team" que protagonizó con el Barcelona un partido de homenaje al gran Johan Cruyff. Campos recibió dos goles, los únicos del juego.

Hegemonía de los equipos de Meza y La Volpe

El Toluca, club que entre los torneos Invierno-98 y Verano-99 ligó quince juegos consecutivos de visitante sin perder, se ubicó en la cima de la clasificación general con 39 puntos, cinco más que el sublíder Atlas. Una batalla más entre los equipos de Enrique Meza y Ricardo La Volpe, que llegaría a su clímax en la trepidante final luego de que ambos superaron las etapas de cuartos de final y semifinales, en las que el Toluca eliminó al Necaxa, campeón del torneo anterior, por global de 4-3, y al Santos, también por acumulado de 4-3, mientras que el Atlas despachó al Morelia por 3-3 y mejor posición en la tabla, y al Cruz Azul por contundente global de 6 a 0. En el estadio Azul los rojinegros vapulearon a los *Cementeros* por 4-0 y les cortaron una racha invicta de 25 partidos de locales.

En las demás series de cuartos de final el Santos, vencedor de un repechaje con *Tecos* por 7-5, superó al América por global de 3-2 y el Cruz Azul a las *Chivas* por 4-3.

Curiosamente, en febrero habían jugado en Chile los eventuales finalistas del campeonato mexicano. El Atlas, dos partidos, que ganó, y el Toluca, cuatro, de los que ganó dos y empató uno.

El Puebla baja pero no baja

La lucha por librar el descenso se enfocó en tres equipos, Puebla, Monterrey y Celaya, que terminaron el torneo con el mismo cociente: 1.0784, y fue la menor diferencia de goleo del Puebla lo que determinó que por primera vez en su historia el equipo de la franja tuviera que bajar a la división inferior. Sin embargo, esto no ocurrió porque el dueño del equipo compró la franquicia del Curtidores, campeón de Primera A, le puso el nombre del Puebla y siguió compitiendo en el máximo circuito. Esta receta para no descender, recuérdese, la había inventado el *Correcaminos* en 1988.

En este Verano-99 el Puebla volvió a ser el colero aunque hizo cuatro puntos más que en el torneo anterior. Impuso un récord del equipo al perder siete partidos en forma consecutiva, y esta racha de pesadilla le tocó sufrirla a la *Bomba* Ruiz Díaz.

Toluca se corona en muerte súbita

El primer juego de la final se efectuó en el estadio Jalisco el 3 de junio. El novel César Andrade, el argentino Hugo Castillo y la nueva estrella del futbol mexicano, Rafael Márquez, horadaron la portería de Cristante, pero lo mismo hicieron en la de Cabuto el *charrúa* Carlos María Morales, el goleador Cardozo y de nuevo Morales. Empate a tres.

El segundo partido, en Toluca, también quedó empatado. Cardozo y Alberto Macías anotaron por los *Diablos* y Castillo y Miguel Zepeda por los rojinegros. Dos a dos.

Treinta minutos de tiempo extra y persistía la igualada. Se fueron a los penaltis. El Toluca metió cuatro. Sólo falló el chileno Fabián Estay, cuyo disparo fue atajado por Cabuto. El Atlas también anotó cuatro ya que Daniel Osorno estrelló su tiro en el travesaño.

Entonces el lanzamiento de penaltis llegó a la fase de "muerte súbita". Salvador Carmona marcó por el Toluca y el arquero Cristante se agigantó deteniendo el tiro de Julio Estrada para terminar la gran batalla. Así se forjó el quinto título de Liga del Toluca y el segundo del *Ojitos* Meza como entrenador.

La Juvenil goleó a Argentina

La Selección Juvenil, al mando de Jesús del Muro, tuvo un muy buen desempeño en el Mundial que a Nigeria tuvo como sede en abril, sobre todo por la sonada victoria por 4-1 sobre Argentina en octavos de final, fase a la que llegó tras ganar su grupo en forma invicta pues derrotó 1-0 a Irlanda, 3-1 a Australia y empató a un gol con Arabia Saudita.

El sueño terminó en cuartos de final donde los chicos mexicanos fueron vencidos 0-2 por los japoneses, a la postre subcampeones mundiales.

Christian Martínez custodió la portería en todos los juegos.

El "Alfonso Lastras", nuevo estadio de San Luis Potosí, fue inaugurado el 25 de mayo con el partido de Primera A entre el San Luis (4) y los Cachorros de la Universidad Autónoma de Nuevo León (3). Pasarían tres años para que este estadio fuera sede de un equipo de Primera División.

A principios de año se organizó en Quito un juego de homenaje para Álex Aguinaga, figura emblemática del futbol ecuatoriano y del Necaxa, quien jugó medio tiempo con la Selección de Ecuador y la otra mitad con su equipo mexicano. Ganó Ecuador por 4 a 2.

Nómina de porteros

América	Oswaldo Sánchez y Hugo Pineda
Atlante	José Antonio Bravo y Alan Cruz
Atlas	Erubey Cabuto
Celaya	Félix Fernández
Cruz Azul	Óscar Pérez y Juan Ignacio Palou
Guadalajara	Martín Zúñiga
León	Alan Guadarrama y Miguel de Jesús Fuentes
Monterrey	Omar Ortiz
Morelia	Ricardo Martínez y Sergio Cisneros
Necaxa	Adolfo Ríos
Pachuca	Jesús Alfaro y Nicolás Navarro
Puebla	Rubén Ruiz Díaz y Guillermo Matíes
Santos	José Miguel, Adrián Martínez y Tomás Adriano
Tigres	Robert Dante Siboldi
Toluca	Mario Albarrán y Hernán Cristante
Toros Neza	Óscar Dautt y Eduardo Fernández
UAG	Carlos Briones
UNAM	Jorge Campos y Sergio Bernal

Más juegos (j)	
Erubey Cabuto (Atlas)	17
Félix Fernández (Celaya)	17
Martín Zúñiga (Guadalajara)	17
Omar Ortiz (Monterrey)	17
Adolfo Ríos (Necaxa)	17
Robert Dante Siboldi (Tigres)	17
Carlos Briones (UAG)	17
Oswaldo Sánchez (América)	16

Más juegos completos	
Erubey Cabuto (Atlas)	17
Félix Fernández (Celaya)	17
Martín Zúñiga (Guadalajara)	17
Omar Ortiz (Monterrey)	17
Adolfo Ríos (Necaxa)	17
Robert Dante Siboldi (Tigres)	17
Carlos Briones (UAG)	17

Más goles (g)	
Omar Ortiz (Monterrey)	38
Robert Dante Siboldi (Tigres)	32
Carlos Briones (UAG)	28
Félix Fernández (Celaya)	26
Óscar Dautt (Toros Neza)	26

Más bajo g/j (mínimo 10 juegos)	
Jesús Alfaro (Pachuca)	0.90
Mario Albarrán (Toluca)	0.92
Ricardo Martínez (Morelia)	0.93
Martín Zúñiga (Guadalajara)	1.23
Erubey Cabuto (Atlas)	1.29

Más goles en un juego	
Óscar Dautt (Toros Neza)	6
Erubey Cabuto (Atlas)	5
Félix Fernández (Celaya)	5
Martín Zúñiga (Guadalajara)	5
Omar Ortiz (Monterrey)	5
Jorge Campos (UNAM)	5

Penaltis detenidos	
Erubey Cabuto (Atlas)	1
Martín Zúñiga (Guadalajara)	1
Alan Guadarrama (León)	1
Adolfo Ríos (Necaxa)	1
Tomás Adriano (Santos)	1
Robert Dante Siboldi (Tigres)	1
Carlos Briones (UAG)	1

Expulsados
Oswaldo Sánchez (América)
Ricardo Martínez (Morelia)
Sergio Cisneros (Morelia)
Óscar Dautt (Toros Neza)

LIGUILLA

Más juegos	Erubey Cabuto (Atlas) y Adrián Martínez (Santos)	6
Más juegos completos	Erubey Cabuto (Atlas) y Adrián Martínez (Santos)	6
Más goles	Adrián Martínez (Santos)	11
Más bajo G/J	Ricardo Martínez (Morelia) y Sergio Cisneros (Morelia)	1.00
Más goles en un juego	Carlos Briones (UAG), Adrián Martínez (Santos) y Óscar Pérez (Cruz Azul)	4
Penaltis detenidos	Sergio Cisneros (Morelia) y Adrián Martínez (Santos)	1
Expulsados	Ricardo Martínez (Morelia)	

Invierno-99
Pachuca dio la sorpresa
y el Tri ganó la Confederaciones

Tras volver a quedar en tercer lugar en la Copa América, la Selección conquistó la Confederaciones venciendo a Brasil en un partidazo en el Azteca. Dando la gran sorpresa, el Pachuca se coronó con un gol de "oro". El Necaxa ganó el torneo de Concacaf clasificatorio para el Mundial de Clubes y el Atlas y el América consiguieron boletos para la Libertadores. El portero más eficiente fue Erubey Cabuto. Adolfo Ríos llegó a quinientos partidos y Adrián Chávez se retiró. Estados Unidos eliminó a México en el Mundial Sub-17. Jesús Olalde, de Pumas, *se proclamó rey de goleo de un torneo en el que el equipo universitario nunca pudo jugar en su estadio.*

Gran victoria sobre Brasil en la Confederaciones

Las dos derrotas que la Selección Nacional sufrió ante Brasil en la Copa América efectuada en Paraguay las compensó unas semanas después con una sensacional victoria por 4-3 sobre el *scratch du ouro* en la final de la Copa Confederaciones en el "Coloso de Santa Úrsula".

En la primera fase del certamen sudamericano el Tri venció 1-0 a Chile, perdió 1-2 con Brasil y superó 3-1 a Venezuela para pasar a cuartos de final, donde, tras empatar a tres con Perú, ganó en penaltis por 4-2 y se enfiló a la semifinal contra los brasileños. Un nuevo revés ahora por 0-2 envió a México a disputar el partido por el tercer lugar, posición que logró al derrotar por 2-1 a Chile.

Jorge Campos alineó en todos los juegos menos contra Venezuela. En éste fue Adolfo Ríos quien custodió el arco mexicano.

Enseguida se realizó la Confederaciones, que tuvo por sedes las ciudades de México y Guadalajara. El Tri comenzó arrasando a Arabia Saudita por 5 a 1 con cuatro goles de Cuauhtémoc Blanco al portero mundialista Mohammed Al-Deayea. Después empató a 2 con Egipto, venció a Bolivia apenas por 1-0 y en semifinales dobló a Estados Unidos 1-0 con un gol de "oro" de Cuauhtémoc.

La noche del 4 de agosto México y Brasil protagonizaron en el Azteca un sensacional partido de siete goles, en el que la escuadra dirigida por Manuel Lapuente se alzó con la Copa al

triunfar por 4-3 con dos anotaciones de Miguel Zepeda, una de Abundis y la sexta del torneo de Cuauhtémoc. Nuevamente Campos jugó todos los partidos.

Más adelante, en tres juegos amistosos contra selecciones sudamericanas en ciudades estadounidenses, Lapuente alineó a Campos, al *Conejo* Pérez y a Oswaldo Sánchez. Por cierto que el Tri no consiguió anotar ningún gol: 0-1 con Paraguay, 0-0 con Colombia y 0-0 con Ecuador. El único gol en contra lo recibió el *Conejo*. El arquero de Colombia, Miguel Calero, se incorporaría al futbol mexicano en el siguiente año.

Por su parte, la Sub-17 en el Mundial respectivo que se efectuó en Nueva Zelanda en noviembre logró el pase a cuartos de final mediante triunfos sobre Tailandia (4-0) y España (1-0). En el otro juego fue goleada 0-4 por Ghana. Su participación en el torneo terminó al perder 2-3 con Estados Unidos. Adolfo Cabrera fue el guardameta mexicano en todos los juegos.

Debutan dos mundialistas juveniles

El 14 de agosto mientras Rafael Márquez debutaba con el Mónaco en la Liga de Francia, en México comenzaba el "Invierno-99" con la novedad de que los *Pumas* estaban impedidos de jugar en su estadio por la prolongada huelga que afectaba a la UNAM. De modo que en este torneo el cuadro universitario jugó sus partidos de local en el Corregidora de Querétaro y una vez en la *Bombonera* de Toluca.

Por otro motivo —restauración del pasto del estadio Tres de Marzo— los *Tecos* efectuaron sus primeros cuatro juegos de local en el Jalisco.

En la pretemporada el América había perdido dos veces con el Boca Juniors, las *Chivas* habían derrotado al Universidad Católica de Chile y tanto el Morelia como el Pachuca y el Cruz Azul había sucumbido ante el São Paulo. Por cierto, a partir de esta temporada el Morelia adoptó el apodo oficial de *Monarcas*.

Treinta y tres porteros tuvieron acción en la Liga y entre todos encajaron 478 goles en la fase regular y 42 en la fase final, que al igual que el torneo anterior incluyó un repechaje. Hubo cuatro debuts: un argentino y tres jóvenes y prometedores arqueros mexicanos.

El Pachuca importó al bonaerense Ignacio González, ex portero del Racing y el Newell's que la temporada anterior jugó en España con Las Palmas. En su debut el 5 de septiembre el argentino recibió par de goles de *Tecos* y luego fue expulsado. Durante el campeonato alternó la portería *tuza* con Jesús Alfaro, pero en la liguilla jugó todos los partidos y finalmente en su primer año en México salió campeón.

Los mundialistas juveniles Christian Martínez y Alexandro Álvarez, capitalinos ambos, debutaron en Primera División el 12 y el 21 de septiembre, respectivamente. El primero con el América y el segundo con el Necaxa. Christian entró de cambio por Adolfo Ríos, que se lastimó, y luego jugó los dos partidos siguientes de las *Águilas*. El brasileño Manoel Ferreira, del Toluca, batió por primera vez el marco del nuevo arquero del América.

La presentación de Alexandro ocurrió en el juego Necaxa (3) Santos (1), siendo el paraguayo Hugo Ovelar el anotador del primer gol en la cuenta del novel guardameta.

El otro debutante fue el moreliano de 19 años de edad, Moisés Muñoz, quien jugó su primer partido el 19 de septiembre (Pachuca 4 Morelia 2). Sustituyó a Sergio Cisneros cuando los *Tuzos* ya habían anotado sus cuatro goles, siendo éste el único juego del torneo en que tuvo acción. No fue hasta dos años después, el 25 de noviembre de 2001, cuando Muñoz recibió su primera anotación: gol del argentino Walter Silvani, del Pachuca.

Atlas y América a la Libertadores y Necaxa al Mundial

En diversas fechas de agosto y septiembre, cinco ciudades estadounidenses albergaron un torneo entre cinco equipos mexicanos clasificatorio para el Prelibertadores con los clubes venezolanos. El Atlas y el América quedaron en los primeros lugares con 7 puntos cada uno; el Cruz Azul, aunque fue el único invicto, quedó eliminado porque empató tres de sus cuatro juegos; el Toluca y el Guadalajara se ubicaron en penúltimo y último sitios, respectivamente. Los cinco utilizaron a sus porteros titulares: Cabuto, Ríos, Pérez, Cristante y Oswaldo. Precisamente en este torneo Ríos —con el América— y Oswaldo —con las *Chivas*— debutaron con sus nuevos equipos.

Posteriormente Atlas y América disputaron el pase a la Libertadores con el Italchacao y el Deportivo Táchira. Un

torneo que se caracterizó porque ningún equipo mexicano pudo ganar en Venezuela y ningún venezolano en México. El cuadro de La Volpe sumó nueve puntos, las *Águilas* y el Italchacao ocho, pero el América con mayor diferencia de goleo, y el Táchira cinco. Hubo un par de goleadas: 6-3 del Atlas al América y 6-0 del América al Deportivo Táchira. Así pues, los boletos para ir al torneo sudamericano fueron para los clubes mexicanos.

Por otra parte, al Toluca y al Necaxa les tocó disputar el torneo de la Concacaf, para variar en Estados Unidos, que esta vez fue clasificatorio para el primer Mundial de Clubes que la FIFA programó para enero de 2000 en Brasil.

Al Toluca de Enrique Meza lo eliminó el Alajuelense en la primera fecha por 1-0, pero el Necaxa, en cambio, derrotó al Galaxy (1-1 y 4-3 en penaltis), al Saprissa (3-2), al DC United (3-1) y, en la final, al Alajuelense (2-1) y se coronó. Hugo Pineda cubrió el arco necaxista en todos los juegos.

Despedidas de Chávez y Siboldi

El traspaso de Pineda del América al Necaxa, y los ya mencionados de Oswaldo, del América a las *Chivas*, y de Ríos, del Necaxa a las *Águilas*, fueron algunos de los muchos cambios registrados en la nómina de porteros. Félix Fernández regresó al Atlante y Miguel de Jesús Fuentes al Celaya, éste como titular y aquél como suplente de José Antonio Bravo. Martín Zúñiga pasó del Guadalajara al Celaya y Ricardo Martínez del Morelia al Monterrey, donde mandó a la banca a Omar Ortiz. Como el paraguayo Ruiz Díaz no regresó al Puebla, el equipo de la franja contrató a Alan Cruz, del Atlante, mientras que el Morelia se convirtió en el tercer equipo mexicano del gran arquero argentino Ángel Comizzo. Por último, Alan Guadarrama retornó al Necaxa procedente del León, y el marco de los *Panzas Verdes* fue encomendado a Saúl Sánchez, el portero tapatío que había debutado en la Copa México de 1996.

Sánchez jugó todos los partidos del León menos uno, el que marcó el final de la trayectoria del eficaz Adrián Chávez. A los 37 años de edad y con 17 en Primera División, el arquero especialista en parar penaltis (sólo superado por Marco Antonio Ferreira) jugó por última vez el 17 de octubre. Llegó a 494 partidos, habiendo participado en un torneo con el Atlético Español, en tres con el Necaxa, en cinco con el León, en diez con el América y en dos con el Celaya. Ganó dos campeonatos de Liga, tres de Concacaf y dos títulos de Campeón de Campeones, además de dos subcampeonatos, uno de Liga y uno de Copa, todos con el América. Y con el León también fue subcampeón de Liga.

Recibió 630 goles (cinco del Toluca en su despedida), por lo que su promedio fue 1.28. Detuvo 19 penaltis (12 con el América) y tuvo rachas de cinco juegos seguidos con meta invicta y de 74 partidos consecutivos.

Otro grande de la portería y uno de los mejores guardametas extranjeros que han actuado en México, Robert Dante Siboldi, concluyó su estancia en nuestro balompié el 16 de octubre, justamente un día antes del último juego de Adrián Chávez. El uruguayo tuvo acción en 289 partidos, habiendo jugado tres torneos con el Atlas, uno con el Cruz Azul, uno con el Puebla y seis con los *Tigres*. Con este equipo ganó una Copa México. Alineó en 114 juegos consecutivos, la sexta racha más larga de la historia. Al admitir 325 anotaciones su promedio de goles por juego fue un bajísimo 1.12.

Mejor arquero: Cabuto; goleador: Olalde

El *Conejo* Pérez, Oswaldo, Adrián Martínez, Cristante, Dautt y Briones jugaron todos los minutos de todos los partidos. Dautt encabezó la lista de los más goleados con 41 pepinos, seguido por Briones (35), Adrián (35) y Ricardo Martínez (35), en tanto que Erubey Cabuto presumió el promedio de goles por partido más bajo con 0.67. El *Conejo* tuvo 0.94 y una racha de cuatro juegos seguidos sin gol, Adolfo Ríos 1.07 y Hugo Pineda 1.09.

Martín Zúñiga, Carlos Briones, Óscar Dautt y Adrián Martínez recibieron las goleadas del campeonato. Zúñiga encajó seis del América en el Azteca, Briones seis del León en el Nou Camp, Dautt seis del Toluca en la *Bombonera* y Martínez seis de *Pumas* en el Corregidora. Todos en campo contrario.

En la goliza de los *Pumas* al Santos (6-0 el 3 de octubre) Jesús Olalde anotó cuatro tantos, siendo el único en lograr el cuadruplete en este torneo. A la postre el delantero *puma* se coronó campeón de goleo con 15 anotaciones, de las cuales nueve cayeron en campo ajeno y

sólo una fue de penalti. Otro portero bombardeado por Olalde fue Carlos Briones con tres goles.

El uruguayo Sebastián Abreu, de los *Tecos*, fue sublíder anotador con 13, seguido por Pedro Pineda, ahora con el Monterrey, que hizo 11, y Cuauhtémoc Blanco (América) y el *tico* Jafet Soto (Puebla) empatados con 10.

Sorpresiva coronación del Pachuca

Por segundo torneo consecutivo los equipos dirigidos por Ricardo La Volpe y Enrique Meza hicieron el 1-2 en la clasificación general, sólo que ahora el Atlas fue el líder y el Toluca segundo lugar. Los dos compartieron el liderato de goleo con 40 anotaciones y el Atlas fue el menos goleado —junto con el Cruz Azul— con 16. Como el cuadro rojinegro sólo perdió un juego, empató el récord de menos derrotas en un torneo, y su desempeño como visitante fue extraordinario pues logró 20 de 24 puntos.

Sin embargo, los dos mejores equipos del campeonato fueron eliminados en la liguilla por el Pachuca, que quedó en séptimo lugar y tuvo que ganar antes un repechaje.

En cuartos de final los *Tuzos* echaron al Toluca (1-0 y 2-2) y en semifinales sacaron al Atlas por apretado marcador global de 2-1.

La sorpresiva marcha triunfal del Pachuca en la fase final del torneo comenzó al arrollar al Morelia en el repechaje (4-2 y 2-0) y culminó al derrotar al Cruz Azul en la final en el estadio Azul con un gol de "oro" del argentino Alejandro Glaría.

El primer partido se jugó el 16 de diciembre en el estadio Hidalgo. Glaría batió dos veces el arco del *Conejo*, y el brasileño Julio César Pinheiro y el novato Pedro Reséndiz anotaron en la meta del argentino González. Tres días después en México se repitió el empate, pero sin goles, y cuando transcurría apenas el segundo minuto del tiempo extra cayó el tanto de Glaría que terminó la batalla y coronó al Pachuca, cuyo director técnico fue Javier Aguirre.

Quinientos de Adolfo Ríos

Antes de llegar a la final el Cruz Azul había vencido al Necaxa en cuartos de final (1-0 y 4-3) y al América en una de las semifinales (0-0 y 2-1). En el empate a cero con las *Águilas*, el 9 de diciembre, Adolfo Ríos se convirtió en el segundo portero en jugar 500 partidos de Liga.

En las otras series de cuartos de final el América eliminó a las *Chivas* por marcador global de 1-0, de modo que Ríos solamente recibió dos goles en cuatro partidos de liguilla, y el Atlas echó a los *Tecos* por 5-4.

El sotanero del torneo fue Toros Neza. También el más goleado (41) y el que menos anotó (19). El Puebla y el Celaya igualaron al equipo de Neza en la última estadística.

Se registraron dos autogoles de porteros, uno de Guillermo Matíes, del Puebla, en favor del Pachuca, y uno de Jorge Campos, de *Pumas*, que benefició al Necaxa.

Por cierto que Campos volvió a participar en uno de esos glamorosos partidos internacionales en los que se reúnen estrellas mundiales del futbol. Esta vez el juego se efectuó en Johannesburgo y fue para homenajear a Nelson Mandela. Campos y Claudio Suárez alinearon con la selección "Resto del Mundo" que empató a dos con una selección africana.

El 26 de octubre falleció Blas Sánchez, quien fuera destacado portero del Irapuato y del Laguna en la década de los sesenta.

Nómina de porteros

América	Adolfo Ríos y Christian Martínez
Atlante	José Antonio Bravo y Félix Fernández
Atlas	Erubey Cabuto e Isaac Mizrahi
Celaya	Miguel De Jesús Fuentes y Martín Zúñiga
Cruz Azul	Óscar Pérez
Guadalajara	Oswaldo Sánchez
León	Saúl Sánchez y Adrián Chávez
Monterrey	Ricardo Martínez y Omar Ortiz
Morelia	Ángel Comizzo, Sergio Cisneros y Moisés Muñoz
Necaxa	Hugo Pineda, Alan Guadarrama y Alexandro Álvarez
Pachuca	Ignacio González y Jesús Alfaro
Puebla	Guillermo Matíes y Alan Cruz
Santos	Adrián Martínez
Tigres	Robert Dante Siboldi y Carlos Guerrero
Toluca	Hernán Cristante y Mario Albarrán
Toros Neza	Óscar Dautt
UAG	Carlos Briones
UNAM	Jorge Campos y Sergio Bernal

Más juegos (j)

Óscar Pérez (Cruz Azul)	17
Oswaldo Sánchez (Guadalajara)	17
Adrián Martínez (Santos)	17
Hernán Cristante (Toluca)	17
Óscar Dautt (Toros Neza)	17
Carlos Briones (UAG)	17
José Antonio Bravo (Atlante)	16
Saúl Sánchez (León)	16
Ricardo Martínez (Monterrey)	16

Más juegos completos

Óscar Pérez (Cruz Azul)	17
Oswaldo Sánchez (Guadalajara)	17
Adrián Martínez (Santos)	17
Hernán Cristante (Toluca)	17
Óscar Dautt (Toros Neza)	17
Carlos Briones (UAG)	17
José Antonio Bravo (Atlante)	16
Saúl Sánchez (León)	16
Ricardo Martínez (Monterrey)	16

Más goles (g)

Óscar Dautt (Toros Neza)	41
Ricardo Martínez (Monterrey)	35
Adrián Martínez (Santos)	35
Carlos Briones (UAG)	35
José Antonio Bravo (Atlante)	28

Más bajo g/j (mínimo 10 juegos)

Erubey Cabuto (Atlas)	0.67
Óscar Pérez (Cruz Azul)	0.94
Adolfo Ríos (América)	1.07
Hugo Pineda (Necaxa)	1.09
Oswaldo Sánchez (Guadalajara)	1.12
Miguel de Jesús Fuentes (Celaya)	1.17

Más goles en un juego

Martín Zúñiga (Celaya)	6
Adrián Martínez (Santos)	6
Óscar Dautt (Toros Neza)	6
Carlos Briones (UAG)	6

Penaltis detenidos	
Isaac Mizrahi (Atlas)	1
Miguel de Jesús Fuentes (Celaya)	1
Ricardo Martínez (Monterrey)	1
Alan Cruz (Puebla)	1
Adrián Martínez (Santos)	1

Expulsados
Ángel Comizzo (Morelia)
Ignacio González (Pachuca)
Jesús Alfaro (Pachuca)

LIGUILLA

Más juegos	Ignacio González (Pachuca)	8
Más juegos completos	Ignacio González (Pachuca)	8
Más goles	Ignacio González (Pachuca)	9
Más bajo G/J	Adolfo Ríos (América) y Oswaldo Sánchez (Guadalajara)	0.50
Más goles en un juego	Ignacio González (Pachuca) y Hugo Pineda (Necaxa)	4
Penaltis detenidos	Ninguno	
Expulsados	Ninguno	

Verano-00
Otro verano rojo

Por tercer verano consecutivo el Toluca y Enrique Meza fueron súper líderes y campeones. El Necaxa quedó en tercer lugar en el primer campeonato mundial de clubes y el América y el Atlas tuvieron destacada actuación en la Copa Libertadores. Sergio Bernal detuvo dos penaltis en un juego y Oswaldo Sánchez fue el portero más eficiente. México fracasó en la Copa de Oro y en la eliminatoria olímpica. El Toros Neza *se fue a Primera A y el Irapuato logró su segundo retorno al máximo circuito. Un artillero mexicano y dos extranjeros compartieron el liderato de goleo.*

Necaxa, tercero en el Mundial

En la primera quincena de enero del último año del siglo se celebró en São Paulo y Río de Janeiro el primer Mundial de Clubes, en el que el Necaxa tuvo una muy buena participación, que comenzó al empatar a un gol con el Manchester United, partido en el que los dos porteros, Mark Bosnich y Hugo Pineda, atajaron sendos penaltis y el famoso David Beckham fue expulsado.

Después el Necaxa venció 3-1 al South Melbourne y aunque perdió 1-2 con el Vasco da Gama, logró el segundo lugar de su grupo superando por diferencia de goles al Manchester. Vasco fue líder invicto con nueve puntos y disputó la final con el Corinthians, mientras que el cuadro mexicano se enfrentó al Real Madrid por el tercer puesto.

Tras empatar a uno con los *Merengues*, el Necaxa los venció en penaltis por 4 a 3 en el mítico Maracaná. Por su parte, el Corinthians se coronó derrotando al Vasco de la misma forma: 4-3 en tiros desde los once metros. Hugo Pineda cubrió el marco necaxista en todos los juegos.

Campos, de *Puma* a *tigre*

Del 15 de enero al 3 de junio se jugó el Verano-00, torneo en el que se anotaron 492 goles, cuatro equipos (Morelia, Santos, América y Necaxa) no perdieron ningún partido en casa, los *Pumas* volvieron a jugar en su estadio después de diez meses, a los *Tigres* les anularon tres victorias por alineación indebida de un jugador brasileño, ningún portero fue expulsado por primera vez en treinta años, y el Pachuca, campeón del torneo anterior se desplomó al antepenúltimo lugar.

Actuaron 31 guardametas, solamente dos nuevos: el argentino Nelson Benedetich, que tuvo un paso fugaz por el futbol mexicano jugando apenas tres partidos con el León en los que recibió nueve anotaciones, y el tapatío César Lozano, de 22 años de edad, que debutó con el Toluca en la última jornada, el 7 de mayo, entrando de cambio por Mario Albarrán durante el encuentro en Pachuca entre *Diablos* y *Tuzos* que ganó el Toluca por 4-2. Lozano no recibió gol y no volvió a jugar sino hasta el torneo Clausura-03.

A dos porteros que habían debutado en la Copa México de 1996 les llegó la oportunidad de jugar en la Liga: Roberto Pérez alineó un partido con el Cruz Azul y Alberto Becerra cinco con el América.

La gran novedad en el ámbito de los guardametas fue ver a Jorge Campos defendiendo la portería de los *Tigres* del Universitario de Nuevo León.

Siete arqueros de "hierro". Cabuto, Fuentes, Oswaldo, Comizzo, Adrián Martínez, Campos y Dautt lograron temporada completa, y Adrián jugó además los seis partidos de la liguilla.

Cuatro goles de Borgetti a Campos

El 26 de marzo en Torreón Jorge Campos recibió por tercera vez en su carrera cinco goles en un juego de Liga, y por primera y única ocasión cuatro anotaciones de un mismo jugador. Esa tarde el Santos devoró a los *Tigres* por cinco a cero con Jared Borgetti marcando cuatro goles. Pudieron haber sido cinco pero Campos le detuvo un penalti al espigado delantero sinaloense.

Mayores goleadas encajaron Hernán Cristante, Óscar Dautt, Sergio Bernal, Nelson Benedetich y Adrián Martínez, pues cada uno recibió 6 tantos en un partido. Cristante, del Monterrey; Dautt, del Atlas; Bernal, del Toluca; Benedetich, del Cruz Azul; y Martínez, del América. Sin embargo, en la liguilla Alan Cruz, del Puebla, superó a todos al ser batido siete veces por el Toluca.

Como Toros Neza fue el equipo más goleado del torneo, su arquero Dautt encabezó a los porteros en goles recibidos con 37, seguido por Carlos Briones, de *Tecos*, con 31 y por el cruzazulino Óscar Pérez con 30.

El club que sufrió menos horadaciones en su portería fue el Guadalajara con 17. Así, Oswaldo Sánchez, con promedio de un pepino por juego, figuró como el mejor guardameta. En segundo lugar, Hugo Pineda, del Necaxa, con 1.12, y después Comizzo con 1.23.

Gran actuación de América y Atlas en la Libertadores

A partir del 16 de febrero el América y el Atlas jugaron dos torneos, la Liga y la Libertadores. En el certamen sudamericano ambos lograron el segundo lugar en sus respectivos grupos y clasificaron a octavos de final. Las *Águilas* compitieron contra el brasileño Corinthinas, el paraguayo Olimpia y el ecuatoriano Liga Deportiva Universitaria. Ganaron tres, empataron uno, perdieron dos y sus diez puntos sólo fueron superados por los 13 que hizo el Corinthians.

Los rivales del Atlas fueron River Plate, Universidad de Chile y Atlético Nacional, de Colombia. Ganó dos, empató dos y perdió dos. Obtuvo el segundo lugar porque su diferencia de goleo fue más alta que la del cuadro chileno. El líder fue el River.

Dos equipos colombianos, el América de Cali y el Atlético Junior de Barranquilla no fueron obstáculos para que los cuadros mexicanos avanzaran a cuartos de final. El América derrotó dos veces a su homónimo de Cali y el Atlas también venció en sus dos juegos.

En cuartos de final el América continuó su racha victoriosa a costa del Bolívar, de Bolivia, pero el Atlas fue eliminado por el Palmeiras ya que perdió los dos cotejos con el equipo paulista.

En semifinales las *Águilas* se quedaron a unos minutos de consumar la hazaña de remontar un marcador adverso de 1-4 frente al Boca Juniors. En el Azteca el

América ganaba 3-0, marcador que le daba el pase a la final (por el doble valor del gol de visitante en Buenos Aires), pero un gol agónico de Walter Samuel deshizo el empate global y sepultó al América.

Como Adolfo Ríos se lastimó en la segunda fecha de la Libertadores, los suplentes Alberto Becerra y Christian Martínez cubrieron la meta americanista en el resto del torneo. El joven Becerra se lució en São Paulo deteniéndole un penalti a Marcelinho, del Corinthians.

En los diez partidos que jugó el Atlas alineó Erubey Cabuto, quien así logró una racha, entre Prelibertadores y Libertadores, de 15 partidos consecutivos.

Bernal ataja dos penaltis en un juego

En el campeonato mexicano el América no clasificó a la fase final, lo que sí logró el Atlas. La Volpe metió al conjunto rojinegro a la liguilla por sexto torneo consecutivo, aunque esta vez no pasó de la etapa de cuartos de final.

En una de las últimas jornadas, el 29 de abril, el Atlas recibió a los *Pumas* en el Jalisco, un partido en el que se agigantó la figura de Sergio Bernal al pararle dos penaltis a Miguel Zepeda, evitando la derrota de su equipo. El marcador quedó 0-0 y Bernal se convirtió en el séptimo portero en realizar tal hazaña. El mismo día el cancerbero del Atlante, José Antonio Bravo, también detuvo un tiro de castigo.

Posteriormente, en junio, el arquero de los *Pumas* tuvo la oportunidad de jugar la Copa USA en varias ciudades estadounidenses, porque fue el cuadro universitario reforzado —al que se denominó "combinado mexicano"— el que representó a México en el torneo *gringo*. Esta "Selección", dirigida por Hugo Sánchez, empató con Irlanda a dos goles, venció 4-2 a Sudáfrica y fue goleada 0-3 por Estados Unidos. Bernal jugó los tres partidos.

El fut mexicano no va a la Olimpiada

Dos meses antes, en abril, el futbol mexicano había tenido otro fracaso en el vecino país del norte en la eliminatoria olímpica. Si bien la Sub-23 superó la primera fase en Guadalajara mediante un empate con Honduras (2-2) y goleadas a Jamaica (5-0) y Costa Rica (5-1), y en la segunda en Hershey, Pennsilvania, no perdió ningún partido (1-1 con Guatemala, 3-0 a Panamá, 0-0 con Honduras y 5-0 a Guatemala), no consiguió el boleto para Sydney-2000 porque cayó ante los hondureños en la tanda de penaltis por 4-5.

En dos de los siete partidos, el primero y el último, Christian Martínez cubrió la valla mexicana; en los demás, Adrián Zermeño, joven portero nativo de Guadalajara que debutaría en Primera División en el siguiente torneo corto.

Tres reyes de goleo

El rey de este verano fue el Toluca, como lo había sido en los dos años inmediatos anteriores, siempre al mando del *Ojitos* Meza. Los *Diablos* fueron súper líderes con 40 puntos, nueve más que el segundo lugar (Santos), y campeones de goleo por tercer torneo seguido. Cuarenta y cuatro goles marcó el Toluca, siendo el único equipo que superó la barrera de 40 anotaciones.

El que anotó menos fue el Atlante, colero del certamen. Sólo 16 tantos marcó el cuadro azulgrana, equipo que entre el Invierno-99 y el Verano-00 ligó ocho derrotas consecutivas.

La trayectoria de claroscuros del Toros Neza en Primera División llegó a su fin en este semestre porque el equipo quedó último en la tabla de promedios y descendió a Primera A.

Tres delanteros anotaron cada uno casi tantos goles como todo el Atlante. Everaldo Bejines (León), el ecuatoriano Agustín Delgado (Necaxa) y el *charrúa* Sebastián Abreu (UAG) compartieron el liderato de goleo con 14 tantos. No se había registrado un triple empate desde la temporada 53-54, en la que por cierto también fueron dos extranjeros y un mexicano los máximos romperredes.

Miguel de Jesús Fuentes, Félix Fernández y Hugo Pineda fueron los arqueros que admitieron más goles de Bejines, Delgado y Abreu, respectivamente. Todos con tres. Cabe señalar que ninguno de los 14 tantos del ecuatoriano fue de penalti.

La lista de los mayores artilleros se completó con Luis Hernández (*Tigres*) que marcó 13 y Francisco Palencia (Cruz Azul) y el paraguayo Cardozo, del Toluca, con una docena cada uno.

Tercer título de Meza

Además del Toluca, Santos y Atlas, también se clasificaron a la liguilla los *Pumas*, las *Chivas*, el Necaxa, el Morelia y el Puebla. No hubo repechaje.

El Guadalajara y el Atlas protagonizaron dos clásicos tapatíos cuyo marcador fue 1-1 en los dos cotejos. Avanzaron a semifinales las *Chivas* por su mejor posición en la tabla general. Por este criterio el Santos eliminó al Morelia ya que el global fue 3-3.

En las otras series de cuartos de final los *Pumas* vencieron dos veces al Necaxa (4-3 a domicilio y 2-1 en cu) y el Toluca masacró al Puebla al que derrotó 2-0 en el Cuauhtémoc y 7-0 en la *Bombonera*, marcador récord en la historia tanto de los *Diablos* como del equipo de la franja.

A sus 9 goles el Toluca agregó 6 en la semifinal contra el Guadalajara (4-1 en el Jalisco y 2-2 en casa) y 7 en la final contra el Santos. Así que el equipo de Enrique Meza anotó 22 de los 49 goles que se registraron en la liguilla. José Saturnino Cardozo y el uruguayo Carlos María Morales metieron ocho cada uno imponiendo récord en liguillas.

En la otra semifinal, Santos pasó sobre *Pumas* por global de 2-1 para que la final la disputaran el 1 y el 2 de la clasificación general.

El 31 de mayo en Torreón y el 3 de junio en la capital del Estado de México el Toluca impuso su hegemonía y conquistó su sexto campeonato y el tercero en torneos cortos, todos estos con el *Ojitos* Meza como director técnico.

Con anotaciones de Víctor Ruiz y el *charrúa* Morales los *Diablos* ganaron en Torreón por 2 a 0 y completaron la obra en la *Bombonera* (que a partir de este día lleva el nombre de don Nemesio Diez, el gran patriarca histórico del Toluca) batiendo cinco veces la valla de Adrián Martínez. Anotaron Morales, Cardozo (2), Rafael García y Manuel Martínez. Luis Romero marcó el del "honor" del Santos, apenas el cuarto tanto recibido por Cristante en la liguilla.

En este verano rojo el Toluca anotó al menos un gol en sus 23 juegos.

Otro fracaso de Rafael Puente

Los *Tecos* le brindaron a Rafael Puente su tercera oportunidad de dirigir a un equipo de Primera División, pero el ex portero volvió a tener números negativos y fue cesado en la fecha 8. Ganó dos juegos y perdió seis. Su estadística como director técnico del Atlante en 89-90, del Pachuca en el Invierno-96 y de los *Tecos* ahora, indica diez triunfos, siete empates y 25 derrotas.

El arquero argentino del Pachuca, Ignacio González, concluyó su estancia en el futbol mexicano para regresar a España a jugar con el club Las Palmas. En su última actuación encajó cuatro goles del Toluca el 7 de mayo. En los dos torneos que jugó con los *Tuzos* recibió 43 tantos en 28 partidos (promedio: 1.54) y ganó un título.

Fracaso en la Copa de Oro

La actividad de la Selección comenzó en enero con un partido en Oakland contra su "similar" de Irán. En realidad fue un Tri mixto: jugadores de la A y de la Sub-23. Alineó de portero Christian Martínez y el cuadro mexicano derrotó 2-1 a los iraníes.

En febrero la mayor jugó un torneo en Hong Kong, donde venció a Japón (1-0) y sucumbió ante República Checa (1-2), actuando en los dos cotejos el *Conejo* Pérez, quien se mantuvo en el arco en el primero y tercer juegos de la Copa de Oro, efectuada nuevamente en Estados Unidos. México comenzó goleando 4-0 a Trinidad y Tobago, luego empató 1-1 con Guatemala (paró Christian Martínez) y fue eliminado por Canadá por 1-2 con gol de "oro".

En vísperas de iniciar la eliminatoria mundialista, el Tri obtuvo dos victorias en juegos amistosos celebrados en la primera semana de julio en San Francisco, California y Monterrey contra El Salvador (3-0) y Venezuela (2-1), respectivamente. Jorge Campos actuó en el primero y Óscar Pérez en el segundo.

Mientras tanto, Rafael Márquez se coronaba campeón de Francia en su primer año con el Mónaco.

El 7 de abril murió Moacir Barbosa, el portero de Brasil en el Mundial de 1950, protagonista de la tragedia de Maracaná, por la que vivió el resto de sus días aborrecido por sus compatriotas. Vino a México en 1949 con aquel

formidable Vasco da Gama que se cansó de golear a los equipos mexicanos. Barbosa ganó seis campeonatos con el Vasco en Brasil.

Nómina de porteros

América	Adolfo Ríos, Christian Martínez y Alberto Becerra
Atlante	Félix Fernández y José Antonio Bravo
Atlas	Erubey Cabuto
Celaya	Miguel de Jesús Fuentes
Cruz Azul	Óscar Pérez y Roberto Pérez
Guadalajara	Oswaldo Sánchez
León	Saúl Sánchez y Nelson Benedetich
Monterrey	Omar Ortiz y Ricardo Martínez
Morelia	Ángel Comizzo
Necaxa	Hugo Pineda y Alexandro Álvarez
Pachuca	Ignacio González y Jesús Alfaro
Puebla	Alan Cruz y Guillermo Matíes
Santos	Adrián Martínez
Tigres	Jorge Campos
Toluca	Hernán Cristante, Mario Albarrán y César Lozano
Toros Neza	Óscar Dautt
UAG	Carlos Briones y Pedro Prieto
UNAM	Sergio Bernal y Esdras Rangel

Más juegos (J)

Erubey Cabuto (Atlas)	17
Miguel de Jesús Fuentes (Celaya)	17
Oswaldo Sánchez (Guadalajara)	17
Ángel Comizzo (Morelia)	17
Adrián Martínez (Santos)	17
Jorge Campos (Tigres)	17
Óscar Dautt (Toros Neza)	17
Sergio Bernal (UNAM)	17

Más juegos completos

Erubey Cabuto (Atlas)	17
Miguel de Jesús Fuentes (Celaya)	17
Oswaldo Sánchez (Guadalajara)	17
Ángel Comizzo (Morelia)	17
Adrián Martínez (Santos)	17
Jorge Campos (Tigres)	17
Óscar Dautt (Toros Neza)	17
Óscar Pérez (Cruz Azul)	16
Sergio Bernal (UNAM)	16

Más goles (g)	
Óscar Dautt (Toros Neza)	37
Carlos Briones (UAG)	31
Óscar Pérez (Cruz Azul)	30
Erubey Cabuto (Atlas)	29
Miguel de Jesús Fuentes (Celaya)	28
Félix Fernández (Atlante)	28

Más bajo g/j (mínimo 10 juegos)	
Oswaldo Sánchez (Guadalajara)	1.00
Hugo Pineda (Necaxa)	1.12
Ángel Comizzo (Morelia)	1.23
Adrián Martínez (Santos)	1.29
Jorge Campos (Tigres)	1.29

Más goles en un juego	
Nelson Benedetich (León)	6
Adrián Martínez (Santos)	6
Hernán Cristante (Toluca)	6
Óscar Dautt (Toros Neza)	6
Sergio Bernal (UNAM)	6

Penaltis detenidos	
Sergio Bernal (UNAM)	2
Christian Martínez (América)	1
José Antonio Bravo (Atlante)	1
Jorge Campos (Tigres)	1
Óscar Dautt (Toros Neza)	1

Expulsados
Ninguno

LIGUILLA

Más juegos	Adrián Martínez (Santos) y Hernán Cristante (Toluca)	6
Más juegos completos	Adrián Martínez (Santos) y Hernán Cristante (Toluca)	6
Más goles	Adrián Martínez (Santos)	11
Más bajo G/J	Hernán Cristante (Toluca)	0.67
Más goles en un juego	Alan Cruz (Puebla)	7
Penaltis detenidos	Ninguno	
Expulsados	Ninguno	

Invierno-00
Último campeonato del siglo xx

El Morelia ganó su primer campeonato venciendo al Toluca en penaltis. También en penaltis el Guadalajara perdió la semifinal de la Copa Merconorte en la que Oswaldo Sánchez anotó un gol con la cabeza. Debutó el colombiano Miguel Calero y fue el mejor portero de la Liga. La Selección clasificó a la fase final de la eliminatoria mundialista. Enrique Meza tomó el mando del Tri. Rotundo fracaso del Atlante en el torneo Prelibertadores; calificó el Cruz Azul. Ricardo La Volpe ligó su séptima liguilla consecutiva dirigiendo al Atlas. Jared Borgetti se convirtió en el primer monarca de goleo del Santos.

Gol de Oswaldo en la copa Merconorte

El último campeonato del siglo xx se inició el 29 de julio y culminó el 16 de diciembre con una final de 210 minutos y 14 penaltis que ganó el Morelia en la cancha del Toluca.

En los primeros días de julio el Guadalajara, el Toluca, el Necaxa y el Pachuca comenzaron su participación en la Copa Merconorte contra clubes sudamericanos de "medio pelo" (ninguno de Brasil, Argentina, Uruguay, Chile y Paraguay) y algún centroamericano como el Alajuelense.

En su debut las *Chivas* empataron a uno con el América de Cali, el Toluca goleó 4-1 al Universitario de Deportes de Lima, el Necaxa igualó sin goles con el Atlético Nacional de Medellín y el Pachuca perdió 0-1 con el ecuatoriano Emelec. En este partido debutó con los *Tuzos* Miguel Calero, portero colombiano de 28 años de edad, con experiencia de ocho temporadas en el balompié de su país, del que era seleccionado nacional. Dos semanas después, el 30 de julio, jugó su primer partido en la Liga mexicana.

La fase de grupos de la Merconorte se prolongó hasta el 11 de octubre. De los cuatro clubes mexicanos sólo el Guadalajara calificó a semifinales al encabezar el grupo A con once puntos. El Toluca, aunque fue líder de goleo con 15 tantos, quedó en segundo lugar del grupo C con ocho puntos, misma posición conseguida por el Pachuca en el grupo D, en tanto que el Necaxa se ubicó en el tercer sitio del B con siete unidades porque empató cuatro de sus seis juegos.

En su tercer partido las *Chivas* cambiaron de entrenador. Asumió el mando, por tercera vez en su carrera, el ex portero Jesús Bracamontes, quien debutó con un triunfo sobre el club ecuatoriano El Nacional por 1-0 en la Perla Tapatía.

Atlético Nacional, Millonarios (único invicto) y Emelec acompañaron al Guadalajara a las semifinales. En su último juego de la primera fase, el 4 de octubre, las *Chivas* empataron 3-3 con El Nacional en Quito, con la particularidad de que el tercer gol lo anotó Oswaldo Sánchez rematando con la cabeza un tiro libre. El empate le dio al cuadro tapatío el boleto para la semifinal.

En el estadio Jalisco el Guadalajara empató a un gol con el Atlético Nacional. En el pago de visita en Medellín las *Chivas*, con nueve hombres, lograron un 3-3 que hizo necesarios los penaltis para determinar cuál equipo pasaría a la final. De cinco disparos, los colombianos acertaron cuatro, mientras que los tapatíos sólo atinaron dos de cuatro. A la postre el Atlético Nacional se coronó campeón.

Por lo que respecta a los porteros, Oswaldo alineó en los ocho juegos del Guadalajara; Hernán Cristante cuatro y Mario Albarrán dos en los seis del Toluca; Alexandro Álvarez cinco y Nicolás Navarro uno en los seis del Necaxa; y Miguel Calero cuatro y Jesús Alfaro dos en los seis del Pachuca.

El Toluca recibe a Calero con cuatro goles

Con cuatro goles en el estadio Hidalgo le dieron los *Diablos* del Toluca la bienvenida al futbol mexicano a Miguel Calero. El primer tanto fue de Víctor Ruiz. Sin embargo, en el resto del campeonato el arquero colombiano solamente admitió 10 anotaciones en 13 partidos y al final, con su promedio de un gol por juego, se proclamó como el mejor guardameta. Óscar Pérez y Alexandro Álvarez, quien se quedó como titular en el Necaxa al pasar Hugo Pineda al América, fueron los porteros que lograron los promedios más bajos después de Calero con 1.27 y 1.29, respectivamente. El *Conejo* fue autor de un autogol en beneficio del Necaxa el 19 de noviembre.

Otros debutantes en las primeras jornadas del torneo fueron el paraguayo Danilo Aceval y el juvenil Adrián Zermeño. Aceval llegó a los *Tigres* procedente del Cerro Porteño y se presentó el 29 de julio en el partido que el equipo norteño le ganó al Atlante por 2-1 en Monterrey. Anotó por los azulgranas Carlos Hermosillo, de penalti.

Zermeño debutó con el Cruz Azul el 12 de agosto en el viejo estadio de Insurgentes. Los *Cementeros* vencieron 2-1 a las *Chivas*, tocándole a Ramón Morales batir por primera vez al nuevo guardameta.

Otros movimientos registrados en la nómina de porteros fueron, además del cambio de Pineda, el arribo de Jorge Campos al Atlante, la salida de Carlos Briones de los *Tecos* para jugar con el León, la contratación de Óscar Dautt y Saúl Sánchez con el Puebla, la reaparición de Martín Zúñiga vistiendo ahora la camiseta del equipo de la Autónoma de Guadalajara y el pase de José Antonio Bravo del Atlante al Irapuato, equipo con el que reapareció en Primera División Samuel Máñez, quien ascendió con el cuadro *fresero*.

Cruz Azul va a la Libertadores

En agosto, primer mes del campeonato, se efectuó en seis ciudades de Estados Unidos el torneo clasificatorio para el Prelibertadores. Participaron Cruz Azul, Atlante, UNAM, Atlas y América. Con 10 y 7 puntos, respectivamente, los *Cementeros* y los azulgranas obtuvieron el boleto para disputar con los clubes venezolanos Deportivo Táchira e Italchacao el pase a la Copa Libertadores. El América quedó en último lugar con sólo un punto.

En el Prelibertadores el Atlante perdió todos los partidos contra los venezolanos, mientras que el Cruz Azul ganó tres y perdió uno. Los *Celestes* y el Táchira lideraron la clasificación con 12 puntos (Cruz Azul quedó en primer lugar por mayor diferencia de goleo) y con ello la entrada al afamado torneo sudamericano. Desde luego, el Atlante fue el colero.

El Cruz Azul utilizó a sus tres porteros, el *Conejo*, Zermeño y Roberto Pérez, y en el Atlante, Félix Fernández y Jorge Campos se repartieron un cargamento de 13 goles.

Cinco porteros de "hierro"

Treinta y tres guardametas tuvieron acción en el Invierno-00. Recibieron 480 goles en la primera fase y 52 en

la liguilla. Cinco jugaron todos los minutos de los 17 partidos: Alexandro Álvarez, Hernán Cristante, Sergio Bernal, Ángel Comizzo (por segundo torneo consecutivo) y Adrián Martínez, quien ligó su tercer campeonato completo seguido.

Oswaldo Sánchez, quien desde que llegó al Guadalajara en el Invierno-99 había jugado completos todos los encuentros, estuvo a unos minutos de igualar a Adrián Martínez. Actuó en los 17 partidos de las *Chivas*, pero en el último, contra el Monterrey en el Tecnológico, fue expulsado por juego brusco grave sobre el arquero *Rayado*, Ricardo Martínez, al ir a tratar de rematar un saque de esquina con su equipo perdiendo 1-2.

El arquero de los *Pumas* y el del Santos figuraron entre los que más anotaciones permitieron, con 29 cada uno, al igual que Carlos Briones, del León. Sin embargo, el equipo más goleado fue *Tecos* con 36.

La mayor paliza del torneo se registró en el segundo juego de repechaje entre el Morelia y el Irapuato, y fue a la cuenta de Máñez que encajó siete pepinos morelianos. En la fase regular, la cuota más alta no pasó de 5 goles, cantidad que el América le anotó a Briones, el Atlante a Bernal, el Atlas a Omar Ortiz y los *Tecos* al mismo Briones.

El Atlas fue líder de goleo con 35 tantos, uno más que el Cruz Azul, súper líder del certamen con 33 puntos. El Puebla y el Guadalajara tuvieron las ofensivas más débiles al anotar cada uno solamente 18 goles, y por primera vez en su historia el Pachuca, en mucho gracias a Calero, fue el club con la portería menos vencida (18). Las *Chivas*, a quienes desde la fecha 5 dirigió Jesús Bracamontes, quedaron en penúltimo lugar, la peor posición de su historia. El sotanero fue el Celaya con 13 puntos, uno menos que el Guadalajara.

Los formidables números del *Ojitos*

La racha del Toluca de juegos consecutivos anotando, iniciada en el Invierno-99 y continuada durante todo el Verano-00, terminó en la novena jornada, justamente cuando el Toluca estrenó director técnico en la persona del ex portero argentino Ricardo José Ferrero, porque Enrique Meza fue nombrado director técnico de la Selección Nacional.

En Morelia y ante Ángel Comizzo se fueron en blanco los *Diablos*, quedando su racha en 32 partidos seguidos con gol.

Con Meza el Toluca había ganado seis de ocho juegos; con Ferrero sólo venció en tres de nueve, pero le alcanzó para ubicarse en el segundo puesto de la tabla general, tres puntos abajo del Cruz Azul.

El extraordinario trabajo del *Ojitos* con el cuadro rojo en siete torneos quedó plasmado en esta deslumbrante estadística: 78 victorias, 26 empates y sólo 23 reveses. Clasificó a cinco liguillas, ganó tres campeonatos y su equipo fue líder de goleo cuatro veces.

Récord de Borgetti

Con 17 goles, una cifra que nadie había logrado en torneos cortos, Jared Borgetti conquistó su primer título de romperredes. Además, se convirtió en el primer campeón goleador del Santos. Ocho de sus anotaciones fueron en cancha ajena. Repartió muy bien sus goles, de modo que a los porteros: Fuentes (Celaya), Comizzo (Morelia), Cabuto (Atlas), Ortiz (Monterrey) y Alfaro (Pachuca) les metió dos tantos a cada uno.

El sublíder de goleo fue el argentino Ángel *Matute* Morales, del Cruz Azul, con 12, seguido por el *charrúa* Martín Rodríguez (Irapuato), Daniel Osorno (Atlas) y Antonio De Nigris (Monterrey), con 11 cada uno.

En la liguilla el artillero paraguayo del Toluca, Saturnino Cardozo, volvió a perforar ocho veces las redes enemigas como en el Verano-00, pero falló un penalti en la definición por tiros de castigo que tuvo la final entre el Toluca y el Morelia.

La coronación del Morelia

Ricardo La Volpe metió al Atlas a la liguilla por séptimo torneo consecutivo y por quinta vez llegó a semifinales. En la fase regular del campeonato, los rojinegros, al igual que el Cruz Azul y el Morelia, no perdieron ningún juego de locales. En cuartos de final eliminaron al súper líder Cruz Azul, al que vencieron por 2-0 a domicilio tras caer 0-1 en el Jalisco.

La liguilla comenzó con el repechaje de diez goles

entre Irapuato y Morelia, ganado por el equipo michoacano por global de 7-3. Luego, en las otras series de cuartos el Santos superó al Necaxa (4-3), el Morelia al Pachuca (2-1) y el Toluca al América (4-4 y mejor posición general). Cabe señalar que en cinco de los ocho juegos ganó el visitante y en dos hubo empates.

También se registraron diez goles en la vibrante semifinal entre el Atlas y el Toluca: empate 3-3 en el Jalisco y triunfo toluqueño de 3-1 en el Nemesio Diez. El Morelia, por su parte, siguió emulando la hazaña del Pachuca en el Invierno-99 de ir desde el repechaje hasta la final y ganarla, al eliminar al Santos en la otra semifinal por global de 3-2.

Por primera vez en la historia jugaron la final dos porteros argentinos, Comizzo y Cristante, y uno de ellos se erigió a la postre en el gran héroe.

Con anotaciones de Mario Ruiz, el brasileño Álex Fernandes y Omar Trujillo, el Morelia ganó el primer partido, el 13 de diciembre en el estadio Morelos, por 3-1. Cardozo anotó por el Toluca.

Tres días después, el mismo Cardozo y Erick Espinoza batieron la valla de Comizzo para empatar el marcador global. El empate persistió en el tiempo extra y el título se tuvo que decidir en los penaltis.

Fue entonces cuando Comizzo se lució atajando tres de los siete disparos de los *Diablos*. Por su parte, Cristante sólo pudo detener uno. El Morelia falló uno más pero acertó cinco, y por marcador de 5-4 en los penaltis conquistó el primer campeonato de su historia. Para Luis Fernando Tena, su director técnico, fue su segundo título.

Enrique Meza, nuevo DT del Tri

Durante el último semestre del siglo la Selección disputó la primera etapa de la eliminatoria para el Mundial de 2002, durante la cual se produjo el relevo de Lapuente por Meza. Con cuatro triunfos (1-0 y 7-1 a Panamá, 2-0 a Canadá y 7-0 a Trinidad y Tobago), un empate (0-0 con Canadá) y una derrota (0-1 ante Trinidad y Tobago), México calificó a la fase final. En todos los partidos actuó Jorge Campos, y como puede verse solamente permitió dos goles en seis cotejos.

Intercalados con los juegos de la eliminatoria, el Tri efectuó partidos amistosos contra Ecuador, Bolivia, Estados Unidos y Argentina en canchas del Tío Sam. Precisamente en el juego con Ecuador debutó el *Ojitos* Meza, quien mantuvo a Campos en la portería, salvo en el choque contra Estados Unidos en el que debutó a Adrián Martínez.

El Tri venció 2-0 a los ecuatorianos y 1-0 a los bolivianos pero perdió ante estadounidenses (0-2) y argentinos (0-2).

Un portero goleador

En la Primera División A se registraron dos goles de un portero, uno mediante un remate con la cabeza y otro con un tiro de muy larga distancia. El autor fue Juan de Dios Ibarra, arquero del Saltillo. Este guardameta llegaría al máximo circuito con el Monterrey en el Verano-02.

El futbol mexicano volvió a tener un representante en la Liga de España al jugar Cuauhtémoc Blanco con el Valladolid.

Nómina de porteros

América	Adolfo Ríos, Hugo Pineda y Alberto Becerra
Atlante	Jorge Campos, Félix Fernández y Aarón Hernández
Atlas	Erubey Cabuto e Isaac Mizrahi
Celaya	Emmanuel González y Miguel de Jesús Fuentes
Cruz Azul	Óscar Pérez y Adrián Zermeño
Guadalajara	Oswaldo Sánchez
Irapuato	Samuel Máñez y José Antonio Bravo
León	Carlos Briones y Jorge Espinoza
Monterrey	Omar Ortiz y Ricardo Martínez
Morelia	Ángel Comizzo
Necaxa	Alexandro Álvarez
Pachuca	Miguel Calero y Jesús Alfaro
Puebla	Óscar Dautt y Saúl Sánchez
Santos	Adrián Martínez
Tigres	Danilo Aceval y Carlos Guerrero
Toluca	Hernán Cristante
UAG	Martín Zúñiga, Pedro Prieto y Marcos Garay
UNAM	Sergio Bernal

Más juegos (J)

Oswaldo Sánchez (Guadalajara)	17
Ángel Comizzo (Morelia)	17
Alexandro Álvarez (Necaxa)	17
Adrián Martínez (Santos)	17
Hernán Cristante (Toluca)	17
Sergio Bernal (UNAM)	17

Más juegos completos

Ángel Comizzo (Morelia)	17
Alexandro Álvarez (Necaxa)	17
Adrián Martínez (Santos)	17
Hernán Cristante (Toluca)	17
Sergio Bernal (UNAM)	17
Oswaldo Sánchez (Guadalajara)	16

Más goles (G)

Carlos Briones (León)	29
Adrián Martínez (Santos)	29
Sergio Bernal (UNAM)	29
Oswaldo Sánchez (Guadalajara)	27
Omar Ortiz (Monterrey)	27

Más bajo G/J (mínimo 10 juegos)

Miguel Calero (Pachuca)	1.00
Óscar Pérez (Cruz Azul)	1.27
Alexandro Álvarez (Necaxa)	1.29
Ángel Comizzo (Morelia)	1.41
Danilo Aceval (Tigres)	1.42

Más goles en un juego

Samuel Máñez (Irapuato)	5
Carlos Briones (León)	5
Omar Ortiz (Monterrey)	5
Sergio Bernal (UNAM)	5

Penaltis detenidos

Oswaldo Sánchez (Guadalajara)	1
Alexandro Álvarez (Necaxa)	1
Hernán Cristante (Toluca)	1
Sergio Bernal (UNAM)	1

EXPULSADOS
Jorge Campos (Atlante)
Oswaldo Sánchez (Guadalajara)
Carlos Briones (León)
Carlos Guerrero (Tigres)
Pedro Prieto (UAG)

LIGUILLA

Más juegos	Ángel Comizzo (Morelia)	8
Más juegos completos	Ángel Comizzo (Morelia)	8
Más goles	Hernán Cristante (Toluca)	11
Más bajo G/J	Óscar Pérez (Cruz Azul) y Miguel Calero (Pachuca)	1.00
Más goles en un juego	Samuel Máñez (Irapuato)	7
Penaltis detenidos	Ninguno	
Expulsados	Ninguno	

Verano-01
Muy mal el Tri; enorme el Cruz Azul

El Cruz Azul derrotó al Boca Juniors en Buenos Aires pero perdió en penaltis la final de la Copa Libertadores. El Santos ganó el primer torneo del siglo XXI *y Jared Borgetti logró el bicampeonato de goleo. Un portero debutante consiguió el promedio más bajo de goles por partido y detuvo tres penaltis. El Toluca y el Pachuca fracasaron en el torneo de Concacaf clasificatorio para el Mundial de Clubes. Descendió el Atlante pero se quedó en Primera División al ganarle al Veracruz una promoción para aumentar a 19 el número de equipos. Después de 48 años, La Piedad regresó al máximo circuito. Enrique Meza renunció a la dirección técnica de la Selección después de fracasar en la Copa Confederaciones y de perder tres juegos de la eliminatoria mundialista.*

Cruz Azul es subcampeón de la Libertadores

Con relativa facilidad el Cruz Azul ganó su grupo de la primera fase de la Copa Libertadores y avanzó a octavos de final. Venció dos veces al C.D. Olmedo de Ecuador, empató en Brasil y derrotó en México al São Caetano y dividió triunfos con el Defensor Sporting de Uruguay. Sumó 13 puntos, cinco más que el sublíder São Caetano.

Con el goleador guaraní José Saturnino Cardozo como refuerzo, Cruz Azul eliminó al Cerro Porteño de Paraguay (marcador global 4-3) en octavos, al River Plate (empate a cero en Buenos Aires y goleada de 3-0 en México) en cuartos, y al Rosario Central (le ganó aquí por 2-0 y empató a tres en Rosario) en semifinales.

Y en la final le tocó otro grande del balompié argentino, el Boca Juniors. En el primer partido Boca visitó al Cruz Azul en el estadio Azteca (sede de los *Cementeros* desde el partido contra el River) y lo venció 1-0, con lo que casi aseguraba la corona. Sin embargo, una semana después, el 28 de junio, el cuadro mexicano le devolvió el marcador en la *Bombonera* de Buenos Aires gracias a un tanto de Paco Palencia ante el asombro de 60 mil hinchas boquenses.

La ejecución de penaltis fue el método para determinar al ganador de la Copa. Por el Boca Juan Román Riquelme, Mauricio Serna y Marcelo Delgado engañaron al *Conejo* Pérez, y sólo

falló Jorge Bermúdez. En cambio, por Cruz Azul únicamente Palencia acertó su tiro, el arquero colombiano del Boca Óscar Córdoba atajó el disparo de Pablo Galdames, y José Alberto Hernández mandó el balón por arriba del marco y Julio César Pinheiro lo estrelló en el larguero.

Así, por tres penaltis a uno el Boca se coronó por segundo año consecutivo y el equipo mexicano dejó la cancha en medio de una gran ovación del público argentino.

El *Conejo* alineó en todos los partidos del torneo con excepción del segundo, en el que jugó el novato Roberto Pérez, de modo que Óscar ligó 12 consecutivos.

El Olimpia, verdugo de mexicanos en Concacaf

En cuatro días de enero la Concacaf realizó en Fullerton y Los Ángeles su torneo clasificatorio para el II Mundial de Clubes. Por México participaron el Toluca y el Pachuca. Los *Diablos*, con Mario Albarrán en la puerta, fueron eliminados por el Olimpia de Honduras que los derrotó por 1-0, en tanto que los *Tuzos*, con Calero en el arco, vencieron 1-0 al Joe Public de Trinidad y Tobago y 2-1 al DC United pero fueron goleados 0-4 por el Olimpia y quedaron fuera. El campeón fue el Galaxy y el cuadro hondureño ocupó el segundo lugar. Sin embargo, los del Galaxy quedaron vestidos y alborotados porque el Mundial se suspendió y no fue sino hasta cuatro años después cuando se llevó a cabo.

Brilla un guardameta novato

El primer campeonato mexicano del siglo xxi y del milenio III duró del 6 de enero al 20 de mayo y registró una notable disminución en el número de goles (428) con relación a los últimos cinco torneos, y el súper líder, que fue el América, tuvo la puntuación más baja de un primer lugar en la historia de los torneos cortos. Sin embargo, en la liguilla —con dos repechajes— hubo 72 goles, la cantidad más alta desde la Liga 88-89.

En la primera jornada debutó con *Tigres* el portero Rogelio Rodríguez, nativo de Acapulco y ya con 24 años de edad. El cuadro *felino* recibió al Atlante, el marcador quedó 1-1 y el argentino Carlos Casartelli marcó el primer gol en la cuenta de Rogelio. Este arquero tuvo una actuación tan destacada que los *Tigres* fueron el equipo menos goleado (13) y él, con promedio de 0.75, se consagró como el mejor portero, además de dejar en la banca al paraguayo Aceval, quien sólo jugó cuando Rodríguez fue expulsado en la fecha 7.

El nuevo guardameta también fue líder de penaltis detenidos con tres, rubro en el que figuraron Adolfo Ríos y el *che* Luis Alberto Islas con dos cada uno. Este último regresó al futbol mexicano después de tres años de ausencia para hacerse cargo de la portería leonesa.

Abajo de Rogelio Rodríguez en la lista de los porteros más eficientes aparecen Jorge Campos (0.80), Adolfo Ríos (0.88), Óscar Dautt (1.00) y Oswaldo Sánchez (1.06), todos mexicanos.

En total tuvieron acción 31 arqueros. Siete jugaron la temporada completa, entre estos Adrián Martínez quien lo hizo por cuarto torneo seguido. La cifra de porteros participantes llegó a 31 al debutar el 6 de mayo, en la liguilla, Mario Rodríguez. Originario de Torreón, con 22 años de edad, se presentó con los *Tecos* precisamente en su ciudad natal donde el Santos le dio la bienvenida con cuatro goles, el primero a cargo de Jared Borgetti. Cabe apuntar que Santos fue el campeón de goleo (35) y en la liguilla marcó 17 en 6 partidos.

Récord de Borgetti

Borgetti conquistó su segundo título de goleo consecutivo y en la fase final rompió el récord de los *diablos* Cardozo y Morales al marcar nueve tantos, seis como visitante.

Borgetti encabezó a los romperredes con 13 goles y sus porteros "clientes" fueron Samuel Máñez, del Irapuato, y Óscar Dautt, del Puebla, a quienes batió tres veces a cada uno (a Dautt en la liguilla).

El segundo mayor goleador fue Cardozo con once y el tercero Leonardo Fabio Moreno, colombiano del Celaya, con diez.

Alberto García Aspe, vistiendo ahora la camiseta del Puebla, logró cuarteta de anotaciones en un partido el 25 de febrero en el estadio Hidalgo. Juego accidentado que el árbitro dio por terminado al minuto 81 al quedarse

el Pachuca con sólo seis hombres en la cancha. Miguel Calero recibió las cuatro anotaciones de Aspe.

Los porteros que encajaron más pepinos fueron Cabuto, del Atlas, con 33, Cristante, del Toluca, con 31 y Máñez, del Irapuato, con 29. El equipo *fresero* fue el más goleado (38) y también el sotanero del campeonato.

La cuota más alta de goles en un juego fue cinco y la recibieron siete cancerberos, uno de ellos —Adrián Martínez— también permitió cinco en un partido de la fase final.

semestre comenzó mal y acabó peor, al grado que tuvo que renunciar cuando la calificación del Tri al Mundial 2002 se volvió incierta.

El mejor librado fue Ricardo La Volpe, que dirigió por octavo torneo consecutivo al Atlas pero fue eliminado en el repechaje y por primera vez tuvo diferencia de goleo negativa.

De Guatemala llegó la noticia de que el ex arquero mexicano Alberto Aguilar se coronó campeón de ese país dirigiendo al Comunicaciones.

Una promoción para salvar al Atlante

Aunque la ofensiva del Atlante fue la más débil, apenas 16 anotaciones, los azulgranas quedaron de líderes de su grupo, un grupo tan flojo que ningún equipo tuvo diferencia de goleo positiva. Sin embargo, el Atlante quedó excluido de la liguilla porque su cociente (o promedio de puntos) fue el más pequeño y por lo tanto le tocó descender a Primera A.

Pero los jerarcas de la FMF decidieron aumentar a 19 el número de equipos para el próximo torneo y para ello se determinó que el Atlante jugara una promoción con el equipo que sumara más puntos en los dos torneos de la Primera A después del campeón. Por cierto, el monarca fue La Piedad, club que medio siglo atrás había tenido una fugaz estancia en Primera División.

El Veracruz fue a la postre la tablita de salvación del Atlante, ya que después de empatar a cero en el puerto jarocho, el cuadro azulgrana goleó 4-1 a los *Tiburones* en la ciudad de México. En los dos encuentros Jorge Campos custodió el marco del Atlante y José Luis Vincent el del Veracruz.

Fracasos de los ex porteros

Mala temporada para los ex porteros entrenadores. A Ricardo José Ferrero lo despidieron tras la sexta fecha porque el Toluca no había ganado ningún juego (cuatro empates y dos derrotas), y a Jesús Bracamontes lo cesaron las *Chivas* una semana después. El Guadalajara llevaba un triunfo, tres empates y tres reveses.

Para Enrique Meza como técnico de la Selección el

Meza pierde seis seguidos y se va

La Selección inició el año con dos derrotas, una ante Bulgaria por 0-2 en Morelia y la otra frente a Colombia por 2-3 en Los Ángeles. Campos alineó en los dos, pero en el segundo juego fue sustituido por el *Conejo*, quien admitió el segundo y tercer goles colombianos.

Comenzó la fase final de la eliminatoria mundialista. México sucumbió ante Estados Unidos en Columbus por 0-2 pero goleó 4-0 a Jamaica en el Azteca. Entre estos dos partidos se jugó un amistoso con Brasil en Guadalajara, encuentro emotivo que quedó empatado a tres tantos.

En otro juego no oficial el Tri venció a Chile en Monterrey por 1 a 0, y continuó la eliminatoria empatando a uno con Trinidad y Tobago en Puerto España. Luego un amistoso más: contra Inglaterra en Derby y un marcador adverso de 0-4 que fue como el presagio del derrumbamiento que el equipo de Meza iba a tener en la Copa Confederaciones celebrada en Corea del Sur, donde coleccionó descalabros ante Australia (0-2), Corea del Sur (1-2) y Francia (0-4).

Al retornar a México y continuar la lucha por el boleto para la Copa del Mundo, la Selección siguió acumulando derrotas: 1-2 ante Costa Rica en casa y 1-3 frente a Honduras en San Pedro Sula. Tras este juego renunció el *Ojitos*.

Desde el partido con Brasil en la Perla Tapatía hasta el juego contra los *Ticos* en ciudad de México, Oswaldo Sánchez fue el arquero nacional. En el partido contra Chile también jugó Erubey Cabuto. Fue su debut y despedida con la Selección. Campos reapareció contra Honduras.

El balance de Meza como DT de la Selección en nada

se parece al que había logrado dirigiendo al Toluca. En 10 juegos oficiales, dos victorias, dos empates y seis derrotas. En nueve partidos amistosos, tres triunfos, un empate y cinco reveses.

Lo relevó Javier Aguirre, con quien se cortó la cadena de derrotas, ya que México, con Óscar Pérez en el arco, le ganó a Estados Unidos en el Azteca por 1-0 al empezar la segunda vuelta de la eliminatoria. Una victoria apurada pero sumamente necesaria.

Segunda corona del Santos

El Puebla fue el equipo que eliminó al Atlas en la fase inicial de la liguilla. El marcador global fue 5-4. En el otro repechaje los *Tecos* aprovecharon su mejor posición en la tabla general para echar al Morelia con el que empataron a tres en el Morelos y a uno en el Tres de Marzo. Con este partido se despidió de México Ángel Comizzo. El gran arquero argentino regresó al River Plate. En el futbol mexicano participó en 179 juegos y dejó el récord de nueve expulsiones. Jugó un torneo con *Tigres*, cinco con León y cuatro con Morelia. Su promedio de goles por juego fue 1.32 ya que recibió 237 anotaciones. Ganó un campeonato con el Morelia y fue subcampeón con el León.

En cuartos de final el súper líder América pasó sobre el León por global de 5-2, Pachuca superó al Monterrey (el único invicto como local en el campeonato) por 6-2, Puebla despachó a *Tigres* por 5-3 y el Santos fue contundente ante *Tecos*: 3-2 de visita y 4-0 en casa.

En semifinales el América se estrelló ante el Pachuca. Los *Tuzos* ganaron en el Hidalgo 2-0 y empataron 1-1 en el Azteca. El Puebla y el Santos protagonizaron una espectacular semifinal de doce goles. En el Cuauhtémoc se impuso el cuadro de la franja por el poco frecuente marcador de 5 a 4; en el Corona el equipo lagunero ganó 2-1, empató el marcador global a seis y pasó a la final por su mejor posición en la clasificación general.

Así, por tercer torneo consecutivo jugaron la final dos equipos de provincia. El 17 de mayo el Pachuca recibió y venció al Santos por 2-1, marcador que pudo ser mayor de no pararle Adrián Martínez un penalti a Pedro Pineda. El gol del Santos lo marcó Borgetti, su octavo en la liguilla, con el que empató el récord. Por los *Tuzos* anotaron Sergio Santana y Pineda, quien acertó uno de dos penaltis que tiró.

El 20 de mayo el Santos, conducido por Fernando Quirarte, remontó el marcador al ganar por 3-1 y conquistó su segundo título de Liga. La cabaña de Calero fue batida por Borgetti (nueva marca), Mariano Trujillo y el brasileño Robson Luiz, en tanto que el colombiano Andrés Chitiva fue el único que perforó las redes de Martínez.

Nómina de porteros

América	Adolfo Ríos y Hugo Pineda
Atlante	Jorge Campos y Félix Fernández
Atlas	Erubey Cabuto
Celaya	Emmanuel González y Miguel de Jesús Fuentes
Cruz Azul	Óscar Pérez y Roberto Pérez
Guadalajara	Oswaldo Sánchez y Alfredo Toxqui
Irapuato	Samuel Máñez y José Antonio Bravo
León	Luis Alberto Islas
Monterrey	Ricardo Martínez y Omar Ortiz
Morelia	Ángel Comizzo y Alan Cruz
Necaxa	Alexandro Álvarez
Pachuca	Miguel Calero y Jesús Alfaro
Puebla	Óscar Dautt
Santos	Adrián Martínez
Tigres	Rogelio Rodríguez y Danilo Aceval
Toluca	Hernán Cristante y Mario Albarrán
UAG	Martín Zúñiga, Pedro Prieto y Mario Rodríguez
UNAM	Sergio Bernal

Más juegos (j)

Adolfo Ríos (América)	17
Erubey Cabuto (Atlas)	17
Luis Alberto Islas (León)	17
Alexandro Álvarez (Necaxa)	17
Óscar Dautt (Puebla)	17
Adrián Martínez (Santos)	17
Sergio Bernal (UNAM)	17
Oswaldo Sánchez (Guadalajara)	16
Ricardo Martínez (Monterrey)	16
Rogelio Rodríguez (Tigres)	16
Hernán Cristante (Toluca)	16

Más juegos completos

Adolfo Ríos (América)	17
Erubey Cabuto (Atlas)	17
Luis Alberto Islas (León)	17
Alexandro Álvarez (Necaxa)	17
Óscar Dautt (Puebla)	17
Adrián Martínez (Santos)	17
Sergio Bernal (UNAM)	17
Oswaldo Sánchez (Guadalajara)	16

Más goles (g)

Erubey Cabuto (Atlas)	33
Hernán Cristante (Toluca)	31
Samuel Máñez (Irapuato)	29
Adrián Martínez (Santos)	27
Alexandro Álvarez (Necaxa)	25

Más bajo g/j (mínimo 10 juegos)

Rogelio Rodríguez (Tigres)	0.75
Jorge Campos (Atlante)	0.80
Adolfo Ríos (América)	0.88
Óscar Dautt (Puebla)	1.00
Oswaldo Sánchez (Guadalajara)	1.06

Más goles en un juego

Emmanuel González (Celaya)	5
Óscar Pérez (Cruz Azul)	5
Luis Alberto Islas (León)	5
Alan Cruz (Morelia)	5
Adrián Martínez (Santos)	5
Hernán Cristante (Toluca)	5
Pedro Prieto (UAG)	5

Penaltis detenidos	
Rogelio Rodríguez (Tigres)	3
Adolfo Ríos (América)	2
Luis Alberto Islas (León)	2
Óscar Pérez (Cruz Azul)	1
Samuel Máñez (Irapuato)	1
Ricardo Martínez (Monterrey)	1
Óscar Dautt (Puebla)	1
Martín Zúñiga (UAG)	1

Expulsados
Óscar Pérez (Cruz Azul)
Ricardo Martínez (Monterrey)
Ángel Comizzo (Morelia)
Miguel Calero (Pachuca)
Rogelio Rodríguez (Tigres)
Hernán Cristante (Toluca)

LIGUILLA

Más juegos	Miguel Calero (Pachuca), Óscar Daut (Puebla) y Adrián Martínez (Santos)	6
Más juegos completos	Miguel Calero (Pachuca), Óscar Dautt (Puebla) y Adrián Martínez (Santos)	6
Más goles	Óscar Dautt (Puebla)	13
Más bajo G/J	Miguel Calero (Pachuca)	1.17
Más goles en un juego	Adrián Martínez (Santos)	5
Penaltis detenidos	Adrián Martínez (Santos)	1
Expulsados	Ninguno	

Invierno-01
Buen semestre de la Selección

Tras ganar el subcampeonato de la Copa América, la Selección consiguió el boleto para el Mundial Corea-Japón 2002. El Pachuca conquistó su segundo título de Liga y el Irapuato tuvo por primera vez en su historia al líder de goleo. América y Morelia ganaron el torneo Prelibertadores. En la Copa Merconorte tanto el Necaxa como el Santos perdieron por penaltis las semifinales. Óscar Dautt fue el portero más eficiente. Carlos Hermosillo anotó el último gol de su carrera, el número 295. El cuadro americanista obtuvo por quinta vez la Copa de la Concacaf. Tres mexicanos en la Liga de España.

Segundo lugar en la Copa América

Óscar Pérez, Oswaldo Sánchez y Adrián Martínez fueron los porteros que Javier Aguirre llevó a Colombia para disputar la Copa América en julio. En la primera fase cada uno jugó un partido. El *Conejo* en el triunfo ante Brasil por 1-0, Adrián en el empate sin goles con Paraguay y Oswaldo en la derrota 0-1 frente a Perú. En cuartos de final (2-0 a Chile), semifinales (2-1 a Uruguay) y la final contra Colombia sólo actuó el arquero del Cruz Azul. Los colombianos se coronaron en su terreno derrotando por 1 a 0 a la escuadra mexicana. Por segunda vez México quedó subcampeón.

Mientras tanto se efectuó el torneo de clubes de la Concacaf, en esta ocasión bautizado con el rimbombante nombre de "Copa de Gigantes", que comenzó en Guatemala y terminó en Los Ángeles. En la capital guatemalteca el América derrotó al Municipal por 1-0 y el Guadalajara perdió 1-3 con el Comunicaciones, en tanto que en la capital californiana las *Águilas* volvieron a vencer al Municipal (2-1) pero las *Chivas* quedaron eliminadas al empatar a un tanto con Comunicaciones. El portero novato Alfredo Toxqui alineó en los dos juegos del Guadalajara.

Posteriormente el América dobló al Saprissa y al DC United por 2-1 y 2-0, respectivamente, y se alzó con su quinta Copa de Concacaf. Adolfo Ríos cuidó el marco americanista en Guatemala y Hugo Pineda en Los Ángeles.

Similar historia de Necaxa y Santos en la Merconorte

El torneo mexicano, ya con 19 equipos, se puso en marcha el 21 de julio. Por el número impar de participantes, a cada club le tocó descanso en una jornada. En las semanas siguientes casi la mitad de los clubes jugó también la Copa Merconorte (Necaxa, *Chivas* y Santos), el torneo clasificatorio para el PreLibertadores (América, Toluca, Morelia, Cruz Azul y Atlas) y el Cruz Azul participó en el famoso torneo "Teresa Herrera" en La Coruña, España.

Allí los *Cementeros* empataron a un gol con el Real Madrid (y para no variar perdieron en penaltis) y en el juego por el tercer lugar cayeron ante el Peñarol por 1-2. En el choque con los *Merengues* se lució el *Conejo* Pérez al pararle dos penaltis a Luis Figo.

En la Merconorte el Necaxa y el Santos ganaron sus respectivos grupos, ambos con cinco victorias y una derrota; en cambio, el Guadalajara, tras jugar dos partidos fue descalificado por negarse a viajar a Nueva York para enfrentar al MetroStars, cuando no había transcurrido una semana de la catástrofe de las Torres Gemelas.

El Necaxa venció dos veces al América de Cali y al Alianza de Lima y dividió triunfos con el Aucas de Ecuador, mientras que el Santos hizo lo propio con el Kansas City Wizards, Barcelona de Guayaquil y Sporting Cristal de Perú, respectivamente.

Los penaltis fallados continuaron siendo la pesadilla de los equipos mexicanos y el factor determinante de su eliminación. Con el marcador global empatado a cinco porque cada equipo ganó de local por 3-2, el Millonarios de Bogotá venció al Necaxa por tres penaltis a uno en una semifinal. De los tres tiros que erraron los necaxistas, uno fue atajado por el portero Rafael Dudamel, en cambio Nicolás Navarro fue incapaz de detener ninguno de los colombianos.

En la otra semifinal se repitió la película. Santos venció 4-1 al Emelec en Torreón y cayó por el mismo marcador en Guayaquil, y luego el equipo ecuatoriano ganó en los penaltis por 4 a 2. Santos falló dos tiros, ambos atajados por Daniel Viteri, guardameta ecuatoriano.

En siete de los ocho partidos que jugó el Necaxa en la Merconorte alineó Alexandro Álvarez. Igualmente en siete de los ocho juegos del Santos actuó Adrián Martínez; en el otro, el novato Tomás Adriano.

América y Morelia entran a la Libertadores

Los juegos clasificatorios para el Prelibertadores se efectuaron como siempre en Estados Unidos. El América y el Morelia se impusieron al Toluca, Atlas y Cruz Azul y consiguieron el pase al torneo con los clubes venezolanos, en este año el Caracas y el Trujillanos, que se llevó al cabo en octubre y noviembre.

Cerrando con tres triunfos consecutivos, uno de ellos goliza de 7-1 al Trujillanos, el América logró el primer lugar con 13 puntos. Y aunque el Morelia perdió tres juegos —dos con el América— consiguió ubicarse en el segundo sitio con nueve puntos y también clasificó a la Libertadores.

En el arco del América estuvo Hugo Pineda en cinco partidos y Adolfo Ríos en uno, mientras que José María Buljubasich, nuevo portero argentino del Morelia, actuó en todos los juegos de los *Monarcas*.

Debutan dos porteros argentinos

En la primera jornada del Invierno-01 debutaron tres porteros. Con el Atlante el argentino Damián Grosso, con el Morelia Buljubasich y con el Guadalajara el jalisciense Miguel Becerra. Grosso, de 26 años, se había formado en el Ferrocarril Oeste y el año anterior había ascendido a Primera División con el Atlético Almagro. Más experimentado era Buljubasich, de 30 años, quien tras iniciarse con el Rosario Central, jugó cuatro años en España y en 1998 regresó al equipo rosarino.

Grosso debutó en el partido Atlante (1) Irapuato (0) el 21 de julio y Buljubasich al día siguiente en el juego Morelia (3) *Tigres* (1). Felipe Ayala "bautizó" al nuevo arquero moreliano, y el primer gol a Grosso fue obra de su paisano Bustos Montoya, del Atlas, en la segunda fecha.

Miguel Becerra se presentó con el Guadalajara al darle las *Chivas* la bienvenida al equipo de La Piedad, campeón de la Primera A. El juego, en el Jalisco, quedó 1-1 siendo el trotamundos Pedro Pineda el anotador del gol del cuadro michoacano y primero en la cuenta de Becerra. Fue un penalti.

Mes y medio después, el 8 de septiembre, durante el juego que el Atlas le ganó al Puebla en el Jalisco por 3-1, se presentó con los rojinegros el arquero michoacano Ar-

mando Navarrete. Entró de cambio por Cabuto y recibió el gol poblano, anotado por el uruguayo Sergio Vázquez. Este fue el único partido incompleto de Cabuto en el torneo.

Nicolás Navarro reapareció y jugó el número 500

Además de los debuts mencionados hubo varios cambios y reapariciones de guardametas. Jorge Campos regresó a *Pumas*, Omar Ortiz pasó del Monterrey al Celaya, Óscar Dautt, del Puebla a los *Tigres* y Christian Martínez, del América al Puebla. Con el nuevo equipo de La Piedad reaparecieron en Primera División Carlos Briones y Saúl Sánchez y con el Necaxa el veterano Nicolás Navarro que permaneció un año retirado y quien el 29 de noviembre, ya en la fase final, llegó a 500 juegos de Liga.

Actuaron 38 porteros y recibieron 485 goles, más 33 en la liguilla (no hubo repechaje). No obstante el aumento en el número de equipos y por lo tanto en el de partidos, la producción de anotaciones se mantuvo abajo de 500 por sexto torneo consecutivo.

Cuatro fueron los guardametas de "hierro": Grosso, Ricardo Martínez, Christian Martínez y el novel Mario Rodríguez, de los *Tecos*. La racha de juegos consecutivos que traía Adrián Martínez desde el Verano-99 se cortó porque el torneo comenzó cuando en Colombia se efectuaba la fase final de la Copa América y el portero del Santos formaba parte del Tri. Fueron 91 las actuaciones ininterrumpidas de Adrián.

Récords del Irapuato

Óscar Dautt logró el promedio de goles por juego más bajo (0.80). Solamente Hernán Cristante consiguió también promediar menos de un tanto por partido (0.92). Dautt se combinó con Rogelio Rodríguez para ubicar al *Tigres* como el equipo menos goleado (12) por segundo torneo seguido.

En contraparte, la dupla de Saúl Sánchez y Carlos Briones encajó 40 goles para que La Piedad figurara como el equipo que recibió más pepinos.

Individualmente, el portero más goleado fue Adrián Martínez con 32, seguido por Omar Ortiz y Ricardo Martínez con 31 cada uno. Adrián y Saúl soportaron las mayores golizas del torneo. El 5 de agosto el arquero de La Piedad recibió seis goles del Santos en Torreón, el 8 de septiembre fue el portero del Santos el que fue bombardeado seis veces en Toluca y una semana después el Irapuato le repitió la cuota a Saúl Sánchez en terreno *fresero*. En este partido el argentino Christian Morales marcó cuatro veces para convertirse en el primero y único jugador en la historia del Irapuato que ha anotado cuatro goles en un juego.

Otro récord del Irapuato fue el que protagonizó el *charrúa* Martín Rodríguez, quien con una docena de anotaciones ganó el campeonato de goleo, siendo ésta la primera y también única ocasión en que el líder de los artilleros ha vestido la camiseta del Irapuato.

De sus doce tantos, Rodríguez le metió tres a Cabuto, dos a Buljubasich y dos a Navarro. En segundo lugar quedó el brasileño del Morelia Álex Fernandes con once, luego José Manuel Abundis, del Atlante, con diez, y empatados con nueve tres extranjeros (José Luis Calderón, del Atlas, Iván Zamorano, del América, y Walter Silvani, del Pachuca) y Jared Borgetti, el bicampeón destronado.

Nueve liguillas seguidas de La Volpe

Por segundo torneo seguido el Santos logró el campeonato de goleo (36), en tanto que *Chivas* y *Pumas* apenas marcaron 20 cada uno. De hecho, la escuadra de la UNAM ocupó por primera vez en su historia el último lugar de la clasificación general. Durante el torneo los *Pumas* tuvieron cuatro entrenadores, dos con carácter interino. También por el Celaya, que terminó en el lugar 16, desfilaron cuatro técnicos.

El único ex portero que dirigió en el veraniego y otoñal torneo de "Invierno" fue Ricardo La Volpe, quien luego de conducir al Atlas durante cuatro años y ocho liguillas, tomó el mando del Toluca.

Los *Diablos* lideraron su grupo y solamente los *Tigres* los superaron en la clasificación general. Durante su exitoso paso por el Atlas, La Volpe obtuvo 70 victorias, empató 46 juegos, sucumbió 48 veces y sumó 15 expulsiones.

Toluca, *Tigres*, al igual que Monterrey, Atlante y Pue-

bla no perdieron como locales, aunque en la liguilla los azulgranas y los dirigidos por La Volpe sufrieron derrotas en casa.

El último gol de Carlos Hermosillo

El 8 de septiembre el Celaya recibió al Guadalajara con el que empató a dos tantos. La primera anotación del cuadro tapatío fue obra de Carlos Hermosillo y pasó a la historia por tratarse del gol 295 y último del mayor goleador mexicano de todos los tiempos. Hermosillo se quedó a 17 goles de su majestad Evanivaldo Castro *Cabinho*. La "pequeña" diferencia es que el brasileño marcó sus 312 goles en 12 años, mientras que el mexicano necesitó 19 para sumar 295. Omar Ortiz fue el portero que recibió el último pepino de Hermosillo.

Se corona el Pachuca en Monterrey

En cuartos de final el Pachuca derrotó al Atlante en México por 2-1 y los azulgranas vencieron a los *Tuzos* por 1-0 en la capital hidalguense. Pachuca avanzó a semifinales por su mejor posición en la tabla. El Toluca eliminó al Guadalajara por marcador global de 3-1, *Tigres* a Santos por 4-1 y el Cruz Azul se quitó una desventaja de 0-2 ante el Necaxa en el Azteca con una goleada de 4-0 en el Azul. El partido que ganó el Necaxa fue el número 500 de Nicolás Navarro.

El Pachuca y los *Tigres* despacharon al Toluca y al Cruz Azul, respectivamente, y se metieron a la final. Tras empatar a uno en el Hidalgo, los *Tuzos* aplastaron a los *Diablos* 4-2 en el Nemesio Diez, en tanto que el representativo de la Universidad de Nuevo León dividió triunfos por 1-0 con los *Cementeros* y aprovechó el criterio de la mejor posición para deshacer el empate.

El 12 de diciembre Pachuca recibió y venció a los *Felinos* por dos a cero con goles de Walter Silvani y Sergio Santana y tres días después conquistó su segundo campeonato al sacar un empate 1-1 del estadio Universitario. Silvani volvió a anotarle a Dautt y Jesús Olalde marcó el único gol que recibió Calero en los dos partidos. En este torneo el técnico campeón fue Alfredo Tena.

El Tri irá al Mundial

Después de derrotar a Liberia por 5-4 en un amistoso en Veracruz, la Selección reanudó la eliminatoria mundialista con victorias sobre Jamaica (2-1) y Trinidad y Tobago (3-0) en Kingston y Ciudad de México, empató sin goles con Costa Rica en San José y consiguió la ansiada calificación goleando por tres a cero a los hondureños en el Azteca. El *Conejo* Pérez alineó en todos los encuentros.

Para cerrar el año el Tri se apuntó una cómoda victoria por 4-1 sobre El Salvador en un juego amistoso en Puebla en el que tuvieron acción tanto el arquero del Cruz Azul como el de *Chivas*, Oswaldo Sánchez. Ambos volvieron a jugar en Huelva donde el Tri perdió por 0-1 con la Selección de España. El *Conejo* recibió el gol salvadoreño y el tanto hispano.

Por cierto, en este semestre arribaron a la Liga de España dos mexicanos, Francisco Palencia con el Espanyol y Gerardo Torrado con el Sevilla. Cuauhtémoc Blanco siguió con el Valladolid.

Nómina de porteros

América	Adolfo Ríos y Hugo Pineda
Atlante	Damián Grosso
Atlas	Erubey Cabuto y Armando Navarrete
Celaya	Omar Ortiz y Emmanuel González
Cruz Azul	Óscar Pérez, Adrián Zermeño y Roberto Pérez
Guadalajara	Oswaldo Sánchez, Miguel Becerra y Alfredo Toxqui
Irapuato	Samuel Máñez y José Antonio Bravo
La Piedad	Saúl Sánchez y Carlos Briones
León	Luis Alberto Islas, José Aldo Díaz y Salvador Bravo
Monterrey	Ricardo Martínez
Morelia	José María Buljubasich y Moisés Muñoz
Necaxa	Alexandro Álvarez y Nicolás Navarro
Pachuca	Miguel Calero, Jesús Alfaro y Rubén García
Puebla	Christian Martínez
Santos	Adrián Martínez y Tomás Adriano
Tigres	Óscar Dautt y Rogelio Rodríguez
Toluca	Hernán Cristante y Mario Albarrán
UAG	Mario Rodríguez
UNAM	Jorge Campos y Esdras Rangel

Más juegos (J)

Damián Grosso (Atlante)	18
Erubey Cabuto (Atlas)	18
Ricardo Martínez (Monterrey)	18
Christian Martínez (Puebla)	18
Mario Rodríguez (UAG)	18
Adolfo Ríos (América)	17
Omar Ortiz (Celaya)	17
José María Buljubasich (Morelia)	17
Jorge Campos (UNAM)	17

Más juegos completos

Damián Grosso (Atlante)	18
Ricardo Martínez (Monterrey)	18
Christian Martínez (Puebla)	18
Mario Rodríguez (UAG)	18
Adolfo Ríos (América)	17
Erubey Cabuto (Atlas)	17
José María Buljubasich (Morelia)	17
Jorge Campos (UNAM)	17

Más goles (G)

Adrián Martínez (Santos)	32
Omar Ortiz (Celaya)	31
Ricardo Martínez (Monterrey)	31
José María Buljubasich (Morelia)	29
Erubey Cabuto (Atlas)	28

Más bajo G/J (mínimo 10 juegos)

Óscar Dautt (Tigres)	0.80
Hernán Cristante (Toluca)	0.92
Adolfo Ríos (América)	1.12
Oswaldo Sánchez (Guadalajara)	1.14
Miguel Calero (Pachuca)	1.15
Damián Grosso (Atlante)	1.17
Alexandro Álvarez (Necaxa)	1.18

Más goles en un juego

Saúl Sánchez (La Piedad)	6 (2 veces)
Adrián Martínez (Santos)	6
Erubey Cabuto (Atlas)	5
Omar Ortiz (Celaya)	5
Carlos Briones (La Piedad)	5
Ricardo Martínez (Monterrey)	5
José María Buljubasich (Morelia)	5

Expulsados

Luis Alberto Islas (León)
Jesús Alfaro (Pachuca)

Penaltis detenidos

Mario Rodríguez (UAG)	2
Erubey Cabuto (Atlas)	1
Óscar Pérez (Cruz Azul)	1
Oswaldo Sánchez (Guadalajara)	1
José María Buljubasich (Morelia)	1
Christian Martínez (Puebla)	1
Hernán Cristante (Toluca)	1

LIGUILLA

Más juegos	Óscar Dautt (Tigres)	6
Más juegos completos	Óscar Dautt (Tigres)	6
Más goles	Hernán Cristante (Toluca)	6
Más bajo G/J	Óscar Pérez (Cruz Azul)	0.75
Más goles en un juego	Nicolás Navarro (Necaxa)	4
Penaltis detenidos	Ninguno	
Expulsados	Ninguno	

Verano-02
De la gloria al infierno en el Mundial

En la Copa del Mundo Japón-Corea del Sur-02 la Selección Nacional volvió a tener una destacada actuación en la primera fase y fue eliminada en octavos de final al perder con Estados Unidos, una de las más dolorosas derrotas sufridas por el futbol mexicano en su historia. Con un gol de "oro" el América ganó su noveno campeonato y en la Copa Libertadores llegó hasta semifinales. En este torneo el Morelia quedó eliminado en cuartos de final por las Águilas. Carlos Briones fue el mejor portero y Sebastián Abreu el mayor goleador. Racha de seis partidos seguidos sin recibir gol de Nicolás Navarro. Jorge Campos tuvo su última actuación con la Selección. La franquicia del Irapuato fue vendida a Veracruz. Ascendió el San Luis. El otro equipo de Veracruz, el de Primera A, le ganó al León una promoción para aumentar a 20 el número de clubes en el próximo torneo. Descendieron los Panzas Verdes.

De Irapuato a Veracruz a Chiapas

Solamente tres torneos cortos duró la tercera estancia del Irapuato en la Primera División porque la franquicia fue vendida a Veracruz. Así que en diciembre de 2001 los jugadores y cuerpo técnico se trasladaron de la ciudad fresera al puerto jarocho para iniciar el 5 de enero el nuevo campeonato. El equipo tuvo el nombre oficial de "Tiburones Rojos" para diferenciarlo del Veracruz de Primera A, sin embargo, todo mundo —aficionados y prensa— siempre lo llamó Veracruz.

En el Verano-02 se impuso récord de goles en torneos cortos al registrarse 523 anotaciones, siendo el Santos el equipo más anotador (42) por tercera Liga consecutiva. El Puebla fue el más goleado con 45 y el León el menos ofensivo con apenas 17 tantos, menos de uno por juego. Estos dos equipos fueron los coleros del campeonato con once y diez puntos, respectivamente. Ambos sólo ganaron dos de 18 partidos y el León se ubicó en el último sitio de la tabla de promedios, pero al igual que el Atlante un año antes, tuvo oportunidad de jugar una promoción con el subcampeón de Primera A (el Veracruz), dispuesta por la Federación para aumentar a 20 el número de equipos para el siguiente torneo.

El cuadro veracruzano se impuso a los *Esmeraldas* (3-1 en Veracruz y 0-0 en León) y obtuvo el ascenso, en tanto que el León descendió por segunda vez en su historia. El otro equipo que subió fue el San Luis, campeón de Primera A.

En los juegos "promocionales" actuaron como porteros José Luis Vincent por el Veracruz y José Aldo Díaz por el León en el primer partido; en el segundo repitió Vincent, a quien sustituyó Aarón Hernández, y en el marco leonés estuvo Cirilo Saucedo, hijo del portero del mismo nombre que jugó en los años sesenta y setenta con varios equipos de provincia. El joven Cirilo llegaría a Primera División dos años después al ascender el club sinaloense Dorados.

El Veracruz que le ganó al León la promoción se quedó en el puerto y la franquicia del otro equipo, el "Tiburones Rojos", fue vendida a Chiapas para dar paso a los *Jaguares* y a una nueva plaza en Primera División a partir del segundo semestre de 2002.

Y de La Piedad a Querétaro

Treinta y seis guardametas participaron en la Liga. Solamente tres jugaron el torneo completo: Carlos Briones (La Piedad), Miguel Calero (Pachuca) y Mario Rodríguez (UAG). Briones fue el único portero que promedió menos de un gol por juego (0.94); en cambio, Rodríguez y Calero fueron los más goleados con 34 y 33 tantos, respectivamente.

En la lista de los arqueros más eficientes figuraron, después de Briones, Hernán Cristante, del Toluca, con promedio de 1.00, Oswaldo Sánchez, del Guadalajara, con 1.06 y el americanista Adolfo Ríos y el atlantista Damián Grosso con 1.08 ambos.

La Piedad, el equipo de Carlos Briones, fue la gran sorpresa del torneo. Súper líder con 37 puntos, equipo más ganador con 12 victorias y club menos goleado con 17 tantos (empatado con el Toluca). Todos estos lauros no fueron más que un luminoso preámbulo de un triste y fugaz ocaso. Eliminado en cuartos de final por el América, el equipo de La Piedad fue vendido a Querétaro en un capítulo más de la telenovela futbolera "La danza de las franquicias".

Nueve triunfos del América en la Libertadores

En febrero el Morelia y el América comenzaron su participación en la Copa Libertadores. Para debutar en este torneo, el club michoacano tuvo que dotar de alumbrado al estadio Morelos, el cual se estrenó el día 5 con el juego entre los *Monarcas* (0) y el Vélez Sarsfield (0). El Nacional de Uruguay y el Sporting Cristal de Perú fueron los otros rivales del Morelia, mientras que al América le tocaron dos argentinos, el River Plate y el Talleres de Córdoba, y un colombiano, el Deportivo Tulúa.

Salvo un empate con el River en el Azteca, el América ganó todos sus juegos, y sus porteros, Hugo Pineda en los primeros 4 partidos y Alberto Becerra en el quinto, no permitieron anotaciones. Solamente el Deportivo Tulúa en el último juego pudo perforar la meta americanista al cuidado de Becerra. Por cierto que el River Plate goleó 4-0 a las *Chivas* en un amistoso en Houston.

El Morelia también ganó su grupo en forma invicta (cuatro triunfos y dos empates) y con el Nacional protagonizó dos juegos de seis goles cada uno: 3-3 en Montevideo y 4-2 en Morelia. El arquero argentino Buljubasich actuó en cinco fechas y el joven Moisés Muñoz en la última.

Los dos equipos mexicanos no tuvieron mayor problema para avanzar a cuartos de final. El América venció dos veces al Cienciano de Perú (1-0 en Cuzco y 4-1 en México) y el Morelia goleó 5-0 al Olmedo en Riobamba y luego le ganó por 3-2 en el Morelos.

La invencibilidad del cuadro michoacano terminó al medirse al América en la fase de cuartos de final. Tanto en el Morelos como en el Azteca vencieron las *Águilas* por 2 a 1 y eliminaron a los *Monarcas*.

La Libertadores entró en receso por el Mundial y pospuso para julio los partidos de semifinales. Para entonces el América ya era campeón de México y le tocó enfrentarse al São Caetano, un equipo relativamente nuevo de Brasil. Al igual que en 2000, el cuadro americanista no pudo llegar a la final, ya que perdió por 0-2 en São Caetano do Sul —su única derrota en el torneo— y sólo empató a uno al recibir al conjunto brasileño.

A partir de los octavos de final reapareció en la puerta del América el veterano Adolfo Ríos, quien promedió un gol por partido. Y en los cotejos de las *Águilas* y los

Monarcas en cuartos de final se despidió del Morelia José María Buljubasich. El portero argentino retornó a su país para jugar con el River Plate. Su estancia en México fue corta: dos torneos, 36 juegos, 56 goles y promedio de 1.56. Al mantenerse imbatido durante cinco partidos consecutivos a la mitad del Verano-02 empató el récord del Morelia impuesto por Nacho Rodríguez en 81-82 y por Félix Madrigal un año después.

Otro arquero argentino, Luis Alberto Islas, del León, también terminó su actuación en México. Se fue antes de que los *Panzas Verdes* cayeran a Primera A. Jugó su último partido el 3 de marzo (Pachuca 2 León 1) y regresó a su patria fichado por el Talleres de Córdoba. En tres torneos con el Toluca e igual número con el León sumó 97 partidos en los que recibió 128 anotaciones para promedio de 1.32 goles por juego.

Dos debuts

La nómina de guardametas registró muy pocos cambios con relación al torneo anterior. Félix Fernández, a punto del retiro, volvió a jugar un poco con el Celaya; otro veterano, Martín Zúñiga, regresó al Guadalajara para fungir como suplente de Oswaldo; Sergio Bernal fue prestado por los *Pumas* al Puebla; y debutaron dos porteros: Juan de Dios Ibarra con el Monterrey y Rafael Cuevas con el Atlante.

El sinaloense Ibarra, autor de un par de goles en Primera A en el Invierno-00, tuvo su presentación en el máximo circuito el 10 de febrero cuando entró de cambio por Ricardo Martínez en el partido que el Monterrey le ganó al Celaya por 1-0 en el estadio Miguel Alemán. Trece días después, el serbio Zdenko Muf, de los *Tecos*, batió por primera vez el marco de Ibarra.

A Rafael Cuevas, nativo de Jiutepec, Morelos, le llegó la oportunidad de jugar cuando Damián Grosso sufrió la primera de tres expulsiones que acumuló en el torneo. Fue el 2 de febrero, con el Atlante visitando al Cruz Azul, y el *charrúa* Sebastián Abreu, a la postre campeón goleador, le dio la bienvenida con un gol de penalti. Los *Cementeros* ganaron 3-1.

Las tres tarjetas rojas que recibió Grosso, con las que empató el récord del *Gato* Marín, Tirso Carpizo y Ángel Comizzo, le ocasionaron cuatro juegos de suspensión.

Récord del *Loco* Abreu

El 19 de enero —tercera jornada— José Saturnino Cardozo se convirtió en el cuarto jugador en la historia del Toluca en anotar cuatro goles en un partido. Consiguió la hazaña en el Nemesio Diez contra el Puebla. Los cuatro pepinos del paraguayo fueron a la cuenta de Christian Martínez. El Toluca ganó por 5 a 1.

Otros cinco porteros también encajaron cinco goles en un juego. Por orden cronológico: Óscar Pérez, a quien se los metió La Piedad en Ciudad de México, Armando Navarrete corrió la misma suerte de Christian en Toluca, Juan de Dios Ibarra los recibió del Atlas en Guadalajara, Sergio Bernal los admitió en Morelia, y a Samuel Máñez se los anotó el Santos en Torreón.

El cañonero del Toluca, Cardozo, ganó su tercer subliderato de goleo y ahora le tocó escoltar al *Loco* Sebastián Abreu quien marcó 19 tantos para el Cruz Azul, nuevo récord en torneos cortos. Cardozo anotó 14, y a 13 llegaron Borgetti, del Santos y Claudio da Silva, del Puebla. El uruguayo Martín Rodríguez (Veracruz), máximo romperredes del torneo anterior, se apuntó once al igual que el argentino José Luis Calderón, del Atlas. O sea, cinco extranjeros y un solo mexicano.

Abreu anotó en 14 de los 18 juegos del Cruz Azul. A cuatro arqueros (Mario Rodríguez, Rafael Cuevas, Buljubasich y Cristante) les marcó dos veces a cada uno.

De cuatro dos en la Concacaf

A la par que jugaban la Liga y la Libertadores, el América y el Morelia también participaron en el torneo de la Concacaf, acompañados por el Pachuca y el Santos. Las *Águilas*, con Alberto Becerra en el arco, fueron rápidamente eliminadas por el Alajuelense que les ganó 1-0 y 2-0. En cambio, Morelia, Pachuca y Santos avanzaron a la siguiente fase al imponerse al Saprissa (2-0 y 1-1), Defense Force (0-1 y 4-0) y Tauro (1-1 y 4-2), respectivamente.

Al Santos lo echó el Wizards de Kansas (1-2 y 2-0), en tanto que *Monarcas* y *Tuzos* pasaron a semifinales tras superar al Chicago Fire (2-0 y 1-2) y al Terremotos (3-0 y 0-1), respectivamente. En todos los juegos Moisés

Muñoz custodió la cabaña del Morelia, Miguel Calero la del Pachuca y Adrián Martínez y Tomás Adriano se alternaron en la del Santos.

La Volpe y Meza en la Liguilla

Por décimo torneo consecutivo Ricardo La Volpe clasificó a su equipo a la fase final. El Toluca quedó en segundo lugar con 35 puntos, sólo superado por los 37 que sumó La Piedad. Sin embargo, en cuartos de final cayó ante el Necaxa, un equipo que hizo ocho puntos menos y que lo venció tanto en el Azteca (1-0) como en el Nemesio Diez (2-0).

Con el Atlas reapareció Enrique Meza después de su frustrado paso por la Selección. Así pues, La Volpe dirigió al ex equipo de Meza y éste al ex club del argentino. El *Ojitos* calificó al cuadro rojinegro a la liguilla, pero tampoco pasó de cuartos de final ya que lo eliminó el Santos con global de 3-3 y mejor posición en la tabla general. Antes el equipo de Torreón, en un repechaje, también había superado por idéntico global de 3-3 y mejor posición a los *Tigres*.

En el otro repechaje el Morelia fue contundente ante Cruz Azul: le ganó 2-1 en el Azul y 3-2 en el Morelos. Sin embargo, en cuartos sucumbió dos veces ante *Pumas* por 1-3 en casa y 0-1 de visita.

Coronación del América

El súper líder La Piedad no fue muy lejos. El América, que obtuvo 10 puntos menos, lo despachó (para Querétaro...) mediante victorias por 3 a 1 en los dos partidos de cuartos de final.

Pocos goles hubo en las semifinales. El Necaxa pasó sobre Santos por global de 1-0 y el América sobre *Pumas* por la victoria de 2-1 en cu luego de empatar sin tantos en el Azteca.

El conjunto necaxista llegó a la final con su portero Nicolás Navarro metido en una racha de cinco partidos seguidos sin recibir gol: el último de la fase regular y los cuatro de la liguilla. En el primer duelo de la final "totalmente Azteca", el 23 de mayo, el Necaxa dobló al América por 2-0 —goles de Víctor Ruiz y Luis Roberto Alves—, de modo que la racha invicta de Navarro llegó a seis juegos, y así se quedó porque tres días después Christian Patiño y el chileno Iván Zamorano horadaron la meta del Necaxa para que el América emparejara el marcador global.

Navarro quedó a un juego del récord que él impuso en 87-88 y en 89-90, empatado en 93-94 por Alan Cruz. Esta fue su cuarta racha de cuatro o más partidos consecutivos sin gol en contra.

El campeonato se definió en tiempo extra. Como la regla del "gol de oro" estaba vigente, el partido finalizó cuando el argentino Hugo Castillo anotó en el minuto 15 el tanto que le dio al América su noveno título y a Manolo Lapuente el quinto como director técnico. Las *Águilas* llevaban doce años sin ganar un campeonato. Adolfo Ríos jugó su cuarta y última final.

Los récords de Campos con el Tri

México mandó a su Selección-B a la Copa de Oro en Pasadena al inicio del año. Consiguió triunfos ante El Salvador (1-0) y Guatemala (3-1) pero fue eliminada por Corea del Sur. ¿Cómo? En penaltis, naturalmente, luego de igualar a cero en 120 minutos. Adrián Martínez alineó contra los salvadoreños y los surcoreanos y Omar Ortiz defendió el arco ante los guatemaltecos.

Por su parte, el Tri, en preparación para la Copa del Mundo, jugó como de costumbre varios partidos en Estados Unidos con estos resultados: 1-2 con Yugoslavia, 4-0 a Albania, 0-1 ante el seleccionado *gringo*, 1-0 a Bulgaria y 1-0 a Bolivia. El *Conejo* Pérez alineó en todos los encuentros, pero durante los cotejos con Bulgaria y Bolivia les dejó su puesto a Campos en el primero y a Oswaldo en el segundo.

Hubo también un partido de despedida en el Azteca antes de viajar a Japón, en el cual México derrotó por 2 a 1 a Colombia, y Jorge Campos, que entró de cambio por Pérez, jugó por última vez, como portero, con la Selección. Fue su actuación número 127 con el Tri. Setenta juegos oficiales y cincuenta y siete amistosos. Ningún portero mexicano ha jugado tantos partidos con la camiseta nacional. Su promedio de goles por juego es excelente: 0.94. Jugó dos Mundiales, tres Copas América (en una fue subcampeón), dos Copas Confederaciones

(ganó una), dos Copas de Oro (se coronó en ambas) y reforzó a la Sub-23 en una Olimpiada.

"Jugamos como nunca y...."

En el Mundial la escuadra de Javier Aguirre ganó su grupo en forma invicta. Con un penalti de Cuauhtémoc Blanco derrotó 1-0 a Croacia; con tantos de Borgetti y Torrado batió 2-1 a Ecuador; y cerró empatando a uno con Italia gracias a otra anotación de Jared. Óscar Pérez se convirtió en el décimo portero mexicano en jugar una Copa del Mundo. Oswaldo y Campos se quedaron en la banca.

Estados Unidos fue el rival que le tocó a México en octavos de final. El sueño de llegar a la fase de cuartos se rompió en mil pedazos en el estadio surcoreano de Jeonju donde los estadounidenses se alzaron con una clara victoria por dos a cero. Aquí terminó la era de Javier Aguirre como técnico nacional.

Poco antes también había finalizado la estancia de Cuauhtémoc Blanco y Paco Palencia en el futbol de España. El primero regresó para jugar la próxima temporada con el América y el segundo con el Cruz Azul. Cuauhtémoc sólo tuvo acción en 23 partidos con el Valladolid mientras que Palencia jugó 30 con el Espanyol. Aquél marcó tres goles y éste seis.

La nota necrológica del semestre fue el fallecimiento, el 30 de marzo, de Alfonso Riestra, portero del Asturias en la década de los treinta y también de la Selección Nacional.

Nómina de porteros

América	Adolfo Ríos y Hugo Pineda
Atlante	Damián Grosso y Rafael Cuevas
Atlas	Erubey Cabuto y Armando Navarrete
Celaya	Omar Ortiz, Félix Fernández y Emmanuel González
Cruz Azul	Óscar Pérez y Adrián Zermeño
Guadalajara	Oswaldo Sánchez y Martín Zúñiga
La Piedad	Carlos Briones
León	Luis Alberto Islas y José Aldo Díaz
Monterrey	Juan de Dios Ibarra y Ricardo Martínez
Morelia	José María Buljubasich y Moisés Muñoz
Necaxa	Alexandro Álvarez y Nicolás Navarro
Pachuca	Miguel Calero
Puebla	Sergio Bernal y Christian Martínez
Santos	Adrián Martínez y Tomás Adriano
Tigres	Óscar Dautt y Rogelio Rodríguez
Toluca	Hernán Cristante y Mario Albarrán
UAG	Mario Rodríguez
UNAM	Jorge Campos y Esdras Rangel
Veracruz	Samuel Máñez y José Antonio Bravo

Más juegos (j)

Carlos Briones (La Piedad)	18
Miguel Calero (Pachuca)	18
Mario Rodríguez (UAG)	18
José María Buljubasich (Morelia)	17
Óscar Pérez (Cruz Azul)	16
Oswaldo Sánchez (Guadalajara)	16
Jorge Campos (UNAM)	16

Más juegos completos

Carlos Briones (La Piedad)	18
Miguel Calero (Pachuca)	18
Mario Rodríguez (UAG)	18
José María Buljubasich (Morelia)	17
Óscar Pérez (Cruz Azul)	16
Jorge Campos (UNAM)	16

Más goles (g)

Mario Rodríguez (UAG)	34
Miguel Calero (Pachuca)	33
Samuel Máñez (Veracruz)	26
Óscar Pérez (Cruz Azul)	26
Omar Ortiz (Celaya)	25

Más bajo g/j (mínimo 10 juegos)

Carlos Briones (La Piedad)	0.94
Hernán Cristante (Toluca)	1.00
Oswaldo Sánchez (Guadalajara)	1.06
Adolfo Ríos (América)	1.08
Damián Grosso (Atlante)	1.08

Más goles en un juego

Armando Navarrete (Atlas)	5
Óscar Pérez (Cruz Azul)	5
Juan de Dios Ibarra (Monterrey)	5
Sergio Bernal (Puebla)	5
Christian Martínez (Puebla)	5
Samuel Máñez (Veracruz)	5

Penaltis detenidos

Adrián Martínez (Santos)	2
Óscar Dautt (Tigres)	2
Adolfo Ríos (América)	1
Erubey Cabuto (Atlas)	1
José Aldo Díaz (León)	1
Christian Martínez (Puebla)	1
Jorge Campos (UNAM)	1
Samuel Máñez (Veracruz)	1

Expulsados

Damián Grosso (Atlante) (3 veces)
Omar Ortiz (Celaya)
Oswaldo Sánchez (Guadalajara)
Nicolás Navarro (Necaxa)
Adrián Martínez (Santos)

LIGUILLA

Más juegos	Nicolás Navarro (Necaxa)	6
Más juegos completos	Nicolás Navarro (Necaxa)	6
Más goles	Adrián Martínez (Santos)	7
Más bajo G/J	Nicolás Navarro (Necaxa)	0.50
Más goles en un juego	Adrián Zermeño (Cruz Azul), José María Buljubasich (Morelia) y Carlos Briones (La Piedad)	3
Penaltis detenidos	Óscar Dautt (Tigres)	1
Expulsados	Ninguno	

Apertura-02
El torneo tiene nombre: Cardozo

José Saturnino Cardozo anotó más goles que diez equipos, impuso varios récords y llevó al Toluca a ganar su séptimo campeonato. Después de ocho años la Primera División volvió a tener 20 equipos. Debutaron los Jaguares *de Chiapas y reaparecieron el Querétaro y el San Luis. Miguel Calero anotó un gol con un cabezazo. El Pachuca se coronó en el torneo de la Concacaf y los* Pumas *y el Cruz Azul ganaron el boleto para jugar la Libertadores. Adolfo Ríos fue el mejor guardameta. Se registró el gol 50 mil de la historia del balompié profesional mexicano. En accidente carretero murió el portero Samuel Máñez. Ricardo La Volpe es el nuevo director técnico de la Selección Nacional.*

Gol histórico de Calero

Seis años tardaron los mandamases del futbol en darse cuenta de que los nombres de los torneos ("Invierno", "Verano") estaban desfasados con las épocas en que se efectuaban, así que a partir de este segundo semestre de 2002 los dos campeonatos de cada año se llaman "Apertura" y "Clausura", nombres copiados, por supuesto, del futbol argentino.

El 3 de agosto comenzó el Apertura-02, un torneo memorable por varias hazañas de las que se dará cuenta en este capítulo.

El Atlante volvió a cambiar de sede. Ahora los azulgranas se mudaron a Neza para jugar en el estadio de la Universidad Tecnológica de Neza, antes llamado "Neza-86". El Necaxa efectuó algunos partidos en Aguascalientes preparando su futuro traslado a esa ciudad. El San Luis, de regreso a Primera División después de 26 años, jugó en el estadio "Alfonso Lastras" inaugurado en 1999.

El Cruz Azul y el Pachuca pospusieron su juego de la tercera fecha porque viajaron a España para participar en los torneos veraniegos "Teresa Herrera" y "Ciudad de Pamplona", respectivamente. Los *Cementeros* quedaron en segundo lugar tras caer en la final ante el Deportivo La Coruña por 0-1, en tanto que los *Tuzos* se alzaron con el trofeo al vencer en penaltis al Osasuna, equipo al que emigró Javier Aguirre tras dejar de ser el técnico del Tri.

Ya en México, el Pachuca comenzó el campeonato recibiendo a los *Jaguares* de Chiapas

el 11 de agosto, fecha que Miguel Calero se encargó de hacerla histórica, ya que en el minuto 92, con los *Tuzos* perdiendo por 2-3, remató con la cabeza un saque de esquina y anotó el tanto del empate, convirtiéndose en el primer portero en la historia de la Liga mexicana en marcar un gol con un cabezazo. El arquero que se tragó este gol inusitado fue Adrián Zermeño.

El debut del equipo chiapaneco había tenido lugar una semana antes en el estadio Azul, donde tuvo que jugar su primer partido de local mientras concluían las obras de remozamiento del estadio "Víctor Manuel Reyna" de Tuxtla Gutiérrez. No fue sino hasta el 17 de agosto (*Jaguares* 1 *Chivas* 1) cuando el futbol de Primera División llegó a Chiapas.

Pachuca gana la Copa Concacaf

En las primeras semanas del campeonato el Pachuca y el Morelia reanudaron su participación en el torneo de Concacaf y también disputaron con Toluca, Atlas, *Pumas* y Cruz Azul los boletos para el Pre Libertadores.

En las semifinales del certamen concacaf(k)iano los *Tuzos* eliminaron al Alajuelense (1-2 y 2-0) y los *Monarcas* al Wizards de Kansas (6-1 y 1-1) teniendo respectivamente a Calero y a Moi Muñoz en el arco.

El estadio Azul fue elegido para ser sede de la final entre los dos clubes mexicanos. Como Muñoz se hallaba lesionado, la portería moreliana fue cubierta por Miguel de Jesús Fuentes, quien acababa de hacer su reaparición en Primera División de la que estuvo ausente un año. Del otro lado, Calero jugó su décimo partido consecutivo de Concacaf. Con solitario gol de Walter Silvani venció el Pachuca y conquistó así su primer título internacional.

Pumas y Cruz Azul a la Libertadores

Otra fue la suerte de *Tuzos* y *Monarcas* en el mini torneo clasificatorio al Pre Libertadores que se jugó en Houston y Los Ángeles. El Pachuca tuvo que jugar un partido con su cuadro reserva porque a la misma hora los titulares visitaban al América en la Liga. Luego fue goleado por el Cruz Azul y los *Pumas*. El Morelia sólo jugó dos encuentros y quedó eliminado por diferencia de goles. El Toluca fue de más a menos: luego de mantener su valla invicta en los primeros dos juegos, Hernán Cristante encajó cuatro pepinos *pumas* y cinco *cementeros*. Al Atlas lo despacharon en la primera ronda, de modo que fueron Cruz Azul y UNAM los clasificados para enfrentarse a los venezolanos Estudiantes de Mérida y Nacional Táchira por el pase a la Libertadores.

Reponiéndose de un principio titubeante, los equipos mexicanos terminaron arrasando a los venezolanos y lograron meterse al gran torneo de Sudamérica. *Pumas* quedó en primer lugar con 13 puntos y Cruz Azul en segundo con once. Los universitarios utilizaron a tres porteros, Esdras Rangel, Sergio Bernal y el debutante Alejandro Palacios, y los *Cementeros* a dos, el *Conejo* y Emmanuel González.

Cardozo, una máquina de hacer goles

Al aumentar el número de equipos lógicamente creció la cifra de goles en la Liga. Se registraron 590, cantidad sin precedente en torneos cortos y a la cual contribuyeron significativamente el Toluca y su artillero José Saturnino Cardozo. Los *Diablos* impusieron récord de anotaciones con 55, de las cuales el paraguayo se apuntó 29. Es decir, casi el 10% de todos los goles del campeonato fueron anotados por el Toluca y casi el 5% por Cardozo.

Pero además, el implacable cañonero guaraní marcó siete veces en la liguilla para totalizar 36 tantos en 25 juegos, ¡un súper promedio de 1.44 goles por partido! Números que no se veían desde la época de Lángara y Aballay.

De los 29 goles de Cardozo en la fase regular, solamente tres fueron de penalti. Al conquistar su tercer título de romperredes, superó por 16 anotaciones a los sublíderes Jared Borgetti (Santos), el brasileño Álex Fernandes (Morelia) y el chileno Sebastián González (Atlante), siendo ésta la mayor diferencia entre el campeón y el subcampeón de goleo en toda la historia del balompié mexicano.

Diez equipos: Monterrey, Chiapas, Pachuca, Puebla, Celaya, UAG, Querétaro, Necaxa, Guadalajara y Atlas anotaron menos que Cardozo, y Cruz Azul, Santos y Veracruz hicieron apenas uno más. Los *Rayados*, el club menos ofensivo, sumaron once tantos menos que el goleador del Toluca.

El 2 de noviembre le metió cuatro a Calero en Toluca y en tres partidos logró sendos tripletes contra el Necaxa (Navarro), Puebla (Campos) y Chiapas (Alan Cruz), todos en el Nemesio Diez. En la liguilla le anotó cuatro en dos juegos a Adrián Martínez, del Santos.

De hecho, marcó en 21 de los 25 juegos del Toluca, contando la liguilla. Sólo se fue en blanco ante Samuel Máñez (Veracruz), Omar Ortiz (Monterrey), Armando Navarrete (Atlas) y Moisés Muñoz (Morelia) en el primer juego de la final. En este partido terminó la racha goleadora que Cardozo había iniciado en la novena jornada, que llegó a 15 juegos consecutivos anotando. Otro súper récord que hizo polvo la marca de Omam Biyik de once en 1995.

Quinientos de Pineda y muerte de Máñez

Hugo Pineda salió del América para reforzar al campeón de Primera A, el San Luis, y convertirse en el cuarto portero en la historia que alcanza la cifra de 500 juegos, lo que ocurrió el 9 de noviembre (San Luis 3 Monterrey 0).

Con el equipo potosino ascendió e hizo su debut en Primera el arquero capitalino de 22 años Edmundo Ríos. Otro portero debutante fue Odín Patiño, de sólo 19 años y también nativo de Ciudad de México. Éste se presentó con los *Pumas* el 9 de noviembre sufriendo una derrota por 0-1, gol de Braulio Luna, mientras que Ríos debutó el 31 de agosto en una victoria del San Luis sobre el Cruz Azul a domicilio por 1-0. Dos semanas después el novel portero sufrió la primera perforación de su meta por Sergio Santana, del Pachuca.

Omar Ortiz regresó al Monterrey después de jugar un año con el Celaya. Otro retorno fue el de Sergio Bernal, quien volvió a *Pumas* tras alinear un torneo con el Puebla, y al equipo de la franja llegó Jorge Campos para terminar su carrera.

El Celaya renovó totalmente su plantilla de guardametas con Rogelio Rodríguez, proveniente de *Tigres*, y Alexandro Álvarez, quien salió del Necaxa.

Además de Miguel de Jesús Fuentes con el Morelia, reaparecieron en el máximo circuito Alan Cruz, Pedro Prieto e Isaac Mizrahi . El primero con los *Jaguares*, el segundo con el Querétaro y el último con el Necaxa. Los nuevos equipos de Chiapas y Querétaro también se reforzaron con Adrián Zermeño y Erubey Cabuto, respectivamente, mientras que Emmanuel González pasó del Celaya al Cruz Azul para ser el suplente del *Conejo*.

Mizrahi tuvo con el Necaxa, su cuarto equipo, las últimas actuaciones de su carrera. Antes había estado dos temporadas con el Atlante, tres con *Pumas* y cuatro con Atlas, siempre con pocos juegos. En total participó en 43 partidos, recibió 62 goles, detuvo 4 penaltis y su promedio de tantos por juego fue 1.44. Alineó por última vez el 24 de noviembre en el partido Necaxa (2) Monterrey (1).

En esa fecha, que fue la última de la fase regular del campeonato, el Veracruz visitó al Atlante y perdió 1-4. Nadie podía imaginar que Samuel Máñez estaba jugando por última vez en su vida. El arquero de los *Tiburones*, que tres meses antes había cometido un autogol, falleció el 26 de diciembre en un accidente automovilístico.

En el palmarés de Samuel Máñez figura una temporada con el Atlante, tres con el Irapuato y dos con el Veracruz, 76 juegos, 141 goles, alto promedio de 1.86 y cero expulsiones.

El otro arquero de los *Tiburones Rojos* en este torneo, José Antonio Bravo, cerró su carrera en Primera División el 5 de octubre con una goleada por 1-5 ante el Cruz Azul. De los nueve torneos que jugó (cuatro con Atlante, tres con Irapuato y dos con Veracruz) sólo fue titular en dos con los azulgranas. Totalizó 56 juegos, 93 goles y un alto 1.66.

Siete zarpazos a Oswaldo

De los 38 porteros que actuaron en la Liga, cinco completaron los 19 partidos: Navarrete, del Atlas; Oswaldo, de *Chivas*; Campos, del Puebla; Adrián Martínez, de Santos; y por tercer torneo consecutivo Mario Rodríguez, de *Tecos*. Con la salvedad de que Campos no jugó de portero todos los minutos del campeonato porque en un encuentro dejó la portería y pasó a la delantera. A Óscar Dautt una expulsión en la penúltima jornada le impidió lograr la temporada completa.

Navarrete, Oswaldo y Rodríguez también aparecieron en la lista de los que recibieron más goles. El atlista quedó en primer lugar empatado con Calero y Dautt, con 31 anotaciones cada uno, seguidos por Samuel Máñez, con 30, Oswaldo (29), Rodríguez (29) y Jorge Campos (29).

Oswaldo tuvo el 19 de octubre un juego para olvidar. Recibió la goleada de su carrera cuando las *Chivas* visitaron a los *Pumas* y fueron aplastadas al son de 1-7.

Los arqueros de la UNAM, Sergio Bernal y Esdras Rangel, el del Celaya, Rogelio Rodríguez y el de *Tecos*, Mario Rodríguez, sufrieron las mayores golizas después de la de Oswaldo. El Atlas le metió seis a Bernal en el Jalisco; lo mismo le pasó a Rangel en San Luis; a Rogelio sus ex compañeros de los *Tigres* lo recibieron en Monterrey con seis balazos; y el Toluca le clavó la misma cantidad de goles a Mario en la *Bombonera*.

El gol cincuenta mil

En una de las varias goleadas que propinó el Toluca, la del 12 de octubre contra Chiapas por 5 a 1, fue anotado mediante un tiro libre ejecutado por Rafael *Chiquis* García el gol número 50 mil de la época profesional de la Liga. Lo recibió Alan Cruz.

Mes y medio después, en la última jornada, los *Diablos* recibieron una sopa de su propio chocolate en Torreón. El Santos los goleó 5-2 (apenas la segunda derrota del Toluca en la temporada) y su artillero Eduardo Lillingston logró un cuadruplete contra Cristante. El primero de los cuatro tantos de Lillingston cayó a los 17 segundos de juego.

Por este descalabro el Toluca perdió el súper liderato ya que el América sumó 43 puntos y los *Diablos* se quedaron en 41. Las *Águilas* se distinguieron a lo largo del torneo por su extraordinaria defensiva que sólo permitió 14 goles, en tanto que ninguno de los demás equipos recibió menos de 20.

Lógicamente, el líder de los guardametas fue Adolfo Ríos con promedio de 0.75 goles por juego. Omar Ortiz tuvo 1.06, Cristante 1.31 y el *Conejo* Pérez 1.39.

Bien La Volpe, mal Meza

El Toluca llevaba nueve juegos seguidos invicto y sólo faltaban cuatro jornadas para concluir el torneo cuando Ricardo La Volpe fue nombrado director técnico de la Selección Nacional. Su auxiliar, el uruguayo Wilson Graneolatti, quedó al mando de los *Diablos*, pero sólo dirigió seis partidos, siendo sustituido en semifinales por Alberto Jorge.

Magníficos números tuvo La Volpe en su breve paso por el Toluca: de 57 partidos, solamente perdió nueve. Obtuvo 29 victorias y ¡sólo fue expulsado una vez!

Al *Ojitos* Meza le fue mal en su segunda temporada con el Atlas. Fue cesado a la mitad del torneo cuando los rojinegros habían perdido cinco juegos consecutivos y en total siete de diez partidos. La estadística de Meza como técnico atlista quedó equilibrada: 12 triunfos, seis empates y 12 reveses.

La nómina de técnicos que fueron porteros se incrementó con el argentino nacionalizado boliviano Carlos Trucco, quien dirigió al Celaya. Si bien nunca jugó en la Liga, sí participó con el Pachuca en los torneos de Copa México de 94-95 y 95-96.

El Celaya llevaba seis torneos mediocres y con Trucco ligó el séptimo. Ganó cinco, empató seis, perdió ocho y quedó en el sitio 17 de la tabla general.

Campeonato del Toluca con tres técnicos

En la liguilla, sin repechaje, el Santos protagonizó la gran sorpresa al eliminar al súper líder. Los 26 puntos del equipo de Torreón palidecían sin duda ante los 43 del América, sin embargo, tras empatar a tres en el Corona, el Santos fue al Azteca a derrotar a las *Águilas* por 2 a 1 y mandarlas de vacaciones. En dos juegos Adolfo Ríos recibió casi la mitad de los goles que había permitido en 16 partidos.

El Cruz Azul superó a los *Pumas* (0-0 y 3-2), el Morelia aplastó a los *Tecos* (3-1 y 4-1) y el Toluca remontó un 1-2 en el Jalisco ante *Chivas* con un contundente 3-0 en el Nemesio Diez.

El Morelia y el Toluca, los dos únicos equipos invictos como locales en todo el campeonato, pasaron a la final despachando a los *Pumas* (4-0 y 1-2) y al Santos (5-3 y 2-1). Así los *Diablos* tomaron cabal venganza de aquella goleada sufrida en Torreón en la fecha 19. Se repetía pues la final del Invierno-00, aunque esta vez el desenlace fue otro.

El 18 de diciembre los *Monarcas* con gol solitario de Javier Saavedra ganaron el primer juego, el partido en el

que terminó la racha goleadora de Cardozo y el único del torneo en que el Toluca no anotó.

Pero tres días después los *Diablos* acribillaron a Moisés Muñoz con cuatro goles para triunfar por 4-1 y conquistar su séptimo campeonato. Anotaron Salvador Carmona, Israel López, Cardozo, por supuesto, y el *Chiquis* García. Adolfo Bautista hizo el único del Morelia. Muñoz evitó el quinto gol rojo al pararle un penalti al *Chiquis*.

José Iborra, el portero catalán que arribó a México en 1937 con el Barcelona y en 1944 fue el primer guardameta del Puebla con el cual ganó la Copa México en 45, falleció el 16 de septiembre a la edad de 94 años. Por más de cincuenta años fue cónsul de España en Puebla.

Murió el primer portero del Puebla

Rafael Márquez en su cuarta temporada con el Mónaco, Javier Aguirre en su primera como timonel del Osasuna y Sergio Almaguer con su sorpresiva contratación con el Galatasaray de Turquía ostentaron la representación mexicana en el futbol europeo.

Nómina de porteros

América	Adolfo Ríos y Alberto Becerra
Atlante	Rafael Cuevas y Damián Grosso
Atlas	Armando Navarrete
Celaya	Rogelio Rodríguez y Alexandro Álvarez
Chiapas	Alan Cruz y Adrián Zermeño
Cruz Azul	Óscar Pérez y Emmanuel González
Guadalajara	Oswaldo Sánchez
Monterrey	Omar Ortiz y Juan de Dios Ibarra
Morelia	Moisés Muñoz, Miguel de Jesús Fuentes y Sergio Cisneros
Necaxa	Nicolás Navarro e Isaac Mizrahi
Pachuca	Miguel Calero y Jesús Alfaro
Puebla	Jorge Campos y Adolfo Castro
Querétaro	Pedro Prieto y Erubey Cabuto
San Luis	Hugo Pineda y Edmundo Ríos
Santos	Adrián Martínez
Tigres	Óscar Dautt y Gustavo Sedano
Toluca	Hernán Cristante y Mario Albarrán
UAG	Mario Rodríguez
UNAM	Esdras Rangel, Sergio Bernal y Odín Patiño
Veracruz	Samuel Máñez y José Antonio Bravo

Más juegos (J)

Armando Navarrete (Atlas)	19
Oswaldo Sánchez (Guadalajara)	19
Jorge Campos (Puebla)	19
Adrián Martínez (Santos)	19
Mario Rodríguez (UAG)	19
Óscar Pérez (Cruz Azul)	18
Óscar Dautt (Tigres)	18

Más juegos completos

Armando Navarrete (Atlas)	19
Oswaldo Sánchez (Guadalajara)	19
Adrián Martínez (Santos)	19
Mario Rodríguez (UAG)	19
Óscar Pérez (Cruz Azul)	18
Jorge Campos (Puebla)	18

Más goles (G)

Armando Navarrete (Atlas)	31
Miguel Calero (Pachuca)	31
Óscar Dautt (Tigres)	31
Samuel Máñez (Veracruz)	30
Oswaldo Sánchez (Guadalajara)	29
Jorge Campos (Puebla)	29
Mario Rodríguez (UAG)	29

Más bajo G/J (mínimo 11 juegos)

Adolfo Ríos (América)	0.75
Omar Ortiz (Monterrey)	1.06
Hernán Cristante (Toluca)	1.31
Óscar Pérez (Cruz Azul)	1.39
Adrián Martínez (Santos)	1.47

Más goles en un juego

Oswaldo Sánchez (Guadalajara)	7
Rogelio Rodríguez (Celaya)	6
Mario Rodríguez (UAG)	6
Sergio Bernal (UNAM)	6
Esdras Rangel (UNAM)	6

Penaltis detenidos

Jorge Campos (Puebla)	2
Mario Rodríguez (UAG)	2
Esdras Rangel (UNAM)	2
Alan Cruz (Chiapas)	1
Oswaldo Sánchez (Guadalajara)	1
Isaac Mizrahi (Necaxa)	1
Erubey Cabuto (Querétaro)	1
Óscar Dautt (Tigres)	1
Hernán Cristante (Toluca)	1
Samuel Máñez (Veracruz)	1

Expulsados

Nicolás Navarro (Necaxa)
Miguel Calero (Pachuca)
Óscar Dautt (Tigres)

LIGUILLA

Más juegos	Moisés Muñoz (Morelia) y Hernán Cristante (Toluca)	6
Más juegos completos	Moisés Muñoz (Morelia) y Hernán Cristante (Toluca)	6
Más goles	Adrián Martínez (Santos)	11
Más bajo G/J	Esdras Rangel (UNAM)	1.00
Más goles en un juego	Adrián Martínez (Santos)	5
Penaltis detenidos	Moisés Muñoz (Morelia)	1
Expulsados	Ninguno	

Clausura-03
Un portero de 600 juegos y dos de 500

Después de 17 años volvió a coronarse el Monterrey. Un portero debutante logró el promedio más bajo de goles por juego. En la Copa Libertadores los Pumas *fueron eliminados en octavos de final y el Cruz Azul en cuartos. Todos los semifinalistas del torneo de la Concacaf fueron equipos mexicanos. Cuarto liderato de goleo de José Saturnino Cardozo. Surgió un nuevo equipo, el Colibríes, de vida efímera. Ascendió el Irapuato. Se retiraron tres figuras de la portería y Adolfo Ríos llegó a 600 juegos. Los* Tecos *impusieron varios récords negativos.*

El adiós de Navarro, Pineda y Fernández

Otro capítulo de la "danza de las franquicias". La del Celaya fue vendida a Cuernavaca y al equipo le pusieron el nombre de Colibríes. Su sede fue el estadio "Mariano Matamoros" de Xochitepec, Morelos. El Clausura-03 fue su torneo de debut y despedida, porque aunque mejoró un poco la puntuación que el Celaya había conseguido en los últimos tres años, no le alcanzó para evitar el descenso por tener el promedio de puntos más bajo. El cuadro morelense se quedó a seis minutos de la salvación, la que lograron los *Jaguares* en la última fecha por un gol de Gilberto Mora contra los *Tecos* en el minuto 84.

Del 11 de enero al 14 de junio se jugó la Liga. Un torneo marcado por el retiro de tres conspicuos porteros mexicanos, dos de los cuales con más de 500 juegos en su palmarés.

Félix Fernández, quien de hecho ya se había retirado, fue registrado por el Atlante para que tuviera su partido oficial de despedida. Así, el 26 de enero en el juego de los Potros contra el Atlas, Félix permaneció 19 segundos en el marco y salió de la cancha arropado por la cariñosa ovación de la afición azulgrana.

Contando su fugaz actuación en este torneo, Fernández jugó 15 campeonatos con el Atlante y tres con el Celaya, en los que sumó 209 partidos y 279 goles, quedando su promedio en 1.33. Aunque sufrió dos descensos con el Atlante, fue el héroe de los azulgranas en la conquista del campeonato de Segunda División en 90-91. Luego ganó un título de Liga y un subcampeonato de Concacaf.

El partido San Luis (0) Guadalajara (2) del 8 de marzo fue el número 511 y último de Hugo

Pineda, a la sazón con 40 años de edad. En su larga carrera, en la que casi triplicó el número de actuaciones de su padre, participó en ocho torneos con el Tampico-Madero, tres con la UdeG, uno con *Correcaminos*, uno con Atlante, uno con Celaya, diez con el América, dos con el Necaxa y dos con San Luis en 20 años de trayectoria.

Es el sexto portero con más juegos y el tercero con más goles recibidos (707), líder de los arqueros del Tampico-Madero en todo: torneos, juegos, juegos completos, goles, penaltis atajados y expulsiones. Ganó una Liga con el América, una Copa con los *Leones Negros* y una con el Necaxa, dos veces fue subcampeón con el Tampico-Madero y una con el Celaya. Detuvo 14 penaltis, promedió 1.38 anotaciones por partido y es uno de los muy pocos guardametas que han actuado en más de cien juegos en forma consecutiva.

La última jornada del Clausura-03, el 17 de mayo, marcó el final de la carrera de Nicolás Navarro, el eficaz arquero capitalino que al haber alineado 507 veces con el Necaxa posee el récord de más juegos con un mismo equipo.

Al borde de los 40 años de edad, Navarro recibió dos goles del Monterrey en su última actuación. Fue su partido número 540, cantidad que solamente Adolfo Ríos y Pablo Larios habían superado. Con los 702 goles que admitió empata el quinto lugar con Larios, y también figura en la lista selecta de arqueros que jugaron cien o más partidos seguidos.

Dos veces campeón y dos subcampeón con el Necaxa, equipo con el que también ganó una Copa, un título de Campeonísimo y una Recopa de Concacaf. Agréguense una Liga y un par de Copas de Concacaf con el Cruz Azul. Todo después de jugar veinte torneos con el Necaxa, dos con el Cruz Azul y dos con el Pachuca.

Atajó 14 penaltis (13 con el Necaxa), su promedio de goles por encuentro fue 1.30 y compartía con Alan Cruz el récord de siete juegos consecutivos sin permitir gol, pero es el único que ha logrado esta racha dos veces.

Mario Albarrán, sempiterno suplente de Hernán Cristante en el Toluca, tuvo su última actuación en el juego que los *Diablos* le ganaron al América por 3-0 en el Nemesio Diez el 22 de marzo. Durante su militancia en 10 torneos con el Toluca, el equipo mexiquense ganó cuatro títulos de Liga y uno de Concacaf. Albarrán jugó 61 partidos, admitió 75 goles y su promedio fue de 1.23.

Otro portero que en la mayor parte de su carrera también fue suplente, Jesús Alfaro, alineó por última vez el 6 de abril en el partido UNAM (1) Pachuca (1) en CU. Tuvo acción en dos torneos con los *Correcaminos*, tres con el Toluca, dos con *Tecos* y nueve con Pachuca. Con este equipo fue campeón dos veces y una subcampeón. En total jugó 101 partidos con 126 goles, promediando 1.25.

El portero más eficiente fue un novato

Unos se van, otros llegan. La nómina de porteros se enriqueció con la aparición de José de Jesús Corona, mundialista sub-17 en Egipto-97, y del argentino Federico Vilar, quien, formado en las divisiones inferiores del Boca Juniors, había jugado un año en Primera A con los equipos de Zitácuaro y Acapulco, filiales del Atlante.

El tapatío Corona debutó con el Atlas el 15 de febrero (Atlas 3 Veracruz 0) y su meta fue batida por primera vez por Omar Avilán, del Monterrey, una semana después. En 15 partidos solamente encajó 14 goles y su promedio de 0.93 fue el más bajo de un portero en este campeonato.

Vilar llegó al Atlante para ocupar el lugar de su paisano Damián Grosso que fue traspasado al Veracruz. Debutó en la primera jornada, el 12 de enero, en el partido que los azulgranas empataron con el Monterrey a un gol. Lo "bautizó" Jesús Arellano. Vilar impidió la victoria regiomontana al detenerle un penalti a Álex Fernandes.

Otro nuevo portero fue el leonés José Guadalupe Martínez, de 19 años de edad, quien se presentó el 25 de enero con los *Tecos*. Su equipo perdió ante los *Tigres* en Monterrey, siendo el argentino Walter Gaitán el autor del único gol del partido.

No fueron muy lejos *Pumas* y Cruz Azul en la Libertadores

Candil casero y oscuridad callejera, así fueron las actuaciones del Cruz Azul y la UNAM en la primera ronda de la Copa Libertadores, ya que siempre ganaron de locales y siempre perdieron de visitantes. Los *Cementeros* vencieron en el Azul a The Strongest, de Bolivia, Corinthians, de Brasil, y Fénix, de Uruguay, en tanto que los *Pumas*

derrotaron en cu al Bolívar, de Bolivia, Gremio, de Brasil y Peñarol, de Uruguay. En sus visitas a sus respectivos rivales no pudieron obtener ningún punto, y en el caso del Cruz Azul, sufrió una humillante goleada de 1-6 ante el Fénix, partido en el que el *Conejo* Pérez fue expulsado y su suplente, Emmanuel González, recibió cuatro de los seis pepinos.

Los nueve puntos conseguidos en casa les alcanzaron a los dos clubes mexicanos para clasificar a octavos de final. Hasta aquí llegaron los *Pumas*, ya que el Cobreloa los venció por 1-0 en México y empataron sin goles en Chile. También escasa en anotaciones fue la serie entre el Cruz Azul y el Deportivo Cali: doble empate a cero, pero los *Cementeros* ganaron en penaltis 3 a 2 en terreno colombiano. El *Conejo* detuvo uno de los tres penaltis que falló el Deportivo Cali.

En cuartos de final el Cruz Azul se fue al estadio Azteca para recibir al Santos de Brasil. El cuadro paulista se llevó un empate 2-2 y triunfó en el segundo partido por 1-0 para pasar a la final.

En esta primera participación de *Pumas* en la Libertadores, Sergio Bernal admitió seis goles en seis juegos y Esdras Rangel tres en tres. Por parte de los arqueros cruzazulinos, el *Conejo* encajó diez en nueve partidos y Emmanuel cuatro en dos.

Tres mil goles de las *Chivas*

En la Liga disminuyó notoriamente el número de goles con respecto al torneo anterior: de 590 bajó a 514. Y nuevamente el Toluca fue el equipo que aportó más (40), consiguiendo el décimo campeonato de goleo de su historia. El San Luis fue el más goleado (38), el Veracruz recibió menos (18) y el Querétaro empató el récord del Celaya y el Puebla de menos tantos en un torneo (13).

Uno de los 514 goles, el que le anotó Jair García a Rogelio Rodríguez, portero del Colibríes, en Xochitepec el 1 de marzo, fue estadísticamente significativo, nada menos que el número 3000 del Guadalajara en sus 60 años de equipo profesional de Primera División.

Una semana antes, el 23 de febrero, el chileno Sebastián González, del Atlante, había ingresado a la lista selecta de anotadores de cinco o más goles en un juego. Marcó todos los del Atlante en una goleada de 5-1 a los *Jaguares*, tocándole a Adrián Zermeño ser el portero fusilado.

600 partidos de Adolfo Ríos

Cinco de los treinta y nueve cancerberos que tuvieron acción en el torneo jugaron todos los minutos de los 19 partidos. Ellos fueron Adolfo Ríos, Oswaldo Sánchez, Martín Zúñiga, Adrián Martínez y Damián Grosso. De hecho, Federico Vilar también lo hizo pero oficialmente le faltaron los 19 segundos que Félix Fernández jugó en su partido de despedida.

Uno de los juegos de Adolfo Ríos, el del 8 de marzo en Veracruz donde el América se impuso a los *Tiburones* por 2-0, fue el número 600 del eficaz y longevo arquero michoacano. Ríos fue el primero y hasta ahora el único portero en llegar a esa cifra de actuaciones.

Otras novedades en la lista de guardametas fueron la reaparición de Martín Zúñiga, ahora vistiendo la camiseta del Puebla y la llegada de Omar Ortiz al Necaxa proveniente del Monterrey. Zúñiga fue el arquero que recibió más goles tanto en el campeonato como en un juego. En el torneo permitió 31 y el 16 de febrero en el Cuauhtémoc su meta fue perforada seis veces por el Morelia. Mario Rodríguez fue otro portero multifusilado. Encajó cinco del América en el Tres de Marzo y 29 en total.

Cuarto liderato de goleo de Cardozo

En la lista de los arqueros más eficientes, encabezada por el novato Jesús Corona, figuraron Grosso con promedio de 0.95, Ríos con 1.05, Calero con 1.07 y Alan Cruz con 1.09. La racha más larga de imbatibilidad la protagonizó Óscar Dautt al mantener su marco intacto en cuatro juegos seguidos.

Y la nómina de artilleros tuvo nuevamente al temible romperredes paraguayo José Saturnino Cardozo como rey goleador. Para su cuarta corona, el cañón mayor del Toluca anotó 21 tantos, cinco más que Sebastián González y ocho arriba del chileno Reinaldo Navia, del Morelia. Jared Borgetti (Santos) y Omar Bravo (*Chivas*) fueron los delanteros mexicanos que más anotaron con once y diez, respectivamente.

Entre el Apertura-02 y el Clausura-03 Cardozo ligó 16 juegos consecutivos anotando en la cancha del Toluca. La racha terminó el 3 de mayo ante el Guadalajara y Oswaldo Sánchez. Ganaron los *Diablos* 3 a 2 pero los tres goles fueron obra del *charrúa* Vicente Sánchez.

Hegemonía mexicana en Concacaf

Durante el lapso comprendido entre los meses de marzo y mayo se efectuó la mayor parte del torneo de la Concacaf, con la participación de cuatro equipos mexicanos, América, Toluca, Morelia y Necaxa, los cuales fueron despachando a sus adversarios centroamericanos, caribeños y estadounidenses hasta llegar los cuatro a semifinales.

El América eliminó al FAS (1-3 y 3-0) y al Alajuelense (4-0 y 1-3), el Toluca al W. Connection (3-2 y 3-3) y al Municipal (2-1 y 2-1), el Morelia al Comunicaciones (0-1 y 4-0) y al Columbus Crew (6-0 y 0-2) y el Necaxa al Arnett Gardens (0-0 y 1-0) y al Galaxy (4-1 y 2-1).

A diferencia del Morelia y el Necaxa que utilizaron a sus porteros titulares, el América alineó en tres juegos a Alberto Becerra, suplente de Ríos, y el Toluca alternó a César Lozano y Mario Albarrán dándole descanso a Cristante.

En semifinales el Toluca se levantó de un marcador adverso de 1-4 y fue al Azteca a golear 4-0 al América eliminándolo, mientras que el Morelia se deshizo del Necaxa con una goliza de 6-0 en el estadio Morelos tras empatar sin goles en el Azteca. Albarrán y Becerra fueron víctimas de las goleadas entre el América y el Toluca, y al *Gato* Omar Ortiz le tocaron los seis bombazos del Morelia. La final entre *Diablos* y *Monarcas* quedó programada para el segundo semestre.

El Tri de La Volpe

El 4 de febrero tuvo lugar en Los Ángeles el debut de Ricardo La Volpe como timonel de la Selección Nacional. El Tri se midió con su similar de Argentina. Jugó Oswaldo, y enfrente, en el marco argentino, estuvo Sebastián Saja, quien poco tiempo después vendría a México contratado por el América. Ganaron los *ches* por uno a cero.

Posteriormente, México sostuvo varios encuentros amistosos en los que la escasez de goles fue la constante. Empate a cero con Colombia en Phoenix, triunfo de 2-0 sobre Bolivia en Dallas, empate 1-1 con Paraguay en San Diego, empates a cero con Brasil en Guadalajara y con Estados Unidos en Houston y un revés por 1-2 frente a El Salvador en Los Ángeles. Ríos actuó contra Bolivia y Paraguay; en los demás, Oswaldo.

El *Ojitos* regresa al Cruz Azul en plena crisis

El Atlas, los *Tecos* y el Cruz Azul impusieron récords de equipo. El del Atlas fue de carácter positivo: trece juegos seguidos sin perder, marca de los rojinegros en un torneo. El de la UAG fue negativo: ocho derrotas consecutivas. Además, entre el Clausura-02 y el Apertura-03 los *Tecos* ligaron 14 partidos al hilo sin ganar, otro récord del equipo. Y sus 14 juegos perdidos y solamente uno ganado, así como su raquítica cosecha de siete puntos quedaron como marcas en torneos cortos.

Por su parte, el Cruz Azul tuvo una racha de 12 partidos seguidos sin ganar entre el campeonato anterior y el actual, que es la mayor sequía de triunfos en la historia del equipo. Esto provocó una medida inusitada por parte de la Directiva, rescindiendo el contrato de todos los jugadores y el técnico Mario Carrillo.

Enrique Meza tomó el mando del equipo, por tercera vez en su historia, y con un cuadro integrado casi en su totalidad por suplentes venció a los *Pumas* y terminó la pesadilla. Los jugadores mexicanos fueron recontratados, no así los extranjeros, quienes prefirieron salir del club al igual que Sergio Almaguer, que había regresado al Cruz Azul después de jugar un semestre en Turquía. El *Ojitos* logró clasificar a los *Cementeros* al repechaje.

Al mismo tiempo —fecha 10— que Meza asumió la dirección técnica cruzazulina, Carlos Trucco hizo lo propio en el Pachuca, y faltando dos jornadas para concluir el campeonato otro ex portero, Pilar Reyes, dirigió al San Luis.

Este fue el último trabajo de Trucco como técnico de Primera División. Dirigió 10 juegos a los *Tuzos*, de los que sólo ganó dos y empató cuatro.

El Morelia pierde dos finales consecutivas

Por primera vez en su historia el Morelia quedó en primer lugar. Sumó 35 puntos, uno más que el Atlante, el Monterrey y los *Tigres*, que fue el único club invicto como local. También entraron a la liguilla el Toluca, el Atlas, el Veracruz y el Guadalajara, este último luego de superar al Cruz Azul en un emotivo repechaje de diez goles, en el que cada equipo goleó en su cancha al son de 4-1 y la mejor posición en la tabla general le dio el pase a las *Chivas*.

Los dos equipos regiomontanos, el Veracruz y el Morelia avanzaron a semifinales. Los *Rayados* eliminaron al Atlas con global de 4-3, los *Tigres* al Toluca también por 4-3, los *Tiburones* al Atlante por 2-1 y los Monarcas al Guadalajara por 5-3, con el detalle de que Veracruz y *Tigres* ganaron sus partidos de visitantes.

Luego el Morelia despachó al *Tiburón* (0-1 y 2-0) y en el clásico norteño el Monterrey goleó 4-1 en el Universitario y *Tigres* venció sólo por 2-1 en el Tecnológico. De modo que, segunda final consecutiva para el Morelia y primera para el Monterrey en diez años. 11 y 14 de junio las fechas.

Con tantos de Walter Erviti, Guillermo Franco y Héctor Castro (penalti) el Monterrey triunfó en su casa por 3-1. Adolfo Bautista hizo el único de los michoacanos. En Morelia los *Rayados*, al mando de Daniel Pasarella, un histórico del futbol argentino, mantuvieron la ventaja empatando a cero para proclamarse campeones por segunda vez en su historia. En los dos partidos actuaron Ricardo Martínez y Moisés Muñoz. Para Martínez fue también su segundo título de Liga ya que él formó parte del Puebla que se coronó en 89-90.

En la liguilla se marcaron 50 goles.

Nómina de porteros

América	Adolfo Ríos
Atlante	Federico Vilar y Félix Fernández
Atlas	José de Jesús Corona y Armando Navarrete
Chiapas	Alan Cruz, Adrián Zermeño y Humberto Martínez
Colibríes	Alexandro Álvarez y Rogelio Rodríguez
Cruz Azul	Óscar Pérez y Emmanuel González
Guadalajara	Oswaldo Sánchez
Monterrey	Juan de Dios Ibarra y Ricardo Martínez
Morelia	Moisés Muñoz y Miguel de Jesús Fuentes
Necaxa	Nicolás Navarro y Omar Ortiz
Pachuca	Miguel Calero y Jesús Alfaro
Puebla	Martín Zúñiga
Querétaro	Erubey Cabuto, Pedro Prieto y Artemio Lomelí
San Luis	Edmundo Ríos y Hugo Pineda
Santos	Adrián Martínez
Tigres	Gustavo Sedano y Óscar Dautt
Toluca	Hernán Cristante, Mario Albarrán y César Lozano
UAG	Mario Rodríguez y José Guadalupe Martínez
UNAM	Sergio Bernal, Esdras Rangel y Alejandro Palacios
Veracruz	Damián Grosso

Más juegos (j)

Adolfo Ríos (América)	19
Federico Vilar (Atlante)	19
Oswaldo Sánchez (Guadalajara)	19
Martín Zúñiga (Puebla)	19
Adrián Martínez (Santos)	19
Damián Grosso (Veracruz)	19

Más juegos completos

Adolfo Ríos (América)	19
Oswaldo Sánchez (Guadalajara)	19
Martín Zúñiga (Puebla)	19
Adrián Martínez (Santos)	19
Damián Grosso (Veracruz)	19
Federico Vilar (Atlante)	18

Más goles (g)

Martín Zúñiga (Puebla)	31
Mario Rodríguez (UAG)	29
Federico Vilar (Atlante)	26
Adrián Martínez (Santos)	24
Oswaldo Sánchez (Guadalajara)	24

Más bajo g/j (mínimo 11 juegos)

José de Jesús Corona (Atlas)	0.93
Damián Grosso (Veracruz)	0.95
Adolfo Ríos (América)	1.05
Miguel Calero (Pachuca)	1.07
Alan Cruz (Chiapas)	1.09
Erubey Cabuto (Querétaro)	1.12

Más goles en un juego

Martín Zúñiga (Puebla)	6
Adrián Zermeño (Chiapas)	5
Mario Rodríguez (UAG)	5
Esdras Rangel (UNAM)	5

Penaltis detenidos

Ricardo Martínez (Monterrey)	2
Erubey Cabuto (Querétaro)	2
Federico Vilar (Atlante)	1
Oswaldo Sánchez (Guadalajara)	1
Nicolás Navarro (Necaxa)	1
Miguel Calero (Pachuca)	1
Edmundo Ríos (San Luis)	1
Gustavo Sedano (Tigres)	1
Mario Rodríguez (UAG)	1
Damián Grosso (Veracruz)	1

Expulsados

Miguel Calero (Pachuca)
Mario Rodríguez (UAG)

LIGUILLA

Más juegos	Ricardo Martínez (Monterrey) y Moisés Muñoz (Morelia)	6
Más juegos completos	Ricardo Martínez (Monterrey) y Moisés Muñoz (Morelia)	6
Más goles	Oswaldo Sánchez (Guadalajara)	10
Más bajo G/J	Damián Grosso (Veracruz)	0.75
Más goles en un juego	Óscar Pérez (Cruz Azul), Oswaldo Sánchez (Guadalajara) y Óscar Dautt (Tigres)	4
Penaltis detenidos	Oswaldo Sánchez (Guadalajara)	1
Expulsados	Ninguno	

Apertura-03
Adiós, Jorge Campos

El Pachuca conquistó su tercer campeonato y, al igual que en los anteriores, se coronó en cancha ajena. Se revivió el juego de Campeón de Campeones. Terminó la brillante carrera de Jorge Campos. México ganó la Copa de Oro. La Sub-17 hizo mejor papel que la Sub-20 en los mundiales respectivos. Por quinto torneo consecutivo el líder goleador fue un extranjero. Cuatro porteros promediaron menos de un gol por partido. El Toluca obtuvo la Copa de Concacaf. Se inauguró el estadio de Aguascalientes, nueva casa del Necaxa. En su primera jugada el portero debutante Jorge Bernal detuvo un penalti.

México gana invicto la Copa de Oro

En julio, el mes previo al arranque del campeonato, se efectuó en México el torneo de la Copa de Oro, varios clubes tuvieron partidos con equipos europeos y sudamericanos y se inauguró el estadio de Aguascalientes.

Oswaldo Sánchez alineó en los cinco juegos de la Selección en el certamen de la Concacaf manteniendo invicta su valla ante Brasil (1-0), Honduras (0-0), Jamaica (5-0), Costa Rica (2-0) y nuevamente Brasil en la final que ganó el Tri por 1-0 con "gol de oro" de Daniel Osorno. Vale puntualizar que los brasileños compitieron con su selección Sub-23.

La actividad de la escuadra comandada por Ricardo La Volpe en el resto del semestre se limitó a tres juegos amistosos en Estados Unidos contra Perú (1-3), Uruguay (0-2) e Islandia (0-0), en los que Oswaldo continuó cubriendo el marco.

El Toluca hizo pretemporada en Paraguay, las *Chivas* se midieron al River Plate en Los Ángeles y al Boca Juniors en Guadalajara, y con ambos empataron 0-0, el América igualó a un gol con el Lazio en San José, California y perdió con el Manchester United 1-3 en Los Ángeles antes de posponer su primer juego de la Liga para volar a España a participar en el torneo "Teresa Herrera", en el que empató a dos con el Deportivo y también con el Nacional de Uruguay. Al primero lo venció en penaltis, pero por la misma vía perdió la final con el cuadro *charrúa*.

Mientras tanto el Colo Colo y la Universidad de Chile no pudieron ganar ninguno de cuatro

juegos contra el Atlante y los *Jaguares* en Chiapas, y el Osasuna, Atlético de Madrid, Roma y Lazio jugaron diez veces en México y apenas consiguieron dos victorias.

Oficializado el éxodo del Necaxa a Aguascalientes, el 26 de julio se llevó a cabo la inauguración del estadio Victoria en la ciudad hidrocálida con un amistoso entre el Necaxa (0) y el Guadalajara (1).

Dos *ches* se suman al elenco de porteros

Del 2 de agosto al 20 de diciembre se jugó el Apertura-03, torneo en el que actuaron 41 guardametas, de los cuales el 17% fueron extranjeros, y se marcaron 574 goles en la fase regular y 51 en la liguilla. La novedad fue el Irapuato, equipo que sólo necesitó un año y medio para retornar a Primera División. Con los *Freseros* reapareció el veterano arquero Carlos Briones.

La nómina de porteros registró estos movimientos: los cancerberos del descendido Colibríes, Alexandro Álvarez y Rogelio Rodríguez fueron contratados por el Santos y el *Tigres*, respectivamente; Omar Ortiz emigró del Necaxa a los *Jaguares* y Adrián Martínez pasó del Santos al Necaxa; Martín Zúñiga salió del Puebla y recaló en el Veracruz para cerrar su carrera, en tanto que al cuadro de la franja regresó Óscar Dautt tras jugar dos años con *Tigres*; Armando Navarrete dejó al Atlas para calentar la banca en el Toluca; Pedro Prieto volvió con *Tecos* y la *Bomba* Ruiz Díaz tuvo, con el Necaxa, su tercera estancia en el fut mexicano de Primera División (porque en el semestre anterior jugó en Primera A con el Zacatepec).

Agréguese el debut de nueve porteros, dos de ellos extranjeros, los argentinos Gustavo Campagnuolo y Christian Lucchetti. Éste procedente del Banfield y aquél del Racing y luciendo en su palmarés dos títulos de Argentina, uno con San Lorenzo y uno con Racing.

Ambos se presentaron en la primera jornada. Campagnuolo con *Tigres* y Lucchetti con Santos. El cuadro *felino* venció 1-0 a Chiapas, así que fue en la segunda fecha cuando Campagnuolo recibió su primer gol en México. La anotación fue del uruguayo Gabriel Álvez, del Pachuca.

El defensa de las *Chivas*, Joel Sánchez, fue el primero que fusiló a Lucchetti. Su gol se produjo en el triunfo del Guadalajara sobre el Santos por 2 a 1 en el Jalisco.

Debuta atajando un penalti

Uno de los arqueros mexicanos debutantes estableció un récord, pues en su primera acción paró un penalti. Jorge Bernal, nativo de Veracruz, con 24 años de edad, era el tercer portero de los *Tiburones Rojos* y el 27 de agosto en Monterrey tuvo un inesperado debut porque el titular, Damián Grosso, había sido expulsado en la jornada anterior, y durante el partido contra los *Rayados* el suplente, Martín Zúñiga, también recibió tarjeta roja tras cometer una falta que fue sancionada con un penalti. El tiro de castigo lo ejecutó Luis Pérez y Bernal lo detuvo. Más tarde recibió un gol de Daniel Osorno, terminando el juego con empate a uno.

Este partido fue el último de Zúñiga y su expulsión la única que sufrió en diez años de actuar en Primera División. Jugó tres torneos con *Tigres*, ocho con *Chivas*, uno con Celaya, dos con *Tecos*, uno con Puebla y éste con Veracruz. Con el Guadalajara fue campeón y subcampeón de Liga. Participó en 228 juegos, detuvo 7 penaltis, admitió 295 goles, solamente en cuatro partidos su meta fue vencida cinco o más veces (máximo seis) y su promedio de tantos por juego fue de 1.29.

Con el Guadalajara debutaron Alfredo Talavera y Luis Ernesto Michel, jaliscienses ambos. Talavera, el más joven, entró de cambio por Oswaldo el 24 de agosto en Pachuca cuando las *Chivas* perdían 0-1, recibió el segundo tanto de los *Tuzos* y último del juego, anotado por Sergio Santana. La primera actuación de Michel y única en este torneo tuvo lugar un mes después, justo el 24 de septiembre, en Irapuato donde las *Chivas* vencieron 3-2 a los *Freseros*, siendo Everaldo Bejines quien batió por primera vez al nuevo portero.

Junior Madrigal, Felipe Quintero —ambos hijos de porteros— y Édgar Hernández también jugaron por vez primera en el máximo circuito. En días consecutivos, 25 y 26 de octubre, Madrigal y Hernández sustituyeron a Muñoz y Calero durante juegos del Morelia y Pachuca, respectivamente. El debut del hijo de Félix Madrigal ocurrió en San Luis donde los *Monarcas* ganaron por 1 a 0 y el de Édgar Hernández en Torreón donde los *Tuzos* batieron al Santos por 2-1. El gol de Santos, un penalti de Héctor Altamirano, lo recibió Hernández.

El debut de Felipe Quintero, quinto miembro de la dinastía de arqueros, ocurrió el 22 de noviembre en el

puerto jarocho defendiendo el marco irapuatense. Un solitario gol del uruguayo Martín Rodríguez le dio el triunfo al Veracruz.

Toluca, campeón de Concacaf

El Morelia siguió perdiendo finales. Dos consecutivas en la Liga y ahora también dos al hilo en la Copa de Concacaf, ya que sucumbió ante el Toluca por marcador global de 4-5. En el estadio Morelos tanto Hernán Cristante como Miguel de Jesús Fuentes recibieron tres goles. Para el segundo juego, en el Nemesio Diez, el Morelia alineó a su portero titular, Moisés Muñoz. El Toluca deshizo el empate con un triunfo de 2-1 que le dio su segundo título de Concacaf.

Finlandia y Emiratos Árabes Unidos fueron las sedes de los mundiales Sub-17 y Sub-20. En el primero los infantiles mexicanos, cuyo portero fue José Álamo, pasaron la primera ronda con dos empates (0-0 con Colombia y 3-3 con China) y un triunfo (2-0 a Finlandia), pero fueron eliminados por Argentina (0-2).

En cambio, los juveniles sólo obtuvieron un punto, producto de un empate con Arabia Saudita (1-1), a cambio de dos derrotas (1-2 con Costa de Marfil y 0-2 con Irlanda) que los mandaron rápidamente de regreso a casa. El arquero de los *Tecos*, José Guadalupe Martínez, actuó en los dos descalabros, mientras que Jair Urbina custodió el marco ante los árabes.

Adiós a Jorge Campos

Dos de noviembre de 2003 es la fecha del último partido (Puebla 3 Veracruz 4) oficial de Jorge Campos, uno de los mejores guardametas mexicanos de todos los tiempos y el que más participaciones tuvo con la Selección Nacional. Diecisiete días después tuvo su despedida con el Tri en el amistoso contra Islandia en San Francisco, California, pero en los pocos minutos que jugó no lo hizo como portero sino como delantero.

A la edad de 37 años cerró una trayectoria de quince calendarios en la que jugó con cinco equipos en México y dos en Estados Unidos, y más de cien partidos con el Tri incluyendo dos Mundiales, dos Copas Confederaciones, tres Copas América, dos Copas de Oro y dos Copas USA.

Participó en 17 torneos con *Pumas*, cinco con Atlante, dos con Puebla, uno con Cruz Azul y uno con *Tigres*, sumando 312 juegos y 345 goles para un magnífico promedio de 1.11.

Clasificado alguna vez por la Federación Internacional de Historia y Estadísticas del Futbol como el tercer mejor portero del mundo, Campos ganó dos títulos de Liga, uno con *Pumas* y uno con Cruz Azul, y un subcampeonato de Concacaf con el Galaxy. Más logros alcanzó con la Selección: dos Copas de Oro, una Confederaciones y segundo y tercer lugares en la Copa América.

Cumplió 127 actuaciones con el Tri, en las que sólo admitió 118 anotaciones, es decir, menos de un gol por partido: 0.94.

Como delantero marcó 40 goles, 39 para los *Pumas* y uno para el Atlante. Su portería jamás fue batida más de cinco veces en un juego y nueve ocasiones se lució atajando penaltis.

Con su sempiterno buen humor, su vestimenta variopinta y multicolor, su versatilidad en la cancha y su innata habilidad para el juego, Jorge Campos se convirtió en uno de los grandes ídolos del futbol mexicano.

Ríos, el mejor arquero y Querétaro, un desastre

Los porteros de "hierro" fueron: Federico Vilar, Ricardo Martínez, Erubey Cabuto, Edmundo Ríos y Hernán Cristante. Cabuto y Ríos, arqueros de los coleros Querétaro y San Luis, encabezaron la lista de guardametas más goleados con 44 y 39 pepinos, respectivamente. En cambio, el argentino Vilar logró el quinto mejor promedio de goles por juego con 1.10. En esta estadística el líder fue Adolfo Ríos, quien un año antes, en el Apertura-02, también fue el más eficiente. El arquero del América promedió 0.81, después Adrián Martínez, del Necaxa, tuvo 0.87 y Campagnuolo (0.94) y Calero (0.95) casi empataron el tercer sitio.

La pésima campaña que tuvieron los *Tecos* en el torneo anterior la repitió al pie de la letra el Querétaro en este semestre, de modo que empató los récords de menos triunfos (1), más descalabros (14) y menos pun-

tos (7). Naturalmente, el cuadro queretano fue líder en menos goles anotados con 16 y más recibidos, los 44 que encajó Cabuto.

La única victoria queretana en el campeonato se produjo en la fecha 15. Con ella el Querétaro cortó una racha de 21 juegos seguidos sin ganar, quedando a un partido de igualar la marca histórica del Ciudad Madero de mediados de la década de los 60. Durante su larga sequía de victorias, la escuadra queretana llegó a perder ocho consecutivos.

Golizas y goleadores

Erubey Cabuto, Carlos Briones y Alberto Becerra sufrieron las golizas del Apertura-03. La mayor fue para el portero del Querétaro, quien el 24 de agosto se tragó siete pepinos de los *Tigres* en el Corregidora. A Briones y el Irapuato el Atlas les metió seis en el Jalisco, misma dosis que el Toluca le aplicó al América, con Becerra en el arco, en el Nemesio Diez. Becerra calentó la banca del Puebla todo el torneo siguiente, de modo que la goleada en la *Bombonera* fue su duodécima y última actuación en Primera División.

El Santos fue campeón de goleo (41) a pesar de no tener ningún jugador en la lista de los seis mejores artilleros, la cual encabezó el colombiano Luis Gabriel Rey, del Atlante, con 15 tantos. Cuatro extranjeros y solamente un mexicano escoltaron a Rey: el paraguayo Cardozo (13), el *charrúa* Carlos María Morales, del Atlas, empatado con el chileno Navia, del Morelia, con 12 goles, y el brasileño Álex Fernandes (Monterrey) con once, igual que Emilio Mora, del Veracruz.

Luis Gabriel repartió muy bien sus anotaciones. A ningún portero le anotó más de dos.

Por otra parte, dos arqueros metieron el balón en su propia meta: Alberto Becerra en beneficio de los *Pumas* y Hernán Cristante en favor del Veracruz.

Se retiró Alan Cruz

Alan Cruz, el portero que impuso el récord de más minutos consecutivos sin recibir goles, tuvo la última actuación de su carrera el 1 de noviembre, a los 37 años de edad, defendiendo la valla del equipo de Chiapas contra el Irapuato. Quedó el marcador empatado a dos tantos. Cruz sumó 224 partidos y 337 goles (promedio: 1.50) tras jugar cuatro torneos con Cobras, cinco con Atlante, cinco con *Tecos*, dos con Puebla, uno con Morelia y tres con *Jaguares*, habiendo ganado campeonatos con Atlante y *Tecos*, aunque también sufrió un descenso con las Cobras.

Sus marcas de siete juegos seguidos sin gol en contra, que compartía con Nicolás Navarro, y de 736 minutos sin permitir anotación contrastan con sus once partidos de cinco o más goles encajados.

El Toluca gana en penaltis el "Campeón de Campeones"

De pronto surgió la idea de revivir el juego de "Campeón de Campeones", cuya última edición había ocurrido en 1989. Si antes lo jugaban los monarcas de Liga y de Copa, ahora lo disputarán los campeones de los dos torneos cortos de que consta cada temporada.

Así, el 16 de noviembre y en pleno campeonato, los ganadores del Apertura-02 y el Clausura-03, Toluca y Monterrey, respectivamente, se enfrentaron en el Azteca. Los dos equipos alinearon a varios suplentes, entre ellos a los porteros Armando Navarrete y Juan de Dios Ibarra. El partido terminó empatado a un gol. En penaltis fue más certero el Toluca. Anotó cuatro y falló uno, en cambio, el Monterrey acertó dos y erró dos.

Con Pumpido, los *Tigres* fueron súper líderes

Nery Pumpido, portero argentino dos veces mundialista y campeón en México-86, fue el director técnico de los *Tigres* del Universitario de Nuevo León. La escuadra *felina* logró el súper liderato, en la liguilla eliminó al Cruz Azul y al Toluca, pero cayó en la final ante el Pachuca.

Enrique Meza continuó al mando del Cruz Azul. Tras una temporada mediocre, el cuadro *cementero* venció en un repechaje a los *Tecos* (1-0 y 3-1) y aunque en cuartos de final derrotó a *Tigres* en Monterrey propinándole su único descalabro en casa en todo el torneo, quedó eli-

minado por la mejor posición en la tabla del equipo de Pumpido. El marcador global fue 2-2.

Pilar Reyes volvió a tener una fugaz actuación como entrenador interino del San Luis. Dirigió en la jornada 14 sufriendo una derrota por 0-2 ante el Pachuca.

Tercer título *tuzo*

En el otro repechaje el Toluca pasó sobre las *Chivas* por global de 6-4 y a continuación despachó al sublíder general *Pumas* mediante un empate 2-2 en el estadio toluqueño y una victoria por 2-0 en el Olímpico Universitario.

A los *Diablos* los frenó en semifinales el *Tigres*. Toluca ganó en casa 1-0 pero los de Pumpido remontaron con un 2-0 en el *Volcán*. En la otra semifinal Pachuca superó apretadamente al Atlante (0-0 y 2-1), que en cuartos de final había eliminado al Santos por global de 5-3.

Por su parte, los *Tuzos* habían sacado al Necaxa (3-1 en Aguscalientes y 1-2 en Pachuca), el equipo que menos goles recibió en el torneo (18).

Se repetía pues la final del Invierno-01, cuando también fue súper líder el *Tigres*. Pachuca tomó una buena ventaja al ganar por 3 a 1 el primer cotejo el 17 de diciembre en la capital de Hidalgo con anotaciones del *Bofo* Bautista, Francisco Gabriel de Anda (penalti) y Hugo Sánchez Guerrero en propia meta. Calero sólo permitió un tanto del brasileño Irenio Soares.

El segundo juego, el día 20, lo ganó *Tigres* pero sólo por 1-0 (gol de Andrés Silvera), para que el Pachuca se alzara con su tercer título, igual que su técnico Víctor Manuel Vucetich, quien llevaba nueve años sin ganar un campeonato de Liga.

Despedida de *Zague*

Su destacada actuación en cuatro años con el Mónaco le valió a Rafael Márquez para su contratación con el Barcelona, y con el cuadro catalán vino a México para jugar un partido amistoso con el América que enmarcó la despedida de Luis Roberto Alves. Las *Águilas* ganaron dos a cero. Alves es el sexto mayor goleador de todos los tiempos con 209 pepinos y el número uno del América con 143.

Nómina de porteros

América	Adolfo Ríos y Alberto Becerra
Atlante	Federico Vilar
Atlas	José de Jesús Corona y Roberto Carlos Castro
Chiapas	Alan Cruz y Omar Ortiz
Cruz Azul	Óscar Pérez y Emmanuel González
Guadalajara	Oswaldo Sánchez, Alfredo Talavera y Luis Ernesto Michel
Irapuato	Carlos Briones, Hugo Said Hernández y Felipe Quintero
Monterrey	Ricardo Martínez
Morelia	Moisés Muñoz, Miguel de Jesús Fuentes y Junior Madrigal
Necaxa	Adrián Martínez y Rubén Ruiz Díaz
Pachuca	Miguel Calero y Édgar Hernández
Puebla	Óscar Dautt y Jorge Campos
Querétaro	Erubey Cabuto
San Luis	Edmundo Ríos
Santos	Christian Lucchetti y Alexandro Álvarez
Tigres	Gustavo Campagnuolo y Rogelio Rodríguez
Toluca	Hernán Cristante y Armando Navarrete
UAG	José Guadalupe Martínez, Mario Rodríguez y Pedro Prieto
UNAM	Sergio Bernal y Esdras Rangel
Veracruz	Damián Grosso, Jorge Bernal y Martín Zúñiga

Más juegos (J)

Federico Vilar (Atlante)	19
Ricardo Martínez (Monterrey)	19
Miguel Calero (Pachuca)	19
Erubey Cabuto (Querétaro)	19
Edmundo Ríos (San Luis)	19
Hernán Cristante (Toluca)	19

Más juegos completos

Federico Vilar (Atlante)	19
Ricardo Martínez (Monterrey)	19
Erubey Cabuto (Querétaro)	19
Edmundo Ríos (San Luis)	19
Hernán Cristante (Toluca)	19

Más goles (G)

Erubey Cabuto (Querétaro)	44
Edmundo Ríos (San Luis)	39
Damián Grosso (Veracruz)	35
Ricardo Martínez (Monterrey)	29
Óscar Pérez (Cruz Azul)	28

Más bajo G/J (mínimo 11 juegos)

Adolfo Ríos (América)	0.81
Adrián Martínez (Necaxa)	0.87
Gustavo Campagnuolo (Tigres)	0.94
Miguel Calero (Pachuca)	0.95
Federico Vilar (Atlante)	1.10

Más goles en un juego

Erubey Cabuto (Querétaro)	7
Alberto Becerra (América)	6
Carlos Briones (Irapuato)	6
Omar Ortiz (Chiapas)	5
Alan Cruz (Chiapas)	5
Hugo Said Hernández (Irapuato)	5
Ricardo Martínez (Monterrey)	5
Edmundo Ríos (San Luis)	5 (2 veces)
Christian Lucchetti (Santos)	5
Pedro Prieto (UAG)	5

Penaltis detenidos

Miguel Calero (Pachuca)	2
Damián Grosso (Veracruz)	2
Adolfo Ríos (América)	1
José de Jesús Corona (Atlas)	1
Ricardo Martínez (Monterrey)	1
Miguel de Jesús Fuentes (Morelia)	1
Óscar Dautt (Puebla)	1
Erubey Cabuto (Querétaro)	1
Christian Lucchetti (Santos)	1
Hernán Cristante (Toluca)	1
Jorge Bernal (Veracruz)	1

Expulsados

Oswaldo Sánchez (Guadalajara)
Carlos Briones (Irapuato)
Sergio Bernal (UNAM)
Damián Grosso (Veracruz)
Martín Zúñiga (Veracruz)

LIGUILLA

Más juegos	Miguel Calero (Pachuca) y Gustavo Campagnuolo (Tigres)	6
Más juegos completos	Miguel Calero (Pachuca) y Gustavo Campagnuolo (Tigres)	6
Más goles	Hernán Cristante (Toluca)	8
Más bajo G/J	Óscar Pérez (Cruz Azul)	0.75
Más goles en un juego	Oswaldo Sánchez (Guadalajara) y Hernán Cristante (Toluca)	4
Penaltis detenidos	Alexandro Álvarez (Santos)	1
Expulsados	Ninguno	

Clausura-04
Ríos juega el 635 y se retira

Los Pumas *vencieron en penaltis a las* Chivas *para ganar su cuarto campeonato. En la Copa América México derrotó a Argentina y perdió con Brasil, y en la Libertadores el América y el Santos fueron eliminados en octavos de final. Se retiró Adolfo Ríos, el portero líder de todos los tiempos en juegos y goles. Descendió el San Luis y subió el Dorados de Sinaloa. En la Copa de la Concacaf el Pachuca y el Monterrey sucumbieron ante equipos costarricenses. La Selección Sub-23 logró el boleto para los juegos olímpicos de Atenas. El portero del Atlante anotó un gol de tiro libre y el de los* Pumas *tuvo el promedio más bajo de goles por partido. Por primera vez un jugador de los* Tigres *fue campeón de goleo. Ocho guardametas jugaron todos los minutos de todos los partidos.*

Nace el Interliga

El año futbolístico comenzó con un torneíto en Estados Unidos entre ocho equipos mexicanos clasificatorio para la Copa Libertadores. El Prelibertadores con los venezolanos quedó atrás y a partir de este año se realiza en enero el "Interliga", que casi todos los equipos toman como pretemporada.

En el primer Interliga participaron, por orden alfabético, América, Atlante, Atlas, Guadalajara, Morelia, Santos, *Tigres* y Toluca, y se jugó en las poblaciones californianas de Stockton, Carson y San José y en las texanas de Houston y Dallas. Los últimos dos partidos se disputaron uno en Ciudad de México y el otro en Guadalajara.

Todos los equipos alinearon a sus porteros titulares con excepción del Atlas, cuyo arquero, José de Jesús Corona, fue expulsado en la primera fecha, y su suplente, el novato Antonio Pérez, jugó los demás partidos.

El Santos consiguió el primer boleto al vencer en una de las finales al Atlas en penaltis por 4-3 y para el América fue el segundo tras derrotar al mismo Atlas por 2 a 1 en el estadio Azteca y repetirle el marcador en el Jalisco. Estos partidos se jugaron cuando ya había empezado el Clausura-04. Las *Águilas* no perdieron ninguno de los seis juegos del Interliga.

Muchos goles y muchos porteros de "hierro"

El 17 de enero se puso en marcha la Liga, un campeonato que resultaría pletórico en goles. Registró 594, cifra récord en la era de los mini torneos. Con 42 tantos los *Pumas* obtuvieron el liderato de goleo por décima ocasión en su historia empatando la marca del Toluca, en tanto que el Veracruz, colero del certamen, fue el equipo con la meta más vulnerada al sufrir 41 horadaciones.

La ofensiva más pobre fue la del Necaxa con 22, el cuadro de la UNAM ostentó la mejor defensiva con 19 y su portero Sergio Bernal, que jugó todos los partidos, logró el promedio de goleo más bajo.

Bernal fue uno de los ocho arqueros que actuaron los 1710 minutos de la fase regular del torneo. Los otros porteros de "hierro" fueron Federico Vilar, Omar Ortiz, Óscar Pérez, Moisés Muñoz, Óscar Dautt, Christian Martínez y Gustavo Campagnuolo. Nunca en la historia del fut profesional mexicano tantos porteros habían jugado temporada completa.

En la lista de los cancerberos más eficientes, encabezada por Sergio Bernal con promedio de 1.00, figuraron el *Gato* Ortiz, de Chiapas, con 1.05, el rojinegro Corona con 1.15 y Oswaldo Sánchez, del Guadalajara, con 1.17. El guardameta de los *Pumas* registró una racha de 4 juegos seguidos con meta invicta, la más larga de su carrera, y el de las *Chivas* paró tres penaltis, dos en la fase regular y uno en la liguilla.

Debuta Guillermo Ochoa

La nómina de porteros se redujo a 33, incluyendo a los mismos siete extranjeros del torneo anterior, y con apenas un par de debutantes: Antonio Pérez y Guillermo Ochoa. El primero, nacido en Guadalajara y ya con 25 años de edad, se presentó con el Atlas el 17 de enero —primera jornada— en el estadio Jalisco. Los rojinegros empataron 1-1 con el Puebla siendo el venezolano Juan Arango quien batió por primera vez a Pérez.

Ochoa, también tapatío pero de sólo 18 años, debutó con el América el 15 de febrero en el partido en que las *Águilas* vencieron al Monterrey por 3 a 2 en el Azteca. Aquí ocurrió prácticamente el relevo generacional en la cabaña azulcrema. El joven Ochoa jugó doce partidos y Adolfo Ríos se retiró al terminar la temporada. El primer gol en la cuenta del novel arquero del América lo anotó Elliot Huitrón.

Christian Martínez, quien no jugaba en Primera División desde el Verano-02, reapareció en el arco del San Luis y Adrián Zermeño, ex portero suplente del Cruz Azul y de los *Jaguares*, lo hizo con el Querétaro donde sumó 12 actuaciones y su desempeño fue mejor que el de Cabuto.

Otra vez São Caetano elimina al América

Apenas cuatro días después de su debut en la Liga, Guillermo Ochoa jugó su primer partido internacional al medirse el América con el The Strongest en La Paz, Bolivia, en la primera fase de la Libertadores, juego que terminó empatado a cero.

Los otros adversarios del América en este torneo fueron el Peñarol y el São Caetano, mientras que al Santos le tocaron el Cruzeiro, Caracas y Universidad de Concepción. El América ganó con comodidad su grupo, sufriendo apenas una derrota ante el Peñarol en la última jornada. Hizo cinco puntos más que los brasileños y los uruguayos y superó por nueve a los bolivianos.

El Santos debutó en la Copa Libertadores empatando a dos con el cuadro chileno e inaugurando el alumbrado de su estadio Corona. El equipo de Torreón no perdió ningún juego de la primera fase (tres victorias y tres empates) y quedó en segundo lugar a un punto del Cruzeiro.

La suerte quiso que en octavos de final volviera el América a enfrentarse al São Caetano, al que había derrotado dos veces en la primera ronda. Dos años atrás el modesto club de São Caetano do Sul había eliminado a las *Águilas* en semifinales; ahora lo despachó en octavos: 2-1 en Brasil y 1-1 en México con gran bronca al final del juego con la participación de los porristas del América.

Al Santos le tocó el River Plate. El cuadro argentino le quitó lo invicto venciéndolo a domicilio por 1 a 0, pero Santos tomó venganza en Buenos Aires ganando 2-1 y mandando el partido a penaltis en medio de polémico arbitraje del paraguayo Carlos Torres.

River metió cuatro y sólo falló Fernando Cavenaghi, cuyo disparo atajó Christian Lucchetti. Por el Santos sola-

mente anotaron Borgetti y Altamirano, ya que el arquero de River, Germán Lux, detuvo los tiros de Rodrigo Ruiz y Carlos Cariño. Así terminó la Copa para los equipos mexicanos. También la estancia del argentino Lucchetti en nuestro balompié, pues retornó a su patria para jugar con el Racing.

En la Libertadores, Lucchetti permitió ocho goles en ocho juegos, Ochoa cuatro en cinco y Ríos cuatro en tres.

Chiapas, la sensación; Borgetti, 200 goles

Después de perder en Toluca en la segunda fecha de la Liga, los *Jaguares* de Chiapas ganaron seis partidos consecutivos y no volvieron a tener una derrota hasta el primer juego de cuartos de final ante Cruz Azul. Con los 17 partidos seguidos sin derrota y las seis victorias al hilo, récords del equipo, Chiapas duplicó su puntuación del Apertura-03 para terminar como súper líder y desde luego como la gran sorpresa del campeonato.

Figura destacada de la ofensiva de este equipo fue el paraguayo Salvador Cabañas, anotador de 15 goles, cantidad sólo superada por los argentinos Andrés Silvera (*Tigres*) y Bruno Marioni (UNAM) quienes con 16 tantos cada uno compartieron el liderato de los romperredes. Silvera se convirtió en el primer campeón de goleo en la historia de los *Tigres*. Ninguno de sus goles fue de penalti.

Nuevamente los extranjeros dominaron la lista de artilleros pues a Silvera, Marioni y Cabañas les siguieron el brasileño Robert de Pinho (Atlas) con 15, el argentino Marcelo Delgado (Cruz Azul) con 13, el chileno Reinaldo Navia (América) con once y el paraguayo José Saturnino Cardozo (Toluca) también con once. El santista Jared Borgetti y el americanista Cuauhtémoc Blanco igualmente marcaron once cada uno, siendo uno de los goles de Borgetti el número 200 de su carrera, precisamente el que le anotó a Adrián Martínez el 24 de enero en Aguascalientes. Jared se convirtió en el tercer mexicano en lograr dos centenas de anotaciones.

Dos goleadas de seis al Veracruz y al Morelia

Damián Grosso y Jorge Bernal, porteros del Veracruz, Moisés Muñoz, del Morelia y Hugo Said Hernández, del Irapuato, fueron víctimas de las mayores goleadas. Grosso encajó seis pepinos de los *Pumas* en el estadio de CU; a Bernal el Cruz Azul le metió la misma cantidad en el Luis *Pirata* Fuente; Muñoz recibió seis del América en el Morelos y luego otra media docena del Santos en el Corona; y en el Cuauhtémoc el Puebla metió seis balones en la cabaña de Said Hernández. En este juego el chileno Ignacio Quinteros logró el cuadruplete. El acribillado portero fresero nunca volvió a jugar en Primera División.

Con la goliza frente a los *Pumas* se despidió de México el argentino Grosso. Participó en tres torneos con el Atlante y tres con los *Tiburones* y sólo le faltaron seis juegos para alcanzar 100 actuaciones. Permitió 134 goles, fue expulsado cuatro veces y promedió 1.43 tantos por partido.

Gustavo Campagnuolo, subcampeón del torneo anterior, no logró mantener imbatida su valla en ninguno de los 19 juegos, y con 39 goles admitidos quedó como el guardameta más vulnerado, seguido por José Guadalupe Martínez (*Tecos*) con 36, Christian Martínez recibió 35, igual que Moi Muñoz.

Federico Vilar y Virginia Tovar hacen historia

El Atlante volvió a cambiar de sede. Jugó un partido en Neza y regresó al Azteca, y fue precisamente en el "Coloso de Santa Úrsula" donde Federico Vilar se convirtió el 1 de febrero en el primer portero en anotar un gol de tiro libre en la historia del balompié mexicano. Su anotación fue la segunda del Atlante en el triunfo por 3-1 sobre el Necaxa. El disparo de Vilar venció la estirada de Adrián Martínez.

Tres semanas después, el día 22, ocurrió otro hecho histórico cuando una mujer arbitró el juego entre el Irapuato y el América en la tierra de las fresas. Virginia Tovar, quien seis años antes había dirigido un encuentro en Primera A, rompió la exclusividad masculina en el arbitraje mexicano.

La calificación para Atenas-04

También en el mes de febrero la Sub-23, al mando de La Volpe, consiguió de manera brillante su boleto para los juegos olímpicos de Atenas. Venció a Trinidad y Tobago por 3-1, a Jamaica 4-0, empató a uno con Costa Rica, arrolló 4-0 a Estados Unidos y dobló a los *Ticos* en la final por 1 a 0. José de Jesús Corona actuó en los primeros cuatro juegos y Cirilo Saucedo Jr en el quinto.

Por su parte, el Tri mayor, siempre con Oswaldo Sánchez en el arco, sostuvo algunos partidos amistosos antes de comenzar la eliminatoria mundialista. Los resultados fueron: 1-1 con Chile en Carson, 2-1 a Ecuador en Tuxtla Gutiérrez, 2-0 sobre Costa Rica en Carson y 0-1 ante Estados Unidos en Dallas.

Los primeros juegos de la eliminatoria, contra un rival modestísimo como Dominica, fueron un paseo para la escuadra de La Volpe. En San Antonio la goleada fue de 10-0 y en Aguascalientes "sólo" 8-0. En este partido alineó el *Conejo* Pérez, cortándose la racha de 16 actuaciones consecutivas de Oswaldo.

Pachuca y Monterrey fracasan en Concacaf

En su tercera participación en la Copa Concacaf el Pachuca fue eliminado en la primera ronda por el Saprissa. En San José ganaron los *Ticos* 2-0, en Pachuca los *Tuzos* por idéntico marcador, y en los penaltis se impuso el Saprissa 3-0. Édgar Hernández alineó en el primer juego y Calero en el segundo.

El otro grande de Costa Rica, el Alajuelense, se encargó de poner fuera al Monterrey en la segunda ronda. Los *Rayados* habían eliminado al FAS de El Salvador (0-0 y 4-1), pero cayeron en tiempos extra ante el equipo costarricense. Cada uno ganó de local por 1-0 y en el tiempo adicional en Monterrey el Alajuelense marcó un gol y pasó a la final, una final totalmente tica en la que se coronó el conjunto de Alajuela. Juan de Dios Ibarra cubrió el marco regiomontano en todos los partidos.

En el Clausura-04 el equipo regiomontano igualó uno de los récords negativos del primer Monterrey, el de la temporada 45-46, al ligar once juegos seguidos sin ganar. Además, impuso la marca de más empates en un torneo corto con 12.

Cruz Azul pierde seis seguidos y cesa al *Ojitos*

Los *Jaguares* y los *Pumas* dominaron la Liga. Cada uno obtuvo doce triunfos, y en la tabla final de clasificación Chiapas sumó 42 puntos y UNAM 41. Sin embargo, en la liguilla la magia chiapaneca se esfumó, en cambio los *Pumas* terminaron ganando el campeonato sin perder ningún juego de la fase final.

En cuartos de final Chiapas perdió su racha invicta de 17 juegos ante el Cruz Azul. Los *Cementeros* ganaron en su casa por 2-1 y con un empate a dos en Tuxtla eliminaron al súper líder. Antes, Cruz Azul había superado en repechaje al Pachuca con marcador global de 4-1, luego de tener una floja temporada quedando en undécimo lugar e imponiendo el récord más negativo del equipo: seis descalabros consecutivos. Por esta racha de impotencia fue despedido el *Ojitos* Meza en la novena fecha del torneo. Llevaba un triunfo, dos empates y las seis derrotas al hilo. Los números totales de Meza en su tercera etapa con el Cruz Azul fueron: 17 ganados, once empatados y 16 perdidos.

El Clausura-04 fue malo para los ex porteros entrenadores. Nery Pumpido hizo 15 puntos menos que en el Apertura-03 y los *Tigres* bajaron del primer lugar al duodécimo.

En la dirección técnica del Puebla debutó Juan Ignacio Palou. El cuadro de la franja no consiguió superar los 20 puntos del torneo anterior.

Adiós de Adolfo Ríos y de Carlos Briones

El Veracruz ocupó el último lugar pero fue el San Luis, penúltimo, el condenado a bajar a Primera A por tener el cociente más bajo de puntos entre juegos en los dos años que duró su segunda época en el máximo circuito.

En las otras series de cuartos de final los *Pumas* comenzaron el camino hacia el título con dos victorias sobre el Atlas (2-1 de visitante y 3-1 de local), las *Chivas* remontaron un 0-2 en el Azteca frente al Atlante con un triunfo de 3-1 en el Jalisco y calificaron por su mejor posición en la tabla general, y el Toluca eliminó al América ganándole en el Nemesio Diez (3-2) y en el Azteca

(1-0). Este juego fue el número 635 y último de Adolfo Ríos, el portero con más actuaciones y más goles recibidos (795) en la historia del balompié mexicano.

A la edad de 37 años, el arquero michoacano cerró su brillante carrera en la que jugó cinco torneos con *Pumas*, ocho con Veracruz, cuatro con Necaxa y diez con América, ganando dos campeonatos de Liga, dos subcampeonatos, un torneo de Concacaf y un subcampeonato de Copa.

Con los *Pumas* jugó 84 partidos consecutivos y logró una racha de cinco juegos seguidos con meta invicta. En la historia del Veracruz ningún portero tiene más actuaciones, goles recibidos y penaltis parados que Ríos, quien en toda su carrera detuvo 17 tiros de castigo y promedió 1.25 anotaciones por encuentro.

Con la Selección jugó 33 partidos admitiendo 31 goles, participó en dos Copas América en las que México conquistó sendos terceros lugares, y ganó una Copa USA.

Otra larga carrera de un portero, la de Carlos Briones, finalizó el 15 de mayo al concluir la fase regular del campeonato. El partido Irapuato 3 Veracruz 2 fue el número 411 del guardameta tapatío, quien jugó quince torneos con los *Tecos*, uno con Cruz Azul, uno con León, dos con La Piedad y dos con Irapuato. Admitió 559 goles, promedió 1.36, fue autor de tres autogoles y ganó una Liga, una Copa y un torneo de Concacaf. En la historia del equipo de la UAG es el portero líder en juegos, juegos completos y anotaciones.

El 9 de mayo jugó por última vez en la Primera División de México el paraguayo Rubén Ruiz Díaz, y lo hizo con una derrota (2-3 con el América) y una expulsión, la sexta en los once torneos que disputó en nuestro país (ocho con el Monterrey, uno con el Puebla y dos con el Necaxa). La *Bomba* admitió 246 goles en 182 partidos (promedio de 1.35) y en la historia del Monterrey es el portero con más penaltis detenidos (7) y con más expulsiones (5).

Cuarto campeonato de la UNAM

En semifinales el Guadalajara volvió a levantarse de un marcador adverso de 0-1 en Toluca batiendo a los *Diablos* por 2-0 en el Jalisco, victoria adornada con el penalti que Oswaldo le paró a Israel López, y los *Pumas* frenaron a la *Máquina Celeste* mediante un empate a cero en el Azul y un triunfo por 3-2 en CU.

La final se jugó el 10 y el 13 de junio. Dos partidos sin vencedor. En Guadalajara empataron 1-1 (goles de Ramón Morales de penalti y de José Luis López) y en Ciudad de México ni Bernal ni Oswaldo permitieron goles en 120 minutos.

Por quinta vez en la historia el campeonato se decidió en penaltis. Los *Pumas* fueron certeros en sus cinco disparos; las *Chivas* fallaron el quinto al mandar Rafael Medina el balón por arriba del marco para darle el título a la escuadra universitaria.

Para *Pumas*, dirigido por Hugo Sánchez, fue su cuarta corona y para las *Chivas* el octavo subcampeonato, número récord en el fut nacional.

De más a menos en la Copa América

La Copa América tuvo lugar en Perú durante el mes de julio. México debutó empatando 2-2 con Uruguay, luego consiguió una sonada victoria de 1-0 sobre Argentina con un golazo de Ramón Morales y concluyó la primera fase con otro triunfo: 2-1 a Ecuador. Sin embargo, en cuartos de final sufrió un duro descalabro al ser goleado 0-4 por Brasil, terminando así su actuación en el magno torneo continental. La Volpe alineó a Oswaldo en todos los partidos.

Nómina de porteros

América	Guillermo Ochoa y Adolfo Ríos
Atlante	Federico Vilar
Atlas	José de Jesús Corona y Antonio Pérez
Chiapas	Omar Ortiz
Cruz Azul	Óscar Pérez
Guadalajara	Oswaldo Sánchez y Alfredo Talavera
Irapuato	Hugo Said Hernández, Carlos Briones y Felipe Quintero
Monterrey	Ricardo Martínez y Juan de Dios Ibarra
Morelia	Moisés Muñoz
Necaxa	Adrián Martínez y Rubén Ruiz Díaz
Pachuca	Miguel Calero y Édgar Hernández
Puebla	Óscar Dautt
Querétaro	Adrián Zermeño y Erubey Cabuto
San Luis	Christian Martínez
Santos	Christian Lucchetti y Alexandro Álvarez
Tigres	Gustavo Campagnuolo
Toluca	Hernán Cristante y Armando Navarrete
UAG	José Guadalupe Martínez y Pedro Prieto
UNAM	Sergio Bernal
Veracruz	Damián Grosso y Jorge Bernal

Más juegos (j)

Federico Vilar (Atlante)	19
Omar Ortiz (Chiapas)	19
Óscar Pérez (Cruz Azul)	19
Moisés Muñoz (Morelia)	19
Óscar Dautt (Puebla)	19
Christian Martínez (San Luis)	19
Gustavo Campagnuolo (Tigres)	19
Sergio Bernal (UNAM)	19

Más juegos completos

Federico Vilar (Atlante)	19
Omar Ortiz (Chiapas)	19
Óscar Pérez (Cruz Azul)	19
Moisés Muñoz (Morelia)	19
Óscar Dautt (Puebla)	19
Christian Martínez (San Luis)	19
Gustavo Campagnuolo (Tigres)	19
Sergio Bernal (UNAM)	19

Más goles (g)

Gustavo Campagnuolo (Tigres)	39
José Guadalupe Martínez (UAG)	36
Christian Martínez (San Luis)	35
Moisés Muñoz (Morelia)	35
Óscar Pérez (Cruz Azul)	34

Más bajo g/j (mínimo 11 juegos)

Sergio Bernal (UNAM)	1.00
Omar Ortiz (Chiapas)	1.05
José de Jesús Corona (Atlas)	1.15
Oswaldo Sánchez (Guadalajara)	1.17
Ricardo Martínez (Monterrey)	1.23
Christian Lucchetti (Santos)	1.27

Más goles en un juego

Hugo Said Hernández (Irapuato)	6
Moisés Muñoz (Morelia)	6 (2 veces)
Jorge Bernal (Veracruz)	6
Damián Grosso (Veracruz)	6
José Guadalupe Martínez (UAG)	5

Expulsados

José de Jesús Corona (Atlas)
Oswaldo Sánchez (Guadalajara)
Rubén Ruiz Díaz (Necaxa)
Hernán Cristante (Toluca)
José Guadalupe Martínez (UAG)

Penaltis detenidos

Oswaldo Sánchez (Guadalajara)	2
Guillermo Ochoa (América)	1
José de Jesús Corona (Atlas)	1
Alfredo Talavera (Guadalajara)	1
Moisés Muñoz (Morelia)	1
Adrián Martínez (Necaxa)	1
Adrián Zermeño (Querétaro)	1
Hernán Cristante (Toluca)	1

LIGUILLA

Más juegos	Óscar Pérez (Cruz Azul), Oswaldo Sánchez (Guadalajara) y Sergio Bernal (UNAM)	6
Más juegos completos	Óscar Pérez (Cruz Azul), Oswaldo Sánchez (Guadalajara) y Sergio Bernal (UNAM)	6
Más goles	Óscar Pérez (Cruz Azul)	7
Más bajo G/J	Oswaldo Sánchez (Guadalajara) y Sergio Bernal (UNAM)	0.83
Más goles en un juego	Adolfo Ríos (América), Federico Vilar (Atlante), José de Jesús Corona (Atlas) y Óscar Pérez (Cruz Azul)	3
Penaltis detenidos	Oswaldo Sánchez (Guadalajara)	1
Expulsados	Ninguno	

Apertura-04
2004, año de los *Pumas*

Los Pumas *lograron el bicampeonato y también obtuvieron el título de "Campeón de Campeones". El elenco de equipos se redujo a 18 al desaparecer por obra y gracia de la Federación el Querétaro y el Irapuato. Seis fáciles triunfos de la Selección en la primera fase de la eliminatoria mundialista. La olímpica fracasó en Atenas. Hernán Cristante fue el portero más eficiente y Guillermo Franco el mayor goleador. El Veracruz, colero del Clausura-04, fue súper líder del Apertura-04 y ganó ocho partidos en forma consecutiva. El Pachuca se clasificó a la Copa Libertadores. Óscar Dautt empató el récord de cuatro penaltis atajados en un torneo.*

Pumas, Campeón de Campeones

Varios equipos mexicanos llevaron a cabo su pretemporada efectuando partidos amistosos contra clubes extranjeros. *Pumas* perdió 1-4 y empató 0-0 con el River Plate en San Diego y Pasadena, respectivamente; América sucumbió ante el Boca Juniors por 1-3 en San Francisco y le ganó 3-1 al Everton en Houston; Guadalajara empató dos veces a un gol con el Boca en Los Ángeles y Denver; Pachuca cayó 2-5 con el Everton en Houston y el Veracruz fue goleado en La Coruña por el Deportivo al son de 1-5.

Los juegos por el título de "Campeón de Campeones" entre Pachuca y UNAM, monarcas del Apertura-03 y Clausura-04, respectivamente, se efectuaron en la semana previa al inicio de la Liga. En la capital hidalguense vencieron los *Tuzos* 2-1, pero esta mínima ventaja se pulverizó en CU ante los 6 goles que los *Pumas* le clavaron a Édgar Hernández, suplente de Miguel Calero, quien actuó en el primer cotejo. El Pachuca sólo pudo anotarle uno a Sergio Bernal.

Unas semanas después los *Pumas* obtuvieron otro galardón al derrotar por 1-0 al Real Madrid a domicilio y llevarse el trofeo "Santiago Bernabeu".

Fracaso en Atenas y adelgazamiento en México

El 14 de agosto comenzó el Apertura-04 mientras en Grecia la Selección Olímpica al mando de Ricardo La Volpe era eliminada en la primera fase de los juegos de Atenas-04. La victoria por 3-2 sobre el anfitrión Grecia en la tercera fecha no alcanzó para calificar a cuartos de final porque antes había perdido 0-1 con Corea del Sur y empatado sin goles con Mali. José de Jesús Corona alineó en todos los partidos, permaneciendo en la banca Guillermo Ochoa.

La novedad en la Liga, además del debut del Dorados de Culiacán, fue la ausencia del Irapuato y el Querétaro, cuyas franquicias fueron adquiridas por la Federación para reducir a 18 el número de equipos. (Apenas dos años antes los mismos federativos habían engendrado una "liguilla de promoción" para aumentar el número de clubes.)

También se redujo el número de grupos, de cuatro a tres, quedando entonces seis equipos en cada grupo. Además, se cancelaron (por ahora...) los repechajes.

Uno de los nuevos porteros es de "hierro"

Jared Borgetti anotó el primer gol del Dorados. El equipo sinaloense debutó contra el América en el Azteca el 15 de agosto perdiendo por 2-3. En este juego se presentó con las *Águilas* el portero argentino Sebastián Saja y con Dorados debutó en Primera División el arquero Cirilo Saucedo, hijo del guardameta del mismo nombre que jugó con varios equipos en los años 60 y 70.

El tanto de Borgetti fue el primero que recibió Saja en México. El argentino, que había jugado con el Rayo Vallecano en España y antes con el Brescia en Italia y con el San Lorenzo en su patria, tuvo corta estancia en el fut mexicano, apenas cuatro partidos, ya que pronto perdió la titularidad con el joven Guillermo Ochoa.

En cambio, Saucedo fue uno de los seis porteros que actuaron todos los minutos de los 17 partidos del campeonato. Su meta fue batida por primera vez por Claudio López, otro refuerzo argentino que presentó el América.

Acompañaron a Saucedo en la lista de los arqueros de "hierro" Antonio Pérez (Atlas), Oswaldo Sánchez (*Chivas*), Miguel Calero (Pachuca), Óscar Dautt (Puebla, por segundo torneo seguido) y Adrián Martínez (Santos).

En la primera jornada también debutó el portero Iván Vázquez, de 22 años de edad y oriundo de Ciudad de México. Su presentación ocurrió el 14 de agosto en Aguascalientes donde el Necaxa perdió con el Toluca por 0-1, anotación de José Manuel Abundis. El debut de Vázquez con los *Hidrorrayos* fue propiciado por el retorno de Adrián Martínez al Santos y el retiro de Ruiz Díaz.

Cristante fue el mejor cancerbero

Naturalmente al haber menos juegos disminuyó la producción de goles. Se anotaron 481, más de cien menos que en la Liga anterior. En cambio, en la liguilla, sin repechaje, hubo más que en cualquiera de los seis torneos previos, al contabilizarse 54.

Por primera vez en su historia el equipo representativo de la Universidad de Nuevo León fue campeón de goleo. Los *Tigres* marcaron 37 anotaciones. De hecho, las dos escuadras regiomontanas hicieron el 1-2 ya que los *Rayados* se apuntaron 36. Los anémicos de goles fueron América, *Tecos* y Puebla con 17 cada uno, el Toluca recibió menos (15) y el Cruz Azul quedó como el equipo más goleado (37) por primera vez en sus 40 años en Primera División.

Pieza fundamental en el logro del Toluca fue su arquero Cristante, quien alcanzó promedio de 0.73 goles por partido, el más bajo del torneo. En esta estadística de eficiencia le siguieron Miguel Calero con 1.12, Adrián Martínez con 1.29 y Oswaldo Sánchez también con 1.29.

Cabe apuntar que uno de los pocos goles encajados por Cristante se lo metió él mismo el 18 de septiembre. A pesar del autogol el Toluca venció ese día al Pachuca 3-2.

Los cambios

La nómina de guardametas registró los siguientes cambios: el veterano Ricardo Martínez salió del Monterrey para fungir como suplente de Saja y de Ochoa en el América, siendo la de las *Águilas* la octava camiseta que defendió en 18 años de carrera. José de Jesús Corona

pasó del Atlas a los *Tecos*; Erubey Cabuto, ex arquero del Querétaro, uno de los equipos desaparecriditos, fue contratado por los *Jaguares*; Christian Martínez emigró del descendido San Luis al Monterrey; otro Martínez, Adrián, dejó al Necaxa y retornó al Santos; y Armando Navarrete cambió el frío de Toluca por el calorcito de Veracruz.

En total actuaron 33 porteros y ninguno fue expulsado en la fase regular del campeonato. Solamente Christian Martínez en la liguilla recibió tarjeta roja, que le costó perderse el segundo juego de semifinales y el primero de la final.

Pachuca a la Libertadores y el Tri liga ocho éxitos

Habiéndose aumentado el cupo en la Libertadores para los equipos mexicanos, el Monterrey y el Pachuca, campeones del Clasura-03 y el Apertura-03, respectivamente, se disputaron el primer boleto en dos juegos a visita recíproca. Los *Tuzos* consiguieron la clasificación ganando ambos partidos por 2 a 1. En el primer cotejo, en Monterrey, los de casa estrellaron dos penaltis en los postes del arco de Calero.

Por las mismas fechas -septiembre- se reanudó la eliminatoria para el Mundial de Alemania-06. La Selección siguió su marcha triunfal derrotando a Trinidad y Tobago (3-1) en Puerto España, a San Vicente (7-0, cuatro goles de Borgetti) en Pachuca, al mismo San Vicente (1-0) en Kingstown, a Trinidad y Tobago (3-0) en Puebla, y dos goleadas de 5-0 y 8-0 a San Kitts y Nevis en Miami y Monterrey.

Oswaldo actuó en los primeros cuatro juegos y Moisés Muñoz en las "cascaritas" contra los isleños de San Kitts. El debut del arquero del Morelia en la Selección se produjo en un amistoso en Nueva York en el que el Tri dobló por 2-1 a Ecuador. Muñoz también jugó en un amistoso contra Guatemala en San Antonio que el cuadro de La Volpe ganó por 2 a 0.

Muchas goleadas

En la primera jornada de la Liga le tocó al Atlante visitar al Guadalajara sin su portero Vilar, quien había sido suspendido dos fechas al final del torneo anterior. El arquero argentino, que no había dejado de jugar desde su debut con el Atlante, dejó en 65 su racha de partidos consecutivos. En el primer tiempo, cuando las *Chivas* ya ganaban 1-0, se lesionó Rafael Cuevas, el suplente de Vilar. Ingresó a la cancha el tercer portero de los azulgranas, Alejandro Arredondo, a quien las *Chivas* fulminaron con seis anotaciones para redondear una goleada de 7 a 0.

Triste debut y despedida, pues no volvió a jugar, del juvenil arquero de los *Potros*. No fue éste el único partido de siete goles por un equipo. El mismo Atlante vapuleó en el Azteca al Monterrey por 7-1, mismo marcador que *Tigres*, en su cancha, le recetó al Veracruz. Christian Martínez encajó los siete pepinos azulgranas y Jorge Bernal los de los *felinos*.

El Atlante sufrió dos golizas más y ambas le tocaron a Federico Vilar: 2-6 ante el Veracruz en el puerto jarocho y 1-6 frente al Morelia en el Azteca. También recibieron seis goles en un juego Juan de Dios Ibarra y Cirilo Saucedo, el primero contra el *Tigres* y el segundo ante el Monterrey, en ambos casos el marcador fue 6-2.

Saucedo tuvo 32 goles en contra en el torneo. Después de él, los más goleados fueron Moi Muñoz con 30 y Jesús Corona con 29.

Dautt empata un récord

Se registraron dieciséis penaltis detenidos, la cifra más alta en diez años. El máximo atajador fue Óscar Dautt, quien igualó el récord de cuatro en un campeonato de Carlos Novoa, Víctor Manuel Aguado, Alejandro García y Adrián Chávez.

Hernán Cristante y Sergio Bernal pararon dos cada uno, lo mismo que Antonio Pérez, sólo que éste detuvo uno en la fase regular y uno en la liguilla. Coincidentemente Dautt, Cristante y Pérez atajaron sendos tiros de castigo el mismo día, el 3 de noviembre.

El *che* Guillermo Franco, quien luego se naturalizaría mexicano, se convirtió en el segundo campeón goleador en la historia del Monterrey y prolongó a siete torneos consecutivos la supremacía de los artilleros extranjeros. Marcó 15 goles y su portero "cliente" fue Calero al que le anotó tres, y luego dos más en la liguilla, en la que en total logró seis anotaciones.

Robert de Pïnho y José Saturnino Cardozo compartieron el segundo lugar de los romperredes con una docena de tantos cada uno. Rafael Márquez Lugo, del Morelia, fue el máximo anotador mexicano con 11 pepinos, misma cantidad que consiguió el argentino Matías Vuoso, del Santos.

De la cima a la sima y viceversa

En el torneo anterior Chiapas fue el equipo sensación y terminó de súper líder mientras que el Veracruz fue colero. Ahora los papeles se cambiaron, los *Tiburones* dieron la sorpresa y se encaramaron al primer lugar, en tanto que los *Jaguares* se desplomaron a la posición 15. Quizás Chiapas habría sido el sotanero, ya que ganó tres puntos en la mesa por incomparecencia del Veracruz que deseaba cambiar la fecha del juego y la Federación no lo permitió.

A partir de su segundo partido los *Tiburones Rojos* ligaron ocho victorias seguidas empatando el récord del equipo impuesto en 45-46. Lo más sorprendente fue que la racha se cortó por la goliza de 1-7 sufrida en Monterrey ante los *Tigres*.

Además del Veracruz, entraron a la liguilla el Toluca, Pachuca, Atlas, Guadalajara, Monterrey, Atlante y *Pumas*, este último pese a quedar en noveno lugar en la tabla general.

Los *Pumas* imponen récords

Temporada de contrastes para Juan Ignacio Palou en su segundo torneo como técnico del Puebla: ninguna derrota en las primeras nueve jornadas y ninguna victoria en las ocho siguientes.

Y la trayectoria de Nery Pumpido como estratega de los *Tigres* continuó en declive y culminó en la fecha 16 cuando los *Felinos* llevaban seis partidos sin ganar. Los números del ex guardameta argentino en los tres torneos que dirigió en México fueron: 25 ganados, 15 empatados y 20 perdidos.

En cuartos de final el Atlante le metió cuatro goles en el Azteca y otros cuatro en el Nemesio Diez al Toluca, el equipo menos goleado de la fase regular. Despachó a los *Diablos* por 4-2 y 4-3, pero en semifinales el Monterrey le propinó una sopa de su propio chocolate al ganarle por 4 a 2 y 3-1.

El clásico tapatío entre *Chivas* y rojinegros se saldó a favor del Atlas (1-0 y 3-3), Monterrey eliminó a Pachuca (2-1 y 1-1) y los *Pumas* dieron la sorpresa superando al líder Veracruz (3-0 y 1-1), y posteriormente, en la otra semifinal, despacharon en dos trepidantes batallas al Atlas, al que vencieron 4-3 en CU y 2-1 en el Jalisco.

Los juegos de la final se efectuaron el 8 y 11 de diciembre. En el primer partido, en la ciudad de México, Juan de Dios Ibarra suplió en la portería del Monterrey a Christian Martínez que estaba suspendido. Los *Pumas* ganaron por 2-1 con goles de Joaquín Beltrán y David Toledo. El tanto del Monterrey fue de su goleador Franco.

Christian reapareció en el juego en la Sultana pero no pudo impedir el gol del *Kikín* Fonseca, único del partido, con el cual los *Pumas* de Hugo Sánchez se convirtieron en el primer equipo en ganar consecutivamente dos torneos cortos, pero también en el primer campeón con más juegos perdidos que ganados en la historia del balompié mexicano. Lo que sólo puede pasar en este futbol con su $i$tema de liguilla$ y repechaje$.

Por su parte, Sergio Bernal es el primer jugador de *Pumas* que ha ganado tres títulos de Liga.

De Nigris juega la Intercontinental

El 10 de noviembre se efectuó en Los Ángeles un partido entre las selecciones de México y Brasil que jugaron el Mundial de 1994, con el pretexto de la despedida de Jorge Campos y de Romario. Ganaron los brasileños por 2-1 y Campos, como era su costumbre en los juegos internacionales amistosos, actuó de portero en el primer tiempo y de delantero en el segundo, en el cual Félix Fernández cubrió el marco.

Y el 12 de diciembre Antonio De Nigris, en camino a ser el mayor trotamundos de los futbolistas mexicanos, se convirtió en el primer mexicano en jugar la Copa Intercontinental. Militaba en el Once Caldas, equipo colombiano que disputó este certamen con el Porto, monarca de Europa. El triunfo fue para el cuadro portugués por 8-7 en penaltis. De Nigris anotó uno.

Nómina de porteros

América	Guillermo Ochoa, Sebastián Saja y Ricardo Martínez
Atlante	Federico Vilar, Rafael Cuevas y Alejandro Arredondo
Atlas	Antonio Pérez
Chiapas	Omar Ortiz y Erubey Cabuto
Cruz Azul	Óscar Pérez y Emmanuel González
Dorados	Cirilo Saucedo
Guadalajara	Oswaldo Sánchez
Monterrey	Christian Martínez y Juan de Dios Ibarra
Morelia	Moisés Muñoz y Junior Madrigal
Necaxa	Iván Vázquez y José Aldo Díaz
Pachuca	Miguel Calero
Puebla	Óscar Dautt
Santos	Adrián Martínez
Tigres	Rogelio Rodríguez, Gustavo Campagnuolo y Jair Urbina
Toluca	Hernán Cristante y César Lozano
UAG	José de Jesús Corona y Marcos Garay
UNAM	Sergio Bernal y Alejandro Palacios
Veracruz	Jorge Bernal y Armando Navarrete

Más juegos (j)

Antonio Pérez (Atlas)	17
Cirilo Saucedo (Dorados)	17
Oswaldo Sánchez (Guadalajara)	17
Miguel Calero (Pachuca)	17
Óscar Dautt (Puebla)	17
Adrián Martínez (Santos)	17

Más juegos completos

Antonio Pérez (Atlas)	17
Cirilo Saucedo (Dorados)	17
Oswaldo Sánchez (Guadalajara)	17
Miguel Calero (Pachuca)	17
Óscar Dautt (Puebla)	17
Adrián Martínez (Santos)	17

Más goles (g)

Cirilo Saucedo (Dorados)	32
Moisés Muñoz (Morelia)	30
José de Jesús Corona (UAG)	29
Sergio Bernal (UNAM)	26
Christian Martínez (Monterrey)	25

Más bajo g/j (mínimo 10 juegos)

Hernán Cristante (Toluca)	0.73
Miguel Calero (Pachuca)	1.12
Adrián Martínez (Santos)	1.29
Oswaldo Sánchez (Guadalajara)	1.29
Óscar Dautt (Puebla)	1.35

Más goles en un juego

Christian Martínez (Monterrey)	7
Jorge Bernal (Veracruz)	7
Alejandro Arredondo (Atlante)	6
Federico Vilar (Atlante)	6 (2 veces)
Cirilo Saucedo (Dorados)	6
Juan de Dios Ibarra (Monterrey)	6
Omar Ortiz (Chiapas)	5
Moisés Muñoz (Morelia)	5
José de Jesús Corona (UAG)	5
Alejandro Palacios (UNAM)	5

Penaltis detenidos

Óscar Dautt (Puebla)	4
Hernán Cristante (Toluca)	2
Sergio Bernal (UNAM)	2
Federico Vilar (Atlante)	1
Antonio Pérez (Atlas)	1
Omar Ortiz (Chiapas)	1
Oswaldo Sánchez (Guadalajara)	1
Miguel Calero (Pachuca)	1
Adrián Martínez (Santos)	1
José de Jesús Corona (UAG)	1

Expulsados

Ninguno

LIGUILLA

Más juegos	Sergio Bernal (UNAM)	6
Más juegos completos	Sergio Bernal (UNAM)	6
Más goles	Federico Vilar (Atlante)	12
Más bajo G/J	Christian Martínez (Monterrey)	0.75
Más goles en un juego	Federico Vilar (Atlante), Antonio Pérez (Atlas), Hernán Cristante (Toluca) y César Lozano (Toluca)	4
Penaltis detenidos	Antonio Pérez (Atlas)	1
Expulsados	Christian Martínez (Monterrey)	

Clausura-05
El América llega a diez coronas

El América conquistó su décimo título de Liga y alcanzó al Guadalajara en el primer lugar de la lista de multicampeones. Destacada actuación de la Selección en la Copa Confederaciones en Alemania. Rogelio Rodríguez fue el único portero que promedió menos de un gol por juego. Tigres *llegó a cuartos de final y* Chivas *a semifinales en la Copa Libertadores. Monterrey y* Pumas *fracasaron en el torneo de la Concacaf. Para no variar, el líder de goleo fue un extranjero. Descendió el Puebla y subió el San Luis. Rafael Márquez, con el Barcelona, ganó el campeonato de España.*

Tigres y *Chivas* van a la Libertadores

En los días previos al inicio del Clausura-05 se realizó el Interliga, clasificatorio para la Copa Libertadores, como siempre en ciudades tejanas y californianas. Participantes: América, Atlante, Chiapas, Guadalajara, Necaxa, Santos, Toluca y *Tigres*. Con el Toluca reapareció en la dirección técnica Enrique Meza. Hubo algunos partidos de muchos goles, como el 4-4 entre Atlante y Santos o el 4-3 de *Tigres* a Santos, y un portero expulsado, Adrián Martínez, del Santos en el juego contra las *Chivas*. Por cierto, quien tomó su lugar fue Luis Ernesto Michel, prestado por el Guadalajara al Santos para esta temporada.

En las finales los *Tigres* doblaron al Toluca por 2-0 y consiguieron el pase directo a la Libertadores, y las *Chivas* empataron a un gol con Chiapas y vencieron en penaltis 5-3 para obtener boleto para jugar un repechaje con el Cienciano, de Perú.

Los juegos contra la escuadra inca se efectuaron en la primera semana de febrero. Tras vencer en casa por 3-1, el Guadalajara terminó arrollando a los peruanos en la visita al son de 5 a 1 y se clasificó al magno torneo sudamericano. En estos partidos hizo su debut internacional Alfredo Talavera, arquero suplente de *Chivas*.

Los porteros constantes y los goleados

La Liga, que comenzó el 15 de enero y culminó el 29 de mayo, se caracterizó por el notable descenso en la producción de goles (bajó de 481 a 446) y por la pésima actuación del campeón y del súper líder del torneo anterior, *Pumas* y Veracruz, que se desplomaron hasta las posiciones 16 y 17 de la clasificación general, solamente arriba del Atlas, equipo que en el Apertura-04 fue semifinalista.

No hubo cambios en la nómina de guardametas salvo el movimiento de Luis Ernesto Michel antes mencionado. Por primera vez en seis décadas del futbol profesional mexicano no se registró ningún debut de portero. Treinta arqueros tuvieron acción y siete jugaron todos los partidos. Antonio Pérez, del Atlas, y Óscar Dautt, del Puebla, repitieron en la lista de los arqueros de "hierro", en el caso de Dautt, por tercer torneo seguido. Federico Vilar, Omar Ortiz, Iván Vázquez, José de Jesús Corona y Jorge Bernal completan dicha lista.

El Atlas fue el equipo más goleado y por lo tanto Antonio Pérez el arquero más batido. Su meta fue horadada 35 veces. Adrián Martínez recibió 31 goles y Óscar Dautt 29.

El portero rojinegro fue víctima de sendas goleadas de 2-5 al visitar el Atlas al Puebla y al América, pero Christian Martínez y Hernán Cristante superaron la cuota admitiendo media docena de anotaciones del Cruz Azul y *Tigres*, respectivamente. En el segundo partido de la final José de Jesús Corona también encajó seis goles.

Vuoso, rey del gol

Nuevamente un extranjero encabezó a los romperredes. El argentino Matías Vuoso, del Santos, se coronó con 15 anotaciones, de las cuales solamente cuatro fueron en cancha ajena. Omar Bravo, de *Chivas*, compartió el subliderato con el brasileño Kléber Pereira, del América, con una docena de goles, cada uno. Luego, y para no variar, tres importados más: Sebastián González (Atlante), Walter Gaitán (*Tigres*) y Gustavo Bizcayzacú (Veracruz), todos con 10 tantos. Este último anotó el 67 % de los goles de los *Tiburones Rojos*.

Ricardo Martínez termina su carrera de 18 años

En días consecutivos, 5 y 6 de febrero, actuaron por última vez dos porteros mexicanos cuyas trayectorias no dejaron de tener altibajos. Ambos militaron en muchos equipos y curiosamente terminaron con el mismo promedio de goles recibidos por partido (1.43), aunque uno participó en más del doble de juegos que el otro.

Miguel de Jesús Fuentes jugó tres torneos con el Atlas, dos con Pachuca, seis con Celaya, uno con León y cuatro con Morelia, sumando 155 actuaciones y admitiendo 221 goles. En su último juego el Morelia venció 2-1 a *Tigres* en el estadio Morelos. Con el equipo michoacano fue cuatro veces subcampeón, dos en la Liga y dos en torneos de Concacaf. Nunca fue expulsado.

Ricardo Martínez terminó su carrera en la ciudad donde la comenzó 18 años atrás, en Puebla. Allí el América y el cuadro de la franja empataron a dos tantos. Fue el partido número 327 de Martínez, cantidad a la que arribó tras jugar dos torneos con Ángeles, dos con el Puebla, tres con *Correcaminos*, dos con Toluca, uno con León, seis con Morelia, nueve con Monterrey y dos con el América. Su portería fue vencida 467 veces. Se destacó como uno de los mejores porteros ataja penaltis ya que detuvo 16 de 56 que le tiraron, es decir, paró casi tres de cada 10.

Fue el suplente de Pablo Larios cuando el Puebla ganó la Liga y la Copa en el mismo año. Muchas temporadas después volvió a ser campeón con el Monterrey y en este Clausura-05 con el América. También le tocó el descenso de los *Correcaminos*, equipo del cual es el portero con más juegos, más juegos completos y más goles recibidos.

El cuarto torneo de Gustavo Campagnuolo con los *Tigres* fue el último del argentino en México. Participó en 53 juegos, admitió 77 goles (promedio: 1.45) y en su última actuación en la Liga, el 24 de abril contra el América en el Azteca, fue expulsado. Subcampeón en el Apertura-03, Campagnuolo regresó a Argentina para volver a jugar con el Racing.

Guadalajara, semifinalista en la Libertadores

A partir de febrero el Pachuca, las *Chivas* y los *Tigres* disputaron la Libertadores, y a partir de marzo los *Pumas* y

el Monterrey el torneo de Concacaf, que en esta ocasión fue clasificatorio para el Mundial de clubes.

Banfield, Alianza Lima y Caracas fueron los rivales de los *Tigres*; al Guadalajara le tocaron el Once Caldas, Cobreloa y San Lorenzo; y el Pachuca tuvo que medirse con el Boca Juniors, Sporting Cristal y Deportivo Cuenca.

Los *Tigres*, en forma invicta, y las *Chivas*, con una sola derrota, ganaron sus respectivos grupos y pasaron a octavos de final, etapa a la que también llegó el Pachuca al quedar en segundo lugar del grupo que dominó el Boca. Entre los resultados a destacar figuran los triunfos a domicilio del Guadalajara sobre el Cobreloa por 3-1 y de *Tigres* ante Banfield por 3-0, así como la división de victorias entre Pachuca y Boca. Los *Tuzos* ganaron en casa 3-1 y el Boca en Buenos Aires goleó 4-0.

Tigres superó la fase de octavos eliminando al Once Caldas (1-1 y 2-1), en tanto que al Guadalajara y Pachuca les tocó enfrentarse entre sí. Las *Chivas* empataron en el Hidalgo (1-1) y vencieron en el Jalisco (3-1) para pasar a cuartos de final. En esta etapa se quedaron los *Tigres* al toparse con el poderoso São Paulo, a la postre campeón de la Libertadores, mientras que el Guadalajara realizó la hazaña de eliminar al Boca Juniors.

Los *Tigres* llevaban ocho juegos sin perder cuando visitaron al São Paulo el 1 de junio. El cuadro brasileño los vapuleó por 4 a 0 y Rogerio Ceni, portero del São Paulo, le metió dos goles de tiro libre a Campagnuolo y erró un penalti. En Monterrey ganó el equipo *felino* por 2-1 y quedó eliminado. Fueron los últimos partidos de Campagnuolo con la escuadra de la Universidad de Nuevo León.

Al día siguiente de la goleada de los *Tigres* en São Paulo, el Guadalajara recibió al Boca Juniors y le recetó el mismo marcador de 4-0. Doce días después en la *Bombonera* de Buenos Aires el árbitro uruguayo Martín Vázquez dio por terminado el juego al minuto 79 por falta de garantías cuando el marcador indicaba empate a cero. En estos partidos la portería de las *Chivas* estuvo al cuidado de José de Jesús Corona, uno de los refuerzos del Guadalajara para la segunda parte de la Libertadores.

El sueño tapatío acabó en la semifinal ante el Atlético Paranaense. La derrota por 0-3 en Brasil no la pudieron remontar las *Chivas* en la capital jalisciense (2-2) y quedaron fuera.

En los ocho juegos del Pachuca alineó Calero. Con *Tigres*, Campagnuolo jugó ocho y Rogelio Rodríguez dos. Y de la docena de partidos del Guadalajara, Oswaldo jugó cinco completos y uno parcial, Talavera cuatro y uno, y Corona los dos contra Boca.

Los *Pumas* no irán al Mundial

En la Copa Concacaf *Pumas* y Monterrey eliminaron respectivamente al Olimpia y al Municipal. Los *Rayados* ganaron en casa 2-1 y empataron a cero en Guatemala; los *Pumas* empataron a uno en Honduras, igual en cu, donde finalmente se impusieron 1-0 en tiempos extra.

Más fácil resultó la semifinal para el cuadro universitario ya que tras empatar 1-1 con el DC United en Washington, lo goleó 5-0 en México. En cambio, el Monterrey cayó ante el Saprissa por 5-3 en penaltis luego de una larga batalla en la que hubo empates a dos goles en San José, a un tanto en Monterrey y a cero en tiempos extra. El portero *rayado*, Juan de Dios Ibarra, llegó a ocho juegos internacionales consecutivos.

En la final el Saprissa derrotó a los *Pumas* 2-0 en San José y se coronó en Ciudad de México donde el cuadro de Hugo Sánchez sólo ganó por 2-1. Así, *Pumas* perdió la Copa y el pase al Mundial.

Se luce el Tri en Alemania

Tras empatar a cero con Suecia en San Diego, la Selección Nacional comenzó el torneo hexagonal clasificatorio para la Copa del Mundo derrotando a Costa Rica en San José por 2 a 1. En ambos juegos actuó el *Conejo* Pérez. Antes de seguir la eliminatoria, el Tri empató 1-1 dos amistosos contra Colombia y la "B" de Argentina en Culiacán y Los Ángeles, respectivamente, en los que siguió custodiando el marco el portero del Cruz Azul, aunque en el choque con los colombianos también jugó Moisés Muñoz.

Para los siguientes partidos del hexagonal, LaVolpe escogió a Oswaldo Sánchez y lo mantuvo en la alineación en la Copa Confederaciones que se jugó en Alemania a medio año. Solamente en un encuentro amistoso contra Polonia en Chicago (1-1) le dio a José de Jesús Corona la oportunidad de debutar con la Selección.

México se mantuvo invicto en la primera vuelta de la eliminatoria. Venció 2-1 a Estados Unidos en el Azteca, empató 1-1 en Panamá, batió 2-0 a Guatemala a domicilio y 2-0 a Trinidad y Tobago en Monterrey.

Más que buena fue la actuación del Tri en Alemania. Derrotó 2-1 a Japón, 1-0 a Brasil (Borgetti anotó el gol y erró un penalti) y, ya calificado, empató sin goles con Grecia. En cuartos de final le jugó de tú a tú a Argentina durante 120 minutos hasta caer en penaltis por 5-6, y en el juego por el tercer lugar sostuvo otra larga batalla contra Alemania en la que empató a tres y perdió 0-1 en el tiempo extra.

Cesan a Meza y a Palou

A diferencia de la primera, la segunda etapa del *Ojitos* Meza como entrenador del Toluca fue corta y mala. Fue cesado en la fecha 12. Los *Diablos* llevaban siete partidos seguidos sin ganar, y en total cuatro triunfos, tres empates y cinco reveses.

Mucho antes, en la sexta jornada, el Puebla despidió a Juan Ignacio Palou, que sólo había conseguido cinco puntos. Los números del ex portero poblano en los dos torneos y fracción que dirigió al cuadro de la franja fueron: 11 ganados, 13 empatados y 18 perdidos.

En el resto del torneo el Puebla sólo ganó tres de once juegos y en la penúltima fecha quedó condenado a descender a Primera A.

Ganando 13 puntos más que en el torneo anterior, el Morelia logró el liderato general y fue el equipo menos goleado (16), mientras que el América fue el máximo anotador (38) y la ofensiva más débil la tuvo el Veracruz (15).

El promedio de un gol por partido que tuvo Moisés Muñoz en los 15 juegos en que custodió el arco moreliano sólo fue superado por el 0.92 de Rogelio Rodríguez, de los *Tigres*, quien de este modo figuró por segunda vez en su carrera como el portero más eficiente del campeonato.

En los siguientes lugares se ubicaron Iván Vázquez, del Necaxa, con 1.18, Cirilo Saucedo, del Dorados con 1.19 y el *Conejo* Pérez con 1.20. El arquero cruzazulino tuvo la racha de imbatibilidad más larga al ligar cuatro juegos consecutivos sin recibir gol.

En el cumpleaños del Azteca se coronó el América

El América igualó el récord de una sola derrota en el torneo, pero como tuvo muchos empates (9) fue superado en puntos por el Morelia y el Cruz Azul. También entraron a la liguilla el Necaxa, el Santos, el Monterrey, los *Tecos* y los *Tigres*.

En cuartos de final tanto el Morelia como el Cruz Azul y el América aprovecharon su mejor posición en la tabla general para eliminar a *Tigres*, Monterrey y Santos, respectivamente, ya que en las tres series el marcador global quedó empatado. Por su parte, los *Tecos* despacharon al Necaxa con victorias en Aguscalientes y en Zapopan.

América y *Tecos* superaron la fase de semifinales, las *Águilas* mediante dos triunfos de 3-1 sobre Cruz Azul, y la escuadra de la UAG con victoria de 1-0 y empate 1-1 con el Morelia.

Dos jóvenes porteros mexicanos, Guillermo Ochoa y José de Jesús Corona, jugaron su primera final. En el primer juego, el 26 de mayo en el Tres de Marzo, Diego Colotto anotó por *Tecos* y Cuauhtémoc Blanco, de penalti, por el América. Con el empate los *Tecos* lograron mantenerse invictos como locales en el torneo y las *Águilas* llegaron a 16 juegos al hilo sin derrota.

El 29 de mayo el estadio Azteca cumplió 39 años y el América lo festejó con una goliza de 6 a 3 para conquistar su décimo campeonato. Por las *Águilas*, al mando de Mario Carrillo, anotaron Aarón Padilla (2), Claudio López (2), Cuauhtémoc y Jesús Mendoza. Por *Tecos*, Eduardo Lillingston, Carlos María Morales y Flavio Davino. El total de goles en la liguilla fue de 47.

Murió Blazina. Márquez, campeón de España

Mierko Blazina, aquel gran portero ítalo-argentino del San Lorenzo de Almagro que jugó con el Oro en la temporada 57-58, falleció el 20 de mayo a la edad de 81 años.

Al coronarse en España el Barcelona, Rafael Márquez se convierte en el primer futbolista mexicano en ganar campeonatos de Liga de Primera División de dos países europeos.

Nómina de porteros

América	Guillermo Ochoa y Ricardo Martínez
Atlante	Federico Vilar
Atlas	Antonio Pérez
Chiapas	Omar Ortiz
Cruz Azul	Óscar Pérez y Emmanuel González
Dorados	Cirilo Saucedo y Tomás Adriano
Guadalajara	Oswaldo Sánchez y Alfredo Talavera
Monterrey	Christian Martínez y Juan de Dios Ibarra
Morelia	Moisés Muñoz y Miguel de Jesús Fuentes
Necaxa	Iván Vázquez
Pachuca	Miguel Calero y Édgar Hernández
Puebla	Óscar Dautt
Santos	Adrián Martínez y Luis Ernesto Michel
Tigres	Rogelio Rodríguez y Gustavo Campagnuolo
Toluca	Hernán Cristante y César Lozano
UAG	José de Jesús Corona
UNAM	Sergio Bernal, Odín Patiño y Alejandro Palacios
Veracruz	Jorge Bernal

Más juegos

Federico Vilar (Atlante)	17
Antonio Pérez (Atlas)	17
Omar Ortiz (Chiapas)	17
Iván Vázquez (Necaxa)	17
Óscar Dautt (Puebla)	17
José de Jesús Corona (UAG)	17
Jorge Bernal (Veracruz)	17

Más juegos completos

Federico Vilar (Atlante)	17
Antonio Pérez (Atlas)	17
Omar Ortiz (Chiapas)	17
Iván Vázquez (Necaxa)	17
Óscar Dautt (Puebla)	17
José de Jesús Corona (UAG)	17
Jorge Bernal (Veracruz)	17

Más goles (g)

Antonio Pérez (Atlas)	35
Adrián Martínez (Santos)	31
Óscar Dautt (Puebla)	29
Sergio Bernal (UNAM)	24

Más bajo g/j (mínimo 10 juegos)

Rogelio Rodríguez (Tigres)	0.92
Moisés Muñoz (Morelia)	1.00
Iván Vázquez (Necaxa)	1.18
Cirilo Saucedo (Dorados)	1.19
Óscar Pérez (Cruz Azul)	1.20
Federico Vilar (Atlante)	1.23
José de Jesús Corona (UAG)	1.23
Hernán Cristante (Toluca)	1.23

Más goles en un juego

Christian Martínez (Monterrey)	6
Hernán Cristante (Toluca)	6
Antonio Pérez (Atlas)	5 (2 veces)
Édgar Hernández (Pachuca)	5
Adrián Martínez (Santos)	5
Jorge Bernal (Veracruz)	5

Expulsados

Emmanuel González (Cruz Azul)
Moisés Muñoz (Morelia)
Adrián Martínez (Santos)
Gustavo Campagnuolo (Tigres)

Penaltis detenidos

José de Jesús Corona (UAG)	2
Omar Ortiz (Chiapas)	1
Miguel Calero (Pachuca)	1
Édgar Hernández (Pachuca)	1
Hernán Cristante (Toluca)	1
Jorge Bernal (Veracruz)	1

LIGUILLA

Más juegos	Guillermo Ochoa (América) y José de Jesús Corona (UAG)	6
Más juegos completos	Guillermo Ochoa (América) y José de Jesús Corona (UAG)	6
Más goles	Guillermo Ochoa (América), Óscar Pérez (Cruz Azul) y José de Jesús Corona (UAG)	9
Más bajo G/J	Guillermo Ochoa (América), Christian Martínez (Monterrey), Moisés Muñoz (Morelia), Adrián Martínez (Santos) y José de Jesús Corona (UAG)	1.50
Más goles en un juego	José de Jesús Corona (UAG)	6
Penaltis detenidos	Ninguno	
Expulsados	Ninguno	

Apertura-05
La Sub-17 alcanza la gloria

Por primera vez México ganó un campeonato del mundo de futbol. La Sub-17 conquistó el título en Perú goleando en la final a Brasil. El América impuso un récord de todos los tiempos de invencibilidad. El Toluca logró su octava corona. Los Pumas *perdieron en penaltis en Buenos Aires la Copa Sudamericana ante el Boca Juniors. El mejor portero de la Liga fue Miguel Calero. Cuatro artilleros extranjeros compartieron el liderato de goleo. El Tri obtuvo el boleto para el Mundial de Alemania pero en la Copa de Oro fue eliminado por Colombia en cuartos de final. El América le ganó a los* Pumas *el duelo de campeones. Un director técnico permaneció secuestrado dos meses.*

México es campeón del mundo

Dando una de las mayores sorpresas en la historia del futbol mexicano, la Selección Sub-17 ganó la undécima edición del Mundial de la categoría celebrado en Perú en la segunda quincena de septiembre de 2005. La final se jugó el 2 de octubre en Lima y en ella los jóvenes mexicanos, al mando de Jesús Ramírez (miembro de los *Pumas* campeones de 76-77 y 80-81), se impusieron con claridad y contundencia al representativo de Brasil por 3 a 0. Para llegar a este partido, México había vencido 2-0 a Uruguay y 3-0 a Australia en la primera etapa, en la que sufrió su única derrota en el certamen, ante Turquía por 1-2. En cuartos de final superó a Costa Rica (3-1) y en semifinales goleó 4-0 a Holanda. Sergio Arias custodió el arco en todo el torneo.

La actividad del Tri

Una semana después de participar de manera destacada en la Copa Confederaciones en Alemania, la Selección mayor disputó en Estados Unidos la Copa de Oro, mientras los equipos mexicanos realizaban la pretemporada. De ésta sobresale un duelo del Guadalajara con el Real Madrid en Chicago, que ganaron los *Merengues* por 3-1, y el primer juego internacio-

nal del Dorados: 2-0 a la Universidad de Chile en San Diego.

En el debut en la Copa de Oro, Ricardo La Volpe alineó a José de Jesús Corona y en los partidos siguientes a Moisés Muñoz. Tras perder el primer juego, ante Sudáfrica por 1-2, el Tri arrolló a Guatemala por 4 a 0 y venció a Jamaica por la mínima para pasar a cuartos de final, fase donde concluyó su actuación al sucumbir por 1-2 frente a Colombia.

Posteriormente, durante el trimestre agosto-octubre, se jugó la segunda vuelta del torneo hexagonal de Concacaf clasificatorio para la Copa del Mundo, en la que la escuadra de La Volpe consiguió el boleto no sin sufrir ante Estados Unidos en Columbus y frente a Trinidad y Tobago en Puerto España sus únicas dos derrotas en 18 juegos de la eliminatoria.

La victoria por 2-0 contra Costa Rica el 17 de agosto en el Azteca marcó la sexagésima actuación de Oswaldo Sánchez con la Selección, convirtiéndose en el segundo portero con más juegos con la camiseta nacional. Después de este partido vino el revés ante la selección estadounidense (0-2), goleadas sucesivas a Panamá (5-0) en Ciudad de México y a Guatemala (5-2, cuatro goles del *Kikín* Fonseca) en San Luis Potosí y la derrota en la última fecha con Trinidad y Tobago por 1-2. Contra *gringos* y panameños también jugó Oswaldo y en los últimos dos partidos actuó José de Jesús Corona.

El Tri cerró el año con encuentros amistosos en Guadalajara, donde venció 3-1 a Uruguay, y Houston, donde fue goleado 0-3 por Bulgaria. En ambos cotejos alineó Oswaldo. Y el 14 de diciembre La Volpe formó una selección A-B para enfrentar a Hungría en Phoenix, partido ganado por México al son de 2 a 0, en el que debutó Guillermo Ochoa, quien entró de cambio por Corona.

América, Campeón de Campeones

En la semana previa al arranque del Apertura-05 *Pumas* y América disputaron el título de Campeón de Campeones en dos choques. En el juego en el Olímpico Universitario tanto Sergio Bernal como Ochoa bajaron la cortina y el marcador fue 0-0, no así en el Azteca donde Kléber Pereira perforó dos veces la cabaña *puma* para darle el triunfo al América por 2 a 1. El único tanto de los universitarios se produjo en una jugada de autogol del arquero Ochoa.

El 30 de julio comenzó el campeonato. Reapareció el San Luis, cuya ausencia en la Primera División duró solamente un año. Con el conjunto potosino reapareció también Adrián Zermeño, quien se alternó en la portería con su tocayo Adrián Martínez, ex arquero del Santos. El desempeño de ambos fue similar: Zermeño permitió 13 goles en nueve juegos y Martínez 12 en ocho.

Nuevamente hubo pocos cambios en la nómina de 30 porteros que tuvieron acción en el torneo. Juan de Dios Ibarra pasó del Monterrey al América para calentar la banca, Armando Navarrete regresó al Atlas, el Santos importó al argentino Mauricio Caranta, quien jugaba en el Instituto de Córdoba, el Monterrey debutó a Jonathan Orozco y los *Tigres* a Édgar Adolfo Hernández. También se presentaron Pedro Hernández con el Santos y Miguel Fraga con el Morelia.

Debutan cinco porteros

Mauricio Caranta y Pedro Hernández debutaron en el mismo juego, pues el argentino se lesionó y fue sustituido por el novel Hernández. Ocurrió en la primera jornada, el 31 de julio en Torreón, donde Santos recibió la visita de los *Pumas*. Ganaron éstos por 2-1 con anotaciones de los argentinos Bruno Marioni y Martín Cardetti. El gol de Marioni fue el primero que recibió en México Caranta y el de Cardetti fue el del "bautizo" de Hernández.

El regiomontano de 19 años de edad Jonathan Orozco, suplente de Christian Martínez en el Monterrey, solamente jugó dos partidos, el de su debut el 13 de agosto contra el Atlas, ganado 1-0 por los *Rayados*, y el de la fecha 13 contra el Necaxa —empate a uno— en el que encajó su primer gol, obra de Fabián Peña.

Finalmente, Édgar Adolfo Hernández tuvo su presentación al lesionarse Rogelio Rodríguez durante el partido de los *Tigres* contra las *Chivas* el 20 de agosto (1-1) y cuatro días después en Aguascalientes Diego Martínez, del Necaxa, le anotó su primer gol. Édgar Adolfo, nativo de Reynosa, con 23 años de edad, prácticamente desplazó a Rogelio de la titularidad pues jugó 12 partidos y también los cuatro de la liguilla.

El moreliano de 18 años, Miguel Fraga, debutó el 14 de

agosto en Pachuca, partido que ganó el Morelia por 3 a 1. El paraguayo Nelson Cuevas le dio la "bienvenida" a Fraga.

Destacada labor de Mizrahi en Cruz Azul

Y hablando de debuts, el del delantero uruguayo Richard Núñez con el Cruz Azul el 13 de agosto fue verdaderamente espectacular, pues le anotó cuatro goles a Jesús Corona que redondearon una goliza de 5-1 a los *Tecos* en el estadio Azul.

El Cruz Azul se encontraba en una situación especialmente difícil. Su director técnico Rubén Omar Romano fue secuestrado dos semanas antes de que empezara el torneo, por lo que su auxiliar el ex portero Isaac Mizrahi tomó el timón hasta que Romano fue liberado a la mitad del campeonato.

Mizrahi tuvo un desempeño sobresaliente: siete triunfos, una sola derrota y promedio de 3 goles anotados por partido. Curiosamente, al reaparecer Romano, la *Máquina* sólo ganó dos de nueve y en la liguilla cayó ante el Toluca en cuartos de final sin anotar ningún gol.

Calero, el más eficiente

Omar Ortiz, Cirilo Saucedo, Iván Vázquez, Miguel Calero, José de Jesús Corona y Jorge Bernal fueron los porteros que jugaron la temporada completa, y Calero el arquero que promedió menos goles por partido. Con 1.06 el cancerbero del Pachuca superó al *Conejo* Pérez (1.09), a Guillermo Ochoa (1.12) y a Oswaldo Sánchez (1.19). Entre el último juego de la fase regular y los primeros tres de la liguilla, Calero ligó cuatro seguidos sin permitir anotaciones, racha que también logró Hernán Cristante, del Toluca.

Los guardametas más goleados fueron los del Atlante y del Veracruz, precisamente los equipos que ocuparon el penúltimo y último lugares, respectivamente. Federico Vilar recibió, al igual que Jorge Bernal, 34 goles. Después de ellos figuraron Cirilo Saucedo e Iván Vázquez, con 31 cada uno.

Vilar tuvo su temporada más floja, la única en que ha promediado poco más de dos goles por partido. En dos juegos consecutivos encajó cinco pepinos del Veracruz y cinco del Cruz Azul. El arquero de *Pumas*, Sergio Bernal, también padeció dos goleadas de cinco ante Cruz Azul y Chiapas.

Súper récord del América

La racha del América del campeonato anterior de 17 partidos al hilo sin perder se alargó hasta 28, nuevo récord de todos los tiempos en el futbol mexicano. Guillermo Ochoa alineó en los 28 juegos, de los cuales el América ganó 16 y empató 12. Las *Águilas* perdieron lo invicto el 15 de octubre en Tuxtla Gutiérrez ante los *Jaguares* por 3-4.

Otro récord notable, el del Cruz Azul de la temporada 79-80 de siete triunfos seguidos de visitante, fue empatado por el Monterrey que derrotó a domicilio sucesivamente a Chiapas, Atlante, Dorados, *Chivas*, San Luis, Cruz Azul y *Tecos*, siempre con Christian Martínez en el arco.

Y los *Pumas*, en otra mala temporada, igualaron su marca de seis derrotas consecutivas de 72-73.

Pumas, subcampeón sudamericano

El 20 y 21 de septiembre el América y los *Pumas* comenzaron su participación en la Copa Sudamericana, un nuevo torneo del sur del continente con invitados del área de la Concacaf. Los dos clubes mexicanos avanzaron a cuartos de final eliminando los *Pumas* al boliviano The Strongest (3-1 y 1-2) y el América al colombiano Atlético Nacional (3-3 y 4-1).

Luego el cuadro americanista se estrelló ante el Vélez Sarsfield que le ganó los dos cotejos por 2-0, en cambio los *Pumas* eliminaron al Corinthians (1-2 y 3-0) y al mismo Vélez (0-0 y 4-1) y se metieron a la final contra el Boca Juniors.

Tanto en Ciudad de México el 6 de diciembre como en Buenos Aires el 18, el marcador fue 1-1. Entonces llegaron los penaltis. Boca metió cuatro y falló dos, uno de éstos, el que tiró Guillermo Barros, fue atajado por Bernal. *Pumas* acertó tres y erró tres, de los cuales Roberto Abbondanzieri, arquero boquense, detuvo los que tiraron Leandro Augusto y Joaquín Beltrán. El otro disparo falla-

do de *Pumas*, que le dio la Copa al club argentino, fue de Gerardo Galindo.

UNAM y América alinearon a sus porteros titulares en todo el torneo. Ochoa jugó cuatro partidos y recibió ocho goles; Bernal también admitió ocho en el doble de actuaciones.

Cuatro romperredes

El Apertura-05 registró 479 goles, siendo el Necaxa el mayor anotador (35) y el Guadalajara el menor (16). El Atlante recibió más (37) y el Pachuca menos (18). Por primera vez en la historia hubo cuatro campeones de goleo individual, todos delanteros extranjeros. El uruguayo Sebastián Abreu, del Dorados, el brasileño Kléber Pereira, del América, y los argentinos Walter Gaitán, de *Tigres*, y Matías Vuoso, del Santos, compartieron el liderato con once anotaciones cada uno. Datos a destacar son que siete de los once tantos de Gaitán fueron en cancha ajena, que ninguno de los once de Kléber fue de penalti y que Hernán Cristante recibió tres de los once de Vuoso.

Al cuarteto de líderes lo siguieron siete jugadores que anotaron nueve goles cada uno, entre ellos solamente un mexicano, Carlos Ochoa, de los *Jaguares*.

Árbitro verdugo de porteros

El 20 de agosto volvió a ocurrir la coincidencia de que varios porteros detienen penaltis el mismo día. Esta vez fueron Hernán Cristante, Guillermo Ochoa e Iván Vázquez los atajadores.

El 26 de noviembre Oswaldo Sánchez fue expulsado por sexta ocasión en su carrera. El árbitro que lo envió a las regaderas fue Marco Antonio Rodríguez, quien con ésta llegó a once expulsiones de porteros, empatando la marca de Arturo Brizio.

Los *Jaguares* de Chiapas ganaron 23 puntos en la cancha pero perdieron tres en la mesa porque no cumplieron la regla de alinear jugadores menores de 20 años 11 meses en al menos 765 minutos del campeonato, una disposición que entró en vigor esta temporada.

Otra corona para el Toluca

El América, líder general, y Monterrey, Necaxa, Toluca, Cruz Azul, Pachuca, *Tecos* y *Tigres* fueron los equipos que jugaron la liguilla. Entre América y *Tigres* hubo 16 puntos de diferencia. Las *Águilas* ganaron el primer partido en Monterrey por 3 a 1. Parecía que tenían en la bolsa el pase a semifinales, pero en el Azteca ocurrió la mayúscula sorpresa cuando los *Tigres* marcaron tres goles en el primer tiempo y acabaron ganando por 4-1 para mandar al súper líder a vacacionar.

En las otras series de cuartos de final el Toluca eliminó al Cruz Azul (1-0 y 0-0), el Pachuca y Calero dejaron en cero al campeón goleador Necaxa y lo despacharon 2-0 y 2-0, y el Monterrey fue contundente con los *Tecos*: 3-0 en Zapopan y 4-0 en la capital de Nuevo León.

Una de las semifinales fue el clásico regiomontano en el que el Monterrey hizo valer su mejor posición en la tabla para eliminar a los *Tigres* ya que el marcador global fue 2-2. En la otra el Pachuca y el Toluca empataron a cero el primer juego en Pachuca, siendo este partido el cuarto consecutivo de Cristante y Calero sin gol en contra. Ambas rachas terminaron en el encuentro en Toluca donde los *Diablos* triunfaron por 2-1 para pasar a la final contra los *Rayados*.

El 15 de diciembre en el Nemesio Diez llovió metralla sobre las porterías de Cristante y de Christian Martínez. Vicente Sánchez, José Manuel Abundis y el argentino Rodrigo Díaz anotaron por el Toluca y Luis Pérez, de penalti, el *che* Carlos Casartelli y el paraguayo Paulo César da Silva, en propia meta, lo hicieron a favor del Monterrey.

Tres días después en el Tecnológico volvieron a marcar Vicente Sánchez (dos veces) y Rodrigo Díaz; al Monterrey le expulsaron a tres jugadores, y el Toluca se proclamó campeón por octava vez en su historia y quinta en la época de los minitorneos. El técnico argentino Américo Gallego en su debut en México quedó campeón. Sólo se registraron 37 goles en la liguilla.

Borgetti juega en Inglaterra

Alejandro Mollinedo, portero de *Pumas* y Atlante en los sesentas, falleció el 3 de septiembre, a la edad de 63 años.

El goleador sinaloense Jared Borgetti fue contratado por el Bolton y se convirtió en el primer futbolista mexicano en jugar en la Liga Premier de Inglaterra.

José María Buljubasich, el portero argentino del Morelia en la temporada 01-02, acumuló entre junio y octubre 1352 minutos consecutivos sin permitir gol en el marco de la U. Católica de Chile, la cuarta racha más larga de la historia a nivel mundial.

Nómina de porteros

América	Guillermo Ochoa y Juan de Dios Ibarra
Atlante	Federico Vilar y Rafael Cuevas
Atlas	Antonio Pérez y Armando Navarrete
Chiapas	Omar Ortiz
Cruz Azul	Óscar Pérez y Emmanuel González
Dorados	Cirilo Saucedo
Guadalajara	Oswaldo Sánchez y Alfredo Talavera
Monterrey	Christian Martínez y Jonathan Orozco
Morelia	Moisés Muñoz y Miguel Fraga
Necaxa	Iván Vázquez
Pachuca	Miguel Calero
San Luis	Adrián Zermeño y Adrián Martínez
Santos	Mauricio Caranta y Pedro Hernández
Tigres	Édgar Adolfo Hernández y Rogelio Rodríguez
Toluca	Hernán Cristante y César Lozano
UAG	José de Jesús Corona
UNAM	Sergio Bernal y Odín Patiño
Veracruz	Jorge Bernal

Más juegos (J)

Omar Ortiz (Chiapas)	17
Cirilo Saucedo (Dorados)	17
Iván Vázquez (Necaxa)	17
Miguel Calero (Pachuca)	17
José de Jesús Corona (UAG)	17
Jorge Bernal (Veracruz)	17
Guillermo Ochoa (América)	16
Federico Vilar (Atlante)	16
Oswaldo Sánchez (Guadalajara)	16

Más juegos completos

Omar Ortiz (Chiapas)	17
Cirilo Saucedo (Dorados)	17
Iván Vázquez (Necaxa)	17
Miguel Calero (Pachuca)	17
José de Jesús Corona (UAG)	17
Jorge Bernal (Veracruz)	17
Guillermo Ochoa (América)	16
Federico Vilar (Atlante)	16

MÁS GOLES (G)

Federico Vilar (Atlante)	34
Jorge Bernal (Veracruz)	34
Cirilo Saucedo (Dorados)	31
Iván Vázquez (Necaxa)	31

MÁS BAJO G/J (MÍNIMO 10 JUEGOS)

Miguel Calero (Pachuca)	1.06
Óscar Pérez (Cruz Azul)	1.09
Guillermo Ochoa (América)	1.12
Oswaldo Sánchez (Guadalajara)	1.19
Christian Martínez (Monterrey)	1.27

MÁS GOLES EN UN JUEGO

Federico Vilar (Atlante)	5 (2 veces)
Omar Ortiz (Chiapas)	5
Iván Vázquez (Necaxa)	5
Mauricio Caranta (Santos)	5
José de Jesús Corona (UAG)	5
Sergio Bernal (UNAM)	5 (2 veces)
Jorge Bernal (Veracruz)	5

PENALTIS DETENIDOS

Oswaldo Sánchez (Guadalajara)	2
Iván Vázquez (Necaxa)	2
Guillermo Ochoa (América)	1
Armando Navarrete (Atlas)	1
Christian Martínez (Monterrey)	1
Moisés Muñoz (Morelia)	1
Hernán Cristante (Toluca)	1

EXPULSADOS

Óscar Pérez (Cruz Azul)
Oswaldo Sánchez (Guadalajara)

LIGUILLA

Más juegos	Christian Martínez (Monterrey) y Hernán Cristante (Toluca)	6
Más juegos completos	Christian Martínez (Monterrey) y Hernán Cristante (Toluca)	6
Más goles	Christian Martínez (Monterrey)	8
Más bajo G/J	Óscar Pérez (Cruz Azul) y Miguel Calero (Pachuca)	0.50
Más goles en un juego	Guillermo Ochoa (América) y José de Jesús Corona (UAG)	4
Penaltis detenidos	Ninguno	
Expulsados	Ninguno	

Clausura-06
Se repite la historia en el Mundial

Por cuarta Copa del Mundo consecutiva, México fue eliminado en octavos de final. El Pachuca conquistó su cuarto campeonato de Liga. Un equipo que estuvo a pocos minutos de descender a Primera A llegó a la final. Rotundo fracaso de los Pumas *en la Copa Libertadores, en la que el Guadalajara fue semifinalista. Cuatro porteros promediaron menos de un gol por juego. Descendió el Dorados y subió el Querétaro. Final mexicana en el torneo de Concacaf, ganado por el América. Se mantuvo la hegemonía de los romperredes extranjeros. Rafael Márquez logró con el Barcelona el bicampeonato de España y la Liga de Campeones de Europa.*

Tigres y *Chivas* van a la Libertadores

En once días de la primera quincena de enero de 2006 ocho equipos mexicanos (Cruz Azul, Guadalajara, Monterrey, Morelia, Necaxa, Pachuca, *Tigres* y Veracruz) jugaron el Interliga en Estados Unidos, del cual emergió el *Tigres* como campeón con pase directo a la Copa Libertadores y el Guadalajara como subcampeón con boleto para un repechaje con el Colo Colo. Cinco de estos equipos estrenaron director técnico y uno de ellos fue el Cruz Azul que, visto el excelente trabajo de Isaac Mizrahi como interino en el torneo anterior, le confirió la titularidad.

Tigres ganó el torneíto derrotando al Monterrey con un gol en tiempos extra y *Chivas* venció al Veracruz por 2-1 para quedar como sublíder.

Con excepción del Monterrey, todos los equipos alinearon a sus porteros titulares, pero como el *Conejo* Pérez se lesionó en el primer partido, el marco cruzazulino quedó a cargo de Emmanuel González en los siguientes juegos.

Notable contundencia mostró el Guadalajara en el repechaje prelibertadores al humillar dos veces al Colo Colo: por 3-1 en Santiago y por 5-3 en la capital de Jalisco para calificar por tercera vez en su historia al gran torneo sudamericano.

Sequía de goles

El 20 de enero comenzó el Clausura-06, un torneo que padeció de anemia goleadora aguda. Los 29 porteros que actuaron en el campeonato solamente permitieron 379 goles, la cantidad más baja en diez años de torneos cortos. El equipo que anotó más (Pachuca, 33) no consiguió promediar dos anotaciones por juego. Tres equipos (*Pumas*, *Tigres* y Veracruz) no marcaron ni un gol en cada partido en promedio, y el más goleado (*Tecos*, 29) recibió menos de dos por encuentro. Las porterías menos batidas, las del Atlante y los *Tigres*, sólo contabilizaron 15 perforaciones.

Por consecuencia, cuatro porteros lucieron promedios inferiores a la unidad. El más bajo (0.87) fue de Omar Ortiz, quien superó por apenas una centésima a Federico Vilar y a Édgar Adolfo Hernández y por siete centésimas a Sergio Bernal.

José de Jesús Corona y Cirilo Saucedo encajaron las únicas goleadas del torneo. El arquero de los *Tecos* recibió cinco tantos del Pachuca en el Tres de Marzo el 10 de febrero y el Necaxa le anotó cinco al guardameta del Dorados ocho días después en Aguascalientes.

El *charrúa* Sebastián *Loco* Abreu, del Dorados, obtuvo su cuarto título de goleo y segundo consecutivo, compartiéndolo ahora con el guaraní Salvador Cabañas, de *Jaguares*. Cada uno anotó once veces, una más que los argentinos Ariel González, del San Luis, y Emanuel Villa, del Atlas. A esta cuarteta de artilleros los siguieron el chileno Patricio Galaz (Atlante) y el *che* César Delgado (Cruz Azul) con nueve goles cada uno.

Carlos Ochoa (Chiapas), Luis Landín (Pachuca) y el *Kikín* Fonseca (Cruz Azul), cada uno con siete goles, fueron los mejores romperredes mexicanos.

Cabe señalar dos detalles de los líderes Abreu y Cabañas: *1)* cuatro de los once goles del *Loco* fueron de penalti; *2)* el paraguayo repartió democráticamente su producción entre once equipos.

Récord de porteros de "hierro"

Nueve de los 18 equipos utilizaron solamente a sus porteros titulares, por lo tanto se rompió el récord de guardametas de "hierro" en un torneo. Los que jugaron todos los minutos de todos los encuentros fueron: Federico Vilar, Cirilo Saucedo, Moisés Muñoz, Iván Vázquez, Adrián Martínez, Mauricio Caranta, Édgar Adolfo Hernández, Sergio Bernal y Jorge Bernal. Vázquez, del Necaxa, y Bernal, del Veracruz, lo hicieron por tercer torneo consecutivo.

El traspaso de Armando Navarrete del Atlas al América, la reaparición de Mario Rodríguez con los *Tecos* y el debut de Carlos Velázquez (Ciudad Sahagún, 1984) con el Pachuca fueron prácticamente las únicas novedades que hubo en la nómina porteril. En su primera actuación, Velázquez recibió tres goles del Cruz Azul en la cancha de éste. Miguel Sabah marcó el primero.

Cuatro de los arqueros que no dejaron de jugar ni un segundo encabezaron la lista de los más goleados, quedando en primer lugar Iván Vázquez con 28, luego Mauricio Caranta con 25, Cirilo Saucedo 24 y Moisés Muñoz 20, este último empatado con el atlista Antonio Pérez. Sin embargo, Muñoz logró mantener imbatida su meta durante cuatro partidos consecutivos.

Por otra parte, nueve porteros atajaron una docena de penaltis, cantidad que creció a catorce por los tiros de castigo que detuvieron en la liguilla Vilar y Muñoz. Los que pararon dos en la fase regular fueron Christian Martínez, Cirilo Saucedo y Mario Rodríguez.

El América irá al Mundial de Clubes

A partir de febrero *Pumas*, *Chivas* y *Tigres* jugaron la Copa Libertadores y el Toluca y el América la de campeones de la Concacaf.

Víctor Manuel Aguado, el ex portero que ocho años atrás había dirigido durante dos torneos al Veracruz, reapareció empuñando el timón del América. No hizo huesos viejos en el nido de las *Águilas*, pues Lapuente lo relevó en la octava fecha, pero le alcanzó el tiempo para ganar la Concacaf y con ello el pase del América al Mundial de Clubes.

Los números de Aguado en la Liga fueron dos victorias, dos empates y tres descalabros. En el torneo regional las *Águilas* despacharon al Portmore de Jamaica (2-1 en Houston y 5-2 en México) y al Alajuelense de Costa Rica (2-1 en Alajuela y 0-0 en el Azteca) para pasar a la final contra el Toluca que por su parte eliminó al Olimpia (2-0

en Tegucigalpa y 2-1 en Toluca) y al Saprissa (2-0 en el Nemesio Diez y 2-3 en San José).

Tanto en la capital del Estado de México como en la capital del país el marcador de la final mexicana concacaf(k)iana fue 0-0, pero en los tiempos extra se impuso el América por 2-1 para proclamarse campeón por sexta vez en su historia.

César Lozano alineó en los primeros dos juegos del Toluca y Hernán Cristante en los demás, mientras que por el América Armando Navarrete jugó cinco y Guillermo Ochoa sólo uno, el del empate a cero con el Alajuelense.

Otra vez se queda *Chivas* en semifinales

Los *Pumas* comenzaron su participación en la Libertadores perdiendo en Montevideo ante el Nacional por 0-2 con su portero suplente, Odín Patiño. Fue la primera de cinco derrotas que acumularon en la primera fase del torneo y Sergio Bernal cortó una racha de 17 partidos internacionales oficiales consecutivos.

Luego, con Bernal en el marco, el equipo de la UNAM perdió dos veces con el Internacional de Porto Alegre, dos con el Maracaibo y empató en casa con el Nacional, quedando en el último lugar de su grupo con apenas un puntito y diferencia de goleo de –8.

En cambio, las *Chivas* calificaron a octavos de final sin perder ningún partido. Tres victorias —dos sobre el São Paulo— y tres empates les dieron 12 puntos y el segundo sitio en el grupo porque su diferencia de goles fue menor a la del São Paulo. Entre Oswaldo Sánchez (cuatro juegos) y Alfredo Talavera (dos) sólo admitieron tres anotaciones. Caracas y Cienciano fueron los otros equipos del grupo.

Los *Tigres* también pasaron a octavos al quedar en segundo lugar en el grupo que encabezó el Corinthians. Los *Felinos* sumaron 10 puntos, igual que la Universidad Católica, pero su diferencia de goleo fue ligeramente mayor que la del equipo chileno. *Tigres* dividió triunfos con el Corinthians y con la Católica y tuvo un triunfo y un empate con el Deportivo Cali. Rogelio Rodríguez alineó en dos juegos y Édgar Adolfo Hernández en cuatro; entre los dos recibieron 10 goles, y Hernández le paró un penalti al astro argentino Carlos Tévez, del Corinthians.

El Guadalajara eliminó al Independiente de Santa Fe (3-0 y 1-3) y avanzó a cuartos de final pero *Tigres* cayó en penaltis ante el Libertad de Paraguay. En Monterrey empataron a cero, el marcador se repitió en Asunción, los paraguayos acertaron sus cinco tiros sobre la meta de Édgar Adolfo Hernández pero los *Tigres* fallaron en el cuarto disparo, que hizo Emilio Martínez, por cierto, refuerzo paraguayo del cuadro *felino*.

El Vélez Sarsfield fue el rival de las *Chivas* en la antesala de la semifinal. En el primer juego en Guadalajara actuó Luis Ernesto Michel, el torneo se suspendió dos meses por la Copa del Mundo, y en el segundo encuentro reapareció Oswaldo Sánchez. Tras empatar 0-0 en el Jalisco, el cuadro tapatío dobló al Vélez en su cancha por 2 a 1 y se coló a la semifinal contra el São Paulo.

Por segundo año consecutivo un equipo brasileño eliminó a las *Chivas* en fase semifinal y nuevamente el portero Rogerio Ceni se puso el traje de héroe anotando de penalti el único gol del partido en Guadalajara y deteniendo un tiro de castigo de Ramón Morales en el juego en São Paulo. En este segundo encuentro el cuadro paulista se impuso por 3-0 dejando el global en un contundente 4-0. Con su gol, Ceni llegó a 62 anotaciones (40 tiros libres y 22 penaltis) y alcanzó al paraguayo José Luis Chilavert en el liderato mundial de porteros goleadores.

El subcampeón estuvo a punto de descender

El Pachuca, los *Jaguares* y el Cruz Azul, en este orden, dominaron la Liga. Notable fue también la actuación del Atlante que ascendió del lugar 17 en el torneo anterior al cuarto, mientras que el América se desplomó del primer sitio al decimotercero, el Monterrey del segundo al decimosexto y el Necaxa —que impuso récord del equipo al perder cinco juegos seguidos— del tercero al último.

La lucha por la permanencia en el máximo circuito entre Dorados y San Luis tuvo un emotivo desenlace en la última fecha. El equipo sinaloense, que tenía ligera ventaja en el promedio de puntos, empató con los *Pumas*. El cuadro potosino, con un gol agónico del *charrúa* Marcelo Guerrero, venció 2-1 al Atlas y alcanzó al Dorados en el promedio. La mayor diferencia de goles del San Luis determinó el descenso de Dorados y la salvación de la

escuadra potosina, y de pilón, su pase a la liguilla como segundo lugar del grupo que encabezó el Atlante.

La serie más emocionante de los cuartos de final fue la del Guadalajara contra Chiapas. Las *Chivas*, que por esos días celebraban el centenario del club, perdieron el primer duelo por 2-3 en el Jalisco, pero remontaron en el Víctor Manuel Reyna con sensacional triunfo por 4-2 habiendo anotado en el último minuto el gol que les dio el pase a semifinales.

El Cruz Azul de Mizrahi volvió a toparse en cuartos de final con el Toluca, y al igual que en el torneo anterior fue eliminado por los *Diablos* (1-2 y 1-1). El Pachuca superó al Morelia: perdió en el Morelos 1-2 pero venció 3-1 en el Hidalgo, juego en el que *Moi* Muñoz le paró un penalti a Richard Núñez.

Y el San Luis, que estuvo a unos minutos de irse a la Primera A, eliminó al Atlante con un raquítico marcador global de 1-0, y en semifinales despachó al Toluca con par de triunfos por 2-1, mientras el Pachuca hacía valer su mejor posición en la tabla para eliminar al Guadalajara dado que el global quedó 4-4 porque los *Tuzos* vencieron a domicilio 2-1 y las *Chivas* hicieron lo propio por 3-2. Cabe consignar que el *Rebaño Sagrado* llevaba más de un mes con cinco titulares en la concentración de la Selección Nacional.

La final inédita entre San Luis y Pachuca resultó muy cerrada. En el primer juego, el 18 de mayo en el Alfonso Lastras, ni Adrián Martínez ni Miguel Calero permitieron anotaciones. La misma tónica seguía el día 21 en el Hidalgo hasta que un penalti ejecutado por Richard Núñez —autor de cinco de los nueve goles del Pachuca en la liguilla— le dio la victoria y el título al equipo hidalguense.

Para el Pachuca, dirigido en esta ocasión por José Luis Trejo, fue su cuarto campeonato, cortándose la racha de once torneos seguidos en los que el súper líder no había logrado quedar campeón.

En el Mundial terminó la era La Volpe

El sorteo de la Copa del Mundo le deparó a México un grupo que lucía cómodo (Portugal, Angola e Irán) para transitar de la primera fase a octavos de final. La Selección tuvo varios juegos de preparación durante el lapso enero-mayo, la mayor parte, como de costumbre, en Estados Unidos. Allí venció a Noruega (2-1), perdió con Corea del Sur (0-1), derrotó a Ghana (1-0), a Paraguay (2-1) y a Venezuela (1-0). Salvo el primer partido, en el que alineó José de Jesús Corona, siempre cubrió el marco Oswaldo Sánchez, y lo siguió haciendo en el juego de despedida antes de viajar a Europa así como en todos los encuentros contra selecciones nacionales que sostuvo el Tri en el viejo continente incluyendo los del Mundial.

En su despedida en el Azteca la escuadra de La Volpe superó por 2 a 1 a la Selección de la República del Congo. Posteriormente perdió 0-1 con Francia en París, y en Eindhoven cayó frente a Holanda por 1-2.

En Alemania-06 la actuación de México fue de más a menos en la primera ronda: triunfo ante Irán por 3-1, empate sin goles con Angola y derrota frente a Portugal por 1-2, resultados que lo ubicaron en el segundo lugar del grupo aunque a cinco puntos del líder Portugal que ganó sus tres juegos.

En octavos de final el Tri dio su mejor partido del Mundial jugándole de tú a tú al multiestelar seleccionado argentino. Empatado a un gol, el cotejo se prolongó en tiempos extra donde un soberbio golazo de Maxi Rodríguez determinó la eliminación de México y con ella el final del ciclo de Ricardo La Volpe como técnico nacional.

Igual que en Estados Unidos-94, Francia-98, Japón y Corea-02, nuestra Selección se quedó en octavos y no llegó al anhelado y hasta ahora inalcanzable quinto partido...

Argentina, su país natal, fue el alfa y el omega de La Volpe en su paso por la Selección ya que su primero y último juegos fueron contra la albiceleste.

El trabajo de La Volpe en los tres años y medio que dirigió al Tri quedó plasmado en estos números: en juegos oficiales, 26 victorias, seis empates y ocho derrotas; en amistosos, 12 ganados, diez empatados y nueve perdidos. En total, eficiencia (porcentaje de puntos) de 61%.

Con la Selección Olímpica ganó cinco, empató dos y sólo perdió uno, pero por esta única derrota fue eliminado en Atenas-04.

Márquez, campeón de España y de Europa

Mientras el trotamundos Antonio De Nigris jugando con

el Santos de São Paulo se convertía en el primer mexicano en anotar un gol en el campeonato brasileño y Jared Borgetti terminaba su actuación en el futbol inglés, donde marcó dos tantos en 19 juegos, y se contrataba en Arabia Saudita, Rafael Márquez y su Barcelona tuvieron un año inolvidable repitiendo como campeones de España y venciendo al Arsenal en París en la final de la Champions.

Nómina de porteros

América	Guillermo Ochoa y Armando Navarrete
Atlante	Federico Vilar
Atlas	Antonio Pérez y Roberto Carlos Castro
Chiapas	Omar Ortiz y Erubey Cabuto
Cruz Azul	Óscar Pérez y Emmanuel González
Dorados	Cirilo Saucedo
Guadalajara	Oswaldo Sánchez, Alfredo Talavera y Luis Ernesto Michel
Monterrey	Christian Martínez y Jonathan Orozco
Morelia	Moisés Muñoz
Necaxa	Iván Vázquez
Pachuca	Miguel Calero y Carlos Velázquez
San Luis	Adrián Martínez
Santos	Mauricio Caranta
Tigres	Édgar Adolfo Hernández
Toluca	César Lozano y Hernán Cristante
UAG	José de Jesús Corona, Mario Rodríguez y Marcos Garay
UNAM	Sergio Bernal
Veracruz	Jorge Bernal

Más juegos (J)

Federico Vilar (Atlante)	17
Cirilo Saucedo (Dorados)	17
Moisés Muñoz (Morelia)	17
Iván Vázquez (Necaxa)	17
Adrián Martínez (San Luis)	17
Mauricio Caranta (Santos)	17
Édgar Adolfo Hernández (Tigres)	17
Sergio Bernal (UNAM)	17
Jorge Bernal (Veracruz)	17

Más juegos completos

Federico Vilar (Atlante)	17
Cirilo Saucedo (Dorados)	17
Moisés Muñoz (Morelia)	17
Iván Vázquez (Necaxa)	17
Adrián Martínez (San Luis)	17
Mauricio Caranta (Santos)	17
Édgar Adolfo Hernández (Tigres)	17
Sergio Bernal (UNAM)	17
Jorge Bernal (Veracruz)	17

Más goles (g)

Iván Vázquez (Necaxa)	28
Mauricio Caranta (Santos)	25
Cirilo Saucedo (Dorados)	24
Antonio Pérez (Atlas)	20
Moisés Muñoz (Morelia)	20

Más bajo g/j (mínimo 10 juegos)

Omar Ortiz (Chiapas)	0.87
Federico Vilar (Atlante)	0.88
Édgar Adolfo Hernández (Tigres)	0.88
Sergio Bernal (UNAM)	0.94
Miguel Calero (Pachuca)	1.00
Oswaldo Sánchez (Guadalajara)	1.09

Más goles en un juego

Cirilo Saucedo (Dorados)	5
José de Jesús Corona (UAG)	5

Penaltis detenidos

Cirilo Saucedo (Dorados)	2
Christian Martínez (Monterrey)	2
Mario Rodríguez (UAG)	2
Guillermo Ochoa (América)	1
Omar Ortiz (Chiapas)	1
Oswaldo Sánchez (Guadalajara)	1
Iván Vázquez (Necaxa)	1
Miguel Calero (Pachuca)	1
César Lozano (Toluca)	1

Expulsados

José de Jesús Corona (UAG)

LIGUILLA

Más juegos	Miguel Calero (Pachuca) y Adrián Martínez (San Luis)	6
Más juegos completos	Miguel Calero (Pachuca) y Adrián Martínez (San Luis)	6
Más goles	Miguel Calero (Pachuca)	7
Más bajo G/J	Adrián Martínez (San Luis) y Federico Vilar (Atlante)	0.50
Más goles en un juego	Omar Ortiz (Chiapas)	4
Penaltis detenidos	Federico Vilar (Atlante) y Moisés Muñoz (Morelia)	1
Expulsados	Ninguno	

Apertura-06
Chivas se lleva la Liga y Pachuca la Sudamericana

Antes de terminar el año de su centenario, el Guadalajara conquistó su undécimo título. El Pachuca se proclamó monarca de la Copa Sudamericana derrotando al Colo Colo en Santiago, en cambio, el América en el Mundial de Clubes fue vapuleado por el Barcelona y perdió el tercer lugar con un equipo egipcio. El Toluca obtuvo el título de Campeón de Campeones. Otra vez cuatro porteros promediaron menos de un gol por juego. Isaac Mizrahi llevó al Cruz Azul al súper liderato. Exitosa reaparición del Ojitos *Meza. El* Conejo *Pérez y Federico Vilar marcaron sendos goles. Por undécimo torneo consecutivo un extranjero encabezó a los romperredes.*

El Pachuca gana en Chile la Sudamericana

La temporada se puso en marcha con los dos juegos entre los campeones del Apertura-05 y Clausura-06, Toluca y Pachuca. En la dirección técnica de los *Tuzos* reapareció Enrique Meza. El ex goleador de los *Pumas*, Bruno Marioni, ahora artillero del Toluca, batió el arco de Miguel Calero tanto en la *Bombonera* como en el Hidalgo, y con esas anotaciones, las únicas que hubo en los dos encuentros, ya que Hernán Cristante bajó la cortina, la escuadra toluqueña logró su cuarto título de Campeón de Campeones.

Posteriormente, ya jugándose la Liga, el Toluca se enfrentó en Houston al América, ganador del Clausura-05, por el pase directo a la Copa Libertadores. Con César Lozano en la portería y anotaciones de Vicente Sánchez, Marioni y Sergio Ponce, los *Diablos* vencieron por 3-2, y una semana después, junto con el Pachuca, comenzaron su participación en la Copa Sudamericana, para lo cual se instaló el alumbrado eléctrico en el estadio Nemesio Diez.

Los dos clubes mexicanos avanzaron hasta semifinales y parecía que ambos podrían llegar a la final. El Pachuca eliminó al Deportes Tolima (1-2 de visita y 5-1 en casa) en octavos de final y al Lanús (3-0 a domicilio y 2-2 de local) en cuartos, en tanto que el Toluca superó al ecuatoriano El Nacional (1-0 en la inauguración del alumbrado y 2-0 en Quito) y al San Lorenzo de Almagro (1-3 en Buenos Aires y 2-0 en la *Bombonera*).

Con triunfos por 2 a 1 en Santiago y 2 a 0 en Toluca el Colo Colo frenó al cuadro mexi-

quense en una de las semifinales; en la otra el Pachuca despachó al Atlético Paranaense al que dobló tanto en terreno brasileño por 1-0 como en su cancha por 4 a 1.

Por esos días —segunda quincena de noviembre— se jugaba en México la liguilla, en la que participaban el Toluca y el Pachuca. Al empalmarse las fechas de algunos partidos de ambos torneos, los dos equipos se vieron obligados a alinear a algunos suplentes. Un día antes del primer juego de la final de la Copa Sudamericana, el Pachuca tenía programado el primer partido de semifinales en la Liga, por cierto contra el Toluca. El *Ojitos* Meza le dio preferencia al certamen sudamericano, así que puso a su cuadro titular para enfrentar al Colo Colo y alineó a varios suplentes contra el Toluca. En ambos juegos el marcador quedó 1-1.

La noche del 13 de diciembre en el estadio Nacional de Santiago la afición chilena tenía todo preparado para celebrar la coronación del popular Coco Colo, pero el Pachuca les frustró la fiesta al vencer al cuadro andino por 2-1 con goles de Gabriel Caballero y Christian Giménez. Histórica victoria del equipo *tuzo* que se convirtió en el primer club mexicano en ganar un campeonato sudamericano.

El único jugador del Pachuca que actuó en todos los partidos, tanto de la Sudamericana como de la liguilla, fue el portero Calero. En el Toluca, César Lozano alineó en dos juegos de cada torneo y Cristante en los demás.

Porteros goleadores

El Apertura-06 se efectuó del 5 de agosto al 10 de diciembre. Como aperitivo se tuvo la visita del Boca Juniors y del Barcelona. El cuadro argentino empató con el Cruz Azul en Puebla, con el Atlas en Guadalajara y goleó a los *Tigres* en Monterrey. El Barça también arrolló a los *Tigres* y en Los Ángeles empató con las *Chivas* y en Houston con el América. En este último juego el marcador fue 4-4. Mientras tanto el San Luis realizó su pretemporada en Argentina, donde jugó cinco partidos, de los que sólo ganó uno.

En la segunda jornada de la Liga, el 12 de agosto, el portero del Atlante, Federico Vilar, ejecutó en el estadio Azul un tiro libre que batió el marco del Cruz Azul, a cargo de Óscar Pérez. Dos años atrás el arquero argentino había anotado un gol similar contra el Necaxa en el estadio Azteca. Aquella vez ganó el Atlante; en ésta perdió 1-2.

Un mes después, el 13 de septiembre, el mismo *Conejo* fue autor de un gol agónico —minuto 94— que le dio al Cruz Azul el empate a uno con los *Tecos* en el Tres de Marzo. El portero *cementero* remató con la cabeza un saque de esquina para vencer la valla de José de Jesús Corona.

Dos goles más de un portero hubo en esta temporada. Ocurrieron en la Primera A. Éder Patiño, guardameta del Real Colima, anotó de penalti contra el Tapatío y repitió el truco ante el Tampico-Madero.

Arqueros goleados

Federico Vilar y Óscar Pérez fueron dos de los siete guardametas de "hierro" del torneo. Los otros: Memo Ochoa, del América, Mario Rodríguez, quien fue transferido por los *Tecos* al Atlas, Omar Ortiz, de Chiapas, Adrián Martínez, del San Luis y el *che* Mauricio Caranta, del Santos. Vilar, Martínez y Caranta ligaron su segundo campeonato completo consecutivo. Caranta jugó su último torneo en México. Regresó a Argentina contratado por el Boca Juniors. Con el Santos actuó en 47 juegos y encajó 80 goles. Su promedio fue alto: 1.70, y en este torneo nadie recibió más anotaciones que él.

Ninguno de los 32 porteros que actuaron en el Apertura-06 fue expulsado y entre todos recibieron 401 goles, amén de que los 12 que tuvieron acción en la liguilla admitieron 42 anotaciones.

Después de Caranta, el más goleado con 31, quedaron José de Jesús Corona con 27, Iván Vázquez con 24 y Édgar Adolfo Hernández con 23. Este último encajó la mayor goliza del torneo el 16 de septiembre en Toluca. Los *Diablos* lo fusilaron siete veces, destacando Bruno Marioni con cuatro dianas.

Otro delantero extranjero, el paraguayo Salvador Cabañas, del América, también anotó cuatro goles en un juego. Su hazaña tuvo lugar en el estadio Azteca el 27 de agosto ante el Veracruz, cuyo portero fue Cirilo Saucedo. Este partido lo ganaron las *Águilas* por 5 a 1. Una goleada mayor fue la que el Atlas le propinó a Marcos Garay, arquero suplente de los *Tecos*, en el Tres de Marzo por 6-1 el 13 de agosto.

Marioni prolongó la hegemonía de los artilleros importados al conquistar por segunda vez el título de máximo anotador. Se apuntó once goles y posteriormente sumó cuatro en la liguilla. El brasileño Kléber Pereira, del Necaxa, y el mexicano Miguel Sabah, del Cruz Azul, compartieron la segunda posición con nueve tantos cada uno, y con ocho pepinos figuraron Cabañas, el argentino Mauro Gerk, del Querétaro, y la dupla mexicana de Omar Bravo, de *Chivas*, y Juan Carlos Cacho, del Pachuca.

El portero más eficiente fue Adrián Martínez

Por segundo torneo consecutivo el Pachuca, ahora al mando del *Ojitos* Meza, fue el líder de goleo. Los *Tuzos* marcaron 32 veces. Por cierto, el equipo tuvo un comienzo muy flojo (cuatro derrotas seguidas y un empate en la quinta fecha) y parecía que Meza no haría huesos viejos en la capital de Hidalgo. Sin embargo, a partir de la sexta jornada el Pachuca ganó 25 de 36 puntos, llegó a semifinales y conquistó la Sudamericana.

Los equipos que anotaron menos fueron San Luis y *Tigres* con 14 cada uno. El conjunto de la Universidad de Nuevo León también fue el más goleado (37), en tanto que otra escuadra universitaria, la de la UNAM, fue el equipo que recibió menos anotaciones (11) empatando el récord de torneos cortos.

El San Luis tuvo un gol más en contra y su guardameta Adrián Martínez logró el promedio más bajo, 0.70, superando por cinco centésimas a Sergio Bernal. Los porteros del América y Chiapas también promediaron menos de un gol por juego. Guillermo Ochoa tuvo 0.88 y Omar Ortiz 0.94.

Hernán Cristante comenzó el torneo en gran forma pues mantuvo invicta su cabaña en los primeros cuatro juegos del Toluca, pero más adelante se lesionó y dejó de jugar ocho partidos. En los nueve en que actuó recibió únicamente cinco goles, de modo que su promedio fue un microscópico 0.55, pero le faltó un juego para cumplir el mínimo de 10 actuaciones.

Un dato digno de resaltarse es el de que en la fase regular del torneo ningún portero detuvo un penalti, en cambio, en la liguilla Memo Ochoa y Oswaldo Sánchez atajaron sendos tiros de castigo.

Cambios y debuts

El elenco de guardametas registró las reapariciones en Primera División de Alexandro Álvarez con el Necaxa y de Miguel Becerra y Erubey Cabuto con el Querétaro; los pases de Emmanuel González, del Cruz Azul a los *Tigres*, Mario Rodríguez, de *Tecos* al Atlas, Rogelio Rodríguez, de *Tigres* a *Pumas* y Cirilo Saucedo, del descendido Dorados al Veracruz; así como el debut de cuatro porteros: Humberto Hernández (Pachuca), Enrique Palos (*Tigres*), Félix Vega (UAG) e Israel Villaseñor (Veracruz).

El que jugó más fue Villaseñor, quien suplió a Jorge Bernal al lesionarse éste en la fecha 9 y alineó en el resto del campeonato, incluyendo los dos partidos de repechaje. Su debut tuvo lugar en el Azteca el 16 de septiembre contra el Atlante, siendo Jesús Olalde quien venció su valla por primera vez.

Erubey Cabuto sólo tuvo cuatro actuaciones y aparentemente cerró su destacada carrera el 26 de agosto en Querétaro donde los *Gallos Blancos* superaron 2-1 al Santos. Cabuto sumó veinte torneos (trece con Atlas, cinco con Querétaro y dos con Chiapas), 277 juegos, 435 anotaciones (promedio de 1.57) y 11 penaltis atajados. Nunca fue expulsado. Es el segundo arquero con más partidos y el primero con más goles recibidos y más penaltis detenidos en la historia del Atlas. A la vez, es líder de juegos, goles y penaltis parados en el Querétaro.

También la trayectoria en Primera División de Emmanuel González llegó a su fin. Fue custodiando el marco de los *Tigres* ante el Querétaro en Monterrey el 4 de noviembre, partido que ganó el local por 3 a 2. Emmanuel participó en siete torneos con el Celaya, igual número con el Cruz Azul y éste con el equipo felino, pero solamente jugó 83 veces. Su promedio de goles por partido fue 1.41 ya que admitió 117 pepinos.

Guadalajara eliminó al súper líder

En su segundo torneo completo como director técnico del Cruz Azul, Isaac Mizrahi llevó al equipo *cementero* a la cima de la tabla general con 30 puntos, uno más que los que sumaron *Pumas* y *Águilas*. Sin embargo, en la liguilla el Cruz Azul repitió la película de los dos torneos

inmediatos anteriores al quedar eliminado en cuartos de final, esta vez por el Guadalajara, que antes había vencido en un repechaje al Veracruz.

Sí, la decisión de los dueños del balón de suprimir los repechajes adoptada hace dos años fue enviada, como tantas otras, al basurero. Las *Chivas* superaron a los *Tiburones* (2-1 y 4-0) y el Toluca a Chiapas (0-1 y 2-0) en las series previas a los cuartos de final.

Luego el cuadro tapatío despachó al Cruz Azul (2-0 y 2-2) y el mexiquense al Monterrey (0-0 y 2-1) y ambos avanzaron a semifinales. En los otros duelos cuartofinalistas el América derrotó al Atlas en el Jalisco por 3-1, partido en el que Ochoa le paró un penalti al colombiano Hugo Rodallega, y selló la eliminación de los rojinegros con un empate a tres en el Azteca. Por su parte, el Pachuca, tras empatar en casa con los *Pumas* (1-1), venció a los universitarios en su terreno por uno a cero.

Los *Tuzos* y los *Diablos* se vieron las caras en una semifinal, y en la otra *Chivas* y *Águilas* protagonizaron dos ediciones más del famoso clásico.

Ganando en casa 2-0 y empatando a cero de visita el Guadalajara se deshizo de su tradicional rival, adornando la victoria con el penalti que Oswaldo le atajó a Cabañas, y con el cual empató el récord de Héctor Zelada de tres penaltis detenidos en liguillas. Mientras tanto el Toluca superó apretadamente al Pachuca empatando 1-1 en el Hidalgo y ganando 1-0 en la *Bombonera*.

Cien años y once títulos

Cabe apuntar, antes de mencionar cómo fue la final entre *Chivas* y *Diablos*, que el colero del campeonato fue el Santos y que el Querétaro y el San Luis perdieron tres puntos cada uno, como Chiapas hace un año, por incumplimiento de la regla de los menores de 20 años, once meses. El Santos sólo sumó once puntos y únicamente ganó un partido, por lo que empató el récord de *Tecos* y Querétaro de menos triunfos en un torneo. La pérdida de esos tres puntos le costaría al Querétaro en el siguiente campeonato, el Clausura-07, el descenso a Primera A.

Guadalajara y Toluca protagonizaron el 7 y 10 de diciembre otra final inédita. En el primer choque Omar Bravo y Bruno Marioni perforaron las porterías de Cristante y Oswaldo para dejar el marcador del estadio Jalisco empatado a uno, y a los *Diablos* aparentemente con la mesa puesta para coronarse en su casa.

Sin embargo las *Chivas*, con anotaciones en el segundo tiempo del *Maza* Rodríguez y del *Bofo* Bautista, remontaron en la cancha toluqueña una desventaja por otro gol de Marioni y se alzaron con la victoria de 2 a 1 y su undécimo campeonato. El cuadro tapatío, dirigido por José Manuel de la Torre, se convirtió en el tercer equipo que recorre el camino desde el repechaje hasta la coronación. Su hazaña cerró de forma brillante el centésimo año de vida del Guadalajara.

Fracaso del América en el Mundial

Mientras en México culminaba la Liga, el América viajó a Japón para participar en el III Mundial de Clubes. Debutó con un triunfo mínimo ante el Jeonbuk Motors, de Corea, luego recibió una paliza del Barcelona y sucumbió por 1-2 con el equipo egipcio Al Ahly en el juego por el tercer lugar. Uno de los cuatro goles que el Barcelona le clavó a Guillermo Ochoa lo anotó Rafael Márquez. Gudjohnsen, Ronaldinho y Deco completaron la goleada.

Mexicanos de exportación

Pavel Pardo, Carlos Salcido, Ricardo Osorio y Francisco Fonseca aprovecharon el escaparate del Mundial de Alemania para brincar el charco y emigrar al futbol europeo. A Pardo y Osorio se los llevó el Stuttgart, a Salcido el PSV Eindhoven y al *Kikín* el Benfica. Los primeros tres se afianzaron como titulares en sus respectivos equipos, en tanto que Fonseca solamente jugó ocho partidos con el cuadro portugués, anotó un gol y se regresó a México. Mientras tanto Jared Borgetti probó suerte en el balompié saudiárabe y de pronto apareció un mexicano en la Liga de Eslovaquia: Juan Manuel Rivera en el equipo Spartak Trnava.

Nómina de porteros

América	Guillermo Ochoa
Atlante	Federico Vilar
Atlas	Mario Rodríguez
Chiapas	Omar Ortiz
Cruz Azul	Óscar Pérez
Guadalajara	Oswaldo Sánchez y Luis Ernesto Michel
Monterrey	Christian Martínez y Jonathan Orozco
Morelia	Moisés Muñoz y Junior Madrigal
Necaxa	Iván Vázquez y Alexandro Álvarez
Pachuca	Miguel Calero y Humberto Hernández
Querétaro	Miguel Becerra y Erubey Cabuto
San Luis	Adrián Martínez
Santos	Mauricio Caranta
Tigres	Édgar Adolfo Hernández, Emmanuel González y Enrique Palos
Toluca	Hernán Cristante y César Lozano
UAG	José de Jesús Corona, Marcos Garay y Félix Vega
UNAM	Sergio Bernal y Rogelio Rodríguez
Veracruz	Israel Villaseñor, Jorge Bernal y Cirilo Saucedo

Más juegos (j)

Guillermo Ochoa (América)	17
Federico Vilar (Atlante)	17
Mario Rodríguez (Atlas)	17
Omar Ortiz (Chiapas)	17
Óscar Pérez (Cruz Azul)	17
Adrián Martínez (San Luis)	17
Mauricio Caranta (Santos)	17
Oswaldo Sánchez (Guadalajara)	16
Moisés Muñoz (Morelia)	16
Iván Vázquez (Necaxa)	16

Más juegos completos

Guillermo Ochoa (América)	17
Federico Vilar (Atlante)	17
Mario Rodríguez (Atlas)	17
Omar Ortiz (Chiapas)	17
Óscar Pérez (Cruz Azul)	17
Adrián Martínez (San Luis)	17
Mauricio Caranta (Santos)	17
Oswaldo Sánchez (Guadalajara)	16
Moisés Muñoz (Morelia)	16
Iván Vázquez (Necaxa)	16

Más goles (g)

Mauricio Caranta (Santos)	31
José de Jesús Corona (UAG)	27
Iván Vázquez (Necaxa)	24
Édgar Adolfo Hernández (Tigres)	23

Más bajo g/j (mínimo 10 juegos)

Adrián Martínez (San Luis)	0.70
Sergio Bernal (UNAM)	0.75
Guillermo Ochoa (América)	0.88
Omar Ortiz (Chiapas)	0.94
Oswaldo Sánchez (Guadalajara)	1.06

Más goles en un juego

Édgar Adolfo Hernández (Tigres)	7
Marcos Garay (UAG)	6
Mauricio Caranta (Santos)	5
Emmanuel González (Tigres)	5
Édgar Adolfo Hernández (Tigres)	5
José de Jesús Corona (UAG)	5
Cirilo Saucedo (Veracruz)	5

Penaltis detenidos	Expulsados
Ninguno	Ninguno

LIGUILLA

Más juegos	Oswaldo Sánchez (Guadalajara)	8
Más juegos completos	Oswaldo Sánchez (Guadalajara)	8
Más goles	Guillermo Ochoa (América), Mario Rodríguez (Atlas) e Israel Villaseñor (Veracruz)	6
Más bajo G/J	César Lozano (Toluca)	0.50
Más goles en un juego	Israel Villaseñor (Veracruz)	4
Penaltis detenidos	Guillermo Ochoa (América), Oswaldo Sánchez (Guadalajara)	1
Expulsados	Ninguno	

Clausura-07
Hegemonía del Pachuca

El Pachuca ganó la Liga y la Concacaf, impuso un récord de disciplina deportiva y su portero fue el mejor del torneo. Enrique Ojitos *Meza ganó su cuarto campeonato como entrenador. Por tercera vez un equipo brasileño echó al América de la Copa Libertadores. México sucumbió ante Estados Unidos en la final de la Copa de Oro. ¡Al fin, un campeón goleador mexicano! Descendió el Querétaro y regresó al máximo circuito el Puebla. Lo único que no ganó el Pachuca fue la Recopa Sudamericana. Cuatro mexicanos se coronaron en el futbol de Europa.*

Necaxa y América entran a la Libertadores

El año futbolístico mexicano comenzó el 3 y 4 de enero en Houston donde el Necaxa, Cruz Azul, *Tigres*, Monterrey, Chiapas, Morelia, *Tecos* y América iniciaron el torneo Interliga, clasificatorio para la Copa Libertadores. En los días siguientes jugaron en Frisco y culminaron el rápido certamen en Carson el día 13.

El Necaxa ganó sus cuatro partidos y consiguió el pase directo, mientras que el América, también invicto pero con dos empates, obtuvo el boleto para un repechaje con el Sporting Cristal, de Perú. En las finales del Interliga el Necaxa batió por 1-0 a los *Jaguares* con el cuarto gol de Kléber, máximo anotador del torneíto, y el América, tras 120 minutos sin anotaciones contra *Tigres*, venció a los *Felinos* en penaltis por 4 a 2 gracias a que Memo Ochoa detuvo los disparos de Emmanuel Cerda y Javier Saavedra.

De hecho, el portero del América solamente recibió un gol en el torneo. El Cruz Azul alineó en dos juegos a Yosgart Gutiérrez, suplente del *Conejo* Pérez. Sinaloense de 25 años de edad, Yosgart seguiría en la banca un año más antes de debutar en la Liga.

A fin de mes el América superó con facilidad al Sporting Cristal (5-0 en Toluca y 1-2 en Lima) y calificó a la Libertadores.

Calero, Michel y Ochoa, los mejores porteros

El 19 de enero se inició el Clausura-07, el más anémico de los minitorneos ya que sólo se anotaron 376 goles y la tercera parte de los equipos promediaron un gol o menos por partido. Incluso uno de ellos, el Veracruz, impuso los récords de menos anotaciones en un campeonato (11) y promedio más bajo (0.65).

Los *Tiburones* también fueron el equipo más goleado (33) mientras que el Pachuca ligó su tercer campeonato seguido de goleo (36) y su marco fue el menos vencido recibiendo únicamente 12 tantos. Así, este Pachuca se convirtió en el séptimo equipo dirigido por Enrique Meza que conquista el título de goleo y Miguel Calero fue el líder de los guardametas con uno de los promedios más bajos de la historia: 0.62, es decir, poquito más de medio gol por juego.

Luis Ernesto Michel, a quien le llegó la oportunidad de custodiar el marco del Guadalajara porque Oswaldo Sánchez fue traspasado al Santos, logró el segundo mejor promedio (0.82) y Guillermo Ochoa el tercero (0.87).

Desde luego, Jorge Bernal, que alineó en todos los partidos del Veracruz, fue el cancerbero más goleado (33), seguido por Federico Vilar (27), Omar Ortiz (26) y Adrián Martínez (23). Ortiz, en su segundo torneo completo consecutivo en la portería chiapaneca, se lució atajando tres penaltis.

Estos cuatro arqueros así como el *Conejo* Pérez, Michel y el portero del Querétaro, Miguel Becerra, actuaron en todos los minutos de todos los partidos. El *Conejo* ligó cinco juegos seguidos sin gol en contra empatando el récord del *Gato* Marín y Carlos Novoa en el Cruz Azul.

Miscelánea

El pase de Oswaldo Sánchez de las *Chivas* al Santos y el de Cirilo Saucedo del Veracruz a *Tigres* fueron los únicos cambios registrados en la nómina de porteros. Una lesión de Oswaldo en la sexta jornada durante el juego Santos-*Tecos* propició el debut de Francisco González, quien cubrió el marco del equipo lagunero en las siguientes cuatro fechas hasta que regresó Oswaldo. Germán Villa, el veterano mediocampista del América, fue el autor del primer gol recibido por González.

Mario Rodríguez, del Atlas, fue el único portero expulsado en el torneo. Por cierto que él y Cirilo Saucedo fueron víctimas en sendos partidos de dos autogoles de sus compañeros Hugo Ayala y Denis Caniza, del Atlas, y José Rivas y Javier Saavedra, de los *Tigres*.

Jorge Bernal recibió las únicas golizas del campeonato. Cinco goles morelianos el 14 de febrero en el estadio Morelos y cinco tantos pachuqueños el 31 de marzo en el Luis *Pirata* Fuente. En ambos juegos el marcador fue 5-0.

Pachuca se corona en Concacaf

A partir del mes de febrero cinco equipos jugaron dos torneos: la Liga y la Libertadores, el Toluca, Necaxa y América; y la Liga y la Copa de Concacaf, el Pachuca y el Guadalajara.

La final del torneo concacaf(k)iano tuvo nuevamente como protagonistas a dos clubes mexicanos porque los *Tuzos* y las *Chivas* eliminaron a todos sus oponentes. Guadalajara superó al W. Connection, de Trinidad y Tobago, por 1-2 y 3-0 y al DC United, de Estados Unidos, por 1-1 y 2-1, mientras que Pachuca se impuso al guatemalteco Deportivo Marquense por 2-0 y 1-0 y al Houston Dynamo por 0-2, 4-2 y 1-0 en tiempos extra.

La final resultó larga y emocionante. Empataron a dos goles en el Jalisco y a cero en el Hidalgo, el empate persistió en los tiempos extra y no fue hasta la segunda tanda de penaltis cuando se decidió la batalla en favor del Pachuca por 7-6 porque Alberto Medina estrelló su tiro en un poste.

Calero y Michel jugaron todos los partidos. El Pachuca obtuvo su segundo título de Concacaf y con él el boleto para el Mundial de Clubes a fin de año en Japón.

El América no puede con los brasileños

El Necaxa prolongó en sus primeros juegos de la Copa Libertadores la racha victoriosa que tuvo en el Interliga. En Lima derrotó al Alianza y en Aguascalientes al Áudax Italiano, de Chile, y al São Paulo con todo y su portero

goleador, Rogerio Ceni, quien por cierto en este juego falló un penalti. En São Paulo perdió lo invicto el cuadro necaxista pero finalmente terminó de líder de su grupo con un punto más que la escuadra brasileña y el Áudax.

El Toluca también ganó su grupo superando por dos puntos al Boca Juniors, a la postre campeón del torneo. El Cienciano de Perú y el Bolívar de Bolivia fueron los otros adversarios de los *Diablos*.

Por su parte, el América, aunque sumó la misma cantidad de puntos que Necaxa y Toluca, quedó en segundo lugar del grupo que encabezó el club paraguayo Libertad y que completaron el argentino Banfield y el ecuatoriano El Nacional.

En octavos de final terminó la aventura sudamericana para el Necaxa y el Toluca, eliminados por el Nacional uruguayo y el Cúcuta colombiano, respectivamente. No así para el América, que se impuso al Colo Colo y avanzó a cuartos de final. El Necaxa perdió los dos cotejos con el conjunto *charrúa* (2-3 en Montevideo y 0-1 en el estadio Azteca), en los cuales alineó Federico Vilar, a quien el Necaxa llevó como refuerzo a la segunda fase de la Libertadores. En los seis juegos de la primera ronda había actuado Alexandro Álvarez.

La victoria del Toluca por 2 a 0 en la *Bombonera* no alcanzó para superar la gran ventaja de 5-1 que había conseguido el Cúcuta en su cancha. En un solo juego Hernán Cristante recibió tantos goles como los que había encajado en los cinco anteriores.

El América dividió triunfos con el Colo Colo pero lo superó en el marcador global (3-0 en Ciudad de México y 1-2 en Santiago), sin embargo, en cuartos de final se topó con el Santos, frente al cual empató sin goles en el Azteca y sucumbió por 1-2 en el puerto paulista. Por tercera ocasión un equipo brasileño echó a las *Águilas* de la Libertadores. Acaso como premio de consolación quedó el campeonato de goleo logrado por el ariete americanista Salvador Cabañas con diez pepinos. De la decena de partidos que disputó el América en el certamen sudamericano, Guillermo Ochoa actuó en siete y Armando Navarrete en tres. Cada portero admitió siete goles.

45 años de las *Chivas* sin un líder goleador

Al ser expulsado el delantero del Pachuca, Luis Landín, en la primera jornada de la Liga, terminó una racha del equipo *tuzo* de 48 juegos consecutivos sin que ninguno de sus jugadores hubiera recibido tarjeta roja, un récord del futbol mexicano.

A media temporada el Pachuca ganó siete partidos seguidos y terminó el torneo con diez victorias en sus últimos once juegos, como líder general con ocho puntos de ventaja sobre el segundo lugar, ocupado por el Guadalajara.

En la parte más baja de la tabla quedó el Veracruz, equipo por el que desfilaron cinco directores técnicos, tres de ellos interinos, y solamente consiguieron ganar una docena de puntos. Sin embargo, fue el Querétaro, pese a no perder ningún juego en casa, el que tuvo el promedio de puntos más bajo (gracias a las tres unidades que le quitaron en el torneo anterior) y por ello se ganó el boleto de regreso a la Primera A.

Desde la temporada 61-62 en la que Salvador Reyes fue campeón de goleo, el Guadalajara no había tenido en sus filas al máximo anotador. Omar Bravo rompió el maleficio en este campeonato y también cortó la cadena de once títulos seguidos ganados por artilleros extranjeros.

Bravo anotó 11 tantos, cinco de ellos en cancha ajena. Iván Vázquez, del Necaxa, fue el portero que recibió más anotaciones (3) del joven delantero de las *Chivas*. El sublíder de goleo fue el argentino Javier Cámpora, de *Jaguares*, con diez, seguido por Juan Carlos Cacho, del Pachuca, y el *charrúa* Gustavo Bizcayzacú, del Atlante, con ocho cada uno.

El Pachuca y el *Ojitos* hacen historia

En las dos series de repechaje el Santos eliminó al San Luis y el Atlas al Morelia. Ni uno ni otro superaron la fase de cuartos de final. A los rojinegros los echó el América en una serie de once goles (3-3 en el Jalisco y 4-1 en el Azteca) y al cuadro de Torreón lo eliminó el Pachuca por su mejor posición en la clasificación ya que los dos encuentros quedaron 1-1.

Dos victorias por 1-0 permitieron al Cruz Azul despachar a los *Tecos* mientras que el Guadalajara superó a los

Tigres, a los que venció por 3-1 a domicilio y 3-2 en la Perla Tapatía.

Por segundo torneo consecutivo una de las semifinales fue una edición más del tradicional clásico *Chivas*-América. En esta ocasión las *Águilas* tomaron venganza de la eliminación sufrida en el Apertura-06 ganando los dos partidos por 1 a 0 para pasar a la final.

Por su parte, el Pachuca derrotó 3-1 al Cruz Azul en Ciudad de México y calificó a la final sin jugar el segundo partido, porque el cuadro *cementero* fue sancionado por alinear indebidamente a Salvador Carmona, a quien el Tribunal de Arbitraje Deportivo había suspendido de por vida al salir positivo el segundo control de dopaje que se le efectuó.

La eliminación del Cruz Azul marcó el final de la etapa de Isaac Mizrahi como técnico de la *Máquina*. En los tres torneos completos que dirigió, siempre metió al equipo *celeste* a la liguilla, pero dos veces se quedó en cuartos de final y en esta ocasión sufrió vergonzosa descalificación. En total obtuvo 35 triunfos, 12 empates y 19 reveses.

25 y 27 de mayo fueron las fechas de la final Pachuca-América. En el Azteca dos goles de Juan Carlos Cacho en el segundo tiempo marcaron la victoria 2-1 de la escuadra hidalguense. Solamente con un penalti de Cuahtémoc Blanco pudo el América vencer el arco de Calero. En Pachuca Cacho volvió a perforar la meta de Ochoa y Blanco la de Calero, el empate hizo campeón al equipo del *Ojitos* Meza.

El Pachuca llegó a cinco títulos, todos con diferente entrenador, y Meza a cuatro y también a cuatro súper lideratos. En este torneo se convirtió en el tercer ex portero con 200 triunfos como director técnico.

Cabe apuntar que en la triple conquista del Pachuca, Miguel Calero actuó en 35 de los 36 juegos de su equipo, admitiendo sólo 29 goles.

Comienzo incierto del nuevo técnico nacional

La Selección Nacional estrenó entrenador. Su larga y molesta campaña de autopromoción finalmente llevó a Hugo Sánchez a la dirección del Tri. Entre febrero y junio, en preparación para la Copa de Oro, México sostuvo varios partidos amistosos, de los cuales ganó cuatro (3-1 a Venezuela en San Diego, 2-1 a Paraguay en Monterrey, 4-2 a Ecuador en Oakland y 4-0 a Irán en San Luis Potosí) y perdió dos (ante Estados Unidos por 0-2 en Phoenix en el debut de Hugo, y contra Paraguay por 0-1 en el Azteca). En las cuatro victorias tuvo acción Memo Ochoa (contra los iraníes también jugó José de Jesús Corona) y en las dos derrotas participó Oswaldo Sánchez.

El arquero del América actuó en el primer partido de la Copa de Oro y le dejó su puesto al del Guadalajara en el resto del torneo. México comenzó el certamen con una complicada victoria por 2 a 1 sobre Cuba en Nueva Jersey y se mantuvo en la mediocridad perdiendo 1-2 con Honduras, venciendo en Houston a Panamá por 1-0 y a Costa Rica en tiempos extra por 1-0, y en Chicago al desconocido equipo de la isla caribeña de Guadalupe también por apenas 1-0. Así llegó a la final contra Estados Unidos en Chicago.

El resultado fue el habitual desde hace varios años: victoria estadounidense (2-1) que dejó a la Selección Mexicana fuera de la Copa Confederaciones.

Se le escapó la Recopa

En el lapso de un semestre el Pachuca ganó la Copa Sudamericana, la Copa de la Concacaf y la Liga de México, y cuatro días después de coronarse derrotó 2-1 al Internacional de Porto Alegre en el primer juego de la Recopa Sudamericana. Pero tanto ajetreo le cobró la factura en Brasil donde el equipo *gaucho* perforó cuatro veces la cabaña de Calero y se alzó con la única copa que no pudo ganar el cuadro *tuzo*.

Cuatro mexicanos se coronan en Europa

En su primer año en Europa Pavel Pardo y Ricardo Osorio salieron campeones de Alemania con el Stuttgart, lo mismo que Carlos Salcido en Holanda con el PSV Eindhoven. En Grecia, Nery Castillo, nacido en San Luis Potosí de padres uruguayos, se coronó por quinta vez con el Olympiakos, y para Argentina se fue Mario Méndez, contratado por el Vélez Sarsfield que dirigía Ricardo La Volpe.

Murió el *Pipiolo*

La nota luctuosa en el mundillo de los porteros se produjo el 12 de febrero al fallecer uno de los más grandes arqueros mexicanos de la época amateur, Raúl *Pipiolo* Estrada. Discípulo de Ernesto Pauler en el Necaxa, lo sustituyó en el gran equipo que fue llamado de "los once hermanos" y ganó los campeonatos de 32-33, 34-35, 36-37 y 37-38. Siempre vestido de blanco, el *Pipiolo* fue en esos años el portero de la Selección. Más tarde pasó al Atlante y ganó otro título en 40-41.

Nómina de porteros

América	Guillermo Ochoa y Armando Navarrete
Atlante	Federico Vilar
Atlas	Mario Rodríguez y Antonio Pérez
Chiapas	Omar Ortiz
Cruz Azul	Óscar Pérez
Guadalajara	Luis Ernesto Michel
Monterrey	Jonathan Orozco y Christian Martínez
Morelia	Moisés Muñoz y Miguel Fraga
Necaxa	Alexandro Álvarez e Iván Vázquez
Pachuca	Miguel Calero y Édgar Hernández
Querétaro	Miguel Becerra
San Luis	Adrián Martínez
Santos	Oswaldo Sánchez y Francisco González
Tigres	Cirilo Saucedo y Édgar Adolfo Hernández
Toluca	Hernán Cristante y César Lozano
UAG	José de Jesús Corona y Marcos Garay
UNAM	Rogelio Rodríguez y Sergio Bernal
Veracruz	Jorge Bernal

Más juegos (J)

Federico Vilar (Atlante)	17
Omar Ortiz (Chiapas)	17
Óscar Pérez (Cruz Azul)	17
Luis Ernesto Michel (Guadalajara)	17
Miguel Becerra (Querétaro)	17
Adrián Martínez (San Luis)	17
Jorge Bernal (Veracruz)	17
Miguel Calero (Pachuca)	16
Cirilo Saucedo (Tigres)	16
José de Jesús Corona (UAG)	16

Más juegos completos

Federico Vilar (Atlante)	17
Omar Ortiz (Chiapas)	17
Óscar Pérez (Cruz Azul)	17
Luis Ernesto Michel (Guadalajara)	17
Miguel Becerra (Querétaro)	17
Adrián Martínez (San Luis)	17
Jorge Bernal (Veracruz)	17
Miguel Calero (Pachuca)	16
Cirilo Saucedo (Tigres)	16
José de Jesús Corona (UAG)	16

Más goles (G)

Jorge Bernal (Veracruz)	33
Federico Vilar (Atlante)	27
Omar Ortiz (Chiapas)	26
Adrián Martínez (San Luis)	23
José de Jesús Corona (UAG)	21

Más bajo G/J (mínimo 10 juegos)

Miguel Calero (Pachuca)	0.62
Luis Ernesto Michel (Guadalajara)	0.82
Guillermo Ochoa (América)	0.87
Óscar Pérez (Cruz Azul)	1.00
Hernán Cristante (Toluca)	1.00

Más goles en un juego

Jorge Bernal (Veracruz)	5 (2 veces)

Penaltis detenidos

Omar Ortiz (Chiapas)	3
Guillermo Ochoa (América)	1
Federico Vilar (Atlante)	1
Alexandro Álvarez (Necaxa)	1
Miguel Becerra (Querétaro)	1
Adrián Martínez (San Luis)	1

Expulsados

Mario Rodríguez (Atlas)

LIGUILLA

Más juegos	Guillermo Ochoa (América)	6
Más juegos completos	Guillermo Ochoa (América)	6
Más goles	Guillermo Ochoa (América)	7
Más bajo G/J	Moisés Muñoz (Morelia)	0.50
Más goles en un juego	Mario Rodríguez (Atlas)	4
Penaltis detenidos	Ninguno	
Expulsados	Ninguno	

Apertura-07
El nuevo campeón de México es de Cancún

El Atlante se mudó a Cancún y sorpresivamente ganó el campeonato. Argentina fue el verdugo de México tanto en la Copa América como en el Mundial Sub-20. El Pachuca fracasó en el Mundial de Clubes pero ganó el Superliga, un nuevo torneo entre equipos mexicanos y gringos. El América quedó en segundo lugar en la Copa Sudamericana. Por primera vez en su historia el San Luis tuvo en sus filas al campeón goleador. Los porteros más destacados fueron Luis Ernesto Michel, Hernán Cristante y Sergio Bernal. El Conejo *Pérez llegó a 400 juegos con el Cruz Azul.*

Por tercera vez México es tercero de América

Tres días después de perder con Estados Unidos la Copa de Oro, la Selección Nacional dobló a Brasil por 2 a 0 en el inicio de la Copa América en Venezuela. A este triunfo agregó otro sobre Ecuador por 2-1 y un empate sin goles con Chile para pasar a cuartos de final, donde aprovechó muy bien la expulsión de Aldo Bobadilla, portero de Paraguay, en el tercer minuto de juego, para terminar goleando a los guaraníes por 6-0. Sin embargo, la poderosa selección argentina fue la muralla ante la que se estrelló el Tri en la fase semifinal, y un contundente 0-3 envió a la escuadra mexicana a buscar el premio de consolación en el partido por el tercer lugar, el cual consiguió derrotando a Uruguay por 3-1.

Hugo Sánchez alineó alternadamente a Guillermo Ochoa y Oswaldo Sánchez. El arquero del América jugó contra Brasil, Chile y Uruguay, y el del Santos ante Ecuador, Paraguay y Argentina. De modo que Ochoa sólo recibió un gol en tres partidos y Oswaldo cuatro en el mismo número.

En el resto del semestre y siempre con Ochoa en el arco, la Selección Preolímpica, mezclada con algunos elementos de la A, sostuvo cuatro amistosos sin ganar ninguno. En Denver perdió 0-1 con Colombia, en Foxboro cayó ante Brasil por 1-3, empató a dos con Nigeria en Ciudad Juárez y sucumbió 2-3 frente a Guatemala en Los Ángeles.

El campeón del Superliga sólo ganó un juego

La pretemporada del balompié mexicano estuvo marcada por la numerosa actividad internacional de varios equipos y el estreno de un torneo llamado "Superliga", con la participación de cuatro clubes mexicanos y cuatro estadounidenses, que al igual que el Interliga se juega totalmente en canchas del vecino país.

De los cotejos amistosos contra cuadros extranjeros cabe citar la vista del San Lorenzo, campeón de Argentina, que venció al Atlas y perdió con Veracruz y Chiapas; la derrota del América ante el Chelsea en Palo Alto, California, y la del Toluca frente al Sevilla en Chicago; la goleada por 5-0 del Guadalajara al Racing de Santander y su posterior revés ante el Bolton Wanderers en un torneo en Corea del Sur; el empate a uno del Atlas con Argentinos Juniors en Washington; y una "Copa Panamericana" disputada en Phoenix que ganó el Cruz Azul al vencer en el juego final al Boca Juniors por 3 a 1.

Guadalajara, América, Pachuca, Morelia, Galaxy, Dallas, Houston y DC United fueron los ocho invitados al primer Superliga. Dos equipos mexicanos y dos *gringos* en cada grupo. De los ocho encuentros propiamente internacionales de la primera fase, los clubes estadounidenses ganaron tres y hubo cuatro empates. El único triunfo mexicano lo obtuvo el Guadalajara al vencer al Galaxy.

Clasificaron a semifinales Galaxy y Houston como líderes de sus grupos y Pachuca y DC United como segundos lugares. Luego el Galaxy eliminó al DC United y los *Tuzos* al Houston. La victoria del Pachuca se fraguó en penaltis por 4-3 tras empatar a dos goles y a cero en tiempos extra.

La película se repitió en la final. Empate 1-1 con tiempos extra y victoria del Pachuca en penaltis, otra vez por 4 a 3. De los tres tiros que falló el Galaxy, dos fueron atajados por Miguel Calero. Así se coronó el equipo del *Ojitos* Meza, no obstante que en todo el torneo sólo ganó un juego, a *Chivas* por 1-0. Los porteros Calero, Michel (*Chivas*), Muñoz (Morelia) y Navarrete (América) alinearon en todos los encuentros de sus respectivos equipos.

Grave lesión de Calero

La disputa del título de "Campeón de Campeones" volvió a sufrir una suspensión al cancelarse los juegos de este año. La Liga empezó el 3 de agosto y se prolongó hasta el 9 de diciembre, teniendo como novedades la reaparición del Puebla, que tardó dos años para salir del infierno de la Primera A, el éxodo del Atlante hacia Cancún para jugar en el remozado estadio "Andrés Quintana Roo", y el retorno al balompié mexicano del técnico argentino Nery Pumpido con el Veracruz.

Pocos movimientos hubo en el elenco de guardametas: traspasos de Pedro Hernández, del Santos al Atlas, de Édgar Adolfo Hernández, de *Tigres* a *Jaguares*, y de Miguel Becerra, del Querétaro al Santos; reaparición en Primera División de José Guadalupe Martínez con el Puebla; y debuts de Rodolfo Cota, Jorge Villalpando y Jesús Santa Cruz.

Cota, de 19 años de edad y nativo de Mazatlán, fue el segundo portero de México en el Mundial Sub-20 efectuado en Canadá durante la segunda quincena de julio y era el tercer arquero del Pachuca cuando Miguel Calero sufrió el 5 de septiembre una trombosis venosa en el hombro izquierdo que puso en peligro su vida y lo dejó fuera de acción por el resto del campeonato.

El suplente de Calero, Humberto Hernández, jugó tres partidos y en el cuarto fue expulsado cuando los *Tuzos* perdían 0-1 en Veracruz. Ocurrió entonces el debut del juvenil Cota, quien recibió un gol de penalti del argentino Andrés Ríos pero también le atajó un tiro de castigo al chileno Héctor Mancilla. Finalmente los *Tiburones* ganaron 3-0. Cota es el duodécimo portero que detiene un penalti en su primer juego en Primera División.

A Villalpando y Santa Cruz los debutó el Puebla. El primero sustituyó tres veces a José Guadalupe Martínez y el segundo sólo jugó un partido. Con 22 años de edad y nacido en Ciudad de México, Villalpando se presentó el 21 de octubre al visitar el equipo de la franja al Toluca. Los *Diablos* ganaron 2 a 0, tocándole a Carlos Adrián Morales, mediante un penalti, ser el anotador del primer gol encajado por el nuevo portero.

Michel, Cristante y Bernal, los mejores

En total fueron 32 los guardametas que actuaron en el Apertura-07 y por tercer torneo consecutivo hubo siete porteros de "hierro", entre ellos Federico Vilar y Adrián Martínez, quienes ligaron su cuarto campeonato seguido jugando todos los minutos de todos los partidos, y Óscar Pérez, que al jugar su tercer torneo completo consecutivo alcanzó la cifra de 400 actuaciones con el Cruz Azul. En la historia del equipo *cementero* solamente el defensa Ignacio Flores ha vestido más veces la camiseta celeste.

Se anotaron 451 goles, 75 más que en el Clausura-07, siendo el Santos el líder con 40 y Puebla y *Tigres* los más anémicos con 16 cada uno. *Chivas* (16) y Toluca (16) recibieron menos y *Tecos* fue el más goleado con 38.

Así, Michel y Cristante, arqueros del Guadalajara y del Toluca, fueron junto con Sergio Bernal, de *Pumas*, los guardametas más eficientes. Cada uno promedió 0.94 anotaciones por encuentro. Y José de Jesús Corona, portero de la UAG, encabezó con 38 la lista de los que encajaron más pepinos, seguido por Iván Vázquez, del Necaxa, que recibió 31 y Adrián Martínez, del San Luis, que admitió 30.

La goliza del torneo fue el pavoroso 8-0 que los *Pumas* le recetaron al Veracruz en el Olímpico Universitario el 4 de noviembre. Ocho veces tuvo que recoger el balón del fondo de las redes el arquero Israel Villaseñor. Habían transcurrido 13 años desde la última vez que un portero recibió ocho goles en un partido.

A Omar Ortiz le tocó la segunda mayor goleada al recibir seis del América en el Azteca el 12 de agosto. La derrota de Chiapas fue por 1-6.

En este campeonato hubo un equipo que no pudo ganar ni un juego en su cancha, habiendo sido el conjunto chiapaneco el protagonista del extraño récord ya que de ocho partidos en casa, empató seis y perdió dos.

El América, subcampeón sudamericano

La lesión de Calero también le impidió jugar la Copa Sudamericana, torneo en el cual el Pachuca fue eliminado en la primera ronda por el América. Cada equipo ganó de visitante pero el América logró un marcador mayor y avanzó a cuartos de final.

El Guadalajara, tras perder en Washington con el DC United por 1-2 y cambiar de entrenador, ganó 1-0 en el Jalisco y clasificó por el doble valor de su gol de visitante.

En la fase de cuartos de final el América también cambió de técnico y logró eliminar al Vasco da Gama (2-0 y 0-1), mientras que las *Chivas* caían sorpresivamente ante el Arsenal, un muy modesto equipo argentino, que les ganó en Guadalajara por 3-1, habiéndose registrado un empate a cero en el primer partido.

Luego el América derrotó dos veces al colombiano Millonarios (3-2 y 2-0) y pasó a la final contra el Arsenal. En el primer juego, en Ciudad de México, el equipo "cenicienta" continuó su marcha triunfal ganando 3-2; en el segundo, jugado en la cancha del Racing, el América venció 2-1, igualó el marcador global a 4-4, pero el Arsenal se proclamó campeón merced al mayor número de goles de visitante. *Chivas* y *Águilas* alinearon a sus porteros titulares, Michel y Ochoa, en todos sus juegos, y el Pachuca tuvo que utilizar a Humberto Hernández. Por cierto, Calero cortó una racha de 30 partidos internacionales oficiales consecutivos.

El Pachuca acumula descalabros

Nery Pumpido dirigió al Veracruz hasta la fecha 11, y a partir de ésta Isaac Mizrahi se hizo cargo de la dirección técnica del Monterrey. De once juegos el ex portero argentino y ex técnico de los *Tigres* perdió siete y sólo ganó tres, mientras que el ex timonel cruzazulino obtuvo apenas una victoria y dos empates en siete jornadas.

Por su parte, el *Ojitos* Meza en su tercer torneo completo seguido con el Pachuca no logró superar la fase de repechaje. El Cruz Azul se encargó de cerrarle el paso al campeón del torneo anterior con un contundente marcador global de 6 a 0. Posteriormente el Pachuca siguió dando tumbos en el IV Mundial de Clubes que se realizó en Tokio y Yokohama en la segunda semana decembrina. En este torneo reapareció Calero, sin embargo la escuadra del *Ojitos* tuvo una efímera participación ya que perdió su primer partido y quedó eliminada. El Etoile Sportive, de Túnez, campeón de África, venció al Pachuca por uno a cero y lo mandó de regreso a casa.

Otra vez se imponen los importados

Los goleadores extranjeros retomaron la hegemonía que por un torneo les había quitado Omar Bravo. El *che* Alfredo Moreno (San Luis), el venezolano Giancarlo Maldonado (Atlante) y los argentinos Esteban Solari (UNAM) y Daniel Ludueña (Santos) hicieron el 1-2-3-4 en la lista de los romperredes con 18, 15, 14 y 13 goles, respectivamente, convirtiéndose Moreno en el primer monarca de goleo en la historia del San Luis.

El artillero mexicano que marcó más goles fue el cruzazulino Miguel Sabah, con once. Alfredo Moreno repartió 12 de sus 18 pepinos entre estos seis porteros a razón de dos a cada uno: Iván Vázquez, el *Conejo* Pérez, Memo Ochoa, Vilar, Christian Martínez y Miguel Becerra. Cabe señalar que Moreno consiguió siete de sus goles por la vía de los penaltis.

De nuevo una final inédita

Aunque entre el Clausura-07 y el Apertura-07 acumularon 14 partidos consecutivos sin ganar, nuevo récord del equipo, los *Pumas* quedaron en segundo lugar de su grupo y se metieron a la liguilla, en la cual eliminaron nada menos que al líder y al sublíder de la clasificación general y llegaron a la final.

El Cruz Azul vapuleando al Pachuca y el Morelia doblando al América por global de 3-1 ganaron los repechajes, pero ambos fueron eliminados en cuartos de final. A los *Cementeros* los echó el Atlante (1-0 y 2-1) y a los michoacanos el Santos (2-0 y 3-2), que fue el súper líder con 38 puntos.

En las otras series el Guadalajara sufrió para superar al San Luis (1-1 y 1-0) y los *Pumas* despacharon al sublíder Toluca (2-0 y 1-1). En la fase semifinal las *Chivas* dividieron victorias de 1-0 con el Atlante, ganando cada quien en su campo. La mejor posición del Atlante en la tabla general le dio al cuadro azulgrana el boleto para la final, mientras que los *Pumas* recibieron y golearon 3-0 al Santos, apenas la segunda derrota del súper líder en todo el campeonato, y aunque cayeron en emocionante cotejo en Torreón por 2-4, se clasificaron para la batalla final contra el Atlante.

El 6 de diciembre en el Olímpico Universitario Sergio Bernal y Federico Vilar bajaron la cortina para que el marcador no se moviera, pero tres días después en Cancún los azulgranas, dirigidos por José Guadalupe Cruz, se alzaron con el tercer título de su historia al vencer a *Pumas* por 2-1 con goles de Maldonado y Clemente Ovalle. El único universitario que pudo vencer la meta de Vilar fue Ismael Íñiguez. De esta manera el Atlante cerró con broche de oro su primer año en Cancún.

Para la historia

En el Mundial Sub-20 la Selección Mexicana llevaba paso perfecto hasta que se topó con Argentina en cuartos de final. Había vencido sucesivamente a Gambia por 3-0, a Portugal 2-1, a Nueva Zelanda también por 2-1 y a Congo 3-0 pero, al igual que la mayor en la Copa América, no pudo ante Argentina y sucumbió por 0-1. Rodolfo Cota actuó en el partido contra Nueva Zelanda, en los demás el arquero fue Alfonso Blanco.

El 8 de septiembre se escribieron dos páginas de la historia del futbol mexicano. El Atlante llegó a tres mil goles en contra y el Pachuca debutó a Víctor Mañón, un casi niño de 15 años de edad. Jaime Lozano, del *Tigres*, fue el autor de la perforación 3000 de la cabaña azulgrana, y naturalmente el *Ojitos* Meza el técnico que mandó a la cancha al jugador más joven de la historia de la Primera División.

En la Primera A se registró el tercer gol de penalti del portero Éder Patiño. Un año atrás hizo dos con el Colima y ahora uno con el León.

Y en su primer año con el Chicago Fire, Cuauhtémoc Blanco anotó cuatro goles, uno de ellos el "gol del año" de la Liga de Estados Unidos.

Raúl Quevedo, portero de seis equipos a mediados del siglo XX y campeón con aquel Marte que jugando en Cuernavaca se coronó un año y descendió al siguiente, falleció el 17 de julio a la edad de 78 calendarios.

Nómina de porteros

América	Guillermo Ochoa y Armando Navarrete
Atlante	Federico Vilar
Atlas	Mario Rodríguez, Pedro Hernández y Antonio Pérez
Chiapas	Omar Ortiz y Édgar Adolfo Hernández
Cruz Azul	Óscar Pérez
Guadalajara	Luis Ernesto Michel
Monterrey	Christian Martínez y Jonathan Orozco
Morelia	Moisés Muñoz y Miguel Fraga
Necaxa	Iván Vázquez y Alexandro Álvarez
Pachuca	Humberto Hernández, Miguel Calero y Rodolfo Cota
Puebla	José Guadalupe Martínez, Jorge Villalpando y Jesús Santa Cruz
San Luis	Adrián Martínez
Santos	Miguel Becerra y Oswaldo Sánchez
Tigres	Cirilo Saucedo
Toluca	Hernán Cristante
UAG	José de Jesús Corona
UNAM	Sergio Bernal y Odín Patiño
Veracruz	Israel Villaseñor y Jorge Bernal

Más juegos (J)

Federico Vilar (Atlante)	17
Óscar Pérez (Cruz Azul)	17
Luis Ernesto Michel (Guadalajara)	17
Adrián Martínez (San Luis)	17
Cirilo Saucedo (Tigres)	17
Hernán Cristante (Toluca)	17
José de Jesús Corona (UAG)	17
Sergio Bernal (UNAM)	16

Más juegos completos

Federico Vilar (Atlante)	17
Óscar Pérez (Cruz Azul)	17
Luis Ernesto Michel (Guadalajara)	17
Adrián Martínez (San Luis)	17
Cirilo Saucedo (Tigres)	17
Hernán Cristante (Toluca)	17
José de Jesús Corona (UAG)	17

Más goles (G)

José de Jesús Corona (UAG)	38
Iván Vázquez (Necaxa)	31
Adrián Martínez (San Luis)	30
Óscar Pérez (Cruz Azul)	22
Cirilo Saucedo (Tigres)	22

Más bajo G/J (mínimo 10 juegos)

Luis Ernesto Michel (Guadalajara)	0.94
Hernán Cristante (Toluca)	0.94
Sergio Bernal (UNAM)	0.94
Federico Vilar (Atlante)	1.12
Óscar Pérez (Cruz Azul)	1.29
Cirilo Saucedo (Tigres)	1.29

Más goles en un juego

Israel Villaseñor (Veracruz)	8
Omar Ortiz (Chiapas)	6
Pedro Hernández (Atlas)	5
Édgar Adolfo Hernández (Chiapas)	5
Iván Vázquez (Necaxa)	5

Penaltis detenidos	
Federico Vilar (Atlante)	1
Omar Ortiz (Chiapas)	1
Luis Ernesto Michel (Guadalajara)	1
Moisés Muñoz (Morelia)	1
Rodolfo Cota (Pachuca)	1
Cirilo Saucedo (Tigres)	1
Hernán Cristante (Toluca)	1
José de Jesús Corona (UAG)	1

Expulsados
Pedro Hernández (Atlas)
Humberto Hernández (Pachuca)
José Guadalupe Martínez (UAG)

LIGUILLA

Más juegos	Federico Vilar (Atlante) y Sergio Bernal (UNAM)	6
Más juegos completos	Federico Vilar (Atlante) y Sergio Bernal (UNAM)	6
Más goles	Miguel Becerra (Santos) y Sergio Bernal (UNAM)	7
Más bajo G/J	Federico Vilar (Atlante) y Luis Ernesto Michel (Guadalajara)	0.50
Más goles en un juego	Rodolfo Cota (Pachuca) y Sergio Bernal (UNAM)	4
Penaltis detenidos	Ninguno	
Expulsados	Ninguno	

Clausura-08
Guadalajara en la cima y América en la sima

El enorme fracaso de Hugo Sánchez con la Selección Preolímpica y el caso del América, que teniendo la peor temporada de su historia fue semifinalista de la Copa Libertadores, dejaron en un segundo plano el campeonato ganado por el Santos. Pachuca conquistó por segundo año seguido la Copa Concacaf. Los porteros más eficientes fueron Omar Ortiz y Luis Ernesto Michel, en tanto que Hernán Cristante se convirtió en el arquero extranjero que ha jugado más partidos en México. Descendió el Veracruz y subió el Indios de Ciudad Juárez. Doce futbolistas mexicanos jugaron en la Primera División de varios países de Europa. Falleció el campeonísimo y legendario Tubo Gómez. *Ricardo La Volpe se reincorporó al balompié de México dirigiendo al Monterrey, equipo que tuvo en sus filas al líder de goleo.*

La preolímpica hizo el ridículo

México lucía como gran favorito para ganar uno de los boletos de la zona Concacaf para los Juegos Olímpicos de Pekín-08. La eliminatoria correspondiente tuvo lugar en Estados Unidos en marzo. La escuadra mexicana debutó empatando a un gol con Canadá en Carson, California y allí mismo sufrió después una sorpresiva derrota por 1-2 ante Guatemala. En el tercer juego venció 5-1 a Haití, un equipo sumamente débil que dio todas las facilidades para ser masacrado, pero la goleada no le alcanzó a la selección preolímpica mexicana para desplazar a Canadá del segundo lugar del grupo y quedó eliminada. En los tres partidos actuó Guillermo Ochoa.

Este mega fracaso de Hugo Sánchez dio lugar a su destitución como técnico nacional por parte de los dueños del futbol mexicano, quienes colocaron a Jesús Ramírez como entrenador interino para tres juegos amistosos y el inicio de la eliminatoria del Mundial de 2010.

Antes de su despido, Hugo todavía dirigió a la Selección A en un amistoso contra Ghana que extrañamente se jugó en Londres y que ganó México por 2-1 teniendo en el arco a Oswaldo Sánchez. A principio de año el Tri, con Memo Ochoa en la puerta, había empatado a dos con Estados Unidos en Houston.

Jesús Ramírez alineó a Oswaldo Sánchez en su corta estancia al mando del Tri, en la que hubo una victoria por 1-0 sobre China en Seattle, una contundente derrota ante Argentina por 1-4 en San Diego, una goleada de 4-0 a Perú en Chicago y par de triunfos (2-0 en Houston y 7-0 en Monterrey) sobre Belice. Mientras tanto se anunció la contratación de Sven Göran Ericksson, técnico sueco de prestigio mundial.

Portero uruguayo en el Atlas

La Liga comenzó el 18 de enero y culminó el primer día de junio con la coronación, por tercera vez, del Santos. La nómina de guardametas registró el retorno de Omar Ortiz al Necaxa después de jugar cuatro años y medio con el equipo de Chiapas; la reaparición de Adrián Zermeño alternando el arco de *Tigres* con Cirilo Saucedo; el debut —al fin— en Primera División de Yosgart Gutiérrez con el Cruz Azul mandando a la banca al *Conejo* Pérez y la presentación de Jorge Bava, arquero uruguayo importado por el Atlas.

Bava, con una trayectoria de ocho años en su país militando en varios equipos, entre ellos Peñarol y Nacional, y una temporada con el Libertad, de Paraguay, debutó en la primera jornada al visitar el cuadro rojinegro al Toluca. Édgar Dueñas batió por primera vez al portero *charrúa* y el Toluca ganó el partido por 2 a 1. Por cierto que Jorge Bava es el guardameta número 50 en la historia del Atlas, desde luego en la época profesional.

Seis años de suplente llevaba Yosgart Gutiérrez. Apenas había jugado dos partidos en el Interliga de 2007 y uno en el de este año. Pero por fin, el 10 de febrero su nombre apareció en la alineación del Cruz Azul para el juego contra Necaxa en Aguascalientes, cotejo que los *Cementeros* perdieron por 0-2. El primer verdugo de Yosgart fue el colombiano Hugo Rodallega, quien lo fusiló con un penalti.

Brillan el *Gato* Ortiz y Michel

Por cuarto campeonato consecutivo siete porteros jugaron la temporada completa. Luis Ernesto Michel lo hizo por tercer torneo seguido, en cambio, Federico Vilar y Adrián Martínez vieron cortadas sus rachas de 92 y 89 juegos consecutivos, respectivamente, al sufrir sendas expulsiones.

El mejor de los 29 guardametas que tuvieron acción en el torneo fue el *Gato* Omar Ortiz, quien solamente permitió una docena de goles en los 17 partidos y su promedio fue de 0.70. Desde luego el Necaxa fue el equipo menos goleado. Ortiz superó por poco a Michel, líder del torneo anterior, quien con 14 anotaciones encajadas en el mismo número de juegos promedió 0.82. Tercero en la lista de los arqueros más eficientes fue Édgar Adolfo Hernández (Chiapas) con 1.06.

El portero de los *Jaguares* fue uno de tres cancerberos que detuvieron dos penaltis, siendo los otros Vilar y Moisés Muñoz. Y hablando de penaltis, he aquí un dato interesante: desde el torneo Invierno-01 hasta este Clausura-08 ningún portero del Cruz Azul atajó un tiro de castigo.

Corona, el más goleado y Suazo, el artillero mayor

El Morelia empató el récord impuesto por el Veracruz en el Clausura-07 de menos goles marcados en un torneo con once, mientras que el Santos logró su segundo liderato consecutivo de goles anotados (36) y el Atlante, campeón del certamen anterior, fue ahora el equipo más goleado (30).

Por segundo campeonato seguido el arquero de los *Tecos*, José de Jesús Corona, figuró como el que permitió más anotaciones, esta vez con 29, quedando en segundo lugar Muñoz (Morelia) y Calero (Pachuca) con 25 cada uno.

La goleada de la temporada corrió a cargo del Monterrey que el 5 de abril perforó siete veces la cabaña de Jorge Bernal, del Veracruz. El marcador fue 7-2 y cuatro de los goles fueron anotados por el chileno Humberto Suazo, a la postre campeón de goleo con 13 tantos.

Otras golizas fueron las que sufrieron Moisés Muñoz en Guadalajara ante las *Chivas* (0-6), Cirilo Saucedo en Pachuca (1-6) y Jorge Bava en Torreón (1-6).

Nuevamente los artilleros importados ocuparon los primeros sitios en la lista de los romperredes, ya que abajo de Suazo quedaron, con 10 pepinos cada uno, los

argentinos Esteban Solari (*Pumas*) y Matías Vuoso (Santos) y el brasileño Itamar Batista (*Jaguares*). Omar Bravo y Sergio Santana, ambos del Guadalajara, encabezaron a los goleadores mexicanos con nueve tantos cada uno.

Otro título para el Pachuca

El Pachuca mantuvo su hegemonía en el torneo concacaf(k)iano conquistando su tercera Copa y segunda consecutiva, y con ella el pase al Mundial de Clubes. Los *Tuzos* eliminaron al Motagua (0-0 y 1-0), y al DC United (2-0 y 1-2) y vencieron en la final al Saprissa (1-1 y 2-1). Este equipo costarricense había puesto fuera de combate al Atlante en la primera ronda, ya que remontó un marcador de 1-2 en Cancún con un contundente 3-0 en San José. Así que Federico Vilar recibió cuatro goles en dos partidos, en tanto que Miguel Calero también encajó cuatro pero en seis juegos.

Por lo que respecta al Interliga (¿eufemismo de pretemporada?), efectuado en los primeros días del año en tierras tejanas y californianas, tuvo varios aspectos interesantes y curiosos como el "volado" que ganó el Atlas para deshacer el empate en todo (puntos, diferencia de goleo, goles anotados e incluso resultado entre ellos) que tuvo con el Toluca y así pasar a la final. En este torneíto el argentino Miguel Ángel Brindisi se estrenó como técnico del Atlas y consiguió calificar al cuadro rojinegro a la Copa Libertadores.

Al concluir la participación del Monterrey (un triunfo y dos derrotas) fue cesado Isaac Mizrahi y a los pocos días se produjo el retorno a México de Ricardo La Volpe asumiendo el mando de los *Rayados*.

El empate absoluto del Atlas y el Toluca se produjo en el grupo A, que ganó el América con actuación perfecta (tres juegos, tres triunfos) y donde el colero fue el Morelia que no consiguió ningún punto. El otro grupo lo ganaron el San Luis y el Cruz Azul y fueron eliminados Monterrey y *Pumas*. Por cierto, en el choque entre *cementeros* y *regios*, el 5 de enero en Houston, el Cruz Azul alineó en los últimos cinco minutos a Martín Galván, un chiquillo de apenas 14 años de edad.

La clasificación del Atlas a la Libertadores se dio tras vencer por 3-0 al San Luis en una de las dos finales del Interliga y posteriormente superar al equipo boliviano La Paz con marcador global de 2-1. En la otra final América y Cruz Azul empataron a dos, luego a uno en tiempos extra y terminó imponiéndose el América en penaltis por 5-3 para obtener el pase directo al torneo sudamericano.

Pumas utilizó en el Interliga a sus porteros suplentes Odín Patiño y Alejandro Palacios; Monterrey alternó a Jonathan Orozco y Christian Martínez; Cruz Azul alineó a Yosgart Gutiérrez en la primera fecha y al *Conejo* Pérez en los demás juegos; América, Morelia, San Luis, Atlas y Toluca jugaron siempre con sus titulares Ochoa, Muñoz, Adrián Martínez, Mario Rodríguez y Cristante, respectivamente, y en los partidos contra La Paz la meta rojinegra fue resguardada por el uruguayo Bava.

Colero en México y semifinalista en Sudamérica

En la primera fase de la Libertadores el América y el Atlas ganaron todos sus partidos de locales y gracias a ello pasaron a octavos de final, no así el Guadalajara que perdió uno de sus tres juegos en casa, ante el Deportivo Cúcuta, y quedó eliminado.

El Atlas logró el liderato de su grupo con once puntos superando por uno al Boca Juniors y al Colo Colo y por nueve al Maracaibo, mientras que el América fue sublíder porque anotó más goles que los chilenos de la Universidad Católica. Ambos sumaron nueve puntos. En primer lugar quedó el River Plate con 12 y en último el cuadro peruano Universidad de San Martín con seis.

Cúcuta con once puntos ganó el grupo donde el Guadalajara fue tercero con nueve, abajo del Santos de Brasil que hizo diez. El colero fue el boliviano San José con cuatro.

En octavos de final el Atlas derrotó a domicilio al Lanús por 1-0, y con un empate a dos en Guadalajara avanzó a la siguiente fase para volver a medirse con el Boca Juniors. El primer juego se efectuó en el estadio del Vélez Sarsfield porque el del Boca estaba vetado, y allí los rojinegros lograron un empate 2-2 que incrementaba la posibilidad de eliminar al poderoso equipo argentino y pasar a semifinales, sin embargo, en el estadio Jalisco el Atlas fue arrollado por el Boca que con tres goles de Martín Palermo en el primer tiempo tuvo suficiente para ganar 3-0 y terminar con el sueño rojinegro. En este partido fue expulsado el portero Bava después de recibir

los tres pepinos. El uruguayo había custodiado el marco atlista en todo el torneo (13 goles en 10 juegos), así como lo hizo Luis Ernesto Michel (cinco tantos en seis encuentros) con las *Chivas*.

Contrastando su pésima actuación en el Clausura-08, el América sorprendentemente eliminó a dos equipos brasileños y llegó a semifinales, donde sólo le faltó un gol para pelear la final con el Fluminense. En la Liga iba de tumbo en tumbo, al grado de que tuvo rachas de 12 juegos consecutivos sin ganar y seis derrotas seguidas para redondear la peor temporada de toda su historia ocupando el último sitio de la tabla, pero en la Libertadores se levantó de un 2-4 en el Azteca frente al Flamengo con un triunfo histórico por 3 a 0 en Maracaná, y posteriormente en cuartos de final eliminó al Santos (2-0 en Ciudad de México y 0-1 en São Paulo) y empató los dos partidos de semifinales con el equipo ecuatoriano Liga Deportiva Universitaria, a la postre campeón del torneo. El marcador en el Azteca fue 1-1 y en Quito 0-0, así que por el gol de visitante calificó la "Liga".

Armando Navarrete alineó en los primeros tres juegos del América y Guillermo Ochoa en los nueve siguientes. El primero admitió cuatro goles y el segundo 12, y Salvador Cabañas se proclamó campeón goleador de la Libertadores por segundo año consecutivo.

Tres autogoles de porteros y el récord de Cristante

Enrique Meza dirigió por cuarto torneo consecutivo al Pachuca y por segundo al hilo fue eliminado en la fase de repechaje, mientras que el Monterrey de La Volpe doblegó al súper líder, Guadalajara, en cuartos de final metiéndole ocho goles, pero perdió la semifinal con el Santos en el último minuto. Antes, en el primer mes del campeonato, el Monterrey había cortado una larga racha de 30 partidos seguidos sin ganar en campo ajeno.

Uno de los arqueros del equipo regiomontano, Jonathan Orozco, protagonizó uno de los tres autogoles de porteros que ocurrieron en el torneo. El autor de los otros dos fue Adrián Martínez, quien el 23 de febrero hizo uno en Guadalajara a favor de las *Chivas* y el 12 de abril repitió el desaguisado en San Luis en beneficio de los *Tecos*. El autogol de Orozco se registró en Toluca el 30 de marzo, y tanto en este juego como en los del San Luis el marcador quedó empatado.

En la visita que el Toluca le hizo al Veracruz el 22 de febrero, Hernán Cristante empató el récord de Héctor Zelada de 359 juegos de un portero extranjero, marca que por supuesto irá aumentando conforme siga jugando el guardameta argentino de los *Diablos*.

Goleadas a Michel en la Liguilla

Se anotaron 413 goles en la fase regular y 44 en una liguilla plagada de empates pues 10 de los 18 juegos terminaron "tablas".

Al tener el promedio más bajo de puntos por juego, el Veracruz sufrió el cuarto descenso de su historia a la división inferior, mientras que el Guadalajara se ubicó en la cima de la tabla general con 33 puntos. Sin embargo, las *Chivas* se quedaron en cuartos de final al recibir ocho goles del Monterrey, cuatro en el Tecnólogico donde perdieron 1-4 y cuatro en el Jalisco donde en un loco partido empataron 4-4. Así que Luis Ernesto Michel recibió en dos encuentros más de la mitad de los goles que había encajado en los diecisiete de la fase regular.

En los dos repechajes hubo empate en los marcadores globales, de modo que por su mejor posición en la tabla general el Necaxa eliminó al Atlas y el San Luis al Pachuca. Ya en cuartos y por el mismo criterio el Toluca despachó al San Luis (1-1 y 0-0) y el Cruz Azul a Chiapas (0-1 y 2-1), mientras que el Necaxa cayó ante el Santos (1-2 y 1-1).

En semifinales Cruz Azul pasó sobre San Luis (1-0 de visitante y 1-1 en casa) y Monterrey y Santos empataron sus dos encuentros, el primero en la capital neoleonesa a un gol y el segundo en Torreón a dos tantos. El segundo gol del Santos, en el último minuto, le dio el pase a la final, otra vez por la regla del mejor sitio en la clasificación. En el primer cotejo el portero Orozco le paró un penalti al *che* Daniel Ludueña.

Tercera corona del Santos

El Cruz Azul no había perdido ningún juego en su estadio en todo el torneo hasta que el 29 de mayo en el

primer partido de la final sucumbió ante el Santos por 1-2. El uruguayo Nicolás Vigneri marcó por los locales y Fernando Arce y el ecuatoriano Christian Benítez por los de Torreón.

El 1 de junio se coronó el Santos mediante un empate a un tanto (goles de Ludueña y Jaime Lozano), es decir, sin ganar nunca de local en la liguilla. Daniel Guzmán fue el técnico campeón, Oswaldo Sánchez logró su segundo título de Liga y Yosgart Gutiérrez en su año de debut actuó en una final.

Adiós, *Tubo*

Una docena de futbolistas mexicanos —cifra insólita— jugaron en la Primera División de varios países de Europa, sobresaliendo Carlos Salcido quien con el PSV Eindhoven logró el bicampeonato de Holanda. Y un portero mexicano, Alexandro Álvarez, emigró a Perú y con el equipo Coronel Bolognesi tuvo una pequeña participación en la Copa Libertadores.

La nota triste —corrijo, muy triste— fue la muerte del *Tubo* Gómez (78 años) el 4 de mayo, víctima de un cáncer pancreático. El *Tubo*, quizá el mejor arquero mexicano de todos los tiempos, falleció en Guadalajara.

Nómina de porteros

América	Guillermo Ochoa y Armando Navarrete
Atlante	Federico Vilar y Rafael Cuevas
Atlas	Jorge Bava y Pedro Hernández
Chiapas	Édgar Adolfo Hernández y Carlos Velázquez
Cruz Azul	Óscar Pérez y Yosgart Gutiérrez
Guadalajara	Luis Ernesto Michel
Monterrey	Christian Martínez y Jonathan Orozco
Morelia	Moisés Muñoz
Necaxa	Omar Ortiz
Pachuca	Miguel Calero
Puebla	Jorge Villalpando y José Guadalupe Martínez
San Luis	Adrián Martínez y Carlos Alberto Trejo
Santos	Oswaldo Sánchez
Tigres	Cirilo Saucedo y Adrián Zermeño
Toluca	Hernán Cristante
UAG	José de Jesús Corona
UNAM	Sergio Bernal y Odín Patiño
Veracruz	Jorge Bernal e Israel Villaseñor

Más juegos (J)

Luis Ernesto Michel (Guadalajara)	17
Moisés Muñoz (Morelia)	17
Omar Ortiz (Necaxa)	17
Miguel Calero (Pachuca)	17
Oswaldo Sánchez (Santos)	17
Hernán Cristante (Toluca)	17
José de Jesús Corona (UAG)	17

Más juegos completos

Luis Ernesto Michel (Guadalajara)	17
Moisés Muñoz (Morelia)	17
Omar Ortiz (Necaxa)	17
Miguel Calero (Pachuca)	17
Oswaldo Sánchez (Santos)	17
Hernán Cristante (Toluca)	17
José de Jesús Corona (UAG)	17

Más goles (G)

José de Jesús Corona (UAG)	29
Moisés Muñoz (Morelia)	25
Miguel Calero (Pachuca)	25
Federico Vilar (Atlante)	24
Jorge Bava (Atlas)	24
Sergio Bernal (UNAM)	24

Más bajo G/J (mínimo 10 juegos)

Omar Ortiz (Necaxa)	0.70
Luis Ernesto Michel (Guadalajara)	0.82
Édgar Adolfo Hernández (Chiapas)	1.06
Óscar Pérez (Cruz Azul)	1.10
Oswaldo Sánchez (Santos)	1.12
Hernán Cristante (Toluca)	1.12

Más goles en un juego

Jorge Bernal (Veracruz)	7
Jorge Bava (Atlas)	6
Moisés Muñoz (Morelia)	6
Cirilo Saucedo (Tigres)	6
Miguel Calero (Pachuca)	5

Penaltis detenidos

Federico Vilar (Atlante)	2
Édgar Adolfo Hernández (Chiapas)	2
Moisés Muñoz (Morelia)	2
José de Jesús Corona (UAG)	1

Expulsados

Federico Vilar (Atlante)

Adrián Martínez (San Luis)

LIGUILLA

Más juegos	Yosgart Gutiérrez (Cruz Azul), Adrián Martínez (San Luis) y Oswaldo Sánchez (Santos)	6
Más juegos completos	Yosgart Gutiérrez (Cruz Azul), Adrián Martínez (San Luis) y Oswaldo Sánchez (Santos)	6
Más goles	Luis Ernesto Michel (Guadalajara) y Jonathan Orozco (Monterrey)	8
Más bajo G/J	Jorge Bava (Atlas) y Hernán Cristante (Toluca)	0.50
Más goles en un juego	Luis Ernesto Michel (Guadalajara) (2 veces) y Jonathan Orozco (Monterrey)	4
Penaltis detenidos	Jonathan Orozco (Monterrey)	1
Expulsados	Ninguno	

Apertura-08
De la mano de Cristante, se corona el Toluca

Hernán Cristante rompió los récords de imbatibilidad de Nicolás Navarro y Alan Cruz y atajó el último penalti de la final para que el Toluca ganara su noveno campeonato. El Pachuca volvió a fracasar en el Mundial de Clubes mientras que el Guadalajara llegó hasta la fase semifinal de la Copa Sudamericana, y Santos, Cruz Azul, Atlante y Pumas *salieron avante de la primera etapa del torneo de Concacaf, rebautizado como "Concachampions", en el que Federico Vilar anotó un gol. En segundo lugar de su grupo y apenas por mejor diferencia de goleo, la Selección obtuvo el pase al hexagonal final clasificatorio para Sudáfrica-2010. El chileno Héctor Mancilla encabezó a los goleadores y el veterano Sergio Bernal a los guardametas. Malas campañas como técnicos de los ex porteros Meza y La Volpe. Los equipos estadounidenses superaron a los mexicanos en el segundo Superliga.*

Se lesiona Michel y queda fuera de la Liga

De los cuatro equipos mexicanos que disputaron el torneo Superliga en Estados Unidos, sólo dos pasaron a semifinales pero ninguno llegó a la final, de modo que el millón de dólares —premio para el campeón— se lo llevó el New England Revolution tras imponerse en penaltis al Houston Dynamo.

Los semifinalistas mexicanos fueron el Atlante y el Pachuca, mientras que el Guadalajara y el Santos se quedaron en la primera ronda. Además, las *Chivas* perdieron a su arquero Luis Ernesto Michel, quien en los últimos minutos del juego contra el Atlante sufrió doble fractura en el antebrazo izquierdo, lesión que lo marginó del Apertura-08, poniendo fin a su racha de 61 partidos consecutivos en la Liga.

En la antesala de la final los *Tuzos* cayeron 0-2 ante el Houston Dynamo y al Atlante lo eliminó el New England por 1-0. Los cuatro clubes mexicanos alinearon a sus porteros titulares: Vilar, Calero, Oswaldo y Michel, y la lesión de este último propició el debut de Sergio Rodríguez, nativo de Guadalajara, quien una semana después, el 26 de julio, al comenzar el campeonato mexicano, tuvo una destacada presentación atajándole un penalti a Miguel

Sabah en el estadio Azul en un empate a dos entre *Cementeros* y *Chivas*. Nicolás Vigneri venció por primera vez la valla del novel portero tapatío.

Tras 15 años, el *Conejo* Pérez cambia de camiseta

Del 26 de julio al 14 de diciembre se jugó el Apertura-08. Como preámbulo, además del torneíto con los *gringos*, hubo cotejos amistosos con el Atlético de Madrid, que inició en México su pretemporada (dos empates y dos derrotas) y con el Boca Juniors, cuyos juegos contra *Tecos* y Dorados (Primera A) no tuvieron ganador, asi como la vapuleada que el Barcelona le dio al Guadalajara en Chicago por 5 a 2. Cabe agregar que en los primeros días de agosto el Cruz Azul participó en el tradicional torneo Teresa Herrera de La Coruña donde perdió 1-2 con el Deportivo y empató 2-2 y ganó 6-5 en penaltis al Sporting de Gijón para obtener el tercer lugar.

Indios de Ciudad Juárez, el nuevo equipo en Primera División, comenzó el torneo con cuatro derrotas seguidas, cambió de técnico y en la sexta fecha consiguió, en Morelia, su primer triunfo. Para afrontar su primera temporada en el máximo circuito obtuvo del Pachuca y de los *Tigres* a los porteros Humberto Hernández y Cirilo Saucedo. A éste lo prestó el cuadro de la Universidad de Nuevo León porque consiguió el traspaso del *Conejo* Pérez, quien salió del Cruz Azul después de quince años, veintisiete torneos y cuatrocientos dieciocho juegos.

Otras novedades en la lista de guardametas fueron la contratación por los *Jaguares* de Israel Villaseñor, quien había descendido con el Veracruz, y la reaparición de Óscar Dautt con el Puebla, además de los noveles arqueros del Guadalajara: el ya mencionado Sergio Rodríguez, quien tras actuar en las primeras nueve fechas y recibir en un juego cinco goles del Santos y en otro igual cantidad del Pachuca, perdió la titularidad ante Víctor Hugo Hernández, zamorano de 22 años que debutó el 27 de septiembre en el clásico tapatío (Atlas o *Chivas* 1) y tuvo buenas actuaciones tanto en la Liga (solamente encajó seis goles en ocho partidos) como en la Copa Sudamericana.

Otro portero debutante fue el veracruzano Alfonso Blanco, mundialista Sub-20, quien se presentó con el Cruz Azul el 20 de septiembre en un empate 1-1 con Santos en el estadio vecino de la Plaza México. El argentino ya naturalizado mexicano Matías Vuoso lo batió por primera vez.

El gran récord de Cristante

En total 30 porteros tuvieron acción, y para no variar, siete de ellos jugaron todos los minutos de todos los encuentros. Ninguno permitió más de cinco anotaciones en un juego ni detuvo más de un penalti en el torneo, y sólo uno —José de Jesús Corona— recibió tarjeta roja. Uno de los guardametas que actuó en todos los partidos de su equipo fue Adrián Martínez, quien llegó a 12 torneos completos e igualó el récord del *Tubo* Gómez.

Los veteranos Sergio Bernal, de 38 años, y Hernán Cristante, de 39, tuvieron formidables campañas. El primero logró el promedio más bajo de goles por juego (0.76) mientras los *Pumas* se ubicaban como el equipo menos goleado (13), y el segundo, además de promediar también menos de un tanto por partido (0.94, igual que Federico Vilar y Óscar Pérez), cerró el torneo con cinco juegos seguidos con meta invicta, racha que prolongó en la liguilla hasta romper los récords de Nicolás Navarro y de Alan Cruz y establecer nuevas marcas de todos los tiempos de ocho juegos consecutivos y 772 minutos sin recibir anotación. Entre el gol que le anotó el peruano Andrés Mendoza, del Morelia, el 12 de octubre en el estadio Morelos y el que le metió Edgar Castillo, del Santos, el 7 de diciembre en el Nemesio Diez transcurrieron los 772 minutos de juego en los que Cristante se mantuvo imbatible. Y el Toluca superó la marca de siete partidos al hilo sin gol en contra que había impuesto el América en 75-76.

En goleo, algunas marcas curiosas

Chiapas fue el equipo más goleado pero los 34 goles que recibió se los repartieron equitativamente sus porteros Villaseñor (17) y Hernández (17), de modo que el arquero que permitió más anotaciones fue Calero con 25, seguido por Omar Ortiz con 24. Los 25 pepinos encajados por el guardameta del Pachuca son la cantidad más pequeña

de la historia exceptuando aquel mini torneo Prode-85 en el que el portero más batido recibió 17.

Dos de los veinticinco goles que aceptó Calero fueron obra del chileno Héctor Mancilla, del Toluca, a la postre campeón anotador con once tantos, de los cuales solamente uno fue de penalti. En cambio, gracias a cinco tiros de castigo el *Bofo* Adolfo Bautista (Chiapas) se ubicó con nueve goles en el tercer lugar de la lista de máximos cañoneros empatado con el colombiano Hugo Rodallega del Necaxa. El sublíder fue el inca Andrés Mendoza, quien en su primera temporada en México marcó diez veces.

Por equipos, *Tecos* fue campeón de goleo con 30 y el que anotó menos fue el Puebla con 12. Cabe señalar que nunca antes en sus 33 años en Primera División el equipo de la Universidad Autónoma de Guadalajara había sido líder anotador.

En total el Apertura-08 registró 401 goles en su fase de calificación y solamente 30 en la liguilla, la cifra más baja en 33 años. Curiosamente, los *Tecos* ligaron su tercera liguilla seguida sin anotar.

Guadalajara, semifinalista sudamericano

Discreto resultó el debut del San Luis en torneos internacionales, ya que tras eliminar al Deportivo Quito por marcador global de 5-4, quedó fuera de la Copa Sudamericana en octavos de final al sucumbir ante el Argentinos Juniors por global de 2-3. Así como jugó todos los partidos de Liga y liguilla del cuadro potosino, Adrián Martínez también actuó en los cuatro encuentros con los equipos ecuatoriano y argentino.

Mucho mejor fue la participación del Guadalajara. Las *Chivas* llegaron invictas a semifinales y con dos triunfos y un empate como visitantes. Primero eliminaron al Aragua de Venezuela (1-2 y 1-1), luego, tras empatar a 2 en el Jalisco doblaron 4-3 al Atlético Paranaense a domicilio, y en cuartos de final pasaron sobre el River Plate por 2-1 en Buenos Aires y 2-2 en Guadalajara.

Sin embargo, en la antesala de la final el gozo se fue al pozo. El Internacional de Porto Alegre, a la postre campeón, vapuleó al cuadro tapatío por 2-0 en México y 4-0 en Brasil.

Al igual que en la Liga, la portería *chiva* fue cubierta por los novatos Sergio Rodríguez y Víctor Hugo Hernández. El primero actuó en el inicio del torneo (cuatro goles en tres partidos) y el segundo (12 en cinco) fue factor fundamental para la eliminación del River.

Gol de Vilar en la Concachampions

Utilizando mayoritariamente a sus reservas los cuatro equipos mexicanos sortearon con éxito la fase de grupos de la "Liga de campeones de Concacaf" o "Concachampions". Santos, Atlante y *Pumas* encabezaron sus respectivos grupos, en tanto que el Cruz Azul calificó en segundo lugar por mejor diferencia de goles. El cuadro de la UNAM fue el único invicto (tres victorias y tres empates) y el que anotó más goles (18), mientras que el equipo azulgrana, con Vilar en la puerta en todos los juegos, fue el que recibió menos (3).

El Santos alineó a Oswaldo en dos juegos y a Miguel Becerra en cuatro. Entre ambos encajaron once anotaciones, una de ellas un autogol del propio Becerra. Alfonso Blanco cubrió el marco del Cruz Azul en todos los partidos menos uno en el que debutó Julio César Valdivia, y por los *Pumas* actuaron Odín Patiño (expulsado en su único juego), Sergio Bernal y Alejandro Palacios.

El 8 de octubre Federico Vilar anotó de tiro libre el gol con el que el Atlante empató 1-1 con el Olimpia en Honduras. Sin duda el arquero argentino fue la figura de los *Potros* en el torneo. Por cierto que en este año Vilar desplazó a Salvador Mota del primer lugar en juegos y juegos completos en la lista histórica de porteros del Atlante.

Otro hecho anecdótico se dio cuando el Cruz Azul recibió al DC United. James Thorpe, portero de los estadounidenses fue expulsado, y más tarde el que lo sustituyó, Louis Crayton, también recibió tarjeta roja. Los *Cementeros* ganaron 2-0.

Los *Pumas* y el Santos fueron protagonistas de juegos cuyos marcadores fueron 4-4. Los universitarios ante el Houston Dynamo en tierras tejanas y los de Torreón frente al Municipal en Guatemala, partido en el que el árbitro *tico* Walter Quesada marcó cuatro penaltis, dos por bando, y uno de ellos produjo el autogol de Becerra ya que el balón rebotó en el travesaño, pegó en la espalda del portero del Santos y se metió.

De más a menos, el Pachuca en el Mundial

Por primera vez en cinco torneos, el *Ojitos* Meza no pudo calificar al Pachuca a la liguilla y posteriormente, en diciembre, los *Tuzos* volvieron a fracasar en el Mundial de Clubes en Japón. Si bien remontaron un 0-2 frente al Al Ahly de Egipto para vencer 4-2 en tiempos extra, cayeron ante los ecuatorianos de la Liga Deportiva Universitaria (0-2) y perdieron el tercer lugar con el Gamba Osaka (0-1). Calero jugó los tres partidos y llegó a cuatro actuaciones en estos torneos.

El otro ex portero que dirigió en el campeonato mexicano, Ricardo La Volpe, tampoco clasificó a la liguilla, pero retomó su vieja costumbre de acumular expulsiones. Con las dos de este campeonato suma ya 50 como director técnico. El Monterrey hizo cinco puntos menos que en el Clausura-08 y llegó a acumular siete juegos seguidos sin ganar, racha durante la cual sufrió cinco derrotas.

No fue ésta la cadena más larga de partidos sin triunfo porque el Necaxa se pasó doce jornadas consecutivas sin saborear un éxito, racha que lo sumió en el penúltimo lugar de la tabla general y en el antepenúltimo de la de promedios, sólo arriba de los recientemente ascendidos Puebla e Indios.

Dominio toluqueño en torneos cortos

Con sólo 29 puntos el San Luis quedó como líder general, mientras que el América redondeó el peor año de toda su historia, pues entre el Clausura-08 y el Apertura-08 perdió 18 de 34 partidos, sólo ganó ocho y recibió 16 goles más de los que anotó.

Acompañaron al San Luis en la liguilla el Toluca, Atlante, unam, Cruz Azul, *Tigres*, *Tecos* y Santos. Las vacaciones llegaron pronto para el súper líder ya que el Santos venció dos veces (3-1 y 2-1) al cuadro potosino en cuartos de final, mientras Cruz Azul eliminaba a los *Pumas* (0-0 en el Azul y 3-1 en cu), Toluca a los *Tecos* (0-0 en Zapopan y 2-0 en el Nemesio Diez) y Atlante a *Tigres* por su mejor posición en la tabla ya que los dos juegos quedaron empatados a un tanto.

En semifinales los *Cementeros* despacharon al Atlante (3-1 y 1-1) y se enfilaron a su segunda final consecutiva, mientras que el Toluca eliminó al Santos mediante un empate sin goles en Torreón y una victoria de 2 a 1 en terreno mexiquense, juego en que terminó la racha invicta de Cristante, durante la cual los *Diablos* ganaron cinco partidos y empataron tres.

Con anotaciones de Julio César da Silva y Sergio Ponce el Toluca dobló al Cruz Azul a domicilio en el primer cotejo de la final el 11 de diciembre. Tres días después, contra todos los pronósticos, el Cruz Azul le devolvió el marcador (goles de Alejandro Vela y Julio César Domínguez) en la *Bombonera* y mandó el juego a tiempos extra (0-0) y posteriormente a penaltis.

Tras doce disparos impecables y uno que pegó en el travesaño y luego en la espalda de Yosgart Gutiérrez y se fue a las redes, la larga batalla se decidió cuando Hernán Cristante le atajó a Vela el séptimo penalti del Cruz Azul. Ganaron los *Diablos* por 7-6 y 9-8 global.

Así, con José Manuel de la Torre en el timón, el Toluca conquistó su noveno título de Liga y sexto en torneos cortos. Cristante se coronó por quinta ocasión. Alcanzó al *Gato* Marín y se puso a uno del récord de seis del *Tubo* Gómez. Por su parte, el *Chepo* de la Torre obtuvo su segundo campeonato en dos años y la sequía de títulos en el Cruz Azul llegó a once calendarios.

El Tri, candil de la casa y oscuridad de la calle

Entre agosto y noviembre continuó la eliminatoria mundialista y la Selección Nacional con su nuevo timonel, el sueco Eriksson, ligó tres victorias en casa (dos juegos en el Azteca y uno en el Víctor Manuel Reyna de Tuxtla Gutiérrez) sobre Honduras, Jamaica y Canadá por 2-1, 3-0 y 2-1, respectivamente, casi asegurando el pase al hexagonal final.

Sin embargo, el Tri fue incapaz de ganar en Kingston, Edmonton y San Pedro Sula: cayó 0-1 con Jamaica, con muchos apuros empató a dos con Canadá, y Honduras lo derrotó 1-0. Los hondureños quedaron en primer lugar y México y Jamaica compartieron el segundo puesto, pero por tres goles de diferencia la escuadra mexicana obtuvo la calificación.

Eriksson alineó a Oswaldo Sánchez en todos los par-

tidos y a Guillermo Ochoa en los dos juegos amistosos que se intercalaron con la eliminatoria. En el primero una Selección B perdió 0-1 con Chile en Los Ángeles, y en el segundo la A dobló por 2-1 a Ecuador en Phoenix.

Murió Manuel Camacho

Con la incorporación de Omar Bravo al Deportivo La Coruña y de Francisco Javier Rodríguez al PSV Eindhoven son 14 los futbolistas mexicanos que actúan en Europa. En tanto que en Perú el arquero Alexandro Álvarez participó en media docena de partidos con el Coronel Bolognesi y recibió igual número de goles.

El legendario portero Manuel Camacho, máximo ganador de Copas México y eficaz guardameta durante veinte años, falleció el 24 de septiembre en San Diego por un ataque al corazón. Tenía 79 años.

Según los numeritos de la Federación Internacional de Historia y Estadísticas del Futbol, el portero del América figuró entre los mejores del mundo en 2008. Ochoa aparece en la clasificación como el cuarto latinoamericano y el undécimo del orbe.

El Apertura-08 fue el torneo número 80 en la era profesional; en la amateur hubo 40. En total: 120 campeonatos.

Nómina de porteros

América	Guillermo Ochoa y Armando Navarrete
Atlante	Federico Vilar
Atlas	Jorge Bava y Pedro Hernández
Chiapas	Israel Villaseñor y Edgar Adolfo Hernández
Cruz Azul	Yosgart Gutiérrez y Alfonso Blanco
Guadalajara	Sergio Rodríguez y Víctor Hugo Hernández
Indios	Cirilo Saucedo y Humberto Hernández
Monterrey	Jonathan Orozco y Christian Martínez
Morelia	Moisés Muñoz
Necaxa	Omar Ortiz
Pachuca	Miguel Calero y Rodolfo Cota
Puebla	Óscar Dautt y Jorge Villalpando
San Luis	Adrián Martínez
Santos	Oswaldo Sánchez y Miguel Becerra
Tigres	Óscar Pérez
Toluca	Hernán Cristante
UAG	José de Jesús Corona, Mario Rodríguez y Marcos Garay
UNAM	Sergio Bernal

Más juegos (j)

Federico Vilar (Atlante)	17
Moisés Muñoz (Morelia)	17
Omar Ortiz (Necaxa)	17
Adrián Martínez (San Luis)	17
Óscar Pérez (Tigres)	17
Hernán Cristante (Toluca)	17
Sergio Bernal (UNAM)	17

Más juegos completos

Federico Vilar (Atlante)	17
Moisés Muñoz (Morelia)	17
Omar Ortiz (Necaxa)	17
Adrián Martínez (San Luis)	17
Óscar Pérez (Tigres)	17
Hernán Cristante (Toluca)	17
Sergio Bernal (UNAM)	17

Más goles (g)

Miguel Calero (Pachuca)	25
Omar Ortiz (Necaxa)	24
Jorge Bava (Atlas)	23
José de Jesús Corona (UAG)	23
Guillermo Ochoa (América)	22

Más bajo g/j (mínimo 10 juegos)

Sergio Bernal (UNAM)	0.76
Federico Vilar (Atlante)	0.94
Óscar Pérez (Tigres)	0.94
Hernán Cristante (Toluca)	0.94
Óscar Dautt (Puebla)	1.00

Más goles en un juego

Edgar Adolfo Hernández (Chiapas)	5
Israel Villaseñor (Chiapas)	5
Sergio Rodríguez (Guadalajara)	5 (2 veces)
Adrián Martínez (San Luis)	5

Penaltis detenidos

Jorge Bava (Atlas)	1
Sergio Rodríguez (Guadalajara)	1
Humberto Hernández (Indios)	1
Cirilo Saucedo (Indios)	1
Omar Ortiz (Necaxa)	1
Hernán Cristante (Toluca)	1
Sergio Bernal (UNAM)	1

Expulsados

José de Jesús Corona (UAG)

LIGUILLA

Más juegos	Yosgart Gutiérrez (Cruz Azul) y Hernán Cristante (Toluca)	6
Más juegos completos	Yosgart Gutiérrez (Cruz Azul) y Hernán Cristante (Toluca)	6
Más goles	Federico Vilar (Atlante)	6
Más bajo G/J	Hernán Cristante (Toluca)	0.50
Más goles en un juego	Federico Vilar (Atlante), Adrián Martínez (San Luis) y Sergio Bernal (UNAM)	3
Penaltis detenidos	Ninguno	
Expulsados	Ninguno	

Clausura-09
Pumas, campeón; el Necaxa desciende

A los 39 años de edad, Sergio Bernal fue el mejor portero de la Liga y ganó su cuarto campeonato con los Pumas. *El Atlante triunfó en la Concachampions e irá al Mundial de Clubes. Descenso del Necaxa y retorno del Querétaro. Trece torneos completos ha jugado Adrián Martínez. La influenza paró al Guadalajara y al San Luis en la Libertadores. El chileno Mancilla repitió como rey de goleo. La Selección sufre para calificar al Mundial.*

Calero detuvo cuatro penaltis en una noche

Los ocho equipos que aprovecharon el torneíto saca dólares llamado Interliga para prepararse para el Clausura-09 fueron Pachuca, Guadalajara, Morelia, Atlas, Toluca, América, *Tecos* y *Tigres*. En siete de los primeros once días del año jugaron catorce partidos en canchas tejanas y californianas, por cierto con una buena producción de goles: 42, a los que se sumaron 25 penaltis que decidieron los dos juegos finales y con ello los boletos para la Copa Libertadores.

Los *Tuzos* y los *Monarcas* clasificaron en el grupo A y las *Chivas* y el Atlas en el B, y en Carson protagonizaron dos emotivas finales con tandas de penaltis incluidas. Primero el Guadalajara y el Morelia empataron 1-1 y en los tiros de castigo se impusieron las *Chivas* por 4 a 2, habiendo fallado el Morelia dos disparos, uno de los cuales fue atajado por Luis Ernesto Michel, el reaparecido arquero titular del "rebaño sagrado".

Por su parte, el Pachuca, que goleaba al Atlas por 3-0 al terminar el primer tiempo, y que se vio alcanzado en el segundo, finalmente eliminó a los rojinegros tras una maratónica batalla de 26 penaltis por 10-9. El cuadro del *Ojitos* Meza falló tres tiros (uno fue detenido por Pedro Hernández) pero tuvo a su gran héroe en Miguel Calero ya que el guardameta colombiano naturalizado mexicano atajó cuatro disparos. Por cierto, este fue el único partido que jugó Calero, porque en la primera fase Meza prefirió alinear al suplente Rodolfo Cota. Otro equipo que también utilizó a su segundo portero fue el Toluca con César Lozano, en tanto que con los *Tigres* tuvo una actuación Alfredo Talavera.

De esta manera, el Guadalajara calificó a la fase de grupos de la Libertadores junto con el San Luis, súper líder del Apertura-08, mientras el Pachuca pasó a un repechaje con el Univer-

sidad de Chile. Tras caer en Santiago por 0-1, los *Tuzos* ganaron en la capital hidalguense 2 a 1 pero quedaron eliminados por el gol de visitante del equipo chileno.

La Influenza sacó a los mexicanos de la Libertadores

El debut del San Luis en el máximo torneo de clubes en el continente americano comenzó con dos derrotas (ante San Lorenzo y Libertad), siguió con dos empates (frente a Universitario) y concluyó con par de victorias sobre los clubes argentino y paraguayo. Los ocho puntos y tener un gol más que el conjunto peruano le dieron al cuadro potosino el segundo lugar del grupo (ganado por el Libertad que sumó 12 unidades) y el pase a octavos de final.

Las *Chivas* también calificaron en segundo sitio, con nueve puntos, tras empatar dos veces con el Lanús, dividir triunfos con el Caracas (líder del grupo con 10) y vapulear 6-2 al Everton en Guadalajara y eliminar al equipo chileno con un empate a uno en Viña del Mar.

Adrián Martínez y Luis Ernesto Michel, titulares indiscutibles, jugaron los seis partidos de cada uno de los conjuntos mexicanos. Sin embargo, ante la epidemia de influenza por un virus nuevo cuyo estreno tuvo lugar en México, los equipos sudamericanos São Paulo y Nacional se negaron a viajar a nuestro país y en principio tampoco querían recibir a los mexicanos, por lo que los encargados de la FMF determinaron el retiro del Guadalajara y el San Luis de la Copa Libertadores.

Tras once años de participación mexicana en el tradicional certamen sudamericano, el *Conejo* Pérez y Memo Ochoa figuran como los arqueros mexicanos con más partidos jugados con 22 y 21, respectivamente.

La Volpe debuta a dos porteros

Entre los 33 guardametas que tuvieron acción en el Clausura-09 (16 de enero al 31 de mayo, con 15 partidos jugados a puerta cerrada por culpa de la insólita emergencia sanitaria nacional decretada por el gobierno) hubo un par de caras nuevas y ocho reapariciones. Los porteros debutantes, ambos con el Atlas, fueron el jalisciense José Francisco Canales y el sonorense Jesús Alejandro Gallardo, mientras que volvieron a jugar en Primera División Luis Ernesto Michel (Guadalajara), Jorge Bernal e Iván Vázquez (Necaxa), Alfredo Talavera y Enrique Palos (*Tigres*), César Lozano (Toluca), Odín Patiño (UNAM) y el *Monstro* Alexandro Álvarez (Puebla) que regresó de Perú.

El estadio Azteca fue el escenario y el América el rival en la presentación del arquero Canales el 18 de febrero. Juan Carlos Valenzuela lo "fusiló" por primera vez y el marcador final fue 2-2. Casi un mes después, el 15 de marzo, el nuevo portero atlista fue expulsado durante el clásico tapatío contra las *Chivas*, lo que propició el debut de Gallardo. Atlas ganó 1 a 0. A ambos guardametas los debutó Ricardo La Volpe, quien desde la fecha 4 había retornado al timón rojinegro luego de dos torneos de claroscuros con el Monterrey. Por cierto, el trabajo del polémico estratega argentino estuvo marcado por rachas: tras perder en su debut, ligó nueve partidos invicto, pero perdió tres de sus últimos cuatro juegos y en la última jornada se le escapó el pase a la liguilla.

En cambio, Enrique Meza dejó atrás el fracaso del torneo anterior y condujo al Pachuca al súper liderato y al campeonato de goleo, pero no pudo cerrar con broche de oro la gran campaña ya que perdió la final ante los *Pumas*. El *Ojitos* es el entrenador cuyos equipos han logrado más lideratos de goleo; este récord es de nueve.

El nombre de Robert Dante Siboldi ingresó en la lista de ex porteros entrenadores cuando en la última jornada tomó el timón del alicaído Cruz Azul, y en un juego a puerta cerrada en Tuxtla Gutiérrez empató a tres goles con los *Jaguares*.

Otra vez Bernal fue el mejor

Por segundo torneo consecutivo Sergio Bernal fue el mejor portero. Su promedio de 0.78 goles por juego superó el 0.80 de Jesús Corona y el 1.12 de Hernán Cristante. El veterano arquero *puma* celebró así sus 20 años de futbolista en activo (uno de ellos en Primera A), una longevidad que en el caso de los guardavallas solamente Manuel Camacho alcanzó.

Federico Vilar, Moi Muñoz, Adrián Martínez y Cristante volvieron a figurar entre los porteros de "hierro" al

jugar completos los 17 partidos, lo que también hicieron Calero y Michel. Las rachas de juegos consecutivos de Muñoz y Martínez llegaron a 58 y 47, respectivamente, en tanto que la de Cristante quedó en 85 por su expulsión en el segundo cotejo de cuartos de final, juego en el que el Toluca sufrió una sorpresiva eliminación ante el Indios. Con esa tarjeta roja, la número 14, el árbitro Marco Antonio Rodríguez se consolidó como el "verdugo" histórico de los porteros de México.

Curiosamente, Hernán Cristante y Oswaldo Sánchez llegaron el mismo día —18 de febrero— a 400 y 500 juegos, respectivamente, en la Liga.

Y Federico Vilar ya no sólo es el portero con más juegos en la historia del Atlante sino también el que más goles ha recibido. En este campeonato superó a Salvador Mota (325) por dos anotaciones.

13 torneos completos de Adrián Martínez

Adrián Martínez suma con éste 13 torneos en los que ha jugado todos los minutos de todos los partidos, de los cuales ocho con el Santos y cinco con el San Luis. Superó la marca del *Tubo* Gómez, sólo que los trece campeonatos de Martínez han sido de 17 ó 19 juegos mientras que los de Gómez fueron de 22, 24, 26 e incluso 30 partidos.

Por segunda vez en su larga carrera, Adrián figuró como el portero más goleado al encajar 27 pepinos, tres más que el americanista Ochoa y cuatro más que el *tuzo* Calero y el *camotero* Villalpando. Pero el equipo que recibió más anotaciones fue el Cruz Azul con 33, siendo ésta apenas la segunda vez en 35 años que el cuadro *cementero* encabeza la lista de los más goleados. Y lo que nunca le había ocurrido al conjunto cruzazulino: ocupar el último lugar de la clasificación general, le pasó en este torneo gracias a su paupérrima cosecha de 13 puntitos. Por cierto, la racha de torneos seguidos sin detener un penalti de los porteros del Cruz Azul llegó a 15. En ese lapso han encajado 33 anotaciones de tiro de castigo.

Mancilla, bicampeón de goleo

El 10% de los 421 goles registrados en el torneo fueron anotados por el Pachuca, casi tres veces más que la raquítica cosecha de 15 de los *Tigres*. Por su parte, UNAM y UAG lucieron las defensivas más eficientes permitiendo sólo 17 goles cada uno. El líder de goleo individual, el chileno Héctor Mancilla, casi igualó la producción del equipo regiomontano. Sus 14 tantos, ninguno de penalti (falló dos), le permitieron coronarse por segundo torneo consecutivo. Su portero "cliente" fue Enrique Palos, al que le clavó tres goles en la penúltima jornada. Por cierto, desde que Agustín Manzo anotó tres veces en un juego en la temporada 82-83, han pasado 26 años sin que ningún jugador mexicano del Toluca haya logrado el triplete.

Al igual que en los tres torneos anteriores y en casi todos los de esta década, los cañoneros extranjeros impusieron su hegemonía. El paraguayo Salvador Cabañas (América) fue sublíder con 13, el chileno Humberto Suazo (Monterrey) y el argentino Christian Jiménez (Pachuca) compartieron el cuarto lugar con nueve, y el panameño Blas Pérez (Pachuca) quedó quinto con ocho. Miguel Sabah (Morelia) fue el único mexicano que figuró entre los máximos anotadores con once.

Segundo título del Atlante en Cancún

Pumas, el único equipo invicto y máximo goleador en la primera fase de la "Concachampions", se fue en blanco en los dos partidos de cuartos de final ante el Cruz Azul (0-1 y 0-1), juegos en los que actuaron Odín Patiño y Alejandro Palacios, suplentes ambos de Sergio Bernal, mientras los *Cementeros* continuaron alineando a Alfonso Blanco.

El Atlante despachó al Houston Dynamo con un contundente 3-0 en Cancún tras empatar 1-1 en terreno *gringo*. En este juego en Houston por fin tuvo acción el *Gato* Omar Ortiz, a quien Federico Vilar mantuvo en la banca toda la temporada.

El Santos también pasó a semifinales, no sin sufrir una caída por 0-2 en Montreal al visitar al Impact, marcador que remontó en Torreón con goleada de 5-2.

En la antesala de la final el Cruz Azul sufrió demás para eliminar al modesto equipo puertorriqueño Islanders: división de triunfos por 2-0, empate 1-1 en los tiempos extra en el estadio Azul y finalmente la victoria

en penaltis por 4-2. En la otra semifinal el Atlante salió avante de su cotejo con el Santos por un gol de diferencia (1-2 en Torreón y 3-1 en Cancún).

El equipo *cementero* cerró con "broche de oro" su pésima temporada yéndose en blanco en 180 minutos ante el Atlante, que con dos goles en el estadio Azul y un 0-0 en Cancún liquidó la final y obtuvo por segunda vez el torneo de Concacaf, cuyo premio es el pase al Mundial de Clubes. Los porteros en ambos partidos fueron el argentino Vilar, guardameta-récord del Atlante y el joven Alfonso Blanco, quien desde el último tercio del Clausura-09 dejó en la banca cruzazulina a Yosgart Gutiérrez.

Baja el Necaxa y sube el Querétaro

Al empezar el campeonato el Puebla y los Indios, junto con Necaxa y *Tigres*, eran los candidatos más fuertes para el descenso a Primera A. Poco más de tres meses después, el cuadro de la franja y el de Ciudad Juárez no solamente se habían salvado sino que entraron a la liguilla, fueron sus grandes animadores y se quedaron a muy poco de protagonizar la final más insólita de la historia de las post temporadas. Y fue el Necaxa, un histórico del balompié mexicano, el que se desbarrancó al infierno de la división inferior, pese a ser dirigido por el técnico (Raúl Arias) que en el torneo anterior consiguió el súper liderato. Luego de jugar seis años en Aguascalientes, el "equipo de la década de los 90" se fue a Primera A.

Mientras tanto, José Guadalupe Martínez, ex portero de *Tecos* y Puebla, fue uno de los artífices del triunfo del Querétaro en la final por el ascenso al detener uno de los cinco penaltis que disparó el equipo de Mérida (los queretanos no fallaron ninguno) luego de que el marcador global, con tiempos extra incluidos, se encontraba empatado a dos tantos. En la historia de la Segunda División, o Primera A, el ascenso al máximo circuito se ha decidido cinco veces por penaltis.

Los *Pumas* se coronan por sexta vez

En la liguilla del Clausura-09 (a la que no llegó el América por tercer torneo consecutivo) los *Tecos* cortaron su racha de seis juegos seguidos con la pólvora mojada pero fueron eliminados por los *Pumas* (2-0 y 0-3); el Pachuca ni se despeinó para domar a los Jaguares (3-1 y 2-0); el Puebla despachó al Monterrey (3-1 y 2-2) e Indios dio la campanada eliminando (1-0 y 0-0) al Toluca, un equipo que fue sublíder general (por diferencia de goleo ya que sumó igual número de puntos que el Pachuca) y que sólo perdió un partido.

En semifinales un gol de los *Pumas* en el antepenúltimo minuto del segundo partido, en CU, les dio el angustioso pase a la final, gracias al empate global a tres con el Puebla y mejor posición en la tabla general. Los universitarios ganaron en la Angelópolis por 2-1, también con un gol en el último suspiro del encuentro, y los poblanos se impusieron por igual marcador en el juego de vuelta.

El Pachuca alargó a seis su racha victoriosa tras derrotar a domicilio al Indios por 2 a 0, pero pasó gran susto en el partido en la capital hidalguense porque Indios, que contó con una magnífica actuación de su arquero Cirilo Saucedo, llegó a estar arriba 3-1, y con un tanto más eliminaba a los *Tuzos*. Finalmente, el cuadro del *Ojitos* Meza aunque cayó por 2-3 calificó a una final inédita con la escuadra *puma*.

Por novena ocasión en la historia de las liguillas la final se decidió en tiempo extra. *Pumas*, tercero en la tabla general, se convirtió en el trigésimo quinto equipo que no siendo súper líder se corona. Solamente 18 veces el primer lugar ha ganado el campeonato.

La noche lluviosa del 28 de mayo en el Olímpico Universitario los *Pumas* triunfaron 1-0 con gol del paraguayo Dante López. Tres días después, en otra noche con lluvia en Pachuca, el marcador global se igualó a dos, ya que los *Tuzos* anotaron un par de veces a través del *Chaco* Giménez (un penalti y un tiro libre en el que falló Bernal) y por la UNAM volvió a marcar Dante.

En el segundo tiempo extra un disparo de Pablo Barrera al que Calero le hizo el puente trágico decidió la contienda a favor de los *Pumas*, que así sumaron su sexta corona de Liga, en cuatro de las cuales ha participado Sergio Bernal. Por su parte, el técnico Ricardo Ferretti volvió a ganar un título después de doce años y Enrique Meza perdió una racha de cuatro finales consecutivas ganadas. El gol de Barrera cerró en 38 la cuenta de goles en la liguilla.

El Tri cambia de timón, pero...

Tras caer en un amistoso en Oakland ante Suecia por 0-1, la Selección Nacional comenzó el hexagonal final clasificatorio para Sudáfrica-10 con la acostumbrada derrota frente a Estados Unidos (0-2 en Columbus), el nuevo gigante de la Concacaf, y aunque luego goleó 5-1 a Bolivia en un partido no oficial en Denver y dobló a Costa Rica por 2 a 0 en el Azteca en la segunda fecha del hexagonal, sufrió humillante descalabro de 1-3 en San Pedro Sula ante el seleccionado hondureño, derrota que marcó el final de la muy corta etapa de Sven-Göran Ericksson. Menos de 24 horas después del fracaso en Honduras, el técnico sueco fue destituido.

Ericksson alineó a Oswaldo en los juegos contra suecos y estadounidenses y puso a Ochoa en el arco ante bolivianos, costarricenses y hondureños.

Javier Aguirre, quien a principios del año había sido cesado por el Atlético de Madrid, retornó a México para asumir por segunda vez el mando de la escuadra tricolor, y siete años después de una de las derrotas más dolorosas en la historia de la Selección Nacional (ante Estados Unidos en octavos de final del mundial nipón-coreano), reapareció con otro descalabro, en San Salvador por 1-2, derrota con la que el Tri ligó seis partidos oficiales consecutivos de visitante sin poder ganar, todos correspondientes a la eliminatoria mundialista. En este juego también reapareció en la portería de la Selección, después de tres años, el *Conejo* Pérez.

Para el siguiente partido, contra Trinidad y Tobago en el Azteca, el objetivo era: ganar como sea o despedirse del Mundial. Y con una actuación de mucho ruido y pocas nueces, el Tri venció apenas por 2-1, nuevamente con el *Conejo* en el arco.

Segunda Champions de Rafa Márquez

Aunque una lesión le impidió jugar los partidos decisivos, Rafael Márquez se coronó con el Barcelona en la Liga de España, en la Copa del Rey y en la Liga de Campeones de Europa, en tanto que Nery Castillo, también sin tener acción pero no por lesión como Márquez sino por decisión técnica, conquistó con el Shaktar de Ucrania la Copa de la UEFA, y Héctor Moreno se proclamó monarca de la Liga holandesa con el AZ Alkmaar.

Nómina de porteros

América	Guillermo Ochoa y Armando Navarrete
Atlante	Federico Vilar
Atlas	Pedro Hernández, José Francisco Canales y Jesús Alejandro Gallardo
Chiapas	Edgar Adolfo Hernández e Israel Villaseñor
Cruz Azul	Yosgart Gutiérrez y Alfonso Blanco
Guadalajara	Luis Ernesto Michel
Indios	Cirilo Saucedo y Humberto Hernández
Monterrey	Jonathan Orozco y Christian Martínez
Morelia	Moisés Muñoz
Necaxa	Iván Vázquez y Jorge Bernal
Pachuca	Miguel Calero
Puebla	Jorge Villalpando y Alexandro Álvarez
San Luis	Adrián Martínez
Santos	Oswaldo Sánchez y Miguel Becerra
Tigres	Óscar Pérez, Enrique Palos y Alfredo Talavera
Toluca	Hernán Cristante y César Lozano
UAG	José de Jesús Corona y Mario Rodríguez
UNAM	Sergio Bernal y Odín Patiño

Más juegos (j)

Federico Vilar (Atlante)	17
Luis Ernesto Michel (Guadalajara)	17
Moisés Muñoz (Morelia)	17
Miguel Calero (Pachuca)	17
Adrián Martínez (San Luis)	17
Hernán Cristante (Toluca)	17
Guillermo Ochoa (América)	16
Edgar Adolfo Hernández (Chiapas)	16
Cirilo Saucedo (Indios)	16
Jorge Villalpando (Puebla)	16

Más juegos completos

Federico Vilar (Atlante)	17
Luis Ernesto Michel (Guadalajara)	17
Moisés Muñoz (Morelia)	17
Miguel Calero (Pachuca)	17
Adrián Martínez (San Luis)	17
Hernán Cristante (Toluca)	17
Guillermo Ochoa (América)	16
Edgar Adolfo Hernández (Chiapas)	16
Cirilo Saucedo (Indios)	16
Jorge Villalpando (Puebla)	16

Más goles (g)

Adrián Martínez (San Luis)	27
Guillermo Ochoa (América)	24
Miguel Calero (Pachuca)	23
Jorge Villalpando (Puebla)	23
Federico Vilar (Atlante)	21
Cirilo Saucedo (Indios)	21

Más bajo G/J (mínimo 10 juegos)

Sergio Bernal (UNAM)	0.78
José de Jesús Corona (UAG)	0.80
Hernán Cristante (Toluca)	1.12
Luis Ernesto Michel (Guadalajara)	1.18
Moisés Muñoz (Morelia)	1.18
Oswaldo Sánchez (Santos)	1.20

Más goles en un juego

José Francisco Canales (Atlas)	5
Édgar Adolfo Hernández (Chiapas)	5
Miguel Calero (Pachuca)	5
Adrián Martínez (San Luis)	5

Penaltis detenidos

Federico Vilar (Atlante)	2
Enrique Palos (Tigres)	1
José de Jesús Corona (UAG)	1

Expulsados

José Francisco Canales (Atlas)
José de Jesús Corona (UAG)

LIGUILLA

Más juegos	Miguel Calero (Pachuca) y Sergio Bernal (UNAM)	6
Más juegos completos	Miguel Calero (Pachuca)	6
Más goles	Miguel Calero (Pachuca)	7
Más bajo G/J	Hernán Cristante (Toluca)	0.50
Más goles en un juego	Edgar Adolfo Hernández (Chiapas), Christian Martínez (Monterrey), Miguel Calero (Pachuca) y José de Jesús Corona (UAG)	3
Penaltis detenidos	Ninguno	
Expulsados	Ninguno	

Apertura-09

Se corona el Monterrey y el Tri va al Mundial

Dos resonantes triunfos de México sobre Estados Unidos adornaron la conquista de la Copa Oro y del boleto al Mundial. El Monterrey obtuvo su tercer título de Liga y el Cruz Azul impuso récord de subcampeonatos. El portero más eficiente fue Moisés Muñoz y nuevamente un delantero extranjero encabezó a los goleadores. El América fusiló siete veces a Cristante. Los penaltis fallados impidieron al Atlante quedar tercero en el Mundial de Clubes y a México llegar a cuartos de final en el Mundial Sub-17. En cambio, Tigres *ganó por penaltis el Superliga.*

México gana la Copa Oro y el pase al Mundial

Javier Aguirre alternó a Memo Ochoa y Jesús Corona en dos juegos de preparación para la Copa Oro (4-0 contra Venezuela en Atlanta y 0-0 con Guatemala en San Diego), pero solamente alineó a Ochoa en ese torneo y en la segunda vuelta de la eliminatoria para el Mundial de 2010.

La Selección ganó en forma invicta el campeonato de países de la Concacaf, jugado en Estados Unidos durante casi todo el mes de julio, y luego obtuvo el boleto para Sudáfrica gracias a una segunda ronda casi perfecta: cuatro triunfos consecutivos y un empate en el último partido, ya de mero trámite.

El Tri comenzó la Copa Oro con una victoria de 2-0 sobre Nicaragua en Oakland, luego un apurado empate a uno frente a Panamá en Houston, siguieron triunfos por 2-0 contra Guadalupe en Phoenix y 4-0 a Haití en Arlington, y aunque en semifinales no pudo vencer a Costa Rica en 120 minutos jugados en Chicago (empate 1-1 y no hubo goles en los tiempos extra), superó a los *Ticos* en los penaltis (5-3) gracias a que Ochoa atajó uno.

La final, en Nueva Jersey, resultó una fiesta y un paseo ante el equipo B de Estados Unidos al cual apabulló por 5-0, un marcador como los que México forjaba ante los estadounidenses a mediados del siglo pasado cuando era el indiscutido gigante de Norte y Centroamérica.

En la segunda vuelta del hexagonal clasificatorio para la Copa del Mundo, el Tri se vengó en el estadio Azteca de las derrotas sufridas en la primera fase en Estados Unidos, Honduras y El Salvador, y en San José repitió el triunfo sobre Costa Rica para conquistar el pase al Mun-

dial. Los marcadores fueron 2-1, 1-0, 4-1 y 3-0, respectivamente. Ya calificado, el equipo de Aguirre empató a 2 con Trinidad y Tobago en Puerto España. Quedó en segundo lugar con 19 puntos (15 en el Azteca), uno menos que Estados Unidos y tres arriba de Honduras, que también clasificó. Y el duopolio de las televisoras respiró tranquilo y feliz: el negociazo del Mundial está asegurado.

José de Jesús Corona volvió a tener acción en un amistoso contra Colombia en Dallas que el equipo mexicano (una Selección B) perdió por 1-2.

Un título para *Tigres*

El tercer torneo Superliga contó con la participación del Atlas, San Luis, Santos y *Tigres* por parte de México, y del Chicago Fire, Chivas USA, Kansas City Wizzards y New England Revolution por parte de Estados Unidos. A la final, jugada en Bridgeview, Illinois, llegaron el Chicago Fire y los *Tigres* luego de eliminar en semifinales al New England y al Santos, respectivamente. En la primera fase del torneo el cuadro regiomontano había vencido al club de Chicago por 2-1 (Cuauhtémoc Blanco marcó el tanto del Fire) y en la final, tras empatar a uno, *Tigres* se impuso en penaltis por 4 a 3 y se llevó el millón de dólares.

Durante el torneo el cuadro *felino* alineó a un número récord de 37 jugadores, varios de ellos sin haber debutado aún en Primera División como el portero Aarón Fernández que jugó el primer partido. Enrique Palos (dos juegos) y el titular Cirilo Saucedo (semifinal y final) también defendieron el marco de los *Tigres*, mientras que Oswaldo Sánchez y José Francisco Canales actuaron en todos los juegos del Santos y el Atlas, y Adrián Martínez y el novato Carlos Trejo se alternaron en la portería del San Luis.

El América vence al Inter y al Milán

405 goles en la fase de calificación del campeonato y 41 en la liguilla fue la producción del Apertura-09, efectuado del 24 de julio al 13 de diciembre, que tuvo como novedad la etiqueta de *Estudiantes Tecos* como nuevo apodo oficial del equipo de la Universidad Autónoma de Guadalajara.

Los principales movimientos en el elenco de guardametas los protagonizaron José de Jesús Corona, vendido por *Tecos* a Cruz Azul; Óscar Pérez, que llegó a préstamo a *Jaguares*; César Lozano, sempiterno suplente de Cristante en el Toluca, emigró a Ciudad Juárez para jugar de titular; Cirilo Saucedo retornó a los *Tigres*; Alfredo Talavera fue prestado al Toluca, igual que Israel Villaseñor al *Estudiantes Tecos* y reapareció José Guadalupe Martínez con el Querétaro, equipo con el cual se había coronado en Primera A.

Las *Chivas*, el Atlante y el América realizaron parte de su pretemporada en el extranjero. Guadalajara jugó tres partidos en pueblos de Holanda y Alemania con saldo de una victoria, un empate y un revés; el equipo azulgrana disputó en Málaga el "Torneo de la Paz" (venció 3-1 al local y sucumbió 1-3 ante el inglés Aston Villa); en tanto que el América se midió en Estados Unidos con los italianos Inter (1-1 y 5-4 en penaltis) y Milán (2-1) y el británico Chelsea (0-2). Este último quedó campeón del torneo modestamente llamado "Desafío Mundial del Futbol".

Ya comenzado el Apertura-09, el Guadalajara pospuso un partido para viajar a la californiana ciudad de San Francisco a enfrentarse al Barcelona, juego que concluyó empatado a uno.

Más porteros argentinos

Dos arqueros argentinos arribaron al futbol mexicano: Mariano Damián Barbosa, de 25 años de edad, contratado por el Atlas, y Carlos Gustavo Bossio, de 35, a quien trajo el Querétaro para la reaparición de los *Gallos Blancos* en Primera División. Ambos muestran en su palmarés una estancia de tres años en el balompié europeo: Barbosa en España con el Villarreal y el Recreativo Huelva; Bossio en Portugal con el Benfica y el Vitoria. Una medalla de oro en Juegos Panamericanos y una de plata olímpica adornan el currículum de Bossio.

El debut de Barbosa en México tuvo lugar el 25 de julio en el estadio Jalisco donde el Atlas venció 1-0 a los *Pumas* , mientras que el de Bossio ocurrió seis días después en una derrota de 1-3 del cuadro queretano en Pachuca. Un penalti ejecutado por Juan Carlos Cacho fue la primera anotación recibida por Bossio, mientras que el primer fusilamiento de Barbosa corrió a cargo de Juan

Carlos Mosqueda, del Santos, el 8 de agosto en la victoria del Atlas por 2 a 1 en el Jalisco.

El 1 de noviembre durante el juego entre el Morelia y el Guadalajara en la capital michoacana sucedió el inesperado debut del muy joven arquero Carlos Rodríguez, nativo de Morelia y primo de Moisés Muñoz, guardameta titular de los *Monarcas*. Éste fue expulsado en el primer tiempo, con el marcador en ceros, tras provocar un penalti contra el Morelia, de modo que en su primera acción, Rodríguez encajó un gol, marcado por Javier *Chicharito* Hernández. Posteriormente, el Morelia reaccionó y batió a las *Chivas* por 3-1, pero la racha de partidos consecutivos que llevaba Moi Muñoz se cortó en 72.

Moisés Muñoz fue el mejor arquero

Desde la temporada 60-61 no habían jugado tan pocos guardametas en un torneo como los veintiocho que actuaron en el Apertura-09, de los cuales estos ocho tuvieron acción en todos los minutos de todos los partidos: el *Conejo* Pérez, Cirilo Saucedo, Jorge Villalpando, Jonathan Orozco, Oswaldo Sánchez, Luis Ernesto Michel, Federico Vilar y Adrián Martínez, quien incrementó a 14 su marca de campeonatos completos. Vilar llegó a diez y Oswaldo y el *Conejo* suman siete cada uno.

Con el par de penaltis que detuvo Oswaldo Sánchez, totalizó 18 y se colocó a uno de Adrián Chávez y a dos de Marco Antonio Ferreira, los máximos atajadores de tiros de castigo.

Por octavo campeonato seguido el mejor portero tuvo promedio de goles por juego inferior a uno. Esta vez fue Moisés Muñoz, del Morelia, con 0.81, seguido por Ochoa (América) y Talavera (Toluca) con 0.92 cada uno y Orozco (Monterrey) con 0.94. Este último, con lances tan espectaculares como eficaces en la liguilla (salvo en el primer partido de la final) fue factor importante para la coronación de los *Rayados*. Cabe señalar que Moi Muñoz promedió menos de un gol por partido por primera vez en su carrera.

Los Indios rompen récords... negativos

Indios de Ciudad Juárez, semifinalista en el torneo anterior, sufrió la vergüenza que ningún equipo había padecido en los 66 años del futbol profesional mexicano: ¡no ganó ningún partido! Empató seis veces, perdió once y solamente anotó siete goles (promedio de menos de medio gol por partido), con lo que estableció nuevos récords en anotaciones y puntos. Gracias a la desastrosa temporada del equipo fronterizo, los *Pumas*, campeones del torneo anterior, se salvaron de quedar en último lugar y de igualar la marca de aquel Marte de los cincuentas que un año fue monarca y al siguiente sotanero.

Seis delanteros marcaron más goles que el Indios, y uno de ellos, Emanuel Villa, del Cruz Azul, más que duplicó la raquítica producción del conjunto de Ciudad Juárez. Con 17 anotaciones (sólo una de penalti), el argentino Villa se proclamó campeón de goleo y prolongó a cinco la racha de lideratos de jugadores extranjeros. El 19 de septiembre perforó cuatro veces la portería del San Luis en el estadio Azul, de modo que fue Adrián Martínez el arquero más goleado por Villa en el torneo.

En segundo lugar de la lista de romperredes quedó, con una docena de goles (cinco penaltis), el líder de los dos torneos anteriores, Héctor Mancilla (Toluca), en tanto que el *Chicharito* Javier Hernández, del Guadalajara, se ubicó como el mayor anotador mexicano con 11 pepinos. El paraguayo Salvador Cabañas (América), el argentino Alfredo Moreno (San Luis) y el mexicano Rafael Márquez Lugo (Atlante), con 11, 9 y 9, respectivamente, también superaron la cosecha de los Indios.

Enrique Meza aumentó a diez su récord de campeonatos de goleo ya que el Cruz Azul, con 35 tantos, quedó en primer lugar de goleo colectivo. La mejor defensa fue la del Morelia, cuya meta sólo fue batida quince veces, hubo un cuádruple empate entre *Chivas*, Querétaro, Pachuca y *Estudiantes Tecos* en el indeseado liderato de goles recibidos (29), y los *Jaguares* llegaron a doce partidos al hilo sin ganar en casa.

Mal torneo de Cristante

Las mayores goleadas que había sufrido Hernán Cristante en su exitosa carrera en México (2-6 ante el Monterrey en el Verano-00 y 0-6 frente a *Tigres* en el Clausura-05) fueron superadas el 30 de agosto en el Azteca al encajar siete pepinos del América. Poco tiempo después, el vete-

rano portero argentino sufrió una lesión que lo marginó del torneo. Así, Alfredo Talavera pudo jugar más partidos que los que había sumado en los tres años anteriores con *Chivas* y *Tigres*.

Carlos Bossio (en Morelia), César Lozano (también frente a los *Monarcas* en Morelia) y Mario Rodríguez (contra el América en el Azteca) recibieron las otras golizas del campeonato. En todas la cuota fue de cinco pepinos. Con el agravante, en el caso de Rodríguez, de que el quinto tanto se lo metió él mismo, siendo éste el único autogol de un portero en el torneo.

Se corona el Monterrey; Cruz Azul, "ya merito"...

Rachas de seis y de cinco juegos consecutivos sin ganar padeció Ricardo La Volpe con el Atlas. El cuadro rojinegro quedó en decimoquinto lugar y tuvo promedio de menos de un gol anotado por partido. Luego de estos pobres números, el ex portero argentino fue cesado al final del torneo.

En cambio Enrique Meza, dirigiendo por tercera vez al Cruz Azul, tuvo dos rachas de cuatro victorias seguidas, quedó en segundo lugar general (por cierto, sin empatar ninguno de los 17 juegos) y en la liguilla llegó hasta la final.

Una liguilla en la que por primera vez en 29 años no participó ningún equipo jalisciense. En cuartos de final el súper líder Toluca sufrió para eliminar al San Luis (0-1 y 1-0) apenas por la ventaja de su mejor posición en la tabla general; el Morelia remontó un revés de 1-2 en Torreón con un contundente 3-0 en terreno michoacano para despachar al Santos; el Monterrey dobló por 1 a 0 al América en el Tecnológico y salió vivo del Azteca con empate a uno; y el Cruz Azul y el Puebla (equipo cuyo principal enemigo son sus dueños) protagonizaron una emocionante serie en la que hubo trece anotaciones: 4-4 en el Cuauhtémoc y triunfo cruzazulino por 3-2 en el Azul.

Monterrey y Cruz Azul repitieron la receta: ganar en casa y empatar en patio ajeno, para eliminar al Toluca y al Morelia, respectivamente, en semifinales. Los *Rayados* con marcadores de 2-0 y 1-1 y los *Cementeros* con 0-0 y 2-1. Tanto en sus confrontaciones con el Puebla como con el Morelia, el Cruz Azul se vio favorecido por decisiones arbitrales que fueron muy criticadas, y en el primer partido de la final, el 10 de diciembre en Monterrey, fue incapaz de mantener una ventaja de 3-1 forjada en la primera media hora del juego con par de anotaciones de Christian Riveros y una de Villa, quien con un cabezazo en meta propia había abierto el marcador para el Monterrey.

Dos goles de Humberto Suazo y uno de Sergio Santana catapultaron al Monterrey al triunfo por 4 a 3, abultado tanteador que en mucho se debió a la inseguridad que se apoderó de los guardametas Orozco y Corona.

Tres días después en el viejo estadio de Insurgentes los *Rayados* volvieron a doblar a los *Cementeros* para conquistar por tercera vez en su historia el título campeonil. Dos a uno ganó Monterrey (tantos de Aldo De Nigris y del *Chupete* Suazo; por Cruz Azul, Alejandro Castro), cuyo técnico Víctor Manuel Vucetich obtuvo su cuarto campeonato, todos con diferente equipo.

Y el Cruz Azul impuso récord de subcampeonatos con nueve. Es el nuevo "ya merito" del balompié nacional.

Los mexicanos arrasan en Concacaf

La hegemonía del futbol mexicano a nivel de clubes en el ámbito norte-centroamericano y caribeño se manifestó una vez más en la "Concachampions". Entre el Pachuca, Toluca, Cruz Azul y *Pumas* sumaron 21 victorias en 28 partidos -con solamente tres derrotas- en la primera fase del torneo 2009-2010, certamen que sirvió para que los aficionados mexicanos nos enteráramos de la existencia de equipos con nombres tan pintorescos como el San Isidro Metapán, de El Salvador, el San Juan Jabloteh, de Trinidad y Tobago y el Deportivo Árabe Unido, de Panamá.

Tuzos, Diablos, Cementeros y *Pumas* ganaron sus respectivos grupos con cómodas ventajas, con excepción del Toluca que sólo superó por un punto al Marathón de Honduras. En cambio, de los tres equipos estadounidenses que compitieron, Houston Dynamo, DC United y Columbus Crew, solamente este último calificó a cuartos de final.

Los cuatro equipos mexicanos utilizaron en su marcha triunfal a sus arqueros titular y suplente: Pachuca

a Miguel Calero (4 juegos con meta invicta) y Rodolfo Cota (4 partidos y 5 goles); el Toluca alineó a Cristante, quien, lesionado en la Liga, fue suplido por Alfredo Talavera (3 anotaciones en 4 juegos); por Cruz Azul, José de Jesús Corona sólo actuó dos veces y recibió dos tantos, y Yosgart Gutiérrez encajó cuatro pepinos en seis cotejos; mientras que Sergio Bernal (un gol en un juego), Odín Patiño (cuatro en tres) y Alejandro Palacios (uno en dos) se alternaron en la cabaña universitaria.

Cabe destacar la sobresaliente actuación del delantero del Pachuca Ulises Mendívil, anotador de nueve goles en siete partidos.

Se repite la historia en el Mundial de Clubes

El desempeño del Atlante en el VI Mundial de Clubes, efectuado ahora en la capital de Emiratos Árabes Unidos, fue similar al que tuvieron el América en 2006 y el Pachuca en 2008: debut victorioso ante un equipo asiático o africano (en esta ocasión la víctima del Atlante fue el Auckland City de Nueva Zelanda), derrota ante el campeón de Europa o de Sudamérica y fracaso en el juego por el tercer lugar frente a un club de África o de Asia.

Tras su triunfo por 3-0 sobre el Auckland City, el Atlante se ilusionó con un gol tempranero contra el Barcelona pero en el segundo tiempo el poderoso equipo catalán le dio la vuelta al marcador y se impuso por 3 a 1. Y en el partido por el tercer sitio los *Potros* cayeron en penaltis 3-4 luego de empatar a uno con el Pohang Steelers, de Corea del Sur. Federico Vilar jugó los tres encuentros y anotó uno de los tres penaltis.

Miscelánea final

En el campeonato mundial Sub-17 efectuado en Nigeria en la segunda quincena de octubre y primera de noviembre México presentó a un portero, José Rodríguez, que fue de lo ridículo a lo sublime. En el debut ante Suiza (0-2) cometió un absurdo autogol, pero después fue, con sus espectaculares atajadas ante Brasil y Japón, pieza clave para los triunfos de 1-0 y 2-0 que catapultaron a la escuadra mexicana a los octavos de final. Sin embargo, tras empatar 1-1, tiempos extra incluidos, con Corea del Sur, los adolescentes mexicanos fueron eliminados en penaltis por 3-5.

Con el gran Pelé dando la patada inicial y con un juego entre el Santos y su homónimo de Sao Paulo, que ganó el equipo mexicano por 2-1, se inauguró el 11 de noviembre el "Territorio Santos Modelo" donde se ubica el nuevo estadio de Torreón.

Miguel Layún, ex jugador del Veracruz, se convirtió sorpresivamente en el primer futbolista mexicano que juega en la Liga de Italia. Lo contrató el Atalanta, pero jugó muy poco y al finalizar el semestre retornó a México como refuerzo del América para el próximo campeonato. Por su parte, Rafael Márquez enriqueció su palmarés con los seis títulos conquistados por el Barcelona en un año de ensueño, aunque el defensa mexicano no jugó ninguna de las finales.

Nómina de porteros

América	Guillermo Ochoa y Armando Navarrete
Atlante	Federico Vilar
Atlas	Mariano Damián Barbosa y José Francisco Canales
Chiapas	Óscar Pérez
Cruz Azul	José de Jesús Corona y Yosgart Gutiérrez
Guadalajara	Luis Ernesto Michel
Indios	César Lozano y Humberto Hernández
Monterrey	Jonathan Orozco
Morelia	Moisés Muñoz y Carlos Rodríguez
Pachuca	Miguel Calero y Rodolfo Cota
Puebla	Jorge Villalpando
Querétaro	Carlos Bossio y José Guadalupe Martínez
San Luis	Adrián Martínez
Santos	Oswaldo Sánchez
Tigres	Cirilo Saucedo
Toluca	Alfredo Talavera y Hernán Cristante
UAG	Mario Rodríguez e Israel Villaseñor
UNAM	Sergio Bernal y Alejandro Palacios

Más juegos (J)

Federico Vilar (Atlante)	17
Óscar Pérez (Chiapas)	17
Luis Ernesto Michel (Guadalajara)	17
Jonathan Orozco (Monterrey)	17
Jorge Villalpando (Puebla)	17
Adrián Martínez (San Luis)	17
Oswaldo Sánchez (Santos)	17
Cirilo Saucedo (*Tigres*)	17

Más juegos completos

Federico Vilar (Atlante)	17
Óscar Pérez (Chiapas)	17
Luis Ernesto Michel (Guadalajara)	17
Jonathan Orozco (Monterrey)	17
Jorge Villalpando (Puebla)	17
Adrián Martínez (San Luis)	17
Oswaldo Sánchez (Santos)	17
Cirilo Saucedo (*Tigres*)	17

Más goles (G)

Luis Ernesto Michel (Guadalajara)	29
Miguel Calero (Pachuca)	26
Adrián Martínez (San Luis)	24
Oswaldo Sánchez (Santos)	24
Sergio Bernal (UNAM)	23
Federico Vilar (Atlante)	23

Más bajo G/J (mínimo 10 juegos)

Moisés Muños (Morelia)	0.81
Guillermo Ochoa (América)	0.92
Alfredo Talavera (Toluca)	0.92
Jonathan Orozco (Monterrey)	0.94
Cirilo Saucedo (*Tigres*)	1.06
Jorge Villalpando (Puebla)	1.12

Más goles en un juego

Hernán Cristante (Toluca)	7
César Lozano (Indios)	5
Carlos Bossio (Querétaro)	5
Mario Rodríguez (UAG)	5

Penaltis detenidos

Oswaldo Sánchez (Santos)	2
Federico Vilar (Atlante)	1
Luis Ernesto Michel (Guadalajara)	1
Humberto Hernández (Indios)	1
Carlos Bossio (Querétaro)	1
Mario Rodríguez (UAG)	1

Expulsados

Moisés Muñoz (Morelia)

LIGUILLA

Más juegos	José de Jesús Corona (Cruz Azul) y Jonathan Orozco (Monterrey)	6
Más juegos completos	José de Jesús Corona (Cruz Azul) y Jonathan Orozco (Monterrey)	6
Más goles	José de Jesús Corona (Cruz Azul)	13
Más bajo G/J	Adrián Martínez (San Luis)	0.50
Más goles en un juego	José de Jesús Corona (Cruz Azul) 4 (2 veces) y Jorge Villalpando (Puebla) 4	
Penaltis detenidos	Ninguno	
Expulsados	Ninguno	

Clausura-10 ("Bicentenario")
Toluca, campeón; el Tri, eterno octavofinalista

Un penalti atajado por Talavera le dio al Toluca su décima corona. Con un portero novato las Chivas *llegaron a semifinales en la Copa Libertadores, torneo en el que fracasaron el Monterrey, el Morelia y el San Luis. Cuarto título de Concacaf del Pachuca. El mejor guardameta del Clausura-10 tiene 40 años de edad. Descendió el Indios tras imponer la marca de 27 juegos consecutivos sin ganar. El Necaxa retorna a la Primera División. Tres campeones de goleo pero con pobre cosecha. El Tri de Aguirre incrementó la historia de fracasos en Copas del Mundo.*

Los penaltis impiden al América jugar la Libertadores

Nuevamente Houston, Carson y Frisco alojaron el minitorneo de pretemporada llamado Interliga. Catorce juegos en doce días con la participación del América, Atlante, Chiapas, *Estudiantes Tecos*, Monterrey, Puebla, Santos y *Tigres*. El América ganó invicto su grupo marcando tres goles en cada uno de sus tres partidos, mientras que en el otro grupo el Puebla superó por un punto al Monterrey. Sin embargo, en las dos finales se impusieron los segundos lugares. *Estudiantes Tecos* acabó con el sueño poblano de jugar la Copa Libertadores al doblar al equipo de la franja por 3-2 y el Monterrey, tras empatar a cero, venció en penaltis al América (3-1) y obtuvo el pase directo al torneo continental. En ambos juegos se lucieron los porteros de los equipos ganadores: Mario Rodríguez (atajó un penalti) y Jonathan Orozco (detuvo dos de los cuatro disparos del América en la definición por tiros de castigo).

El triunfo del equipo de la Universidad Autónoma de Guadalajara lo mandó a un repechaje en el que sufrió un doble descalabro (0-2 y 1-2) frente al cuadro peruano Juan Aurich y quedó fuera de la Libertadores.

En el Interliga tuvieron oportunidad de jugar algunos porteros que llevaban un buen rato calentando la banca como Omar Ortiz, quien actuó en dos juegos con el Monterrey, Édgar Adolfo Hernández, que jugó uno con los *Jaguares* y Alexandro Álvarez, quien también tuvo una participación con el Puebla. Los demás equipos alinearon siempre a sus titulares. El

América a Memo Ochoa (4 goles en 4 juegos), el Atlante a Vilar, *Tigres* a Cirilo Saucedo (cada uno recibió 7 pepinos en 3 partidos), el Santos a Oswaldo (5 en 4) y *Estudiantes Tecos* a Mario Rodríguez, receptor de siete goles en cuatro cotejos.

El tercer portero *Chiva* se agiganta en la Libertadores

El Clausura 2010 (rebautizado en la FMF como "Bicentenario") se puso en marcha el 16 de enero y un día después el América fusiló cinco veces a Adrián Martínez (con sus 40 años de edad recién cumplidos) y al San Luis en el Azteca, encargándose Salvador Cabañas de la segunda y la quinta anotaciones para llegar a 125 en el futbol mexicano, sin embargo, es muy posible que hayan sido los últimos goles del paraguayo porque pocos días después, en la madrugada y en un antro para gente "bonita" le metieron una bala en la cabeza.

Treinta y tres porteros formaron el elenco de guardametas del torneo. Encajaron 413 goles en la primera fase y 43 en la liguilla. Pocos movimientos tuvo la nómina. Apenas un par de caras nuevas y seis reapariciones. Los debutantes fueron Liborio Sánchez (veinteañero tapatío) y Daniel Aguirre (nacido en el D.F., con 23 años de edad) y los que volvieron a tener acción en el balompié de mayor nivel en México fueron Édgar Adolfo Hernández con Chiapas, Víctor Hugo Hernández con las *Chivas*, Omar Ortiz con el Monterrey, Alexandro Álvarez con el Puebla, Carlos Alberto Trejo con el San Luis y Christian Martínez, quien tras calentar la banca de los *Rayados* durante todo el Apertura-09 emigró a Ciudad Juárez para ser titular del marco de los Indios.

Con una semana de diferencia se produjeron los debuts de Sánchez y Aguirre. Liborio lo hizo el 17 de abril con el Guadalajara, que cayó ante el Atlas por 0-2, y Daniel el día 24 con el Monterrey, que empató a uno en Morelia.

Dos detalles anecdóticos marcaron el debut de Daniel Aguirre. El primero y más importante fue porque recibió el gol número 250 de Jared Borgetti, que ubica al delantero sinaloense en el tercer lugar de la lista de los máximos romperredes de todos los tiempos. El segundo consiste en que la aparición de Aguirre en el arco regiomontano pasó inadvertida para uno de los más populares y antiguos diarios deportivos de México, pues en su edición del día siguiente indica que el portero del Monterrey fue Orozco.

En el caso de Liborio Sánchez, cuya meta fue vencida por primera vez por el joven rojinegro Hebert Alférez, su debut fue obligado por la fractura que sufrió Víctor Hugo Hernández luego de dos partidos en los que suplió a Michel, convocado a la Selección junto con otros cuatro elementos del Guadalajara. Liborio fue muy criticado por un par de fallas que tuvo en el comienzo de la liguilla mientras el *Rebaño Sagrado* era eliminado por el Morelia con un contundente 5-2 global, pero con grandes atajadas, incluso un penalti detenido, fue factor muy importante para que el diezmado Guadalajara eliminara al Vélez Sarsfield y al Libertad y se instalara en la fase semifinal de la Copa Libertadores de América.

Otra vez Pachuca es monarca de Concacaf

La supremacía de los equipos mexicanos sobre los del resto del área concacaf(k)iana volvió a manifestarse en la ronda de cuartos de final de la "Concachampions", en la que el Toluca eliminó al Columbus Crew (2-2 y 3-2) con tres goles de *Zinha;* también con empate de visita y triunfo en casa el Pachuca despachó al Comunicaciones por 1-1 y 2-1, mientras que el Cruz Azul venció dos veces (1-0 y 3-0) al panameño Deportivo Árabe Unido. *Pumas* fue el único que perdió un juego al caer 0-2 en el campo del Marathón pero en C.U. aplastó 6-1 al club hondureño, de modo que todos los partidos de las semifinales tuvieron lugar en canchas mexicanas.

Pachuca sacó un empate (1-1) de la *Bombonera* y dejó fuera de la final al Toluca venciéndolo por 1-0 en el estadio hidalguense, en tanto que el Cruz Azul, tras caer 0-1 en la guarida *puma,* bombardeó cinco veces la cabaña de Sergio Bernal en el Azul. Esta fue apenas la segunda actuación en este torneo del veterano portero universitario, ya que Ferretti prefirió alinear a los suplentes Odín Patiño (tres juegos) y Alejandro Palacios (cinco). Igual hizo Meza en el Cruz Azul: utilizó diez veces a Yosgart Gutiérrez –en las que solamente recibió cinco anotaciones– y cuatro al titular José de Jesús Corona.

En la final los *Cementeros* revalidaron su título de sub-

campeonísimos al perder el segundo juego, en Pachuca, por 0-1 (gol al minuto 92 del paraguayo Edgar Benítez), resultado que equilibró el marcador global ya que Cruz Azul había vencido en casa por 2-1. El gol de visitante le dio a los *Tuzos* su cuarto campeonato de Concacaf y su tercer pase al Mundial de Clubes.

Miguel Calero, quien actuó en nueve de los catorce partidos de Concachampions y sólo permitió cuatro goles, ganó su sexto título internacional con el Pachuca. El gran guardameta colombiano-mexicano ha defendido 69 veces la meta del Pachuca en partidos internacionales oficiales y es líder de esa estadística en el balompié mexicano.

Súper defensa *Puma*

Por segundo campeonato seguido cuatro arqueros promediaron menos de un gol por partido. Tres repitieron: Moisés Muñoz (0.76), Jonathan Orozco (0.87) y Alfredo Talavera (0.88), pero a todos los superó el veteranísimo Sergio Bernal con 0.64, el promedio más bajo de su carrera. El guardameta de los *Pumas* así como el del Morelia y el del Toluca lograron sendas rachas de cuatro partidos consecutivos con meta imbatida.

Bernal fue, desde luego, pieza clave para que el equipo de la UNAM impusiera el récord de menos goles recibidos en un torneo con 10; Talavera fue el mejor portero de la liguilla y coronó su gran actuación atajando el último penalti de la final, gracias a lo cual el Toluca obtuvo el campeonato; Muñoz, en cambio, fue de la luz a la sombra. Sólo admitió 13 goles en los 17 juegos de la fase regular, pero lo acribillaron con 12 en sus cuatro encuentros de liguilla, incluyendo los siete que le metió el Santos en el segundo partido de semifinales, una cifra récord para el equipo de Torreón y también para el arquero moreliano.

Cuatro goleadas de más de cinco

En la lista de guardametas que jugaron todos los minutos de todos los partidos apareció por cuarto campeonato consecutivo el nombre de Federico Vilar, quien acumula 79 juegos seguidos. En cambio, la racha de Adrián Martínez quedó en 69 actuaciones al hilo porque el veterano portero fue desplazado de la titularidad en el marco del San Luis por Carlos Alberto Trejo, trece años más joven.

Cinco porteros de "hierro" fueron los más goleados, siendo Mario Rodríguez y Vilar quienes encabezaron la lista con 32 y 29 anotaciones, respectivamente. El cancerbero suplente del Indios, Humberto Hernández, encajó la goliza del torneo ante el Atlas en el estadio Jalisco. Un marcador de 7-1 que se repitió en la liguilla entre Santos y Morelia en Torreón.

En las visitas del Querétaro al América y del Santos a las *Chivas* hubo también hemorragia de goles por parte de los equipos locales, y tanto Carlos Bossio como Oswaldo Sánchez recibieron media docena de pepinos. En el caso de Oswaldo es la segunda mayor goleada de su carrera, sólo superada por aquel 7-1 de *Pumas* en el Apertura-02.

Tres monarcas romperredes y un récord del Guadalajara

Igual que en 53-54, 61-62, 78-79, México-86, Verano-97, Verano-00, Clausura-04, Apertura-05 y Clausura-06, hubo más de un campeón de goleo individual. Javier *Chicharito* Hernández (Guadalajara), el peruano Johan Fano (Atlante) y el mexicano-estadounidense Hérculez Gómez (Puebla) compartieron el liderato con una decena de anotaciones cada uno. Una cifra bajísima que empata el récord de Sergio Lira en el torneo Prode-85, sólo que el entonces artillero del Tampico-Madero los metió en ocho juegos mientras que Hernández en once, Gómez en quince y Fano en dieciséis. Atrás del trío líder quedaron el colombiano Jackson Martínez (Chiapas) con 9 y el chileno Héctor Mancilla (Toluca) con 8.

El *Chicharito* y Hérculez tuvieron sendas rachas de cinco partidos seguidos anotando, mientras que Fano -apenas el tercer peruano que inscribe su nombre en la lista de monarcas goleadores del balompié mexicano profesional- ligó seis juegos con gol. La racha del *Chicharito* ocurrió en las primeras jornadas del torneo, cuando el Guadalajara se mantuvo invencible, impuso el récord de ocho triunfos consecutivos en inicio de temporada y prácticamente aseguró su pase a la liguilla.

Fracaso de Monterrey y Morelia en la Libertadores

El Monterrey fue líder general y monarca de goleo. Acumuló quince juegos consecutivos sin perder, ya que su única derrota aconteció en la segunda jornada. Sin embargo, protagonizó dos estruendosos fracasos: en la liguilla, donde perdió los dos partidos de cuartos de final ante el Pachuca, octavo de la clasificación, y en la Copa Libertadores, donde sólo ganó uno de seis juegos y quedó en tercer lugar de su grupo, muy lejos de los calificados a octavos de final, el Sao Paulo y el Once Caldas.

Idéntico mal desempeño tuvo el Morelia en el torneo continental, donde fue superado ampliamente por el Nacional uruguayo y el Banfield, de modo que por segunda vez en trece años de participación de México en la Libertadores ningún equipo nuestro pudo superar la etapa de grupos. Sin embargo, el futbol mexicano tuvo presencia en las siguientes fases del gran torneo continental porque el Guadalajara y el San Luis fueron ubicados en octavos de final, etapa que no pudieron disputar el año anterior por la amenaza de epidemia de influenza. El equipo potosino sucumbió ante el argentino Estudiantes que lo venció tanto en San Luis (1-0) como en La Plata (3-1) y el marcador no fue mayor gracias a que Carlos Trejo detuvo un penalti en el primer partido.

En cambio, el Guadalajara, aun sin cinco titulares concentrados con el Tri, se deshizo del Vélez Sarsfield y del Libertad de Paraguay con sendos globales de 3-2 y la gran actuación del novel arquero Liborio Sánchez. La receta fue muy "sencilla": triunfos en casa por 3-0 (cuatro goles de Omar Bravo) y derrotas afuera por 0-2. Las *Chivas*, ya con plantel completo jugarán la semifinal después del Mundial.

Indios: súper récord y adiós

La racha de pesadilla que tuvo el Indios al no ganar ningún juego en el torneo anterior se prolongó hasta la décima fecha de este campeonato, para que el equipo de Ciudad Juárez impusiera un nuevo récord de todos los tiempos de 27 partidos consecutivos sin triunfo, pulverizando la vieja marca del Ciudad Madero que hace 43 años ligó 22 seguidos sin ganar.

La racha de los Indios terminó el 21 de marzo cuando derrotaron en casa al Querétaro por 1-0, pero seis días después cayeron ante el Atlante en Cancún, derrota que los sentenció, apenas en la fecha 12, al descenso a la ex Primera A. Su promedio de puntos por juego (0.9265) al final del torneo fue el más bajo de los últimos 13 años.

La pavorosa estadística del Indios en sus 27 juegos al hilo sin vencer en ninguno indica nueve empates y dieciocho reveses, sólo diez goles anotados y cuarenta y ocho recibidos. César Lozano, Humberto Hernández y Christian Martínez se alternaron en el marco juarense. El primero jugó doce veces y admitió 19 goles, el segundo encajó 18 en siete actuaciones, y el tercero recibió once en ocho partidos.

En el "Bicentenario" fue el equipo que anotó menos (10), justo la tercera parte de la producción del líder Monterrey. El más goleado fue el *Estudiantes Tecos* con 32.

Rápido retorno necaxista

El Necaxa se convirtió en el decimocuarto equipo que tras bajar a Segunda División (o Primera A o Liga de Ascenso, es lo mismo) retorna a Primera en un año. Ganó tanto el Apertura-09 como el Clausura-10 imponiéndose en las respectivas finales a los clubes guanajuatenses Irapuato y León. En el segundo torneo solamente perdió uno de veintidós partidos, precisamente el último, ante el León por 1-2, pero se coronó porque había goleado 3-0 en el primero de la final.

Dos fracasos de Meza

El 14 de marzo en el estadio Nemesio Diez terminaron dos largas rachas: la del Toluca (vencido por el Cruz Azul) de 25 juegos consecutivos invicto en casa (nueva marca del equipo) y la de los porteros cruzazulinos de 16 torneos seguidos, incluyendo liguillas, sin detener un penalti, ya que Corona le atajó uno a Antonio Naelson. Este triunfo del Cruz Azul fue parte de una cadena de cuatro éxitos seguidos del cuadro de Enrique Meza a la mitad del torneo, pero la pobre cosecha de sólo dos puntos en las últimas cuatro fechas del certamen marginó al equipo *cementero* de la liguilla. Y al fracaso en la Liga,

el *Ojitos* sumó el descalabro en la final del torneo de la Concacaf.

La décima corona del Toluca

Guadalajara y Toluca por el grupo uno; Monterrey, América, Morelia y Pachuca por el dos; y UNAM y Santos por el tres, clasificaron a la liguilla. *Rayados, Águilas* y *Pumas* fueron invencibles como locales durante la fase regular del torneo, pero a los tres los eliminaron en cuartos de final junto con el disminuido Guadalajara. El Pachuca dobló 1-0 y 2-1 al Monterrey, el Toluca despachó al América (2-2 y 2-0), UNAM sucumbió ante el Santos (0-2 y 1-0), y el cuadro tapatío cayó dos veces frente al Morelia: 2-4 y 0-1. En el segundo partido entre *Tuzos* y *Rayados*, en Monterrey, Rodolfo Cota suplió a Calero, lesionado, y detuvo un penalti del paraguayo Osvaldo Martínez.

En el segundo juego de semifinales entre Santos y Morelia (el primero quedó empatado 3-3) el conjunto de Torreón igualó la marca de siete anotaciones en un partido de liguilla y eliminó al cuadro michoacano con un global de 10-4, marcador muy contrastante con el 3-2 que el Toluca le aplicó a los *Tuzos* tras empatar a dos en Pachuca y vencer 1-0 en el Nemesio Diez.

Por séptima vez en la historia de las liguillas el título se decidió con los tiros de penalti luego de que Santos y *Diablos* empataron a 2 en Torreón (goles de Carlos Darwin Quintero, Matías Vuoso, Martín Romagnoli y Antonio Naelson) y a 0 en Toluca con 30 minutos extra. Llama la atención que la capital del Estado de México ha sido sede de cuatro de las siete finales con penaltis y que el Toluca ha salido vencedor en tres de ellas. En ésta el equipo rojo estuvo a un penalti de perder, pero Santos, con Vuoso, Carlos Adrián Morales y Fernando Arce, falló tres disparos consecutivos y Toluca, con Diego Novaretti, Romagnoli y Edgar Dueñas, atinó igual número y ganó la serie por 4-3 para conquistar su décimo campeonato, siete de los cuales corresponden a torneos cortos. Es el tercer título como director técnico de José Manuel de la Torre y también el tercer subtítulo como tal de Rubén Omar Romano.

Oswaldo Sánchez y Alfredo Talavera, ambos con 23 juegos completos en el torneo, tuvieron un papel importante en el desenlace, ya que el primero detuvo los penaltis que tiraron Antonio Naelson y Héctor Mancilla, y el segundo le atajó a Arce el disparo que determinó la derrota del Santos.

Suspensión del *Gato* Ortiz

El único partido que jugó con el Monterrey el veterano portero Omar Ortiz (Puebla 1 Monterrey 1 el 14 de marzo) quizás sea el último de su carrera porque poco tiempo después la Comisión Disciplinaria de la FMF lo suspendió por dos años en vista del resultado positivo que dio en el análisis antidopaje. Lamentable final de una trayectoria de trece años en la que el *Gato* jugó nueve torneos con Chiapas, ocho con el Monterrey, tres con el Necaxa y dos con Celaya. En total 287 partidos con 404 goles recibidos (promedio de 1.41) y 8 penaltis atajados. En los *Jaguares* es el portero líder en juegos, juegos completos, goles y penaltis detenidos.

Los juegos "moleros" del Tri

De una docena de juegos, la mitad en Estados Unidos, constó la larga preparación que tuvo la Selección Nacional para el Mundial. En estadios del vecino del norte, México afrontó rivales de baja categoría en partidos "moleros", término acertadamente acuñado por el *Tuca* Ferretti. En San Francisco una selección B goleó 5-0 al también equipo B de Bolivia, partido en el que el marco mexicano fue cubierto por Jonathan Orozco. En Pasadena la A venció 2-0 a Nueva Zelanda con el debut como seleccionado de Luis Ernesto Michel, quien volvió a actuar en sendos empates sin goles con Islandia en Charlotte y con Ecuador en Nueva Jersey. Se intercaló un partido en Torreón contra Corea del Norte en el que jugó Guillermo Ochoa, quien tuvo una falla en el gol coreano, pero el Tri ganó 2-1.

La gira por Estados Unidos concluyó con triunfos mínimos de 1-0 sobre Senegal en Chicago y Angola en Houston. En el primero reapareció el *Conejo* Pérez; en el segundo volvió Ochoa, quien repitió en el partido contra Chile en el estadio Azteca, juego de despedida de la Selección, que la escuadra de Javier Aguirre ganó por 1 a 0.

La racha de cinco juegos seguidos sin recibir gol se cortó en Londres, donde con Óscar Pérez en la puerta México sucumbió 1-3 ante Inglaterra. Y en la conclusión de la preparación, Aguirre alternó a sus tres arqueros: Ochoa contra Holanda en Friburgo (1-2), Michel contra Gambia en Bayreuth, Alemania (5-1) y el *Conejo* frente a Italia en Bruselas (2-1).

No se pudo, señor Aguirre

"Tenemos que pasar del México del sí se puede al México del ya se pudo" fue la frase estelar del discursito patriotero que ciertos "iniciativos" pusieron en boca de Javier Aguirre en las pantallas de la tele pocos días antes del campeonato mundial. Pero en Sudáfrica, igual que en las cuatro copas anteriores, la Selección se estancó en la fase de octavos de final luego de un decepcionante empate (1-1) con el anfitrión, una victoria de 2-0 sobre un desastre de equipo llamado Francia (que se fue del Mundial con un punto y un gol), triunfo que algunos ignorantes se apresuraron a calificar como el "más importante de toda la historia del futbol mexicano", una derrota (0-1) frente a Uruguay, que obligó al Tri, igual que en Alemania-06, a disputar el pase a cuartos de final con la poderosa Argentina.

En este partido un error arbitral, un súper OSO...rio y la potencia de Carlos Tévez, además de las fallidas genialidades de Aguirre y su asesor filósofo, echaron del torneo al conjunto mexicano. 3-1 ganaron los *ches*.

El *Conejo* Pérez, portero favorito de Aguirre, jugó los cuatro partidos, y Rafael Márquez, también con cuatro actuaciones, desplazó a Antonio Carbajal del liderato de juegos mundialistas. Márquez llegó a 12, Carbajal quedó en 11 y fue alcanzado por Gerardo Torrado y Cuauhtémoc Blanco.

Y un dato curioso: Márquez es el primer futbolista mexicano que anota en dos juegos seguidos correspondientes a dos mundiales consecutivos.

Nueve mil goles en el Azteca

Al coronarse el Barcelona en España, Rafael Márquez consiguió su cuarto campeonato de Liga en ese país, y como antes había ganado el de Francia con el Mónaco, empató el récord de Hugo Sánchez y Nery Castillo de cinco títulos de Liga europeos. Márquez y otros diez jugadores tuvieron la representación mexicana en el balompié del Viejo Continente, aunque varios de ellos actuaron muy poco.

El 21 de marzo Ángel Reyna, del América, anotó el gol número 9 mil de la historia del estadio Azteca. El dato fue aportado por Ricardo Salazar, el único hombre que ha tenido la paciencia y la acuciosidad para contar todos los balones que han rebasado la línea de meta de las dos porterías del gran estadio, desde los juegos de mayor jerarquía como los de los Mundiales de 1970 y 1986 hasta aquellos en los que el esférico fue impulsado al marco por piernas femeninas. Ah, fue Calero, el sempiterno portero del Pachuca, quien encajó el famoso gol.

Nómina de porteros

América	Guillermo Ochoa y Armando Navarrete
Atlante	Federico Vilar
Atlas	Mariano Damián Barbosa y José Francisco Canales
Chiapas	Óscar Pérez y Edgar Adolfo Hernández
Cruz Azul	José de Jesús Corona y Yosgart Gutiérrez
Guadalajara	Luis Ernesto Michel, Liborio Sánchez y Víctor Hugo Hernández
Indios	Christian Martínez, Humberto Hernández y César Lozano
Monterrey	Jonathan Orozco, Omar Ortiz y Daniel Aguirre
Morelia	Moisés Muñoz
Pachuca	Miguel Calero y Rodolfo Cota
Puebla	Alexandro Álvarez y Jorge Villalpando
Querétaro	Carlos Bossio y José Guadalupe Martínez
San Luis	Carlos Alberto Trejo y Adrián Martínez
Santos	Oswaldo Sánchez
Tigres	Cirilo Saucedo
Toluca	Alfredo Talavera
UAG	Mario Rodríguez
UNAM	Sergio Bernal y Alejandro Palacios

Más juegos (J)

Federico Vilar (Atlante)	17
Moisés Muñoz (Morelia)	17
Miguel Calero (Pachuca)	17
Oswaldo Sánchez (Santos)	17
Cirilo Saucedo (Tigres)	17
Alfredo Talavera (Toluca)	17
Mario Rodríguez (UAG)	17

Más juegos completos

Federico Vilar (Atlante)	17
Moisés Muñoz (Morelia)	17
Miguel Calero (Pachuca)	17
Oswaldo Sánchez (Santos)	17
Cirilo Saucedo (Tigres)	17
Alfredo Talavera (Toluca)	17
Mario Rodríguez (UAG)	17

Más goles (G)

Mario Rodríguez (UAG)	32
Federico Vilar (Atlante)	29
Miguel Calero (Pachuca)	26
Cirilo Saucedo (Tigres)	26
Oswaldo Sánchez (Santos)	25

Más bajo G/J (mínimo 10 juegos)

Sergio Bernal (UNAM)	0.64
Moisés Muñoz (Morelia)	0.76
Jonathan Orozco (Monterrey)	0.87
Alfredo Talavera (Toluca)	0.88
Christian Martínez (Indios)	1.07
Luis Ernesto Michel (Guadalajara)	1.08

Más goles en un juego

Humberto Hernández (Indios)	7
Carlos Bossio (Querétaro)	6
Oswaldo Sánchez (Santos)	6
Federico Vilar (Atlante)	5
Jorge Villalpando (Puebla)	5
Adrián Martínez (San Luis)	5
Mario Rodríguez (UAG)	5

Penaltis detenidos

Federico Vilar (Atlante)	1
José Francisco Canales (Atlas)	1
José de Jesús Corona (Cruz Azul)	1
Jorge Villalpando (Puebla)	1
Adrián Martínez (San Luis)	1
Mario Rodríguez (UAG)	1

Expulsados

Mariano Damián Barbosa (Atlas)
Christian Martínez (Indios)
Carlos Bossio (Querétaro)
Sergio Bernal (UNAM)

LIGUILLA

Más juegos	Oswaldo Sánchez (Santos) y Alfredo Talavera (Toluca)	6
Más juegos completos	Oswaldo Sánchez (Santos) y Alfredo Talavera (Toluca)	6
Más goles	Moisés Muñoz (Morelia)	12
Más bajo G/J	Alfredo Talavera (Toluca) y Sergio Bernal (UNAM)	1.00
Más goles en un juego	Moisés Muñoz (Morelia)	7
Penaltis detenidos	Rodolfo Cota (Pachuca)	1
Expulsados	ninguno	

Puebla, junio de 2010

Líderes
(1943-2010)*

Más torneos (Liga)

Nombre	Torneos
BERNAL SERGIO	33
MARTÍNEZ ADRIÁN	31
PÉREZ ÓSCAR	31
SÁNCHEZ OSWALDO	31
Martínez Ricardo	27
Pineda Hugo Jr.	27
Ríos Adolfo	27
CRISTANTE HERNÁN*	25
Navarro Nicolás	24
Campos Jorge	22
Briones Carlos	21
Chávez Adrián	21
Gómez Jaime	21

* argentino.

Más torneos (Copa)

Nombre	Torneos
Camacho Manuel	15
Gómez Jaime	15
Mota Salvador	14
Morelos Jorge	12
Murillo Evaristo*	12
Sierra José	12
Carbajal Antonio	11
Landeros Raúl	11
Rodríguez Gilberto	11
Iniestra Jorge	10
Pineda Hugo	10
Sánchez Blas	10
Vázquez Rubén	10

* costarricense.

* Los nombres con mayúsculas corresponden a jugadores en activo.

MÁS TORNEOS COMPLETOS (LIGA)

Nombre	Torneos completos
MARTÍNEZ ADRIÁN	14
Gómez Jaime	12
VILAR FEDERICO*	11
ORTIZ OMAR	8
SÁNCHEZ OSWALDO	8
CRISTANTE HERNÁN*	7
DAUTT ÓSCAR	7
PÉREZ ÓSCAR	7
Cabuto Erubey	6
CALERO MIGUEL***	6
MUÑOZ MOISÉS	6
SAUCEDO CIRILO Jr.	6
BERNAL SERGIO	5
López Florentino**	5
MICHEL LUIS ERNESTO	5

* argentino, ** español, *** colombiano.

MÁS JUEGOS (LIGA)

Nombre	Juegos
Ríos Adolfo	635
SÁNCHEZ OSWALDO	552
Larios Pablo	544
Navarro Nicolás	540
BERNAL SERGIO	511
Pineda Hugo Jr.	511
MARTÍNEZ ADRIÁN	496
Heredia Olaf	495
Chávez Adrián	494
Ledesma Javier	492
Ferreira Marco Antonio	491
PÉREZ ÓSCAR	478
Castrejón Francisco	469
Gómez Jaime	443
Cortés Prudencio	432
Camacho Moisés	421
CRISTANTE HERNÁN *	419
Briones Carlos	411
Carbajal Antonio	395
Rodríguez Ignacio	380

* argentino.

MÁS JUEGOS (COPA)

Nombre	Juegos
Gómez Jaime	85
Camacho Manuel	64
Carbajal Antonio	51
Rodríguez Gilberto	50
López Florentino*	48
Morelos Jorge	46
Mota Salvador	46
Murillo Evaristo**	45
Pineda Hugo	41
Calderón Ignacio	39
Elizondo Pedro	37
González Vicente	36
Landeros Raúl	36
Larios Pablo	36
Chávez Adrián	35
Iniestra Jorge	34
Mota Antonio	33
Ríos Adolfo	32
Sánchez Blas	32
Vázquez Rubén	32

* español, ** costarricense.

Más juegos completos (Liga)

Nombre	Juegos completos
Ríos Adolfo	617
SÁNCHEZ OSWALDO	539
Navarro Nicolás	534
Larios Pablo	528
Pineda Hugo Jr.	490
MARTÍNEZ ADRIÁN	487
Ledesma Javier	481
Chávez Adrián	478
Ferreira Marco Antonio	478
Heredia Olaf	473
BERNAL SERGIO	464
PÉREZ ÓSCAR	463
Castrejón Francisco	457
Gómez Jaime	441
Cortés Prudencio	424
CRISTANTE HERNÁN*	409
Camacho Moisés	404
Briones Carlos	401
Carbajal Antonio	393
Rodríguez Ignacio	359

* argentino.

Más juegos completos (Copa)

Nombre	Juegos completos
Gómez Jaime	85
Camacho Manuel	62
Carbajal Antonio	50
Rodríguez Gilberto	50
López Florentino*	48
Morelos Jorge	46
Mota Salvador	46
Murillo Evaristo**	45
Pineda Hugo	40
Calderón Ignacio	39
Elizondo Pedro	37
González Vicente	36
Landeros Raúl	36
Larios Pablo	34
Iniestra Jorge	33
Chávez Adrián	32
Ríos Adolfo	32
Mota Antonio	31
Sánchez Blas	31
Vázquez Rubén	31

* español, ** costarricense.

Más goles (Liga)

Nombre	Goles
Ríos Adolfo	795
MARTÍNEZ ADRIÁN	731
Pineda Hugo Jr.	707
SÁNCHEZ OSWALDO	705
Larios Pablo	702
Navarro Nicolás	702
BERNAL SERGIO	632
Chávez Adrián	630
Heredia Olaf	629
PÉREZ ÓSCAR	618
Castrejón Francisco	593
Ferreira Marco Antonio	577
Briones Carlos	559
Murillo Evaristo*	544
Cortés Prudencio	537
Camacho Moisés	527
CRISTANTE HERNÁN**	510
Brambila Héctor	505
Gómez Jaime	503
Ledesma Javier	502
Carbajal Antonio	498

* costarricense, ** argentino.

Más goles (Copa)

Nombre	Goles
Gómez Jaime	110
Murillo Evaristo*	91
Camacho Manuel	87
Morelos Jorge	86
Mota Salvador	86
Landeros Raúl	77
Rodríguez Gilberto	69
Carbajal Antonio	61
Pineda Hugo	59
López Florentino**	57
González Vicente	55
Arenaza Eugenio***	51
Iniestra Jorge	50
Tello Juan José	49
Gómez Marcelino	48
Vázquez Rubén	48
Elizondo Pedro	47
Mota Antonio	47
Ríos Adolfo	47
Sánchez Blas	43

* costarricense, ** español, *** peruano.

ABREVIATURAS

ACA	Acapulco
A-CAM	Atletas Campesinos
ADO	ADO
A-ESP	Atlético Español
AME	América
ANG	Ángeles
AST	Asturias
ATLAN	Atlante
ATLAS	Atlas
CA	Cruz Azul
CEL	Celaya
CHI	Chiapas
C-MAD	Ciudad Madero
COB	Cobras
COL	Colibríes
CUA	Cuautla
CUR	Curtidores
DOR	Dorados
ESP	España
GALLOSB	Gallos Blancos
GUA	Guadalajara
IND	Indios
IRA	Irapuato
JAL	Jalisco
LAG	Laguna
LA-P	La Piedad
LEO	León
MART	Marte
MOC	Moctezuma
MON	Monterrey
MOR	Morelia
NAL	Nacional
NEC	Necaxa
NEZ	Neza
NL	Nuevo León
OAX	Oaxtepec
ORO	Oro
PACH	Pachuca
POT	Potosino
PUE	Puebla
QRO	Querétaro
SAN	Santos
SL	San Luis
SS	San Sebastián
TAM	Tampico
TIG	Tigres
TM	Tampico-Madero
TNEZ	Toros Neza
TOL	Toluca
TORR	Torreón
UAG	Universidad Autónoma de Guadalajara
UAT	Universidad Autónoma de Tamaulipas
UdeG	Universidad de Guadalajara
UNAM	Universidad Nacional Autónoma de México
VER	Veracruz
ZAC	Zacatepec
ZAM	Zamora

Más goles en un juego (Liga)

Fecha	Portero	Equipo	Marcador	Rival
26-05-46	De la Mora Victoriano	MON (V)	0-14	VER
18-06-72	Navarro Raúl	TORR (V)	3-11	LEO
19-08-45	Landeros Raúl	TAM (L)	3-10	ATLAN
28-10-45	Palomino Raymundo	MON (V)	4-10	ATLAN
31-03-46	De la Mora Victoriano	MON (V)	1-10	ESP
21-09-47	Villavicencio Federico	ATLAN (L)	1-10	LEO
14-01-68	Ledesma José	NL (V)	2-10	GUA
7-11-43	Torres Ángel	ATLAS (V)	2-9	ADO
19-12-43	Fricke Gustavo	VER (V)	3-9	ESP
13-12-45	Juárez Cristóbal Jaime	SS (V)	2-9	ATLAN
19-05-46	Muñoz Juan Alberto	MART (L)	2-9	ESP
24-03-46	Palomino Raymundo	MON (V)	2-9	GUA
3-11-46	Gutiérrez Eduardo	AME (V)	2-9	ATLAS
4-05-47	Muñoz Juan Alberto	MART (V)	1-9	LEO
30-11-47	López Andonegui ?	MART (V)	0-9	LEO
24-02-49	Osnaya Melesio	AST (L)	3-9	MART
16-05-76	Cortés Prudencio	UAG (V)	0-9	UNAM
16-01-44	Calvillo José	ADO (L)	2-8	ESP
2-03-44	Pérez Esteban	GUA (V)	2-8	ESP
3-09-44	Villavicencio Federico	ATLAN (V)	2-8	GUA
17-09-44	Aldana Blas	ORO (V)	0-8	ATLAN
19-08-45	Zavala Antonio	MART (V)	0-8	PUE
28-04-46	Juárez Cristóbal Jaime	SS (V)	2-8	ORO
8-09-46	Juárez Cristóbal Jaime	SS (V)	1-8	GUA
8-11-47	Córdoba Raúl	SS (V)	0-8	ORO
26-09-48	Arenaza Eugenio *	LEO (V)	2-8	ATLAS
26-06-49	Gil Isidro	AME (L)	2-8	AST
30-10-49	León Ángel	MART (V)	1-8	VER
29-07-51	Murillo Evaristo **	VER (V)	0-8	ZAC
25-11-56	López Héctor	TAM (V)	0-8	ATLAN
25-10-59	Zamora Gilberto	ZAM (V)	2-8	ZAC
19-11-61	Morelos Jorge	NEC (V)	3-8	MON
7-05-77	De Anda Jesús	VER (V)	2-8	JAL
18-03-79	Anhiello Ricardo ***	TAM (V)	1-8	UNAM
3-05-87	Pineda Hugo Jr	TM (V)	1-8	PUE
15-10-88	Gómez Gerardo	UdeG (L)	2-8	ATLAS
9-02-94	Stiel Jorge ****	TNEZ (L)	2-8	CA
21-10-94	Herrera Alejandro	UAT (V)	1-8	AME
11-12-94	Quintero Héctor	TM (L)	2-8	AME
4-11-07	VILLASEÑOR ISRAEL	VER (V)	0-8	UNAM

* peruano, ** costarricense, *** argentino, **** suizo.

Más goles en un juego (Copa)

Fecha	Portero	Equipo	Marcador	Rival
4-06-44	Sánchez Elpidio	LEO (V)	2-8	GUA
3-05-45	Castañeda Felipe	MART (V)	2-7	AST
24-05-45	León Ángel	AST (V)	3-7	ESP
10-03-60	Zamora Gilberto	ZAM (V)	2-7	NEC
23-04-61	García Jesús	CEL (V)	0-7	AME
23-02-64	Serrato Juan	LA-P (V)	1-7	IRA
19-02-66	Tapia Jesús	C-MAD (V)	1-7	NEC
20-09-75	Soto Pedro	LAG (V)	1-7	UNAM
10-07-96	Corona Carlos	ACA (V)	0-7	ZAC
20-07-96	Valverde Jorge	GALLOSB (L)	1-7	GUA
14-05-44	Sanchez Elpidio	LEO (L)	2-6	GUA
16-07-44	Palomino Raymundo	ATLAN (FINAL)	2-6	ESP
27-05-45	Calvillo José	ADO (V)	0-6	PUE
24-06-45	Moncebáez José	AME (FINAL)	4-6	PUE
23-06-46	De la Mora Victoriano	MON (L)	1-6	ATLAS
23-06-46	Mota Salvador	GUA (V)	2-6	VER
30-06-46	Landeros Raúl	TAM (V)	3-6	ATLAS
28-02-52	Aguilar Enrique	LA-P (V)	2-6	ATLAS
22-02-53	Thompson ?	TAM (V)	4-6	ORO
22-04-54	Barrón Fernando	GUA (V)	1-6	NEC
12-04-56	Vázquez Elías	ZAM (V)	2-6	ATLAS
29-03-59	Tello Juan José	MOR (V)	1-6	GUA
26-03-61	Ortiz Darío	ZAC (V)	4-6	TOL
3-09-72	Díaz Sergio	UNAM (V)	0-6	PUE
1-12-73	Novoa Carlos	ATLAS (L)	2-6	A-ESP
29-12-74	Acosta Rubén	C-MAD (V)	0-6	TOL

Más goles recibidos de un mismo jugador en un juego (Liga)

Fecha	Portero	Equipo	Anotador	Goles
19-05-46	Muñoz Juan Alberto	MART (L)	Lángara Isidro (ESP)	7
18-06-72	Navarro Raúl	TORR (V)	Salomone Roberto (LEO)	6
26-08-45	Palomino Raymundo	MON (V)	Cuburu Martín (MOC)	6
8-09-46	Aldana Blas	ORO (V)	González Raimundo (VER)	5
3-05-80	Bravo Mateo	TIG (L)	Castro Evanivaldo (ATLAN)	5
31-03-46	De la Mora Victoriano	MON (V)	Lángara Isidro (ESP)	5
25-11-45	Juárez Cristóbal Jaime	SS (V)	Cuburu Martín (MOC)	5
28-04-46	Juárez Cristóbal Jaime	SS (V)	Mellone Atilio (ORO)	5
19-08-45	Landeros Raúl	TAM (L)	Casarín Horacio (ATLAN)	5
4-05-47	Muñoz Juan Alberto	MART (V)	López Adalberto (LEO)	5
20-06-48	Murillo Evaristo*	MOC (V)	Vázquez Delfino (ORO)	5
3-09-44	Torres Ángel	ATLAS (V)	Aballay Roberto (AST)	5
14-03-74	Vázquez Rubén	C-MAD (V)	Brandón Ricardo (A-ESP)	5
3-09-44	Villavicencio Federico	ATLAN (V)	Prieto Max (GUA)	5
23-02-03	ZERMEÑO ADRIÁN	CHI (V)	González Sebastián (ATLAN)	5

* costarricense.

Más goles recibidos de un mismo jugador en un juego (Copa)

Fecha	Portero	Equipo	Anotador	Goles
27-05-45	Calvillo José	ADO (V)	Chávez Arturo (PUE)	5
6-05-51	Martínez José	SS (V)	Altube Felipe (TAM)	5
4-06-44	Sánchez Elpidio	LEO (V)	González Pablo (GUA)	5
23-02-64	Serrato Juan	LA-P (V)	Belmonte Jaime (IRA)	5
12-04-56	Vázquez Elías	ZAM (V)	Carrera Juan Carlos (ATLAS)	5
27-05-45	Castañeda Felipe	MART (V)	López Adalberto (ATLAN)	4
12-06-66	Iniestra Jorge	AME (L)	Pereda Vicente (TOL)	4
9-06-66	Quirarte Javier	ATLAS (L)	Ruiz Salvador (IRA)	4
7-07-96	Ruiz Díaz Rubén*	MON (V)	Fernández Gerardo (TAM)	4
22-04-56	Sánchez José Luis	LEO (L)	Dadderio Héctor (ATLAS)	4
3-06-45	Torres Ángel	ATLAS (L)	Chávez Arturo (PUE)	4

* paraguayo.

MÁS JUEGOS SEGUIDOS (LIGA)

Portero	Equipos	Juegos seguidos
Ledesma Javier	GUA	151
Larios Pablo	PUE	143
Gómez Jaime	GUA	123
López Florentino *	TOL	121
Gómez Jaime	GUA	115
Siboldi Robert Dante **	TIG	114
Navarro Nicolás	NEC	105
Pineda Hugo Jr	TM-UdeG	103
Chávez Rubén	UdeG	101
Heredia Olaf	UNAM	101
López Vega Fernando	ATLAS	100

* español, ** uruguayo.

MÁS JUEGOS SEGUIDOS (COPA)

Portero	Equipos	Juegos seguidos
López Florentino*	TOL	36
Gómez Jaime	GUA	33
Morelos Jorge	NEC	26
González Vicente	PUE	25
Carbajal Antonio	LEO	21
Calderón Ignacio	UdeG	20
Landeros Raúl	TAM	19
Camacho Manuel	AME	18
Elizondo Pedro	VER	18
Franco Armando	ATLAN	16
Torres Ángel	ATLAS	15

* español.

MÁS PENALTIS DETENIDOS (LIGA)

Nombre	Penaltis detenidos
Ferreira Marco Antonio	20
Chávez Adrián	19
SÁNCHEZ OSWALDO	18
Ledesma Javier	17
Ríos Adolfo	17
Martínez Ricardo	16
Navarro Nicolás	14
Pineda Hugo Jr.	14
Larios Pablo	13
CRISTANTE HERNÁN*	12
Heredia Olaf	12
Novoa Carlos	12
Zelada Héctor*	12
Cabuto Erubey	11
DAUTT ÓSCAR	11
MARTÍNEZ ADRIÁN	11
VILAR FEDERICO*	11
Calderón Ignacio	10
BERNAL SERGIO	9
Campos Jorge	9
Reyes Pilar	9
RODRÍGUEZ MARIO	9

* argentino.

MÁS PENALTIS DETENIDOS (COPA)

Nombre	Penaltis detenidos
González Vicente	3
Camacho Manuel	2
Festa Nelson*	2
García Ismael	2
Gómez Jaime	2
Muñoz Juan Antonio	2
Salazar Hugo	2
Sánchez Blas	2
Verderi Néstor*	2
Villavicencio Federico	2

* argentino.

Número de porteros por equipo

Equipo	Porteros	Extranjeros	Equipo	Porteros	Extranjeros
ATLAS	53	9	LAG	12	1
ATLAN	49	9	TM	12	1
AME	47	11	SL	11	1
PUE	46	6	NEZ	9	2
VER	45	8	CHI	9	0
LEO	43	5	TNEZ	8	2
MOR	41	8	ADO	8	1
GUA	41	0	NAL	8	1
MON	40	4	C-MAD	8	0
NEC	38	5	UAT	8	0
TIG	38	5	AST	7	1
CA	38	5	CUA	7	1
TOL	36	10	SS	7	1
UNAM	31	2	ZAM	7	1
IRA	27	3	ANG	7	0
ZAC	26	7	COB	7	0
ORO	25	5	ESP	6	3
UAG	24	0	A-CAM	5	1
SAN	21	4	NL	5	0
PACH	21	3	MOC	4	1
TAM	19	2	OAX	4	1
UdeG	17	0	CUR	4	0
QRO	16	2	LA-P	4	0
POT	14	4	IND	4	0
CEL	14	1	TORR	3	0
MART	13	1	COL	2	0
A-ESP	12	2	DOR	2	0
JAL	12	1			

Más penaltis detenidos en un juego (Liga)

Nombre	EQUIPO	Penaltis detenidos
BERNAL SERGIO	UNAM	2
Calderón Ignacio	UdeG	2
Chávez Adrián	AME	2
Marmolejo Adrián	ATLAN	2
Miranda Miguel	LEO	2
Regalado Javier	MON	2
Zelada Héctor*	AME	2

* argentino

Más expulsiones (Liga)

Nombre	Expulsiones
Comizzo Ángel*	9
Larios Pablo	8
Marín Miguel*	8
De Anda Jesús	7
Puente Rafael	7
Pineda Hugo Jr	6
Ruiz Díaz Rubén**	6
SÁNCHEZ OSWALDO	6
García Alejandro	5
Kuri Salvador	5
La Volpe Ricardo*	5
Ledesma Javier	5
Verderi Néstor*	5
Zelada Héctor*	5

* argentino, ** paraguayo.

Promedio más bajo de goles por juego (mínimo 150 juegos) (Liga)

Nombre	Juegos	Juegos completos	Goles	Goles/Juego
Marín Miguel*	310	296	299	0.96
Calderón Ignacio	273	255	270	0.99
Zelada Héctor*	359	338	362	1.01
Ledesma Javier	492	481	502	1.02
Alatorre Roberto	192	189	202	1.05
Gassire Walter**	235	224	255	1.09
Campos Jorge	312	251	345	1.11
Quintero Javier	178	165	200	1.12
Siboldi Robert Dante**	289	285	325	1.12
Gómez Jaime	443	441	503	1.14
Mota Antonio	275	274	314	1.14
Rodríguez Gilberto	302	280	347	1.15
Valencia Rubí	169	157	197	1.17
López Florentino***	256	254	300	1.17
Ferreira Marco Antonio	491	478	577	1.18
La Volpe Ricardo*	164	152	193	1.18
Marmolejo Adrián	214	207	253	1.18
Kuri Salvador	179	168	212	1.18
Puente Rafael	204	193	242	1.19
Espinoza Jorge	166	137	197	1.19

* argentino, ** uruguayo, *** español.

Promedio más bajo, porteros extranjeros (mínimo 100 juegos) (Liga)

Nombre	Juegos	Juegos completos	Goles	Goles/Juego
Marín Miguel*	310	296	299	0.96
Zelada Héctor*	359	338	362	1.01
Gassire Walter**	235	224	255	1.09
Siboldi Robert Dante**	289	285	325	1.12
López Florentino***	256	254	300	1.17
La Volpe Ricardo*	164	152	193	1.18
CRISTANTE HERNÁN*	419	409	510	1.22
Verderi Néstor*	192	171	235	1.22
CALERO MIGUEL+	360	355	463	1.29
Moriconi Gustavo*	127	123	166	1.31
Comizzo Ángel*	179	170	237	1.32
VILAR FEDERICO*	280	278	379	1.35
Ruiz Díaz Rubén++	182	173	246	1.35
Miguel José*	117	113	161	1.38
Arenaza Eugenio+++	241	240	353	1.46

* argentino, ** uruguayo, *** español, + colombiano, ++ paraguayo, +++ peruano.

Más títulos (Liga)

Porteros	Títulos	Equipos
Gómez Jaime	6	Guadalajara
Marín Miguel*	5	Cruz Azul
CRISTANTE HERNÁN*	5	Toluca
Albarrán Mario	4	Toluca
BERNAL SERGIO	4	UNAM
CALERO MIGUEL**	4	Pachuca
Meza Enrique	4	Cruz Azul
Arenaza Eugenio***	3	León (2), Marte (1)
Calderón Ignacio	3	Guadalajara
Martínez Ricardo	3	Puebla, Monterrey y América
Navarro Nicolás	3	Necaxa (2), Cruz Azul (1)
Zelada Héctor*	3	América

* argentino, ** colombiano, *** peruano.

Más títulos (Copa)

Porteros	Copas México	Equipos
Camacho Manuel	4	América (3), Toluca
Festa Nelson*	2	Zacatepec
Iniestra Jorge	2	América
Meza Enrique	2	Cruz Azul (1), Tigres (1)
Mota Salvador	2	Atlante

* argentino

Más juegos dirigidos por ex porteros

Nombre	Juegos
Carbajal Antonio	702
La Volpe Ricardo*	663
Meza Enrique	530
Moncebáez José	437
Ormeño Walter**	359
Urquiaga Joaquín***	168
Bracamontes Jesús	162
Marín Miguel*	127

* argentino, ** peruano, *** español

Nota. Ricardo La Volpe dirigió además 44 juegos en mancuerna con Rafael Puente. También Walter Ormeño dirigió 22 partidos, 12 con Octavio Vial y 10 con Raúl Cárdenas.

Porteros con más equipos

Portero	Equipos
Aguilar Alberto	10
Fernández Eduardo	8
Martínez Ricardo	8
Pineda Hugo Jr.	8
Arenaza Eugenio*	7
Castrejón Francisco	7
Vázquez del Mercado Carlos Enrique	7
Alatorre Roberto	6
Barrón Fernando	6
Camacho Manuel	6
Cruz Alan	6
Kuri Salvador	6
Morales Celestino	6
Quevedo Raúl	6
Soto Pedro	6
Zúñiga Martín	6
ÁLVAREZ ALEXANDRO	5
Briones Carlos	5
Campos Jorge	5
Chávez Adrián	5
Córdoba Raúl	5
Fuentes Miguel de Jesús	5
Guerrero Pablo	5
Heredia Olaf	5
Marmolejo Adrián	5
MARTÍNEZ CHRISTIAN	5
Martínez Ignacio	5
Martínez José	5
Sánchez Horacio	5
Saucedo Cirilo	5
Vázquez Rubén	5
ZERMEÑO ADRIÁN	5

* peruano.

Líderes por equipos

Equipos	Torneos		Torneos completos		Juegos		Juegos completos		Goles		Penaltis detenidos		Expulsiones	
ADO	José Calvillo	3	Ninguno		Juan Alberto Muñoz	45	Juan Alberto Muñoz	45	Juan Alberto Muñoz	94	Ninguno		Ninguno	
AME	Guillermo Ochoa	13	Adolfo Ríos	2	Adrián Chávez	355	Adrián Chávez	345	Adrián Chávez	405	Adrián Chávez	12	Adrián Chávez	3
													Alejandro García	3
													Héctor Zelada	3
ANG	Eduardo Fernández	4	Ninguno		Eduardo Fernández	54	Eduardo Fernández	51	Eduardo Fernández	78	Horacio Sánchez	5	Eduardo Fernández	1
AST	Melesio Osnaya	5	Ángel León	1	Melesio Osnaya	126	Melesio Osnaya	125	Melesio Osnaya	255	Melesio Osnaya	4	Melesio Osnaya	1
			Melesio Osnaya	1										
ATLAN	Félix Fernández	15	Federico Vilar	11	Federico Vilar	280	Federico Vilar	278	Federico Vilar	379	Federico Vilar	11	Rafael Puente	6
	Federico Vilar	15												
ATLAS	Erubey Cabuto	13	Erubey Cabuto	5	Javier Vargas	235	Javier Vargas	230	Erubey Cabuto	333	Erubey Cabuto	7	Fernando López Vega	3
A-CAM	Pedro Cortés	2	Ninguno		Pedro Cortés	38	Pedro Cortés	32	Pedro Cortés	37	Pedro Cortés	1	Ninguno	
											Óscar Díaz	1		
											Pedro Soto	1		
A-ESP	Julio Aguilar	4	Ninguno		Moisés Camacho	74	Moisés Camacho	70	Gregorio Cortés	99	Román Sánchez	3	Moisés Camacho	1
	Horacio Sánchez	4											Walter Gassire	1
													Román Sánchez	1
CEL	Emmanuel González	7	Félix Fernández	2	Miguel de Jesús Fuentes	53	Miguel de Jesús Fuentes	53	Miguel de Jesús Fuentes	80	Miguel de Jesús Fuentes	1	Adrián Chávez	1
											Emmanuel González	1	Omar Ortiz	1
											Homero Pasallo	1	Homero Pasallo	1
CHI	Omar Ortiz	9	Omar Ortiz	5	Omar Ortiz	144	Omar Ortiz	144	Omar Ortiz	193	Omar Ortiz	7	Ninguno	
C-MAD	? Ávila Rentería	2	Julián Ventura	1	Julián Ventura	39	Julián Ventura	38	Julián Ventura	64	Jorge Romero	2	Ninguno	
	Julián Ventura	2												
COB	Alan Cruz	4	Ninguno		Jorge Luis Núñez	58	Jorge Luis Núñez	55	Jorge Luis Núñez	85	Alan Cruz	2	Alan Cruz	1
	Jorge Luis Núñez	4									Jorge Luis Núñez	2		
COL	Alexandro Álvarez	1	Ninguno		Alexandro Álvarez	11	Alexandro Álvarez	11	Alexandro Álvarez	16	Ninguno		Ninguno	
	Rogelio Rodríguez	1												
CA	Óscar Pérez	27	Óscar Pérez	5	Óscar Pérez	418	Óscar Pérez	405	Óscar Pérez	545	Pablo Larios	5	Miguel Marín	8
CUA	Eugenio Arenaza	3	Jorge Iniestra	1	Eugenio Arenaza	44	Jorge Iniestra	44	Jorge Iniestra	78	Eugenio Arenaza	1	Ninguno	
	Jorge Iniestra	3			Jorge Iniestra	44								
CUR	Jorge Jaramillo	7	José Luis Lugo	1	José Luis Lugo	160	José Luis Lugo	153	José Luis Lugo	230	Jorge Jaramillo	3	José Luis Lugo	1
DOR	Cirilo Saucedo Jr	4	Cirilo Saucedo Jr	3	Cirilo Saucedo Jr	67	Cirilo Saucedo Jr	66	Cirilo Saucedo	106	Cirilo Saucedo Jr	2	Ninguno	
ESP	José Sanjenís	7	Ninguno		José Sanjenís	102	José Sanjenís	100	José Sanjenís	182	Antonio Carbajal	2	Ninguno	

Líderes por equipos (continúa)

Equipos	Torneos		Torneos completos		Juegos		Juegos completos		Goles		Penaltis detenidos		Expulsiones	
GUA	Jaime Gómez	15	Jaime Gómez	10	Javier Ledesma	418	Javier Ledesma	409	Javier Ledesma	405	Javier Ledesma	14	Oswaldo Sánchez	5
	Gilberto Rodríguez	15												
	Oswaldo Sánchez	15												
IND	Humberto Hernández	4	Ninguno		Cirilo Saucedo Jr.	33	Cirilo Saucedo Jr.	33	Cirilo Saucedo Jr.	42	Humberto Hernández	2	Christian Martínez	1
IRA	Félix Madrigal	7	Vicente Alvride	1	Blas Sánchez	124	Blas Sánchez	121	Blas Sánchez	167	Ignacio Martínez	2	Carlos Briones	1
	Blas Sánchez	7	Fernando Barrón	1							Anselmo Romero	2	Félix Madrigal	1
			Raúl Quevedo	1							Blas Sánchez	2	Ignacio Martínez	1
													Carlos Novoa	1
JAL	Antonio Valdivia	6	Ninguno		Javier Vargas	82	Javier Vargas	77	Javier Vargas	130	Jesús Mendoza	2	Ricardo Romera	2
											Ricardo Romera	2		
LAG	Rogelio Ruiz Vaquera	6	Jorge Phoyú	1	Blas Sánchez	73	Blas Sánchez	66	Rogelio Ruiz Vaquera	105	Rogelio Ruiz Vaquera	2	Rubén Chávez	2
											Blas Sánchez	2	Salvador Kuri	2
LA-P	Carlos Briones	2	Carlos Briones	1	Carlos Briones	27	Carlos Briones	27	Carlos Briones	36	Ninguno		Ninguno	
LEO	Antonio Carbajal	16	Antonio Carbajal	4	Antonio Carbajal	354	Antonio Carbajal	352	Antonio Carbajal	419	Víctor Manuel Aguado	7	Ángel Comizzo	5
MART	Manuel Camacho	4	Felipe Castañeda	1	Ángel León	59	Ángel León	59	Ángel León	158	Manuel Camacho	1	Ninguno	
	Ángel León	4	Raúl Quevedo	1							Ángel León	1		
											? López Andonegui	1		
											José Moncebáez	1		
											Juan Alberto Muñoz	1		
MOC	Evaristo Murillo	7	Evaristo Murillo	2	Evaristo Murillo	163	Evaristo Murillo	163	Evaristo Murillo	386	Evaristo Murillo	2	Ninguno	
MON	Tirso Carpizo	10	Jaime Gómez	2	Gregorio Cortés	183	Gregorio Cortés	178	Gregorio Cortés	254	Rubén Ruiz Díaz	7	Rubén Ruiz Díaz	5
	Christian Martínez	10	Ricardo Martínez	2										
	Jonathan Orozco	10												
MOR	Moisés Muñoz	19	Moisés Muñoz	6	Moisés Muñoz	282	Moisés Muñoz	276	Moisés Muñoz	374	Moisés Muñoz	7	José Luis Rodríguez	3
NAL	Roberto Alatorre	2	Ninguno		Gilberto Trinidade	41	Gilberto Trinidade	40	Gilberto Trinidade	56	Marcelino Gómez	1	Gilberto Trinidade	1
	Gilberto Trinidade	2									Martín Navarro	1		
	Elías Vázquez	2												
NEC	Nicolás Navarro	20	Jorge Morelos	4	Nicolás Navarro	507	Nicolás Navarro	502	Nicolás Navarro	641	Nicolás Navarro	13	Nicolás Navarro	2
			Nicolás Navarro	4										
NEZ	Néstor Verderi	6	Alejandro García	1	Néstor Verderi	121	Néstor Verderi	113	Néstor Verderi	152	Alejandro García	4	Néstor Verderi	3
											Néstor Verderi	4		

Líderes por equipos (continúa)

Equipos	Torneos		Torneos completos		Juegos		Juegos completos		Goles		Penaltis detenidos		Expulsiones	
NL	José Ledesma	2	Ninguno		Jesús Mendoza	33	Jesús Mendoza	30	José Ledesma	43	José Ledesma	1	Ninguno	
	Enrique Lozano	2							Jesús Mendoza	43	Jesús Mendoza	1		
OAX	Ricardo La Volpe	2	Ninguno		Ricardo La Volpe	42	Ricardo La Volpe	40	Ricardo La Volpe	69	Ricardo La Volpe	1	Ricardo La Volpe	1
ORO	Blas Aldana	7	Antonio Mota	1	Rubén Vázquez	133	Rubén Vázquez	129	Rubén Vázquez	234	Pablo Guerrero	2	Raúl Córdoba	2
	Rubén Vázquez	7									Jesús Mendoza	2		
PACH	Miguel Calero	20	Miguel Calero	6	Miguel Calero	360	Miguel Calero	355	Miguel Calero	463	Miguel Calero	6	Miguel Calero	3
POT	Carlos Novoa	9	Carlos Novoa	1	Carlos Novoa	240	Carlos Novoa	226	Carlos Novoa	354	Carlos Novoa	8	Jesús de Anda	4
PUE	Moisés Camacho	9	Óscar Dautt	3	Moisés Camacho	201	Pablo Larios	195	Moisés Camacho	262	Óscar Dautt	6	Pablo Larios	3
			Gerardo Rabajda	3										
QRO	Erubey Cabuto	5	Miguel Becerra	1	Erubey Cabuto	52	Erubey Cabuto	50	Erubey Cabuto	88	Erubey Cabuto	4	Juan Ignacio Palou	2
			Erubey Cabuto	1										
SL	Adrián Martínez	10	Adrián Martínez	7	Adrián Martínez	169	Adrián Martínez	168	Adrián Martínez	219	Adrián Martínez	2	Adrián Martínez	1
SAN	Adrián Martínez	12	Adrián Martínez	7	Adrián Martínez	223	Adrián Martínez	220	Adrián Martínez	365	Adrián Martínez	6	Adrián Martínez	2
SS	Cristóbal Jaime Juárez	5	Ninguno		Raúl Córdoba	72	Raúl Córdoba	72	Cristóbal Jaime Juárez	185	Cristóbal Jaime Juárez	1	Ninguno	
TAM	Raúl Landeros	12	Raúl Landeros	3	Raúl Landeros	240	Raúl Landeros	239	Raúl Landeros	450	Héctor López	3	Ricardo Anhiello	1
TM	Hugo Pineda Jr.	8	Ninguno		Hugo Pineda Jr.	200	Hugo Pineda Jr	194	Hugo Pineda Jr.	284	Hugo Pineda Jr.	7	Hugo Pineda Jr.	5
TIG	Mateo Bravo	13	Cirilo Saucedo Jr.	3	Pilar Reyes	198	Pilar Reyes	184	Mateo Bravo	243	Mateo Bravo	5	Pilar Reyes	4
											Pilar Reyes	5	Robert Dante Siboldi	4
TOL	Hernán Cristante	25	Hernán Cristante	7	Hernán Cristante	419	Hernán Cristante	409	Hernán Cristante	510	Hernán Cristante	12	Hernán Cristante	3
TNEZ	Pablo Larios	6	Óscar Dautt	2	Pablo Larios	127	Pablo Larios	122	Pablo Larios	222	Juan Gutiérrez	2	Pablo Larios	3
											Pablo Larios	2		
											Jorge Stiel	2		
TORR	René Vizcaíno	6	Ninguno		René Vizcaíno	99	René Vizcaíno	92	René Vizcaíno	152	Raúl Navarro	2	Salvador Kuri	1
UAG	Carlos Briones	15	José de Jesús Corona	4	Carlos Briones	336	Carlos Briones	329	Carlos Briones	453	Mario Rodríguez	9	José de Jesús Corona	2
UAT	Ricardo Martínez	1	Fernando López Vega	1	Ricardo Martínez	78	Ricardo Martínez	76	Ricardo Martínez	110	Marco Antonio Ferreira	4	Jesús Alfaro	1
			Marco Antonio Ferreira	1							Ricardo Martínez	4	Ricardo Martínez	1
			Ricardo Martínez	1										
UdeG	Rubén Chávez	8	Rubén Chávez	2	Rubén Chávez	172	Rubén Chávez	166	Rubén Chávez	226	Rubén Chávez	7	Rubén Chávez	2
													Javier Ledesma	2

Líderes por equipos (concluye)

Equipos	Torneos		Torneos completos		Juegos		Juegos completos		Goles		Penaltis detenidos		Expulsiones	
UNAM	Sergio Bernal	32	SergioBernal	5	Sergio Bernal	500	Sergio Bernal	453	Sergio Bernal	609	Sergio Bernal	9	Sergio Bernal	4
VER	Jorge Bernal	10	Jorge Bernal	4	Adolfo Ríos	248	Adolfo Ríos	240	Adolfo Ríos	345	Adolfo Ríos	6	Jesús de Anda	3
													Adolfo Ríos	3
ZAC	Isidro Gil	6	Moisés Camacho	1	Moisés Camacho	146	Moisés Camacho	144	Moisés Camacho	190	Pablo Larios	4	Nelson Festa	2
			Isidro Gil	1										
			Evaristo Murillo	1										
			Gilberto Trinidade	1										
ZAM	Fernando Barrón	2	Fernando Barrón	1	Fernando Barrón	47	Fernando Barrón	47	Fernando Barrón	89	Ninguno		Ninguno	

Selección Nacional (Juegos oficiales)

Nombre	Juegos	Juegos completos	Goles
Campos Jorge	70	66	67
SÁNCHEZ OSWALDO	60	60	59
Carbajal Antonio	38	38	49
PÉREZ ÓSCAR	28	28	23
Calderón Ignacio	19	19	13
OCHOA GUILLERMO	17	17	11
Larios Pablo	14	14	7
Ríos Adolfo	14	14	12

Selección Nacional (Juegos amistosos contra selecciones nacionales)

Nombre	Juegos	Juegos completos	Goles
Campos Jorge	57	43	51
Calderón Ignacio	40	36	53
Larios Pablo	39	34	29
SÁNCHEZ OSWALDO	39	32	43
PÉREZ ÓSCAR	26	17	27
Castrejón Francisco	20	17	16
OCHOA GUILLERMO	19	16	22
Ríos Adolfo	19	12	19
Reyes Pilar	18	17	13
Heredia Olaf	18	13	7
Pineda Hugo Jr.	15	12	14
Puente Rafael	12	9	10
Carbajal Antonio	10	10	12
Mota Antonio	10	8	15

Bibliografía básica
(por orden de aparición)

Cid y Mulet, Juan, *Libro de Oro del Futbol Mexicano*. 4 tomos. México, B. Costa Amic, Editor, 1960, 1961, 1961, 1964.

Ramírez, Carlos F., *Foot Ball en México y en el mundo*. México, Editorial Tinta Libre, 1978.

Seyde, Manuel, *La fiesta del alarido y las Copas del Mundo*. México, Edición del autor, 1984.

Mejía Barquera, Fernando, *Futbol mexicano: glorias y tragedias 1929-1992*. México, Editorial Nacional, 1993.

Wolfson, Isaac, *Historia estadística del futbol profesional en México. Primera División 1943-1996*. Puebla, Editorial Nuestra República, 1996.

Bañuelos Rentería, Javier, *Balón a tierra (1896-1932)*. México, Editorial Clío, 1998.

Calderón Cardoso, Carlos, *Crónica del futbol mexicano*. Vol. 2. *Por amor a la camiseta (1933-1950)*. México, Editorial Clío, 1998.

Bañuelos Rentería, Javier, *Crónica del futbol mexicano*. Vol. 3. *El oficio de las canchas (1950-1970)*. México, Editorial Clío, 1998.

Galindo Zárate, Jesús y Hernández, Gustavo Abel, *Historia general del futbol mexicano*. Francisco Javier Camargo Jr., Editor, 2007.

Los porteros del futbol mexicano. 67 años de historia de la Primera División 1943-2010 de Isaac Wolfson se imprimió durante el mes de agosto de 2010 en los talleres de El Errante Editor, ubicados en Privada Emiliano Zapata 5947, San Baltasar Lindavista, Puebla, Pue.

La edición, de un mil ejemplares, fue coordinada por José Luis Olazo García y el autor.

La composición tipográfica estuvo a cargo de Jorge Huixtlaca Quintana.

BLUE ISLAND PUBLIC LIBRARY
D1194368

CAFÉ | BAR